KB166167

# 한국주역대전 6

복괘 · 무망괘 · 대축괘 · 이괘 · 대과괘 · 감괘이 저서는 2012년 대한민국 교육부와 한국학중앙연구원(한국학진흥사업단)의 한국학분야 토대연구지원사업의 지원을 받아 수행된 연구임(AKS-2012-EAZ-2101)

6

# 한국주역대전

한국주역대전 편찬실

복괘 · 무망괘 · 대축괘 · 이괘 · 대과괘 · 감괘

學古房

# 한국주역대전을 펴내며

2012년 9월 첫 작업을 시작한 '『한국주역대전』편찬 · 표점 · 번역 · 주해 · 해제'라는 방대한 사업이 이제 출판의 결실을 보게 되었다. 지난 수 십 년간 유교경학과 한국학의 급속한 성장에도 불구하고 한국역학은 여전히 불모의 상태를 벗어나기 어려웠다. 개별 연구들이 적지 않게 축적되어 왔고, 이에 고무되어 한국역학사를 공동으로라도 엮어보자는 호기로운 시도가 없었던 것은 아니지만, 그것이 아직 시기상조라는 자각과 함께 무산되곤 하였다. 한국역학 원전자료는 한국경학자료 가운데 단연 방대한 양을 자랑한다. 반면 전문연구자는 턱없이 부족하다. 사정이 이러하니 한국역학이 우뚝 서기까지는 아직 갈 길이 멀기만 하다. 이러한 정황 속에서 『한국주역대전』의 출간은 매우 기쁜 일이 아닐 수 없다.

이번에 출간되는 『한국주역대전』은 한국학자의 역학관련 자료 가운데 주요한 것을 가려 뽑아 『주역전의대전』 체제에 맞추어 집해(集解)형식으로 편찬한 것이다. 『주역전의대전』은 중국은 물론 조선시대 역학사상 형성에 무엇보다 영향력이 큰 문헌이라 할 수 있다. 이번 『한국주역대전』은 먼저 『주역전의대전』을 소주까지 모두 번역하여, 주역에 대한 중국학자들의 이해와 한국학자들의 해석을 비교해 볼 수 있도록 하였다. 편찬 체재는 경문－정전－본의－중국대전－한국대전으로 구성하였다. 편찬과 표점, 그리고 번역을 동반한 『한국주역대전』을 통해 한국학자들의 『주역전의대전』에 대한 깊은 이해 및 새로운 해석의 지평을 볼 수 있을 것이다. 또한 한국학자들의 저작을 시대별로 배열하였으므로 그 흐름을 일목요연하게 파악할 수 있을 것이다.

이번 『한국주역대전』을 편찬하면서 연구기간은 짧고 작업은 방대하여 아쉬운 점이 한 둘이 아니었다. 제한된 연구기간으로 인해 연구 범위를 제한할 수밖에 없었으며, 따라서 작자 미상의 자료, 연대 미상의 자료, 『주역전의대전』과 유사하여 별다른 특징을 볼 수 없는 자료는 편찬 범위에 포함시키지 않았다. 또한 다산의 『주역사전』처럼 중요한 자료일지라도 별도로 번역되어 시중에 유통되고 있는 책은 자료에 포함시키지 않았다. 특히 상수학 관련 자료들에 대한 번역은 앞으로 더 정치한 번역이 필요할 것이라고 생각되며, 그에 대한 별도의 연구도 필요할 것이다. 그럼에도 불구하고 이번 『한국주역대전』의 출간은 한국역학연구의 획기적인 토대를 제공하여, 많은 후속연구를 가능하게 하리라는 기대로 그 아쉬움을 상쇄하고자 한다.

이와 같이 방대한 토대사업은 실상 국가적 지원이 아니고서는 실행되기 어렵다. 이 사업의 지원을 결정해 주신 한국학중앙연구원과 한국학진흥사업단에 감사드린다. 그리고 제한된 연구기간의 압박 속에 과도한 업무를 사명감으로 감당해 준 연구진들의 노고에 고마운 마음을 전한다.

오늘날과 같은 출판시장의 현실에서 『한국주역대전』과 같은 방대한 분량의 책을 간행해 줄 출판사를 찾는다는 것은 결코 쉽지 않은 일이다. 모든 어려움에도 불구하고 조금의 망설임도 없이 흔쾌하게 이 책의 출판을 결정해 주신 도서출판 학고방의 하운근 사장님께 깊은 감사를 드린다.

2017년 1월

한국주역대전편찬 연구책임자
성균관대학교 유학대학 교수/한국주자학회 · 율곡학회 회장
최 영 진

# 목차

# 24

# 복괘

## 復卦䷗

# 中國大全

## 傳

復, 序卦, 物不可以終盡, 剝窮上反下, 故受之以復. 物无剝盡之理, 故剝極則復來, 陰極則陽生. 陽剝極於上, 而復生於下, 窮上而反下也, 復所以次剝也. 爲卦一陽生於五陰之下, 陰極而陽復也. 歲十月陰盛旣極, 冬至則一陽復生於地中, 故爲復也. 陽, 君子之道. 陽消極而復反, 君子之道消極而復長也, 故爲反善之義.

복괘(復卦䷗)는 「서괘전」에서 “사물은 끝내 다할 수 없으니, 깎아냄이 위까지 다하면 아래로 되돌아오기 때문에 복괘로 받았다”라고 하였다. 사물에는 깎여나가 다하는 이치가 없기 때문에 박괘(剝卦䷖)가 다하면 복괘가 오고 음이 다하면 양이 온다. 양의 깎여나감이 위에서 다하여 돌아옴이 아래에서 생기고, 위에서 다하여 아래로 되돌아오니, 복괘가 박괘 다음에 있는 까닭이다. 괘에서 하나의 양이 다섯 음의 아래에서 생기니, 음이 다하여 양이 되돌아온 것이다. 시월에 음의 성대함이 이미 지극한데 동지가 되면 하나의 양이 땅 속에서 회복되어 나오기 때문에 ‘되돌아옴[復]’이라고 한 것이다. 양은 군자의 도이다. 양의 소멸이 끝나 다시 돌아오고, 군자의 도가 소멸이 끝나 다시 자라기 때문에 선으로 되돌아오는 의미가 된다.

## 小註

朱子曰, 十月坤卦皆純陰. 自交過十月節氣, 固是純陰, 然潛陽在地下, 已旋生起來了. 且以一月分作三十分, 細以時分之, 是三百六十分. 陽生時, 逐旋生, 生到十一月冬至, 方生得就一畫陽. 這一畫是卦中六分之一, 在地下, 二畫又較在上面則箇, 至三陽, 則全在地上矣. 四陽五陽六陽, 則又層層在上面去, 不解到冬至時便頓然生得一畫. 又曰, 陽无驟生之理, 如冬至前半月中氣是小雪, 陽已生三十分之一分, 到得冬至前幾日, 須已生到二十七八分. 无驟生方始成一畫, 不是昨日全无今日一旦便復了. 大抵剝盡處便生, 如列子所謂運轉无已, 天地密移, 疇覺之哉. 凡一氣不頓進, 一形不頓虧, 亦是不覺其進, 不覺其虧. 蓋陰陽浸消浸長, 人之一身, 自小至老, 莫不皆然.

주자가 말하였다: 시월의 곤괘(坤卦)는 모두 순수한 음이다. 시월의 절기와 교체하면서부터 진실로 순수한 음이지만, 잠겨있는 양이 땅속에 있어 이미 돌면서 나오고 있다. 또 한 달을 삼십분으로 하고 시각으로 세분하여 나누면 삼백육십분이다. 양이 나올 때는 마침내 돌아서 나오니, 나오는 것이 십일월 동지에 막 나와서 한 획의 양이 된다. 이 첫째의 획은 괘에서 육분의 일로 땅 아래에 있고, 둘째 획이 또 비교적 위로 있게 되며, 양이 셋이 되면 완전히

땅위에 있게 된다. 넷째의 양과 다섯째의 양과 여섯째의 양이 또 층층이 그 위로 쌓여가니, 동지에 이르러 갑자기 하나의 획이 나왔다고 해석하지 않는다.
또 말하였다: 양이 갑자기 나오는 이치는 없으니, 이를테면 동지 앞 달에의 '기준 절기[中氣]'는 소설(小雪)인데, 양이 이미 삼십분의 일이 나오고, 동지 며칠 전에는 이미 삼십분의 이십칠팔분이 나온다. 갑자기 나와 처음 하나의 획을 이루지 않으니, 어제 전혀 없던 것이 오늘 아침에 돌아온 것이 아니다. 대체로 깎여나가 다하면 바로 생겨나니, 이를테면 『열자』에서 이른바 "운전이 끝이 없어 천지가 촘촘히 옮겨가는 것을 누가 깨닫겠는가?"[1]라는 것이다. 하나의 기운은 갑자기 나아가지 않고 하나의 형체는 갑자기 사라지지 않으니, 또한 나아가고 사라지는 것을 깨닫지 못한다. 음과 양이 점차로 사라지고 자라나니, 사람의 몸이 어려서부터 늙기까지 모두 그렇지 않은 것이 없다.

○ 天運流行, 本無一息間斷, 豈解一月无陽. 且如木之黃落時, 萌芽已生了. 不特如此, 木之冬青者, 必先萌芽, 後舊葉方落. 若論變時, 天地無時不變. 如楞嚴經第二卷首段所載, 非唯一歲有變, 月亦有之, 非唯月有變, 日亦有之, 非唯日有變, 時亦有之, 但人不知耳, 此說亦是.
하늘의 운행은 본래 조금도 끊임이 없는데, 어찌 한 달은 양이 없다고 해석하겠는가? 마치 나무에 낙엽이 질 때면 싹이 이미 나와 있는 것과 같다. 이런 것들뿐만 아니라 겨울에 푸른 나무도 반드시 먼저 싹이 나고 뒤에 원래 잎이 떨어진다. 변하는 때를 논한다면 천지는 어느 때고 변하지 않음이 없다. 이를테면 『능엄경』 이권의 첫 단락에 실려 있는 것과 같으니, "해에만 변화가 있는 것이 아니라 달에도 있고, 달에만 변화가 있는 것이 아니라 일에도 있으며, 일에만 변화가 있는 것이 아니라 시에도 있는데, 사람들이 모를 뿐이다"라는 이 설명도 옳다.

○ 天地中間, 此氣升降上下, 當分爲六層. 十一月冬至, 自下面第一層生起, 直到第六層上至天爲四月. 陽氣纔生足便消, 下面陰氣便生, 只是這一氣升降循環, 不已往來乎六層之中也. 大抵發生都只是一箇陽氣, 只是有消長, 上面陽消一分, 下面便陰長一分. 又不是別討箇陰來, 只是陽消處便是陰. 故陽來謂之復, 復是本來物事, 陰來謂之姤, 姤是偶然相遇.
천지의 중간에서 이 기운이 위아래로 오르내리는 것을 여섯 층으로 나누었다. 십일월 동지는 아래의 일층에서부터 나오는 것이고, 곧바로 육층에 이르러 위로 하늘에 닿으면 사월이다. 양기가 나와 풍족해져서 바로 사라지자마자 아래에서 음기가 바로 나오니, 단지 이 기운

1) 『列子 · 天瑞』: 曰, 運轉亡已, 天地密移, 疇覺之哉.

이 오르내리며 순환하여 끝없이 여섯 층으로 왕래하는 것일 뿐이다. 발생하는 것은 모두 하나의 양기이지만, 단지 사라지고 자라남이 있을 뿐이니, 위에서 양기가 조금 사라지면 아래에서 바로 음기가 조금 나온다. 또 음기가 별도로 나오는 것이 아니라 양이 사라진 것이 바로 음일뿐이다. 그러므로 양이 오는 것을 "돌아온다"고 하였으니 돌아옴은 본래의 것이 돌아옴이고, 음이 오는 것을 "만난다"고 하였으니 만남은 우연히 서로 만난 것이다.

○ 臨川吳氏曰, 復, 還反也. 冬至之前, 六陽消盡, 而爲純坤, 冬至之後, 一陽還反, 而生於下也.
임천오씨가 말하였다: 복은 되돌아오는 것이다. 동지 이전에 여섯 양이 모두 사라져서 순수한 곤괘(坤卦)가 되고, 동지 이후에 하나의 양이 되돌아와 아래에서 나온다.

○ 隆山李氏曰, 承剝之後, 而一陽來復, 乃生生之本也. 天地之運, 一息不留, 剝終復始, 不容少緩, 若稍遲不及, 則生理息也.
융산이씨가 말하였다: 박괘의 뒤를 이어 하나의 양이 와서 회복되니, 바로 낳고 낳는 근본이다. 천지의 운행은 잠시도 머무르지 않아 깎아냄이 끝나면 되돌아옴이 시작되어 조금의 느슨함도 용납하지 않는다. 조금이라도 지체하여 미치지 못하면 낳는 이치가 정지한다.

## 韓國大全

### 유정원(柳正源) 『역해참고(易解參攷)』[2]

小註, 朱子說列子所謂〈見天瑞篇〉楞嚴經. 〈唐中宗神龍元年, 天竺沙門般剌蜜諦[3]持竺本, 泛海到廣州制旨寺譯經, 房融學士授朱子. 謂楞嚴經本只是呪語, 後來房融添入道理說話.〉
소주에서 주자가 말한 『열자』에서 이른 것〈「천서편」을 보라.〉과 능엄경. 〈당나라 중종 신룡 원년에 천축 사문 반자와 밀제가 축본(竺本)을 가지고 바다를 건너 광주 제지사(制旨寺)에 이르러 경(經)을 번역하였는데, 학사 방융[4]이 주자에게 주었다. 능엄경이 본래 축어(呪

---

2) 경학자료집성DB에서는 복괘(復卦)의 '단사'에 해당하는 것으로 분류했으나, 내용에 따라 이 자리로 옮겼다.
3) 諦: 경학자료집성DB와 영인본에는 모두 '譯'으로 되어 있으나, 문맥을 살펴 '諦'로 바로잡았다.

語)로 쓰였는데, 뒤에 방융이 도리와 말을 더한 것을 말한다.〉

### 김규오(金奎五) 「독역기의(讀易記疑)」5)

小註, 上面陽消, 下面陰長.
소주에서 말하였다: 위에서 양기가 사라지면 아래에서 음기가 자라난다.

按, 陽消處便是陰, 則此分上下面者, 只以其時陽在上而陰在下耳, 非謂消長各占地步, 如莊子陽生於地, 陰生於天也.
내가 살펴보았다: 양이 사라지는 곳이 곧 음이니, 여기서 위아래를 나눈 것은 단지 그 때가 양은 위에 있고 음은 아래에 있기 때문이다. 사라지고 자라남은, 장자가 "양은 땅에서 생겨나고 음은 하늘에서 생겨난다"고 한 것과 같이, 각각 어떤 자리를 차지하고 나아감을 말하는 것이 아니다.

### 이진상(李震相) 『역학관규(易學管窺)』6)

卦體.
괘의 몸체에 대하여.

剝之反也. 剝於上而復於下, 陽氣浸長之象, 十一月之卦也. 坎離之有剝復, 猶乾坤之有師比, 否泰之有謙豫, 此則老母在上, 而長子用事也.
박괘(剝卦䷖)가 거꾸로 된 것이다. 위에서 깎이어 아래에서 회복하니, 양기(陽氣)가 점점 자라나는 상이며 십일월의 괘이다. 감괘(坎卦䷜)와 리괘(離卦䷝)에 박괘와 복괘가 있는 것이 건괘(乾卦䷀)와 곤괘(坤卦䷁)에 사괘(師卦䷆)와 비괘(比卦䷇)가 있고, 비괘(否卦䷋)와 태괘(泰卦䷊)에 겸괘(謙卦䷎)와 예괘(豫卦䷏)가 있는 것과 같으니, 이는 늙은 어미가 위에 있고 맏아들이 일을 처리하는 것이다.

---

4) 방융(房融): 당나라 때의 낙양(洛陽) 사람. 박식다문(博識多聞)하여 진사(進士)에 올랐다. 또 불경을 잘 알고 범어(梵語)에도 능통했다. 전하는 말에 따르면 광주(廣州)에 이르렀을 때 천축사문(天竺沙門) 반자(般剌)와 밀제(密諦)가 『대불정수능엄경(大佛頂首楞嚴經)』을 번역하고 있는 것을 보고 그가 필수(筆受)를 했다고 한다. 경룡(景龍) 원년(707) 번역을 마치자 무후에게 올렸다.

5) 경학자료집성DB에서는 복괘(復卦)의 '단사'에 해당하는 것으로 분류했으나, 내용에 따라 이 자리로 옮겼다.

6) 경학자료집성DB에서는 복괘(復卦)의 '단사'에 해당하는 것으로 분류했으나, 내용에 따라 이 자리로 옮겼다.

## 復, 亨, 出入无疾, 朋來无咎.

정전 복(復)은 형통하여 나가고 들어옴에 병이 없지만 벗이 와야 허물이 없을 것이다.
본의 복(復)은 형통하니, 나가고 들어옴에 병이 없고 벗이 옴에 허물이 없다.

## 中國大全

### 傳

復亨, 旣復, 則亨也. 陽氣復生於下, 漸亨盛而生育萬物, 君子之道旣復, 則漸以亨通澤於天下, 故復則有亨盛之理也. 出入无疾, 出入謂生長, 復生於內, 入也, 長進於外, 出也. 先云出, 語順耳. 陽生非自外也, 來於內, 故謂之入. 物之始生, 其氣至微, 故多屯艱, 陽之始生, 其氣至微, 故多摧折, 春陽之發, 爲陰寒所折, 觀草木於朝暮, 則可見矣. 出入无疾, 謂微陽生長, 无害之者也. 旣无害之, 而其類漸進而來, 則將亨盛, 故无咎也. 所謂咎, 在氣, 則爲差忒, 在君子, 則爲抑塞, 不得盡其理. 陽之當復, 雖使有疾之, 固不能止其復也, 但爲阻礙耳. 而卦之才有无疾之義, 乃復道之善也. 一陽始生至微, 固未能勝群陰而發生萬物. 必待諸陽之來, 然後能成生物之功而无差忒, 以朋來而无咎也. 三陽子丑寅之氣, 生成萬物, 衆陽之功也. 若君子之道, 旣消而復, 豈能便勝於小人. 必待其朋類漸盛, 則能協力以勝之也.

"복은 형통하다"는 것은 이미 되돌아왔다면 형통하다는 것이다. 양기가 되돌아와 아래에서 나와 점점 형통하고 성대하여 만물을 생육하고, 군자의 도가 이미 회복되었으면 점점 형통하여 천하에 혜택을 주기 때문에 되돌아오면 형통하고 성대한 이치가 있다. "나가고 들어옴에 병이 없다"에서 '나가고 들어옴'은 나와서 자라는 것을 말하니, 다시 안에서 나오는 것이 '들어옴'이고, 성장하여 밖으로 나가는 것이 '나감'이다. 먼저 '나감'이라고 한 것은 말의 순서일 뿐이다. 양이 나오는 것이 밖이 아니라 안에서 오므로 '들어옴'이라고 했다. 사물이 처음 나옴에 그 기운이 너무 약하기 때문에 어려움이 많고, 양이 처음 나옴에 그 기운이 너무 약하기 때문에 꺾임이 많다. 봄의 양기가 나옴에 음기의 차가움에 꺾이는 것은 아침저녁으로 초목을 보면 알 수 있다. "나가고 들어옴에 병이 없다"는 것은 미약한 양기가 자라는 데 해치는 것이 없다는 말이다. 이미 해치는 것이 없고 그 무리들이 점점 나와서 다가오면 형통하고 성대할 것이므로 허물이 없는 것이다. 이른바 허물이라는 것은 기(氣)에서는 어그러짐이고, 군자에게서는 꺾이고 막혀서 그 이치를 다하지 못하는 것이다. 양이 되돌아올 때 병들게 할 수는 있지만 진실로 그것이 돌아오는 것을 멈추게 할 수 없으니, 방해가 될 뿐이다. 그런데 괘의 재질은 병이 없다는 의미이니, 바로 도를 회복하는 데에 좋다. 하나의 양이 처음 나옴에 아주 미약하여 진실로 여러 음을 이겨 만물을 발생시킬 수 없다. 반드시 여러 양이 오기를 기다린 다음에 사물을 낳는 공을 이루어 어그러짐이 없을 것이니, 벗이 와서 허물이 없게 되기 때문이다. 자(子)·축(丑)·인(寅)이라는 세 양의 기운이 만물을 낳아 이루는 것이 여러 양의 공이다. 군자의 도가 이미 소멸되었다가 회복되었으니, 어찌 바로 소인을 이길 수 있겠는가? 반드시 그 벗들이 점점 성대하기를 기다려야 하니, 협력해서 이길 수 있는 것이다.

### 小註

或問, 復一陽動於下, 而云朋來无咎何也. 朱子曰, 方一陽生, 未有朋類, 畢竟是陽長將次竝進, 以其爲君子之道, 故亨通而无咎也.

어떤 이가 물었다: 복괘(復卦䷗)에서 하나의 양이 아래에서 움직이는데, "벗이 와서 허물이 없다"고 한 것은 무엇 때문입니까?

주자가 답하였다: 막 하나의 양이 나와 아직 벗의 무리가 없지만, 끝내는 양이 자라나 순서대로 함께 나아가서 그것이 군자의 도가 되기 때문에 형통하고 허물이 없는 것입니다.

## 韓國大全

### 최규서(崔奎瑞)『병후만록(病後漫錄)·역(易)』

復, 生於北而長於南, 姤, 生於南而長於北. 然則邵子所云北而南則治, 南而北則亂之意, 可見矣.

복괘는 북쪽에서 생겨 남쪽에서 자라고, 구괘(姤卦䷫)는 남쪽에서 생겨 북쪽에서 자라난다. 그렇다면 소자가 "북쪽으로부터 남쪽으로는 다스려지고, 남쪽으로부터 북쪽으로는 어지러워진다"[7]는 뜻을 알 수 있을 것이다.

7)『皇極經世書·觀物外篇下』.

## 이현익(李顯益) 「주역설(周易說)」

問, 生理初未嘗息, 到坤時, 藏伏在此, 至復, 乃見其動之端否. 朱子曰, 不是如此. 又曰, 到利貞時, 萬物悉已收斂, 那時只有箇天地之心, 丹青著見. 故云利貞者, 性情也, 正與復其見天地之心, 相似. 又曰, 復時萬物皆未生, 只有一箇天地之心, 昭然著見.

물었다: 낳는 이치는 애초부터 쉬는 때가 있지 않으니, 곤괘(坤卦)의 때에 이르면 여기에 숨어 있다가 복괘에 이르면 이에 그 움직임의 단초를 볼 수 있는 것이 아닌가요?

주자가 답하였다: 그와 같은 것은 아닙니다.

또 말하였다: '이로움[利]'과 '곧음[貞]'의 때에 이르면 만물이 다 이미 수렴되니, 이때에는 다만 천지의 마음만 있어 본래의 모습[丹靑]이 드러납니다. 그러므로 "'이로움[利]'과 '곧음[貞]'이란 성·정이다"라고 하였으니, 바로 "복에서 천지의 마음을 볼 수 있을 것이다"고 함과 같습니다.

또 말하였다: 복의 때에는 만물이 모두 아직 생겨나지 않고, 다만 천지의 마음만이 밝게 드러납니다.

此說似以靜爲見天地之心, 恐非定論也.

이러한 설명은 '고요함[靜]'을 가지고 "천지의 마음을 볼 수 있을 것이다"를 풀이한 것 같으니, 아마도 정론(定論)은 아닌 듯하다.

語類曰, 一陽不是忽地生出, 纔立冬, 便萌芽, 下面有些氣象.

又曰, 剝上九一畫, 分爲三十分, 一日剝一分, 至九月方盡, 至十月初, 便生一分, 至三十分而成一畫.

『주자어류』에서 말하였다: 하나의 양은 홀연히 생겨난 것이 아니니, 입동이 되자마자 싹틈은 아래에 이러한 기상이 있기 때문이다.

또 말하였다: 박괘(剝卦䷖) 상구의 한 획을 나누어 삼십분으로 하면, 하루에 일분씩 깎이어 구월에 이르러 바야흐로 다하고, 십월 초에 이르면 다시 일분이 생겨나며 삼십분에 이르러 한 획을 이룬다.

此則謂剝上九之陽, 盡於九月末, 復初九之陽, 始於十月初也.

이는 박괘 상구의 양이 구월 말에 다하고, 복괘 초구의 양이 십월 초에 시작함을 말한다.

又曰, 復之一陽, 分作三十分, 從小雪後, 便一日生一分, 到十一月半, 一陽始生.

또 말하였다: 복괘의 한 양을 나뉘어 삼십분으로 만들면, 소설부터 뒤로는 곧 하루에 일분씩 생겨나 십일월 반에 이르면 하나의 양이 비로소 생겨난다.

此則謂剝上九之陽, 盡於十月中, 復初九之陽, 始於十月中也. 二義不同, 當叅看.

이는 박괘 상구의 양이 십월 중순에 다하고, 복괘 초구의 양이 십월 중순에 시작함을 말한 것이다. 두 뜻이 같지 않으니 참고하여 보아야 할 것이다.

語類曰, 靜而復, 乃未發之體, 動而通, 則已發之用.
『주자어류』에서 말하였다: '고요하여 회복함'은 바로 미발(未發)의 몸체이고, '움직여 통함'은 곧 이발(已發)의 작용이다.
此以復屬未發之體. 蓋先生嘗以復爲靜中知覺, 故爲說如此, 然非定論也.
이것은 '회복함'을 미발의 몸체에 귀속한 것이다. 대체로 선생이 일찍이 '회복함'을 고요한 가운데의 지각(知覺)으로 여겼기 때문에 설명이 이와 같지만, 정론(定論)은 아니다.

朱子曰, 一陽初動處, 萬物未生時, 此是欲動未動之間. 康節常要說陰陽之間動靜之間, 便與周程不同.
주자가 말하였다: 소강절의 "한 양이 처음 움직이는 곳은 만물이 아직 생겨나지 않은 때이다"는 움직이고자 하지만 아직 움직이지 않는 사이이다. 강절은 항상 음양의 사이와 동정의 사이에서 설명하고자 했으니, 곧 주렴계나 정자와는 같지 않다.
恐康節此詩, 則直是說動之初, 未見其爲作, 動靜之間也. 〈如何以萬物未生時, 對言則是成動靜之間耶.〉
아마도 강절의 이 시(詩)는 바로 움직이는 처음에 행위 동작이 나타나지 않은 때가 동정의 사이라고 설명한 것이다. 〈어떻게 만물이 아직 생겨나지 않은 때를 바로 동정의 사이가 된다고 상대하여 말할 수 있겠는가?〉

語類, 論一陽初動處, 萬物未生時, 曰, 才見孺子入井, 未發出惻隱之心時節. 又曰, 此是怵惕惻隱, 方動而未發於外之時. 又曰, 方怵惕惻隱, 而未成怵惕惻隱之時.
『주자어류』에서 "한 양이 처음 움직이는 곳은 만물이 아직 생겨나지 않은 때이다"를 논하여 말하였다: 막 어린아이가 우물로 들어가는 것을 보는 것은 측은하게 여기는 마음이 아직 펼쳐지지 않은 때이다.
또 말하였다: 이는 두려워하고 불쌍히 여기는 마음이 막 움직였으나 아직 밖으로 발현되지 않은 때이다.
또 말하였다: 막 두려워하려 하고 불쌍히 여기려 하면서, 아직 두려워함과 불쌍히 여김을 이루지는 못한 때이다.
此似一時說, 而記有少異. 〈見孺子入井, 纔見卽惻隱, 中間無隙可言, 上一段, 恐或有記誤, 當以下二段爲正.〉
이는 한 때의 설명 같은데, 기록에 조금 차이가 있다. 〈어린아이가 우물에 들어가는 것을 볼 때, 보기만 하면 곧바로 불쌍히 여기어 사이에 말할 수 있는 틈이 없으니, 위의 한 단락은 아마도 혹 기록에 잘못이 있는 듯하니, 마땅히 아래의 두 단락으로 올바름을 삼아야 한다.〉
臨川吳氏, 以冬之藏夜之息喜怒哀樂之未發爲復, 此亦以靜爲復也, 非是.
임천오씨는 겨울의 감춤과 밤의 불어남, 희로애락이 발동하지 않는 것으로 복(復)을 삼았는데, 이 또한 '고요함[靜]'으로 복괘를 삼은 것이니, 옳지 않다.

### 서유신(徐有臣) 『역의의언(易義擬言)』

豫變爲復, 而坤出震入, 内外通開. 無豫之九四, 故曰出入无疾也. 陽道方長, 動以順行, 雖有二三兩陰同來, 亦无所害, 故曰朋來无咎也. 豫貞疾而復无疾, 豫朋盍簪而復朋无咎也.
예괘(豫卦䷏)의 위아래 괘가 변하여 복괘(復卦䷗)가 되니, 곤괘(☷)가 나가고 진괘(☳)가 들어와 안과 밖이 통하여 열린다. 예괘의 구사가 없으므로 "나가고 들어옴에 병이 없다"고 했다. 양의 도가 막 자라나 움직여 순서대로 가니, 비록 이효와 삼효의 두 음이 같이 옴이 있더라도 해로운 바가 없으므로 "벗이 옴에 허물이 없다"고 하였다. 예괘에서는 '바르지만 병을 앓으며'라고 했지만 복괘에서는 '병이 없으며'라고 했고, 예괘에서는 '벗들이 모여들지만'이라고 했지만 복괘에서는 "벗이 허물이 없다"고 했다.

### 이지연(李止淵) 『주역차의(周易箚疑)』

道若大路. 然而又善人爲朋.
'도'는 대로와 같다. 그렇다면 또 착한 사람이 벗이 된다.

### 김기례(金箕澧) 「역요선의강목(易要選義綱目)」

復.
복은.
〈十一月卦.
십일월의 괘이다.
○ 剝極於上, 陽復於下.
깎아냄이 위에서 다하면 양이 아래에서 회복한다.
○ 剝盡, 則爲純坤十月, 而陽无可盡, 坤之上半月, 有剝未盡之陽, 下半月, 有復方生之陽, 烏得无陽.

깎아냄이 다하면 순전한 음인 시월이 되는데 양은 다할 수가 없으니, 곤괘의 앞쪽 반달에 다 깎아내지 못한 양이 있고 뒤쪽 반달에 회복하여 막 생겨나는 양이 있으니, 어찌 양이 없을 수 있겠는가?
○ 木將脫而萌已生, 果見食而仁猶存.
나뭇잎이 떨어지려 할 때 싹이 이미 생겨나고, 과일이 먹히나 씨앗은 오히려 있다.
○ 聖人於坤卦不言十月者, 不忍言其无陽.
성인이 곤괘(坤卦)에서 시월을 말하지 않은 것은 차마 그 '양이 없음'을 말하지 못했기 때문이다.
○ 剝復之間, 不言十月者, 剝下坤復上坤, 自有十月象於其間.
박괘(剝卦䷖)와 복괘(復卦䷗)의 사이에 시월을 말하지 않은 것은, 박괘 아래가 곤괘이고 복괘의 위가 곤괘여서 자연 시월의 상이 그 사이에 있기 때문이다.〉

亨.
형통하여.
〈陽復於下, 故有亨通之意.
양이 아래에서 회복하므로 형통하다는 뜻이 있다.〉

出入无疾, 朋來无咎.
나가고 들어옴에 병이 없고 벗이 옴에 허물이 없다.
〈自五月一陽消, 至十一月, 則七變而其間六陰漸剝, 豈云无疾, 喜其復生而贊也.
오월의 한 양이 사라짐으로부터 십일월에 이르기 까지 일곱 번 변하는데 그 사이에 여섯 음이 점차 깎아내니, 어찌 "허물이 없다"고 하겠는가마는 그 다시 생겨남을 기뻐하여 찬미하였다.
○ 自姤初爻消, 至剝上, 而又下爲復, 故曰出入.
구괘의 초효가 사라짐으로부터 박괘의 맨 위에 이르고, 또 아래에서 회복하므로 '나가고 들어옴'이라고 하였다.
○ 自復至泰, 三陽漸來而无咎.
복괘로부터 태괘(泰卦䷊)에 이르기까지는 세 양이 점차 와서 허물이 없다.〉

### 허전(許傳)「역고(易考)」

无疾, 謂无急遽疾速也. 繫辭所謂出入以度, 是也. 出者, 陰退而出也, 入者, 陽進而入也. 進退以漸, 天之道也. 一陽生於子, 而丑爲二陽, 寅爲三陽, 至巳月而爲六陽, 則出入無疾之道也.

'무질(无疾)'이란 갑작스럽고 빠름이 없음을 말한다. 「계사전」에서 "나가고 들어감에 법도로 써 한다"고 한 것이 이것이다. "나간다"는 것은 음이 물러나 나오는 것이고, "들어온다"는 것은 양이 나아가 들어오는 것이다. 나아가고 물러남을 점진적으로 하는 것이 하늘의 도이다. 한 양이 자월(子月)에서 생겨나 축월(丑月)에 두 음이 되고 인월(寅月)에 세 양이 되고 사월(巳月)에 이르러서 여섯 양이 되니 나가고 들어옴에 병이 없는 도이다.

### 박문호(朴文鎬) 「경설(經說)·주역(周易)」

復則有亨盛之理, 理字, 恐不如勢字之爲尤襯也. 物之始生以下, 蓋言其屯艱摧折, 但爲阻碍, 非能爲疾之意也. 使有疾之, 此之字, 宜味之. 蓋草木於朝暮, 固爲陰寒所害, 而在陽則未嘗爲疾也.

『정전』의 "되돌아오면 형통하고 성대한 이치가 있다"에서 '이치[理]'라는 말보다는 아마도 '형세[勢]'라는 말이 보다 친밀한 듯하다. '사물이 처음 나옴에' 이하는 대체로 그 어렵고 꺾임이 다만 방해가 될 뿐 병의 뜻이 될 수는 없음을 말한다. "병들게 할 수 있다[使有疾之]"고 한 것에서 이 '지(之)'자는 마땅히 음미해 보아야 한다. 대체로 초목은 아침저녁에 참으로 음인 추위에 해를 입지만 양에 있어서는 일찍이 병이 되지 않는다.

## 反復其道, 七日來復, 利有攸往.

정전 그 도를 반복하여 칠 일만에 와서 회복하니 가는 것이 이롭다.
본의 그 도를 반복하여 칠 일만에 와서 회복하고 가는 것이 이롭다.

## 中國大全

### 傳

**謂消長之道, 反復迭至, 陽之消, 至七日而來復. 姤, 陽之始消也, 七變而成復, 故云七日, 謂七更也. 臨云八月有凶, 謂陽長至於陰長, 歷八月也. 陽進則陰退, 君子道長則小人道消, 故利有攸往也.**

사라지고 자라는 도가 반복해서 번갈아 다가오니 양이 사라졌다가 칠 일만에 와서 회복된다는 말이다. 구괘(姤卦䷫)는 양이 처음 사라짐에 일곱 번 변해 복괘가 되기 때문에 '칠일'이라고 하였으니, 일곱 번 변한다는 말이다. 림괘(臨卦䷒)에서 "팔월에 흉하다"[8]고 한 것은 양의 성장에서 음의 성장까지 팔 개월이 걸린다는 말이다. 양이 나아가면 음이 물러나고, 군자의 도가 자라면 소인의 도가 사라지기 때문에 가는 것이 이롭다.

### 小註

程子曰, 近取諸身, 百理皆具, 屈伸往來之義, 只於鼻息之間見之. 屈伸往來只是理, 不必將旣屈之氣, 復爲方伸之氣. 生生之理, 自然不息. 如復言七日來復, 其間元不斷續. 陽已復生, 物極必返. 其理須如此, 有生便有死, 有始便有終. 又曰, 凡物之散, 其氣遂盡, 无復歸本原之理, 天地間如紅爐, 雖生物, 消鑠亦盡. 況旣散之氣, 豈有復在, 天地造化, 又焉用此旣散之氣. 其造化者, 自是生氣. 至如海水潮, 日出水涸, 是潮退也, 其涸者, 已无也, 月出則潮水生也, 非卻是將已涸之水爲潮. 此是氣之終始, 開闔便是易, 一闔一闢謂之變.

---

8)『周易 · 臨卦』: 至于八月, 有凶.

정자가 말하였다: 가까이 몸에서 취해 백 가지 이치가 모두 갖추어지니, 굽히고 피며 가고 오는 의미를 단지 코로 숨 쉬는 사이에서 볼 뿐이다. 굽히고 피며 가고 오는 것은 단지 이치이니, 굳이 이미 굽힌 기운을 다시 막 피는 기운으로 여길 필요가 없다. 낳고 낳는 이치는 저절로 쉬지 않으니, 복괘에서 "칠 일만에 와서 회복한다"라고 한 것처럼 그 사이는 원래 끊임없이 이어진다. 양이 이미 되돌아와 나왔으니, 사물은 끝에 가면 반드시 되돌아온다. 그 이치는 이와 같아서 나오면 다시 죽고, 시작하면 다시 끝난다.
또 말하였다: 사물이 흩어짐은 그 기운이 마침내 다함인데, 본원으로 복귀하는 이치가 없다면 천지의 사이는 달아오른 화로와 같아서 사물을 낳을지라도 녹여 없애 또한 다할 것이다. 하물며 이미 흩어진 기운이 어찌 다시 존재함이 있겠으며, 천지의 조화에 또 어찌 이미 흩어진 기운을 사용하겠는가? 그 조화는 본래 생기(生氣)이다. 바닷물의 흐름으로 말하면, 해가 떠서 물이 마름은 조수가 물러남인데, 마른 것은 이미 없어지니 달이 떠서 조수가 발생한 것이 이미 말라버린 물이 밀려온 것은 아니다. 이것이 기운의 끝과 처음이니, 열리고 닫힘이 바로 변역(變易)이고, 한 번 열리고 한 번 닫힘을 변화(變化)라고 한다.

本義

**復, 陽復生於下也. 剝盡則爲純坤十月之卦, 而陽氣已生於下矣, 積之踰月, 然後一陽之體, 始成而來復. 故十有一月, 其卦爲復. 以其陽旣往而復反, 故有亨道. 又內震外坤, 有陽動於下, 而以順上行之象. 故其占, 又爲己之出入, 旣得无疾, 朋類之來, 亦得无咎. 又自五月姤卦一陰始生, 至此七爻, 而一陽來復, 乃天運之自然. 故其占, 又爲反復其道, 至於七日, 當得來復. 又以剛德方長, 故其占, 又爲利有攸往也. 反復其道, 往而復來, 來而復往之意. 七日者, 所占來復之期也.**

복은 양이 되돌아와 아래에서 나오는 것이다. 깎임이 다하면 순수한 곤괘(坤卦䷁)인 시월의 괘가 되어 양기가 이미 아래에서 생기니, 이것이 쌓여 한 달이 지난 뒤에야 하나의 양의 몸체가 비로소 이루어져 되돌아온다. 그러므로 십일월은 괘로 복괘(復卦䷗)이다. 양이 이미 갔다가 되돌아오기 때문에 형통하는 도가 있다. 또 내괘는 진[辰☳]이고 외괘는 곤[坤☷]이어서 양이 아래서부터 움직여 순서대로 위로 올라가는 상이다. 그러므로 그 점이 또 자신의 나가고 들어옴에 이미 병이 없고 벗들이 오더라도 허물이 없게 된다. 또 오월의 구괘(姤卦䷫)가 하나의 음을 처음 낳는 것에서 여기까지가 일곱 효여서 하나의 양이 되돌아오는 것은 하늘의 운행이 저절로 그런 것이다. 그러므로 그 점이 또 도를 반복하는 것이니 칠일이 되면 당연히 되돌아올 수 있다. 또 굳센 덕이 막 자라기 때문에 그 점이 또 가는 것이 이롭다. "도를 반복한다"는 것은 갔다가 되돌아오고 왔다가 되돌아간다는 뜻이다. 칠일은 점쳐서 되돌아오는 기한이다.

小註

朱子曰, 七日來復者, 終不是已往之陽, 重新將來復生. 舊底已自過了, 這裏自然生出來. 又曰. 復, 反也, 言陽氣既往而來復也. 夫大德敦化, 而川流不窮, 豈假乎既消之氣, 以爲方息之資也哉. 亦見其絶於彼, 而生於此, 而因以著其往來之象爾. 唯人亦然, 大和保合, 善端无窮. 所謂復者, 非曰追夫已放之心而還之, 錄夫已棄之善而屬之也. 亦曰不肆焉以騁於外, 則本心全體, 卽此而存, 固然之善, 自有所不能已耳.
주자가 말하였다: "칠 일만에 회복한다"는 끝내 이미 갔던 양이 거듭 새로워져 돌아서 나온다는 것이 아니다. 옛것은 벌써 지나가 버렸고 이 속에서 저절로 나온다는 것이다.
또 말하였다: '복(復)'은 되돌림이니, 양기가 이미 갔다가 되돌아옴을 말한다. 큰 덕이 만물을 화생하고 강이 끝없이 흘러가는 것이 어찌 이미 사라진 기를 가지고 막 자라는 것의 바탕으로 삼겠는가? 또한 그것이 저기에서 끊어지고 여기에 나오는 것을 보고는, 그것으로 가고 오는 상을 드러냈을 뿐이다. 사람도 그럴 뿐이어서 큰 조화를 보전하여 합치함은 선의 단서가 무궁한 것이다. 이른바 '복(復)'은 이미 놓아버린 마음을 찾아 되돌려서 이미 버려진 선에 기록해서 붙이는 것이 아니다. 또한 "함부로 밖으로 달려가지 않으면 본래의 마음 전체가 여기에 있어서 본래 그러한 선에 저절로 그칠 수 없는 것이 있다"고 말한 것일 뿐이다.

○ 隆山李氏曰, 陽反而復, 生生之氣, 自此萌動, 故曰, 復亨, 又曰, 於臨曰八月有凶, 於復則曰七日來復. 陽消而數月者, 幸其消之遲, 陽長而數日者, 幸其長之速也.
융산이씨가 말하였다: 양이 되돌아오는 것은 낳고 낳는 기운이 여기에서 싹트며 움직이는 것이기 때문에 "복은 형통하다"고 하였다.
또 말하였다: 림괘(臨卦䷒)에서는 "팔월에 흉하다"[9]고 하였으며, 복괘에서는 "칠일만에 와서 회복한다"고 하였다. 양이 사라지는데 몇 개월 걸린다는 것은 그 사라짐이 더디기를 바라는 것이고, 양이 자라는데 며칠 걸린다는 것은 그 자람이 신속하기를 바란 것이다.

○ 節齋蔡氏曰, 陽自建午之月, 漸消漸剝, 至建子之月, 而爲復, 在卦經七爻, 於時經七月. 故曰七日來復. 不言月而言日者, 猶詩所謂一之日二之日也.
절재채씨가 말하였다: 양이 오월부터 점차 사라져서 십일월에 회복되니, 괘로는 일곱 효를 지나고 시간으로는 칠 개월을 경과한다. 그러므로 "칠 일만에 와서 회복한다"고 하였다. '달[月]'로 말하지 않고 '일(日)'로 말한 것은 『시경』에서 "양이 하나인 '때[日]'와 양이 둘인 때"[10]라고 하는 것과 같다.

---

9) 『周易 · 臨卦』: 至于八月, 有凶.
10) 『詩經 · 七月』: 一之日觱發, 二之日栗烈.

○ 鄭氏剛中曰, 七者, 陽數, 日者, 陽物, 故於陽長言七日. 八者, 陰數, 月者, 陰物, 臨剛長以陰爲戒, 故曰八月.
정강중이 말하였다: '칠(七)'은 양의 수이고, '일(日)'은 양의 사물이기 때문에 양이 자라는 것에서 칠일을 말하였다. 팔은 음의 수이고 '월(月)'은 음의 사물이며, 림괘(臨卦䷒)에서는 굳센 양이 음으로써 자라남을 경계시켰기 때문에 '팔월'이라고 하였다.

○ 雲峰胡氏曰, 本義於剝之碩果曰, 剝未盡而復生, 至此則曰, 剝盡爲純坤十月之卦, 而陽氣已生於下. 蓋陽无頓生之理, 故先天卦序, 剝而坤, 坤而後復. 陽无可盡之理, 故後天卦序, 則以復次剝. 其曰, 剝未盡而能復者, 指果中之仁而言也, 可見其所以爲元者, 未嘗息. 其曰, 坤十月陽氣已生於下, 積之踰月, 然後一陽之體, 始成而來復, 可見其所以至於亨者, 未嘗驟前乎此. 自姤而剝, 陰在內爲主, 陽常行逆境, 今自剝而復, 陽在內爲主, 陽方行順境. 故其占爲亨, 已之出入而得无疾者, 一陽順而亨也, 朋類之來, 亦得无咎者, 衆陽順而亨也. 是皆陽順而動之象也. 反復其道, 統言陰陽往來, 其理如此. 七日來復, 專言一陽方來, 其數如此. 利有攸往, 則其占, 又言一陽之長, 可往而爲臨爲泰, 以至於乾也.
운봉호씨가 말하였다: 『본의』는 박괘(剝卦䷖)의 큰 열매에 대해 "깎임이 다하지 않고 다시 나올 수 있다"고 하였고, 여기서는 "깎임이 다하면 순수한 곤괘(坤卦䷁)인 시월의 괘가 되어 양기가 이미 아래에서 나온다"고 하였다. 양은 갑자기 나오는 이치가 없기 때문에 선천괘의 순서로는 박괘 이후에 곤괘(坤卦䷁)이고 곤괘 이후에 복괘(復卦䷗)이다. 양은 다하는 이치가 없기 때문에 후천괘의 순서는 복괘(復卦䷗)가 박괘(剝卦䷖)의 다음이다. 『본의』에서 "깎임이 다하지 않고 회복될 수 있다"고 한 것은 열매 속의 씨를 가리켜서 말한 것이니, 원(元)이 되는 까닭이 그친 적이 없음을 알 수 있다. 『본의』에서 "곤괘(坤卦䷁)인 시월에 양기가 이미 아래에서 생기니, 이것이 쌓여 한 달이 지난 뒤에야 하나의 양의 몸체가 비로소 이루어져 되돌아온다"고 한 것에서 형통함에 이르는 까닭이 이것보다 갑자기 앞선 적이 없음을 알 수 있다. 구괘(姤卦䷫)로부터 박괘(剝卦䷖)까지는 음이 안에서 주인이 되었으니, 양이 항상 어려운 처지로 나아가고, 지금 박괘(剝卦䷖)로부터 복괘(復卦䷗)까지는 양이 안에서 주인이 되었으니, 양이 순조로운 처지로 나아간다. 그러므로 그 점이 형통하니, 자신이 나가고 들어옴에 병이 없는 것은 하나의 양이 순서대로 형통한 것이고, 벗의 무리가 옴에도 허물이 없는 것은 여러 양이 순서대로 형통한 것이다. 이것은 모두 양이 순서대로 움직이는 상이다. "그 도를 반복한다"는 것은 음과 양이 오고 감에 그 이치가 이와 같음을 총괄적으로 말한 것이다. "칠 일만에 와서 되돌린다"는 것은 하나의 양이 막 옴에 그 수가 이와 같음을 오로지 말한 것이다. "가는 것이 이롭다"는 것은 그 점이니, 또한 하나의 양이 자라 나아가면 림괘(臨卦䷒)·태괘(泰卦䷊)가 되고 건괘(乾卦䷀)까지 이를 수 있다고 말한 것이다.

# ‖ 韓國大全 ‖

### 조호익(曺好益)『역상설(易象說)』

反復其道, 七日來復,
그 도를 반복하여 칠 일만에 와서 회복하니,

七日之義, 臨八月, 胡氏說詳之.
칠일의 뜻은 림괘 팔월에 대한 호씨의 설명에 자세하다.

○ 傳, 消長之道, 道猶路也. 震爲大塗, 故取象.
『정전』의 '사라지고 자라나는 도[消長之道]'에서 '도(道)'는 길[路]과 같다. 진괘(☳)는 큰 길이 되므로 상을 취하였다.

### 송시열(宋時烈)『역설(易說)』

與剝相綜, 陽之將長, 終有亨通之理, 故曰亨. 出入者, 陽爻出於外卦, 而入[11]於內卦也. 无疾者, 有次序而無急速也. 朋來者, 陽爻以其朋類而必將來萃也, 故无咎. 反復其道, 循遷不窮也. 七日來復, 周遊六位也. 利有攸往, 陽爻尙往也. 凡言日者, 以陽爻言也.[12]
박괘와 서로 음양이 바뀌었으니, 양이 장차 자라나 끝내 형통한 이치가 있으므로 "형통하다"고 하였다. '나가고 들어옴'은 양효가 외괘 밖으로 나가고 내괘로 들어오는 것이다. '병이 없음'은 차례가 있어 바르게 함이 없는 것이다. '벗이 옴'은 양효가 그 벗의 무리로 반드시 와서 모이기 때문에 허물이 없다. "그 도를 반복한다"는 순환하여 다하지 않는 것이다. "칠일만에 와서 회복한다"는 여섯 자리를 두루 거치는 것이다. "감이 이롭다"는 양효는 가는 것을 숭상하기 때문이다. '일[日]'이라고 말한 것은 양효로 말한 것이다.

### 이익(李瀷)『역경질서(易經疾書)』

下卦爲內, 上卦爲外, 剝之反則復, 故剝陽在外, 復陽在內, 外則言出, 內則言入也. 剝

11) 入: 경학자료집성DB와 영인본에는 '八'로 되어 있으나, 문맥을 살펴 '入'으로 바로잡았다.
12) 위의 문장 전체는 경학자료집성DB에 누락되어 있으나, 경학자료집성 원문을 대조하여 보충하였다.

則疑於傷敗. 然俄出俄入, 動而順行, 終無疾害也. 復, 剛長也. 長不可但已, 其勢必至於朋來, 此要終而言, 亦扶陽之義也. 姤則曰勿用取女不可與長也, 七日詳在臨.
하괘는 안이 되고 상괘는 밖이 되는데, 박괘(剝卦䷖)가 뒤집어지면 복괘(䷗)가 되므로 박괘의 양은 밖에 있고 복괘의 양은 안에 있으니, 밖은 "나간다"고 말하고 안은 "들어온다"고 말한다. 박괘는 다치고 패함을 의심한다, 그러나 갑자기 나오고 갑자기 들어가 움직여 순하게 행하니, 끝내 질병과 해함이 없다. 복(復)은 굳센 양이 자라남이다. 자라나 단지 그칠 수 없고 그 형세가 반드시 벗이 오는데 이르니, 이는 결론적으로 말하면 또한 양을 북돋우는 뜻이다. 구괘에서는 "여자를 취하지 말라. 더불어 오래 갈 수 없다"고 하였고, 칠일에 대한 상세한 설명은 림괘에 있다.

### 유정원(柳正源) 『역해참고(易解參攷)』

復亨 [至] 攸往.
복은 형통하니 … 가는 것이 이롭다.

左成十六年, 晉侯〈厲公〉伐鄭, 楚子救鄭, 遇於鄢陵. 公筮之, 史曰吉, 其卦復, 曰南國蹙, 〈復, 陽長之卦, 陽氣起自南行推陰, 故曰南國蹙.〉 射其元, 〈陽氣激南, 飛矢之象.〉 王, 中厥目, 〈南國勢蹙, 則離受其咎, 離爲諸侯, 又爲目, 故曰王中厥目.〉 國蹙王傷, 不敗何待. 〈雙湖胡氏曰, 就兩體占, 貞我悔彼, 初九元吉, 上六迷復, 凶, 有災眚, 用行師, 終有大敗, 以其國君凶. 坤西南, 卽南國也. 震木克坤土, 射之義也. 有災眚, 眚爲目疾, 中目象.〉
『춘추좌전』 성공 십육년 진(晉)나라 제후〈여공(厲公)이다.〉가 정(鄭)나라를 토벌하였는데 초자(楚子)가 정나라를 구원하니, 언릉(鄢陵)에서 초자를 만났다. 공이 점을 치게 하였는데, 사관이 "길합니다. 그 괘가 복괘(復卦)여서 남방의 나라가 위축되고 〈복괘는 양이 자라는 괘이니, 양기는 남쪽으로부터 일어나 가서 음을 밀어내므로 "남방의 나라가 위축된다"고 하였다.〉 그 임금에게 활을 쏘아 〈양기가 남쪽으로 흘러드는 것은 날아가는 화살과 같은 상이다.〉 임금이 그 눈에 맞으니, 〈남방의 나라가 형세가 위축되면 리괘(離卦)가 그 허물을 받으니, 리괘는 제후가 되고, 또 눈이 되므로 "임금이 그 눈에 맞는다"고 하였다.〉 나라가 위축되고 임금이 부상당한다면 패하지 않고 무엇을 기다리겠습니까?"라고 하였다. 〈쌍호호씨가 말하였다: 두 몸체에 나아가 점치면 정괘(내괘)는 나이고 회괘(외괘)는 저 사람이며, 초구는 '크게 길함'이고, 상육은 "돌아옴이 혼미하니 재앙이 있어 군사를 동원하는데 쓰면 마침내 크게 패하고 그 임금에게까지 흉하다"는 것이다. 곤괘는 서남방이니, 곧 남방의 나라이다. 진괘(☳)인 목(木)이 곤괘인 토(土)를 이기므로 활을 쏘는 뜻이다. "재앙이 있다"는

재앙은 눈의 병이 되니, 화살이 눈에 맞는 상이다.〉

○ 節齋蔡氏曰, 出謂由剝上出而爲坤, 入謂由坤下入而爲復.
절재채씨가 말하였다: '나감[出]'은 박괘 맨 위로부터 나가 곤괘(坤卦)가 됨을 말하고, '들어옴[入]'은 곤괘 맨 아래로부터 들어와 복괘(復卦)가 됨을 말한다.

○ 雙湖胡氏曰, 復卦彖辭, 文王於一陽之復, 何其愛之深, 而勞問喜慶之至也. 若曰一陽初復, 有亨道矣, 昔也出而今也入, 得无疾病乎. 朋類將來, 爲臨爲泰, 庶幾无過咎乎. 自反而復, 還在道, 七日始遂來復, 而今而後其庶乎利有攸往矣. 往則爲師爲謙爲豫爲比, 无所不利矣, 此皆勞問喜慶之辭也. 回視一陰生, 爲姤女壯勿用取女之戒, 其間惡棄擲之意爲如何. 吁, 此陰陽也, 其類則君子小人之分也. 然則爲小人者, 亦何樂於取人惡, 而不樂於使人好也.
쌍호호씨가 말하였다: 복괘의 단사에서 문왕은 한 양이 회복함을 얼마나 심하게 사랑하고 지극하게 위문하여 기뻐하였던가! 만약 "한 양이 초효에서 회복한다"고 하면 형통한 도가 있는데, 지난번엔 나갔다가 이번엔 들어오니 질병이 없을 수 있겠는가? 벗의 무리가 오려고 함에 림괘가 되고 태괘가 되니 거의 허물이 없을 것이다. 스스로 돌이켜 회복하여 도에 돌아옴이 칠일에야 비로소 와서 회복함을 이루어 지금 이후로는 가는 것이 이로움에 가깝다. 가면 사괘(師卦䷆)가 되고 겸괘(謙卦䷎)가 되고 예괘(豫卦䷏)가 되고 비괘(比卦䷇)가 되어 이롭지 않은 바가 없으니, 이것은 모두 위문하여 기뻐하는 말이다. 한 음이 생겨나는 것을 돌이켜 보면 구괘(姤卦䷫)의 "여자가 씩씩하니 이런 여자는 쓰지 말라"는 경계가 되니, 그 사이에 미워하여 던져버리는 뜻이 어떠하단 말인가! 아! 이것이 음양이다. 그 무리는 군자와 소인의 분별이다. 그렇다면 소인이 되는 자가 또한 어찌 남의 나쁜 점을 취하기를 즐거워하고 남의 좋은 점을 쓰기를 즐거워하지 않겠는가?

傳, 小註, 程子說, 海水 [至] 水生.
『정전』의 소주에서 정자가 말하였다: 바닷물이 … 물이 나오니.
〈余氏靖曰, 潮之漲退, 海非增減. 蓋月之所臨, 水往從之, 月臨卯酉, 則潮漲東西, 月臨子午, 則潮平南北.
서정이 말하였다: 조수가 불어나고 물러남(줄어듦)에 바다가 불어나거나 줄어드는 것은 아니다. 대개 달이 임하는 바에 물이 가서 따르는 것이니, 달이 묘유(卯酉)에 임하면 조수가 동서로 불어나고, 달이 자오(子午)에 임하면 조수가 남북으로 균평해진다.

○ 案, 程子之意, 蓋謂潮生係於月之陰精, 其涸也係於日之陽精也, 非謂太陽必爲潮退之期也. 朱子謂水流東極盡而散, 如沃焦釜, 亦是此條, 如紅爐之意也.
내가 살펴보았다: 정자의 뜻은 대체로 조수의 생겨남은 달의 음정(陰精)에 관계하고 그 말라버림은 해의 양정(陽精)에 관계함을 말하니, 태양이 반드시 조수가 물러나는 기간이 됨을 말하는 것은 아니다. 주자가 물이 동쪽 끝으로 흘러 다하여 흩어지는 것이 달아오른 솥 같다고 하였는데, 또한 이 조목도 달아오른 화로의 뜻과 같다.〉

## 김상악(金相岳) 『산천역설(山天易說)』

剛反爲復, 復則亨矣. 陽動於下, 以順上行, 故己之出入, 旣得无疾, 朋類之來, 亦可无咎也. 道猶言路也. 反復其道, 至七日而來復, 乃天運之自然, 而陽長則陰消, 故又利有攸往也.
굳센 양이 돌아와 회복하니, 회복하면 형통하다. 양이 아래에서 움직여 순서대로 위로 가므로 자신이 나가고 들어옴에 이미 병이 없음을 얻고 벗의 무리가 옴에도 허물이 없을 수 있다. '도'는 길이라고 말하는 것과 같다. '그 도를 반복하여 칠 일에 이르러 와서 회복함'은 바로 천운(天運)의 자연함이어서 양이 자라면 음이 사라지므로 또 가는 것이 이롭다.

○ 出者, 剛長而進於外也. 入者, 剛反而生於內也. 程傳, 先云出, 語順也, 一陽初復, 動而順行, 故曰无疾. 朋, 陽朋也. 震一陽將進, 而爲臨爲泰, 故曰朋來无咎. 震, 大塗, 道之象. 反復者, 往而復反之意也, 故下又言來往, 自姤至復, 更七爻, 又周天度數, 朞三百六十有六日, 而六日盡, 則又始於七日也. 利往者, 震之動也.
"나간다"는 것은 굳센 양이 자라서 밖으로 나아감이다. "들어온다"는 것은 굳센 양이 돌아와 안에서 생겨남이다. 『정전』에서 "'나간다'는 말을 먼저 한 것은 말의 순서일 뿐이다"라고 하였으니, 한 양이 처음 회복하고 움직여서 순서대로 행하므로 "병이 없다"고 하였다. '벗'은 양의 벗이다. 진괘(☳)의 한 양이 나아가서 림괘(臨卦䷒)가 되고 태괘(泰卦䷊)가 되므로 "벗이 옴에 허물이 없다"고 하였다. 진괘는 큰 길이니 길의 상이다. '반복(反復)'이란 갔다가 다시 회복하여 돌아온다는 뜻이므로 아래에서 또 가고 옴을 말하였으니, 구괘로부터 복괘에 이르기까지 일곱 번 효가 바뀌고, 또 주천(周天)의 도수(度數)가 일주하는데 삼백육십육일이어서 육일이 다하면 또 칠일 만에 시작한다. "감이 이롭다"는 것은 진괘의 움직임이다.

## 김규오(金奎五) 「독역기의(讀易記疑)」

卦辭反復字與出入相照, 利字與无疾无咎相照, 或者, 反復以下, 爲申釋上文耶. 雖謂之申釋, 而本義之分作四占, 亦不相妨矣.

괘사의 '반복함[反復]'은 '나가고 들어옴[出入]'과 서로 대조되고, '이로움[利]'은 '병이 없음[无疾]'이나 '허물이 없음[无咎]'과 대조된다. 어떤 이는 '반복' 이하는 윗글을 거듭 해석한 것 같다고 하는데, 비록 거듭 해석한 것이라고 하더라도 『본의』에서 네 가지 점으로 나눈 것과 또한 서로 방해가 되지 않는다.

○ 潮, 日出水涸, 月出水生, 所謂日出月出云者, 只如朝落夕至之意耶. 若以潮應月候而言, 則潮何嘗日出必落耶. 又潮之生涸, 只是一水之進退, 有出海歸海之異耳. 若謂退時乾涸無餘, 而進時旋旋生出云, 則恐未必然者, 此文或可活看否. 氣化之往消來息, 無物不然, 而以其水之所以一出一入之氣, 譬之鼻息, 可矣, 若竝與其出入之水而譬之, 則未知果如何.
조수는 해가 뜨면 물이 마르고 달이 뜨면 물이 나오는데, 이른바 해가 뜨고 달이 뜬다고 한 것이 단지 조수가 아침에 밀려나갔다가 저녁이 이른다는 뜻과 같은 것이겠는가? 만약 조수를 달의 주기에 호응하여 말한다면, 조수가 어찌 일찍이 해가 뜨면 반드시 밀려나가는 것이겠는가? 또 조수가 나오고 마르는 것은, 다만 물이 나아가고 물러남에 바다에서 나오고 바다로 돌아가는 차이가 있을 뿐이다. 만약 물러날 때에는 말라버려 남는 것이 없고 나아갈 때에는 천천히 생겨 나온다고 말한다면 아마도 반드시 그러한 것은 아닐 것이니, 이 글은 혹 활간(活看)해야 하지 않을까 한다. 기화(氣化)가 가서 사라지고 와서 불어나는 것이 그렇지 않은 물건이 없으니, 물이 그렇게 한번 나가고 한번 들어오는 기운을 코로 숨 쉬는 것에 비유하는 것은 괜찮겠지만, 만약 그 나가고 들어오는 물과 함께 비유하면 과연 어떠한지 알지 못하겠다.

### 윤행임(尹行恁) 『신호수필(薪湖隨筆)·역(易)』

復言七日者, 以一爻爲一月, 以月爲日. 陽復宜速不宜徐, 故變月謂日, 亦扶陽之義.
복괘에서 '칠일'이라고 말한 것은 한 효를 한 달로 삼고, 달을 날로 삼은 것이다. 양의 회복은 마땅히 빠르게 하고 천천히 해서는 안 되므로 달을 변화시켜 날이라고 말한 것이 또한 양을 북돋우는 뜻이다.

### 서유신(徐有臣) 『역의의언(易義擬言)』

反復, 猶云反程復路也. 其道, 往來之路也. 七陽數, 日陽象. 復而臨而泰而大壯而夬而乾, 而更爲復, 七日來復也. 陽旣復而浸長, 爲臨爲泰, 故利有攸往也. 反復其道七日來復者, 從其路而回還也. 利有攸往者, 又從其路而進往也. 此可見夫陽之往來, 無端倪無終始也.
'반복'은 노정(路程)을 돌이켜 길을 되돌아감과 같다. '그 도'는 왕래하는 길이다. '칠(七)'은 양의 수이고 '일(日)'은 양의 상이다. 복괘(復卦䷗)가 림괘(臨卦䷒)가 되고 태괘(泰卦䷊)가 되고 대장괘(大壯卦䷡)가 되고 쾌괘(夬卦䷪)가 되고 건괘(乾卦䷀)가 되었다가 다시 복괘가 되니, 칠 일만에 와서 회복함이다. 양이 이미 회복하여 점점 자라나 림괘가 되고 태괘가 되므로 가는 것이 이롭다. "그 도를 반복하여 칠 일만에 와서 회복한다"는 그 길을 따라서 돌아오는 것이다. "가는 것이 이롭다"는 또 그 길을 따라서 나아가는 것이다. 여기에서 저 양의 가고 옴이 단서가 없고 시작과 끝이 없음을 볼 수 있다.

## 박문건(朴文健)『주역연의(周易衍義)』

出入, 猶言進退也. 朋, 存上五陰也. 道, 陽剛之道也. 陽有升進之勢, 故亨. 巽於彼而无害, 故出入而无疾, 順於己无疑, 故朋來而无咎. 又剛不敵柔, 故有先離後復之象, 必七日而來復者, 始微者終盛, 始弱者終彊也. 先喪而後得, 復陽之時也.
'나가고 들어옴'은 나아가고 물러난다고 말함과 같다. '벗'은 위의 다섯 음에 있다. '도(道)'는 굳센 양의 도이다. 양에 오르고 나아가는 형세가 있으므로 형통하다. 상대에게 공손하여 해가 없으므로 나가고 들어오지만 병이 없으며, 나에게 따라 의심이 없으므로 벗이 와서 허물이 없다. 또 굳센 양이 부드러운 음에 대적하지 못하므로 먼저는 떠나지만 뒤에 회복하는 상이 있는데, 반드시 칠 일만에 와서 회복한다는 것은 처음에 미약한 것이 끝엔 왕성하고, 처음에 약한 것이 끝엔 강성한 것이다. 먼저는 잃지만 뒤에 얻는 것이 양을 회복하는 때이다.
〈問, 反復其道七日來復. 曰, 初進其上, 則成六數. 又反其下, 則合成七數也. 蓋陽喪其道, 故有反復之象, 必七日而來復者, 進退稍久而以得其道之期也. 問, 利有攸往. 曰, 陽有升進之勢也.
물었다: "그 도를 반복하여 칠 일만에 와서 회복한다"는 무슨 뜻입니까?
답하였다: 초효가 그 위로 나아가면 육의 수[六數]를 이룹니다. 또 그 아래로 돌아오면 합하여 칠의 수[七數]를 이룹니다. 대체로 양이 그 도를 상실하므로 반복하는 상이 있으니, 반드시 칠 일만에 와서 회복함은 나아가고 물러남이 조금씩 오래하여 그 도의 주기(週期)를 얻기 때문입니다.
물었다: "가는 것이 이롭다"는 무슨 뜻입니까?
답하였다: 양에 오르고 나아가는 형세가 있다는 것입니다.〉

### 김기례(金箕澧) 「역요선의강목(易要選義綱目)」

復是姤之對. 姤者邂逅相遇, 復則丁寧反復有不息, 生生之道.
복괘는 구괘(姤卦☰)가 음양이 바뀐 것이다. 구괘는 해후(邂逅)하여 서로 만나는 것인데, 복괘는 꼭 반복하여 쉬지 않음이 있으니, 낳고 낳는 도이다.

○ 七日, 猶言七朔日, 詩所云一之日二之日也, 自五月至復月, 歷七朔日. 自姤初至剝上, 歷六爻還爲復初, 凡七爻.
'칠 일'은 일곱 초하루를 말하는 것과 같으니, 『시경』에서 '한 양의 날', '두 양의 날'이라고 한 것이 오월부터 복월(復月: 11월)에 이르기까지 일곱 초하루를 지난다. 구괘(☰) 초효로부터 박괘(☷) 상효까지 여섯 효를 지나 되돌아와 복괘의 초효가 되니, 일곱 효이다.

○ 二變至臨, 三變至泰, 漸至陽盛, 故曰利有往.
이효가 변하여 림괘(臨卦☷)에 이르고 삼효가 변하여 태괘(泰卦☷)에 이르니, 점차 양이 왕성함에 이르므로 "가는 것이 이롭다"고 하였다.

### 박종영(朴宗永) 「경지몽해(經旨蒙解)·주역(周易)」

程傳曰, 消長之道, 反復迭至, 陽之消, 至七日而來復. 姤, 陽之始消也, 七變而成復, 故云七日, 謂七更也. 陽進則陰退, 君子道長則小人道消, 故利有攸往也.
『정전』에서 말하였다: 사라지고 자라는 도가 반복해서 번갈아 다가오니 양이 사라졌다가 칠 일만에 와서 회복된다는 말이다. 구괘(姤卦☰)는 양이 처음 사라짐이고, 일곱 번 변해 복괘가 되기 때문에 '칠일'이라고 하였으니, 일곱 번 변한다는 말이다. 양이 나아가면 음이 물러나고, 군자의 도가 자라면 소인의 도가 사라지기 때문에 가는 것이 이롭다.

### 심대윤(沈大允) 『주역상의점법(周易象義占法)』

陽氣始動, 自有亨義. 震爲出, 對巽爲入. 出入者, 變通也. 夫氣不能直行, 必呼吸伸縮, 而乃進也. 寒暑之來, 不能直盛, 必加減進退, 而乃極也. 道不能直行, 必委蛇變通, 而乃行也. 變通者, 權也, 匪正, 道不立, 非權, 道滯而不行. 疾者, 氣滯以生者也. 出入无疾, 言權而无滯也. 論語曰小德出入, 中庸曰小德川流, 小德者, 權也. 陽陷陰中則爲疾憂, 陽動於下則爲元氣, 實而无疾也. 坤再變爲坎, 復之義, 一變而不至於過, 故曰无疾. 朋來, 言陽長也. 乾之變离後爲震, 离震爲來. 反復其道, 言出入變通而得中也. 震爲道, 七日, 自初爻陰始生, 數至六爲坤, 至七爲復, 以言陽復, 故曰日. 復, 陽氣之反也, 非旣盡而復生也. 去其邪欲之惡, 而反乎心性之善也, 非心性无善而始生也, 故不言元. 始動而微, 未及成終, 故不言利貞也. 復之道, 陽氣微弱, 不可直行, 故權而爲正也.
양의 기운이 처음 움직이니 저절로 형통한 뜻이 있다. 진괘(☳)는 나감이 되고 음양이 반대인 손괘(☴)는 들어옴이 된다. 나가고 들어옴은 변통함이다. 기(氣)는 줄곧 갈 수만은 없어서 반드시 내쉬고 들이쉬며 늘고 줄면서 이에 나아간다. 추위와 더위가 옴은 줄곧 왕성할 수만은 없어서 반드시 더하고 덜며 나아가고 물러나면서 이에 다한다. 도는 줄곧 행할 수만은 없어서 반드시 굽고 변통하면서 이에 행해진다. 변통이란 권도이니, 바르지 않으면 도가 서지 못하고 권도가 아니면 도가 막혀서 행해지지 않는다. 병[疾]이란 기운이 막혀 생겨난 것이다. 나가고 들어옴에 병이 없음은 권도로서 막힘이 없음을 말한다. 『논어』에서 "작은 덕이 출입한다"고 하고 『중용』에서 "작은 덕은 개울처럼 흐른다"고 하였는데, 작은 덕은 권도이다. 양이 음 속에 빠지면 병과 우환이 되는데, 양이 아래에서 움직이면 원기(元氣)가 되어 실(實)하여 병이 없다. 곤괘가 거듭 변하여 감괘(☵)가 되니, 복괘의 뜻은 한번 변해서 허물에 이르지는 않으므로 "병이 없다"고 하였다. '벗이 옴'은 양이 자라남을 말한다. 건괘(☰)가 리괘(☲)로 변한 뒤에 진괘(☳)가 되는데, 리괘와 진괘는 옴이 된다. '그 도를 반복함'은 나가고 들어옴이 변통하여 알맞음을 얻었음을 말한다. 진괘는 도(道)가 되고, '칠일'은 초효인 음이 처음 생김으로부터 세어 여섯에 이르러 곤괘(坤卦䷁)가 되고 일곱에 이르러 회복함이 되니, 양의 회복을 말했기 때문에 '일(日)'이라고 말하였다. '복(復)'은 양기가 돌아옴이니, 이미 다하였다가 다시 생겨남이 아니다. 그 사욕(邪慾)의 악을 제거하여 심성의 선함에 돌아오는 것이니, 심성에 선함이 없다가 비로소 생겨나는 것이 아니므로 원(元)이라고 말하지 않았다. 처음 움직였으나 미약하고 아직 이루어 마치는데 이르지 못하였으므로 "곧음이 이롭다"고 말하지 않았다. 복괘의 도는 양기가 미약하여 줄곧 행할 수만은 없으므로 권도로 하여 바르게 되는 것이다.

### 오치기(吳致箕) 「주역경전증해(周易經傳增解)」

復者, 來反也. 五陰纔剝於上, 一陽旋生于下, 爲復之象也. 一陽來復, 有漸長之勢, 故言亨. 陽窮爲剝, 而剝在外, 故曰出. 陽還爲復, 而復在內, 故曰入, 而陽无可盡之理, 剝纔盡而復已生. 无一息之間斷, 无一毫之虧欠, 故曰出入无所疾害也. 五陰雖與同類成朋而來, 然當陽長之時, 故曰朋來无所咎病也. 剝盡而復生, 卽天道之常, 而自姤歷遯否觀剝坤至于復, 凡七更, 故曰七日來復也. 剛漸長, 故曰利有攸往.
'복(復)'은 돌아옴이다. 다섯 음이 위에서 깎아내자 한 양이 돌아와 아래에서 생겨나니, 복(復)의 상이 된다. 한 양이 와서 회복함에 점차 자라나는 형세가 있으므로 "형통하다"고 하였다. 양이 다하여 깎이게 되는데 깎여 밖에 있으므로 "나간다"고 하였다. 양이 돌아와 회복하게 되면 회복하여 안에 있으므로 "들어온다"고 하였는데, 양은 다하는 이치가 없기에 깎임이 다하자마자 회복하여 이미 생겨난다. 한 순간의 끊어짐도 없고 털끝만큼의 이지러짐도 없으므로 "나가고 들어옴에 병들거나 해가 되는 바가 없다"고 하였다. 다섯 음이 비록 같은 부류와 벗을 이루어 오지만, 양이 자라나는 때에 해당하기 때문에 "벗이 옴에 허물이나 병되는 바가 없다"고 하였다. 깎임이 다하여 다시 생겨남은 곧 천도의 항상됨인데, 구괘(姤卦䷫)로부터 돈괘(遯卦䷠) · 비괘(否卦䷋) · 관괘(觀卦䷓) · 박괘(剝卦䷖) · 곤괘(坤卦䷁)를 지나 복괘에 이르기까지 일곱 번 변하므로 "칠 일만에 와서 회복한다"고 하였다. 굳센 양이 점점 자라므로 "가는 것이 이롭다"고 하였다.

○ 凡卦爻以日言者, 天以日懸象, 易以爻示象, 故以一爻而喩一日也. 坤失正位, 故不言貞, 二五无應, 故不言大亨.
괘의 효를 '일(日)'로 말한 것은 하늘은 '해'로 상을 매달았고, 역은 '효'로 상을 드러냈으므로 하나의 효로써 하나의 해를 비유하였다. 곤괘(坤卦)가 바른 자리를 잃었기 때문에 "곧다"고 말하지 않았고, 이효와 오효가 호응함이 없기 때문에 "크게 형통하다"고 말하지 않았다.

## 彖曰, 復亨, 剛反,

「단전」에서 말하였다: "복이 형통함"은 굳셈이 돌아온 것이고,

# 中國大全

本義

**剛反則亨.**

굳셈이 돌아오니 형통하다.

小註

朱子曰, 剛反二字, 是解復亨, 下云, 動而以順行, 是解出入无疾以下. 大抵彖辭解得易極分明, 子細尋索, 儘有條理.
주자가 말하였다: "굳셈이 돌아왔다"는 말은 "복이 형통하다"는 말을 해석하고, 아래의 "움직여 순서대로 간다"는 말은 "나가고 들어옴에 병이 없다"는 말을 해석했다. 대체로 단사의 풀이는 아주 쉽고 분명하니, 자세하게 찾는다면 모두 조리가 있다.

○ 臨川吳氏曰, 剛反釋復字, 而亨之意, 在其中. 剛旣反, 則日長日盛而亨矣.
임천오씨가 말하였다: "굳셈이 돌아왔다"로 '복(復)'이라는 말을 해석했는데, 형통하다는 의미가 그 속에 있다. 굳셈이 이미 돌아왔다면, 날마다 자라고 날마다 성대해져서 형통할 것이다.

○ 建安丘氏曰, 此云剛反, 言剝之一剛, 窮上反下而爲復也. 下文剛長, 言復之一剛, 自下進上, 爲臨爲泰以至爲乾也. 以其旣去而來反也, 故亨, 以其旣反而漸長也, 故利有攸往. 剛反, 言方復之初, 剛長, 言已復之後.
건안구씨가 말하였다: 여기에서 "굳셈이 돌아왔다"고 한 것은 박괘(剝卦䷖)에서 하나의 굳셈이 위에서 다해 아래로 되돌아가 복괘(復卦䷗)가 되었다는 말이다. 아래의 글에서 "굳셈

이 자랐기 때문이다"는 것은 복괘(復卦䷗)에 있는 하나의 굳셈이 아래에서 위로 나아가 림괘(臨卦䷒)·태괘(泰卦䷊)가 되고 건괘(乾卦䷀)가 되는데 이름을 말한다. 그것이 이미 갔는데도 되돌아오기 때문에 형통하고, 그것이 이미 돌아와서 점점 자라기 때문에 가는 것이 이롭다. "굳셈이 돌아왔다"는 것은 막 돌아온 처음을 말하고, "굳셈이 자랐기 때문이다"는 것은 이미 돌아온 뒤를 말한다.

## 韓國大全

### 홍여하(洪汝河) 「책제(策題): 문역(問易)·독서차기(讀書箚記)-주역(周易)」

反者, 變極而剛反也.
"돌아온다"는 것은 변화가 다하여 굳셈이 돌아오는 것이다.

### 강엄(康儼) 『주역(周易)』

按, 本義於此, 不曰以卦體釋卦名者, 以經文剛反二字, 非釋復字, 乃釋亨字之義故也. 然旣曰剛反, 則卦名之義, 已明矣.
내가 살펴보았다: 『본의』가 여기에서 "괘의 몸체로 괘의 이름을 해석하였다"고 말하지 않은 것은, 경문의 "굳셈이 돌아왔다[剛反]"는 말이 '복(復)'자를 해석한 것이 아니고, 바로 '형(亨)'자의 뜻을 해석하였기 때문이다. 그러나 이미 "굳셈이 돌아왔다"고 했으니, 괘 이름의 뜻이 이미 분명하다.

### 박문건(朴文健) 『주역연의(周易衍義)』

此以卦變釋之.
이것은 괘의 변화로 해석하였다.
〈問, 復亨, 剛反. 曰, 剛之復初, 能亨. 此釋復亨二字之義, 與噬嗑象噬嗑而亨, 相似也.
물었다: '복이 형통함은 굳셈이 돌아온 것'은 무슨 뜻입니까?
답하였다: 굳셈이 돌아오는 처음이니 형통할 수 있다는 것입니다. 이는 '복이 형통함[復亨]'이라는 글자의 뜻을 해석한 것이니, 서합괘(噬嗑卦) 「단전」에서 "씹어 합하여 형통하다"는

것과 서로 같습니다.〉

### 김기례(金箕澧) 「역요선의강목(易要選義綱目)」

剝上一剛, 反下爲復, 出入无疾而亨.
맨 위의 하나의 굳센 양이 깎이어 아래로 돌아와 회복하게 되니, 나가고 들어옴에 병이 없어 형통하다.

### 최세학(崔世鶴) 「주역단전괘변설(周易彖傳卦變說)」

復, 坤之一體變也, 初一爻爲主. 故彖以剛反言之. 乾初來居於下體之下, 而以復其初, 故曰剛反也.
복괘(復卦䷗)는 곤괘(坤卦䷁)의 한 몸체가 변한 것이니, 하나의 초효가 주인이 된다. 그러므로 「단전」에서 '굳셈이 돌아온 것'으로 말하였다. 건괘(乾卦)의 초효가 와서 하체의 맨 아래에 있어 그 처음을 회복했기 때문에 "굳셈이 돌아온 것이다"라고 하였다.

**動而以順行, 是以出入无疾, 朋來无咎.**

정전 움직여 순서대로 가니, 이 때문에 "나가고 들어옴에 병이 없지만 벗이 와야 허물이 없다."
본의 움직여 순서대로 가니, 이 때문에 "나가고 들어옴에 병이 없고 벗이 옴에 허물이 없다."

## 中國大全

### 傳

**復亨, 謂剛反而亨也. 陽剛消極而來反, 旣來反則漸長盛而亨通矣. 動而以順行, 是以出入无疾, 朋來无咎, 以卦才言其所以然也. 下動而上順, 是動而以順行也. 陽剛反, 而順動, 是以得出入无疾, 朋來而无咎也. 朋之來, 亦順動也.**

"복이 형통하다"는 것은 굳셈이 돌아와서 형통하다는 말이다. 굳센 양의 사라짐이 다하여 되돌아오는 것이니, 이미 되돌아오고 있다면 점점 자라고 성대해져서 형통할 것이다. "움직여서 순서대로 가니 이 때문에 나가고 들어옴에 병이 없지만 벗이 와야 허물이 없을 것이다"는 말은 괘의 재질로 그것이 그런 까닭을 말한 것이다. 아래에서 움직이고 위에서 따라함이 "움직여 순서대로 간다"는 것이다. 굳센 양이 돌아와 순서대로 움직이는 것은 "이 때문에 나가고 들어옴에 병이 없지만 벗이 와야 허물이 없다"는 것이다. 벗이 오는 것도 순서대로 움직이는 것이다.

### 本義

**以卦德而言.**

괘의 덕으로 말하였다.

#### 小註

進齋徐氏曰, 動而以順行者, 震動之始, 以坤順而行也. 出入朋來, 陽之動也. 无疾无咎, 以順行也.

진재서씨가 말하였다: "움직여서 순서대로 간다"는 것은 진괘(☳)의 움직임이 시작함에 곤괘(☷)의 차례로 나가는 것이다. '나가고 들어옴'과 '벗이 옴'은 양의 움직임이다. '병이 없고 허물이 없는 것'은 순서대로 가기 때문이다.

○ 龜山楊氏曰, 一陽復於下, 而五陰在上, 則陽微而陰猶盛. 小人衆而君子獨, 動而不以順行, 則疾之者至, 身不能保, 尙何朋來之有.
구산양씨가 말하였다: 하나의 양이 아래로 돌아왔지만 다섯 음이 위에 있으니, 양은 미미한데 음은 오히려 성대하다. 소인은 많은데 군자는 혼자이니, 움직여 순서대로 가지 않으면 방해꾼들이 와서 자신도 보존할 수 없는데 오히려 어떻게 벗들이 오겠는가?

○ 潘氏夢旂曰, 剝以順而止, 復以順而行, 君子處道消之極, 至道長之初, 未嘗一毫之不以順也.
반몽기가 말하였다: 박괘에서는 따라서 멈추고 복괘에서는 순서대로 가니, 군자는 도가 사라지는 끝에서 도가 자라는 처음까지 조금도 순서대로 하지 않은 적이 없다.

## 韓國大全

### 조호익(曺好益) 『역상설(易象說)』

自外曰入, 自坤而復初爻一陽, 如自外而入也. 自內曰出, 初爻一陽, 方自下而上也. 動而順行, 故无疾. 朋指諸陽, 亦動而順行, 故无咎.
밖에서 오기에 "들어온다"고 하니, 곤괘(坤卦)로부터 초효의 한 양이 회복되는 것이 밖으로부터 들어오는 것과 같다. 안에서 가기에 "나간다"고 하니, 초효의 한 양이 아래로부터 막 위로 올라가는 것이다. 움직여 순서대로 가므로 병이 없다. '벗'은 여러 양을 가리키는데, 역시 움직여 순서대로 가므로 허물이 없다.

### 서유신(徐有臣) 『역의의언(易義擬言)』

剛反, 釋復也. 動而以順行, 釋亨也. 下動而上順, 其進無礙, 故曰以順行也. 出入无疾, 朋來无咎, 皆由於是也.

"굳셈이 돌아온다"는 복(復)자를 해석한 것이다. "움직여 순서대로 간다"는 형(亨)자를 해석한 것이다. 아래에서 움직이고 위에서 따라하여 그 나아감에 막힘이 없으므로 "순서대로 간다"고 하였다. "나가고 들어옴에 병이 없고 벗이 옴에 허물이 없다"는 모두 이것 때문이다.

### 박문건(朴文健) 『주역연의(周易衍義)』

此以卦德釋之.
이것은 괘의 덕으로 해석하였다.
〈問, 動而以順行. 曰, 此指初九而言, 動而以順進也.
물었다: "움직여 순서대로 간다"는 무슨 뜻입니까?
답하였다: 이것은 초구를 가리켜서 말한 것이니, 움직여 순서대로 나아간다는 뜻입니다.〉

### 김기례(金箕澧) 「역요선의강목(易要選義綱目)」

動而以順行, 是以出入无疾.
움직여 순서대로 가니, 이 때문에 나가고 들어옴에 병이 없다.

震始動而坤順行.
진괘는 처음 움직임이고 곤괘는 순서대로 감이다.

○ 一陽復於下, 五陰在上, 小人衆盛之時, 君子獨行, 不以順動, 則見傷. 朋來之陽亦順, 故行无咎.
한 양이 아래에서 회복하고 다섯 음이 위에 있으니, 소인이 많고 무성한 때에 군자가 홀로 가는데 순서대로 움직이지 않으면 상하게 된다. 양이 벗으로 오는 것도 순서대로 하므로 가는데 허물이 없다.

## 反復其道, 七日來復, 天行也.

"그 도를 반복하여 칠 일만에 와서 회복함"은 하늘의 운행이다.

## 中國大全

本義

**陰陽消息, 天運然也.**

음과 양이 사라지고 자라는 것은 하늘의 운행이 그렇게 한 것이다.

小註

朱子曰, 反復其道, 七日來復, 天行也. 消長之道, 自然如此, 故曰天行. 處陰之極, 亂者, 復治, 往者, 復還, 凶者, 復吉, 危者, 復安, 天地自然之運也.
주자가 말하였다: 그 도를 반복하여 칠 일만에 회복하는 것은 하늘의 운행이다. 사라지고 자라는 도가 이처럼 저절로 그러하기 때문에 '하늘의 운행'이라고 하였다. 음의 끝에 있어서 어지러운 것은 회복하여 다스려지고, 간 것은 회복하여 돌아오며, 흉한 것은 회복하여 길하고, 위태로운 것은 회복하여 편안하니, 천지의 저절로 그런 운행이다.

○ 龜山楊氏曰, 四時之變浸而爲寒暑, 固非一日之積也. 天且不能暴爲之, 況於人乎.
구산양씨가 말하였다: 사시가 점점 변하여 춥기도 하고 덥기도 한 것은 진실로 하루에 쌓인 것이 아니다. 하늘도 그것을 갑자기 할 수 없는데 하물며 사람이야 어떻겠는가?

## 韓國大全

### 조호익(曺好益) 『역상설(易象說)』

陽往而陰來, 陰往而陽來, 故爲反復. 道, 本義作道路之道, 內卦震, 全體似震, 震爲大塗. 天行自姤而復天之運行也.
양이 가면 음이 오고, 음이 가면 양이 오므로 반복함이 된다. '도'는 『본의』에서 도로(道路)의 도(道)라고 하였는데, 내괘가 진괘(☳)이고 전체 괘도 진괘와 같으니, 진괘는 큰 길[大塗]이 된다. '하늘의 운행'은 구괘(姤卦䷫)로부터 하늘의 운행을 회복하는 것이다.

### 심조(沈潮) 「역상차론(易象箚論)」

彖, 七日.
「단전」에서 말하였다: 칠일.
日非但指陽爻, 震乃日出之方也.

'칠일'의 '일(日)'은 단지 양효만을 가리키는 것은 아니니, 진괘(☳)가 바로 해가 나오는 방위이기 때문이다.

### 박문건(朴文健) 『주역연의(周易衍義)』

此以天運明之.
이것은 하늘의 운행으로 밝혔다.
〈問, 天行. 曰, 終而復始, 天之運也. 先離後復, 終則有始之義也.
물었다: '하늘의 운행'은 무슨 뜻입니까?
답하였다: 마치면 다시 시작하는 것이 하늘의 운행입니다. 먼저는 떠났다가 뒤에 회복하니, 끝마치면 시작하는 뜻이 있습니다.〉

### 김기례(金箕澧) 「역요선의강목(易要選義綱目)」

天行.
하늘의 운행.

亂則治, 往則復, 天運.
어지러워지면 다스려지게 되고, 가면 회복하게 됨이 하늘의 운행이다.

### 박문호(朴文鎬)「경설(經說)·주역(周易)」

反復其道, 此古文語倒, 猶言其道反復也. 彖傳之程註, 可考.
"그 도를 반복한다[反復其道]"는 고문의 도치된 것이니, "그 도가 반복한다"는 말과 같다. 「단전」의 정자 주석을 참고할 만하다.

動, 固天地之心也. 先儒靜之說, 果非矣. 然於此靜動二字, 可相因言, 不可相對言. 本義所云, 靜極而動, 正以相因而言. 雖然程傳之動之端, 亦不害其爲同歸於相因也.
움직임이 진실로 천지의 마음이니, 이전의 유학자가 고요함으로 설명한 것은 과연 틀렸다. 그러나 이 고요함[靜]과 움직임[動]이라는 말에 대해 서로 연유한다고 말할 수는 있지만, 서로 상대한다고 말할 수는 없다. 『본의』에서 이른바 "고요함이 다하여 움직인다"는 것이 바로 서로 연유한다는 것으로 말한 것이다. 비록 그렇지만 『정전』의 '움직임의 실마리'라는 것도 그것이 서로 연유한다는 뜻으로 함께 귀결되는데 방해가 되지 않는다.

## 利有攸往, 剛長也.

"가는 것이 이로움"은 굳셈이 자라기 때문이다.

# 中國大全

**本義**

**以卦體而言, 旣生則漸長矣.**

괘의 몸체로 말하였으니, 이미 나왔다면 점점 자란다는 것이다.

**小註**

雙湖胡氏曰, 剛長, 則自復而臨而泰而壯夬至于乾, 其勢自不容禦矣.
쌍호호씨가 말하였다: 굳셈이 자란다는 것은 복괘(復卦☷☳)에서 림괘(臨卦☷☱)·태괘(泰卦☷☰)·대장괘(大壯卦☳☰)·쾌괘(夬卦☱☰)가 되어 건괘(乾卦☰☰)까지 가는 것이니, 그 기세를 막을 수 없다.

○ 平菴項氏曰, 剝曰, 不利有攸往, 小人長也, 復曰, 利有攸往, 剛長也. 易之意, 凡以爲君子謀也.
평암항씨가 말하였다: 박괘에서는 "가는 것이 이롭지 않다"고 한 것은 소인들이 자라기 때문이고, 복괘에서 "가는 것이 이롭다"고 한 것은 굳셈이 자라기 때문이다. 그러니 『역』의 의도는 모두 군자를 위해 도모한 것이다.

○ 鄱陽董氏曰, 自外而入者, 曰來, 自內而出者, 曰往. 疾之者衆, 則未可往, 无疾則利於往矣. 消息盈虛, 天命之自然, 而君子不謂命也. 上文言出入无疾, 而後朋來无咎, 朋來无咎, 而後利有往, 蓋常不以天命之自來者爲幸, 而深以人情之難測者爲憂, 何也. 來者微, 而疾其來者, 衆也. 來者微, 則豈可遽以自幸, 疾其來者衆, 則豈可不善於自養哉.

파양동씨가 말하였다: 밖에서 들어오는 것을 "온다[來]"고 하고, 안에서 나가는 것을 "간다[往]"고 한다. 방해꾼들이 많으면 갈 수 없고, 방해꾼들이 없으면 가는 데에 이롭다. 사라지고 자라며 차고 빔은 저절로 그런 천명이지만 군자는 명(命)이라고 하지 않는다. 위의 글에서 "나가고 들어옴에 병이 없게 된 뒤에 벗이 와도 허물이 없고, 벗이 와도 허물이 없게 된 뒤에 가는 것이 이롭다"고 한 것은 항상 저절로 오는 천명을 요행으로 여기지 않고, 헤아리기 어려운 인정을 깊은 근심으로 여겼기 때문이니, 무엇 때문인가? 오는 것은 미미하고, 옴을 방해하는 것들은 많기 때문이다. 오는 것이 미미하니, 어찌 갑자기 스스로 요행으로 여길 수 있으며, 옴을 방해하는 것들이 많으니, 어찌 스스로 기르는 것을 잘하지 않겠는가?

## 韓國大全

### 서유신(徐有臣) 『역의의언(易義擬言)』

初九乃乾之始, 故曰天行也. 利有攸往[13], 剛益長之象也. 剛長, 爲君子道長之象也.
초구는 바로 건괘(乾卦)의 시작이므로 '하늘의 운행'이라고 하였다. '가는 것이 이로움'은 굳셈이 더욱 자라나는 상이다. '굳셈이 자라남'은 군자의 도가 자라나는 상이 된다.

### 박문건(朴文健) 『주역연의(周易衍義)』

此以卦體釋之.
이것은 괘의 몸체로 해석하였다.

### 김기례(金箕澧) 「역요선의강목(易要選義綱目)」

剛長.
굳셈이 자라기 때문이다.

13) 往: 경학자료집성 DB와 영인본에는 모두 '洼'으로 되어 있으나, 경문에 따라 '往'으로 바로잡았다.

一陽漸長, 至陽盛, 故利往.
한 양이 점차 자라 양이 왕성함에 이르므로 감이 이롭다.

### 심대윤(沈大允) 『주역상의점법(周易象義占法)』

乾之主爻, 入坤而爲震, 故曰天行. 无往不復, 氣之健也.
건괘(乾卦)의 주인되는 효가 곤괘(坤卦)로 들어가 진괘(☳)가 되므로 '하늘의 운행'이라고 하였다. 가서 회복하지 않음이 없는 것은 기의 굳건함이다.

## 復, 其見天地之心乎.

복에서 천지의 마음을 볼 수 있을 것이다.

## 中國大全

### 傳

**其道, 反復往來, 迭消迭息. 七日而來復者, 天地之運行, 如是也. 消長相因, 天之理也. 陽剛君子之道長, 故利有攸往. 一陽復於下, 乃天地生物之心也. 先儒, 皆以靜爲見天地之心, 蓋不知動之端, 乃天地之心也. 非知道者, 孰能識之.**

그 도가 반복해서 왕래하여 번갈아 사라지고 자란다. 칠 일만에 와서 회복하는 것은 천지의 운행이 이와 같다. 사라지고 자라는 것이 서로 말미암는 것이 하늘의 이치이다. 굳센 양인 군자의 도가 자라기 때문에 가는 것이 이롭다. 하나의 양이 아래로 돌아오니 바로 천지가 사물을 낳는 마음이다. 이전의 유학자들은 모두 고요함[靜]으로 천지의 마음을 보는 것으로 여겼으니, 움직임의 단서가 바로 천지의 마음임을 몰랐던 것이다. 도를 아는 자가 아니면 누가 그것을 알겠는가?

### 小註

程子曰, 復, 其見天地之心, 一言以蔽之曰, 天地以生物爲心.
정자가 말하였다: "복에서 천지의 마음을 볼 수 있을 것이다"를 한마디로 정리한다면 "천지는 사물을 낳는 것으로 마음을 삼는다"는 것이다.

○ 復卦, 非天地之心, 復則見天地之心. 聖人无復, 故未嘗見其心.
복괘가 천지의 마음이 아니라, 되돌아옴에서 천지의 마음을 본다는 것이다. 성인은 돌아옴이 없기 때문에 그 마음을 본 적이 없다.

○ 人說復其見天地之心, 皆以爲至靜能見天地之心, 非也. 復之卦下面一畫便是動了, 安得謂之靜. 自古儒者, 皆言靜見天地之心, 唯某言動而見天地之心. 問, 莫是於動處, 求靜否. 曰, 固是, 然最難.

사람들이 복(復)에서 천지의 마음을 본다고 하는 것은, 모두 지극히 고요한 것에서 천지의 마음을 본다고 여기는 것이니 틀렸다. 복괘(復卦)의 아래의 한 획은 곧 움직이는 것이니, 어떻게 그것을 고요한 것이라고 하겠는가? 옛날부터 학자들은 모두 고요함에서 천지의 마음을 본다고 하였는데, 나만 움직여서 천지의 마음을 본다고 하였다.
물었다: 움직이는 가운데 고요함을 구하는 것이 아닐는지요?
답하였다: 진실로 그렇습니다. 그러나 아주 어렵습니다.

○ 張子曰, 復, 見天地之心, 咸恒遯壯見天地之情, 心隱於微, 情發乎顯.
장자가 말하였다: 복에서 천지의 마음을 보고, 함괘(咸卦䷞) · 항괘(恒卦䷟) · 돈괘(遯卦䷠) · 대장괘(大壯卦䷡)에서 천지의 정을 본다. 마음은 은미한 곳에 숨고, 정은 드러나는 곳에 나타난다.

○ 或問, 程子言動之端, 乃天地之心, 切謂十月純坤不爲无陽, 天地生物之心未嘗間息, 但未動耳, 因動而生物之心, 始可見. 朱子曰, 十月陽氣收斂, 一時關閉得盡, 天地生物之心, 固未嘗息. 但无端倪可見, 惟一陽動, 則生意始發露出, 乃始可見端緒也. 言動之頭緒, 於此處起, 於此處方見得天地之心也.
어떤 이가 물었다: 정자가 움직이는 단서가 바로 천지의 마음이라고 한 것은, 시월의 순수한 곤괘(坤卦)에 양이 없는 것이 아니고 천지가 사물을 낳는 마음은 중간에 정지함이 없이 단지 움직이지 않을 뿐이라고 절실하게 말한 것이니, 움직이는 것에서 사물을 낳는 마음을 비로소 알 수 있을 듯합니다.
주자가 답하였다: 시월에는 양기가 수렴되어 일시에 모두 닫히지만, 천지가 사물을 낳는 마음은 진실로 멈춘 적이 없습니다. 다만 볼 수 있는 단서가 없고 오직 하나의 양이 움직인다면, 낳는 마음이 처음 나와서야 단서를 알 수 있는 것입니다. 움직임의 실마리가 여기에서 일어나니, 여기에서 천지의 마음을 알 수 있다는 말입니다.

○ 問, 天地之心動處, 如何見得. 曰, 這處便見得陽氣發生, 其端已兆於此, 春了又冬, 冬了又春, 都從這裏發去. 事物間亦可見, 只是這裏見得較親切. 問, 動之端, 乃心之發處, 何故云, 天地之心. 曰, 此須就卦上看. 上坤下震, 坤是靜, 震是動. 十月純坤, 當貞之時, 萬物收斂, 寂无蹤跡, 到此一陽復生便是動. 然不直下動字, 卻云動之端, 端又從此起. 雖動而物未生, 未到大段動處. 凡發生萬物, 都從這裏起, 豈不是天地之心.
물었다: 천지의 마음이 움직이는 것을 어떻게 알 수 있습니까?
답하였다: 이곳에서 바로 양기가 발생하는 것을 알 수 있다면 그 단서가 이미 여기에서 조짐을 드러낸 것이니, 봄이 끝났으면 또 겨울이고 겨울이 끝났으면 또 봄인 것이 모두 여기에서

나옵니다. 사물에서도 알 수 있지만, 여기에서 아는 것이 비교적 자세할 것입니다.
물었다: 움직임의 단서가 바로 마음이 나오는 것인데, 무슨 까닭에 천지의 마음이라고 합니까?
답하였다: 이것은 반드시 괘에서 봐야 합니다. 복괘(復卦䷗)는 상괘가 곤(坤☷)이고 하괘가 진(震☳)이니, 곤은 고요한 것이고 진은 움직이는 것입니다. 시월의 순수한 곤괘(坤卦䷁)는 정(貞)의 때라서 만물이 수렴되어 고요히 종적이 없다가 복괘의 때에 하나의 양이 돌아와서 나오니 바로 움직이는 것입니다. 그러나 곧바로 움직인다고 하지 않고 도리어 움직임의 단서라고 했으니, 단서가 또 여기에서 일어나는 것입니다. 움직이지만 사물이 아직 나오지 않아 충분히 움직이는 것에는 도달하지 못했습니다. 만물을 발생하는 것이 모두 여기에서 나오니 어찌 천지의 마음이 아니겠습니까?

○ 天地以生生爲德, 元亨利貞, 乃生物之心也. 但其靜而復, 乃未發之體, 動而通焉, 則已發之用. 一陽來復, 其始生甚微, 固若靜焉, 然其實動之機. 其勢日長, 而萬物莫不資始焉, 是天命流行之初, 造化發育之始. 天地生生不已之心, 於是而可見矣. 若其靜而未發, 則此心之體, 雖无所不在, 然卻有未發處. 此程子所以以動之端爲天地之心, 亦擧用以該其體爾.
천지는 낳고 낳는 것으로 덕을 삼으니, 원·형·리·정이 바로 사물을 낳는 마음이다. 다만 고요하다가 돌아오는 것은 아직 드러나지 않은 본체이고, 움직여서 통하는 것은 이미 드러난 작용이다. 하나의 양이 되돌아옴에 그 처음에 나오는 것이 아주 미미해서 진실로 고요한 것 같지만, 그것이 실제로 움직이는 기틀이다. 그 기세는 날로 자라나고 만물은 그것에 의지해서 시작하지 않는 것이 없으니, 바로 천명이 유행하는 처음이고, 조화가 드러나서 기르는 시작이다. 천지가 끊임없이 낳고 낳는 마음을 여기에서 볼 수 있다. 그것이 고요해서 드러나지 않았다면, 이 마음의 본체가 비록 있지 않는 곳이 없더라도 아직도 드러나지 않았으니, 이것은 정자가 움직이는 단서를 천지의 마음으로 여긴 까닭이고, 또한 작용을 가지고 그 본체를 갖춘 것이다.

○ 程子說天地以生物爲心, 最好, 此乃是无心之心也. 又曰, 天地若果无心, 則須牛生出馬. 桃樹上發李花. 他又卻自定心, 便是主宰處, 所以謂天地以生物爲心也. 又曰, 天地之心, 動後方見, 聖人之心, 應事接物方見.
정자가 "천지가 사물을 낳는 것을 마음으로 여겼다"고 말한 것은 아주 좋으니, 이것이야말로 바로 마음이 없는 가운데의 마음이다.
또 말하였다: 천지가 마음이 없다면 소가 말을 낳을 것이고, 복숭아나무에 배꽃이 필 것이다. 그것은 바로 본래의 '고요한 마음[定心]'이 바로 주재하는 것이기에 천지는 사물을 낳은 것으로 마음을 삼는다고 하는 것이다.

또 말하였다: 천지의 마음은 움직인 다음에 볼 수 있고, 성인의 마음은 사물을 응접해야 알 수 있다.

○ 程子云, 聖人无復, 故未嘗見其心, 且堯舜孔子之心, 千古常在, 聖人之心, 周流運行, 何往而不可見. 若言天地之心, 如春生發育, 猶是顯著. 此獨曰聖人无復, 未嘗見其心者, 只爲是說復卦. 繫辭曰, 復小而辨於物, 蓋復卦是一陽方生於群陰之下, 如幽暗中一點白, 便是小而辨也. 聖人贊易而曰, 復見天地之心, 今人多言唯是復卦可以見天地之心, 非也. 六十四卦, 无非天地之心, 但於復卦, 忽見一陽之復, 故卽此而贊之爾. 論此者當知有動靜之心, 有善惡之心, 各隨事而看. 今人乍見孺子將入於井, 因發動而見其惻隱之心, 未有孺子將入井之時, 此心未動, 只靜而已. 衆人物欲昏蔽, 便是惡底心, 及其復也, 然後本然之善心可見. 聖人之心純於善而已, 所以謂未嘗見其心者, 只是言不見其有昏蔽忽明之心, 如所謂幽暗中一點白者而已. 但此等語話, 只可就此一路看去, 纔轉入別處, 便不分明, 也不可不知. 又曰, 天地之氣, 所以有陽之復者, 以其有陰故也, 衆人之心, 所以有善之復者, 以其有惡故也. 若聖人之心, 則天理渾然, 初无間斷, 人孰得以窺其心之起滅耶. 若靜而復動, 則亦有之, 但不可以善惡而爲言耳.
정자가 "성인은 돌아옴이 없기 때문에 그 마음을 본 적이 없다"[14]고 하였으나, 또 요·순과 공자의 마음은 오랜 옛날부터 항상 있어왔고, 성인의 마음은 두루 흘러 운행하니, 어디에선들 볼 수 없겠는가? 천지의 마음으로 말할 것 같으면 봄에 사물을 낳아 발육하는 것처럼 여전히 드러나는 것이다. 그런데 여기에서 유독 "성인은 돌아옴이 없기 때문에 그 마음을 본 적이 없다"고 한 것은 복괘를 설명하려는 것일 뿐이다. 「계사전」에서 "복(復)은 작은데도 사물을 분변한다"고 한 것은, 복괘는 하나의 양이 여러 음의 아래에서 막 나와서 어두운 가운데의 한 줄기 빛처럼 작을지라도 분변하기 때문이다. 성인이 『주역』을 찬미하여 "복(復)에서 천지의 마음을 본다"고 해서 요즘 사람들은 대부분 오직 복괘에서 천지의 마음을 볼 수 있다고 하는데 틀렸다. 육십사괘에서 어느 것도 천지의 마음이 아닌 것이 없지만, 단지 복괘에서 문득 하나의 양이 돌아옴을 보았기 때문에 이것을 가지고 찬미했을 뿐이다. 이것을 논하는 자들은 움직이고 고요한 마음과 선하고 악한 마음이 있음을 알아서 각각 일에 따라서 보아야 한다. 이제 어떤 사람이 우물에 빠지려는 어린아이를 갑자기 본다면 그 때문에 측은한 마음이 드러나겠지만, 어린아이가 우물에 빠지려고 하지 않을 때에는 이 마음이 움직이지 않고 고요히 있었을 뿐이다. 일반 사람들은 사물에 대한 욕심이 가리고 있어 바로 악한 마음이겠지만, 본래의 선한 마음을 회복하면 그것을 볼 수 있다. 성인의 마음은

14) 『二程遺書』: 復卦, 非天地之心. 復則見天地之心, 聖人無復, 故未嘗見其心. / 『二程遺書』: 子曰, 天地之心, 以復而見, 聖人未嘗復, 故未嘗見其心.

순수하게 선할 뿐이니, 이른바 "그 마음을 본 적이 없다"고 한 것은, 이른바 '어두운 가운데의 한줄기 빛'과 같이 "어둡게 가려졌다가 갑자기 밝아지는 마음을 본적이 없다"고 말한 것일 뿐이다. 오직 이런 말들은 이렇게 함께 봐야지 조금이라도 다르게 보면 분명하지 않게 되니, 몰라서는 안 된다.
또 말하였다: 천지의 기운에 양(陽)이 돌아옴이 있는 것은 음이 있기 때문이고, 일반인들의 마음에 선(善)이 돌아옴이 있는 것은 악이 있기 때문이다. 성인의 마음이라면 천리와 하나여서 처음부터 간격이 없으니, 사람들 중에 누가 그 마음의 일어나고 사라짐을 볼 수 있겠는가? 고요하다가 다시 움직이려는 것이라면 성인도 있겠지만, 단지 선과 악으로 말할 수 없을 뿐이다.

○ 復非天地心, 復則見天地心. 蓋天地以生物爲心, 而此卦之下一陽爻, 卽天地所以生物之心也. 至於復之得名, 則以此陽之復生而已, 猶言臨泰大壯夬也. 但於其復而見此一陽之萌於下, 則是因其復而見天地之心耳.
복괘가 천지의 마음이 아니라, 복괘에서 곧 천지의 마음을 보는 것이다. 천지는 사물을 낳는 것으로 마음을 삼고, 복괘의 아래에 있는 하나의 양효가 곧 천지가 사물을 낳는 마음이다. 복괘가 이름을 얻게 된 것은 이 양이 다시 나왔기 때문이니, 림괘(臨卦䷒)·태괘(泰卦䷊)·대장괘(大壯卦䷡)·쾌괘(夬卦䷪)를 말한 것과 같다. 단지 복괘에서 이 하나의 양이 아래에서 싹트는 것을 보았다면, 바로 이 복괘로 인하여 천지의 마음을 본 것이다.

○ 伊川與濂溪說復字不同. 濂溪就坤上說, 就回來處說. 如云利貞者誠之復, 誠心, 復其不善之動而已矣, 皆是就歸來處說. 伊川卻正就動處說. 如元亨利貞, 濂溪就利貞上說復字, 伊川就元字頭說復字. 以周易卦爻之義推之, 則伊川之說爲正. 然濂溪伊川之說, 道理只一般, 非有所異, 只是所指地頭不同. 以復卦言之, 下面一畫便是動處, 伊川云下面一爻, 正是動, 如何說靜得, 看來伊川說得較好.
이천과 염계의 복(復)자에 대한 설명은 같지 않다. 염계는 곤괘(坤卦)에서 설명하였고 돌아오는 곳에서 설명하였다. 이를테면 "리(利)와 정(貞)은 성(誠)의 돌아옴이다"와 같은 것은, 성심(誠心)으로 선하지 않은 움직임을 돌아오게 할 뿐이니, 모두 되돌아오는 곳에서 설명한 것이다. 이천은 바로 움직이는 곳에서 설명하였다. 이를테면 원·형·리·정(元·亨·利·貞)에서 염계는 리·정으로 복(復)자를 설명하였는데, 이천은 원(元)자로 먼저 복(復)자를 설명하였다. 『주역』에서 괘효의 의미로 미루어보면 이천의 설명이 바르다. 그러나 염계와 이천의 설명은 도리(道理)로는 한 가지여서 다른 것이 아니지만, 가리키는 목표는 같지 않다. 복괘(復卦)로 말하면 아래의 한 획이 바로 움직이는 곳이며, 이천은 "아래의 한 효는 바로 움직임이니 어떻게 고요함으로 설명할 수 있겠는가?"라고 함이니, 살펴보건대 이천의 설명이 비교적 좋다.

本義

**積陰之下, 一陽復生, 天地生物之心, 幾於滅息, 而至此乃復可見. 在人則爲靜極而動, 惡極而善, 本心幾息而復見之端也. 程子論之詳矣, 而邵子之詩, 亦曰, 冬至子之半, 天心無改移, 一陽初動處, 萬物未生時. 玄酒味方淡, 大音聲正希. 此言如不信, 更請問包羲. 至哉言也, 學者宜盡心焉.**

누적된 음의 아래에 하나의 양이 다시 나오니, 천지가 사물을 낳는 마음이 거의 사라졌다가 여기에 와서야 돌아오는 것을 볼 수 있다. 사람에게서는 고요함이 다하여 움직이고 악이 끝나서 선해지니, 본래의 마음이 거의 사라졌다가 회복되어 나타나는 단서이다. 정자가 논한 것이 자세한데, 소자(邵子)가 시에서 또 "동지의 자월(子月) 가운데는 하늘의 마음이 변동됨이 없으니, 하나의 양이 처음 움직이는 곳이고, 만물이 아직 생겨나지 않은 때로다. 현주(玄酒)는 맛이 바야흐로 담백하고 위대한 소리는 참으로 성글다. 이 말을 믿지 못하겠거든 다시 복희씨에게 물어보라"고 하였다. 지극하구나, 그 말씀이여! 배우는 자들은 여기에 마음을 다해야 할 것이다.

小註

或問, 復, 見天地之心. 朱子曰, 三陽之時, 萬物蕃新, 只見物之盛大, 天地之心, 卻不可見. 唯是一陽初復, 萬物未生, 冷冷靜靜, 而一陽旣動, 生物之心, 闖然而見, 雖在積陰之中, 自掩藏不得. 此所以必於復見天地之心也. 又曰, 要說得見字親切. 蓋此時, 天地之間, 无物可見, 天地之心, 只有一陽初生, 淨淨潔潔, 見得天地之心在此. 若是三陽發生萬物之後, 則天地之心盡散在萬物, 不能見得如此端的.
어떤 이가 물었다: 복에서 천지의 마음을 볼 수 있습니까?
주자가 답하였다: 세 양의 때에는 만물이 무성하고 새로워서 사물의 성대한 것만 볼 뿐이니, 천지의 마음을 오히려 볼 수 없습니다. 단지 하나의 양이 처음 돌아와서 만물이 아직 나오지 않을 때는 맑고 고요할 뿐이지만 하나의 양이 움직인 다음에는 사물을 낳는 마음이 활발하게 드러나니, 누적된 음 가운데 있을지라도 본래 가릴 수 없습니다. 이 때문에 반드시 복에서 천지의 마음을 보는 것입니다.
또 답하였다: "본다[見]"는 말에 대해 설명을 자세히 해야 합니다. 이때에는 천지의 사이에 천지의 마음을 알 수 있는 어떤 것도 없고, 단지 하나의 양이 처음 나와 고요하고 맑게 있으니, 여기에서 천지의 마음을 봐야 합니다. 만약 세 양이 만물을 낳은 다음이라면 천지의 마음은 만물에 흩어져 있어 이와 같은 단서를 알 수 없습니다.

○ 問, 生理初未嘗息, 但到坤時藏伏在此, 至復乃見其動之端否. 曰, 不是如此. 這箇只是就陰陽動靜, 闔闢消長處而言. 如一堆火, 自其初發以至漸漸發過, 消盡爲灰. 其消之未盡處, 固天地之心也, 然那消盡底, 亦天地之心也. 但那箇不如那新生底鮮好. 故指那接頭再生者言之, 則可以見天地之心親切. 如云利貞者性情也. 一元之氣, 亨通發散, 品物流形, 天地之心, 盡發見在品物上, 但叢雜難看. 及到利貞時, 萬物悉已收斂. 那時只有箇天地之心, 丹青著見, 故云利貞者性情也, 正與復其見天地之心相似. 康節云, 一陽初動處, 萬物未生時. 蓋萬物生時, 此心非不見也. 但天地之心悉已布散叢雜, 无非此理呈露, 到多了難見. 若會看者, 能於此觀之, 則所見无非天地之心矣. 唯是復時萬物皆未生, 只有一箇天地之心昭然著見在這裏, 所以易看也.
물었다: 낳는 이치는 처음부터 멈춘 적이 없으니, 단지 곤괘(坤卦䷁)의 때에는 그곳에 잠복되어 있다가 복괘에 이르러야 이내 그 움직임의 단서가 나타나는 것입니까?
답하였다: 그렇지 않습니다. 이것은 단지 음과 양, 움직임과 고요함, 열림과 닫힘, 사라짐과 자라남으로 말한 것일 뿐입니다. 이를테면 하나의 불덩어리는 처음에 활활 타오르다가 점점 사그라지고 다 타버리면 재가 됩니다. 사라짐이 아직 다하지 않은 곳이 진실로 천지의 마음이지만, 다 타버린 것도 천지의 마음입니다. 다만 그것은 새로 나온 것만큼 선명하고 아름답지 않습니다. 그러므로 이어져 다시 나오는 것을 가리켜 말했으니, 천지의 마음을 자세히 볼 수 있습니다. 이를테면 "이로움[利]과 곧음[貞]이 성정이다"라고 하는 것입니다. 일원(一元)의 기운이 형통하게 퍼져나가 만물이 형체를 이루면, 천지의 마음은 모두 만물에 드러나는데, 단지 온통 뒤섞여 있어 보기 어렵습니다. '이로움[利]'과 '곧음[貞]'의 때에 이르면 만물이 다 이미 수렴되니, 이때에는 다만 천지의 마음만 있을 뿐이어서 본래의 모습[丹靑]이 드러납니다. 그러므로 "'이로움[利]'과 '곧음[貞]'이란 성 · 정이다"라고 하였으니, 바로 "복에서 천지의 마음을 볼 수 있을 것이다"고 함과 같습니다. 강절이 "하나의 양이 처음 움직이는 곳은 만물이 아직 나오지 않은 때이다"라고 하였다고 만물이 나올 때에 이 마음을 보지 못한 것이 아닙니다. 다만 천지의 마음이 모두 이미 퍼져나가 이 이치가 드러나지 않은 것이 없기에 대부분 보기 어렵게 되었습니다. 만약 볼 수 있는 자가 여기에서 볼 수 있다면, 보는 것이 천지의 마음 아닌 것이 없습니다. 단지 돌아올 때에는 만물이 모두 아직 나오지 않고 천지의 마음만 그 속에 환히 드러나기 때문에 보기 쉬운 것입니다.

○ 靜極而動, 聖人之復, 惡極而善, 常人之復. 但常人也, 有靜極而動底時節, 聖人則不復有惡極而善之復. 問, 一陽之復, 在人言之, 只是善端萌處否. 曰, 以善言之, 是善端方萌處, 以惡言之, 昏迷中有悔悟向善意, 便是復. 如睡到忽然醒覺處, 亦是復氣象. 又如人之沈滯, 道不得行, 到極處, 忽小亨, 道雖未大行, 已有可行之兆, 亦是復. 這道理千變萬化, 隨所在无不渾淪. 問, 今寂然至靜在此, 若一念之動, 此便是復否. 曰, 恁地說不盡. 復有兩樣, 有善惡之復, 有動靜之復. 兩樣復自不相須, 須各看得分曉. 終日營營, 與萬物竝馳, 忽然有惻隱是非羞惡之心發見, 此善惡爲陰陽也. 若寂然至靜之中, 有一念之動, 此動靜爲陰陽也. 二者各不同, 須推教子細.
고요함이 다해 움직이는 것이 성인의 돌아옴이고, 악이 다해 선한 것이 보통사람들의 돌아옴이다. 다만 보통사람들은 고요함이 다해 움직이는 시절이 있으나, 성인에게는 악이 다해 선으로 돌아옴이 다시 있지 않다.
물었다: 하나의 양이 돌아오는 것을 사람에게서 말하면 단지 선의 단서가 싹트는 것입니까?
답하였다: 선으로 말하면 선의 단서가 막 싹트는 것이고, 악으로 말하면 혼미한 가운데 후회하고 뉘우치며 선으로 향하려는 뜻이 있는 것이 바로 돌아오는 것입니다. 이를테면 잠을 자다가 갑자기 깨어 정신을 차리는 것도 돌아오는 기상입니다. 또 이를테면 사람이 침체되어 길을 갈 수 없다가 막다른 곳에 이르러 홀연히 조금 형통하게 되어 길이 비록 크게 다닐 수는 없지만, 이미 갈 수 있는 조짐이 있는 것도 돌아오는 것입니다. 이 도리는 천변만화하여 있는 곳에 따라 달라지지 않음이 없습니다.
물었다: 이제 조용하고 지극히 고요함이 여기 있는데, 만약 어떤 생각이 떠오르면 이것이 곧 돌아오는 것입니까?
답하였다: 이렇게는 다 설명할 수 없습니다. 돌아옴에는 선과 악의 돌아옴과 움직임과 고요함의 돌아옴이라는 두 가지 양상이 있습니다. 두 가지 양상의 돌아옴은 본래 서로 관련되어 있지 않아 제각기 봐야 분명해집니다. 하루 종일 분주히 만물과 부대끼다 갑자기 측은(惻隱)·시비(是非)·수오(羞惡)의 마음이 드러나면, 이것은 선과 악이 음과 양이 된 것입니다. 기척 없이 지극히 고요한 가운데 어떤 생각이 일어나면, 이것은 움직임과 고요함이 음과 양이 된 것입니다. 두 가지는 각기 다르니 반드시 자세히 미루어봐야 합니다.

○ 問, 冬至子之半. 曰, 康節此詩最好, 故某於本義特載之. 蓋立冬是十月初, 小雪是十月中, 大雪十一月初, 冬至十一月中, 小寒十二月初, 大寒十二月中. 冬至子之半, 卽十一月之半也. 人言夜半子時冬至, 蓋夜半以前一半已屬子時. 今推五行者, 多不知之. 然數每從這處起, 略不差移, 此所以爲天心. 然當是時一陽方動, 萬物未生, 未有聲臭氣味之可聞可見, 所謂玄酒味方淡, 大音聲正希也.
물었다: 동지의 자월(子月) 가운데는 무엇입니까?
답하였다: 강절의 시가 아주 좋기 때문에 내가 『본의』에 특별히 실었습니다. 입동(立冬)은 시월 초이고, 소설(小雪)은 시월의 가운데이며, 대설(大雪)은 십일월 초이고, 동지(冬至)는 십일월 가운데이며, 소한(小寒)은 십이월 초이고, 대한(大寒)은 십이월 가운데입니다. 동지는 자월(子月)의 가운데이니 곧 십일월의 가운데입니다. 사람들이 한밤중의 자시를 동지라고 하는 것은 한밤중 이전의 반이 이미 자시에 속하기 때문입니다. 지금 오행에 미룬 것은 대부분 알지 못하지만, 수(數)를 매번 이를 기준으로 일으키면 거의 어긋나지 않으니, 이것이 천심이 되는 까닭입니다. 그런데 이때에는 하나의 양이 막 움직이고 만물이 아직 나오지

않아 보고 들을 수 있는 소리나 냄새의 기미가 아직 없으니, 이른바 "현주는 맛이 한창 담백하고 위대한 소리는 참으로 성글다"는 것입니다.

○ 問, 天心无改移, 謂何. 曰, 年年歲歲是如此, 月月日日是如此.
물었다: 하늘의 마음은 변동됨이 없다는 것은 무엇을 말합니까?
답하였다: 해마다 이와 같고, 달마다 날마다 이와 같은 것입니다.

○ 一陽初動處, 萬物未生時, 此是欲動未動之間. 如怵惕惻隱於赤子入井之初, 方怵惕惻隱而未成怵惕惻隱之時. 故上云冬至子之半, 是康節常要就中間說. 子之半則是未成子, 方離於亥而爲子方四五分, 是他常要如此說. 常要說陰陽之間, 動靜之間, 便與周程不同. 周程只是體用動靜, 互換无極, 康節只要說循環, 便須指消息動靜之間而言.
"하나의 양이 처음 움직이는 곳은 만물이 아직 나오지 않을 때이다"는 움직이고자 하지만 아직 움직이지 않는 사이이다. 이를테면 어린아이가 우물에 빠지려는 처음에 두려워하고 불쌍히 여기는데, 막 두려워하려 하고 불쌍히 여기려 하면서, 아직 두려워함과 불쌍히 여김을 이루지는 못한 때이다. 그러므로 위에서 '동지의 자월 가운데'라고 하였으니, 이는 강절이 항상 중간으로 설명하려던 것이다. 자시 가운데는 아직 자시가 되지 않고 막 해시를 넘어 자시의 방향으로 사오분이 되니, 그는 항상 이처럼 설명하고자 하였다. 항상 음양의 사이와 동정의 사이에서 설명하고자 했으니, 곧 주렴계나 정자와는 같지 않다. 주렴계나 정자는 본체와 작용, 움직임과 고요함이 서로 호환되어 끝이 없을 뿐인데, 강절은 단지 순환을 설명하고자 하면서 반드시 사라짐과 자라남, 움직임과 고요함의 중간을 가리켜서 말했던 것이다.

○ 西溪李氏曰, 窮冬積陰之時, 幾於无生意矣, 而陽氣已動於黃泉之下, 猶之人焉, 方其物慾之深也, 幾於无天理矣, 而性善之端, 要不可泯也, 必有時而發, 就其發處觀之, 則天地之心見矣.
서계이씨가 말하였다: 겨울에 음을 쌓아놓은 때가 다하여 낳으려는 마음이 거의 없어졌는데 양기가 황천의 아래에서 이미 움직이는 것은 사람에게서 사물에 대한 욕심이 심해져서 천리가 거의 없어졌는데 성선의 단서는 없어질 수 없어 반드시 때에 따라 나오는 것과 같으니, 그 나오는 것을 살피면 천지의 마음을 볼 것이다.

○ 臨川吳氏曰, 草木不斂其液, 則不能以敷榮, 昆蟲不蟄其身, 則不能以振奮. 此人之所以貴於復, 而復之所以貴於靜也. 寂者感之君, 翕者闢之根, 冬之藏, 一歲之復也, 夜之息, 一日之復也. 喜怒哀樂之未發, 須臾之復也.
임천오씨가 말하였다: 초목이 그 진액을 거둬들이지 않으면 꽃을 피울 수가 없고, 곤충이

그 몸을 숨기지 않으면 떨쳐 일어날 수가 없다. 이것이 사람들이 되돌아옴을 귀하게 여기는 까닭이고, 되돌아옴에서 고요함을 귀하게 여기는 까닭이다. 고요함이 감동함의 임금이고, 거둬들임이 펼쳐냄의 근본이니, 겨울의 저장은 일년의 되돌아옴이고, 밤의 휴식은 하루의 되돌아옴이며, 기쁨 · 노함 · 슬픔 · 즐거움의 드러나지 않음은 잠깐의 되돌아옴이다.

○ 雲峯胡氏曰, 天地生物之心, 卽人之本心也, 皆於幾熄而復萌之時, 見之. 本義辭尙簡要, 未嘗泛引古語, 此則全引康節詩, 殊有意也. 朱子詩曰, 忽然夜半一聲雷, 萬戶千門次第開. 識得无中含有處, 許君親見伏羲來. 學者有得於此詩, 則可以知康節之詩矣.
운봉호씨가 말하였다: 천지가 사물을 낳는 마음이 바로 사람의 본심이니, 모두 거의 사라졌다가 다시 싹틀 때 그것을 본다. 『본의』의 말은 여전히 간단명료하고 옛 말을 넓게 인용한 적이 없는데, 여기에서는 강절의 시를 전부 인용하였으니, 아주 의미가 있다. 주자가 시에서 "갑자기 한밤중 벼락 치는 소리에 세상의 모든 문이 차례차례 열리는구나. 없는 가운데 함유된 것을 안다면, 그대 복희가 오는 것을 직접 보게 하겠거늘"이라고 하였다. 배우는 자들이 여기의 시에서 얻는 것이 있으면 강절의 시도 알 수 있을 것이다.

## ‖韓國大全‖

### 김장생(金長生) 『주역(周易)』

傳, 先儒.
『정전』에서 말하였다: 이전의 유학자.

先儒, 乃謂王弼.
'이전의 유학자'는 바로 왕필을 말한다.

### 송시열(宋時烈) 『역설(易說)』

剛反, 剝之上九, 反爲初九, 而爲復也. 震爲動而以坤之順德爲行也. 天行者, 繫辭所謂周流六虛也. 陽道將進, 坤變爲乾也, 天地之心, 於此可見.[15]

'굳셈이 돌아옴'은 박괘(剝卦䷖)의 상구가 돌아와 초구가 되어 복괘(復卦䷗)가 되기 때문이다. 진괘(☳)는 움직임이 되는데, 곤괘(☷)의 순한 덕으로 나아가게 된다. '하늘의 운행'은 「계사전」에서 이른바 '천지사방을 주유(周遊)함'이다. 양의 도가 나아가서 곤괘(䷁)가 변해 건괘(䷀)가 되니, '천지의 마음'을 여기에서 볼 수 있다.

## 이익(李瀷) 『역경질서(易經疾書)』

天地之心, 生物之心也. 氣有開塞, 而心則未已, 如草木秋冬衰落者, 爲寒氣所逼也, 置在暖室之中, 排禦其栗烈, 則華葉便萌, 此可以見其本心也. 純坤之時, 天地閉塞, 此心雖在無端之可見, 至一陽之月, 驗之於天, 日旋星回, 驗之於地, 雷發天動, 天地之心, 於是可見.
천지의 마음은 만물을 낳는 마음이다. 기운은 열리고 닫힘이 있고 마음은 그치지 않으니, 가령 초목이 가을과 겨울에 쇠락하는 것은 찬 기운에게 핍박되기 때문이니, 따뜻한 방 안에 두어 그 매서운 추위를 막는다면 꽃과 잎이 곧 싹트니, 여기에서 그 본심(本心)을 볼 수 있다. 순전한 곤괘의 때에는 천지가 닫히고 막히니, 이 마음은 비록 볼만한 단서가 없는데 있지만, 동짓달[一陽之月]에 이르러 하늘에 증험하면 해가 돌고 별이 돌며, 땅에 증험하면 우레가 발동하고 하늘이 움직이니, 천지의 마음을 여기에서 볼 수 있다.

余聞諸良溪先生曰, 以卦配月, 則復爲冬至之候. 夫四時寒熱之推遷, 都繫於日軌之南北. 日近則熱而爲夏, 日遠則寒而爲冬, 此不易之理也. 冬至者, 日軌極南而旋復之候也. 其未極南前十五日, 及旣旋後十五日, 合之爲十一月, 而惟俄極俄旋, 此時此刻, 爲冬至中氣也. 如十月中小雪者, 卻在日軌[16]未極南三十日前, 此時餘陽, 猶未盡消, 豈有陽萌之理. 若曰陽萌於下, 則亦將陽盡於上, 日軌未極南三十日前, 謂之陽盡, 可乎. 蓋直月之法, 以三十日配一爻, 故下一分長, 則以長爲主, 其未消餘分, 不之計. 陽一分長, 則屬之陽爻, 陰一分長, 則屬之陰爻, 雖有二十九分未消者, 不與數也. 以三畫卦言, 則陽卦多陰, 陰卦多陽, 聖人已有斷例矣. 卦旣如是, 爻安得不然. 如純坤者, 卽第六畫, 陰生一分, 故爲六陰之卦, 其實陽之餘分, 歷二十九日, 至復中冬至, 然後消盡也. 餘卦, 皆以此例推之也. 此與先儒說不同, 而其義極明, 不可廢.
내가 양계선생에게서 들었다: 괘를 달[月]에 배당하면 복괘(復卦)는 동지의 절기가 된다. 사시(四時)의 추위와 더위의 변화가 모두 해의 궤적[日軌][17]의 남쪽과 북쪽에 매어 있다.

15) 위의 문장 전체는 경학자료집성DB에 누락되어 있으나, 경학자료집성 원문을 대조하여 보충하였다.
16) 軌: 경학자료집성DB와 영인본에는 모두 '執'으로 되어 있으나, 문맥을 살펴 '軌'로 바로잡았다.

해가 가까워지면 뜨거워서 여름이 되고 해가 멀어지면 추워서 겨울이 되니, 이것은 바뀔 수 없는 이치이다. '동지'는 해의 궤적[日軌]이 남쪽에서 다하여 회전해 돌아오는 때이다. 아직 남쪽에서 다하기 이전의 십오일 및 이미 다하여 돈 이후의 십오일을 합하여 십일월이 되는데, 오직 다하여 돌아오는 순간의 때와 시각이 동지 한가운데의 기운이 된다. 가령 시월 가운데의 '소설(小雪)'은 도리어 해의 궤적[日軌]이 아직 남쪽에서 다하기 삼십일전에 있는데, 이때에 남은 양이 오히려 아직 다 사라지지 않았으니, 어찌 양이 싹트는 이치가 있겠는가? 만약 "양이 아래에서 싹튼다"고 한다면 역시 양이 위에서 다하게 될 것이니, 해의 궤적이 남쪽에 아직 다하기 삼십일전을 "양이 다했다"고 한다면 옳겠는가? 달[月]을 세는 법은 삼십일을 한 효에 배당하므로 아래에서 일분(一分)이 자라면 자라는 것을 위주로 하고, 아직 사라지지 않은 여분은 세지 않는다. 양이 일분이 자라면 그것을 양효에 소속시키고 음이 일분이 자라면 그것을 음효에 소속시키니, 비록 이십구분이 아직 사라지지 않고 있더라도 세지 않는다. 삼획 괘로 말하면 양괘는 음이 많고 음괘는 양이 많은 것은 성인이 이미 단정한 예가 있다. 괘가 이미 이와 같은데, 효가 어찌 그렇지 않을 수 있겠는가? 가령 순전한 곤괘는 곧 여섯 번째 획에 음이 일분 생겨나므로 여섯 음효의 괘가 되지만, 실상 남아 있는 양의 여분은 이십구일을 지나서 복괘 가운데의 동지에 이른 뒤에라야 전부 사라진다. 나머지 괘도 모두 이러한 예로써 유추할 수 있다. 이는 이전 유학자의 설명과 같지 않으나 그 뜻이 매우 분명하여 없앨 수 없다.

### 유정원(柳正源)『역해참고(易解參攷)』

朱子曰, 天地以生物爲心者也. 雖氣有闔闢, 物有盈虛, 而天地之心, 則亘古亘今, 未始有毫釐之間斷也, 故陽極於外, 復生於內. 聖人以爲於此可以見天地之心焉. 蓋其復者, 氣也, 其所復者, 則有自來矣. 向非天地之心生生不息, 則陽之極也, 一絶而不復續矣, 尙何以生於內, 而爲闔闢之无窮乎.

주자가 말하였다: 천지는 만물을 낳는 것으로 마음을 삼는다. 비록 기운에 열리고 닫힘이 있고 만물에 차고 빔이 있지만 천지의 마음은 고금을 이어 애초부터 털끝만큼의 끊어짐도 없으므로 양이 밖에서 다하면 안에서 회복되어 생겨난다. 성인이 여기에서 천지의 마음을 볼 수 있다고 생각하였다. 회복하는 것은 기운이고, 회복되는 것은 곧 유래가 있는 것이다. 지난번의 천지의 마음이 낳고 낳아 쉬지 않은 것이 아니라면 양이 다함에 한번 끊어져 다시 이어지지 못하니, 오히려 어찌 안에서 생겨난다고 해서 닫히고 열림이 다함이 없는 것이 될 수 있겠는가?

---

17) 해의 궤적[日軌]: 황도(黃道)를 말하는 것으로 태양의 둘레를 도는 지구의 궤도가 천구(天球)에 투영된 궤도이다.

○ 問, 動見天地之心固是, 不知在人可以主靜言之否. 曰, 不必如此看, 這處在天地則爲陰陽, 在人則爲善惡. 有不善, 未嘗不知, 知之未嘗復行, 不善處便是陰, 知處便屬陽. 上五陰下一陽, 是當沈迷蔽固之時, 忽然一夕省覺, 便是動處.
물었다: 움직임에서 천지의 마음을 볼 수 있다는 것이 진실로 옳지만, 사람에 있어서는 고요함을 주로 하여 말해야 하지 않겠습니까?
답하였다: 반드시 이와 같이 볼 필요는 없으니, 이러한 곳이 천지에 있으면 음양이 되고 사람에 있으면 선악이 됩니다. 선하지 않음이 있으면 일찍이 그것을 알지 못한 적이 없고, 알면 다시 그것을 행하지 않으니, 선하지 않은 곳은 바로 음이고 아는 곳은 바로 양에 속하는 것입니다. 위로 음이 다섯이고 아래로 양이 하나이니, 이는 마땅히 매우 혼미하고 막힌 때에 해당하는데, 홀연 하룻저녁에 각성이 일어나면 이것이 바로 움직이는 곳입니다.

○ 問, 聖人之心, 天地之心也, 天地之心可見, 則聖人之心亦可見. 曰, 有不善, 未嘗不知, 知之未嘗復行, 此賢者之心因復而見者, 至若聖人則无此, 故其心不可見. 然亦有因其動而見其心者, 如所謂堯之不虐, 舜之好生, 皆因其動而見其心者.
물었다: 성인의 마음이 천지의 마음이니, 천지의 마음을 볼 수 있다면 성인의 마음도 볼 수 있습니까?
답하였다: 선하지 않음이 있으면 일찍이 그것을 알지 못한 적이 없고, 알면 다시 그것을 행하지 않으니, 이는 어진 이의 마음이 회복함으로 인하여 보는 것인데, 성인에 이르면 이러한 것이 없으므로 그 마음을 볼 수 없습니다. 그러나 또한 그 움직임으로 인하여 그 마음을 볼 수 있는 것이 있으니, 이른바 요임금이 모질지 않고 순임금이 살리기를 좋아한 것이 모두 그 움직임으로 인하여 그 마음을 본 것과 같습니다.

○ 存養是靜工夫, 省察是動工夫. 其靜時, 思慮未萌, 知覺不昧, 乃復所謂見天地之心, 靜中之動也. 其動時, 發皆中節, 止於其則, 乃艮之不獲其身, 不見其人, 動中之靜也.
존양(存養)은 고요함의 공부이고 성찰(省察)은 움직임의 공부이다. 그 고요한 때엔 생각은 아직 싹트지 않았으나 지각이 어둡지 않으니, 복괘에서 말한 "천지의 마음을 본다"는 것이 고요함 가운데의 움직임이다. 그 움직일 때에는 발동하여 모두 절도에 맞아 그 준칙에 그치니, 간괘에서 "그 몸을 얻지 못하고 그 사람을 보지 못한다"는 것이 움직임 가운데의 고요함이다.

○ 案, 朱子初說, 以復卦爲靜中之動, 後來自以爲未當, 改定其說. 蓋至靜之中, 但有能知覺者, 而未有所知覺, 以爲坤卦純陰而不爲无陽則可, 而便以一陽已動爲比則未可也.
내가 살펴보았다: 주자의 초기 설은 복괘를 고요함 가운데의 움직임으로 보았는데, 뒤에 스스로 온당하지 않다고 여겨 그 설을 개정하였다. 지극히 고요한 가운데 다만 지각할 수

있는 주체는 있으나 지각되는 내용은 있지 않으니, 곤괘(坤卦)는 순전한 음이지만 양이 없는 것은 아니라고 여긴다면 옳지만, 곧 한 양이 이미 움직인 것으로 비유를 삼는다면 옳지 못하다.

傳, 先儒 [至] 之心.
『정전』에서 말하였다: 이전의 유학자들은 … 천지의 마음.
〈王氏曰, 寂然无爲, 乃見天地心.
왕씨가 말하였다: 고요하게 행함이 없어야 이에 천지의 마음을 본다.
○ 中說, 方者靜, 其見天地之心.
『문중자중설』에서 말하였다: 모난 것은 고요하여 그 천지의 마음을 보는 것이다.
○ 正義, 寂然不動, 此天地之心. 天地生萬物以靜爲心.
『주역정의』에서 말하였다: 고요하여 움직이지 않으니, 이것이 천지의 마음이다. 천지가 만물을 낳음은 고요함으로 마음을 삼는다.〉

本義, 初動. 〈案, 動擊壤集作起.〉 玄酒. 〈禮運疏, 太古无酒, 以水當酒所用, 故謂之玄酒.〉 大音. 〈道德經, 大音无聲註, 大音衆音之本, 反寂寞而无聲也.〉
『본의』의 처음 움직임. 〈내가 살펴보았다: 동(動)은 『격양집(擊壤集)』에는 기(起)로 되어 있다.〉 현주. 〈『예기 · 예운』의 소에서 말하였다: 태고에는 술이 없어 물로 술을 대신하여 썼으므로 현주라고 하였다.〉 대음. 〈『도덕경』의 "큰 소리는 소리가 없다"의 주에서 말하였다: 큰 소리는 여러 소리의 근본이지만, 도리어 적막하여 소리가 없다.〉

## 김상악(金相岳) 『산천역설(山天易說)』

以卦德卦體, 釋卦辭而贊之. 剛反, 言剝之剛窮上反下也. 行, 亦動也, 震陽之動於下者, 以坤之順而行也. 天行周於六位, 故七日而來復. 剛長始於一陽, 故旣生則漸長矣. 天地之心, 卽生物之心也, 傳義備矣.
괘의 덕과 괘의 몸체로 괘사를 해석하여 찬미하였다. "굳셈이 돌아온다"는 깎인 굳센 양이 위에서 다하여 아래로 돌아옴을 말한다. "간다"는 것도 움직임이니, 진괘(☳)의 양이 아래에서 움직인 것을 곤괘가 따라서 가기 때문이다. 하늘의 운행이 여섯 자리에 두루 하므로 칠일 만에 와서 회복한다. 굳센 양의 자라남은 한 양에서 시작하므로 이미 생겨났다면 점차 자라날 것이다. '천지의 마음'은 곧 만물을 낳는 마음이니, 『정전』과 『본의』에 갖추어져 있다.

○ 心統性情, 乾爲上經之首, 故言性, 咸爲下經之首, 故言情. 復居上下之中, 故曰見天地之心, 皆見於彖傳.
마음이 성과 정을 통괄하니, 건괘(乾卦)는 상경의 처음이 되므로 성(性)을 말하였고, 함괘(咸卦)는 하경의 처음이 되므로 정(情)을 말하였다. 복괘(復卦)는 위아래의 가운데에 있으므로 "천지의 마음을 본다"고 하였으니, 모두 「단전」에 보인다.

## 김규오(金奎五) 「독역기의(讀易記疑)」

本義, 生物之心, 幾於滅息, 與小註消盡底亦天地之心, 似異. 然此主生物而言, 彼泛言天地之化.
『본의』에서 '사물을 낳는 마음이 거의 사라짐'은 소주에서 "다 타버린 것도 천지의 마음이다"는 것과 다른 듯하다. 그러나 『본의』는 사물을 낳는 것을 주로 하여 말하였고, 소주는 천지의 변화를 범범하게 말하였기 때문이다.

○ 本心幾息, 此實包動靜善惡而言也. 惡極則固可謂幾息, 而靜極之, 亦謂幾息, 何也. 豈以生生之意, 悄无蹤跡而言耶.
"본래의 마음이 거의 사라졌다"고 하였는데, 이것은 실상 움직임과 고요함, 선과 악을 포함하여 말한 것이다. 악이 다하였다면 진실로 거의 사라졌다고 말할 만하지만, 고요함이 다한 것을 또한 "거의 사라졌다"고 말하는 것은 어째서인가? 어찌 낳고 낳는다는 뜻으로 고요히 종적이 없는 것을 말한단 말인가?

○ 小註, 常人也, 有靜極而動底時節,
소주에서 말하였다: 보통사람들은 고요함이 다해 움직이는 시절이 있다.
以此見之, 衆人亦有未發. 然則此所云云, 又與未發之稱, 有些分數.
이것으로 보면 보통 사람들 역시 미발(未發)이 있다. 그렇다면 여기서 말하는 내용은 또한 '미발'이라고 일컬은 것과 조금은 차이[分數]가 있다.

○ 推五行者, 多不知之.
오행에 미룬 것은 대부분 알지 못하지만.
疑指夜子時.
아마도 밤의 자시(子時)를 가리키는 듯하다.

○ 方怵惕惻隱, 而未成怵惕惻隱之時.
막 두려워하려 하고 불쌍히 여기려 하면서, 아직 두려워함과 불쌍히 여김을 이루지는 못한 때이다.

蓋指乍見之初, 驀直驚心之時, 心驚了, 方能惻隱故也.

대개 갑자기 보게 되는 처음에 곧바로 마음이 놀라게 되는 때를 가리키니, 마음이 놀라야 불쌍히 여길 수 있기 때문이다.

○ 離於亥, 而爲子方四五分到, 則似成正中, 而此所云云, 似以夜子時當之. 蓋衆人之見, 必待十分成子, 而後始謂之中, 而邵子, 則常就前一頭地看得, 如愛看半開花之類, 是也.

"해시를 넘어 자시의 방향으로 사오분이다"는 정중앙을 이루는 것 같으니, 여기에서 말한 바는 한밤중 자시를 그에 해당시킨 것 같다. 대개 여러 사람들의 견해는 반드시 십분을 기다려 자시(子時)가 된 이후에야 비로소 '가운데'라고 하는데, 소자에 있어서는 항상 앞부분에 나아가 보았으니, 마치 덜 개화한 것을 좋게 본 것과 같은 것이 이것이다.

## 서유신(徐有臣) 『역의의언(易義擬言)』

天地之心者, 生物之仁心也. 復者, 此心發現之端也. 一陽生於積陰之餘, 善端發於積昏之中, 君子進於積衰之際, 此皆天地生物之仁心乎. 此心固未嘗暫息於積陰之時, 而及其動也, 因其端而推之, 則其全體之大, 乃可見也.

'천지의 마음'이란 만물을 낳는 인심(仁心)이다. '복(復)'은 이 마음이 발현하는 단서이다. 한 양이 음이 누적된 말미에서 생겨나고, 선의 단서가 어둠이 쌓인 가운데서 드러나며, 군자가 심하게 쇠퇴한 때에 나아가니, 이것이 모두 천지가 만물을 낳는 인심(仁心)이로다. 이 마음이 진실로 음이 누적된 때에도 잠시라도 쉼이 없다가 움직임에 미친 것이니, 그 단서로 인하여 미루어본다면 그 전체의 큼을 이에 볼 수 있다.

## 윤행임(尹行恁) 『신호수필(薪湖隨筆)・역(易)』

黃鍾起於子, 子月卽陽復之月也. 康節先生曰, 到子上方有天, 天開於子, 而陽律又起於是月, 以其一陽之生也. 天一生水, 水生木, 木之實, 卽碩果, 反復相生, 天之道也.

황종(黃鐘)[18]은 자월(子月)에서 일어나는데, 자월(子月)은 곧 양이 회복하는 달이다. 강절선

---

18) 황종(黃鐘): 동양 음악의 십이율(十二律) 중에서 첫 번째에 해당하는 달이라는 뜻이다. 중국 고대 역법에 의하면 십이율은 그 음이 황종(黃鍾), 대려(大呂), 태주(太簇), 협종(夾鍾), 고선(姑洗), 중려(仲呂), 유빈(蕤賓), 임종(林鍾), 이칙(夷則), 남려(南呂), 무역(無射), 응종(應鍾)의 순으로 높아진다. 십이율을 각각 일년 열두 달에 배속시키면 양의 기운이 처음 생기는 동짓달에 해당하기 때문에 11월에 해당한다.

생은 “자월에 이르면 위로 하늘이 있다”고 하였는데, 하늘이 자월에 열리고 양률(陽律)[19]도 이 달에서 일어나는 것은 한 양이 생겨나기 때문이다. 천수(天數)인 일(一)이 수(水)를 낳고 수가 목(木)을 낳는데, 목의 과실이 곧 ‘큰 과실’이니, 반복하여 서로 나옴이 하늘의 도이다.

子午爲正北正南, 子是極陰, 午是極陽, 而陰生於午, 陽生於子, 以陰陽俱無盡消之理也. 巳之六陽, 亥之六陰, 天有風, 地有雷, 風雷之動, 陰陽生焉. 風起西南, 雷動東北, 巳亥之位也.
자(子)와 오(午)는 정북(正北)과 정남(正南)이 되니, 자는 지극한 음이고 오는 지극한 양인데, 음(陰)이 오에서 생겨나고 양(陽)이 자에서 생겨나는 것은 음과 양이 모두 다 사라지는 이치가 없기 때문이다. 사(巳)에서 여섯 양이 되고 해(亥)에서 여섯 음이 되니, 하늘에는 바람이 있고 땅에는 우레가 있어 바람과 우레의 움직임에 음과 양이 생겨난다. 바람은 서남에서 일어나고 우레는 동북에서 움직임은 사와 해의 자리이다.

### 강엄(康儼) 『주역(周易)』

本義, 本心幾息, 而復見之端也, 或謂本心幾息而復見, 專以惡極而善一句言. 然愚意, 靜極而動, 亦可如此說. 蓋極靜中, 非无本心. 但在極靜中, 未見端倪, 故謂之幾息, 如天地生物之心, 无時間斷. 但在積陰中, 故謂之幾於滅息, 豈獨指惡極而善一句而言.
『본의』의 “본래의 마음이 거의 사라졌다가 회복되어 나타나는 단서이다”에 대해 어떤 이는 “본래의 마음이 거의 사라졌다가 회복되어 나타난다”고 한 것은 전적으로 “악이 다하여 선하다”는 한 구절로 말한 것이라고 하였다. 그러나 내 생각에는 고요함이 다하여 움직이는 것도 이와 같이 말할 수 있다. 대개 지극히 고요한 가운데 본래의 마음이 없는 것은 아니다. 다만 지극히 고요한 가운데 있어서 단서를 볼 수 없으므로 “거의 사라졌다”고 말했으니, 천지가 만물을 생겨나게 하는 마음이 끊어지는 때가 없는 것과 같다. 다만 음이 누적된 가운데 있으므로 “거의 사라졌다”고 말했으니, 어찌 유독 “악이 다하여 선하다”는 한 구절만을 가리켜 말한 것이겠는가?

### 박문건(朴文健) 『주역연의(周易衍義)』

天地之心, 卽生物之理, 此贊復陽之仁也.

---

19) 양률(陽律): 십이율(十二律) 가운데 양성(陽性)에 딸린 여섯 가지 소리로 태주, 고선, 황종, 이칙, 무역(貿易), 유빈을 말한다.

천지의 마음은 곧 만물을 낳는 이치이니, 이것은 양의 씨앗[仁]이 회복됨을 찬미한 것이다.

### 이지연(李止淵) 『주역차의(周易箚疑)』

孟子夜氣之說, 其發於此象乎. 有是理則有是氣, 分而言之則二也, 合而言之則一也. 剝之極, 如物欲之梏喪, 畢竟爲純陰之卦, 坤是夜也. 復是平朝未與物接之時也. 一夜萌蘗之氣, 至於平朝, 湛然虛明, 其氣像自可見矣. 此乃坤卦中萌蘗之陽, 至于復而發見之妙乎.

맹자의 '야기(夜氣)'에 대한 설명은 여기 복괘의 「단전」에서 드러날 것이다. 이치가 있으면 기운이 있으니, 나누어서 말하면 둘이지만 합해서 말하면 하나이다. 깎아냄이 지극한 것은 물욕에 빠져 없어짐과 같아서 결국은 순음인 괘가 되니, 곤괘는 '밤[夜]'이다. 복괘는 아침에 사물과 아직 접촉하지 않은 때이다. 한 밤에 싹튼 기운이 아침에 이르면 담연히 텅 비고 밝아서 그 기상이 저절로 드러날 수 있으니, 이것이 바로 곤괘 가운데서 싹튼 양이 회복되어 발현하게 되는 신묘함일 것이다.

### 김기례(金箕澧) 「역요선의강목(易要選義綱目)」

六十四卦, 无非天地之心, 而獨於復曰其見者, 可知爲生物之心, 陽无可盡之意.

육십사괘가 천지의 마음이 아닌 것이 없는데, 유독 복괘에서 "볼 수 있다"고 하였으니, 복괘가 '만물을 낳는 마음'이 되어 양이 다 없어질 수 없다는 의미를 알 수 있다.

○ 孺子入井, 而惻隱者, 人亦得天地之心.

어린아이가 우물로 들어가면 불쌍히 여기는 것은 사람이 또한 천지의 마음을 얻은 것이다.

### 박종영(朴宗永) 「경지몽해(經旨蒙解)·주역(周易)」

傳曰, 一陽復於下, 乃天地生物之心也. 先儒, 皆以靜爲見天地之心, 蓋不知動之端, 乃天地之心也.

『정전』에서 말하였다: 하나의 양이 아래로 돌아오니 바로 천지가 사물을 낳는 마음이다. 이전의 유학자들은 모두 고요함[靜]으로 천지의 마음을 보는 것으로 여겼으니, 움직임의 단서가 바로 천지의 마음임을 몰랐던 것이다.

本義曰, 積陰之下, 一陽復生, 天地生物之心, 幾於滅息, 而至此乃復可見. 在人則爲靜極而動, 惡極而善, 本心幾息而復見之端也. 邵子之詩曰, 冬至子之半, 天心無改移, 一陽初動處, 萬物未生時. 玄酒味[20]方淡, 大音聲正希. 此言如不信, 更請問包羲. 至哉言也, 學者宜盡心焉.
『본의』에서 말하였다: 누적된 음의 아래에 하나의 양이 다시 나오니, 천지가 사물을 낳는 마음이 거의 사라졌다가 여기에 와서야 회복되는 것을 볼 수 있다. 사람에게서는 고요함이 다하여 움직이고 악이 끝나서 선해지니, 본래의 마음이 거의 사라졌다가 회복되어 나타나는 단서이다. 소자(邵子)가 시에서 "동지의 자월(子月) 가운데는 하늘의 마음이 변동됨이 없으니, 하나의 양이 처음 움직이는 곳이고, 만물이 아직 생겨나지 않은 때로다. 현주(玄酒)는 맛이 바야흐로 담백하고 위대한 소리는 참으로 성글다. 이 말을 믿지 못하겠거든 다시 복희씨에게 물어보라"라고 하였다. 지극하구나, 그 말씀이여! 배우는 자들은 여기에 마음을 다해야 할 것이다.

蓋靜極而動, 聖人之復, 惡極而善, 常人之復. 但常人也, 有靜極而動之時節, 聖人則不[21]復有惡極而善之復. 故曰聖人无復也.
고요함이 다해 움직이는 것은 성인의 돌아옴이고, 악이 다해 선한 것은 보통사람의 돌아옴이다. 다만 보통사람에게도 고요함이 다하여 움직이는 시절이 있으나, 성인은 다시 악이 다해 선해지는 돌아옴이 있지 않다. 그러므로 "성인은 돌아옴이 없다"고 하였다.

### 심대윤(沈大允) 『주역상의점법(周易象義占法)』

天之可見於迹者, 生物而已矣. 生物, 利之始也. 人之可見於事者, 濟物而已矣. 濟物, 利之終也. 天人之性, 利而已矣, 利者, 善也. 天地之生物, 所以自生也, 聖人之成物, 所以自成也, 此之謂善也. 欲自生而生物, 欲自成而成物, 此之謂仁也. 善, 性之成也, 仁, 心之成也, 其實一也. 天地, 聖人之心, 仁而已矣. 天地之心, 主於生物, 而有肅殺者, 乃所以生物也. 聖人之心, 主於成物, 而有決折者, 乃所以成物也. 及其復常, 則乃可見焉耳. 人有道心人心之異, 故有克己復善之教, 而天至誠也, 故仁已而矣. 人能克己復善, 以盡其性, 則其心亦仁而已矣. 人有天命之性, 有心之性, 心之性者, 四端, 是也, 四端者, 道心也. 人能克其人心, 而擴充其道心, 則可以至於仁而成道矣, 乃可見其性之本善耳. 復於心性, 復於天性, 有本末終始之殊, 而其用工一也, 其爲道一也.
하늘이 자취로 드러날 수 있는 것은 만물을 낳는 것일 뿐이다. 만물을 낳는 것이 이로움의 시작이다. 사람이 일에 드러날 수 있는 것은 만물을 이루는 것일 뿐이다. 만물을 이루는

---

20) 味: 경학자료집성DB와 영인본에는 모두'昧'로 되어 있으나, 문맥을 살펴 '味'로 바로잡았다.
21) 不: 경학자료집성DB와 영인본에는 모두 '此'로 되어 있으나, 소주에 따라 '不'로 바로잡았다.

것은 이로움의 끝이다. 하늘과 사람의 성품은 이롭게 하는 것일 뿐이며, 이롭게 하는 것이 선(善)인 것이다. 천지는 만물을 낳기에 스스로 존재하는 것이고, 성인이 만물을 이루기에 스스로 이루는 것이니, 이것을 '선(善)'이라고 말한다. 스스로 살려고 하여 만물을 낳고, 스스로 이루고자 하여 만물을 이루니, 이것을 인(仁)이라고 한다. '선'은 성의 완성이고 '인'은 마음의 완성이지만, 그 실상은 같다. 천지는 성인의 마음이니, 인(仁)일 뿐이다. 천지의 마음은 만물을 낳는 것을 주로 하지만 숙살(肅殺)의 기운이 있는 것은 바로 만물을 낳기 때문이다. 성인의 마음은 만물을 이루는 것을 주로 하지만 결단하여 끊음[決折]이 있는 것은 바로 만물을 이루기 때문이다. 그 항상됨을 회복하는데 이르면 바로 볼 수 있을 것이다. 사람에게는 도심과 인심의 다름이 있으므로 자신을 극복하고 선을 회복하는 가르침이 있지만, 하늘은 지극히 정성스러우므로 인(仁)할 뿐이다. 사람이 자신을 극복하고 선을 회복하여 그 성품을 다할 수 있다면, 그 마음이 또한 인(仁)일 뿐이다. 사람에게는 하늘이 명령한 성이 있고 마음의 성이 있으니, 마음의 성이란 사단이 이것이며, 사단이란 도심이다. 사람이 그 인심을 극복하고 도심을 확충할 수 있다면, 인에 이르러서 도를 이룰 수 있을 것이니, 이에 그 성이 본래 선함을 볼 수 있다. 마음의 성을 회복하고 하늘의 성을 회복함에 근본과 말단, 시작과 끝의 다름이 있지만, 그 일에 쓰임은 하나이며, 그 도가 됨도 하나이다.

### 오치기(吳致箕) 「주역경전증해(周易經傳增解)」

此以卦反卦德卦體, 釋卦名義及卦辭也. 一陽復於下, 乃天地生物之心, 故終又贊之, 而傳義已詳矣. 餘見彖解.

이는 괘가 거꾸로 된 괘[反對]와 괘의 덕과 괘의 몸체로 괘의 이름과 뜻 및 괘사를 해석하였다. 한 양이 아래에서 회복하니, 바로 천지가 만물을 낳는 마음이므로 끝에 또 찬미하였는데, 『정전』과 『본의』에 이미 상세하다. 나머지는 「단전」의 해석을 보라.

### 이진상(李震相) 『역학관규(易學管窺)』

其見天地之心

그 천지의 마음을 볼 것이다.

一陽之動, 非天地之心. 天地之心, 由動而乃見, 退陶所謂氣行而理顯, 是也. 天地之心, 太極之全體, 元亨利貞, 是也.

한 양의 움직임이 천지의 마음인 것은 아니다. 천지의 마음은 양이 움직임으로 말미암아 이에 드러나니, 퇴계가 이른바 "기가 행하여 리가 드러난다"고 한 것이 이것이다. 천지의 마음은 태극의 전체이니, 원 · 형 · 리 · 정이 이것이다.

○ 靜中含動者, 坤也, 靜極復動者, 復也, 坤復之間, 其動靜之交乎.
고요한 가운데 움직임을 머금은 것이 곤괘(坤卦)이고, 고요함이 다하여 다시 움직이는 것이 복괘(復卦)이니, 곤괘와 복괘의 사이에는 그 움직임과 고요함이 교차하는구나!

### 채종식(蔡鍾植) 「주역전의동귀해(周易傳義同歸解)」

傳云, 動之端, 乃天地之心也, 本義云, 靜極而動, 惡極而善, 本心幾息, 而復見之端也. 程子只言動, 朱子兼靜與惡而言. 蓋復乃至月卦也. 於四德爲貞, 於五常爲智, 而貞下起元, 智下生仁, 貞智, 靜也, 元仁, 動也. 然則復者, 乃靜中之動, 而不害其爲靜也. 是以程子只就動之端而言其心, 猶言元之始而仁之端也. 朱子兼言動靜善惡, 猶言貞終而元始, 欲盡而仁生也. 其義未嘗不同也.
『정전』에서는 "움직임의 실마리가 바로 천지의 마음이다"고 하였고, 『본의』에서는 "고요함이 다하여 움직이고 악이 끝나서 선해지니, 본래의 마음이 거의 사라졌다가 회복되어 나타나는 단서이다"라고 하였다. 정자는 다만 움직임을 말했고, 주자는 고요함과 악을 겸하여 말하였다. 대개 복괘는 바로 지월(至月: 동짓달)의 괘이다. 사덕에 있어서는 정(貞)이 되고 오상에 있어서는 지(智)가 되는데, 정(貞)은 아래로 원(元)을 일으키고 지(智)는 아래로 인(仁)을 낳게 되니, 정(貞)과 지는 고요함이고 원(元)과 인은 움직임이다. 그렇다면 회복한다는 것은 바로 고요함 가운데의 움직임이어서 그것이 고요함이 됨을 방해하지 않는다. 이 때문에 정자는 다만 움직임의 실마리에 나아가 그 마음을 말하였으니, '원(元)'의 시작이면서 '인(仁)'의 실마리라고 말함과 같다. 주자는 움직임과 고요함, 선과 악을 함께 말했으니, '정'이 끝나고 '원'이 시작되며 욕심이 다하여 '인'이 나온다고 말함과 같다. 그 뜻이 일찍이 같지 않은 것은 아니다.

### 이정규(李正奎) 「독역기(讀易記)」

程子曰, 復卦, 非天地之心, 復其見天地之心, 是動處見天地之心. 濂溪就利貞上說復, 是靜處見天地之心, 而朱子曰周程非有所異, 以此言之, 復是非天地之心, 於復處則見天地之心也. 以人言之, 此未發之心歟, 已發之心歟. 蓋復雖泠泠靜靜, 而一陽旣動, 則似屬已發. 然只從其端緖, 而見之云也. 其界分, 則如人未發時, 思慮未萌, 而知覺不昧者, 是靜中含動之意也. 以此言之, 當屬之未發, 未知何如.
정자는 "복괘가 천지의 마음이 아니라, 복에서 천지의 마음을 볼 수 있을 것이다"고 하였으니, 이는 움직이는 곳에서 천지의 마음을 보는 것이다. 염계는 리(利)와 정(貞)에 나아가 복(復)을 설명하였으니 이는 고요한 곳에서 천지의 마음을 본 것인데, 주자는 "주렴계와 정이천이 다른 바가 없다"고 하였으니, 이것으로 말한다면 복괘가 천지의 마음이 아니며, 회복하는 곳에서 곧 천지의 마음을 보는 것이다. 사람으로 말한다면 이는 미발(未發)의 마음인가? 이발(已發)의 마음인가? 대체로 회복하는 것이 비록 맑고 고요하지만[冷冷靜靜] 한 양이 이미 움직였다면 이미 이발에 속하는 것 같다. 그러나 단지 그 실마리를 따라서 본다고 말할 뿐이다. 그 경계는 사람이 미발한 때에는 사려가 아직 싹트지 않았으나 지각이 어둡지 않은 것과 같으니, 고요함 가운데 움직임을 머금은 뜻이다. 이것으로 말한다면 마땅히 미발에 속해야 하지만, 어떠한지 모르겠다.

觀復之諸爻, 一陽其微, 似不能敵五陰. 然坤極之餘群陰爻, 已含向陽之意, 故終得其吉, 而惟上六一爻, 在外在遠, 而迷復故凶. 推之人事, 則將剝之時, 人情忸於賁, 所尙則好文餙而棄質素, 見聞則喜新奇而厭舊常, 操心則樂侈靡而惡險約, 營爲則逐利末而棄質本. 先王之政日廢, 聖人之學漸衰, 則亂賊與夷狄, 乘時而中之, 以奇怪之言, 眩幻之術, 淫巧之技, 珍玩之好, 則上下靡然, 楊眉流涎, 滔滔入於無如何之境, 而遂爲亂賊之塗炭, 夷狄之魚肉, 糜爛窮厄之極, 人情無所爲而自反於本. 向所謂文餙新奇者, 酸於齒, 而質素舊常者, 甘於心, 則此復之所以爲復, 而惟窒塞剝傷之極者, 尙不覺悟而不知反, 此豈非上六之凶哉.

복괘의 여러 효를 보면 한 양은 미약하여 다섯 음을 대적할 수 없을 듯하다. 그러나 곤괘(坤卦)의 끝에 남아 있는 여러 음효가 이미 양을 향하려는 뜻을 머금었으므로 끝내 그 길함을 얻고, 오직 상육의 한 효만 밖에 있고 멀리 있어 아직 회복하지 않았으므로 흉하다. 그것을 사람의 일에 유추하면, 장차 깎이는 때에 사람의 감정이 꾸밈에 익숙하여 숭상하는 바가 곧 꾸밈[文餙]을 좋아하고 실질[質素]을 버리며, 견문은 곧 신기한 것을 좋아하고 오래된 일상의 것[舊常]을 싫어하며, 조급한 마음은 곧 사치를 즐기고 검약을 싫어하며, 영위함은 곧 말단인 이익을 좇고 근본인 바탕을 버린다. 선왕의 정치가 날로 폐지되고 성인의 학문이 점차 쇠퇴하니, 곧 난신 · 적자와 이적이 때를 타고서 기괴한 말과 현혹하는 술수와 음란한 기술과 좋아할 만한 보배로써 들어오니, 곧 위아래가 따르면서 눈을 치켜뜨며 부러워하여[楊眉流涎] 점점 어찌할 수 없는 지경에 빠져 드디어 난신 · 적자[亂賊]의 도탄에 빠지고 이적의 어육이 되어 문드러지고 궁핍한 지경이 되니, 인정이 어떤 일을 하더라도 스스로 근본에 돌아갈 바가 없다. 지난번에 이른바 꾸밈과 신기한 것은 이에 시리게 되고, 실질과 오래된 일상의 것은 마음에 달게 됨이 이것이 복괘가 복괘가 된 까닭인데, 오직 막히고 깎이어 상함이 지극한 자는 오히려 깨닫지 못하고 돌이킬지 모르니, 이것이 어찌 상구의 흉함이 아니겠는가?

### 이병헌(李炳憲) 『역경금문고통론(易經今文考通論)』

鄭曰, 復, 反也, 還也.
정현이 말하였다: '복(復)'은 반(反)이니, 돌아옴이다.

虞曰, 剛反交初, 故亨, 謂出震成乾, 入巽成坤. 坎爲疾, 十二消息, 不見坎象, 故无疾.
우번이 말하였다: 굳셈이 돌아와 초효와 사귀므로 형통하니, 진괘(☳)로부터 나와 건괘(☰)를 이루며 손괘(☴)로 들어가 곤괘(☷)를 이룸을 말한다. 감괘는 병이 되는데 열두 소식괘(消息卦)에서 감괘의 상을 볼 수 없으므로 병이 없다.

鄭曰, 建戌之月, 陽氣旣盡, 建亥之月, 純陰用事, 至建子之月, 陽氣始生, 隔此純陰一卦, 卦主六日七分, 擧其成數言之, 而云七日來復.
정현이 말하였다: 북두의 자루가 술(戌)에 걸리는 달은 양기가 이미 다하고, 북두의 자루가 해(亥)에 걸리는 달은 순음이 일을 하며, 북두의 자루가 자(子)에 걸리는 달에 이르면 양기가 비로소 생겨나니, 이 순음 한 괘를 막고 괘가 육일 칠분을 위주로 하니, 그 성수(成數)를 들어 말하여 "칠일만에 와서 회복한다"고 하였다.

孔穎達曰, 易緯云, 卦氣起中孚, 故坎離震兌, 各主其一方, 其餘六十卦, 卦有六爻, 爻別主一日, 凡主三百六十日. 餘有五日四分日之一者, 每日分爲八十分, 五日分爲四百分, 四分日之一又分爲二十分, 是四百二十分. 六十卦分之, 六七四十二, 卦別各得七分, 是每年六日七分也.
공영달이 말하였다: 『역위』에서 "괘의 기운이 중부괘(中孚卦䷼)에서 일어나므로 감괘 · 리괘 · 진괘 · 태괘가 각각 그 한 방향을 주관하고, 그 나머지 육십괘는 괘에 여섯 효가 있어서 효는 따로 하루를 주관하니, 삼백육십일을 주관한다. 나머지 오일 사분의 일일이 있는 것은 하루씩은 나누어 팔십분이 되니 오일은 나뉘어 사백분이 되고, 사분의 일일은 또 나뉘어 이십분이 되니, 사백이십분이다. 이것을 육십괘로 나누면 육칠은 사십이이고, 괘가 별도로 각각 칠분을 얻으니, 매년 육일 칠분이다.

按, 天地之心, 孚于坎中, 而見于震初也. 右一對往來策數, 準謙豫.
내가 살펴보았다: 천지의 마음은 감괘의 가운데 붙어 있고 진괘의 초효에서 드러난다. 이상은 한 짝으로 왕래하는 책수(策數)는 겸괘와 예괘와 같다.

又按, 六日七分, 自是卦氣所推七日, 又與七政通, 爲一週之數, 乃全球均行之通例也,可知易無所不包.

또 살펴보았다: '육일 칠분'은 이 괘의 기운으로부터 미룬 바가 칠일이고, 또 칠정(七政)[22]과 통하여 일주(一週)의 수가 되어 바로 전체 지구가 고르게 행하는 공통된 용례이니, 역이 포함하지 않는 것이 없음을 알 수 있다.

---

22) 칠정(七政): 일곱 가지 자연물의 변화 원리를 정치의 근원으로 삼은 치도(治道)를 말하는 것으로 그 절도 있는 운행이 정사(政事)와 비슷하다고 하여 칠정이라 한다. 칠정에는 네 가지가 있다. 첫째 『서경』에 나오는 일월과 오성, 둘째 북두칠성, 셋째 천지인 삼재와 춘하추동의 사시, 넷째 『위료자(尉繚子)』에서 말한 인(人)·정(正)·사(辭)·교(巧)·화(火)·수(水)·병(兵)이다. 그러나 일반적으로는 일월과 오성을 말하며, 일월과 오성의 운행이 나라의 정치하는 방법과 같다고 하는 데서 취해진 것이다.

**象曰, 雷在地中, 復, 先王以, 至日閉關, 商旅不行, 后不省方.**

「상전」에서 말하였다: 우레가 땅속에 있음이 복이니, 선왕이 그것을 본받아 동짓날에는 관문을 닫아걸어 장사꾼과 여행자들이 다니지 못하게 하고 임금이 사방을 시찰하지 않게 했다.

## 中國大全

**傳**

雷者, 陰陽相薄而成聲, 當陽之微, 未能發也. 雷在地中, 陽始復之時也. 陽始生於下而甚微, 安靜而後能長. 先王順天道, 當至日陽之始生, 安靜以養之. 故閉關, 使商旅不得行, 人君不省視四方, 觀復之象而順天道也. 在一人之身, 亦然, 當安靜以養其陽也.

우레는 음과 양이 서로 부딪혀서 나는 소리이지만 양이 미약할 때는 아직 터져 나오지 못한다. 우레가 땅속에 있으니 양이 처음 돌아오는 때이다. 양이 아래에서 비로소 나와 아주 미약하니, 편안하고 고요한 뒤에 자랄 수 있다. 선왕이 천도에 순응하여 동짓날 양이 처음 생길 때에는 그것을 안정시켜서 기른다. 그러므로 관문을 닫아걸어 장사꾼과 여행자들이 다니지 못하게 하고 임금은 사방을 시찰하지 않으니, 돌아오는 상을 보고 천도에 순응하는 것이다. 사람의 몸에서도 또한 그래야 하니, 그 양을 안정시켜서 길러야 한다.

**小註**

程子曰, 聖人无一事不順天時, 故至日閉關.

정자가 말하였다: 성인은 어떤 일에서든 하늘의 때에 순응하지 않음이 없기 때문에 동짓날에 관문을 닫아건다.

本義

**安靜以養微陽也. 月令, 是月齋戒掩身, 以待陰陽之所定.**

미약한 양을 안정시켜서 기름이니, 『예기 · 월령』의 "이 달에 재계하고 몸을 가려 음양이 정해지기를 기다린다"[23]는 것이다.

小註

朱子曰, 一陽來復, 與雷在地中, 只是一義. 蓋陽生於閉藏之中, 至微而未可有爲之時也.
주자가 말하였다: '하나의 양이 돌아옴'과 '우레가 땅속에 있음'은 하나의 의미일 뿐이다. 양이 닫혀서 감춰진 속으로 나왔으니, 아주 미약하여 아직 일할 수 있는 때가 아니다.

○ 問, 陽始生甚微, 安靜而後能長, 故復之象曰, 先王以至日閉關. 人於迷途之復, 其善端之萌, 亦甚微, 故須敬持養, 然後能大. 不然, 復亡之矣. 曰然.
물었다: 양이 처음 나와 아주 미약하니, 안정시킨 다음에 기를 수 있기 때문에 복괘의 「상전」에서 "선왕이 그것을 본받아 동짓날에는 관문을 닫아걸었다"고 하였습니다. 사람들이 길을 잘못 들었다가 돌아옴에도 선(善)한 단서의 싹이 아주 미미하기 때문에 반드시 공경하여 지키고 기른 다음에 크게 할 수 있습니다. 그렇게 하지 않으면 돌아옴이 사라질 듯합니다.
답하였다: 그렇습니다.

○ 至日閉關, 正是於已動之後, 要安靜以養之. 蓋一陽初復, 其氣甚微, 勞動他不得, 故當安靜以養微陽. 如人善端初萌, 正欲靜以養之, 方能盛大. 又曰, 古人所以四十强而仕者, 前面許多年, 亦且養其善端. 若一下便出來, 與事物衮了, 豈不壞事.
'동짓날 관문을 닫아걸음'은 바로 이미 움직인 다음에 안정시켜서 기르려는 것이다. 하나의 양이 처음 돌아옴에는 그 기가 아주 미약하여 그것을 수고롭게 움직일 수 없기 때문에 미약한 양을 안정시켜서 길러야 한다. 이를테면 사람에게서 선한 단서가 처음 싹틈에 바로 고요하게 해서 기르도록 해야 성대해질 수 있다.
또 말하였다: 옛사람들이 사십에 굳건해서 벼슬하는 것은 이전의 허다한 세월에 또한 선한 단서를 길렀던 것이다. 갑자기 바로 출사하여 사물과 뒤엉켜버린다면 어찌 일을 그르치지 않겠는가?

23) 『禮記 · 月令』: 是月也, …, 君子齊戒, 處必掩身, …, 以待陰陽之所定.

○ 建安丘氏曰, 地靜雷動, 雷在地中, 靜養動也. 關宜開者也而閉之, 商旅出諸塗者也而不行. 古者, 歲十一月朔巡守, 而后於是日, 則不省方, 皆法雷在地中之義, 而養微陽也.
건안구씨가 말하였다: 땅은 고요하고 우레는 움직이는데, 우레가 땅속에 있으니 고요함으로 움직임을 기름이다. 관문을 열어놔야 되는데 닫아걸고, 장사꾼과 여행자들은 길에서 돌아다녀야 하는데 다니지 못하게 한다. 옛날에 십일월 초하루에 나라를 돌아다니며 살피다가 임금이 이날에는 사방을 시찰하지 않는 것은 우레가 땅속에 있는 뜻을 본받아 미약한 양을 기르는 것이다.

○ 丹陽都氏曰, 舜十一月朔巡守, 而此言后不省方. 則知巡守者, 是月也不省方者, 是月之至日也.
단양도씨가 말하였다: 순임금이 십일월 초하루에 나라를 돌아다니며 살폈는데, 여기에서는 임금이 사방을 시찰하지 않는다고 하였다. 그렇다면 나라를 돌아다니며 살필 경우에 십일월에는 사방을 시찰하지 않는다는 것을 알겠으니, 그 달의 동짓날이기 때문이다.

○ 潛室陳氏曰, 一陽復於地下, 卽是動之端. 但萌芽方動, 當靜以候之, 不可擾也. 故卦辭言出入无疾, 而象言閉關息民. 蓋動者, 天地生物之心, 而靜者, 聖人裁成之道也.
잠실진씨가 말하였다: 하나의 양이 땅속에서 돌아오는 것은 바로 움직임의 단서이다. 다만 싹이 막 움직임에 고요히 기다려야지 어지럽게 해서는 안 된다. 그러므로 괘사에서 "나가고 들어옴에 병이 없다"고 하고, 「상전」에서 "관문을 닫아걸어 백성들을 쉬게 한다"고 하였다. 움직이는 것은 천지가 사물을 낳는 마음이고, 고요한 것은 성인이 마름질하여 이루어주는 도이다.

○ 雙峯饒氏曰, 閉關休息, 所以培養生意, 使之深潛固密而无所泄, 于以順陰而固陽也. 推此以往, 則政事云爲之間, 凡可以扶陽抑陰, 而參贊化育者, 必將无所不用其至矣.
쌍봉요씨가 말하였다: 관문을 닫아걸고 휴식하는 것은 '생기[生意]'를 배양하여 깊이 잠기고 굳게 지켜서 누설됨이 없게 하는 것이니, 이로써 음을 유순하게 하고 양을 견고하게 하는 것이다. 이를 미루어보면 정사와 언행의 사이에 양을 북돋우고 음을 억제하여 화육에 참여하여 도울 수 있는 것이니, 반드시 그 동짓날을 쓰지 않음이 없어야 할 것이다.

○ 雲峯胡氏曰, 安靜以養微陽, 大象從事上說, 本義引月令, 從身上說, 其敎人之意深矣.
운봉호씨가 말하였다: 미약한 양을 안정시켜서 기르는 것을 「상전」에서는 일을 기준으로 설명하였고, 『본의』에서는 『예기 · 월령』을 인용하여 몸을 기준으로 말하였으니, 사람들에게 가르치는 뜻이 깊다.

# ▌韓國大全▐

## 조호익(曺好益) 『역상설(易象說)』

註, 丘氏, 云云.
주에서 구씨가 운운하였다.

愚謂, 雷在地中, 藏動於靜之象. 閉關門, 息商旅, 不省方, 皆藏動於靜之義.
내가 살펴보았다: '우레가 땅속에 있음'은 고요함에 움직임을 감춘 상이다. 관문을 닫아걸어 장사꾼과 여행자들이 다니지 못하게 하고 임금이 사방을 시찰하지 않게 함은 모두 고요함에 움직임을 감추는 상이다.

○ 本義, 月令云云, 是月日長, 至陰陽爭. 君子齋戒處, 必掩身, 去聲色, 禁嗜欲, 以待陰陽之所定. 〈註, 齋戒以定其心, 掩蔽以防其身.〉
『본의』에서 '월령(月令)' 운운한 것은 이 달에 해가 길어져 음과 양이 다투게 되기 때문이다. 군자가 재계(齋戒)하는 곳에서 반드시 몸을 가리고 성색(聲色)을 제거하고 기욕(嗜慾)을 금하여 음과 양이 정해지길 기다린다. 〈주(註)에서 말하였다: 재계하여 그 마음을 안정시키고, 가려서 그 몸을 방비한다.〉

## 송시열(宋時烈) 『역설(易說)』

一陽動於地中, 此日至之時也. 閉[24]關者, 艮爲門闕, 而震綜之, 以一陽橫遮[25]於初, 此閉門之象. 閉[26]門, 故商旅不行. 震錯巽則爲近利市三倍, 而此則震之道方長, 不用錯巽, 故言利市之商旅, 不行於閉[27]關之日也. 風地觀, 則先王省方設教, 此則雖云省方, 然不得其位之君, 當閉[28]關之日, 故以不省方言之, 此等處, 可見互相取象之意.[29]
한 양이 땅속에서 움직이니, 이는 동지의 때이다. '관문을 닫아걸음'은 간괘(☶)가 관문이

---

24) 閉: 경학자료집성DB와 영인본에는 모두 '開'로 되어 있으나, 문맥을 살펴 '閉'로 바로잡았다.
25) 遮: 경학자료집성DB와 영인본에는 모두 '庭'으로 되어 있으나, 문맥을 살펴 '遮'로 바로잡았다.
26) 閉: 경학자료집성DB와 영인본에는 모두 '開'로 되어 있으나, 문맥을 살펴 '閉'로 바로잡았다.
27) 閉: 경학자료집성DB와 영인본에는 모두 '開'로 되어 있으나, 문맥을 살펴 '閉'로 바로잡았다.
28) 閉: 경학자료집성DB와 영인본에는 모두 '開'로 되어 있으나, 문맥을 살펴 '閉'로 바로잡았다.
29) 위의 문장 전체는 경학자료집성DB에 누락되어 있으나, 경학자료집성 원문을 대조하여 보충하였다.

되는데 진괘(☳)로 음양이 바뀌어서 한 양이 초효의 자리에서 가로막음이니, 이것이 관문을 닫아거는 상이다. 관문을 닫아걸기 때문에 장사꾼과 여행자들이 다니지 못한다. 진괘의 음양이 바뀐 손괘(☴)는 시장에서 세배의 이익을 내는 것이 되는데, 여기서는 진괘의 도가 막 자라나서 음양이 바뀐 손괘를 쓰지 못하므로 시장에서 이익을 취하는 장사꾼과 여행자들이 관문을 닫아거는 동짓날에 다니지 못한다고 말한 것이다. 풍지관괘(觀卦䷓)에서는 선왕이 사방을 살피고 교화를 베푸는데, 여기서는 비록 '사방을 살핌'을 말했지만 그 지위에 맞는 임금을 얻지 못하여 당연히 관문을 닫아걸어야 하므로 "사방을 살피지 않는다"는 것으로 말했으니, 이와 같은 곳에서 서로 서로 상을 취하는 뜻을 볼 수 있다.

### 김도(金濤) 「주역천설(周易淺說)」

愚按, 程傳下, 程子所釋惟一條, 本義下, 朱子所釋, 凡三條, 丘氏以下, 諸儒所釋, 又凡六條, 而皆合於大象之旨矣. 蓋陰陽往復, 乃天運自然之理也. 陽往則陰來, 陰往則陽復, 而復之爲卦, 陽復之卦也. 陽之在地中, 潛藏而不發, 至其初動也, 其端甚微, 不可不順養以長之也. 至於至日, 則陽氣始萌之時也, 當靜養而不害. 故先王於是日也, 閉關息旅后, 不省視四方, 莫非順天之道, 而其所以扶陽者, 至矣盡矣, 豈止天道爲然哉. 至於人之一心, 亦有陰陽往復之理, 善端之初萌, 是陽之初復也. 其端亦甚微而難復, 若不安靜以養之, 則與事物滾了, 而又隨而亡矣. 故善學者, 必莊敬持養, 然後能不遠而復矣. 可不拳拳服膺而勿失也哉.
내가 살펴보았다: 『정전』 아래에 정자의 해석이 오직 한 조목이고, 『본의』 아래에 주자의 해석이 세 조목이고, 구씨 이하 여러 유학자들의 해석이 또 여섯 조목인데, 모두 「대상전」의 뜻에 부합한다. 음과 양이 왕복함은 바로 하늘의 운행에 자연스런 이치이다. 양이 가면 음이 오고 음이 가면 양이 회복하는데, 복괘는 양이 회복하는 괘이다. 양이 땅 속에 있어 잠기고 감추어져 드러나지 않다가 그 처음 움직임에 이르러선 그 단서가 매우 미약하여 차례로 길러 자라나게 하지 않을 수 없다. 동짓날에 이르면 양기가 비로소 싹트는 때인데, 고요하게 길러서 손상되지 않게 하여야 한다. 그러므로 선왕(先王)이 이날에 관문을 닫아걸어 장사꾼과 여행자들이 다니지 못하게 하고 임금이 사방을 시찰하지 않게 한 것은 하늘의 도를 따르지 않음이 없어서 그 양을 북돋는 바가 극진하니, 어찌 다만 천도만이 그러한 것이겠는가? 사람의 한 마음에 이르러서도 음과 양이 왕복하는 이치가 있으니, 선(善)의 단서가 처음 싹트는 것은 양이 처음 회복하는 것이다. 그 단서가 또한 매우 미약하여 회복하기 어려우니, 만약 안정(安靜)시켜서 기르지 않는다면 사물과 함께 사라져버리고, 또 따라서 없어질 것이다. 그러므로 배우기를 잘하는 자는 반드시 엄숙하게 길러야 하니 그런 뒤에야 머지않아 회복할 수 있다. 마음속에 간직하고 잊지 않아 잃지 말아야 하는 것이다.

### 이만부(李萬敷) 「역통(易統)·역대상편람(易大象便覽)·잡서변(雜書辨)」

地雷復之象曰, 雷在地中, 復, 先王以, 至日閉關, 商旅不行.
지뢰복괘의 상전에서 말하였다: 우레가 땅속에 있음이 복이니, 선왕이 그것을 본받아 동짓날에는 관문을 닫아걸어 장사꾼과 여행자들이 다니지 못하게 한다.

傳曰, 雷者, 陰陽相薄而成聲, 當陽之微, 未能發也. 雷在地中, 陽始復之時也. 陽始生於下而甚微, 安靜而後能長. 先王順天道, 當至日陽之始生, 安靜以養之. 故閉關, 使商旅不得行, 人君不省視四方, 觀復之象而順天道也. 在一人之身, 亦然, 當安靜以養其陽也.
『정전』에서 말하였다: 우레는 음과 양이 서로 부딪혀서 나는 소리이지만 양이 미약할 때는 아직 터져 나오지 못한다. 우레가 땅속에 있으니 양이 처음 돌아오는 때이다. 양이 아래에서 비로소 나와 아주 미약하니, 편안하고 고요한 뒤에 자랄 수 있다. 선왕이 천도에 순응하여 동짓날 양이 처음 생길 때에는 그것을 안정시켜서 기른다. 그러므로 관문을 닫아걸어 장사꾼과 여행자들이 다니지 못하게 하고 임금은 사방을 시찰하지 않으니, 돌아오는 상을 보고 천도에 순응하는 것이다. 사람의 몸에서도 또한 그래야 하니, 그 양을 안정시켜서 길러야 한다.

本義曰, 安靜以養微陽也. 月令, 是月齋戒掩身, 以待陰陽之所定.
『본의』에서 말하였다: 미약한 양을 안정시켜서 기름이니, 『예기·월령』의 "이 달에 재계하고 몸을 가려 음양이 정해지기를 기다린다"는 것이다.

臣謹按, 以十二辟卦配月, 則剝爲九月, 坤爲十月, 而復爲至月. 復之爲卦, 一陽生五陰之下, 陽剝於上而復生於下, 故曰復, 大冬之月, 天地陰盛, 而至冬至, 一陽生於地下之象也. 此時陽始生而甚微, 先王欲其靜養以暢達, 故使商旅不行, 后不省邦, 大易所以貴陽而抑陰如此. 然非但一歲有復, 一月之晦朔, 一日之亥子, 其交也, 莫非復之理. 而至於人之呼吸喘息, 皆是陰陽二氣之循環, 陰剝陽復, 亦可驗之. 況是心合理氣統性情, 爲一身之本萬化之源者也. 其靜也, 寂然無物而萬象森然在中, 其動也, 感應無跡而能通天下之故. 凡人朝晝之間, 應事接物之際, 操存舍亡之幾, 雖或未盡察識, 當晨初起, 神氣清明, 必有悠然善端之萌, 此實積陰中始復之陽也. 苟能安靜涵養, 無所撓害, 則孟子所謂足以保四海者, 不過自此充之者也. 凡物不養則不長, 故學問之道, 必以涵養爲貴, 況人君逸豫之習, 華盛之奉, 所以浸淫搖奪者. 象若不戒惧飭厲, 游泳濃郁, 以培息其本原之地, 雖有特異之資, 其能無遷移消爍, 以保天賦之全者, 鮮矣. 古之聖王, 采色所以養其目, 聲音所以養其耳, 衣服所以養其形. 至於盤盂几杖, 有銘有戒, 所以養其心. 其養之之具, 如此之備者, 豈無所以乎. 伏願殿下, 觀卦畫陽復之象, 念先王閉關之戒, 益自加意於涵養之功. 熏陶德性, 精察幾微, 實用其力, 毋少虛假, 則非徒聖德之成可如堯舜, 而其發於心, 施於政者, 亦當自然充實光輝, 敎成治定, 可及三代, 豈不盛哉. 愚衷所激言敢及此, 臣之賤劣, 誠惶誠恐, 死罪死罪.

신이 삼가 살펴보았습니다: 12개의 벽괘(辟卦)로 달에 짝하면, 박괘(剝卦䷖)는 구월이 되고 곤괘(坤卦䷁)는 시월이 되고 복괘(復卦䷗)는 동짓달이 됩니다. 복괘는 한 양이 다섯 음의 아래에서 생겨나는데, 양이 맨 위에서 깎이어 다시 아래에서 생기므로 '복(復)'이라고 하였으니, 한 겨울의 달에 천지에 음이 왕성하다가 동지(冬至)에 이르러 하나의 양이 땅 아래에서 생겨나는 상입니다. 이때에 양이 비로소 생겨나지만 매우 미약하여 선왕이 그 고요히 길러 창달(暢達)하기를 바라므로 장사꾼과 여행자들이 다니지 못하게 하고 임금이 나라를 시찰하지 않게 하였으니, 『주역』에서 양을 귀하게 여기고 음을 억누른 것이 이와 같습니다. 그러나 단지 한 해에만 회복함이 있는 것이 아니니, 한 달에는 초하루와 그믐이 있고 하루에는 해시(亥時)와 자시(子時)가 있어 그 사귐이 회복하는 이치 아닌 것이 없습니다. 사람이 호흡하는 숨결에 이르러서도 모두 음과 양의 두 기운이 순환하니, 음이 깎아내고 양이 회복하는 것을 또한 증험할 수 있습니다. 하물며 이 마음은 리와 기를 합하고 성과 정을 거느려 한 몸의 근본과 온갖 변화의 근원이 되는 것입니다. 고요할 때에는 적막하게 사물이 없지만 온갖 사물의 이치가 그 안에 있으며, 움직일 때에는 감응하여 자취가 없지만 천하의 일에 통할 수 있습니다. 사람이 아침나절에는 사물에 응접하는 때와 존망(存亡)의 기미를 비록 아직 다 성찰하지 못하지만, 새벽에 막 일어나 신기(神氣)가 청명하면 반드시 유연하게 착한 단서의 싹이 있으니, 이는 실상 음이 쌓인 가운데 처음 회복되는 양입니다. 진실로 안정시켜 함양하여 어지럽히고 해치는 바가 없을 수 있으면, 맹자의 이른바 "사해를 보전할 수 있다"는 것은 이것으로부터 채우는 것에 불과한 것입니다. 만물은 기르지 않으면 자라지 못하므로 학문의 도가 반드시 함양(涵養)을 귀하게 여기는데, 하물며 임금이 한가롭게 즐기는데 습관과 화려하고 성대함을 받드는 것으로 음란함에 빠지고 흔들려 빼앗김에 있어서이겠습니까? 「상전」에서 만약 경계하고 조심시켜 아주 익숙하게 해서 그 본원의 경지를 배양하게 하지 않았다면, 비록 특별한 자질이 있더라도 옮겨가 사라짐이 없게 하여서 하늘이 준 온전한 성품을 보존하는 자가 드물 것입니다. 옛날 성왕(聖王)에게는 고운 색[采色]은 눈을 기르는 것이고, 소리는 귀를 기르는 것이고, 의복은 형체를 기르는 것이었습니다. 반우(盤盂)와 궤장(几杖)에 이르러 명(銘)과 계(戒)를 새겨 두었던 것은 그 마음을 기르던 것입니다. 그 기르는 도구가 이와 같이 갖추어졌던 것이 어찌 까닭이 없었겠습니까? 엎드려 바라건대 전하께서는 괘의 획에서 양이 회복되는 상을 살피시고, 선왕이 관문을 닫아걸었던 경계를 유념하시어 함양의 공부에 더욱 스스로 뜻을 더하십시오. 덕성을 훈도(薰陶)하고 기미를 정밀하게 살피시며, 그 힘을 성실하게 쓰시고 조금이라도 헛되이 겨를을 보내지 않으신다면, 성덕의 이루어짐이 요·순과 같을 뿐만이 아니어서 마음에 드러나고 정사에 시행되는 것이 또한 마땅히 자연스럽게 충실하고 빛이 나며, 교화가 이루어지고 다스림이 안정되어 삼대에까지 미칠 것이니, 어찌 성대하지 않겠습니까? 저의 어리석은 마음으로 격언(激言)한 바가 감히 여기에 이름에 신의 천하고 용렬함이 진실로 황공하고 두려우니, 죽을 죄를 지었습니다.

### 심조(沈潮) 「역상차론(易象箚論)」

象, 閉關.
「상전」에서 말하였다: 관문을 닫아걸다.

一陽橫亘於前, 便是閉關之象也.
한 양이 가로로 앞에 뻗쳤으니, 곧 관문을 닫아거는 상이다.

### 유정원(柳正源) 『역해참고(易解參攷)』

眉山蘇氏曰, 冬至, 一陽之生也. 五陰在上, 而一陽初生, 其氣至微, 其兆絪縕, 可以靜而不動, 可以嗇養, 而不可以發宣. 故先王於是日閉關, 商旅不行, 后不省方. 關者, 門戶所由以闔闢也. 商旅者, 動以利心也. 后者, 凡居人上者, 謂之群后, 所以治事者也. 方者, 事也. 門戶不開, 則微陽閉而不出也, 利心不動, 則外物感而不應也. 方事不省, 則視聽收而不發也. 先王奉若天道, 如此之密, 用之於國, 則安靜而不勞, 用之於身, 則冲和而不竭.
미산소씨가 말하였다: 동지에 한 양이 생겨난다. 다섯 음이 위에 있고 한 양이 처음 생겨나니, 그 기운이 지극히 미미하고 그 조짐이 온축되어 있어서 고요하여 움직이지 않을 수 있고 보호하여 기를 수는 있으나 드러내 펼 수는 없다. 그러므로 선왕이 이 날에 관문을 닫아걸어 장사꾼과 여행자들이 다니지 못하게 하고, 임금이 사방을 시찰하지 않게 했다. '관문'은 문호(門戶)가 말미암아 열리고 닫히는 것이다. '장사꾼과 여행자'는 이롭고자 하는 마음으로 움직인다. '임금'은 남의 위에 있는 자인데, '여러 제후[群后]'라고 하는 것은 다스리는 자이기 때문이다. '사방[方]'은 일이다. 문호가 열리지 않으면 미미한 양이 갇혀서 나오지 못하고, 이롭고자 하는 마음이 움직이지 않으면 바깥 사물이 감촉하더라도 호응하지 못한다. 사방의 일을 살피지 못하면, 보고 들음을 수렴하여 드러내지 못한다. 선왕이 천도를 받들어 따르는 것이 이와 같이 긴밀하니, 나라에 쓰면 안정(安靜)되어 수고롭지 않고, 몸에 쓰면 조화로워[中和] 고갈되지 않는다.

○ 朱子, 復卦贊, 萬物職職, 其生不窮, 孰其尸之, 造化爲工, 陰闔陽開, 一靜一動, 於穆无彊, 全體妙用, 奚獨於斯, 潛陽壯陰, 而曰昭哉, 此天地心, 蓋翕无餘, 斯闢之始, 生意蓊然, 具此全美, 其在于人, 曰性之仁, 歛藏方寸, 包括无垠, 有茁其萌, 有惻其隱, 于以充之, 四海其準, 曰唯玆今, 眇緜之間, 是用齋戒, 掩身閉關, 仰止羲圖, 稽經叶傳, 敢贊一辭, 以詔无倦.
주자가 복괘를 찬미하여 말하였다: 만물이 많고 많아도 그 생겨남에는 다함이 없는데, 누가 그렇게 맡아 다스리는가? 조화가 하는 일이 음에서 닫히고 양에서 열리며 한번 고요하였다가 한번 움직이는데, 심원하여 경계가 없으니 그 온전한 몸체와 미묘한 작용이 어찌 여기에서 혼자뿐이겠는가? 양은 잠겨있고 음은 왕성하여 "환하다"고 말하는데, 이 천지의 마음이 남김없이 거두어졌으니, 이에 열리는 처음에 낳는 뜻이 드러나네. 이러함을 갖춘 온전하고 아름다움이 사람에게 있는 것을 '본성의 씨'라고 말하는데, 마음속에 감춰져 있으면서 그 감싸고 있는 것은 끝이 없어 그 싹이 움트면 은미함을 측은해하네. 그것을 확충하여 사해(四海)가 본받게 되는 것을 오늘을 생각함이라 말하네. 고원(高遠)한 가운데 재계하는데 쓰면 몸을 가리고 문을 닫네. 복희씨의 그림을 우러러보면서 『역경』을 참고하고 여러 전(傳)들을 모아서 감히 한마디 찬미하여 게으르지 말라고 고한다네.

○ 感興詩, 朱光徧炎宇, 微陰眇重淵. 寒威閉九野, 陽德昭窮泉. 文明昧謹獨, 昏微有開先. 幾微諒難忽, 善端本緜緜. 掩身事齋戒, 〈案, 月令, 夏至冬至, 君子齋戒處, 必掩身.〉 及此防未然, 〈案, 此一句, 兼冬至夏至說.〉 閉關息商旅, 絶彼柔道牽, 〈案, 姤之初六, 係于金柅, 是也.〉
감흥시에서 말하였다: 붉은 빛 불꽃같은 우주에 미칠 때, 은미한 음기는 깊은 못에서 생겨나네. 추위의 위세 구야(九野)를 가두지만, 양기의 덕은 궁천(窮泉)에서 밝았네. 문채는 밝으나 홀로 삼감에 어둡고, 흐릿하여 어두우나 먼저 열림이 있네, 기미는 실로 소홀히 하기 어렵고, 선의 단서는 본래 면면히 이어지네. 몸을 가리고 재계를 일로 삼아, 〈내가 살펴보았다: 「월령」에서 "하지와 동지는 군자가 재계하는 곳이니, 반드시 몸을 가렸다"고 하였다.〉 이에 미치어 그러하기 전에 막네. 〈내가 살펴보았다: 이 한 구절은 동지와 하지를 겸하여 말하였다.〉 관문을 닫아 장사꾼과 여행자들을 쉬게 하고, 저 부드러운 도에 이끌림을 끊어 버리네. 〈내가 살펴보았다: 구괘(姤卦䷫)의 초육에서 "쇠말뚝으로 맨다"는 것이 이것이다.〉

## 김상악(金相岳) 『산천역설(山天易說)』

卦取動而順行, 故言出入无疾, 象取雷在地中, 故言閉關息民, 是於已動之後, 要安靜而養之也.
괘에서는 '움직여 순서대로 감'을 취하므로 "나가고 들어옴에 병이 없다"고 하였고, 「상전」에서는 '우레가 땅속에 있음'을 취하므로 "관문을 닫아걸고 백성을 쉬게 한다"고 말했으니, 이미 움직인 뒤에 안정시켜 기르려는 것이다.

○ 至日, 震一陽之復也. 閉關, 坤之闔戶也. 坤衆不在下, 故商旅不行. 震君不在上, 故后不省方. 豫則坤震易位, 故彖辭曰, 利建侯行師.
동짓날은 진괘(☳)의 한 양이 회복함이다. "관문을 닫아걸다"는 곤괘(☷)가 문을 닫음이다. 곤괘인 무리가 아래에 있지 않으므로 장사꾼과 여행자들이 다니지 못하고, 진괘인 임금이 위에 있지 못하므로 임금이 사방을 시찰하지 않는다. 예괘(豫卦䷏)에서는 곤괘와 진괘가 자리를 바꾸므로 「단전」에서 "제후를 세우고 군사를 움직임이 이롭다"고 하였다.

### 김규오(金奎五) 「독역기의(讀易記疑)」

大象與卦辭不同. 卦言復之來復, 象言安養微陽. 故卦言出入, 象言閉關.
「대상전」은 괘사와 같지 않다. 괘사에서는 '복괘의 와서 회복함'을 말하였고, 「대상전」에서는 '미약한 양을 편안하게 기름'을 말하였다. 그러므로 괘사에서는 '나가고 들어옴'을 말했고, 「대상전」에서는 '관문을 닫아걸음'을 말하였다.

### 윤행임(尹行恁) 『신호수필(新湖隨筆)·역(易)』

天之生物之心, 豈有間斷之時. 復之所謂其見者, 蓋謂一陽初動之時, 可得以見也, 非謂復然後始有生物底心也. 邵先生天心無改移之時, 發明復卦之本意, 無餘憾矣. 眞所謂知天者乎.
하늘이 만물을 낳는 마음에 어찌 끊어지는 때가 있겠는가? 복괘에서의 이른바 "볼 수 있다"는 것은 한 양이 처음 움직이는 때에 볼 수 있음을 말하는 것이지, 회복한 뒤에 비로소 만물을 낳는 마음이 있음을 말하는 것이 아니다. 소강절 선생의 '하늘의 마음이 변동됨이 없는 때'는 복괘의 본래 뜻을 드러내 밝힘에 유감이 없으니, 진실로 이른바 하늘을 안 것이로다.

### 서유신(徐有臣) 『역의의언(易義擬言)』

冬至, 一陽生潛, 雷動於地中, 是爲陽復也. 復者, 靜極而動, 故閉關不行, 蓋欲極其靜而有助於陽生也. 商旅而不行, 則凡民之俱息, 可知也. 省方而且止, 則群下之不役, 可知也. 閉關, 坤闔戶象, 不行不省, 坤靜象也. 復乃復於善之象, 君子以之, 其道甚重, 而此不言之, 何也. 易言陰陽消長, 而復爲陽之始, 故此獨言扶陽之義, 以示意也. 君子欲以之, 則其宜求於初九之辭乎.
동지(冬至)에 하나의 양이 나와서 잠기어 우레가 땅 속에서 움직이니, 이것이 양이 회복됨이다. '회복됨'은 고요함이 다하여 움직이므로 관문을 닫아걸어 다니지 못하게 하니, 그 고요함을 다하여 양이 생겨남에 도움이 있고자 하는 것이다. 장사꾼과 여행자들이 다니지 못하면 백성들이 모두 쉼을 알 수 있다. 사방을 시찰함이 또한 그치게 되면 아랫사람들이 부역하지 않음을 알 수 있다. "관문을 닫아걸다"는 곤괘의 문을 닫는 상이며, 다니지 못하고 살피지 않음은 곤괘의 고요한 상이다. 복(復)은 바로 선을 회복하는 상이니, 군자가 그것을 본받는다. 그 도가 매우 중요한데, 여기서 말하지 않은 것은 어째서인가? 역에서 음과 양이 사라지고 자라남을 말하지만 회복함은 양의 시작이 되므로 여기에서 오직 양을 북돋우는 뜻을 말하여 뜻을 보였다. 군자가 그것을 본받고자 한다면 그 마땅히 초구의 말에서 구해야 할 것이다.

### 박문건(朴文健) 『주역연의(周易衍義)』

關, 郊關也. 閉關而不行不省者, 靜以俟陽氣之來復也.
'관문'은 교외의 관문이다. 관문을 닫아걸어서 다니지 못하게 하고 시찰하지 않게 함은 고요하게 하여 양의 기운이 와서 회복하기를 기다리는 것이다.

### 김기례(金箕澧) 「역요선의강목(易要選義綱目)」

先王以, 至日閉關, 商旅不行, 后不省方.
선왕이 그것을 본받아 동짓날에는 관문을 닫아걸어 장사꾼과 여행자들이 다니지 못하게 하고 임금이 사방을 시찰하지 않게 했다.

先王, 指欽若昊天, 以齊七政之聖人. 后, 謂後王.
'선왕(先王)'은 하늘을 공경하여 칠정(七政)을 고르게 하는 성인을 가리킨다. '임금'은 뒤의 왕을 말한다.

○ 冬至一陽生, 雷藏陽閉之後, 至是日陽始復, 則雷以陰陽相薄之聲, 隨陽而暗動, 地靜而養動.
동지에 한 양이 생겨나니, 우레가 감춰지고 양이 닫힌 뒤에 이 날에 이르러 양이 비로소 회복하면, 우레가 음과 양이 서로 부딪치는 소리로 양을 따라서 속으로 움직이고, 땅은 고요하여 양을 기른다.

○ 月令, 陽月, 齋戒掩身, 以待陰陽之所定, 蓋聖人順天扶[30]陽之誠, 可見, 安靜而養微陽.
「월령」에 "양의 달에 재계하고 몸을 가려 음과 양이 정해지길 기다린다"고 하였으니, 성인이 하늘을 따르고 양을 북돋우려는 정성을 볼 수 있으니, 안정시켜서 미약한 양을 기르는 것이다.

○ 十一月朔巡守, 謂其月也. 后不省方, 謂其日也.
11월 초하루에 지방을 시찰함은 그 달을 말한다. '임금이 사방을 시찰하지 않음'은 그 날을 가리킨다.

## 심대윤(沈大允) 『주역상의점법(周易象義占法)』

陽氣動於地中而不出, 動而未見動之形焉. 聖人主動而居靜, 靜非漠然不動也. 靜養而動用, 靜思而動行. 閉關不省, 其養思之義歟. 坤爲靜, 震爲動, 是靜中有動之象, 而全卦爲震, 以動爲體, 靜亦動也. 卦之反爲艮, 曰閉關, 對巽爲行爲方.
양기가 땅속에서 움직이지만 나오지 않으니, 움직이지만 움직이는 모양이 드러나지 않는 것이다. 성인은 움직임을 주로 하지만 고요함에 있으니, 고요함은 막연하게 움직이지 않는 것은 아니다. 고요함으로 기르고 움직임으로 쓰며, 고요함으로 생각하고 움직임으로 행한다. '관문을 닫아걸음'과 '시찰하지 않음'은 기름을 생각한다는 뜻이다. 곤괘(☷)는 고요함이 되고 진괘(☳)는 움직임이 되니 고요함 가운데 움직임이 있는 상인데, 전체 괘가 진괘가 되어 움직임으로 몸체를 삼으니, 고요함도 또한 움직이는 것이다. 괘가 거꾸로 되면 간괘(☶)가 되어 "관문을 닫아건다"고 하였으며, 음양이 반대 되는 손괘(☴)가 '다님[行]'이 되고 '사방[方]'이 된다.

## 오치기(吳致箕) 「주역경전증해(周易經傳增解)」

雷在地中, 陽始復之時也. 一陽初復, 其氣甚微, 故先王觀其象, 以順天道, 冬至, 一陽之始生, 安靜以養之. 閉關, 使商旅不得行. 人君不省視四方, 卽聖人養微陽之義也. 艮爲門, 而艮反爲震, 乃閉關之象也. 震爲大塗, 坤爲衆, 衆行大塗, 爲商旅之象. 陽爲君象, 而不在五位, 故曰后不省方, 方取於坤.
'우레가 땅속에 있음'은 양이 비로소 회복하는 때이다. 한 양이 처음 회복함에 그 기운이 매우 미약하므로 선왕이 그 상을 살펴서 천도를 따르고, 동지(冬至)에 한 양이 비로소 생겨남에 안정시켜서 기른다. '관문을 닫아걸음'은 장사꾼과 여행자들이 다니지 못하게 함이다.

30) 扶: 경학자료집성DB와 영인본에는 모두 '□'로 되어 있으나, 문맥을 살펴 '扶'로 바로잡았다.

'임금이 사방을 시찰하지 않게 함'은 바로 성인이 미약한 양을 기르는 뜻이다. 간괘(☶)는 문이 되는데 간괘가 거꾸로 되면 진괘(☳)가 되니, 바로 관문을 닫아거는 상이다. 진괘는 큰 길이 되고 곤괘(☷)는 무리가 되니, 무리가 큰 길을 다니는 것이 장사꾼과 여행자들의 상이 된다. 양(陽)은 임금의 상이 되는데, 오효의 자리에 있지 못하므로 "임금이 사방을 시찰하지 않게 한다"고 하였다. '사방[方]'은 곤괘에서 취하였다.

### 이진상(李震相) 『역학관규(易學管窺)』

至日, 復之本氣到時也. 閉關, 坤闔戶象, 商[31]旅不行, 閉其利心也. 震伏巽, 巽爲近利也. 后不省方, 收其視聽也. 以坤之伏乾而言也.

'동짓날'은 회복하려는 본래의 기운이 이르는 때이다. '관문을 닫아걸음'은 곤괘(☷)의 문을 닫는 상이다. '장사꾼과 여행자들이 다니지 못함'은 그 이롭고자 하는 마음을 막는 것이다. 진괘(☳)에는 손괘(☴)가 잠복하는데, 손괘는 이로움을 가까이 함이 된다. '임금이 사방을 시찰하지 않게 함'은 보고 듣는 것을 거두어들임이니, 곤괘에 잠복한 건괘(☰)로 말하였다.

### 이병헌(李炳憲) 『역경금문고통론(易經今文考通論)』

虞曰, 至日, 冬至之日. 坤闔戶, 爲閉關.

우번이 말하였다: '지일(至日)'은 동짓날이다. 곤괘(☷)는 문을 닫음이니, '관문을 닫아걸음'이 된다.

鄭曰, 資貨而行曰商, 旅, 客也.

정현이 말하였다: 재물로 다니는 것을 '장사꾼'이라고 하고, '여행자'는 나그네이다.

宋曰, 自天子至公侯, 不省四方之事, 將以輔遂陽體, 成致君道也.

송충이 말하였다: 천자로부터 공(公)과 후(侯)에 이르기까지 사방의 일을 시찰하지 않는 것은 양(陽)의 몸체를 돕고 이루어 임금의 도를 완성하려는 것이다.

白虎通曰, 此日陽氣微弱, 王者率天下靜, 不復行役, 扶助微氣, 成萬物也.

『백호통』에서 말하였다: 이 날은 양기가 미약하니, 임금이 천하를 고요하게 이끌어 다시 부역을 행하지 않으니, 미약한 기운을 북돋우고 도와서 만물을 이루는 것이다.

---

31) 商: 경학자료집성DB와 영인본에는 모두 '□'로 되어 있으나, 문맥을 살펴 '商'으로 바로잡았다.

## 初九, 不遠復, 无祇悔, 元吉.

초구는 멀리 가지 않고 돌아와 후회에 이름이 없으니 크게 길하다.

# 中國大全

### 傳

復者, 陽反來復也. 陽, 君子之道, 故復爲反善之義. 初, 剛陽來復, 處卦之初, 復之最先者也, 是不遠而復也. 失而後有復, 不失則何復之有. 唯失之不遠而復, 則不至於悔, 大善而吉也. 祇, 宜音柢, 抵也. 玉篇云, 適也, 義亦同. 无祇悔, 不至於悔也. 坎卦曰, 祇旣平无咎, 謂至旣平也. 顔子无形顯之過, 夫子謂其庶幾, 乃无祇悔也. 過旣未形而改, 何悔之有. 旣未能不勉而中, 所欲不踰矩, 是有過也. 然其明而剛, 故一有不善, 未嘗不知, 旣知, 未嘗不遽改, 故不至於悔, 乃不遠復也. 祇, 陸德明音支, 玉篇五經文字群經音辨, 竝見衣部.

복괘(復卦䷗)는 양이 되돌아와서 회복되는 것이다. 양은 군자의 도이기 때문에 복은 선으로 되돌아오는 뜻이다. 초효는 굳센 양이 되돌아와서 괘의 처음에 있으니, 돌아오기를 가장 먼저 한 것이고 멀리 가지 않고 돌아온 것이다. 잃어버린 뒤에 돌아오니, 잃어버리지 않았다면 어떻게 돌아오는 것이 있겠는가? 오직 잃어버렸음에 멀리 가지 않고 돌아오니, 후회하지 않고 크게 선하고 길하다. '지(祇)'는 음을 저(柢)로 해야 하니, "이른다[抵]"는 의미이다. 『옥편』에서는 '감[適]'이라 하였으니, 의미는 또한 같다. '무지회(无祇悔)'는 후회에 이르지 않는다는 것이다. 감괘(坎卦䷜)에서 "이미 평평함에 이르렀다면 허물이 없을 것이다"[32]라고 한 것은 이미 평평함에 이르렀음을 말한다. 안자는 드러나는 잘못이 없어 공자가 도에 거의 가까웠다고 하였으니, 바로 후회하는 데까지 이르지 않는 것이다. 잘못이 드러나기 전에 벌써 고쳤다면 어떻게 후회하겠는가? 이미 '힘쓰지 않고도 도에 맞아서 하고자 하는 것이 법도를 넘지 않음'을 해낼 수 없다면, 이는 잘못이 있는 것이다. 그러나 밝고 굳건하기 때문에 조금이라도 선하지 못한 것이 있으면 알아차리지 못한 적이 없고, 이미 알아차렸다면 바로 고치지 않은 적이 없기 때문에 후회하는 데까지 이르지 않으니, 바로 멀리 가지 않고 돌아오는 것이다. '지(祇)'에 대해 육덕명은 음이 '지(支)'라고 하였고, 『옥편』·『오경문자』·『군경음변』에서는 모두 의부(衣部)에 나온다.

---

32) 『周易·坎卦』: 九五, 坎不盈, 祇旣平, 无咎.

本義

**一陽復生於下, 復之主也. 祗, 抵也. 又居事初, 失之未遠, 能復於善, 不抵於悔, 大善而吉之道也. 故其象占如此.**

하나의 양이 아래에서 다시 나왔으니, 복괘(復卦䷗)의 주인이다. '지(祗)'자는 이르다는 의미이다. 일의 초기에 있어서 잃음이 오래되지 않았고, 선으로 돌아와 후회에 이르지 않으니 아주 선하고 길한 도이다. 그러므로 그 상과 점이 이와 같다.

小註

或問, 无祗悔祗字, 何訓. 朱子曰, 書中祗字, 只有這祗字使得別, 看來只是解做至字, 又有訓多爲祗者, 如多見其不知量也, 多, 祗也, 祗與只同.
어떤 이가 물었다: '무지회(无祗悔)'의 '지(祗)'자를 어떻게 풀어야 합니까?
주자가 답하였다: 글 가운데 '지(祗)'자는 특별하게 하려고 이 '지(祗)'자를 넣었을 뿐이니, 미루어보면 "이르다[至]"로 풀이될 뿐입니다. 또 다(多)를 지(祗)로 풀이하는 경우가 있으니, 이를테면 "역량을 알지 못함을 드러낼 뿐이다[多見]"에서 '다(多)'는 지(祗)이니, '지(祗)'는 '지(只)'와 같습니다.

○ 建安丘氏曰, 坤上震下爲復. 上體乃坤而靜之時, 下體乃震而動之始, 初九又復而反之機. 初以一陽爲五陰之主, 居復之最先. 不遠而復. 故不至於悔, 而得大善之吉者也. 復以修身, 唯不貳過之, 顔子其殆庶幾乎.
건안구씨가 말하였다: 곤(坤☷)이 상괘이고, 진(震☳)이 하괘인 것이 복괘(復卦䷗)이다. 상괘의 몸체가 곤(坤☷)이어서 고요한 때이고, 하괘의 몸체가 진(震☳)이어서 움직이는 시작이니, 초구가 또 돌아와서 되돌리는 기틀이다. 초구는 하나의 양으로 다섯 음의 주인이 되고 복괘의 맨 앞에 있다. 멀리 가지 않고 돌아왔기 때문에 후회에 이르지 않고 아주 선해서 길한 것이다. 복괘로써 자신을 닦아 같은 허물을 두 번 하지 않음은 안자가 여기에 거의 가까울 것이다.

○ 西溪李氏曰, 一陽在內, 天地之心, 性善之端也. 故六爻以復善爲義.
서계이씨가 말하였다: 하나의 양이 내괘에 있으니, 천지의 마음이고 성선의 단서이다. 그러므로 여섯 효가 선을 회복하는 것을 뜻으로 삼았다.

○ 南軒張氏曰, 復之初九, 震體也, 微動之時也. 當是時而能復焉, 則去无妄不遠矣.

及其守之固, 居之安, 則纖毫不萌, 卽无妄也, 卽誠也, 卽天之道也, 卽聖人之心也.
남헌장씨가 말하였다: 복괘(復卦䷗)의 초구는 진(震☳)이 몸체이니, 은미하게 움직이는 때이다. 이때에 돌아올 수 있으면 '거짓 없음[无妄]'에서 벗어남이 멀지 않을 것이다. 지키는 것이 견고하고 처신이 편안하면 잘못이 조금도 싹트지 않으니, 바로 '거짓 없음[无妄]'이고 '참됨[誠]'이며, 하늘의 도이고 성인의 마음이다.

○ 雲峯胡氏曰, 春秋公孫敖如京師, 不至而復, 公如晉至河乃復, 皆以不極其往爲復. 復善貴早, 故易以不極其往者言之. 善失之遠而復, 必至有悔, 唯失之未遠而卽復, 所以不祗於悔, 元吉. 本義云大善而吉, 是從事上說. 一本作向善而吉, 是從心上說, 讀者詳焉.
운봉호씨가 말하였다: 『춘추좌씨전』에 "공손오(公孫敖)가 경사(京師)로 가다가 도중에 돌아왔다"[33]는 것과 "공이 진(晉)으로 가다가 강에 이르러 돌아왔다"[34]는 것은 모두 끝까지 가지 않고 돌아온 것이다. 선으로 돌아옴은 일찍 하는 것이 귀하기 때문에 『주역』에서 끝까지 가지 않은 것으로 말했다. 선을 잃은 것이 오래 된 다음에 돌아오면 반드시 후회가 있게 되니, 오직 잃은 것이 오래되지 않아서 바로 돌아오기에 후회에 이르지 않고 크게 길한 것이다. 『본의』에서 "아주 선하고 길하다"고 했으니, 이것은 일을 기준으로 말한 것이다. 어떤 책에서는 "선을 따라서 길하다"고 했는데, 이것은 마음을 기준으로 설명한 것이다. 독자들은 자세히 살펴야 한다.

## 韓國大全

### 조호익(曺好益) 『역상설(易象說)』

初九, 不遠復, 无祗悔.
초구는 멀리 가지 않고 돌아와 후회에 이름이 없으니.

愚謂, 卦氣之運, 蓋積三十分, 而消一畫, 亦積三十分, 而成一畫. 剝, 九月之卦, 一日

33) 『春秋左傳 · 文公』: 公孫敖如京師, 不至而復.
34) 『春秋左傳 · 昭公』: 公如晉, 至河乃復.

剝一分, 至三十日, 然後盡剝, 得三十分, 而消一奇而成坤. 坤, 十月之卦, 一日長一分, 至三十日, 然後能長, 得三十分, 而成一奇而爲復. 消長之際, 間不容息, 而初又在復之先, 故有不遠復之象, 初九, 天地之心, 性善之端. 剝而卽復, 過而卽改, 何悔之有.
내가 살펴보았다: 괘에 있어 기의 운행은 삼십분을 쌓아야만 한 획이 사라지며, 또한 삼십분을 쌓아야만 한 획이 이루어진다. 박괘(剝卦䷖)는 구월괘인데 하루에 일분씩 깎여 삼십일에 이른 다음에야 다 깎이며, 삼십분을 얻어서 한 양[一奇]이 사라져 곤괘(坤卦䷁)가 이루어진다. 곤괘는 시월괘인데 하루에 일분씩 자라나서 삼십일에 이른 다음에야 자랄 수 있으며, 삼십분을 얻어서 한 양이 이루어져 복괘(復卦䷗)가 된다. 사라지고 자라나는 즈음에는 조금의 쉼도 용납되지 않으며, 초효는 또 복괘의 맨 앞에 있으므로 멀리 가지 않고 돌아오는 상이 있으니, 초구는 천지의 마음이고 성선의 실마리이다. 깎이면 곧바로 회복되고 허물이 있으면 곧바로 고치니, 무슨 후회가 있겠는가?

### 곽설(郭設)『역전요의(易傳要義)』

復初九爻, 子曰, 顔氏之子, 其殆庶幾乎. 有不善, 未嘗不知, 知之, 未嘗復行也. 易曰, 不遠復, 无祗悔, 元吉.
복괘의 초구효에 대해서 공자가 말하였다: 안씨의 아들이 거의 가까울 것이다. 선하지 않음이 있으면 알지 못한 적이 없고, 알면 다시 행한 적이 없었다.[35]『주역』에서 "멀리 가지 않고 돌아와 후회에 이름이 없으니, 크게 길하다"고 하였다.

### 김장생(金長生)『주역(周易)』

初九, 无祗悔.
초구는 후회에 이름이 없다.

祗音柢, 與下文衣部之說不同. 必秖字之誤. 秖字, 又見習坎卦, 當考.
'기(祗)'는 음이 '저(柢)'이니, 아랫글의, '의(衣)'를 부수로 한다는 설명과 같지 않다. 반드시 '지(秖)'자의 잘못일 것이다. '지(秖)'자는 또 습감괘(習坎卦䷜)에 나오니, 마땅히 고찰해야 한다.

35)『論語·雍也』

### 송시열(宋時烈) 『역설(易說)』

復之在初, 卽不遠而復也, 何悔之有. 繫辭以顏氏之子其殆庶幾言之, 此乃修身之道也.
복괘의 초효에 있음은 곧 멀리 가지 않고 돌아옴이니, 무슨 후회가 있겠는가? 「계사전」에서는 "안씨의 아들이 거의 가까울 것이다"[36]라고 하였으니, 이것이 바로 몸을 닦는 도이다.

### 이익(李瀷) 『역경질서(易經疾書)』[37]

六二傳云, 以下仁也, 二之所下, 惟初九, 則仁者, 指初也. 何謂仁. 天地生物之心, 曰仁, 復之所見者此, 而惟初九當之也. 果實之核, 亦曰仁, 此最善名狀. 果實旣成, 其核中已有復生之理, 劈開可徵也. 剝盡於上, 則復生於下, 故剝上有碩果之象, 復下有生物之仁. 仁者, 天地生物之核, 而陽未嘗間斷也, 以此看, 其味尤長.
육이의 「상전」에서 "어진 자에게 낮추었기 때문이다"고 하였는데, 이효가 자신을 낮추는 대상은 오직 초구이니, 어진 자는 초효를 가리킨다. 무엇을 '어짊[仁]'이라 하는가? 천지가 만물을 낳는 마음을 '어짊'이라 하니, 복괘에서 나타나는 것이 이것이며, 오직 초구가 이에 해당된다. "과일의 씨앗을 또한 인(仁)이라 한다"고 하니, 이는 가장 좋은 묘사이다. 과일이 이미 이루어지면 그 씨앗 안에는 이미 다시 생겨나는 이치가 있으니, 쪼개어 보면 징험할 수 있다. 깎아냄이 위에서 다하면 아래에서 다시 생겨나므로 박괘의 상효에 '큰 과일'의 상이 있고, 복괘의 맨 아래에 만물을 낳는 어짊[仁]이 있다. '어짊'은 천지가 만물을 낳는 씨앗이어서 양은 일찍이 끊어짐이 없으니, 이것으로 본다면 그 의미가 더욱 좋다.

### 유정원(柳正源) 『역해참고(易解參攷)』

正義, 韓氏云, 祇, 大也. 旣能速復, 是无大悔, 所以大吉.
『주역정의』에서 말하였다: 한씨는 "기(祇)는 큼이다"라고 하였다. 이미 신속하게 돌아올 수 있으니, 이는 크게 후회함이 없기에 크게 길한 것이다.

傳, 玉篇.〈梁顧野王撰.〉 音支.〈見釋文.〉 五經文字.〈漢書, 宣帝, 甘露三年, 詔諸儒, 論五經同異, 立梁丘易, 夏侯尙書, 穀梁春秋博士.〉 群經音辨.〈宋, 賈昌朝撰. 聚諸經之字同而音訓各異者, 爲五門.〉
『정전』에서 말하였다: 『옥편』.〈양(梁)나라 고야왕(顧野王)[38]이 지었다.〉 음이 '지(支)'이

---

36) 『周易·繫辭傳』.
37) 경학자료집성DB에서는 복괘(復卦) '육이'에 해당하는 것으로 분류했으나, 내용에 따라 이 자리로 옮겼다.

다.〈『석문』을 보라.〉『오경문자』.〈『한서』에서 말하였다: 선제(宣帝) 감로 삼년에 여러 유학자를 불러 오경의 같고 다름을 논하였는데, 양구(梁丘)의 역과 하후(夏候)의 『상서』, 『곡량춘추』에 대한 박사를 세웠다.〉『군경음변』.〈송(宋)나라 가창조(賈昌朝)[39]가 지었다. 여러 경전에서 글자는 같지만 음과 뜻이 각각 다른 것을 취하여 오문(五門)을 삼았다.〉

### 김상악(金相岳) 『산천역설(山天易說)』

一陽窮上反下, 復之最先者也, 故爲不遠復无祇悔之象. 比二應四, 皆與之交資始萬物, 大善而吉也. 不遠復, 卽七日來復也. 无祇悔, 所以无疾也, 元吉, 所以剛反而亨也.
한 양이 위에서 다하여 아래로 돌아오는 것이 복괘에서 가장 앞서는 것이므로 "멀리 가지 않고 돌아와 후회에 이름이 없다"는 상이 된다. 이효와 가까이 하고 사효와 호응하니, 모두 그들과 사귀고 그들에게 힘입어서 비로소 만물을 내니, 크게 선하고 길하다. "멀리 가지 않고 돌아온다"는 바로 "칠일만에 와서 회복한다"는 것이다. '후회에 이름이 없음'은 병이 없는 까닭이고, '크게 길함'은 굳셈이 돌아와 형통한 까닭이다.

○ 復者, 不極其往之意也. 春秋, 公孫敖如京師, 不至而復, 公如晉, 至河乃復. 故易以不遠復爲復也. 祇者, 至也, 卽坤初六堅氷至之至也. 悔者, 陰陽之過也. 一陽初復, 故曰无祇悔. 陽長而至乾, 則上九曰亢龍有悔. 元吉, 大善之吉也. 元爲四德之首, 震得乾初爻, 萬物資始, 故得元之義也. 震之陽木, 克坤之陰土, 故曰无祇悔元吉, 姤則巽之陰木, 遇乾之陽金, 故曰有攸往見凶.
'돌아옴[復]'은 감을 다하지 못했다는 뜻이다. 『춘추』에서 "공손오(公孫敖)가 경사(京師)에 갔는데 이르지 못하고 돌아왔고, 소공이 진(晉)나라에 가다가 황하[河]에 이르러 돌아왔다"고 하였다. 그러므로 『주역』에서 '멀리 가지 않고 돌아옴'으로 '복괘'를 삼았다. '기(祇)'는 "이른다"는 뜻이니, 곧 곤괘(坤卦) 초육에서 "굳은 얼음이 이른다"고 할 때의 "이른다"는 뜻이다. '후회'는 음과 양의 지나침이다. 한 양이 처음 회복하므로 "후회에 이름이 없다"고 하였다. 양이 자라서 건괘(乾卦)에 이르니, 상구에서 "지나친 용이 후회가 있다"고 하였다. '크게 길하다[元吉]'는 크게 선한 길함이다. '원(元)'은 사덕의 으뜸이 되는데, 진괘(☳)가 건괘(☰)의 초효를 얻고 만물은 그것에 힘입어 시작하므로 '원(元)'의 뜻을 얻었다. 진괘인 양의 나무[木]가 곤괘(☷)인 음의 흙[土]을 이기므로 "후회에 이름이 없으니, 크게 길하다"고 하였고, 구괘(姤卦䷫)에서는 손괘(☴)인 음의 나무[木]가 건괘(☰)인 양의 쇠[金]를 만나므로 "가는 바가 있으면 흉함을 본다"고 하였다.

---

38) 고야왕(顧野王): 남조 진(陳)나라 사람으로 자는 희풍(希馮)이다.
39) 가창조(賈昌朝): 송나라 하북성 개봉사람이다.

### 김규오(金奎五) 「독역기의(讀易記疑)」

初九不遠, 似指剝復相接之界耳. 以卦體, 則劈初頭能復, 是也. 以卦氣, 則剝盡則復來, 是也.

초구의 "멀리 가지 않는다"는 박괘(剝卦)와 복괘(復卦)가 서로 인접한 경계를 가리킨 듯하다. 괘의 몸체로는 첫머리를 가르고 돌아오는 것이 이것이고, 괘의 기운으로는 박괘가 다하여 돌아오는 것이 이것이다.

○ 祇, 傳義, 皆釋以抵. 其云至者, 意也, 非音也. 音當從抵.

저(祇)는 『정전』과 『본의』에서 모두 '저(抵)'자로 해석하였다. "이른다[至]"고 한 것은 뜻이지 음이 아니다. 음은 '저(抵)'자를 따라야 한다.

### 윤행임(尹行恁) 『신호수필(新湖隨筆)・역(易)』

人有不必往而往, 程路爲百里, 才行到三四十里而返, 乃不遠復之義. 方刻六國印, 卽命銷卻, 亦此義也.

사람이 굳이 갈 필요가 없는데 백리 길을 가다가 겨우 삼사십리에 이르러 돌아감이 바로 "멀리 가지 않고 돌아온다"는 뜻이다. 육국인(六國印)을 막 새겼다가 녹여버릴 것을 명령한 것도 또한 이 뜻이다.[40]

### 윤행임(尹行恁) 『신호수필(新湖隨筆)・역(易)』[41]

不遠復, 无秖悔, 卽克己復禮之工, 而天下有歸仁之美, 故六二六四, 皆應於初九.

"멀리 가지 않고 돌아와 후회에 이름이 없다"는 곧 자신을 극복하여 예(禮)로 돌아가는 공부이고, 천하 사람이 인(仁)에 돌아가는 아름다움이 있으므로 육이와 육사가 모두 초구에 호응한다.

### 서유신(徐有臣) 『역의의언(易義擬言)』

剝而爲復, 其間不遠也, 復之能夙, 可以寡悔也. 不遠復, 以陽言也, 无祇悔, 以仁言也.

깎였다가 회복함이 그 사이가 멀지 않으니, 회복하기를 빨리할 수 있어야 후회가 적을

---

40) 한고조가 역이기(酈食其)의 말을 듣고 초나라에 대항하기 위해 여섯 나라의 후예를 봉하는 도장을 새겼다가 장량의 말을 듣고 녹여버리도록 하였다.(『사기・유후세가』)

41) 경학자료집성DB에서는 복괘(復卦) '육이'에 해당하는 것으로 분류했으나, 내용에 따라 이 자리로 옮겼다.

수 있다. '멀리 가지 않음'은 양(陽)으로 말하였고, '후회에 이름이 없음'은 어짊[仁]으로 말하였다.

## 박문건(朴文健) 『주역연의(周易衍義)』

陽來復初, 故有不遠之象. 不遠復, 言離不遠而復善也. 祇, 至也.
양이 와서 초효에서 회복하므로 멀리 가지 않는 상이 있다. '멀리 가지 않고 돌아옴'은 떨어짐이 멀지 않아서 선을 회복함을 말한다. 지(祇)는 '이름[至]'이다.
〈問, 不遠復无祇悔元吉. 曰, 初九有升進之勢, 不无逼五陰之嫌也. 故用卑巽之道而相與, 是不違而能復者也, 无至於悔也, 所以致大吉.
물었다: "멀리 가지 않고 돌아와 후회에 이름이 없으니 크게 길하다"는 무슨 뜻입니까? 답하였다: 초구는 올라가는 형세가 있으니, 다섯 음을 핍박하는 혐의가 없지 않습니다. 그러므로 낮고 공손한 도를 써서 서로 함께 함이 거스르지 않고 돌아올 수 있는 것이니, 후회에 이름이 없기에 크게 길함을 이루는 것입니다.〉

## 김기례(金箕澧) 「역요선의강목(易要選義綱目)」

陽爲君子道, 君子體天地之心, 過而卽反, 何至後悔莫及. 不遠而復善, 善而言也.
양은 군자의 도(道)가 되니, 군자는 천지의 마음을 체득함에 잘못이 있으면 곧바로 반성하는데, 어찌 뒤늦게 후회하여 어쩔 수 없는데 이르겠는가? 멀리 가지 않아서 선을 회복하니, 착한 것으로 말하였다.

○ 坤初六曰, 由辨之不早辨, 若早辨, 則何至積不善乎.
곤괘(坤卦) 초육에서 "분변해야 할 것을 일찍 분별하지 못했기 때문이다"고 하였으니, 만약 일찍 분별한다면 어찌 선하지 않음[不善]을 쌓는데 이르겠는가?

## 심대윤(沈大允) 『주역상의점법(周易象義占法)』

復之爻位, 居剛, 自復者也, 居柔, 從人以復者也. 復之時, 爲過之深淺也.
복괘 효의 자리는 굳센 양의 자리에 있으면 스스로 회복하는 자이고, 부드러운 음의 자리에 있으면 남을 따라서 회복하는 자이다. 복괘의 때는 잘못이 매우 얕다.

復之坤䷁. 以剛明之才自復於過未形之初, 不勉而中, 生知之姿也. 一陽動而衆陰順之, 前无阻滯, 爲道通之象. 對巽爲遠行, 爲改悔. 祇至也, 坤爲至.

복괘가 곤괘(䷁)로 바뀌었다. 굳세고 밝은 재질로 잘못이 아직 드러나지 않은 초기에 스스로 회복하면 힘쓰지 않아도 알맞으니, 태어나면서 아는[生知] 자질이다. 한 양이 움직이고 여러 음이 따르니, 앞에 막힘이 없어 도가 통하는 상이 된다. 음양이 반대인 손괘(☴)는 멀리 감이 되고, 후회하여 고침이 된다. 지(祗)는 '이름[至]'인데, 곤괘(☷)가 이름이 된다.

### 오치기(吳致箕) 「주역경전증해(周易經傳增解)」

初九一陽, 還生于五陰之下, 卽復之主也. 陽剛得正, 而其來甚速, 有復善, 不遠之仁, 而无遲久抵悔之失, 故言大善而吉也.
초구의 한 양이 다섯 음 아래로 돌아와 생겨나니, 바로 복괘(復卦)의 주인이다. 굳센 양이 바름을 얻어 그 오는 것이 매우 신속하여 선을 회복함이 있고, 멀리 가지 않은 어짊으로 더디고 오래되어 후회에 이르는 잘못이 없으므로 "크게 선하고 길하다"고 하였다.

○ 纔剝而旋復, 故曰不遠復. 祗者, 抵也, 至也.
깎이자마자 되돌아와 회복하므로 "멀리 가지 않고 회복한다"고 하였다. '지(祗)'자는 '지[抵]'자이니, "이른다[至]"는 뜻이다.

### 이진상(李震相) 『역학관규(易學管窺)』

卦主也. 震爲大塗, 初爲其始, 故取不遠復之象.
괘의 주인이다. 진괘(☳)는 큰 길이 되고 초효는 그 시작이 되므로 멀리 가지 않고 돌아오는 상을 취하였다.

### 박문호(朴文鎬) 「경설(經說) · 주역(周易)」[42]

註末, 復著陸音與衣部, 以示其皆非也. 群經音辨, 宋賈昌朝所撰也. 五經文字, 不見其別爲一書, 更考可也.
『정전』에서 주석의 끝에 다시 육적(陸績)의 음과 '의부(衣部)'에 넣은 것을 드러내어 그것이 모두 그르다는 것을 표시하였다. 『군경음변』은 송나라 고창조(賈昌朝)가 지은 것이고, 『오경문자』는 그것이 별도로 하나의 책이 됨이 보이지 않으니, 다시 살펴보는 것이 좋다.

---

42) 경학자료집성DB에서는 복괘(復卦) '육삼'에 해당하는 것으로 분류했으나, 내용에 따라 이 자리로 옮겼다.

## 象曰, 不遠之復, 以脩身也.

「상전」에서 말하였다: "멀리 가지 않고 돌아옴"은 자신을 닦기 때문이다.

## 中國大全

### 傳

**不遠而復者, 君子所以脩其身之道也. 學問之道, 无他也, 唯其知不善, 則速改以從善而已.**

멀리가지 않고 돌아옴은 군자가 자신을 닦는 도이다. 학문의 도는 다름이 아니라 오직 선하지 않은 것을 알면 빨리 고쳐서 선을 따르는 것일 뿐이다.

### 小註

雙峯饒氏曰, 人之一心, 善端緜緜, 本自相續. 念慮之間, 雖或小有所差, 而其慊然不自安之意, 已萌於中, 是卽天地生物之心之所呈露, 而孟子所謂怵惕惻隱之心者也. 人唯省察克治之功不加, 雖有爲善之幾, 而无反善之實, 是以縱欲妄行, 而其悔至於不可追也. 善用力者, 誠能因是心之萌, 而速反之, 使不底於悔焉, 則人欲去而天理還矣. 此不遠之復, 以脩身也.

쌍봉요씨가 말하였다: 사람의 한 마음은 선한 단서가 실처럼 본래 서로 이어진다. 생각하는 사이에 잠깐 어긋날지라도 흡족하지 않아 스스로 불안한 마음이 이미 그 속에서 싹트니, 이것은 바로 천지가 사물을 낳는 마음이 드러난 것이고, 『맹자』에서 이른바 두려워하고 불쌍히 여기는 마음이다. 사람이 성찰하고 다스리는 노력을 기울이지 않으면, 선한 기미가 있을지라도 선으로 되돌아가는 실질이 없으니, 이 때문에 욕심대로 함부로 행동하여 후회해도 어쩔 수 없게 된다. 노력을 잘 하는 자는 진실로 이런 마음의 싹을 말미암아 빨리 되돌아가 후회하지 않게 하니, 사람의 욕심이 사라지면 천리가 돌아온다. 이것이 멀리 가지 않고 돌아옴은 자신을 닦기 때문이라는 것이다.

# 韓國大全

## 김상악(金相岳) 『산천역설(山天易說)』

卦言天道之復, 爻言人事之復, 不遠而復, 則人欲去而天理還矣. 君子修身之道, 自此始也.
괘에서는 천도(天道)가 돌아옴을 말하였고, 효에서는 인사(人事)가 회복됨을 말하였으니, 멀리 가지 않고 돌아오면 인욕이 제거되어 천리가 돌아올 것이다. 군자가 수신(修身)하는 도는 이로부터 시작한다.

○ 初之一陽爲復之主, 故以身言之. 艮者, 震之反, 故蹇象之反身在艮, 復初之修身在震初. 二四五, 皆言以字, 卽大象君子以之義也.
초효의 한 양이 복괘의 주인이 되므로 '몸'으로 말하였다. 간괘(☶)는 진괘(☳)가 거꾸로 된 것이므로 건괘(蹇卦䷦) 「상전」의 "몸에 돌이킨다"는 간괘에 있고, 복괘 초효의 '수신(修身)'은 진괘의 초효에 있다. 이효 · 사효 · 오효에서 모두 '이(以)'자로 말한 것은, 곧 「대상전」의 "군자가 그것을 본받는다[君子以]"[43]의 뜻이다.

## 서유신(徐有臣) 『역의의언(易義擬言)』

不能脩身者, 屢祇於悔也. 身指四也. 四應初爲獨復, 蓋有脩身之象也.
자신을 닦을 수 없는 자는 후회에 자주 이른다. '몸[身]'은 사효를 가리킨다. 사효가 초효에 호응하여 홀로 돌아오게 되니, 자신을 닦는 상이 있다.

## 이지연(李止淵) 『주역차의(周易箚疑)』

人身, 亦一天地也. 血氣脈絡, 亦隨四時變換. 至于是日, 一身之陽氣, 亦如復之初爻, 故至日閉關, 其亦先王治人之仁心乎.
사람의 몸이 또한 하나의 천지이다. 혈기의 맥락이 또한 사시(四時)에 따라서 변환한다. 이 날에 이르면 한 몸의 양기가 또한 복괘의 초효와 같으므로 동짓날에 관문을 닫아걸음은 또한 선왕이 사람을 다스리는 어진 마음[仁心]일 것이다.

---

43) 「대상전」에는 '선왕이(先王以)'로 되어 있다.

### 박종영(朴宗永)「경지몽해(經旨蒙解)·주역(周易)」

傳曰, 復者, 陽反來復也. 陽, 君子之道, 故復爲反善之義. 初, 剛陽來復, 處卦之初, 復之最先者也, 是不遠而復也. 失而後有復, 不失則何復之有. 唯失之不遠而復, 則不至於悔, 大善而吉也.
『정전』에서 말하였다: 복괘(復卦䷗)는 양이 되돌아와서 회복되는 것이다. 양은 군자의 도이기 때문에 복은 선으로 되돌아오는 뜻이다. 초효는 굳센 양이 되돌아와서 괘의 처음에 있으니, 돌아오기를 가장 먼저 한 것이고 멀리 가지 않고 돌아온 것이다. 잃어버린 뒤에 돌아오니, 잃어버리지 않았다면 어떻게 돌아오는 것이 있겠는가? 오직 잃어버렸음에 멀리 가지 않고 돌아오니, 후회함에 이르지 않아 크게 선하고 길하다.

又曰, 不遠而復者, 君子所以脩其身之道也. 學問之道, 无他也, 唯其知不善, 則速改以從善而已.
또 말하였다: 멀리가지 않고 돌아옴은 군자가 자신을 닦는 도이다. 학문의 도는 다름이 아니라 오직 선하지 않은 것을 알면 빨리 고쳐서 선을 따르는 것일 뿐이다.

嗚呼, 復之時義大矣哉. 以天地日月言之, 天之運行不已, 一晝一夜, 周而復始, 四時迭代, 无有差忒者, 天道之復也. 日之食更, 月之虧盈, 蓋無一物之不復者. 以人事論之, 始雖紏紛失錯, 終歸於正者, 亦復之道也. 聖人與天爲一, 故無善惡之復, 而只有動靜之復. 動靜云者, 一循天理之動靜, 奉而不違也. 噫, 生于天地之間, 最靈於萬物者, 人也. 蓋其賦命之初, 何嘗有惡, 而奈其物欲交蔽, 喪失其本然之善. 甚則與禽獸無別, 此無他, 不知克復之工故也. 孔子曰, 人孰無過, 改之爲貴. 又曰, 克己復禮爲仁, 一日克己復禮, 天下歸仁. 然則復之一字, 天地人之所不可廢也. 人欲之盛焉, 而終歸于理者, 復也, 衆惡之萃焉, 而竟反於善者, 復也. 鏡之滓焉而磨之, 則復其明, 衡之傾焉而稱之, 則復其平, 審乎此則剝復相乘之理, 皎然如燭照而無惑矣. 學者, 其盡心玩索焉.
아! 복괘의 때와 뜻이 크도다. 하늘과 땅, 해와 달로 말하면 하늘의 운행이 그치지 않으니, 한번 낮이 되고 한번 밤이 되어 일주(一周)하여 처음으로 돌아오고, 네 계절이 차례로 이어져 어긋나거나 변하지 않는 것이 천도의 회복이다. 해는 일식이 일어났다 다시 회복하고, 달은 이지러졌다가 차오르니, 회복하지 못하는 물건은 하나도 없다. 사람의 일[人事]로 논하면 처음엔 비록 어지럽고 잘못이 있지만 끝에는 바른 데로 돌아가는 것도 회복하는 도이다. 성인은 하늘과 하나가 되므로 선과 악의 돌아감이 없고 다만 움직임과 고요함의 돌아감만이 있다. 움직임과 고요함이라고 말한 것은 한결같이 천리의 움직임과 고요함을 따라 봉행하고 어기지 않기 때문이다. 아! 천지의 사이에 태어나 만물 가운데 가장 신령한 것이 사람이다.

분부를 부여받은 초기에 어찌 일찍이 악이 있겠으며, 어찌 물욕(物慾)이 서로 가리어 그 본래의 선을 상실하게 하겠는가? 심하면 금수와 구별이 없는데, 이것은 다른 것이 아니라, 회복할 수 있는 공부를 알지 못하기 때문이다. 공자는 "사람 가운데 누가 잘못이 없겠는가? 고치는 것이 중요하다"고 하였고, 또 "자기를 이기고 예로 돌아감이 인(仁)이 되니, 하루라도 자기의 사사로움을 이겨 예로 돌아간다면 천하가 모두 '인'으로 돌아갈 것이다"라고 하였으니, 그렇다면 "돌아간다"는 말은 하늘과 땅과 사람이 없앨 수 없는 것이다. 인욕이 왕성하다가 끝내 천리로 돌아가는 것이 회복함이며, 모든 악이 모였다가 필경 선으로 돌아가는 것이 회복함이다. 거울이 더러워도 닦아내면 그 밝음을 회복하며, 저울이 기울어도 저울추를 맞추면 그 균평함을 회복하니, 이를 잘 살핀다면 박괘와 복괘가 서로 올라타는 이치에 촛불을 비추듯 환하여 의혹이 없을 것이다. 배우는 자는 마음을 다하여 완미해야 할 것이다.

### 심대윤(沈大允)『주역상의점법(周易象義占法)』

以明萬善之本, 在於修身, 四情發而中節, 然後能修身. 視聽言動, 皆中禮, 然後能措之事業也. 六爻, 皆復善者, 而此獨言修身, 初九復之主也.
온갖 선의 근본이 수신(修身)에 달려 있음을 밝혔으니, 네 가지 정이 발현하여 절도에 맞은 뒤에야 수신할 수 있고, 보고 듣고 말하고 행동함이 모두 예에 맞은 뒤에야 사업에 착수할 수 있다. 여섯 효가 모두 선을 회복하는 것인데, 이 효에서만 '수신'을 말한 것은 초구가 복괘의 주인이기 때문이다.

### 오치기(吳致箕)「주역경전증해(周易經傳增解)」

改過遷善之速, 爲修身之道也.
신속하게 잘못을 고쳐 착하게 되는 것이 자신을 닦는 방법이 된다.

### 이용구(李容九)「역주해선(易註解選)」

復初九, 復以修身, 唯不貳過之, 顔子其殆庶幾乎. 六二, 易八百八十八爻未嘗言仁, 此獨言之, 夫子蓋有深旨. 克己復禮爲仁, 克其私心, 復其天理, 所以爲仁.
복괘 초구는 자신을 닦음으로 회복함이니, 오직 같은 잘못을 두 번 하지 않는 것은 안자가 거의 가까울 것이다. 육이는,『주역』의 팔백 팔십 팔효에서 '인(仁)'을 말한 적이 없는데, 여기에서만 말했으니 공자가 깊은 뜻이 있다. "자기를 이기고 예로 돌아감이 인이 된다"는 사사로운 마음을 극복하여 천리를 회복함이니, 그래서 인이 되는 것이다.

### 이병헌(李炳憲) 『역경금문고통론(易經今文考通論)』

鄭曰, 祇, 病也.
정현이 말하였다: 지(祇)는 병이다.

姚曰, 鄭蓋以祇爲疷之假借. 不遠復, 出入无疾, 故无病悔. 乾元伏初而發, 故不遠復元吉. 修身者, 先正其心, 復陽發, 故以修身.
요신이 말하였다: 정현은 '지(祇)'를 병듦[疷]을 가차(假借)한 것으로 여겼다. '멀리 가지 않고 돌아옴'은 나가고 들어옴에 병통[疾]이 없으므로 병[病]과 후회가 없다. 건원(乾元)이 초효에 숨어 있다가 드러나므로 멀리 가지 않고 돌아와 크게 길한 것이다. '자신을 닦기 때문'은 먼저 그 마음을 바르게 하여 양이 드러남을 회복하므로 '자신을 닦기 때문'인 것이다.

## 六二, 休復, 吉.

육이는 아름다운 돌아옴이니 길하다.

### 中國大全

**傳**

**二雖陰爻, 處中正而切比於初, 志從於陽, 能下仁也, 復之休美者也. 復者, 復於禮也. 復禮, 則爲仁. 初陽復, 復於仁也, 二比而下之, 所以美而吉也.**

이효가 음효이지만 중정에 있고 초효와 아주 가까워 뜻이 양을 따르니, 어진 자에게 낮출 수 있고 돌아옴이 아름다운 자이다. 돌아옴은 예(禮)로 돌아옴이니, 예로 돌아오면 어짊[仁]이 된다. 처음 양이 돌아옴은 어짊으로 돌아온 것인데, 이효가 가까이 하고 낮추기에 아름다워서 길한 것이다.

**本義**

**柔順中正, 近於初九, 而能下之, 復之休美, 吉之道也.**

유순하고 중정하면서 초구를 가까이 하여 그것에게 낮출 수 있다. 돌아옴이 아름다우니, 길한 도이다.

**小註**

或問, 休復之吉, 以下仁也. 朱子曰, 初爻爲仁人之體, 六二爻能下之, 謂附下於仁者. 學莫便於近乎仁, 旣得仁者而親之, 資其善以自益, 則力不勞而學美矣. 故曰休復吉.

어떤 이가 물었다: "아름다운 돌아옴의 길함은 어진 자에게 낮추었기 때문이다"는 무슨 뜻입니까?

주자가 답하였다: 초효는 어진 사람의 몸체가 되는데, 육이효가 그것에 낮출 수 있다는 것이니, 어진 자를 따라서 낮추는 것을 말합니다. 학문은 어진 자를 가까이 하는 것보다 편한 것이 없는데, 이미 어진 자를 얻어 가까이 했다면 그의 선에 의지하여 자신을 유익하게 하

니, 힘들이지 않아도 학문이 아름다워집니다. 그러므로 "아름다운 돌아옴이니 길하다"라고 하였습니다.

○ 建安丘氏曰, 人不能皆賢. 親賢則賢矣, 六二下仁之謂也. 卦惟初九一爻爲陽, 二非陽而能下之. 則陰變而陽, 小人變而君子, 而復之六二, 亦變爲臨之九二矣, 烏得而不吉哉.
건안구씨가 말하였다: 사람들이 모두 현명할 수는 없다. 그러나 현명한 자를 가까이 하면 현명해지니, 육이가 어진 자에게 낮추는 것을 말한다. 괘에는 초구 한 효만 양이고, 이효는 양은 아니지만 초구에게 낮출 수 있다. 그렇다면 음이 변해 양이 되고, 소인이 변해 군자가 되며, 복괘(復卦䷗)의 육이도 변해 림괘(臨卦䷒)의 구이가 될 것이니, 어찌 길하지 않겠는가?

○ 雲峰胡氏曰, 遯貴遠. 遠莫遠於上九, 而九五能比之, 故嘉遯, 遯之美者也. 德貴不遠. 初曰, 不遠復, 而六二能比之, 故曰, 休復, 復之美者也. 里仁爲美, 亦此意歟.
운봉호씨가 말하였다: 도피[遯卦䷠]는 멀리함을 귀하게 여긴다. 멀리함은 상구보다 먼 것이 없지만, 구오가 가까이 할 수 있으므로 '아름다운 도피[嘉遯]'이니, 도피를 아름답게 하는 자이다. 덕은 멀지 않음을 귀하게 여긴다. 초효에서 "멀리 가지 않고 돌아온다"고 하였고, 육이가 가까이 할 수 있으므로 '아름다운 돌아옴'이라 했으니, 돌아옴을 아름답게 하는 자이다. 『논어 · 리인』의 "마을이 어진 것이 아름다움이 된다"도 이런 의미일 것이다.

## 韓國大全

### 조호익(曺好益) 『역상설(易象說)』

按, 洪範休徵咎徵, 陰陽和則休, 戾則咎, 此休字義同. 以陰從陽, 所以休也.
내가 살펴보았다: 『서경 · 홍범』의 '아름다운 조짐[休徵]'과 '나쁜 조짐[咎徵]'을 보면 음과 양이 조화로우면 아름답고 어그러지면 나쁜 것이니, 여기의 '휴(休)'자와 뜻이 같다. 음으로 양을 따르기에 아름다운 것이다.

### 이익(李瀷) 『역경질서(易經疾書)』

復之諸爻, 皆以初九爲主, 無初, 卽所復者, 何物. 休字當帖下仁看, 書云, 其心休休有容, 休休卽有容之貌. 二近於初, 休休從善, 與之俱復, 所以吉也, 仁, 指初也.
복괘의 여러 효가 모두 초구를 주인으로 하니, 초효가 없으면 곧 회복되는 것이 어떤 사물이겠는가? '아름다움[休]'은 '어짊[仁]'을 따라서 보아야 한다. 『서경』에서 "그 마음이 곱고 고와서 용납함이 있는 듯하다"[44]고 하였으니, '휴휴(休休)'는 용납함이 있는 모양이다. 이효가 초효를 가까이 하여 아름답게 선을 따라 그와 함께 회복하기에 길한 것이며, 어짊은 초효를 가리킨다.

### 김상악(金相岳) 『산천역설(山天易說)』

初九爲復之主, 而比而下之, 故有休復之象. 復之美, 吉之道也. 里仁爲美, 此之謂也.
초구가 복괘(復卦)의 주인이 되는데, 육이가 비(比)의 관계이면서 초구에게 낮추므로 아름다운 돌아옴의 상이 있다. 돌아옴이 아름다운 것이 길한 도이다. "마을이 어진 것이 아름다움이 된다"[45]는 이것을 말한다.

○ 休者嘉也. 二變則對遯, 遯貴遠, 故五曰嘉遯. 復貴不遠, 故二曰休復. 二與四, 雖以陰居陰, 與初爲比爲應, 故二吉而四能獨復, 三與五, 雖非初之應比, 皆居陽, 故三无咎而五无悔. 獨上六, 陰之過極, 而與初相遠, 故凶也.
'휴(休)'는 아름다움이다. 이효가 변하고서 곧 음양이 반대되면 돈괘(遯卦䷠)인데, 돈괘는 멀리함을 귀하게 여기므로 오효에서 '아름다운 도피'라고 하였다. 복괘는 멀리 가지 않음을 귀하게 여기므로 이효에서 '아름다운 돌아옴'이라고 하였다. 이효와 사효는 비록 음으로 음의 자리에 있지만 초효와 가까이 하거나 호응하게 되므로 이효는 길하고 사효는 혼자서 돌아올 수 있으며, 삼효와 오효는 비록 초효와 호응하거나 가까이 하는 것은 아니지만 모두 양의 자리에 있으므로 삼효는 허물이 없고 오효는 후회가 없다. 상육만 음이 지나치고 다하여 초효와 서로 멀기 때문에 흉하다.

### 서유신(徐有臣) 『역의의언(易義擬言)』

復而至於六二, 休休然有餘裕矣. 初爲復焉者, 二爲執焉者, 五爲執之久而愈篤者也.
회복하여서 육이에 이르렀으니, 아름답게 여유가 있는 것이다. 초효는 회복하는 것이 되고 이효는 잡는 것이 되며 오효는 잡기를 오래하여 더욱 돈독한 것이 된다.

---

44) 『書經・泰誓』.
45) 『論語・里仁』.

### 박문건(朴文健) 『주역연의(周易衍義)』

用中下賢, 故有休復之象. 休復, 休明其復也.
중도(中道)를 써서 어진 자에게 낮추므로 아름다운 돌아옴의 상이 있다. '아름다운 돌아옴'은 그 돌아옴을 아름답게 밝히는 것이다.
〈問, 休復吉. 曰, 捨陰柔之應, 而從陽剛之比, 是休明其道者也, 所以有吉.
물었다: "아름다운 돌아옴이니 길하다"는 무슨 뜻입니까?
답하였다: 부드러운 음이 호응하는 것(오효)을 버리고 가까이 하는 굳센 양을 따르니, 그 도를 아름답게 밝히는 것이며, 이 때문에 길함이 있는 것입니다.〉

### 김기례(金箕澧) 「역요선의강목(易要選義綱目)」

遯貴於遠, 故五比上而嘉遯. 復貴於近, 故二比初而休復.
돈괘는 멀리함을 귀하게 여기므로 오효가 상효를 가까이 하여 아름답게 도피하고, 복괘는 가까이함을 귀하게 여기므로 이효가 초효를 가까이 하여 아름답게 돌아온다.

○ 二雖陰柔, 以中正切比初陽之克己復禮, 以爲仁者學之, 故美而吉.
이효가 비록 부드러운 음이지만 중정(中正)함으로 초효인 양이 자신을 극복하여 예로 돌아감을 아주 가까이 하여 어진 자가 배우는 것으로 삼기 때문에 아름답고 길하다.

### 심대윤(沈大允) 『주역상의점법(周易象義占法)』

復之臨䷒, 下接也. 以柔居柔, 過未深而能下從於初九之善, 爲休美之復. 本卦之對巽, 變卦之對艮, 互爲休.
복괘가 림괘(臨卦䷒)로 바뀌었으니, 아래로 이어진 것이다. 부드러운 음으로 부드러운 자리에 있어 허물이 아직 깊지 않아서 초구의 선에 낮추고 따를 수 있어 아름다운 돌아옴이 된다. 본괘[☷]의 음양이 바뀐 손괘(☰)와 변한 괘(☱)의 음양이 바뀐 간괘(☶)가 서로 아름다움이 된다.

### 오치기(吳致箕) 「주역경전증해(周易經傳增解)」

六二, 柔得中正, 下比初九之剛, 知其復善之仁, 而能下之, 取以爲善, 卽復之美者也. 故言吉.
육이는 부드러운 음이 중정함을 얻고 아래로 초구의 굳센 양을 가까이 하여 선으로 돌아오는 인(仁)을 알아서 자신을 낮출 수 있으니, 그것을 취하여 선으로 삼은 것이 바로 돌아옴이 아름다운 것이다. 그러므로 "길하다"고 말하였다.

○ 休者, 美也. 取諸人以爲善, 故爲復之美也. 朱子曰, 學莫善於近乎仁矣.
'휴(休)'는 아름다움이다. 사람에게서 취하여 선을 삼았으므로 돌아옴의 아름다움이 된다. 주자는 "배움은 어진 자를 가까이 하는 것보다 좋은 것이 없다"고 하였다.

### 이진상(李震相) 『역학관규(易學管窺)』

好善之人, 其心休休, 其德休美. 故吉, 近初而中正故也.
선을 좋아하는 사람은 그 마음이 아름답고 그 덕이 아름답다. 그러므로 길하니, 초효를 가까이 하면서 중정(中正)하기 때문이다.

## 象曰, 休復之吉, 以下仁也.

「상전」에서 말하였다: "아름다운 돌아옴의 길함"은 어진 자에게 낮추었기 때문이다.

# 中國大全

### 傳

**爲復之休美而吉者, 以其能下仁也. 仁者, 天下之公, 善之本也. 初復於仁, 二能親而下之, 是以吉也.**

돌아옴이 아름다워 길한 것은 그것이 어진 자에게 낮추었기 때문이다. 어짊은 천하의 공평함이고 선의 근본이다. 초효가 어짊으로 돌아옴에 이효가 가까이 하며 자신을 낮출 수 있으니, 이 때문에 길하다.

### 小註

進齋徐氏曰, 仁謂初剛. 剛復於下, 在人, 則惻隱之心, 仁之端也. 初不遠復, 二從初而復, 故曰, 以下仁也.
진재서씨가 말하였다: 어진 자는 굳센 초효를 말한다. 굳센 양이 아래로 돌아오니, 사람에게서는 측은한 마음인 어짊의 단서이다. 초효가 멀리 가지 않고 돌아옴에 이효가 초효를 따라 돌아오므로, "어진 자에게 낮추었기 때문이다"라고 하였다.

○ 南軒張氏曰, 易三百八十四爻, 未嘗言仁. 此獨言之, 夫子蓋有深旨. 克己復禮爲仁, 克其私心, 復其天理, 所以爲仁. 二去初未遠, 上无係應, 能從初而復, 所以爲下仁也. 至四但言以從道也, 而不謂之仁矣. 蓋道者擧其大凡, 不若仁爲切至也.
남헌장씨가 말하였다: 『주역』의 삼백팔십사효에서 어짊[仁]을 말한 적이 없다. 그런데 여기에서 유독 말한 것은 공자가 깊은 의미를 두었기 때문이다. '자신을 극복하여 예로 돌아감이 어짊인 것'은 자신의 사사로운 마음을 극복하여 천리를 회복하기에 어짊이 되는 것이다. 이

효는 초효와 떨어짐이 멀지 않고 위로 이어져 호응하는 것이 없어서 초효를 따라 돌아올 수 있으니, 그래서 어진 자에게 낮추게 된 것이다. 사효에서는 단지 "도를 따르기 때문이다"라고 하고, '어짊'이라고 하지 않았다. 도는 대략을 든 것이니, 어짊과 같이 절실하지는 않다.

○ 李氏閎祖曰, 天下之公, 是无一毫私心, 善之本, 是萬善從此出.
이굉조가 말하였다: 천하의 공평함은 조금도 사사로운 마음이 없는 것이고, 선의 근본은 모든 선이 여기에서 나오는 것이다.

○ 西山眞氏曰, 伊川語錄中說, 仁者, 以天地萬物爲一體, 說得太寬, 无捉摸處. 易傳只云, 四德之元, 猶五常之仁, 偏言則一事, 專言則包四者, 又云, 仁者, 天下之公, 善之本也. 只此兩處說仁, 極平正確實. 學者, 且當玩此. 此是程子手筆也.
서산진씨가 말하였다: 이천의 어록 가운데에서 "어진 자는 천지만물로 한 몸이 된다"[46]고 하였는데, 설명이 너무 넓어서 어떻게 헤아릴 수가 없다. 『역전』에서는 단지 "사덕의 원(元)은 오상의 어짊[仁]과 같으니, 한쪽으로 말하면 한 가지 일이고, 전적으로 말하면 네 가지를 포괄한다"[47]라고 하였고, 또 "어짊은 천하의 공평함이고 선의 근본이다"[48]라고 하였다. 오직 이 두 곳에서 어짊을 설명한 것이 아주 평탄하고 분명하니, 배우는 자들은 이것을 완미해야 한다. 이것은 정자의 수필이다.

## ‖韓國大全‖

### 송시열(宋時烈) 『역설(易說)』

休字說, 見否卦五爻. 小象下仁者, 以柔遜之德, 自卑而尊仁也. 此亦震中帶他錯巽底意, 巽爲卑下遜順象. 且以陰爻居陰位, 在下卦之中, 所以爲下於仁也.
'아름다움[休]'에 대한 설명은 비괘(否卦䷋) 오효에 나온다. 「소상전」의 "어진 자에게 낮춘다"는 부드럽고 공손한 덕으로 스스로를 낮추고 어진 자를 높이는 것이다. 이 또한 진괘(☳)

46) 『二程子抄釋 · 呂大臨東見錄』: 仁者, 以天地萬物爲一體.
47) 『伊川易傳 · 乾卦』: 四德之元, 猶五常之仁, 偏言則一事, 專言則包四者.
48) 『伊川易傳 · 復卦』: 仁者, 天下之公, 善之本也.

가운데 저 음양이 바뀐 손괘(☴)의 뜻이 붙어 있기 때문이니, 손괘는 낮추어 공손한 상이 된다. 또 음효로 음의 자리에 있고 하괘의 가운데에 있기에 어진 자에게 낮추게 된 것이다.

## 유정원(柳正源) 『역해참고(易解參攷)』

案, 仁不言於初之不遠復, 而特言於二之休復, 何也. 初之不遠, 脩身之仁也, 二之休復, 親仁之仁也. 以陰從陽, 資善以自益者, 君子之所貴也.
내가 살펴보았다: 인(仁)을 초효의 "멀리 가지 않고 돌아온다"에서 말하지 않고, 특별히 이효의 '아름다운 돌아옴'에서 말한 것은 어째서인가? 초효의 '멀리 가지 않음'은 자신의 몸을 닦는 인(仁)이고, 이효의 '아름다운 돌아옴'은 어진 자를 친애하는[親仁] 인(仁)이기 때문이다. 음으로 양을 따르면서 선에 힘입어 스스로 이롭게 하는 것은 군자가 귀하게 여기는 바이다.

傳, 仁者 [至] 本也.
『정전』에서 말하였다: 어짊은 … 근본이다.

案, 此就休復能下而言, 故曰仁者, 天下之公, 蓋如公道公物之義看者也. 非謂程子之以公言仁, 然仁之道只消道一公字, 則李氏眞氏之只就仁上說, 亦无不可耶. 然就仁上說時, 亦當使公與仁須有分別. 而李氏以无私謂仁, 眞氏以仁者天地萬物一體謂不切者, 恐不有涉於將公喚仁之弊耶. 夫仁者, 卽吾心所具惻怛慈愛之理, 與天地萬物渾然一體者, 是也, 而公者, 己私淨盡, 皇皇四達, 使仁之體, 无所痿痺, 用无所闕虧. 比如水泉, 爲沙石罨翳, 則去其罨翳, 使其疏通者, 卽是公之爲也. 然則公不是仁, 公底裏面, 有至親至切藹然生生之意, 方是仁. 須別公與仁, 然後可得程朱論仁之旨.
내가 살펴보았다: 이는 '스스로를 낮출 수 있는 아름다운 돌아옴'에 나아가 말하였기 때문에 "어짊은 천하의 공평함이다"라고 하였으니, 대체로 '공평한 길'이나 '공평한 물건'과 같은 뜻으로 본 것이다. "정자가 공평함으로 어짊[仁]을 말했다"고 하는 것은 아니지만, '어짊'의 도를 다만 하나의 '공평함[公]'이라는 글자로 말한다면, 이씨와 진씨가 다만 '어짊'의 측면에서 말한 것도 또한 불가(不可)함이 없을 것이다. 그러나 '어짊'의 측면에서 말할 때에도 마땅히 '공평함'과 '어짊'은 모름지기 분별함이 있어야 한다. 이씨가 '사사로움이 없음'을 '어짊'이라고 하고, 진씨가 "어진 사람은 천지만물과 한 몸이 된다"는 말이 절실하지 않다고 한 것은 아마도 '공평함'을 가지고 '어짊'이라고 부르는 폐단과 관계가 있지 않을 것이다. '어짊'이란 바로 내 마음에 갖추어진 측은하게 여겨 사랑하는 이치로 천지만물과 혼연히 한 몸이라는 것이 이것이고, '공평함'은 것은 자기의 사사로움을 다 깨끗이 하여 밝고 넓어 사방으로 통하여 '어짊'의 몸체에 저리는 바가 없고 쓰임에 빠짐이 없도록 하는 것이다. 샘물에 비유하면

모래와 돌이 가리고 막게 되면 그 가리고 막음을 제거하여 소통하게 하는 것이 바로 '공평함'이 하는 것이다. 그렇다면 '공평함'은 '어짊'이 아니고, 공평함의 이면에 지극히 친밀하고 지극히 절실하여 가득히 낳고 낳는 뜻이 있어야 바야흐로 '어짊'이다. '공평함'과 '어짊'을 모름지기 분별한 뒤에야 정자와 주자가 '어짊'을 논한 종지를 알 수 있다.

### 김상악(金相岳) 『산천역설(山天易說)』

下仁, 所以資善也. 仁元二字, 皆從人, 故初曰元吉, 二曰下仁, 所以乾文言釋元義曰, 君子體仁, 足以長人.
"어진 자에게 낮춘다"는 선을 의지하기 때문이다. '인(仁)'과 '원(元)' 두 글자는 모두 '인(人)' 자에서 왔으므로 초효에서는 "크게 길하다"고 하였고, 이효에서는 "어진 자에게 낮춘다"고 하였으니, 그래서 건괘(乾卦) 「문언전」에서 '원(元)'의 뜻을 해석하여 "군자는 인을 체득함이 남의 어른이 되기에 충분하다"고 하였던 것이다.

○ 仁者, 果中之核也. 復之仁, 得之於剝之碩果者也. 不食而生, 天地生生之心也.
'인(仁)'은 과실 가운데의 씨핵이다. 복괘(復卦䷗)의 '인'은 박괘(剝卦䷖)의 '큰 과일'에서 얻은 것이다. 먹히지 않고서 나왔으니, 천지가 만물을 낳고 낳는 마음이다.

### 서유신(徐有臣) 『역의의언(易義擬言)』

以下仁也者, 以其下之仁也. 下者, 德之基, 善之本, 木之根也. 仁者, 生生之理, 在天爲元, 在木爲核. 初九碩果種子, 故曰仁也.
'이하인야(以下仁也)'는 그가 어진 자에게 낮추었기 때문이다. '낮춤[下]'은 덕의 기초이고, 선의 근본이며, 나무의 뿌리이다. '인(仁)'은 낳고 낳는 이치이니, 하늘에서는 원(元)이 되고 나무에서는 씨핵이 된다. 초구는 큰 과일의 씨앗이므로 '인'이라고 하였다.

### 박문건(朴文健) 『주역연의(周易衍義)』

仁, 有仁德之人也.
인(仁)은 어진 덕이 있는 사람이다.

### 심대윤(沈大允) 『주역상의점법(周易象義占法)』

仁者, 忠恕, 中庸之成德, 大公至善之道也.

'인(仁)'은 충서(忠恕)이며, 『중용』의 성덕(成德)이니, 크게 공평하고 지극히 선한 도이다.

### 오치기(吳致箕) 「주역경전증해(周易經傳增解)」

程傳曰, 仁者, 天下之公, 善之本也. 初復於仁, 二能親而下之, 是以吉也.
『정전』에서 말하였다: 어짊은 천하의 공평함이고 선의 근본이다. 초효가 어짊으로 돌아옴에 이효가 가까이 하며 자신을 낮출 수 있으니, 이 때문에 길하다.

### 이병헌(李炳憲) 『역경금문고통론(易經今文考通論)』

姚曰, 休, 止也.
요신이 말하였다: '휴(休)'는 '그침'이다.

按, 陰休則陽將復矣. 本義曰, 初復於仁, 二能親而下之, 是以吉也.
내가 살펴보았다: 음이 그치면 양이 회복될 것이다. 『정전』[49]에서 "초효가 어짊으로 돌아옴에 이효가 가까이하여 자신을 낮출 수 있으니, 이 때문에 길하다"고 하였다.

---

49) 『본의』로 되어 있으나, 육이 「상전」의 『정전』 내용이므로 『정전』으로 바꾸었다.

## 六三, 頻復, 厲无咎.

육삼은 자주 돌아옴이니, 위태롭지만 허물은 없다.

## 中國大全

### 傳

三以陰躁, 處動之極, 復之頻數, 而不能固者也. 復貴安固, 頻復頻失, 不安於復也. 復善而屢失, 危之道也, 聖人開遷善之道, 與其復而危其屢失. 故云厲无咎, 不可以頻失而戒其復也. 頻失則爲危, 屢復何咎. 過在失, 而不在復也.

삼효는 음의 조급함으로 움직임의 끝에 있어 돌아옴을 자주하지만 견고하게 할 수 없는 것이다. 돌아옴은 편안하고 견고함을 귀하게 여기는데, 자주 돌아왔다가 자주 잃으니, 돌아옴에 편안하지 않기 때문이다. 선으로 돌아왔다가 자주 잃는 것은 위태로운 도이다. 성인은 선으로 옮겨가는 도를 열어놓아 돌아오는 것을 인정하고 자주 잃는 것을 위태롭게 여겼다. 그러므로 "위태롭지만 허물은 없다"고 하였으니, 자주 잃는다고 해서 돌아옴을 경계할 수는 없는 것이다. 자주 잃는 것은 위태롭지만, 자주 돌아오는 것이 무슨 허물이 되겠는가? 잘못은 잃는 데에 있지 돌아오는 데에 있지 않다.

### 本義

以陰居陽, 不中不正, 又處動極, 復而不固, 屢失屢復之象. 屢失故危, 復則无咎, 故其占, 又如此.

음으로 양의 자리에 있으면서 중정하지 않으며, 또 움직임의 끝에 있어서 돌아와도 견고하지 않으니, 자주 잃고 자주 돌아오는 상이다. 자주 잃기 때문에 위태롭지만, 돌아오면 허물이 없기 때문에 그 점이 또 이와 같다.

### 小註

誠齋楊氏曰, 頻復非危, 頻過爲危, 復義故无咎. 聖人危其頻過, 故曰厲, 以警之. 開其頻復, 故曰无咎, 以勸之.
성재양씨가 말하였다: 자주 돌아옴이 위태로운 것이 아니라, 자주 잘못함이 위태로운 것인데, 돌아옴의 의미이기 때문에 허물이 없다. 성인은 '자주 잘못함'을 위태롭게 여겼기 때문에 "위태롭다"고 경계시켰고, '자주 돌아옴'을 열어놨기 때문에 "허물이 없다"고 권장하였다.

○ 雲峯胡氏曰, 三上下進退之間, 故曰頻. 巽以柔爲主, 九三剛而不中, 失之失以其比柔. 故頻巽. 復以剛爲主, 六三柔而不中, 失之失以其比柔. 位剛, 故頻復. 然頻巽吝, 頻復雖厲无咎, 此又不同也.
운봉호씨가 말하였다: 삼효는 위아래로 나아가고 물러나는 사이이기 때문에 "자주한다"고 하였다. 손괘(巽卦䷸)는 유순함을 주인으로 삼았는데, 구삼이 굳세고 가운데 자리에 있지 않으니, 잃는 잘못은 그것이 유순함을 가까이 하기 때문이다. 그러므로 자주 공손하다. 복괘(復卦䷗)는 굳셈을 주인으로 삼았는데, 육삼이 유순하고 가운데 자리에 있지 않으니, 잃는 잘못은 유순함을 가까이 하기 때문이다. 그러나 자리가 굳세므로 자주 돌아온다. 그러나 자주 공손하니 부끄럽고, 자주 돌아오니 위태롭지만 허물이 없으니, 이것이 또 같지 않다.

## 韓國大全

### 송시열(宋時烈) 『역설(易說)』

頻者, 復之自初二至三, 則是爲頻也. 傳以陰躁言之, 陰何以謂躁耶. 蓋震之性躁決, 三爻, 居震之極, 又當陽位, 復而至於內卦之極, 此所以爲頻. 頻, 來復之意, 處三位, 故云厲. 然其義无咎者, 爻是陰爻, 復當頻數故也, 占亦如之.
'자주함[頻]'은 복괘의 초효와 이효로부터 삼효에 이르는 것이니 이것이 자주함이 된다. 『정전』에서 '음의 조급함'으로 말했는데, 음을 어째서 조급하다고 하겠는가? 진괘(☳)의 성질이 조급하게 결정하는데, 삼효가 진괘의 끝에 있고 또 양의 자리에 있으면서 돌아와 내괘의 끝에 이른 것이니, 이것이 자주하게 되는 까닭이다. '자주함'은 되돌아온다는 뜻으로 삼효의 자리에 처하므로 "위태롭다"고 하였다. 그러나 그 뜻에 허물이 없는 것은 효가 음효이고 돌아옴을 당연히 자주해야 하기 때문이니, 점이 또한 그것과 같다.

### 이익(李瀷) 『역경질서(易經疾書)』[50]

頻復, 當與初九照看. 子曰, 有不善, 未嘗不知, 知之, 未嘗復行, 頻復, 則異於是矣, 然其心在復, 故无咎. 聖人旣以顏子當初九之辭, 此蓋日月至焉之類歟.
'자주 돌아옴[頻復]'은 초구와 대조해 보아야 한다. 공자는 "선하지 않음이 있으면 알지 못한 적이 없고, 알면 다시 행한 적이 없다"[51]고 하였는데, '자주 돌아옴'은 이것과는 다르지만, 그 마음이 돌아옴에 있으므로 허물이 없다. 성인이 이미 안자(顏子)를 초구의 효사에 해당시켰으니, 그것은 대개 "하루나 한 달에 한번 이른다"[52]고 한 부류일 것이다.

### 유정원(柳正源) 『역해참고(易解參攷)』

王氏曰, 頻, 頻蹙之貌, 處下體之終, 雖愈於上六之迷, 已失復遠矣, 是以蹙也. 蹙而求福, 未至於迷, 故雖危无咎也.
왕필이 말하였다: '빈(頻)'은 찌푸리는 모양이다. 하체의 끝에 처하여 비록 상육의 '혼미함'보다는 낫지만, 이미 잘못에서 돌아옴이 멀어졌으니, 이 때문에 찌푸리는 것이다. 찌푸리면서 복을 구하여 혼미함에는 이르지 않으므로 비록 위태로우나 허물이 없다.

○ 緱氏劉氏曰, 頻復不已, 遂至迷復.
구씨유씨가 말하였다: '자주 돌아옴[頻復]'을 그치지 않으면, 드디어 '돌아옴에 혼미함[迷復]'에 이른다.

### 김상악(金相岳) 『산천역설(山天易說)』

六三, 不中不正, 又處動極, 復而不固, 爲屢失屢復之象. 雖危厲, 與初同體而居陽, 終于能復, 故无咎也.
육삼은 가운데 있지도 않고 바르지도 않으며, 또 움직임의 끝에 있어서 돌아와도 견고하지 않으니, 자주 잃고 자주 돌아오는 상이 된다. 비록 위태롭지만 초효와 같은 몸체로 양의 자리에 있어 마침내 돌아올 수 있으므로 허물이 없다.

○ 三, 居上下之際, 頻之象. 復, 於時爲冬至之卦, 微陽初回地中, 正進退未定之時. 故曰頻復, 象傳所謂反復其道, 是也. 復之三, 從初之剛, 故屢失而屢復, 巽之三, 比四

---

50) 경학자료집성DB에서는 복괘(復卦) '육이'에 해당하는 것으로 분류했으나, 내용에 따라 이 자리로 옮겼다.
51) 『周易·繫辭傳』.
52) 『論語·雍也』.

之柔, 故屢巽而屢失, 所以吝无咎不同也. 又厲无咎, 與乾九三同, 乾之象傳曰, 反復道也, 亦頻之意也. 姤則陰始生之卦, 故三曰厲无大咎. 蓋復貴安固, 旣失而能知其復, 雖不免于厲, 然小德出入可也, 故能善補過也. 初之不遠復, 顔子也, 三之頻復, 日月一至之諸子也. 三變爲明夷, 明之見傷者, 則以不食而行爲義, 陽之初復者, 則以頻復爲義.
삼효는 위아래의 사이에 있으니 자주하는 상이다. 복괘는 때로 보면 동지괘가 되어 미약한 양이 땅속에서 처음 돌아온 것이니, 바로 나아가고 물러남이 아직 정해지지 않은 때이다. 그러므로 "자주 돌아온다"고 하였으니, 괘사에서 말한 "그 도를 반복한다"가 이것이다. 복괘의 삼효는 초효의 굳센 양을 따르므로 자주 잃고 자주 돌아오며, 손괘의 삼효는 사효의 부드러운 음을 가까이 하므로 자주 공손하고 자주 잃으니, 그래서 '인색함'과 '허물이 없음'이 같지 않은 것이다. 또 "위태롭지만 허물은 없다"는 건괘(乾卦)의 구삼과 같은데, 건괘의 「상전」에서 "그 도를 반복한다"고 한 것도 또한 자주한다는 뜻이다. 구괘(姤卦)는 음이 처음 생기는 괘이므로 삼효에서 "위태로우나 큰 허물은 없다"고 하였다. 대개 복괘는 편안하고 견고함을 귀하게 여기는데, 이미 잃고도 그 돌아옴을 알 수 있다면 비록 위태로움을 면하지는 못하지만 작은 덕이 나가고 들어옴은 괜찮으므로 허물을 잘 보완할 수 있다. 초효의 '멀리 가지 않고 돌아옴'은 안자이고, 삼효의 '자주 돌아옴'은 하루나 한 달에 한 번씩 이르는 제자(諸子)들이다. 삼효가 변하여 명이괘(明夷卦䷣)가 되는데, 밝음이 손상된 자는 '먹지 않고 감'을 뜻으로 삼고, 양이 처음 돌아온 자는 '자주 돌아옴'으로 뜻을 삼는다.

### 김규오(金奎五) 「독역기의(讀易記疑)」

六三, 柔暗故失, 志剛故復, 動極故頻失頻復. 其象不好, 所謂頻復不已, 遂至迷復者, 而爻象終於无咎者, 與初同體, 有得於初故也.
육삼은 부드러운 음으로 어둡기 때문에 잃지만 뜻이 굳세므로 돌아오며, 움직임이 다하였으므로 자주 잃었다가 자주 돌아온다. 그 상이 좋지 않아 이른바 "자주 돌아옴을 그치지 않으면 드디어 돌아옴에 혼미함에 이른다"는 것이지만, 효의 상에 끝내 허물이 없는 것은 초효와 같은 몸체여서 초효에서 얻음이 있기 때문이다.

### 서유신(徐有臣) 『역의의언(易義擬言)』

六三, 宜若賢於休復, 而但以其不中, 而處於兩體終始之際, 故爲頻失頻復之象. 亦以其不應於迷復之上六, 故无咎也.
육삼은 마땅히 '아름다운 돌아옴'보다 뛰어나야 할 듯한데, 다만 알맞지 않고 두 몸체가 끝나고 시작하는 사이에 처했기 때문에 자주 잃었다가 자주 돌아오는 상이 된다. 또 그것이 돌아옴에 혼미한 상육과는 호응하지 않기 때문에 허물이 없다.

### 박문건(朴文健) 『주역연의(周易衍義)』

恐有過失, 故有頻復之象. 頻復, 頻數其復也.
과실(過失)이 있을까 두려워하므로 자주 돌아오는 상이 있다. '자주 돌아옴'은 그 돌아옴을 빈번하게 하는 것이다.
〈問, 頻復厲无咎. 曰, 九六過剛, 故六三恐其失道. 孳孳爲善, 故有頻復之象. 雖有危厲之道, 終必无咎也.
물었다: "자주 돌아옴이니, 위태롭지만 허물이 없다"는 무슨 뜻입니까?
답하였다: 구(九)와 육(六)이 지나치게 굳세므로 육삼이 그 도를 잃을까 두려워합니다. 부지런히 힘씀이 선이 되므로 자주 돌아오는 상이 있습니다. 비록 위태로운 도가 있지만 끝내는 반드시 허물이 없습니다.〉

### 이지연(李止淵) 『주역차의(周易箚疑)』

頻復, 如云執心不固.
'자주 돌아옴'은 다잡은 마음이 견고하지 못하다고 말함과 같다.

### 김기례(金箕澧) 「역요선의강목(易要選義綱目)」

陰居剛, 則不中正, 而又任動體之極, 不能固復. 頻失頻復, 可謂危矣. 然能復故无咎.
음으로 굳센 양의 자리에 있으니 중정하지 못하고, 또 움직이는 몸체의 끝에 임하여 돌아옴을 견고하게 할 수 없다. 자주 잃고 자주 돌아오니, 위태롭다고 말할 만하다. 그러나 돌아올 수 있으므로 허물이 없다.

○ 居上下間, 而進退, 故頻復.
위아래의 사이에 있으면서 나아갔다가 물러나므로 자주 돌아오는 것이다.

### 심대윤(沈大允) 『주역상의점법(周易象義占法)』

復之明夷䷣, 晦其明也. 六三, 才柔過深, 而自復誠明, 不足以明辨固執, 頻得頻失, 異乎顔子之不貳也. 然作之不已, 終得愚明柔剛之效, 故曰无咎. 坎离互震, 爲成而遷動, 曰頻.

복괘가 명이괘(明夷卦䷣)로 바뀌었으니, 그 밝음을 어둡게 함이다. 육삼은 재질이 유약하고 허물이 깊어 스스로 성명(誠明)을 회복하는데 밝게 분변하고 견고하게 잡을 수 없어서 자주 얻고 자주 잃으니, 안자가 잘못을 두 번 하지 않은 것과는 다르다. 그러나 하기를 그치지 않아 마침내 어리석은 자가 현명해지고 유약한 자가 굳세어지는 효험을 얻으므로 "허물이 없다"고 하였다. 감괘(☵)와 리괘(☲)와 호괘인 진괘(☳)는 이루고서 옮겨 움직임이 되므로 "자주한다"고 하였다.

### 오치기(吳致箕) 「주역경전증해(周易經傳增解)」

六三, 柔不中正, 而居動之極, 交上下之間, 比於柔而處乎剛位, 故有頻失頻復之象, 而當其頻失之時, 不免危厲, 宜若有咎. 然以其居剛, 與初九同體, 雖失而終能知復, 故言无咎.

육삼은 유약한 음으로 중정하지 못하면서 움직임의 끝에 있고, 위아래가 사귀는 사이에서 부드러운 음을 가까이 하고 굳센 양의 자리에 처하였다. 그러므로 자주 잃고 자주 돌아오는 상이 있는데, 자주 잃는 때에 해당되면 위태로움을 면하지 못하니, 마땅히 허물이 있을 듯하다. 그러나 굳센 양의 자리에 있고 초구와 같은 몸체이기에 비록 잃더라도 끝내는 돌아올 줄을 알기 때문에 "허물이 없다"고 하였다.

○ 頻者, 數也.

'빈(頻)'은 자주[數]라는 뜻이다.

### 이진상(李震相) 『역학관규(易學管窺)』

震體躁疾, 陽志失中, 故象取頻復, 同體故无咎.

진괘(☳)의 몸체가 조급하고 빠르며, 양의 뜻이 알맞음을 잃었으므로 상을 자주 돌아옴에서 취하였는데, 몸체가 같으므로 허물이 없다.

### 박문호(朴文鎬) 「경설(經說)·주역(周易)」

戒其復言, 使之勿復也.

반복하여 말하여서 돌아가지 않게 경계시킴이다.

## 象曰, 頻復之厲, 義无咎也.

「상전」에서 말하였다: "자주 돌아옴의 위태함"은 의리에는 허물이 없다.

# 中國大全

**傳**

**頻復頻失, 雖爲危厲, 然復善之義, 則无咎也.**

자주 돌아오고 자주 잃는 것은 비록 위태하지만, 선으로 돌아온다는 의리에는 허물이 없다.

**小註**

臨川吳氏曰, 頻雖有厲, 復則能補過矣, 故於義爲无咎也.

임천오씨가 말하였다: 자주함에 비록 위태함이 있지만, 돌아오면 잘못을 고칠 수 있기 때문에 의리에는 허물이 없다.

# 韓國大全

### 김상악(金相岳) 『산천역설(山天易說)』

頻失, 雖危厲, 能復, 則於義爲无咎. 若頻失而已, 則必至迷復, 何能无咎.

자주 잃음은 비록 위태로우나, 돌아올 수 있으니 의리에 있어 허물이 없다. 만약 자주 잃을 뿐이라면 반드시 돌아옴에 혼미한데 이를 뿐이니, 어떻게 허물이 없을 수 있겠는가?

○ 反善之道, 要不出於仁義, 故乾九二言仁, 坤六二言義, 而至復合言之, 所以見天地之心也. 義无咎, 與小畜初九曰復自道, 其義吉, 相似.
선으로 되돌아오는 도는 인의(仁義)에서 벗어나지 않으려 하므로 건괘(乾卦) 구이에서는 인(仁)을 말하고 곤괘(坤卦) 육이에서는 의(義)를 말하였는데, 복괘에 이르러 합하여 말하였으니, 그래서 천지의 마음을 보는 것이다. "의리에는 허물이 없다"는 소축괘 초구의 「상전」에서 "회복함이 도로부터 함은 의리가 길한 것이다"[53]라고 한 것과 서로 같다.

## 서유신(徐有臣) 『역의의언(易義擬言)』

不應上六, 故其義无咎也.
상육과 호응하지 않으므로 그 뜻이 허물이 없다.

## 박문건(朴文健) 『주역연의(周易衍義)』

孳孳不息, 則於義无咎也.
부지런히 힘써 쉬지 않으면 의리상 허물이 없다.

## 오치기(吳致箕) 「주역경전증해(周易經傳增解)」

頻復頻失, 雖爲危厲, 然終能補過, 故於義爲无咎也.
자주 돌아오고 자주 잃으니 비록 위태롭게 되지만, 끝내 잘못을 보완할 수 있으므로 의리상 허물이 없게 된다.

## 이병헌(李炳憲) 『역경금문고통론(易經今文考通論)』

虞曰, 頻, 蹙也. 三失位, 故頻復厲.
우번이 말하였다: '빈(頻)'은 찌푸림이다. 삼효는 제자리를 잃었기 때문에 돌아옴을 찌푸리니, 위태롭다.

53) 『周易 · 小畜卦』: 象曰, 復自道, 其義吉也.

## 六四, 中行, 獨復.

육사는 가운데를 지나가지만 혼자서 돌아온다.

## ‖中國大全‖

**傳**

此爻之義, 最宜詳玩. 四行群陰之中, 而獨能復, 自處於正, 下應於陽剛, 其志可謂善矣. 不言吉凶者, 蓋四以柔居群陰之間, 初方甚微, 不足以相援, 无可濟之理. 故聖人但稱其能獨復, 而不欲言其獨從道而必凶也. 曰, 然則不言无咎, 何也. 曰, 以陰居陰, 柔弱之甚, 雖有從陽之志, 終不克濟, 非无咎也.

이 효의 의미를 가장 자세히 살펴봐야 한다. 사효가 여러 음들의 가운데를 지나가지만 홀로 되돌아올 수 있어 스스로 바름에 머물고 아래로 굳센 양과 호응하니, 그 뜻이 선하다고 할 수 있다. 길흉을 말하지 않은 것은 사효가 부드러운 음으로 여러 음의 사이에 있고, 초효가 미약하여 서로 끌어당기기에 부족하니, 구제할 수 있는 이치가 없기 때문이다. 그러므로 성인은 단지 그것이 홀로 돌아올 수 있음을 칭찬하고, 그것이 홀로 도를 따르다가 반드시 흉하게 됨을 말하고자 하지 않았다. 묻기를, 그렇다면 허물이 없다고 말하지 않은 것은 무엇 때문인가? 말하자면, 음으로서 음의 자리에 있어 유약함이 심하고, 양을 따르려는 뜻은 있지만 끝내 구제할 수 없기 때문이니, 허물이 없는 것은 아니다.

**本義**

四處群陰之中, 而獨與初應, 爲與衆俱行而獨能從善之象. 當此之時, 陽氣甚微, 未足以有爲, 故不言吉. 然理所當然, 吉凶, 非所論也. 董子曰, 仁人者, 正其義, 不謀其利, 明其道, 不計其功, 於剝之六三及此爻, 見之.

사효가 여러 음의 가운데에 있지만 혼자 초효와 호응하여 무리와 함께 가지만 혼자 선을 따를 수 있는 상이다. 이때에 양기가 아주 미약하여 일할 수 없기 때문에 길함을 말하지 않았다. 그러나 이치에 당연한 것에서 길흉이란 논할 것이 아니다. 동중서가 "어진 사람은 의리를 바르게 하고 이익을 도모하지 않으며, 도를 밝히고 공을 따지지 않는다"[54]고 하였으니, 박괘(剝卦䷖)의 육삼과 이 효에서 그것을 알 수 있다.

**小註**

徂徠石氏曰, 處上下四陰之中, 故曰中行, 不從其類而下應初, 故曰獨復.
조래석씨가 말하였다: 위아래로 네 음의 가운데에 있기 때문에 "가운데를 지나간다"고 하였고, 그 무리를 따르지 않고 아래로 초효와 호응하기 때문에 "혼자서 돌아온다"고 하였다.

○ 節初齊氏曰, 中者隨時取義, 非一定之謂也. 就上下二卦, 則二五爲中, 就五陰爻, 則四爲中, 此所謂時中.
절초제씨가 말하였다: 가운데는 때에 따라 뜻을 취하니, 일정한 것을 말하는 것이 아니다. 상괘와 하괘, 두 괘로는 이효와 오효가 가운데이고, 다섯 음효로는 사효가 가운데이다. 이것이 이른바 시중(時中)이다.

○ 雲峯胡氏曰, 泰二夬五曰, 中行, 二五上下之中也. 益三四曰, 中行, 三四在一卦之中也. 此曰, 中行, 六四在五陰之中也. 然則二五之中中也, 或以三四爲中, 隨時以取中也.
운봉호씨가 말하였다: 태괘(泰卦䷊)의 이효와 쾌괘(夬卦䷪)의 오효에서 "가운데를 지나간다"[55]고 한 것은 이효와 오효가 상괘와 하괘의 가운데이기 때문이다. 익괘(益卦䷩)의 삼효와 사효에서 "가운데를 지나간다"[56]고 한 것은 삼효와 사효가 한 괘의 가운데이기 때문이다. 복괘(復卦䷗)의 사효에서 "가운데를 지나간다"고 한 것은 육사가 다섯 음의 가운데이기 때문이다. 그렇다면 이효와 오효의 가운데가 가운데이지만, 혹은 삼효와 사효를 가운데로 여길 수 있으니, 때에 따라 가운데를 취한다.

---

54) 『春秋繁露 · 天地陰陽』: 正其誼, 不謀其利, 明其道, 不計其功.
55) 『周易 · 泰卦』: 九二, 得尙于中行. 『周易 · 夬卦』: 九五, 中行, 无咎.
56) 『周易 · 益卦』: 六三, 中行. 『周易 · 益卦』: 六四, 中行.

# ‖ 韓國大全 ‖

### 권근(權近) 『주역천견록(周易淺見錄)』

四非中而以爲中行者, 何也. 四居五陰之中也. 上下各有二陰, 爲與類偕行, 四獨无偶, 而下應初陽, 故爲舍其類而獨復也.

사효는 가운데가 아닌데 "가운데를 지나간다"고 한 것은 어째서인가? 사효는 다섯 음 사이에 있기 때문이다. 아래위에 각각 두 개의 음이 있어 무리와 함께 지나가지만, 사효만 짝이 없고 아래로 초효인 양에 호응하므로 그 무리를 벗어나 홀로 돌아오게 된다.

### 송시열(宋時烈) 『역설(易說)』

中者, 居陰爻最中爻也. 行者, 有居字往字義. 獨復者, 獨與初九爲正應故也. 小象從道者, 循其道理也. 以象言之, 則震爲大道, 而四爻往而從之, 言獨行過應也.

'가운데'는 음효 가운데서 가장 가운데 있기 때문이다. "지나간다[行]"에는 "있다[居]"와 "간다[往]"는 뜻이 있다. "혼자서 돌아온다"는 홀로 초구와 정응이 되기 때문이다. 「소상전」에서 "도를 따른다"는 것은 그 도리를 따르는 것이다. 상으로 말하면 진괘(☳)는 큰 길이 되고 사효가 가서 따르니, 혼자서 지나가서 호응함을 말한다.

### 이익(李瀷) 『역경질서(易經疾書)』

六四, 非中行, 與益三四同義, 此指六五也. 傳曰, 以從道也, 以道釋中行而從之者四也. 卦中六四, 獨與五同德相比, 故從中行之道而復, 與諸復不同, 故曰獨復. 其實五之中行, 四亦與有, 非本爻有此象也. 本爻別無其義, 惟從道爲貴, 獨不言吉凶. 至六五敦復, 傳云中以自考, 中卽四所謂中行, 其所敦者, 亦中行也. 於四已發, 故不言中, 而傳文明之也.

육사가 가운데를 지나가는 것이 아님은 익괘(益卦䷩)의 삼효나 사효와 뜻이 같으니, 이는 육오를 가리킨다. 「소상전」에서 "도(道)를 따랐기 때문이다"라고 한 것은, 도로써 '가운데를 지나감'을 해석한 것이니 '따르는 것'은 사효이다. 괘 가운데 육사만이 홀로 오효와 덕을 같이 하고 서로 가까이 하므로 가운데를 지나가는 도를 따라서 돌아오니, 여러 '복(復)'자의 뜻과는 같지 않으므로 "혼자서 돌아온다"고 하였다. 실상은 오효가 가운데를 지나가서 사효에도 함께 그러함이 있으니, 본효에 이러한 상이 있는 것은 아니다. 본효에는 따로 그러한 뜻이 없고, 오직 도를 따르는 것을 귀하게 여기므로 홀로 길하고 흉함을 말하지 않았다.

육오의 '돌아옴을 돈독히 함'에 대해 「상전」에서 "중도로 스스로 이루는 것이다"라고 하였으니, '중도'는 사효에서의 말한 "가운데를 지나간다"는 것이고, 돈독하게 하는 바가 또한 "가운데를 지나간다"는 것이다. 사효에서 이미 말하였으므로 오효에서는 '중도'를 말하지 않았으나, 「상전」의 문장으로 밝혔다.

## 유정원(柳正源)『역해참고(易解參攷)』

六四, 中行.
육사는 가운데를 지나간다.

案, 六居四, 陰柔之甚也, 初在下, 陽微之甚也. 四處群陰之中, 獨與初相應, 有從善之意. 其志善矣, 可謂吉矣, 而以柔居陰, 旣不能振發有爲, 亦不能彊於爲善, 凶咎易隨之. 然君子於此理之當爲者, 亦爲之而已, 成敗利鈍, 豈足較哉. 此所以不言其吉凶也.
내가 살펴보았다: 육(六)이 사효 자리에 있어서 음의 유약함이 심하고, 초효가 아래에 있어 양의 미미함이 심하다. 사효는 여러 음 사이에 있으면서 홀로 초효와 서로 호응하여 선을 따르는 뜻이 있다. 그 뜻이 선하며, "길하다"고 말할 만한데, 부드러운 음으로 음의 자리에 있어서 이미 떨쳐서 일을 해낼 수 없고, 또 선을 하는데 굳셀 수도 없어서 흉함과 허물이 쉽게 따른다. 그러나 군자는 마땅히 행해져야 하는 이치에 대해서 또한 그것을 할 뿐이니, 성공과 실패, 날카로움과 둔함을 어찌 비교하겠는가? 이것이 길하고 흉함을 말하지 않은 까닭이다.

## 김상악(金相岳)『산천역설(山天易說)』

四, 處群陰之中, 應震之初, 故有中行獨復之象. 復則朋來, 其无咎, 不言可知.
사효는 여러 음 사이에 있으면서 진괘(☳)의 초효와 호응하므로 가운데를 지나가지만 혼자서 돌아오는 상이 있다. 돌아옴은 곧 벗이 옴이니, 그 허물이 없음은 말하지 않아도 알 수 있다.

○ 中行, 見益三四. 中行獨復, 與震之四曰震遂泥, 相反. 震則陽之不正, 不能自震也, 復則陰之得正, 爲震所動也. 復之四, 應初復之陽, 故其獨復者, 爲從道也, 夬之三援將決之陰, 故其獨行者, 爲遇雨也. 所以勉戒不同.
'가운데를 지나감[中行]'은 익괘의 삼효와 사효를 보라. "가운데를 지나가지만 혼자서 돌아온다"는 진괘(震卦) 사효에서 "우레가 진흙탕에 떨어진다"고 한 것과 서로 반대된다. 진괘는 양이 바르지 못하므로 스스로 떨칠 수 없으나, 복괘는 음이 바름을 얻어 떨쳐 움직이게 된다. 복괘의 사효는 처음으로 돌아온 양과 호응하기 때문에 혼자서 돌아오는 것이니, 도를 따름이 되고, 쾌괘(夬卦䷪)의 삼효는 결정하려는 음을 돕기 때문에 혼자서 가는 것이니, 비를 만남이 된다. 그래서 권면함과 경계함이 같지 않다.

### 김규오(金奎五)「독역기의(讀易記疑)」

六四傳, 不欲言其必凶, 蓋言其有凶而護之之意也. 義, 吉凶非所論, 蓋嘉其從道, 而吉亦不必論也, 二說不同, 傳則以四居地上, 隔遠於初, 而陰冱方深, 易見摧折而言也. 義則以四能應正, 雖未有施, 而剛反之時, 道理當然而言耳. 一主陽微, 一主卦善, 其論敦復, 亦有此意.
육사『정전』의 "반드시 그것이 흉하게 됨을 말하고자 하지 않았다"는 것은 대체로 그것이 흉하나 보호하고자 하는 뜻이 있음을 말한다.『본의』에서 "길흉은 논할 것이 아니다"는 것은 대체로 그 도를 따르는 것이 아름답고, 길함은 또한 굳이 논할 것이 아니라는 것이다. 두 설명이 같지 않으니,『정전』은 사효가 땅위에 있어서 초효와 멀리 막히고 음의 단단함이 마침 심하여 쉽게 꺾이는 것으로 말하였다.『본의』는 사효가 바른 것과 호응할 수 있어 비록 아직 베풂음이 있지는 않으나 굳셈이 돌아오는 때여서 도리가 마땅히 그러한 함으로 말하였다. 하나는 양이 미약한 것을 주로 하였고 하나는 괘가 선한 것을 주로 하였는데, '돌아옴을 돈독히 함'을 논함에도 또한 이러한 뜻이 있다.

### 박제가(朴齊家)『주역(周易)』

傳, 聖人但稱其能獨復, 而不欲言其獨從道而必凶. 又曰, 雖有從陽之志, 終不克濟, 非无咎也.
『정전』에서 말하였다: 성인은 단지 그것이 홀로 돌아올 수 있음을 칭찬하고, 그것이 홀로 도를 따르다가 반드시 흉하게 됨을 말하고자 하지 않았다.
또 말하였다: 비록 양을 따르려는 뜻은 있지만 끝내 구제할 수 없기 때문이니, 허물이 없는 것은 아니다.

本義, 理所當然, 吉凶, 非所論也, 引董子正誼不謀利之言者, 專爲程傳而發也. 然觀象傳以從道也之訓, 則其吉無疑, 奚但無咎而已哉.
『본의』에서 "이치에 당연한 것에서 길흉은 논할 것이 아니다"고 하고, 동중서의 "마땅함을 바르게 하고 이익을 도모하지 않는다"는 말을 인용한 것은 전적으로『정전』을 위해 드러낸 것이다. 그러나 「상전」의 "도를 따랐기 때문이다"라는 풀이를 살펴본다면 길한 것에 의심이 없는데, 어찌 다만 허물만 없을 뿐이겠는가?

案, 中行之行, 音當作杭, 行, 路也. 中行者, 中道也. 復者, 利攸往, 而四在中路, 乃迎復者也, 故曰從道. 從復之道, 則爲道義之道矣.
내가 살펴보았다: '중항(中行)'에서의 '항(行)'은 음이 마땅히 항(杭)이 되어야 하니, '항'은 길이다. '중항(中行)'은 중도(中道)이다. 돌아온 것은 감이 이로운데, 사효는 길의 가운데 있어 이에 돌아옴을 맞이하는 것이므로 "도를 따른다"고 하였다. 돌아오는 도를 따르는 것은 도의(道義)의 도가 된다.

### 윤행임(尹行恁) 『신호수필(薪湖隨筆)·역(易)』

中行獨復, 能發身於衆陰之中, 以從陽, 馬伏波庶或近之.
'가운데를 지나가지만 혼자서 돌아옴'은 여러 음 가운데서 자신을 펼쳐 양을 따르는 것이니, 마복파(馬伏波)[57]가 아마도 그에 가까울 것이다.

### 서유신(徐有臣) 『역의의언(易義擬言)』

自豫而變, 與初九交易往來, 以成復, 故稱其中行, 謂四爲卦中也. 獨應於初, 故曰獨復也. 無吉字, 恐闕文.
예괘(豫卦䷏)로부터 변하여 초구와 서로 바뀌어 오고 가서 복괘(復卦䷗)를 이루므로 "가운데를 지나간다"고 말했으니, 사효가 괘의 가운데가 됨을 말한다. 홀로 초효에 호응하므로 "혼자서 돌아온다"고 하였다. "길하다"는 말이 없는 것은 아마도 문장이 빠진 듯하다.

### 박문건(朴文健) 『주역연의(周易衍義)』

捨類獨行, 故有獨復之象. 居四陰之中, 故得中道也.
무리를 버리고 혼자서 가므로 혼자서 돌아오는 상이 있다. 네 음의 가운데 있으므로 중도(中道)를 얻었다.

---

57) 마복파(馬伏波): 후한(後漢) 때의 명장인 복파장군(伏波將軍) 마원(馬援)을 가리킨다. 남을 비평하길 좋아하고 경박한 유협(遊俠)들과 사귀던 그의 조카 엄돈(嚴敦)을 경계한 편지에서 "남의 과실을 말하지 말고 남의 장단점이나 정치의 시비를 논하지 말라"고 하면서 돈후(敦厚)하고 신중한 용백고(龍伯高)란 사람을 전범(典範)으로 제시하며 본받으라고 하였다.

〈問, 捨類獨行. 曰, 捨類獨行者, 欲其无疑也, 此中道獨復者也.
물었다: "무리를 버리고 혼자서 간다"는 무슨 뜻입니까?
답하였다: "무리를 버리고 혼자서 간다"는 것은 의심을 없애려는 것이니, 이는 중도로 혼자서 돌아오는 것입니다.〉

### 이지연(李止淵) 『주역차의(周易箚疑)』

中行而獨復, 尤難. 然不以无咎稱也.
"가운데를 지나가지만 혼자서 돌아온다"는 것은 더욱 어렵다. 그러나 허물이 없음을 말한 것은 아니다.

### 김기례(金箕澧) 「역요선의강목(易要選義綱目)」

與剝六三同義.
박괘(剝卦) 육삼과 뜻이 같다.

○ 居四陰之間, 正應初陽, 獨知向善, 中道而行, 可謂吉. 而猶未離其類, 故不言吉凶.
네 음 사이에 있는데, 초효의 양과 바로 호응하여 홀로 선으로 향할 줄을 알고 중도(中道)로 가니, 길하다고 할 만하다. 그런데 아직도 그 무리를 떠나지 않았으므로 길흉을 말하지 않았다.

### 심대윤(沈大允) 『주역상의점법(周易象義占法)』

復之震䷲, 遷動也. 六四之時, 其過已極, 故曰中行. 中行者, 過中而極也. 六四, 乃能幡然改之, 以從初九之善. 第其才柔過大, 不能盡合于善, 而或善或不善, 有震遷動之義. 故不言吉无咎.
복괘가 진괘(震卦䷲)로 바뀌었으니, 옮겨 움직이는 것이다. 육사의 때는 그 지나감이 이미 지극하므로 "가운데를 지나간다"고 하였다. "가운데를 지나간다"는 것은 가운데를 지나가 지극한 것이다. 육사는 불현듯 확 고쳐서 초구의 선을 따를 수 있다. 다만 그 재질이 유약하고 지나침이 커서 선에 전부 합치할 수 없어서 선하기도 하고 선하지 않기도 하니, 진괘(☳)의 옮겨 움직이는 뜻이 있다. 그러므로 '길함'과 '허물이 없음'을 말하지 않았다.

### 오치기(吳致箕)「주역경전증해(周易經傳增解)」

六四, 柔得其正, 而居于五陰之中, 獨應初九之復主, 乃不從私類而從正者也. 故雖居衆陰之中, 而與之俱行, 然獨能從陽而復善也. 雖不言占, 卽象可知矣, 詳見本義.
육사는 부드러운 음이 바른 자리를 얻고 다섯 음 사이에 있는데, 초구인 복괘의 주인에게 홀로 호응하니, 사사로운 무리를 따르지 않고 바름을 따르는 자이다. 그러므로 비록 여러 음 가운데 있으면서 그들과 함께 행하지만, 홀로 양을 따라 선에 돌아올 수 있다. 비록 점을 말하지 않았으나 상에서 알 수 있으니, 『본의』에 자세히 보인다.

○ 中行, 謂在中而行也. 五陰之間, 四居其中, 故言中, 而行取於震也.
"가운데를 지나간다"는 가운데에서 지나감을 말한다. 다섯 음 사이에 사효가 그 가운데 있으므로 '가운데'라고 하였고, '지나감'은 진괘(☳)에서 취하였다.

### 이진상(李震相)『역학관규(易學管窺)』

四陰之中, 故謂之中, 獨應於初, 故謂之復. 行亦震象也. 質柔而援寡, 故不言休咎. 事雖不濟, 從道爲美, 何咎之有.
네 음의 가운데이므로 '가운데'라고 하였고, 홀로 초효에 호응하므로 "돌아온다"고 하였다. "지나간다"는 것도 진괘(☳)의 상이다. 바탕이 유약하고 이끌어주는 이도 적으므로 아름다움과 허물을 말하지 않았다. 일이 비록 이루어지지 않았으나 도를 따라서 아름답게 되니, 무슨 허물이 있겠는가?

### 박문호(朴文鎬)「경설(經說)·주역(周易)」

六四而謂之中, 指五陰之中也. 小註, 胡氏說, 可考.
육사인데도 '가운데'라고 한 것은 다섯 음의 가운데를 가리키기 때문이다. 소주 호씨의 설명이 참고할 만하다.

## 象曰, 中行, 獨復, 以從道也.

「상전」에서 말하였다: "가운데를 지나가지만 혼자서 돌아옴"은 도를 따랐기 때문이다.

# 中國大全

### 傳

**稱其獨復者, 以其從陽剛君子之善道也.**

혼자서 돌아온다고 칭찬한 것은 굳센 양인 군자의 선(善)한 도를 따르기 때문이다.

### 小註

雲峯胡氏曰, 脩身以道, 脩道以仁. 小象曰脩身, 曰仁, 曰道, 惟初九當之.
운봉호씨가 말하였다: "자신을 도(道)로 닦고, 도를 인(仁)으로 닦는다"[58]고 하니, 「소상전」에서 "자신을 닦는다"[59]고 하고, '어진 자'[60]라고 하며, '도'[61]라고 한 것은 초구만이 그것에 해당된다.

○ 白雲郭氏曰, 剝六三乃復六四反對, 其義相類. 在剝取其失上下以應乎陽, 在復則取其獨復以從道.
백운곽씨가 말하였다: 박괘(剝卦䷖) 육삼은 바로 복괘(復卦䷗) 육사의 반대인데, 그 의미는 서로 비슷하다. 박괘에서는 위아래를 잃고서 양과 호응하는 것을 취했고,[62] 복괘에서는 혼자서 돌아와서 도를 따르는 것을 취했다.

58) 『中庸』.
59) 『周易 · 復卦』: 象曰, 不遠之復, 以脩身也.
60) 『周易 · 復卦』: 象曰, 休復之吉以下仁也.
61) 『周易 · 復卦』: 象曰, 中行, 獨復, 以從道也.
62) 『周易 · 剝卦』: 象曰, 剝之, 无咎, 失上下也.

## 韓國大全

### 김상악(金相岳) 『산천역설(山天易說)』

初之修身, 道之所在也. 二爲比, 故曰以下仁也. 四爲應, 故曰以從道也.
초효의 '자신을 닦음'은 도가 있는 곳이고, 이효는 가깝기 때문에 "어진 자에게 낮추었다"고 하고, 사효는 호응하기 때문에 "도를 따랐다"고 하였다.

### 서유신(徐有臣) 『역의의언(易義擬言)』

道, 指初九也.
'도'는 초구를 가리킨다.

### 박문건(朴文健) 『주역연의(周易衍義)』

道, 中道也.
'도'는 중도(中道)이다.
〈問, 以從道. 曰, 此與觀五象觀民, 釋義同也.
물었다: "도를 따랐기 때문이다"는 무슨 뜻입니까?
답하였다: 이것은 관괘(觀卦䷓) 오효 「상전」의 "백성을 보는 것이다"와 해석한 뜻이 같습니다.〉

### 심대윤(沈大允) 『주역상의점법(周易象義占法)』

六四, 纔從于學, 復善之功未成, 故不言從仁也. 坎獨震道.
육사는 짐짓 배움에 따르는 것인데, 선으로 돌아오는 공부가 아직 이루어지지 않았으므로 인(仁)을 따른다고 말하지 않았다. 감괘(☵)는 '혼자'이고 진괘(☳)는 '도'이다.

### 오치기(吳致箕) 「주역경전증해(周易經傳增解)」

程傳曰, 稱其獨復者, 以其從陽剛君子之善道也.
『정전』에서 말하였다: 혼자서 돌아온다고 칭찬한 것은 굳센 양인 군자의 선한 도를 따르기 때문이다.

胡雲峰曰, 脩身以道, 修道以仁. 小象曰脩身曰仁曰道, 惟初九當之.
호운봉이 말하였다: "자신을 도(道)로 닦고, 도를 인(仁)으로 닦는다"[63]고 하니, 「소상전」에서 "자신을 닦는다"고 하고 '어진 자'라 하며 '도'라 한 것은 초구만이 그것에 해당된다.

### 이병헌(李炳憲) 『역경금문고통론(易經今文考通論)』

王曰, 上下各有二陰, 而處厥中, 履得其位, 而應於初, 獨得所復.
왕필이 말하였다: 위와 아래에 각각 두개의 음이 있어서 그 가운데에 처하니, 그 자리를 밟을 수 있고, 초효에 호응하니 홀로 돌아옴을 얻는다.

---

63) 『中庸』.

## 六五, 敦復, 无悔.

육오는 돌아옴을 돈독히 함이니 후회가 없다.

## 中國大全

### 傳

六五以中順之德, 處君位, 能敦篤於復善者也, 故无悔. 雖本善, 戒亦在其中矣. 陽復方微之時, 以柔居尊, 下復无助, 未能致亨吉也, 能无悔而已.

육오는 중도의 유순한 덕으로 임금의 자리에 있어 선으로 돌아오기를 돈독하게 할 수 있는 것이기 때문에 후회가 없다. 본래 선할지라도 경계가 또한 그 안에 있다. 양의 돌아옴이 미약할 때에 부드러운 음이 존귀한 자리에 있고, 아래에 다시 도움이 없어 형통하고 길함을 이룰 수 없으니, 후회만 없을 수 있을 뿐이다.

### 本義

以中順居尊, 而當復之時, 敦復之象, 无悔之道也.

중도의 유순함으로 존귀한 자리에 있으면서 돌아오는 때를 맞아 돌아옴을 돈독하게 하는 상이니, 후회가 없는 도이다.

#### 小註

節齋蔡氏曰, 敦, 厚也, 坤象. 復主初陽. 五雖與初无繫, 而處位得中, 能自厚於復者也, 可以无悔.

절재채씨가 말하였다: '돈독히 함'은 두텁게 함이니, 곤괘(☷)의 상이다. 복괘(復卦䷗)는 초효인 양을 주인으로 한다. 오효가 초효와 관계가 없지만, 있는 자리가 가운데라서 돌아옴을 스스로 두텁게 할 수 있으니, 후회가 없을 수 있다.

○ 雲峯胡氏曰, 諸家於此爻, 皆輕看, 殊不知不遠復者, 善心之萌, 敦復者, 善行之固, 故初九无祇悔, 敦復則其復也无轉移, 可无悔矣. 又曰不遠復, 入德之事也, 敦復其成德之事歟.
운봉호씨가 말하였다: 여러 학자들이 오효를 모두 가볍게 보았으니, '멀리 가지 않고 돌아오는 것'이 선한 마음의 싹이고, '돌아옴을 돈독히 하는 것'이 선한 행동의 견고함이기 때문에, 초구는 후회에 이름이 없는 것이고, 돌아옴을 돈독히 하면 돌아옴이 옮겨감이 없어서 후회가 없을 수 있는 것임을 전혀 몰랐다.
또 말하였다: '멀리 가지 않고 돌아옴'은 덕에 입문하는 일이고, '돌아옴을 돈독히 함'은 덕을 이루는 일일 것이다.

○ 隆山李氏曰, 易中陽長之卦, 凡在上陰柔之主, 則未嘗不附而順之, 无所於逆. 故復爲一陽之長, 而六五則以敦復无悔, 臨爲二陽之長, 而六五則以知臨爲宜, 泰爲三陽之長, 而六五則以帝乙歸妹爲祉, 大壯爲四陽之長, 而六五則以喪羊于易无悔. 諸卦六五爻, 大率皆以下順陽剛而得居上之體, 作易者, 當陽長之世, 以此垂訓. 要之皆所以爲君子地云耳.
융산이씨가 말하였다: 『주역』에서 양이 자라는 괘는 대부분 위에 있는 유순한 음의 주인이 그것에 의지해서 순응하지 않은 적이 없으니, 거스르는 것이 없다. 그러므로 복괘(復卦䷗)는 하나의 양이 자라남에 육오가 돌아옴을 돈독히 해서 후회가 없게 되고, 림괘(臨卦䷒)는 두 양이 자라남에 육오가 지혜로 임함을 마땅함으로 여기게 되고,[64] 태괘(泰卦䷊)는 세 양이 자라남에 육오가 제을(帝乙)이 여동생을 시집보내는 것을 복으로 여기게 되고,[65] 대장괘(大壯卦䷡)는 네 양이 자라남에 육오가 양을 쉽게 잃지만 후회가 없게 된다.[66] 여러 괘에서 육오라는 효는 대개 모두 아래로 굳센 양에게 순응하여 위에 있는 몸체를 얻으니, 『주역』을 지은 자는 양이 자라는 때에 이것으로 교훈을 내렸다. 요컨대 모두 군자를 위해 말했을 뿐이다.

---

64) 『周易 · 臨卦』: 六五, 知臨, 大君之宜, 吉.
65) 『周易 · 泰卦』: 六五, 帝乙歸妹, 以祉, 元吉.
66) 『周易 · 大壯卦』: 六五, 喪羊于易, 无悔.

# ‖韓國大全‖

## 석지형(石之珩) 『오위귀감(五位龜鑑)』

臣謹按, 復之六五, 爲敦篤於復善之義, 而工夫本自不遠復來. 蓋不遠復者, 善心之萌, 而敦復者, 善行之固也, 不遠復者, 入德之事, 而敦復者, 成德之功也. 雖大賢地位, 不能無過, 故顔淵之不貳過, 僅當初九之不遠復, 而復之不已, 漸至於敦篤, 而无悔者, 聖人之事也. 噫, 在下之聖人, 其復也, 敦乎己而已, 若夫上焉者之復, 其敦也, 及乎天下, 爲人上者, 可不思益敦其復乎. 我殿下聖德天成, 固不待積漸而進. 然惟天爲大, 猶有終始, 而況於人乎. 伏願殿下服膺三字之符, 而考成于終焉.

신이 삼가 살펴보았습니다: 복괘의 육오는 선으로 돌아옴을 돈독히 한다는 뜻이 되는데, 공부는 본래 '멀리 가지 않고 돌아옴'에서 유래합니다. '멀리 가지 않고 돌아옴'은 착한 마음의 싹이고, '돌아옴을 돈독히 함'은 착한 행동을 견고하게 함이며, '멀리 가지 않고 돌아옴'은 덕에 들어가는 일이고, '돌아옴을 돈독히 함'은 덕을 이루는 공(功)입니다. 비록 크게 어진 자의 지위일지라도 허물이 없을 수 없으므로 안연이 잘못을 두 번 하지 않는 것은 겨우 초구의 '멀리 가지 않고 돌아옴'에 해당하며, 돌아오기를 그치지 않아 점차 돈독함에 이르러 후회가 없는 것은 성인의 일입니다. 아! 아래에 있는 성인은 돌아옴에 자신을 돈독하게 할 뿐이지만, 만약 윗사람의 돌아옴이라면 돈독히 함이 천하 사람에 미치니, 남의 윗사람이 된 자가 돌아옴을 더욱 돈독히 할 것을 생각하지 않을 수 있겠습니까? 우리 전하의 성덕(聖德)과 천성(天成)은 진실로 쌓아 점진함을 기다리지 않고서도 나아갑니다. 그러나 오직 하늘만이 위대한데도 오히려 시작과 끝이 있는데, 하물며 사람에 있어서겠습니까? 엎드려 바라건대 전하께서는 '불원복(不遠復)' 세 글자의 부신을 마음속에 깊이 새기시어 그 끝을 이루십시오!

## 이현석(李玄錫) 「역의규반(易義窺斑)」

六五, 當復之時, 以柔居尊, 下無助應, 若不能敦篤於復善, 則有悔必矣. 故曰敦復无悔. 敦者, 用意深厚, 制行篤實之謂也. 六雖陰柔, 而坤體敦厚, 處中而順, 故可以成德. 獨其下無同德贊學之臣, 故象有自考之辭, 謂自成其德也. 考字, 非但訓成而已, 兼有省察審覆之意. 蓋學問進修之方, 旣不得取資於人, 則必自考其云爲之得失, 學力之勤怠, 三省四勿, 言行相顧, 慥慥孜孜, 以成其復善之功. 先儒謂五乃天質之美者也, 其信矣夫. 大抵人君, 雖有明師碩輔, 而蜎淵蠖濩之中, 幽獨得肆之地, 苟不加自考工夫, 則無以爲成德之基, 敦復自考四字, 最宜深玩云.
육오는 돌아오는 때를 맞아 부드러운 음으로 존귀한 자리에 있으나 아래로 돕고 호응함이 없으니, 만약 선으로 돌아옴에 돈독할 수 없다면 후회가 반드시 있을 것이다. 그러므로 "돌아옴을 돈독히 함이니 후회가 없다"고 하였다. '돈독히 함'은 뜻을 씀이 매우 두텁고 행동을 자제함이 독실함을 말한다. 육(六)이 비록 부드러운 음이지만, 곤괘의 몸체여서 돈후(敦厚)하고, 가운데 처하여 유순하므로 덕을 이룰 수 있다. 다만 그 아래에 덕을 같이하고 배움을 이끄는 신하가 없으므로 「상전」에 "스스로 이룬다"는 말이 있으니, "그 덕을 스스로 이룬다"는 말이다. '고(考)'자는 단지 "이룬다[成]"는 뜻만이 아니어서 성찰하고 심사하는 뜻도 겸하고 있다. 배우고 묻고, 나아가고 수양하는 방법이 이미 남에게서 힘입을 수 없다면, 반드시 그 말과 행동의 얻고 잃음과 학문하는 역량의 성실하고 나태함, 세 가지의 살핌[67]과 네 가지의 금지 할 것[68] 등을 스스로 이루어 말과 행동이 서로 돌아보고 독실하게 힘써서 그 선으로 돌아가는 공부를 이루어야 한다. 이전의 유학자들이 오효를 천성[天質]이 아름다운 것이라고 말한 것이 믿을 만하도다. 임금이 비록 현명한 스승과 어진 신하가 있더라도, 깊은 연못과 같이 깊숙하고 마음대로 하는 혼자의 장소에서 진실로 스스로 이루는 공부를 더하지 못한다면, 덕을 이루는 근본을 삼을 수 없으니, "돌아옴을 돈독히 하고 스스로 이룬다[敦復自考]"는 네 글자를 가장 깊이 완미해야 할 것이다.

### 유정원(柳正源) 『역해참고(易解參攷)』

王氏曰, 居厚而履中, 居厚則无怨, 履中則可以自考. 雖不足以及休復之吉, 守厚以復, 悔可免也.
왕필이 말하였다: 두터운 데 있으면서 가운데를 밟으니, 두터운 데에 있으면 원망이 없고 가운데를 밟으면 스스로 이룰 수 있다. 비록 아름다운 돌아옴의 길함에는 미칠 수 없지만, 지키기를 두텁게 하여 돌아오면 후회를 면할 수 있다.

### 김상악(金相岳) 『산천역설(山天易說)』

中順居坤, 爲敦復之象. 敦厚其復, 故事无可悔也. 初之不遠復, 入德之事, 繼之者善也, 五之敦復, 成德之事, 成之者性也.
가운데 있고 유순하며 곤괘(☷)에 있으니, 돌아옴을 돈독히 하는 상이 된다. 돌아옴을 돈후

67) 『論語 · 學而』: 爲人謀而不忠乎, 與朋友交而不信乎, 傳不習乎.
68) 『論語 · 顔淵』: 非禮勿視, 非禮勿聽, 非禮勿言, 非禮勿動.

(敦厚)하게 하므로 일에 후회할 것이 없다. 초효의 '멀리 가지 않고 돌아옴'은 덕에 들어가는 일이니, "잇는 것이 선이다"이고, 오효의 '돌아옴을 돈독히 함'은 덕을 이루는 일이니, "이루는 것은 성이다"[69]이다.

○ 敦復者, 信道篤, 執德堅, 不以終始而或間, 不以久暫而或變也, 卽安土敦乎仁之敦也. 群陰相比而過宜有悔者. 然中順之德, 能敦其復. 初九之陽, 動而順行, 雖非正應, 陰上陽下, 卦則相交, 故无悔. 蓋臨艮之敦, 皆在上爻, 而此獨於五爻言之者, 迷復之凶, 失敦厚之義, 故五曰敦復无悔. 所以復之成, 在敦, 故曰中以自考.
'돌아옴을 돈독히 함'은 도를 믿음이 돈독하고 덕을 잡음이 견고하여 시종일관 틈이 없고, 잠시라도 변함이 없음이니, "자리에 편안하여 인(仁)을 돈독하게 한다"[70]고 한 돈(敦)의 뜻이다. 여러 음은 서로 가까워 마땅함을 지나치니 후회가 있는 것이다. 그러나 알맞고 유순한 덕은 그 돌아옴을 돈독하게 할 수 있다. 초구의 양이 움직임에 따라서 가니, 비록 정응은 아니지만, 음이 위이고 양이 아래여서 괘는 서로 사귀므로 후회가 없다. 대개 림괘(臨卦)와 간괘(艮卦)에서의 '돈독함'은 모두 상효에 있는데, 여기서 유독 오효에서 말한 것은 '돌아옴에 혼미한 흉함'이기 때문이니, 돈후한 뜻을 잃었으므로 오효에서 "돌아옴을 돈독히 함이니 후회가 없다"고 하였다. 돌아옴이 완성되는 까닭이 돈독함에 달려 있으므로 "중도로 스스로 이룬다"고 하였다.

## 김규오(金奎五) 「독역기의(讀易記疑)」

六五, 雲峯說入德成德.
육오에서 운봉은 덕에 들어가고 덕을 이룸을 말하였다.

按, 不遠之復, 下聖人一等, 故曰元吉, 曰仁, 曰道, 何可爲敦復之初程乎. 若只以學者事, 如屛山云云者, 則可矣.
내가 살펴보았다: '멀리 가지 않고 돌아옴'은 성인보다 한 등급이 낮으므로 "크게 길하다"고 하고 '어진 자'라고 하고 '도'라고 하였으니, 어찌 돌아옴을 돈독히 하는 처음 과정이 되겠는가? 만약 배우는 자의 일로써 본다면 병산(屛山)[71]이 말한 것 같은 것이 괜찮다.

69) 『周易·繫辭傳』.
70) 『周易·繫辭傳』.
71) 병산(屛山): 이관명(李觀命)의 호이다. 본관은 전주(全州)이며, 자는 자빈(子賓)이다.

### 박제가(朴齊家) 『주역(周易)』

此之爲義, 亦猶觀之九五君子无咎之言也. 君子則无咎, 非君子則有咎也. 此敦復則无悔, 不敦則有悔也, 故象傳曰中以自考也. 考, 猶視履考祥之考, 謂自視其能敦與否也. 傳及本義, 皆以敦爲已然之敦, 故以考爲成. 五之陰, 自敦者也, 故必敦於復, 則无悔, 若已敦於復, 則不但无悔而已.

여기의 뜻은 관괘(觀卦䷓) 구오에서 "군자다우면 허물이 없다"는 말과 같다. 군자라면 허물이 없고, 군자가 아니라면 허물이 있다. 여기서 돌아옴을 돈독히 하면 후회가 없고, 돈독히 하지 못하면 후회가 있으므로 「상전」에서 "중도로 스스로 상고한다"고 하였다. '고(考)'는 리괘(履卦)의 "밟아온 것을 보아 상서로운 것을 고찰한다"는 '상고함[考]'과 같으니, 돈독하게 할 수 있는지의 여부를 스스로 보는 것을 말한다. 『정전』 및 『본의』는 모두 '돈독히 함[敦]'을 이미 그러한 돈독함으로 여기므로 '고(考)'를 "이룬다[成]"로 보았다. 오효의 음은 스스로 돈독히 하는 자이므로 반드시 돌아옴에 돈독히 하면 후회가 없지만, 이미 돌아옴에 돈독히 하였다면 후회가 없을 뿐만이 아니다.

### 서유신(徐有臣) 『역의의언(易義擬言)』

敦, 篤厚也, 復而至於六五篤厚也. 初復, 可以不祗悔, 而至此, 始無可悔也.

돈(敦)은 돈독하고 두터움이니, 돌아와서 육오의 돈독하고 두터움에 이르는 것이다. 초효의 '돌아옴'은 후회에 이르지 않을 수 있으나, 여기에 이르면 비로소 후회할 만한 것이 없다.

### 박문건(朴文健) 『주역연의(周易衍義)』

有疑自脩, 故有敦復之象. 敦復, 敦厚其復也.

의심이 있어서 스스로 닦으므로 돌아옴을 돈독히 하는 상이 있다. '돌아옴을 돈독히 함'은 그 돌아옴을 돈독하고 두텁게 하는 것이다.

〈問. 敦復无悔. 曰, 六二從初, 六五无與. 故有所疑而敦厚其道也, 所以无悔也.

물었다: "돌아옴을 돈독히 하니, 후회가 없다"는 무슨 뜻입니까?

답하였다: 육이는 초효를 따르지만 육오는 함께 함이 없습니다. 그러므로 의심하는 바가 있으면 그 도를 돈독하고 두텁게 하는데, 이 때문에 후회가 없는 것입니다.〉

### 이지연(李止淵) 『주역차의(周易箚疑)』

五, 是陽位, 而又得中. 然而敦不如獨.

오효는 양의 자리이고, 또 중도를 얻었다. 그러나 돈독히 함은 홀로 함만 못하다.

### 김기례(金箕澧) 「역요선의강목(易要選義綱目)」

坤厚, 故曰敦. 居順體之中, 當尊位, 則非如二四待初陽而復者. 自考, 自厚, 可謂吉, 而當始復之時, 下无應援, 故但曰无咎.

곤괘는 두터우므로 "돈독하다"고 하였다. 유순한 몸체의 가운데 있으면서 존귀한 지위에 해당하니, 이효와 사효가 초효의 양을 기다려 돌아오는 것과 같은 것은 아니다. "스스로 이룬다"는 스스로 두텁게 함으로 길하다고 할 만하지만, 처음 돌아오는 때에 맞아 아래에 호응하여 도와주는 것이 없으므로 다만 "허물이 없다"고만 하였다.

○ 不遠復, 入德之門, 敦復, 成德之體, 與初爲表裏.

'멀리 가지 않고 돌아옴'은 덕에 들어가는 문이고, '돌아옴을 돈독히 함'은 덕을 이룬 몸체이니, 초효와는 겉과 속이 된다.

### 심대윤(沈大允) 『주역상의점법(周易象義占法)』

復之屯䷂, 艱苦也. 敦, 篤厚也, 艮坤之德也. 六五, 才柔過大, 而能以中道自復, 用力甚苦, 執志甚堅, 終能敦復无悔. 蓋困而有得者也. 以其艱苦至甚, 故不言吉也.

복괘가 준괘(屯卦䷂)로 바뀌었으니, 힘들고 어려움이다. '돈(敦)'은 돈독하고 두터움이니, 간괘(☶)와 곤괘(☷)의 덕이다. 육오는 재질이 유약하고 지나침이 크지만 중도(中道)로 스스로 돌아올 수 있고, 힘을 씀이 매우 힘들지만 뜻을 잡음이 매우 견고하여 끝내 돌아옴을 돈독하게 하여 후회가 없을 수 있다. 대체로 곤궁하지만 얻는 것이 있다. 그 힘들고 어려움이 매우 심하기 때문에 "길하다"고 말하지 않았다.

### 오치기(吳致箕) 「주역경전증해(周易經傳增解)」

六五, 以柔順之德居剛, 得中而處尊, 當復之時, 信道能篤, 執志能堅, 无有變改, 而自成中順之德, 有敦厚復善之象. 雖遠於初剛, 而亦无可悔, 故其辭如此.

육오는 유순한 덕으로 굳센 양의 자리에 있고 중도를 얻어 존귀한 자리에 있는데, 돌아오는 때를 맞아 도를 믿음이 돈독할 수 있고 뜻을 잡음이 견고할 수 있어서 변하거나 고치는 것이 없이 스스로 중도의 유순한 덕을 이루니, 선에 돌아옴을 돈독하고 두텁게 하는 상이 있다. 비록 초효의 굳셈에서 멀지만 또한 후회할 만한 것이 없으므로 그 말이 이와 같다.

○ 敦, 厚也. 取象於坤, 已見臨卦. 初爲善心之萌, 入德之事. 故言不遠而无祗悔. 五爲善行之篤, 成德之事. 故言敦復而无悔也. 當復之時, 近於初剛者爲善, 故二言吉, 三言无咎. 四雖應, 而比二則稍遠, 故不言占, 五尤遠於初, 故不言吉. 以其得中, 故言无悔也.

'돈(敦)'은 두터움이다. 곤괘(☷)에서 상을 취했으니, 이미 림괘(臨卦䷒)에 보인다. 초효는 선한 마음의 싹이 되니, 덕에 들어가는 일이다. 그러므로 "멀리 가지 않고 후회에 이름이 없다"고 말했다. 오효는 선한 행동의 돈독함이 되니, 덕을 이루는 일이다. 그러므로 "돌아옴을 돈독히 함이니 후회가 없다"고 하였다. 돌아오는 때를 맞아 굳센 초효에 가까운 것이 선(善)이 되므로 이효에서 "길하다"고 하였고, 삼효에서 "허물이 없다"고 하였다. 사효는 비록 호응하지만 이효에 비하면 조금 멀기 때문에 점사를 말하지 않았고, 오효는 초효에서 더욱 멀기 때문에 "길하다"고 말하지 않았다. 그러나 중도를 얻었기 때문에 "후회가 없다"고 말했다.

### 이진상(李震相) 『역학관규(易學管窺)』

變得五艮, 本體亦坤, 皆有敦厚之象. 柔順得中故也.

변하면[䷂] 오효의 간괘(☶)를 얻고 본체가 또한 곤괘(☷)이니, 모두 돈독하고 두터운 상이 있다. 유순하고 알맞음을 얻었기 때문이다.

**象曰, 敦復, 无悔, 中以自考也.**

상전에서 말하였다: "돌아옴을 돈독히 함의 후회가 없음"은 중도로 스스로 이루는 것이다.

## 中國大全

傳

**以中道自成也. 五以陰居尊, 處中而體順, 能敦篤其志, 以中道自成, 則可以无悔也. 自成謂成其中順之德.**

중도로 스스로 이루는 것이다. 오효는 음으로 존귀한 자리에 있고, 가운데 자리에 있으며, 몸체가 유순하니, 그 뜻을 돈독히 하여 중도로 스스로 이루면, 후회가 없을 수 있다. '스스로 이룸'은 중도의 유순한 덕을 이루는 것을 말한다.

本義

**考, 成也.**

'고(考)'는 이룸[成]이다.

小註

建安丘氏曰, 二四待初而復, 故曰下仁, 曰從道. 五不待初而復, 故曰自考. 二四其學力之功, 五其天質之美歟.

건안구씨가 말하였다: 이효와 사효는 초효를 기다려서 돌아오기 때문에 "어진 자에게 낮춘다"고 하고, "도를 따른다"고 하였다. 그런데 오효는 초효를 기다리지 않고 돌아오기 때문에 "스스로 이룬다"고 하였다. 이효와 사효는 배우고 힘쓰는 공부이고, 오효는 천부적 자질의 아름다움일 것이다.

## ▌韓國大全▐

### 송시열(宋時烈) 『역설(易說)』

敦, 如敦臨之敦, 敦艮之敦, 坤土敦厚之象. 復而至於敦復, 无咎之道也. 占亦如之. 小象中以自考者, 處坤之中爻, 自能考察其敦與否也. 來云, 坤爲敦.

돈(敦)은 "돈독하게[敦] 임한다"의 돈독함이며, "그침에 도탑다[敦]"의 도타움이니, 곤괘(☷)인 흙[土]이 돈후(敦厚)한 상이다. 돌아와서 돌아옴을 돈독히 함에 이르니, 허물이 없는 도이다. 점이 또한 그와 같다. 「소상전」의 "중도로 스스로 고찰한다"는 곤괘의 가운데 효에 처하여 돈독하게 할 수 있는지의 여부를 스스로 고찰할 수 있음이다. 래지덕은 "곤괘가 도타움이 된다"고 하였다.

### 이익(李瀷) 『역경질서(易經疾書)』

敦復如敦臨敦艮, 只從四而敦於復也. 四旣言中行獨復, 故五則敦行其復而已. 只云無悔, 陰柔無正應, 不能自立. 惟中, 故自知甚明. 自考者, 自知也.

'돌아옴을 돈독히 함'은 "돈독하게 임한다"나 "그침에 도탑다"와 같지만, 다만 사효를 따라서 돌아옴에 돈독히 함이다. 사효에서 이미 "가운데를 지나가지만 혼자서 돌아온다"고 하였으므로 오효에서는 그 돌아옴을 돈독하게 행할 뿐이다. 다만 "후회가 없다"고 말한 것은 부드러운 음이 정응이 없어서 스스로 설 수 없기 때문이다. 오직 가운데 있으므로 스스로 앎이 매우 분명하니, "스스로 고찰한다"는 스스로 아는 것이다.

### 김상악(金相岳) 『산천역설(山天易說)』

考者, 成也. 五之敦復, 以其中德而成也. 君子去仁, 惡乎成名.

'고(考)'는 이룸[成]이다. 오효에서 '돌아옴을 돈독히 함'은 중정한 덕으로 이루기 때문이다. 군자가 인(仁)에서 벗어난다면 어찌 이름을 이룰 수 있겠는가?

### 서유신(徐有臣) 『역의의언(易義擬言)』

過此, 則爲迷復, 故六五爲中以自考也.

이를 지나치면 '돌아옴에 혼미함'이 되므로 육오가 중도로 스스로 이룸이 된다.

**박문건(朴文健) 『주역연의(周易衍義)』**

中以自考, 言自脩也.
'중도로 스스로 이룸'은 스스로 닦음을 말한다.

**심대윤(沈大允) 『주역상의점법(周易象義占法)』**

考, 令也, 善也.
'고(考)'는 명령함이니, 선한 것이다.

**오치기(吳致箕) 「주역경전증해(周易經傳增解)」**

以中道自成其復善之德, 故亦可以无悔也.
중도로 선에 돌아가는 덕을 스스로 이루므로 또한 후회가 없을 수 있다.

**이병헌(李炳憲) 『역경금문고통론(易經今文考通論)』**

坤厚, 故稱敦. 五居中, 故無悔.
곤괘(☷)는 두터우므로 "돈독하다"고 말하였다. 오효는 가운데 있으므로 후회가 없다.

正義曰, 以其處中, 能自考其身, 故无悔也.
『주역정의』에서 말하였다: 가운데 있어서 스스로 그 몸을 이룰 수 있으므로 후회가 없다.

## 上六, 迷復, 凶, 有災眚, 用行師, 終有大敗, 以其國君凶, 至于十年, 不克征.

정전 상육은 돌아옴에 혼미하여 흉하니, 재앙이 있어 군사를 동원하는 데에 쓰면 마침내 크게 패할 것이고, 나라를 다스리면 임금이 흉하여 십년이 될 때까지 가지 못할 것이다.

본의 상육은 돌아옴에 혼미하여 흉하니, 재앙이 있어 군사를 동원하는 데에 쓰면 마침내 크게 패하고 그 임금까지 흉하여 십년이 될 때까지 가지 못할 것이다.

## 中國大全

### 傳

**以陰柔居復之終, 終迷不復者也. 迷而不復, 其凶可知. 有災眚, 災, 天災, 自外來, 眚, 己過, 由自作. 旣迷不復善, 在己則動皆過失, 災禍亦自外而至, 蓋所招也. 迷道不復, 无施而可. 用以行師, 則終有大敗, 以之爲國, 則君之凶也. 十年者, 數之終, 至於十年, 不克征, 謂終不能行. 旣迷於道, 何時而可行也.**

부드러운 음이 복괘(復卦䷗)의 끝에 있어서 끝내 혼미하여 돌아오지 못하는 것이다. 혼미하면서 돌아오지 못하니 그 흉함을 알만하다. "재앙이 있다[有災眚]"에서 '재(災)'는 천재(天災)로 밖에서 오는 것이고, '앙[眚]'은 자신의 잘못으로 스스로 만든 것이다. 이미 혼미하여 선으로 돌아오지 못하니, 자신에게는 움직이면 모두 과실이고, 재화가 또한 밖에서 오더라도 불러들인 것이다. 도(道)에 혼미하여 돌아오지 못하니, 시행해서 할 수 있는 것이 없다. 그것으로 군대를 동원하면 마침내 크게 패하고, 나라를 다스리면 임금이 흉하다. 십년은 수(數)의 끝이니, 십년이 될 때까지 가지 못하는 것은 끝내 행할 수 없음을 말한다. 이미 도에 혼미하니, 어느 때에 행할 수 있겠는가?

### 小註

或問, 伊川言災自外來, 眚自內作, 是否. 朱子曰, 看來只一般, 微有不同耳. 災, 是偶然生於彼者, 眚是過誤致然. 書曰, 眚災肆赦, 春秋曰, 肆大眚, 皆以其過誤而赦之也.

어떤 이가 물었다: 이천이 '재(災)'는 밖에서 오는 것이고, '앙[眚]'은 안에서 만든 것이라고 했는데, 맞습니까?

주자가 답하였다: 미루어보면 같을 뿐이지만, 미묘하게 차이가 있습니다. '재(災)'는 우연히 저기에서 일어난 것이고, '생[眚]'은 과오로 생긴 것입니다. 『서경 · 순전』에서 "실수나 불행으로 지은 죄는 사면하라"[72]고 하고, 『춘추좌씨전』에서 '큰 실수를 범한 자'[73]라고 한 것은 모두 과오로 생긴 것이기 때문에 사면하는 것입니다.

本義

**以陰柔居復終, 終迷不復之象, 凶之道也. 故其占如此. 以猶及也.**

부드러운 음이 복괘(復卦䷗)의 끝에 있어서 끝내 혼미하여 돌아오지 못하는 상이니, 흉한 도이다. 그러므로 그 점이 이와 같다. '이(以)'는 '급(及)'과 같다.

小註

朱子曰, 上六迷復凶, 至于十年不克征, 這是箇極不好底爻. 故其終如此. 凡言十年三年五年七月八月三月者, 想是象數中自有箇數如此, 故聖人取而言之.
주자가 말하였다: "상육은 돌아옴에 혼미하여 흉하니, 십년이 될 때까지 가지 못할 것이다"는 지극히 좋지 않은 효이다. 그러므로 그 끝이 이와 같다. 일반적으로 '십년 · 삼년 · 오년 · 칠월 · 팔월 · 삼월'이라고 하는 것은, 생각건대 상수 가운데 본래 이와 같은 수가 있기 때문에 성인이 그것을 가지고 말한 것이다.

○ 問, 上六迷復, 至于十年, 不克征, 何如. 曰, 過而能改, 則亦可以進善. 迷而不復, 自是无說, 所以无往而不凶. 凡言三年, 猶是有箇期限, 到十年便是无說了.
물었다: 상육은 돌아옴에 혼미하여 십년이 될 때까지 가지 못하니 어떻게 해야 합니까? 답하였다: 잘못하고 고칠 수 있다면 또한 선으로 나아갈 수 있습니다. 그런데 혼미하면서 돌아오지 못한다면 이것으로는 말할 것이 없으니, 그래서 어디를 간들 흉하지 않음이 없는 것입니다. 일반적으로 삼년이라고 하면 기한이 있는 것 같지만, 십년이라면 말할 것이 없습니다.

○ 進齋徐氏曰, 上六位高, 而无下仁之美, 剛遠而失遷善之機. 厚極而有難開之蔽, 柔

---

72) 『書經 · 舜典』: 眚災肆赦.
73) 『春秋左傳注疏 · 莊公』: 二十有二年春王正月, 肆大眚.

終而无改過之勇, 是昏迷而不知復者也.
진재서씨가 말하였다: 상육은 지위가 높아 어진 자에게 낮추는 미덕이 없고, 굳센 양이 멀리 있어 선으로 고치는 기회를 잃었다. 두터움이 지극하여 열기 어려운 폐단이 있고, 부드러움이 끝에 있어 잘못을 고치는 용기가 없으니, 바로 혼미하면서 돌아올 줄 모르는 자이다.

○ 雲峯胡氏曰, 坤體而居上體之上, 先迷者也. 迷不特凶, 又有天災有人眚, 用行師, 終有大敗, 及其國君, 亦凶. 至于十年, 終不能行, 甚言迷復之不可也. 迷復與不遠復, 相反. 初不遠而復, 迷則遠而不復. 敦復與頻復, 相反. 敦无轉易, 頻則屢易. 獨復與休復, 相似. 休則比初, 獨則應初也. 十年不克征, 亦七日來復之反. 乾无十, 坤无一. 陰數極於六, 而七則又爲乾之始, 陽數極於九, 而十則自爲坤之終. 故凡言十年者, 坤終之象也. 屯十年乃字, 頤十年勿用, 皆互坤.
운봉호씨가 말하였다: 곤괘(☷)의 몸체이며 상체의 끝에 있으니 "먼저 하면 혼미하다"[74]는 것이다. 혼미한 것은 흉할 뿐만이 아니라 또 하늘의 재앙과 사람의 과오가 있으니, 군대를 동원하는 데에 쓰면 마침내 크게 패할 것이고 그 임금까지도 흉할 것이다. 십년이 될 때까지 끝내 행할 수 없다는 것은 돌아옴에 혼미함의 불가한 점을 심하게 말한 것이다. '돌아옴에 혼미함'은 '멀리 가지 않고 돌아옴'과 서로 상반된다. 처음에는 멀리 가지 않고 돌아오고, 혼미하면 멀리 가도 돌아오지 못한다. '돌아옴을 돈독히 함'은 '자주 돌아옴'과 상반된다. 돈독하면 옮겨감이 없고, 자주하면 여러 번 바꾼다. '혼자서 돌아옴'은 '아름다운 돌아옴'과 서로 비슷하다. 아름다움은 초구를 가까이 하고, 혼자서 함은 초구와 호응한다. "십년이 될 때까지 가지 못한다"는 또한 "칠일만에 와서 회복한다"는 것의 반대이다. 건(乾)에는 십(十)이 없고 곤(坤)에는 일(一)이 없다. 음의 수는 육(六)에서 다하니 칠(七)이라면 또 건의 시작이고, 양의 수는 구(九)에서 다하니 십(十)이라면 본래 곤의 마침이 된다. 그러므로 십년이라고 말하는 경우는 곤(坤)이 끝나는 상이다. 둔괘(屯卦䷂)의 "십년이 되어서야 시집간다"[75]와 이괘(頤卦䷚)의 "십년이 되어도 쓰지 못한다"[76]는 모두 호괘가 곤괘(☷)이다.

○ 南軒張氏曰, 易之爻辭, 鮮有如是之詳. 其凶鮮有如是之極者, 而獨於復之上六言之. 蓋自古亡家覆國, 反道敗德, 无所不在. 其源起於一念之微, 不能制過之爾. 夫以陰柔之才, 去本之遠, 所謂人欲肆而天理滅者. 故有大敗終凶之戒也.
남헌장씨가 말하였다: 『주역』의 효사는 이처럼 자세한 경우가 드물고 그 흉함이 이처럼 극

74) 『周易 · 坤卦』: 先迷失道, 後順得常, 西南得朋, 乃與類行, 東北喪朋, 乃終有慶.
75) 『周易 · 屯卦』: 六二, 屯如邅如, 乘馬班如, 匪寇, 婚媾. 女子貞, 不字, 十年, 乃字.
76) 『周易 · 頤卦』: 六三, 拂頤, 貞, 凶, 十年勿用, 无攸利.

단적인 것은 드문데, 유독 복괘(復卦)의 상육에서 말했다. 옛날부터 망한 집안과 무너진 나라에는 도를 어기고 덕을 그르침이 있지 않은 곳이 없었다. 그 근원은 하나의 생각에서 일어나니, 지나침을 제재하지 못했을 뿐이다. 부드러운 음의 재질로 근본을 멀리 떠났으니, 이른바 "인욕이 방자해서 천리를 멸한다"는 것이다. 그러므로 크게 패하고 마침내 흉하다는 경계가 있다.

## 韓國大全

### 권근(權近) 『주역천견록(周易淺見錄)』

愚按, 程朱皆釋迷復爲終迷不復. 吳氏非之, 蓋以將一不字補入其間, 故疑其不合也. 然又自謂迷行而復, 往復皆迷, 則亦失經意矣. 復者, 復於善也, 旣復則又何凶乎. 迷復, 當訓爲迷於復. 至終而迷於復善, 是終迷不復也. 用行師以其國, 程子分爲兩事. 吳氏以爲以某師之, 以行師與國君 分爲主賓, 皆未安. 本義以猶及, 是也. 以其國君凶, 卽所謂以其主與敵也. 如春秋師敗績而君見執也. 然春秋君執, 不言師敗績, 此言師敗, 又言君凶者, 春秋記事之已然, 君執則師敗, 可知, 故書其重. 易戒其將然, 雖敗非一道, 故備擧輕重而盡言之.

내가 살펴보았다: 정자와 주자는 모두 '돌아옴에 혼미함'을 끝내 혼미하여 돌아오지 못함으로 풀이하였다. 오징은 그것을 그르다고 여겼으니, '불(不)'자를 그 사이에 보충하여 넣었기 때문에 합치되지 않는다고 의심하였다. 그러나 또 자신은 "길을 잃었다가 돌아오면 갔다가 돌아오는 것이 모두 혼미한 것이다"라고 하였으니, 이 또한 경전의 의미를 잃었다. '돌아옴'은 선(善)으로 돌아오는 것이니, 이미 돌아왔다면 다시 무슨 흉함이 있겠는가? '미복(迷復)'은 '돌아옴에 혼미한 것'으로 풀이해야 한다. 끝에 이르렀는데도 선에 돌아오는데 혼미하니 이것이 끝내 혼미하여 돌아오지 못하는 것이다. '군사를 동원하는데 씀'과 '나라를 다스림'을 정자는 두 가지 일로 나누었다. 오징은 내가 군사를 거느리는 것으로 여겨서 '군사를 동원하는 것'과 '임금'을 주객으로 나누었는데, 모두 온당하지 않다. 『본의』에서 "'이(以)'는 '급(及)'과 같다"고 한 것이 옳다. '이기국군흉(以其國君凶)'은 바로 "임금을 적에게 빼앗기게 되었다"는 뜻이다. 『춘추』의 경우처럼 군대가 패하여 임금이 잡힌 것이다. 그러나 『춘추』는 임금이 사로잡힌 경우에 군대가 패했다고 말하지 않았는데, 여기에서는 "군사가 패하였다"고

하고, 또 "임금이 흉하다"고 한 것은 『춘추』는 일이 이미 진행된 결과를 기록하여 임금이 잡혔다고 하면 군대가 패한 것을 알 수 있으므로 중요한 일만을 기록한 것이다. 『주역』은 앞으로 그러할 것을 경계하였으니, 비록 패하더라도 모두 동일하지 않으므로 가볍고 무거운 것을 모두 들어서 다 말하였다.

### 조호익(曺好益) 『역상설(易象說)』

眚, 已過, 迷之所致, 災, 天禍, 過之所招, 皆迷復, 故有此象. 國君, 指六五. 不克征, 柔終之象.

'생(眚)'은 자기의 과실이니 혼미함이 부른 것이고, '재(災)'는 하늘의 재화이니 자기의 과실이 부른 것이니, 모두 돌아옴에 혼미하므로 이러한 상이 있다. '국군(國君)'은 육오를 가리킨다. "가지 못할 것이다"는 부드러운 음이 끝나는 상이다.

○ 在卦之終, 往无所之, 故戒以行, 眚在巽體, 故取象. 或曰, 復全體似震, 震之伏巽, 巽爲眼, 故取象, 雙湖曰, 眚, 目疾也. 上在天位, 故曰災. 行, 陽動象.

괘의 끝에 있으니, 가려고 해도 갈 곳이 없으므로 동원하는 것으로 경계하였으며, '생(眚)'은 손괘(☴)의 몸체에 있으므로 그 상을 취하였다. 어떤 이는 "복괘의 전체 모양이 진괘(☳)와 같으며, 진괘에 숨어있는 몸체가 손괘(☴)인데, 손괘는 눈이 되므로 그 상을 취하였다"고 하였고, 쌍호호씨는 "생(眚)은 눈병이다"라고 하였다. 상효는 하늘의 자리에 있으므로 '천재[災]'라고 하였다. '행(行)'은 양이 움직이는 상이다.

### 송시열(宋時烈) 『역설(易說)』

坤爲迷, 下文皆以迷言. 震爲行, 坤爲師爲國, 其數爲十, 言迷於復而有災眚. 用之行師, 迷亂而終至大敗, 以之爲國君, 凶而久至十年, 此所以不克政(征)也. 小象反君道者, 君當明睿, 而此則迷亂, 君之用師, 無不勝, 而此則終至大則(敗)故也.

곤괘(☷)는 혼미함이 되니, 아래 글에서는 모두 '혼미함'으로 말했다. 진괘(☳)는 동원함이 되고, 곤괘는 군사가 되고 나라가 되며, 그 수(數)는 십이 되는데, 돌아옴에 혼미하여 재앙이 있음을 말한다. 그것을 군사를 동원하는데 쓰면 혼미하고 어지러워서 끝내 크게 패하는데 이르며, 그것을 임금으로 삼으면 흉하고 오래됨이 십년에 이르니, 이것이 "가지 못한다"는 것이다. 「소상전」에서 "임금의 도와 반대되기 때문이다"는 임금은 밝고 지혜로워야 하는데 여기서는 혼미하고 어지러우며, 임금이 군사를 씀에는 이기지 못함이 없어야 하는데, 여기서는 끝내 크게 패하는데 이르기 때문이다.

### 이익(李瀷) 『역경질서(易經疾書)』

自剝至復, 純坤在其間, 陽衰陰盛, 有龍戰之象. 陽旣復矣, 諸爻皆恰然從之. 惟上六, 陰極迷復, 與初立敵, 有行師之象. 然陽長不可遏也, 終有大敗也. 師之義, 當於地中有水求之, 師非常用. 惟深藏時出而待用, 此義惟坤上之卦有之. 謙雖艮下而互坎也, 泰是下乾剛者, 必動故戒其勿用. 師變則同人, 顯明當用之象, 如湯武征誅, 是也. 故曰大師克, 可以互發也. 復亦地中之雷, 藏而時出者, 故有行師之象. 國君, 指六五也. 五敦復而上迷, 則是反君道也. 如此者, 不獨身敗, 敗必以其國君也, 其凶尤大. 凡易之言數目不同, 上下卦各三爻, 故言三者, 最多. 歷六位而遠於本爻, 則七也, 其最久者, 又歷本爻而至於應爻, 則十也, 如屯二頤三豐初及此爻, 是也.

박괘(剝卦䷖)로부터 복괘(復卦䷗)에 이르기까지 순전한 곤괘(坤卦䷁)가 그 사이에 있으니, 양이 쇠퇴하고 음이 장성하여 용이 싸우는 상이 있다. 양이 이미 돌아오면 여러 효가 모두 잘 따른다. 상육만 음이 다하였는데도 돌아옴에 혼미하여 초효와 맞서 대적하니, '군사를 동원하는' 상이 있다. 그러나 양이 자라남을 막을 수 없어 끝내 크게 패함이 있다. '군사[師]'의 뜻은 마땅히 땅 속에 물이 있는 데에서 구해야하니, 군사는 항상 쓰는 것이 아니기 때문이다. 깊이 감추어져 있다가 때에 따라 나와서 쓰이길 기다리니, 이 뜻은 오직 곤괘(☷)가 상괘가 된 괘에만 있다. 겸괘(謙卦䷎)는 비록 간괘(☶)가 하괘이지만 호괘는 감괘(☵)이며, 태괘(泰卦䷊)는 하괘가 강건한 건괘인데 반드시 움직이므로 쓰지 말아야 함을 경계하였다. 사괘(師卦䷆)는 음양이 바뀌면 동인괘(同人卦䷌)인데, 마땅히 써야 하는 상을 드러내 밝혔으니, 탕(湯)·무(武)가 징벌한 것과 같은 것이 이것이다. 그러므로 "큰 군사가 이긴다"라고 하였으니, 서로 관련지어 말할 수 있다. 복괘도 땅속의 우레가 감추어졌다가 때에 따라 나오는 것이므로 군사를 동원하는 상이 있다. '국군(國君)'은 육오를 가리킨다. 오효는 돌아옴을 돈독히 하는데 상효가 혼미하니, 이것이 임금의 도(道)와 반대되는 것이다. 이와 같은 것은 자신만 해칠 뿐만이 아니라 해침이 반드시 그 임금에게까지 미치니, 그 흉함이 더욱 크다. 『주역』에서 그 하나하나의 수효를 말한 것이 같지는 않으나, 상괘와 하괘가 각각 세 효이므로 셋을 말한 것이 가장 많다. 여섯 자리를 지나 본 효에서 멀어지면 일곱 번째이니, 가장 오랜 것이며, 또 본효를 지나 호응하는 효에 이르면 열 번째가 되니, 준괘(屯卦䷂) 이효와 이괘(頤卦䷚) 삼효, 풍괘(豐卦䷶) 초효 및 복괘 상효와 같은 것이 이것이다.

### 유정원(柳正源) 『역해참고(易解參攷)』

左襄二十八年, 鄭子展曰, 楚子不修其政德, 而貪昧於諸侯, 以逞其願, 欲久得乎. 在復之頤, 曰迷復, 凶, 其楚子之謂乎. 欲復其願, 〈欲得鄭朝, 以復其願.〉 而棄其本,

〈不脩德.〉 復歸无所, 〈失道已遠, 又无所歸.〉 是謂迷復, 能无凶乎. 不幾十年, 未能恤諸侯也.
『춘추좌전』 양공 이십 팔년에 정(鄭)나라 자전(子展)이 말하였다: 초자(楚子)가 그 정사와 덕행을 닦지 않으면서 제후에게서 탐하기만 하여 그 원하는 바를 즐기니, 오래 살고자하나 할 수 있겠는가? 복괘(復卦䷗)가 이괘(頤卦䷚)로 바뀌는데 있어 "돌아옴에 혼미하여 흉하다"고 하였으니, 초자를 말한 것이로다. 초자는 그 원하는 바에 돌아가고자 하였으나 〈정(鄭)나라의 조현(朝見)을 받아 그 원하는 바를 되찾고자 하였다.〉 그 근본을 버렸으니, 〈덕을 닦지 않았다.〉 돌아갈 곳이 없어 〈도를 잃음이 이미 멀고, 또 돌아갈 곳이 없다.〉 이것을 "돌아옴에 혼미하다"고 하니, 흉함이 없을 수 있겠는가? 십년이 되기 전에는 제후의 패권을 다툴 수 없다.

○ 厚齋馮氏曰, 災, 傷害. 眚, 目不明. 其國, 謂上卦坤. 君, 謂六五.
후재풍씨가 말하였다: '재(災)'는 상해를 뜻한다. '생(眚)'은 눈이 밝지 않은 것이다. '그 나라'는 상괘인 곤괘(☷)를 말한다. '임금'은 육오를 말한다.

○ 雙湖胡氏曰, 師坤, 爲衆之象.
쌍호호씨가 말하였다: '군사[師]'는 곤괘니, 무리의 상이 된다.

傳小註, 朱子說, 大眚. 〈春秋, 莊二十二年, 肆大眚. 胡傳, 肆眚者, 蕩滌瑕垢之稱也.〉
『정전』 소주에서 주자가 말하였다: 큰 실수. 〈『춘추좌전』 장공 이십 이년에 큰 실수를 사면한다고 했다. 『춘추호씨전』에서는 "실수를 사면함은 옛날의 잘못을 씻어냄을 말한다"고 했다.〉

## 김상악(金相岳) 『산천역설(山天易說)』

上六, 以陰柔居坤之終, 終迷不復凶, 有災眚, 與震无應, 故用行師, 則喪師辱君, 久而不能行也.
상육은 부드러운 음으로 곤괘(☷)의 끝에 있어서 끝내 혼미하여 돌아오지 못하고 흉하니 재앙이 있고, 진괘(☳)와 호응이 없으므로 '군사를 동원함을 쓰면' 군사를 잃고 임금이 욕되어 오래도록 행할 수 없다.

○ 迷, 坤象. 坤曰, 先迷後得, 謂其從陽, 而今居其終, 迷而不復, 故凶也. 比之五, 則以陽剛居坤之中, 故曰顯比而吉, 迷復之反也. 災眚者, 陰之過極也, 小過上六曰是謂災眚, 是也. 又震木克坤土, 而爲災眚也, 故下又曰大敗. 師與國, 皆坤之象. 君, 震象, 以坤遇震而无應, 故曰用行師大敗, 以其國君而凶也. 豫之四, 則爲震之主, 處坤之中, 上下應之, 故曰利建侯行師. 十者, 坤土之成數, 見屯六二十年. 不克征, 七日來復之反. 卦曰利有攸往, 動而順行也, 爻曰不克征, 迷而不復也. 蓋震之象爲龍, 龍之潛者至于亢, 則五爻變而爲乾, 與坤爲對. 乾曰亢龍有悔, 坤曰龍戰于野, 故初曰无祇悔, 上曰用行師大敗.

'혼미함'은 곤괘(坤卦)의 상이다. 곤괘에서 "먼저 하면 혼미하고 나중에 하면 얻는다"고 한 것은 양을 따름을 말함인데, 이제 그 끝에 있고 혼미하여 돌아오지 못하므로 흉하다. 비괘(比卦䷇)의 오효는 굳센 양으로 곤괘의 가운데 있으므로 "드러나게 도와서 길하다"고 하였으니, "돌아옴에 혼미하다"와 반대이다. '재앙'은 음이 지나치게 다함이니, 소과괘(小過卦䷽) 상육에서 "이것을 재앙이라고 이른다"고 한 것이 이것이다. 또 진괘인 나무[木]가 곤괘인 토[土]를 이겨서 재앙이 되므로 아래에 또 "크게 패한다"고 하였다. 군사와 나라는 모두 곤괘의 상이다. '임금'은 진괘의 상으로 곤괘가 진괘를 만나는데 호응이 없으므로 "군사를 동원하는 데에 써서 크게 패하고 임금에게까지 흉하다"고 하였다. 예괘(豫卦䷏)의 사효는 진괘의 주인이 되고 곤괘의 가운데 처하여 위아래가 호응하므로 "임금을 세우고 군사를 동원함이 이롭다"고 하였다. '십'은 곤괘인 토(土)의 성수(成數)이니, 준괘(屯卦䷂) 육이의 '십년'에 나온다. "가지 못한다"는 "칠일 만에 와서 회복한다"의 반대이다. 괘사에서 "가는 것이 이롭다"고 한 것은 움직여 순서대로 감이고, 효사에서 "가지 못할 것이다"라고 한 것은 혼미하여 돌아오지 못함이다. 진괘의 상은 용이 되는데, 잠긴 용이 너무 높은 데에 이르면 다섯 효가 변하여 건괘가 되니, 곤괘와 상대가 된다. 건괘에서 "지나친 용이 후회가 있다"고 하고, 곤괘에서 "용이 들에서 싸운다"고 했으므로 초효에서 "후회가 없다"고 하고, 상효에서 "군사를 동원하는데 쓰면 크게 패한다"고 했다.

### 서유신(徐有臣) 『역의의언(易義擬言)』

君子一復, 終身守之, 復之義, 蓋無究竟. 故上六取卦外之象, 在復之外去復遠, 是爲迷復也. 兩凶字疊, 上凶疑衍. 天灾地眚, 警告諄至, 而猶不知懼, 一向迷復, 行師不已, 故終有大敗. 此蓋由於國君之失道而凶也. 震動坤衆, 爲行師象也. 國, 坤象也. 六三無以相資, 故有十年不克征之象也. 十年象, 屯六二, 詳矣.

군자는 돌아오기를 한결같이 하여 몸을 마치도록 지키니, 복괘의 뜻은 마침이 없다. 그러므로 상육은 괘 밖의 상을 취하였으니, 복괘의 밖에 있어서 돌아옴에서 멀리 떨어짐이 '돌아옴에 혼미함'이 된다. 두 '흉(凶)'자가 겹쳤는데, 위의 '흉'자는 연문인 듯하다. 하늘의 재난[災]과 땅의 재앙[眚]으로 경고함이 정성스럽고 지극한데, 오히려 두려워할 줄 모르고 줄곧 돌아옴에 혼미하여 군사를 동원함을 그치지 않으므로 끝내 크게 패함이 있다. 이는 임금이 도를 잃는 데에서 말미암아 흉한 것이다. 진괘(☳)는 움직임이고 곤괘는 무리이니, 군사를 동원하는 상이 된다. '나라'는 곤괘의 상이다. 육삼과 서로 의지하는 바가 없으므로 십년이 될 때까지 가지 못하는 상이 있다. 십년의 상은 준괘 육이에 상세하다.

### 박문건(朴文健) 『주역연의(周易衍義)』

用剛害與, 故有迷復之象. 迷復, 迷亂其復也. 重言凶者, 甚上六之辭也.
굳셈을 쓰면 재해가 함께 하므로 돌아옴에 혼미한 상이 있다. '돌아옴에 혼미함'은 그 돌아옴을 혼미하여 어지럽히는 것이다. '흉(凶)'을 거듭 말한 것은 상육을 심각하게 여긴 말이다.
〈問, 迷復凶以下. 曰, 上六居四陰之上, 其勢疆盛者也. 然不知處極之道, 而用剛害與者, 迷其道也, 凶而有災眚. 若用行師而終有大敗者, 用國君之剛道也. 必有凶, 至于十年, 則疆者弱矣, 安能克征乎. 十年, 取往來之數也. 往下來上, 則成七數, 又往至三, 則合成十數也. 至于十年, 則疆者必弱, 而弱者必疆矣. 以其國君, 如鼎初以其子之文法. 不克征, 如同人四弗克攻之文義也.
물었다: "돌아옴에 혼미하여 흉하다" 이하는 무슨 뜻입니까?
답하였다: 상육은 네 음의 위에 있어 그 형세가 강성한 자입니다. 그러나 끝에 처하는 도를 알지 못하여 굳셈을 써서 재해가 함께 하는 자이니, 그 도에 혼미하기에 흉하고 재앙이 있습니다. 군사를 동원하는데 써서 끝내 크게 패함이 있는 것은 임금의 굳센 도를 쓰기 때문입니다. 반드시 흉함이 있고, 십년에 이르면 굳센 자도 약해지니 어찌 갈 수 있겠습니까? 십년은 갔다가 오는 수를 취하였습니다. 아래로 갔다가 위로 오면 칠(七)의 수를 이루고 또 가서 삼(三)의 자리에 이르면 합하여 십(十)의 수(數)를 이룹니다. 십년에 이르면 강한 자도 반드시 약해지고 약한 자도 반드시 강해집니다. '그 임금까지'는 정괘(鼎卦䷱) 초효의 '그 아들로 써'와 문장쓰는 법과 같습니다. "가지 못한다"는 동인괘(同人卦䷌) 사효의 '칠 수 없으니'와 문장 뜻과 같습니다.〉

### 이항로(李恒老) 「주역전의동이석의(周易傳義同異釋義)」

按, 上六迷復之義, 傳義已備矣. 蓋小人背正悖善之由有五焉. 本不知天道人性有善无惡, 迷於吉凶, 一也. 知其違道循欲有時獲利, 而不知天灾人眚終不得逭, 二也. 恃其黨惡者衆戕善者疆, 角勝逞快, 而不知理屈辭曲, 則雖百戰百勝, 无益於大敗, 三也. 或人君擧措失宜, 包容太寬, 不能大明至正, 以化天下, 則小[77]人乘隙竊權, 背公濟私, 而不知顚覆之禍竝及於國家, 剝床之灾將迫於君親, 四也.[78] 信其天運反覆, 陽剝陰盛, 亦有其期, 然不知是非大定, 吉凶旣判之後, 勿問君子與小人智愚賢不肖, 而皆得好惡之正, 无復黨護愛惜之人, 五也. 此五者, 小人之所蔽也. 是以聖人於復卦五爻, 喜其復善而眷眷以奬之, 於上六之迷復凶也, 歷數其招禍之端, 而一一重言之. 其曰迷復凶, 所以明善惡吉凶之不可易也. 其曰有災眚, 所以明幸或得免鬼誅, 人誅終非可免也. 其曰用行師終有大敗, 所以明人不可爲衆而天不可以力勝也. 其曰以國君凶, 所以明爲惡之害不止於滅身禍家, 而上及於君父也. 其曰至于十年不克征, 所以明善惡大定之後, 罪暴於天下, 名戮於萬世, 更无救援處也. 言十年, 特擧近而該遠耳. 聖人爲小人哀, 諄諄告命, 如是懇到, 可謂孔仁且厚矣, 可以人而不知此心也乎.

내가 살펴보았다: 상육의 "돌아옴에 혼미하다"는 뜻은 『정전』과 『본의』에 이미 갖추어져 있다. 대체로 소인이 바름을 등지고 선에 어긋나는 이유가 다섯이 있다. 본래 천도와 인성에 선은 있으나 악이 없음을 알지 못하여 길하고 흉함에 혼미한 것이 첫 번째이다. 도를 어기고 욕심을 따라서 때에 따라 이익을 얻을 줄을 알지만 천재(天災)와 인재(人災)를 끝내 피하지 못함을 알지 못하는 것이 두 번째이다. 악한 것을 편드는 자가 많고 착한 것을 죽이는 자가 강하다는 것을 믿고서 승부를 겨루고 방종하여 이치가 바르지 못하고 말이 왜곡되면 비록 백번을 싸워 백번을 이기더라도 크게 패한 것보다도 이로움이 없음을 알지 못하는 것이 세 번째이다. 혹 임금의 조치가 마땅하지 않고 포용함이 너무 관대하여 큰 밝음과 지극한 바름으로 천하를 교화할 수 없으면, 소인이 틈을 타고 권세를 도둑질하여 공평한 것을 등지고 사사로운 것을 이루니, 엎어지는 화(禍)가 국가에까지 아울러 미치고 평상을 깎아내는 재앙이 임금과 어버이에게까지 닥칠 것을 알지 못하는 것이 네 번째이다. 천운이 도리어 뒤집히고 양이 깎이고 음이 왕성함에 또한 그 시기가 있음을 믿지만, 옳고 그름이 크게 정해져 길하고 흉함이 이미 판가름 난 뒤에는 군자와 소인, 지혜로운 자와 어리석은 자, 어진 자와 불초한 자를 불문하고 모두 좋아하고 싫어함의 바름을 얻어 다시 편들고 아껴주는 사람이 없음을 알지 못하는 것이 다섯 번째이다. 이 다섯 가지는 소인이 가려진 바이다 이 때문에 성인이 복괘(復卦)의 오효에서 선으로 돌아오는 것을 기뻐하여 부지런히 권장하고, 상육의 "돌아옴에 혼미하여 흉하다"는 것에서 재앙을 부르는 단서를 낱낱이 세어 일일이 거듭 말하였다. "돌아옴에 혼미하여 흉하다"고 말한 것은 선과 악, 길하고 흉함이 바뀔 수 없음을 밝힌 것이다. "재앙이 있다"고 말한 것은 요행이 혹 귀신의 벌을 면할 수 있더라도 사람의 벌은 끝내 면할 수 있는 것이 아님을 밝힌 것이다. "군사를 동원하는 데에 쓰면 마침내 크게 패할 것이다"라고 한 것은 사람이 무리에 어찌할 수 없고 하늘을 힘으로 이길 수 없음을 밝힌 것이다. "그 임금까지 흉하다"고 한 것은 악을 행하는 해(害)가 몸을 없애고 집안을 없앰에

77) 小: 경학자료집성DB에는 '亦'으로 되어 있으나, 영인본을 참조하여 '小'로 바로잡았다.
78) 也: 경학자료집성DB에는 '世'로 되어 있으나, 영인본을 참조하여 '也'로 바로잡았다.

그치지 않고 위로 임금과 아비에게까지 미침을 밝힌 것이다. “십년이 될 때까지 가지 못한다”고 한 것은 선과 악이 크게 정해진 뒤에 죄가 천하에 드러나고 이름이 만세에 도륙되어 다시 구원받을 곳이 없음을 밝힌 것이다. ‘십년’이라고 말한 것은 다만 가까운 것을 들어서 먼 것을 구비한 것이다. 성인이 소인을 위해 슬퍼하고 거듭 타일러 분부한 것이 이와 같이 간절하니, 크게 어질고 두텁다고 할 만한데, 사람으로서 이러한 마음을 알지 못해서야 되겠는가?

### 김기례(金箕澧) 「역요선의강목(易要選義綱目)」

上六, 迷復, 凶, 有災眚.
상육은 돌아옴에 혼미하여 흉하니, 재앙이 있다.

坤爲迷, 故曰迷復.
곤괘가 ‘혼미함’이 되므로 “돌아옴에 혼미하다”고 하였다.

○ 陰暗居終, 過不知改, 豈徒自凶, 災亦隨矣.
음의 어두움이 끝에 있고 잘못해도 고칠 줄을 모르니, 어찌 한갓 스스로만 흉하겠는가? 재앙도 따라올 것이다.

用行師, 終有大敗, 以其國君凶, 至于十年, 不克征.
군사를 동원하는 데에 쓰면 마침내 크게 패하고 그 임금에게까지 흉하여 십년이 될 때까지 가지 못할 것이다.

坤爲衆, 而地者往也, 故曰行師.
곤괘는 무리가 되고 땅은 가는 것이므로 “군사를 동원한다”고 하였다.

○ 坤爲邑國, 故曰國.
곤괘가 읍국(邑國)이 되므로 ‘나라’라고 하였다.

○ 居上, 故曰君.
맨 위에 있으므로 ‘임금’이라고 하였다.

○ 胡雲峯曰, 陽數極於九, 而十爲坤之終, 故屯頤之十年, 皆互坤. 下陽爲君, 在上者,失其道, 故反君道也.
호운봉이 말하였다: 양의 수(數)는 구(九)에서 다하고 십(十)은 곤괘의 끝이 되므로 준괘(屯卦)와 이괘(頤卦)의 '십년'에는 모두 호괘가 곤괘이다. 아래의 양이 임금이 되고, 위에 있는 자가 그 도를 잃으므로 임금의 도와 반대된 것이다.

贊曰, 无往不復, 道在於斯. 子月之半, 天心无移. 地雷一聲, 琯灰暗吹. 復亨之道, 順以動之.
찬미하여 말하였다: 가서 돌아오지 않음이 없으니, 도가 여기에 있네. 자월(子月)의 반에 천심(天心)은 옮김이 없네. 땅 속의 우레가 한번 울리자 율관의 재 어둠 속에 터지네. 형통함으로 돌아오는 도가 따라서 움직이네.

## 심대윤(沈大允) 『주역상의점법(周易象義占法)』

復之頤䷚, 養之漸成也. 上六, 才柔而習惡已久, 而居柔從人以復, 乃畏威寡罪. 懷惠順則遷善, 而不知從化, 而不覺漸成, 良民而貿貿然小人哉. 故曰迷復. 坤爲迷, 坤順而艮止, 亦有象也. 有心之謂災, 无心之謂眚, 不知其非而爲之, 以從其心之所欲, 故曰災眚. 离爲災, 兌离爲眚, 取對也. 昏懦如此, 豈可行師乎. 艮震爲用. 坤爲師爲國爲終爲十, 巽爲行, 坎爲大, 离兵兌喪爲敗, 艮爲君, 坤爲至, 离互震艮爲年, 离艮爲克, 离爲征, 取對大過也. 再言凶者, 凶之甚也. 言以此道而行師, 則有敗也. 行師, 當以剛果主斷, 不可以迷暗從人也. 以其在上, 故有行師之戒.
복괘가 이괘(頤卦䷚)로 바뀌었으니, 기름[養]이 점차 이루어지는 것이다. 상육은 재질이 부드러우며 악에 익숙함이 이미 오래되고, 부드러운 음의 자리에 있어 남을 따라서 돌아오니, 바로 위엄을 두려워하여 죄가 적다. 은혜를 품으면 착하게 되지만 따라서 교화됨을 알지 못하고 점차 이룸을 깨닫지 못하니, 참으로 백성으로 어리석은 소인이로다. 그러므로 "돌아옴에 혼미하다"고 하였다. 곤괘가 '혼미함'이 되니, 곤괘로 따르고 간괘로 그침에도 또한 상이 있다. 마음이 있는 것을 '재(災)'라고 하고, 마음이 없는 것을 '생(眚)'이라고 하니, 그릇됨을 알지 못하고 하여 그 마음이 하고자 하는 바를 따르기 때문에 '재생(災眚)'이라고 하였다. 리괘는 '재(災)'가 되고 태괘와 리괘가 '생(眚)'이 되니, 음양이 바뀐 것에서 취하였다. 혼유(昏懦)함이 이와 같으니, 어찌 군사를 동원할 수 있겠는가? 간괘와 진괘가 쓰임이 된다. 곤괘는 '군사'가 되고 '나라'가 되고 '끝'이 되고 '십(十)'이 되며, 손괘는 '동원함'이 되고 감괘는 '큼'이 되고 리괘는 '병사'이고 태괘는 상실함이어서 '패함'이 되며, 간괘는 임금이 되고 곤괘는 이름이 되고, 리괘와 호괘인 진괘와 간괘는 '해[年]'가 되고, 리괘와 간괘는 '능함[克]'이 되고, 리괘는 '감[征]'이 되니, 음양이 바뀐 대과괘(大過卦䷛)에서 취하였다. '흉(凶)'을 거듭 말한 것은 흉함이 심한 것이다. 이 도로써 군사를 동원하면 패함이 있음을 말한다. '군사를 동원함'은 마땅히 굳세고 과감하게 주장하고 결단해야 하니, 혼미하고 어두움으로 남을 따라서는 안 된다. 위에 있는 것이기 때문에 군사를 동원하는 경계가 있다.

### 오치기(吳致箕) 「주역경전증해(周易經傳增解)」

上六, 陰柔居于復之極, 而最遠於初陽, 故不若六二之下仁, 六三之改過, 六四之從道, 六五之成德, 而爲迷復之凶, 是以有天災人眚. 若行師, 則兵敗君辱, 至于十年之久, 而不能洗其耻, 言其凶之極也.
상육은 부드러운 음이 복괘의 끝에 있고 초효인 양에서 가장 멀기 때문에 육이의 '어진 자에게 낮춤'이나 육삼의 '허물을 고침'이나 육사의 '도를 따름'이나 육오의 '덕을 이룸'과는 같지 않고 '돌아옴에 혼미한 흉함'이 되니, 이 때문에 하늘의 재앙과 사람의 재앙이 있다. 만약 군사를 동원하면 군대가 패하고 임금이 욕되어 십년이라는 오랜 기간이 지나더라도 치욕을 씻을 수 없으니, 그 흉함이 지극함을 말한다.

○ 迷者, 昏迷也, 取於坤而言昏不知復也. 行取於應震, 師取於坤衆. 陰分散爲敗之象, 國亦取於坤. 對體之乾爲君之象. 十取於坤, 已見屯二. 不克征, 言不能洗耻也. 一陽未復之前, 卽坤之上六, 陰極戰野之時, 故此亦言行師戰敗之凶也.
'미(迷)'는 혼미함으로 곤괘에서 취하였는데, 혼미하여 돌아올 줄 모름을 말한다. '동원함'은 호응하는 진괘에서 취하였고, '군사'는 곤괘인 무리에서 취하였다. 음이 나뉘어 흩어짐이 패하는 상이 되며, '나라'도 곤괘에서 취했다. 음양이 바뀐 몸체인 건괘가 임금의 상이 된다. '십(十)'은 곤괘에서 취했는데, 준괘(屯卦䷂) 이효에 이미 나온다. "가지 못한다"는 치욕을 씻을 수 없음을 말한다. 한 양이 아직 돌아오기 이전은 곧 곤괘(坤卦)의 상육이니, 음이 지극하여 들에서 싸우는 때이므로 여기에서도 군사를 동원하여 싸워 패하는 흉함을 말하였다.

### 이진상(李震相) 『역학관규(易學管窺)』

最遠於陽, 迷不知復者也. 坤以先而迷, 此以後而迷者, 彼无陽而此有陽也. 坤爲衆師象, 而長子尙卑, 不足以帥師. 況少男妄動, 豈無輿尸之匈乎. 十, 坤數之終也. 謙之上六, 利於行師者, 應乎九三也. 此之不利者, 遠於初九也. 〈此爻變艮, 故曰少男, 而艮止, 故不克征.〉
양에서 가장 멀어 혼미하여 돌아올 줄 모르는 자이다. 곤괘가 먼저 하여 혼미하고, 복괘가 뒤에 하여 혼미한 것은 곤괘는 양이 없고 복괘는 양이 있기 때문이다. 곤괘는 무리와 군사의 상이 되는데, 맏아들이 오히려 낮으니 군사를 거느릴 수 없다. 더욱이 막내아들이 망령되게 움직이니, 어찌 수레에 시체를 가득 싣는 흉함이 없겠는가? '십(十)'은 곤괘 수(數)의 끝이다. 겸괘(謙卦䷎) 상육의 "군사를 동원함이 이롭다"는 구삼에 호응하기 때문이다. 여기의 이롭지 않음은 초구와 멀기 때문이다. 〈이 효가 변하여 간괘가 되므로 '막내아들'이라고 하였는데, 간괘는 그치므로 가지 못한다.〉

### 박문호(朴文鎬) 「경설(經說)·주역(周易)」

用行師, 至不克征, 本義合作一事. 故訓以以及. 所謂征, 乃征伐之征, 非征行之征也. 雖然程傳以以其國對用行師爲說, 此於文義, 亦自好矣.[79]
'군사를 동원함을 쓰고서도'부터 "가지 못할 것이다"까지를 『본의』에서는 한 가지 일로 합하여 보았다. 그러므로 '이(以)'를 '급(及)'으로 풀이하였다. 이른바 '감[征]'은 정벌(征伐)의 '정(征)'이지, 정행(征行)의 '정(征)'이 아니다. 비록 그렇지만 『정전』에서는 '나라를 다스림'을 '군사를 동원하는데 씀'과 상대하여 설명하였는데, 이것은 문장의 뜻에 있어 또한 저절로 좋다.

本義, 凡先取象傳之說, 以釋象辭, 則至象傳不復釋之. 程傳則旣取於前, 又釋於後, 蓋隨文爲說, 不嫌其重複云.
『본의』는 먼저 「상전」의 설명을 취하여 「상전」의 말을 해석하였으니, 「상전」에 이르러 다시 해석하지 않았다. 『정전』은 앞에서 이미 취했고 또 뒤에서 해석하였으니, 대체로 문장에 따라서 설명하고 중복해서 말하는 것을 꺼리지 않았다.

### 이병헌(李炳憲) 『역경금문고통론(易經今文考通論)』

虞曰, 坤冥爲迷.
우번이 말하였다: 곤괘는 어두워서 혼미함이 된다.

鄭曰, 異自內生曰眚, 害物曰災.
정현이 말하였다: 재이(災異)가 안으로부터 생겨나니 '생(眚)'이라고 하였고, 만물을 해치니 '재(災)'라고 하였다.

---

79) 경학자료집성본에는 본 내용 가운데 "用行師, 至不克征, 本義合作一事, 故訓以以及. 所謂征, 乃征伐之征, 非征行之征也. 雖然程傳以以其國"이 육사에 있는 것을 본문의 내용에 따라 여기로 옮겼다.

荀曰, 坤爲衆, 故用行師, 謂上行師. 而距於初, 陽息上升, 必消群陰, 故終有大敗. 國君, 謂初也. 受命復道, 當從下升, 今上六行師, 王誅必加, 故以其國君凶.
순상이 말하였다: 곤괘는 무리가 되므로 군사를 동원함에 쓴다고 했으니 상효가 군사를 동원함을 말한다. 그런데 초효에서 멀어 양이 자라나 위로 올라가 반드시 여러 음을 소멸하므로 끝내 크게 패함이 있다. '국군(國君)'은 초효를 말한다. 명을 받아 도를 회복함은 마땅히 아래로부터 올라와야 하는데, 이제 상육이 군사를 동원하여 임금의 주벌(誅伐)이 반드시 더하여지므로 임금에게까지 흉하다고 하였다.

程傳曰, 十年者, 數之終也.
『정전』에서 말하였다: 십년은 수의 끝이다.

姚曰, 陽爲君道, 迷則背君, 故凶. 惟此一對, 又爲辟卦, 亦一小綱領.
요신이 말하였다: 양이 임금의 도가 되는데, 혼미하면 임금을 등지므로 흉하다. 이 한 짝이 또 벽괘(辟卦)가 되니, 또한 하나의 작은 강령이다.

## 象曰, 迷復之凶, 反君道也.

「상전」에서 말하였다: "돌아옴에 혼미하여 흉함"은 임금의 도와 반대되기 때문이다.

## 中國大全

**傳**

**復則合道, 旣迷於復, 與道相反也, 其凶可知. 以其國君凶, 謂其反君道也. 人君居上而治衆, 當從天下之善, 乃迷於復, 反君之道也. 非止人君, 凡人迷於復者, 皆反道而凶也.**

돌아오면 도에 합하는데, 이미 돌아옴에 혼미하여 도(道)와 상반되니, 그 흉함을 알 수 있다. "나라를 다스리면 임금이 흉하다"는 임금의 도와 반대됨을 말하였다. 임금이 위에서 무리를 다스림에 천하의 선함을 따라야 하는데, 돌아옴에 혼미하니 임금의 도와 반대된다. 임금뿐만이 아니라, 일반사람들도 돌아옴에 혼미할 경우에는 모두 도와 반대되어 흉하다.

**小註**

雲峯胡氏曰, 剝上九民所載也. 一陽在上, 指衆陰之爲民. 復上六反君道也. 衆陰之極, 表一陽之爲君.

운봉호씨가 말하였다: 박괘(剝卦䷖)의 상구는 백성들이 추대하는 바이다. 하나의 양이 위에 있음은 여러 음이 백성이 됨을 가리킨다. 복괘(復卦䷗)의 상육은 임금의 도(道)와 반대된다. 여러 음이 끝에 있음은 하나의 양이 임금이 됨을 드러낸다.

○ 建安丘氏曰, 復卦以初九爲主, 其言不遠復无祇悔者, 喜一陽之來也. 其上五陰爻, 則有得乎陽者吉, 无得乎陽者凶. 二比初, 則曰下仁, 四應初, 則曰從道, 此皆有得乎陽者. 餘三陰, 无得乎陽者. 五去初雖遠, 以居得中位, 自厚於復, 无悔. 三處位不中, 以去初未遠, 頻失而頻復者也, 故雖厲而可以无咎. 獨上六一爻, 最遠乎初, 又居一卦之窮, 迷而不復者也, 故凶. 又曰, 初爲明睿之君子, 知過則改, 上也. 二四爲樂善之賢者,舍己從人, 次也. 六五爲不踐迹之善人, 自厚其身, 又其次也. 六三爲改過不勇之人, 復而失, 失而復, 抑又其次也. 上六則物欲沈滯, 本心喪失, 下愚不移者也. 尙何復之可言哉. 民斯爲下矣.

건안구씨가 말하였다: 복괘(復卦䷗)는 초구를 주인으로 삼으니, "멀리 가지 않고 돌아와 후회에 이름이 없다"고 말한 것은 하나의 양이 오는 것을 기뻐하는 것이다. 그 위의 다섯 음효는 양을 얻은 것은 길하고 얻지 못한 것은 흉하다. 이효는 초효와 가까워서 "어진 자에게 낮추었다"고 하고, 사효는 초효와 호응해서 "도를 따랐다"고 하였으니, 이것은 모두 양을 얻은 경우이다. 나머지 세 음효는 양을 얻지 못한 경우이다. 오효는 초효와 멀리 있을지라도 가운데 자리에 있으니, 돌아옴을 스스로 두텁게 하여 후회가 없다. 삼효는 자리 잡은 곳이 가운데가 아니지만, 초효와 떨어짐이 멀지 않고 자주 잃어버리지만 자주 돌아오는 것이기 때문에 위태롭지만 허물이 없을 수 있다. 상육 한 효만 초효와 가장 멀리 떨어져 있고, 또한 괘의 끝에 있어 혼미하면서 돌아오지 못하는 것이기 때문에 흉하다.

또 말하였다: 초효는 현명한 군자여서 잘못을 알아차리면 고치니 최상이다. 이효와 사효는 선을 즐기는 현자여서 자신을 버리고 남을 따르니 그 다음이다. 육오는 흔적을 따르지 않는 선인(善人)이어서 그 자신을 스스로 두텁게 하니 또 그 다음이다. 육삼은 잘못을 고치는데 용맹하지 않은 사람이어서 돌아왔다가 잃어버리고 잃어버렸다가 돌아오니 또 그 다음이다. 상육은 물욕(物欲)으로 가로 막혀 본심을 잃어버렸으니, 어떻게 할 도리가 없는 아주 어리석은 사람인데, 어떻게 돌아옴을 말할 수 있겠는가? 백성들은 이 때문에 아래가 된다.

○ 雙峯饒氏曰, 復卦辭專以氣數言, 爻辭專以人事言. 以氣數言, 則復有必亨之理, 如出入无疾, 朋來无咎, 皆是復之亨處. 其所以然者, 以反復其道, 七日來復故也, 此是氣數之常, 自然如此. 若以人事言, 則須不遠復與休復方吉, 敦復方无悔, 獨復亦可以免凶咎. 若頻復, 則雖厲而亦可以无咎, 迷復, 則必至於凶而有災眚矣. 此皆人事所致, 君子不可不愼也.

쌍봉요씨가 말하였다: 복괘의 괘사는 오로지 기수(氣數)로 말하였고, 효사는 오로지 사람의 일로 말하였다. 기수로 말하면 돌아옴[復卦䷗]에 반드시 형통한 이치가 있으니, 이를테면 "나가고 들어옴에 병이 없고 벗이 옴에 허물이 없다"는 모두 돌아옴에 형통한 것이다. 그런 까닭은 그 도를 반복하여 칠 일만에 와서 회복하기 때문이니, 이것은 기수의 일정함이 이처럼 저절로 그런 것이다. 사람의 일로 말한다면, 반드시 멀리 가지 않고 돌아오고 아름답게 돌아와야 마침 길할 것이고, 돌아옴을 돈독히 해야 마침 후회가 없을 것이며, 혼자서 돌아오는 것도 흉함과 허물을 면할 수 있을 것이다. 자주 돌아온다면 위태롭지만 또한 허물은 없을 것이고, 돌아옴에 혼미하면 반드시 흉해서 재앙이 있을 것이다. 이런 것들은 사람의 일이 불러들인 것이니, 군자는 삼가지 않을 수 없다.

○ 習靜劉氏曰, 動靜, 天道之復也, 善惡, 人道之復也. 故彖象言動靜之復, 六爻言善惡之復. 復者, 剛之反也. 自五及初, 皆以從剛爲復. 五之自考, 不如四之從道, 四之從道, 不如二之下仁, 二之下仁, 不如初之脩身. 三頻復雖危, 猶知復也, 上迷復反道, 則不知復矣.
습정유씨가 말하였다: 움직임과 고요함은 하늘의 도가 돌아옴이고, 선과 악은 사람의 도가 돌아옴이다. 그러므로 「단전」과 「상전」에서는 움직임과 고요함의 돌아옴을 말하고, 여섯 효에서는 선과 악의 돌아옴을 말하였다. 돌아옴은 굳셈이 돌아오는 것이다. 오효에서 초효까지 모두 굳셈을 따르는 것으로 돌아옴을 삼는다. 오효가 스스로 이루는 것은 사효가 도를 따르는 것만 못하고, 사효가 도를 따르는 것은 이효가 어진 자에게 낮추는 것만 못하며, 이효가 어진 자에게 낮추는 것은 초효가 자신을 닦는 것만 못하다. 삼효의 자주 돌아옴은 위태롭지만 여전히 돌아올 줄 아는 것이고, 상효의 돌아옴에 혼미하여 도(道)와 반대됨은 돌아올 줄 모르는 것이다.

## 韓國大全

### 조호익(曺好益) 『역상설(易象說)』

君, 指五, 五能敦復. 六反之, 故曰反君道也.
'임금'은 오효를 가리키는데, 오효는 돌아옴을 돈독히 할 수 있다. 상육은 그와 반대되므로 "임금의 도와 반대되기 때문이다"라고 했다.
〈雙湖, 指五爲君, 雲峯, 指初爲君.
쌍호호씨는 오효를 가리켜 임금이라고 했고, 운봉호씨는 초효를 가리켜 임금이라고 했다.〉

### 유정원(柳正源) 『역해참고(易解參攷)』

小註, 丘氏說, 不踐迹.
소주에서 구씨가 말하였다: 자취를 밟지 않는다.

案, 論語集註曰, 踐迹, 猶言循塗守轍. 善人雖不必踐舊迹, 而自不爲惡, 蓋言不由學問而資質自好者也. 此卦二四, 比應初陽, 有樂善從人之美, 而五則不比不應, 而自以中順之德, 篤於復善, 是所謂不踐迹之善人也.

내가 살펴보았다: 『논어집주』에서 "자취를 밟는다는 것은 길을 따르고 바큇자국을 지킨다는 말과 같다. 착한 사람이 비록 반드시 옛 자취를 밟는 것은 아니더라도, 스스로 악을 하지는 않는다"[80]고 하였으니, 대체로 학문으로 말미암지는 않았으나 자질(資質)이 저절로 좋은 자를 말한다. 이 괘의 이효와 사효는 초효인 양과 가까이 하거나 호응하여 선을 즐기고 남을 따르는 아름다움이 있고, 오효는 가까이 하지도 호응하지도 않지만 스스로 알맞고 유순한 덕으로 선을 회복하는데 돈독하니, 이것이 이른바 자취를 밟지 않는 착한 사람이다.

### 김상악(金相岳) 『산천역설(山天易說)』

震陽, 不得君位, 是反君道也. 彖言剛反, 謂初也.

진괘(☳)의 양이 임금의 자리를 얻지 못한 것은 임금의 도와 반대되기 때문이다. 「단전」에서 "굳셈이 돌아온다"고 한 것은 초효를 말한다.

### 서유신(徐有臣) 『역의의언(易義擬言)』

陽復爲君道, 反之而致凶也. 此凶字, 爻辭下段之凶字也.

양이 돌아옴은 임금의 도(道)가 되는데, 그것과 반대되어 흉함에 다다른다. 여기의 '흉(凶)'자는 효사 하단의 '흉'자이다.

### 박문건(朴文健) 『주역연의(周易衍義)』

自復君道, 故謂之反君道也.

스스로 임금의 도에서 돌아오므로 "'임금의 도와 반대되기 때문이다"고 하였다.

### 심대윤(沈大允) 『주역상의점법(周易象義占法)』

小民之爲也, 非君上之道也.

소민(小民)이 하는 것이니, 임금의 도가 아니다.

### 오치기(吳致箕) 「주역경전증해(周易經傳增解)」

剛爲君道, 而以柔居柔, 无剛應剛比, 故謂反君道而爲凶也.

굳센 양이 임금의 도가 되는데, 부드러운 음으로 부드러운 음의 자리에 있고, 굳센 양과 호응함도 없고 가까이 함이 없으므로 임금의 도(道)와 반대되어 흉하게 된다고 하였다.

---

80) 『論語集注·先進』.

# 25

# 무망괘

## 无妄卦䷘

## 中國大全

### 傳

**无妄, 序卦, 復則不妄矣, 故受之以无妄. 復者, 反於道也, 旣復於道, 則合正理而无妄, 故復之後, 受之以无妄也. 爲卦, 乾上震下. 震, 動也, 動以天爲无妄, 動以人欲則妄矣, 无妄之義, 大矣哉.**

무망괘(无妄卦)는 「서괘전(序卦傳)」에 "돌아오면 망령되지 않으므로 무망괘로 받았다"고 하였다. '복(復)'은 도(道)로 돌아오는 것이니, 이미 '도'로 돌아오면 바른 이치에 합하여 '무망(无妄)'이 된다. 그러므로 복괘(復卦☷☳)의 뒤에 무망괘로 받았다. 괘는 건괘(乾卦☰)가 위에 있고 진괘(震卦☳)가 아래에 있다. 진괘는 움직임이니, 움직이기를 천도로 하면 무망이 되고 움직이기를 인욕(人欲)으로 하면 '망(妄)'이 되니, 무망의 뜻이 크도다!

#### 小註

程子曰, 无妄震下乾上, 聖人之動以天, 賢人之動以人. 若顔子之有不善, 豈如衆人哉. 惟只在此間爾. 蓋猶有己焉, 至於无我, 則聖人也.

정자가 말하였다: 무망괘는 진괘(震卦☳)가 아래이고 건괘(乾卦☰)가 위이니, 성인은 천도로 움직이고 현인은 인도로 움직인다. 안자(顔子)에게 선하지 않음이 있더라도 어찌 보통 사람과 같겠는가? 다만 성인과 현인 사이에 있었을 뿐이다. 선하지 않음이 있었더라도 사사로운 내가 없는 경지에 이르면 곧 성인이다.

○ 隆山李氏曰, 人受天地之中以生, 天神天明, 本自无妄, 有生之後, 人僞誘之妄念乃起. 又曰, 乾道變化, 一氣冥運, 而生者自生, 化者自化, 无不得其性命之正. 夫安有所謂妄者哉.

융산이씨가 말하였다: 사람이 천지의 중(中)을 받아 생겨나는데, 천신(天神)과 천명(天明)은 저절로 무망이고, 생겨난 이후에 사람의 거짓되고 유혹하는 잘못된 생각이 일어난다. 또 말하였다: 건괘(乾卦☰)의 도가 변화해서 한 기운이 그윽한 가운데 움직여, 생겨나는 것은 저절로 생겨나고 변화하는 것은 저절로 변화해서, 성명의 바름을 얻지 않은 것이 없다. 어찌 이른바 망령이라는 것이 있겠는가?

○ 雙溪王氏曰, 復者, 賢人之事, 无妄者, 聖人之事. 无妄則誠, 而復者, 所以求至於无妄者也.

쌍계왕씨가 말하였다: 회복은 현인의 일이고, 무망은 성인의 일이다. 무망은 성실 그 자체이고, 회복은 무망에 이르기를 구하는 것이다.

# 无妄, 元亨利貞, 其匪正有眚, 不利有攸往.

무망은 크게 형통하고 곧게 함이 이로우니, 바르지 않으면 허물이 있을 것이므로 가는 것이 이롭지 않다.

## 中國大全

### 傳

无妄者, 至誠也, 至誠者, 天之道也. 天之化育萬物, 生生不窮, 各正其性命, 乃无妄也. 人能合无妄之道, 則所謂與天地合其德也. 无妄, 有大亨之理, 君子行无妄之道, 則可以致大亨矣. 无妄, 天之道也, 卦言人由无妄之道也. 利貞, 法无妄之道, 利在貞正, 失貞正, 則妄也. 雖无邪心, 苟不合正理, 則妄也, 乃邪心也. 故有匪正, 則爲過眚. 旣已无妄, 不宜有往, 往則妄也.

무망은 지극히 성실함이고, 지극히 성실함은 하늘의 도이다. 하늘이 만물을 화육하여 끊임없이 낳고 낳아서 각각 성명(性命)을 바르게 하는 것이 무망이다. 사람이 무망의 도에 합하면, 이른바 "천지와 더불어 덕을 합한다"는 것이다. 무망은 크게 형통할 이치가 있으니, 군자가 무망의 도를 행하면 크게 형통함을 이룰 수 있다. 무망은 하늘의 도이니, 괘는 사람이 무망의 도를 따름을 말하였다. "곧음이 이롭다"는 것은 무망의 도를 본받음에 이로움이 곧고 바름에 있으니, 곧고 바름을 잃으면 망령이 된다. 비록 사심(邪心)이 없더라도 만일 바른 이치에 맞지 않는다면 망령이니, 바로 사심이다. 그러므로 바르지 않으면 허물이 된다. 이미 무망이라면 가서는 안 되니, 가면 망령이 된다.

### 小註

或問, 程傳云, 雖无邪心, 苟不合正理, 則妄也. 旣无邪心, 何以不合正理. 朱子曰, 有人自是其心全无邪, 而卻不合於正理, 如賢智者過之. 他其心豈曾有邪, 卻不合正理. 佛氏亦豈有邪心者. 又問, 莊敬持養, 此心旣存, 亦可謂之无邪心矣. 然知有未至, 理有未窮, 則於應事接物之際, 不能處其當, 則未免於紛擾, 而敬亦不得行焉. 雖與流放而不知者異, 然苟不合正理, 則亦未免爲妄與邪心也. 曰, 所論甚善. 但所謂雖无邪心而不合正理者, 實該動靜而言. 然燕居獨處之時, 物有來感, 理所當應, 而此心頑然固執不動, 則雖无邪心, 而只此不動處, 便非正理. 又如應事接物處, 理當如彼, 而吾所以應之者乃如此, 則雖未必出於有意之私. 然只此亦是不合正理. 旣有不合正理, 則非邪妄而何. 恐不可專以莊敬持養, 此心旣存, 爲无邪心, 而必以未免紛擾, 敬不得行, 然後爲有妄之邪心也.

어떤 이가 물었다: 『정전』에서 "비록 사심(邪心)이 없더라도 만일 바른 이치에 맞지 않는다면 망령이다"라고 하였습니다. 이미 사심이 없는데, 어찌하여 바른 이치에 맞지 않는 것입니까?

주자가 답하였다: 어떤 사람이 스스로 그 마음에 전혀 사심이 없더라도 도리어 바른 이치에 맞지 않는 경우가 있으니, 현명한 사람과 지혜로운 사람이 지나치는 것과[1] 같습니다. 그의 마음에 어찌 사심이 있어서 도리어 바른 이치에 맞지 않는 것이겠습니까? 불타 또한 어찌 사심이 있었겠습니까?

또 물었다: 씩씩하고 공경하며 유지하고 길러서 이 마음이 이미 보존된다면 사심이 없다고 말할 수 있습니다. 그러나 앎에 아직 지극하지 못한 것이 있고, 이치를 아직 궁구하지 못한 것이 있어서, 일에 응하고 사물에 접할 때에 마땅하게 처리할 수 없다면, 어지러움을 면하지 못하고, 경(敬)도 행할 수 없습니다. 비록 함부로 하는데 빠져서 알지 못하는 사람과는 다르지만, 바른 이치에 맞지 않는다면 망령과 사심이 되는 것을 면하지 못합니다.

답하였다: 논한 것이 매우 좋습니다. 다만 이른바 비록 사심이 없어도 바른 이치에 맞지 않는다는 것은 실은 움직임과 고요함을 포괄하여 말하였습니다. 그러나 한가하게 홀로 거처할 적에 대상이 와서 느끼면 이치상 마땅히 응하는데, 이 마음이 굳게 고집하여 움직이지 않으면, 비록 사심이 없더라도 다만 이 움직이지 않는 곳이 바로 바른 이치가 아닙니다. 또 예를 들어 일에 응하고 물건에 접하는 곳에서 이치상 마땅히 저렇게 해야 하는데, 내가 응하기를 이렇게 한다면, 비록 반드시 의도적인 사사로움에서 나오지는 않았을지라도 다만 이 또한 바른 이치에 맞지 않습니다. 이미 바른 이치에 맞지 않는다면, 사심이나 망령이 아니고 무엇이겠습니까? 아마도 오직 씩씩하고 공경하며 유지하고 길러서 이 마음이 이미 보존되는 것으로는 사심이 없다고 할 수 없으며, 또한 반드시 어지러움을 면하지 못하고 경을 행할 수 없게 된 다음에야 망령된 사심이 됩니다.

---

1) 『中庸』: 子曰, 道之不行也, 我知之矣, 知者過之, 愚者不及也. 道之不明也, 我知之矣, 賢者過之, 不肖者不及也.

**本義**

**无妄, 實理自然之謂. 史記作无望, 謂无所期望而有得焉者, 其義亦通. 爲卦自訟而變, 九自二來而居於初, 又爲震主, 動而不妄者也, 故爲无妄. 又二體震動而乾健, 九五剛中而應六二. 故其占大亨而利於正. 若其不正, 則有眚而不利有所往也.**

무망은 실제의 이치가 저절로 그러함을 말한다. 『사기(史記)』에는 '무망(无望)'으로 되어 있는데, "기대하고 바라는 바가 없이도 얻는다"는 말이니, 그 뜻이 또한 통한다. 괘는 송괘(訟卦䷅)로부터 변하여 구(九)가 이효로부터 와서 초효에 거하고, 또 진괘(震卦☳)의 주인이 되었으니, 움직이면서도 망령되지 않은 자이므로 무망이 되었다. 또 두 몸체가 진괘는 움직이고 건괘는 굳세며, 구오(九五)가 굳센 양으로서 가운데 있으면서 육이(六二)와 호응한다. 그러므로 그 점이 크게 형통하고 바르게 함이 이롭다. 만약 바르지 않다면 허물이 있어 가는 것이 이롭지 않다.

**小註**

朱子曰, 无妄本是无望. 這是沒理會時節, 忽然如此得來面前, 朱英所謂无望之福, 是也. 問, 史記作无望. 若以爲无望, 則是願望之望, 非誠妄之妄. 曰, 有所願望, 卽是妄. 但望字說得淺, 妄字說得深. 无妄是箇不指望偶然底卦. 忽然而有福, 忽然而有禍, 如人方病, 忽然勿藥而愈, 是所謂无妄也. 據諸爻名義, 合作无望, 不知孔子何故說歸无妄.

주자가 말하였다: 무망은 본래 바램이 없는 것이다. 이는 이해하지 못하는 때에 갑작스럽게 이처럼 면전에 닥치는 것이니, 주영(朱英)이 말한 바라지 않던 복이라는 것이다.[2)]

물었다: 『사기』에는 '무망(无望)'이라고 썼습니다. 만약 '무망(无望)'이라고 한다면 그건 '원망(願望)'이라고 하는 '망(望)'이지 성실과 망령이라고 하는 '망(妄)'이 아닙니다.

답하였다: 바램이 있다면 곧 망령입니다. 다만 '망(望)'이라는 글자는 얕게 말하였고, '망(妄)'이라는 글자는 깊게 말하였습니다. 무망괘는 우연을 바라지 않는 괘입니다. 갑작스럽게 복이 있기도 하고 갑작스럽게 화가 있기도 하니, 예를 들어 사람이 막 병이 들었다가 갑작스럽게 약을 쓰지 않았는데도 낫는 이것이 바로 무망입니다. 여러 효의 이름과 뜻에 근거해 보아도 '무망(无望)'에 맞는데, 공자가 무엇 때문에 '무망(无妄)'이라고 말했는지 알지 못하겠습니다.

○ 无妄自是大亨了, 又卻須是貞正始得. 若些子不正, 他那裏便有災來.

무망은 저절로 크게 형통하지만, 또한 반드시 곧고 바르게 해야 비로소 무망이 될 수 있다.

---

2) 『史記・春申君列傳』: 朱英謂春申君曰, 世有毋望之福, 又有毋望之禍.

조금이라도 바르지 않다면, 그 속에 곧 재앙이 있다.

○ 无妄一卦, 雖云禍福之來也无常, 然自家所守者, 不可不利於正, 不可以彼之无常而吾之所守亦爲之无常也. 故曰无妄元亨利貞, 其匪正有眚. 若所守匪正, 則有眚矣. 眚, 卽災也.
무망 한 괘에 대해서 비록 화와 복이 오는 것이 일정하지 않다고 말하지만, 스스로 지키는 것은 바름을 이롭게 여기지 않아서는 안 되니, 화와 복이 일정하지 않다고 해서 내가 지키는 것까지 일정하지 않게 해서는 안 된다. 그러므로 "무망은 크게 형통하고 곧게 함이 이로우니, 바르지 않으면 허물이 있다"고 말하였다. 지키는 것이 바름이 아니라면 허물이 있다. 허물은 곧 재앙이다.

○ 厚齋馮氏曰, 朱子謂史記作无望, 自文王以來, 多爲無望之義焉. 季長鄭康成王子雍, 皆同斯義. 古人用字, 同聲者, 義亦通之. 如豫之爲預, 履之爲禮, 噬嗑之爲市合, 不一端而足. 今觀卦內作无所期望而有得, 其義多通. 序卦之意, 非可如此推也. 蓋動出於人, 則爲之而期其成, 有所望也, 動而聽命於天, 非可期望也.
후재풍씨가 말하였다: 주자가 『사기』에는 '무망(无望)'이라고 썼다고 했는데, 문왕 이래로 대부분 '무망(无望)'의 뜻으로 풀이하였다. 마융, 정현, 왕숙이 모두 이런 뜻으로 풀이하였다. 옛사람들이 글자를 쓸 때, 같은 소리가 나는 글자는 뜻도 통하여 썼다. 예를 들어 예괘를 '예(預)'로, 리괘를 '예(禮)'로, 서합괘를 '시합(市合)'으로 풀이한 것 등으로, 한 둘이 아니다. 지금 괘의 내용을 기대하는 바가 없이 얻는 것으로 본다면 그 뜻이 대부분 통하지만, 「서괘전」의 뜻을 이처럼 추론할 수는 없다. 움직임이 사람에게서 나오면 행하여 이룰 것을 기대하니 바라는 바가 있는 것이지만, 움직여 하늘에서 명을 받는 것은 기대하고 바랄 수 있는 것이 아니다.

○ 建安丘氏曰, 惟其无妄, 所以无望也. 若其處心未免於妄, 則无道以致福, 而妄欲徼福, 非所謂无望之福. 有過以召災, 而妄欲免災, 非所謂无妄之災. 此皆未免容心於禍福間, 非所謂无妄也. 若眞實无妄之人, 則純乎正理, 禍福一付之天, 而无苟得幸免之心也.
건안구씨가 말하였다: 오직 무망이기 때문에 바램이 없다. 그 마음 씀이 망령을 면하지 못한다면 복을 이룰 방법이 없는데, 망령되게 복을 구하고자 하는 것은 이른바 바라지 않던 복이 아니다. 허물이 있어서 재앙을 부르면서 망령되게 재앙을 면하고자 하는 것은 이른바 바라지 않던 재앙이 아니다. 이는 모두 화와 복의 사이에서 마음을 쓰는 것을 면하지 못하니, 이른바 무망이 아니다. 진실하여 망령이 없는 사람이라면 바른 이치에 순수하여 화와 복을

하늘에 맡기고, 구차하게 얻거나 요행히 면하려는 마음이 없다.

○ 雲峯胡氏曰, 朱子解中庸誠字, 以爲眞實无妄之謂, 此解无妄則以爲實理自然之謂. 自然二字已兼無所期望之意矣. 其占, 元亨而必利於貞者,〈无妄, 誠也, 正而固, 誠之者也〉 不正則妄矣. 占辭曰貞曰匪正曰利曰不利, 其辭一正一反, 聖人示戒深矣.
운봉호씨가 말하였다: 주자는 『중용』의 '성(誠)'이라는 글자를 해석하면서 "진실하여 망령이 없는 것을 말한다"고 하고, 여기에서 무망을 해석하면서 "실제의 이치가 저절로 그러함을 말한다"고 하였다. '저절로 그러함[自然]'이라는 두 글자는 이미 기대하고 바라는 뜻이 없다는 의미를 겸하고 있다. 그 점은 크게 형통하고 반드시 곧게 하는 것이 이로우니〈무망은 성실 자체이고, 바르고 굳게 하는 것은 성실하려는 것이다.〉 바르지 않으면 망령되다는 것이다. 점사에서 "곧다"·"바르지 않다"·"이롭다"·"이롭지 않다"고 한 것은 그 말이 하나는 긍정이고 하나는 부정이니, 성인이 경계를 보여준 것이 깊다.

## 韓國大全

### 조호익(曺好益) 『역상설(易象說)』

无妄, 元亨利貞, 其匪正有眚.
무망은 크게 형통하고 곧게 함이 이로우니, 바르지 않으면 허물이 있을 것이다.

匪正, 反天理. 眚, 雙湖曰, 目疾也. 卦自初至四離體, 離爲目, 自三至五巽體, 巽爲眼, 故取象. 蓋以爲眚字本目疾, 卦中雖因此取象, 而不害於轉而爲過眚之眚也. 利貞, 指二五.
'바르지 않음[匪正]'이란 천리(天理)에 반하는 것이다. '생(眚)'에 대하여 쌍호는 '안질(眼疾)'이라고 하였다. 괘에서 초효로부터 사효까지는 리괘(離卦☲)의 몸체이니 리괘는 눈[目]이 되며, 삼효로부터 오효까지는 손괘(巽卦☴)의 몸체이니 손괘(巽卦☴)는 눈동자[眼]가 되므로 이러한 상을 취하였다. '생'자는 본래 안질이라고 여겼으니, 괘가 비록 이로 인해 상을 취하였으나, 바뀌어 '허물[過眚]'이라고 할 때의 '생'으로 보아도 무방하다. "곧게 함이 이롭다"란 이효와 오효를 가리킨다.

### 송시열(宋時烈) 『역설(易說)』[3]

大亨以正, 當以二德者, 與屯[4]同. 其匪正有眚, 與上九爻辭相應, 言无妄之極, 動而往焉, 則无攸利也.
'크게 형통하여 바르니'는 마땅히 두 가지 덕이기 때문이니, 준괘(屯卦)와 같다. "바르지 않으면 허물이 있을 것이다[其匪正有眚]"란 상구의 효사와 서로 호응하니, 무망이 지극함을 말하므로 움직여 간다면 이롭지 않다.

### 홍여하(洪汝河) 「책제(策題): 문역(問易) · 독서차기(讀書箚記)-주역(周易)」[5]

无妄, 彖辭, 程傳, 利在貞正.
무망괘 단사의 『정전』에서 말하였다: 이로움이 곧고 바름에 있다.

利在, 猶屯之利在, 亦設戒之辭也.
"이로움이 있다[利在]"란 준괘(屯卦)에서의 '리재(利在)'[6]와 같으니, 또한 경계를 세운 말이다.

### 이현익(李顯益) 「주역설(周易說)」

曰復則无妄, 則以復與无妄分屬聖賢. 雙溪王氏說未然.
「서괘전」에서 "회복하면 망령됨이 없다"[7]라고 한 것은 복괘(復卦䷗)와 무망괘(无妄卦)를 성인(聖人)과 현인(賢人)으로 각각 나누어 속하게 하였다. 쌍계왕씨의 설[8]은 그렇지 않다.
〈以程子聖人無復, 聖人之動以天, 賢人之動以人之說看, 王氏之以復與无妄分聖賢, 亦是矣.
정자가 "성인은 회복함이 없다"[9]고 한 말과 "성인은 천도로 움직이고 현인은 인도로 움직인다"[10]고 한 말을 가지고서 본다면, 왕씨가 복괘(復卦)와 무망괘(无妄卦)를 성인(聖人)과

---

3) 이 문장 전체는 경학자료집성DB에 누락되어 있으나, 경학자료집성 원문을 대조하여 보충하였다.
4) 屯: 경학자료집성DB에는 '无'로 되어 있으나 경학자료집성 영인본을 참조하여 '屯'으로 바로잡았다.
5) 경학자료집성DB에서는 「단전」에 해당하는 것으로 분류했으나, 내용에 따라 이 자리로 옮겼다.
6) 『周易傳義大全 · 屯卦』: 屯, 有大亨之道而處之利在貞固, 非貞固, 何以濟屯.
7) 『周易 · 序卦傳』: 復則不妄矣.
8) 『周易傳義大全 · 无妄卦』: 雙溪王氏曰, 復者, 賢人之事, 无妄者, 聖人之事. 无妄則誠, 而復者, 所以求至於无妄者也.
9) 『朱子語類』: 程子曰, 聖人無復, 故未嘗見其心.
10) 『周易傳義大全 · 无妄卦』: 程子曰, 无妄震下乾上, 聖人之動以天, 賢人之動以人.

현인(賢人)으로 각각 나누어 속하게 하였던 것도 또한 옳다.〉

傳曰, 動以天无妄, 動以人欲, 則妄矣, 此以天與人欲對言. 則天字內似包聖賢, 而程子又曰, 聖人之動以天, 賢人之動以人, 此則以天人分屬聖賢. 又曰, 動以天, 安有妄乎. 動以人, 則妄矣, 則是以賢人事爲妄矣, 其說不一.
『정전』에서 "움직이기를 천리로 하면 무망이 되고 움직이기를 인욕(人欲)으로 하면 '망(妄)'이 된다"[11]고 하였으니 이것은 천리와 인욕으로 상대하여 말하였다. 그렇다면 '천(天)'자 안에 성인과 현인을 포괄한 듯한데, 정자는 또 "성인은 천도[天]로 움직이고 현인은 인도[人]로 움직인다"[12]고 하였으니, 이것은 천도와 인도를 성인과 현인으로 각각 나누어 속하게 한 것이다. 또 "천도로 움직이니, 어찌 망령됨이 있겠는가? 인욕으로 움직이면 망령됨이 있게 된다"[13]고 하였으니, 이것은 현인의 일을 망령되게 여긴 것으로 그 설이 일관되지 않는다.
〈恐動以人, 則妄矣, 人是人欲之謂, 而與傳說同, 動以天動以人, 則別是一義.
아마도 "인욕으로 움직이면 망령됨이 있게 된다"고 한 데에서 '인(人)'은 인욕을 말하는 것이어서 『정전』의 설명과 같지만, '천도로 움직이고[動以天]' '인욕으로 움직임[動以人]'은 별도로 하나의 뜻인 듯하다.〉

楊氏文煥謂, 三行人之得, 利於動也. 夫行人之得, 邑人之災, 只是喩无妄之災, 則行人之得, 不當如是說.
양문환이 "삼효에서 길 가는 사람의 소득은 움직임에서 이로운 것이다"고 하였다. 삼효의 효사에서 "길 가는 사람의 소득이자 읍 사람의 재앙이다"[14]라고 한 것은 다만 무망의 재앙을 비유한 것이니, '길 가는 사람의 소득'을 이와 같이 말하는 것은 부당하다.

### 이익(李瀷)『역경질서(易經疾書)』

无妄之義, 不出於天下雷行也. 帝出于震, 以時自行, 萬物莫不興動, 此無所爲而然者也. 本義所引无望者大意相類, 無所望則公, 公則無私. 觀天道自運, 萬物自成, 莫不從雷. 行始於此, 著一點私意不得, 豈非无妄乎. 其在人事, 則聖人與天地合德, 無往而非无妄也. 自非然者, 或不無匪正之失, 雖無私意, 智或未明, 所行不能盡合乎天道, 則其心雖无妄, 而其事則妄也. 故曰, 匪正有眚, 不利有攸往. 正者, 天命之本然, 匪正, 則

---

11)『周易傳義大全 · 无妄卦』: 震, 動也, 動以天爲无妄, 動以人欲則妄矣, 无妄之義, 大矣哉.
12)『周易傳義大全 · 无妄卦』: 程子曰, 无妄震下乾上, 聖人之動以天, 賢人之動以人.
13)『周易傳義大全 · 无妄卦』: 无妄, 震下乾上, 動以天, 安有妄乎. 動以人, 則有妄矣.
14)『周易 · 无妄卦』: 六三, 无妄之災, 或繫之牛, 行人之得, 邑人之災.

違命也. 天之所助者, 順也, 天旣不祐, 不可行, 宜矣. 元亨利貞, 與下文不利有攸往對勘, 則乃利有攸往也, 傳所謂无妄之往, 是也, 所謂何之矣者, 帖在不利有攸往, 其意若曰宜无妄之往矣, 若非正有眚, 將何之乎.
'무망(无妄)'의 뜻은 하늘 아래에서 우레가 움직이는 것을 벗어나지 않는다. '상제가 진(震)에서 나와'15) 때에 따라 스스로 행하여 만물 중에 흥하여 움직이지 않는 것이 없으니, 이것은 하는 바가 없어도 그렇게 된다는 것이다. 『본의』가 '무망'을 끌어들인 것은 대의(大意)가 서로 유사하니, 바라는 바가 없으면 공적(公的)이고 공적이면 사사로움이 없다. 천도가 스스로 운행하고 만물이 스스로 이루어짐을 관찰하면 진(震)을 따르지 않는 것이 없다. 움직임은 여기서 시작하고, 한 점 사사로운 뜻도 붙일 수 없으니, 어찌 '무망'이 아니겠는가? 사람의 일에 있어서는 성인(聖人)이 천지와 덕을 합하여 가는 곳마다 '무망'이 아님이 없다. 본래 그렇지 않은 것도 혹 바르지 않는 잘못이 없지 않으니, 비록 사사로운 뜻은 없다고 하더라도 지혜가 혹 밝지 않아서 움직이는 바가 다 천도에 부합될 수 없어 그 마음은 비록 망령됨이 없더라도 그 일은 망령된다. 그러므로 "바르지 않으면 허물이 있을 것이므로 가는 것이 이롭지 않다"고 하였다. '바름[正]'은 천명이 본래 그러함이니, "바르지 않다[匪正]"면 천명을 어기는 것이다. 하늘이 도와주는 자는 순조롭지만, 하늘이 이미 도와주지 않는다면 움직여서는 안 됨이 마땅하다. "크게 형통하고 곧게 함이 이롭다"를 아랫 글의 "가는 것이 이롭지 않다"는 것과 상대하여 살펴본다면 가는 것이 이로우니 「단전」에서 말한 "무망(无妄)으로 간다"가 이것이고, "어디를 가겠는가"16)는 "가는 것이 이롭지 않다"는 데에 붙이면 그 뜻이 "무망으로 감이 마땅하다"라고 말하는 것과 같다. 만약 바르지 않아 허물이 있으면 장차 어디를 가겠는가?

### 유정원(柳正源) 『역해참고(易解參攷)』

正義, 无妄者, 以剛爲內主, 動而能健, 以此臨下, 物皆无敢詐僞虛妄, 俱行實理, 所以大得亨通, 利於貞正, 故曰元亨利貞也. 物皆无妄, 當以正道行之. 若其匪依正道, 則有眚災, 不利有攸往也.
『주역정의』에서 말하였다: '무망'이란 굳센 양을 안의 주인으로 삼아 움직여 강건할 수 있고 이를 가지고 아래로 임하니, 사물은 모두 감히 속이거나 허망하게 하는 일이 없어 모두 실제의 이치를 행하므로 이 때문에 형통함을 크게 얻고, 곧고 바른 데에서 이로우므로 "크게 형통하고 곧게 함이 이롭다"고 하였다. 사물이 모두 망령됨이 없어 마땅히 정도(正道)로써

15) 『周易 · 說卦傳』: 帝出乎震, 齊乎巽, 相見乎離, 致役乎坤, 說言乎兌, 戰乎乾, 勞乎坎, 成言乎艮.
16) 『周易 · 无妄卦』: 其匪正有眚, 不利有攸往, 无妄之往, 何之矣. 天命不祐, 行矣哉.

움직인다. 만약 정도에 의거하는 것이 아니라면, 허물과 재앙이 있어서 가는 것이 이롭지 않다.

○ 雙湖胡氏曰, 元亨利貞之占, 九五剛健中正, 固足以當之, 而无妄成卦, 實由初九, 則利貞亦指初言也. 其匪正謂三, 三不正, 則離毁而有眚矣. 不利有攸往, 戒震, 九若往二, 則六二來初, 而成訟矣, 九若往三, 則六三來初, 而成遯矣, 皆不利於有所往也. 又艮止在前, 亦有不利往之象. 唯守正不動, 則自有无妄, 元亨之吉利焉.
쌍호호씨가 말하였다: "크게 형통하고 곧게 함이 이롭다"는 점은 구오의 강건하면서도 중정함이 진실로 여기에 해당하기에 충분하지만 '무망'의 괘는 진실로 초구에서 말미암으니, "곧음이 이롭다"는 것도 초효를 가리켜 말한 것이다. "바르지 않다"란 삼효를 말하니, 삼효가 바르지 않으면 떠나고 무너져 허물이 있다. "가는 것이 이롭지 않다"란 진괘(震卦☳)를 경계한 것이니, 구(九)가 만약 이효로 간다면 육이는 초효로 와서 송괘(訟卦䷅)를 이룰 것이며, 구(九)가 만약 삼효로 간다면 육삼은 초효로 와서 돈괘(遯卦䷠)를 이루니, 모두 가는 것이 이롭지 않다. 또 간괘(艮卦☶)의 그침이 앞에 있으니, 가는 것이 이롭지 않는 상이 있다. 오직 바름을 지켜 움직이지 않는다면 자연 망령됨이 없어 크게 형통한 길함과 이로움이 있게 된다.

本義, 史記无望
『본의』에서 말하였다: 『사기』에는 '무망(无望)'으로 되어 있다.[17]
〈春申君傳, 朱英謂春申君曰, 世有无望之福, 又有无望之禍. 今君處无望之世, 事无望之君, 安可以无无望之人乎.
『사기(史記)·춘신군열전(春申君列傳)』에서 주영(朱英)이 춘신군에게 말하였다: 세상에는 바라지 않은 복도 있고, 바라지 않은 화도 있습니다. 이제 군(君)께서 바램이 없는 세상에 계시면서 바램이 없는 왕을 섬기시니, 어찌 바램이 없는 사람이 없을 수 있겠습니까?[18]〉

### 김상악(金相岳) 『산천역설(山天易說)』

无妄之變, 九來居初, 爲震之主, 與乾爲應. 動而健, 剛中而應, 故大亨而利於正. 若其不正, 則有眚而不利往矣.
무망괘의 변화는 구(九)가 초효에 와 있으면서 진괘(震卦☳)의 주인이 되니, 건괘(乾卦☰)

17)『周易傳義大全·无妄卦』: 記作无望, 謂无所期望而有得焉者, 其義亦通.
18)『사기·춘신군열전』.

와 호응이 된다. '움직이고 강건하며, 굳센 양이 가운데 있고 호응하기'[19] 때문에 크게 형통하여 바른 데에서 이롭다. 만약 바르지 못하다면 허물이 있어서 가는 것이 이롭지 않다.

○ 元亨利貞, 見屯卦. 往本震象, 而曰不利者, 匪正之戒也. 无妄之動有天人之別, 故正與不正利與不利, 皆相對爲辭.
"크게 형통하고 곧게 함이 이롭다[元亨利貞]"는 준괘(屯卦䷂)에서 보인다.[20] '감[往]'이란 본래 진괘(震卦☳)의 상인데도, "이롭지 않다"고 말한 것은 바르지 않음을 경계한 것이다. '무망'의 움직임에는 하늘과 사람의 구별이 있기 때문에 바름과 바르지 못함, 이로움과 이롭지 못함을 모두 상대하여 한 말이다.

## 김규오(金奎五) 「독역기의(讀易記疑)」

序卦下小註, 賢人之動以人, 然則當分三層看, 動以天, 聖人也, 動以人, 顏子以下也, 動以人欲, 中人以下也.
「서괘전」의 『정전』 아래에 있는 소주에서 "현인은 인도로 움직인다"고 하였으니, 그렇다면 마땅히 세 계층으로 나누어 보아야 하는데, 천도로 움직이는 것은 성인에 해당하고, 인도로 움직이는 것은 안자(顏子) 이하의 사람들에 해당하며, 인욕으로 움직이는 것은 중인(中人) 이하의 사람들에 해당한다.

## 서유신(徐有臣) 『역의의언(易義擬言)』

无妄, 元亨利貞.
무망은 크게 형통하고 곧게 함이 이롭다.
天下雷行, 元亨也. 利貞方來也. 旣元亨又利貞, 孰使之然. 是爲无妄. 詩云, 鳶飛戾天, 魚躍于淵.
하늘 아래에서 우레가 움직이니, 크게 형통하다[元亨]. "곧게 함이 이롭다[利貞]"는 막 오는 것이다. 이미 크게 형통하고 또 곧게 함이 바른 것은 누가 그렇게 하였는가? 이것이 '무망'이다. 『시경』에서는 "솔개는 하늘을 날고, 물고기는 연못에서 뛰논다"[21]고 하였다.

其匪正有眚, 不利有攸往.

---

19) 『周易 · 无妄卦』: 動而健, 剛中而應, 大亨以正, 天之命也.
20) 『周易 · 屯卦』: 屯, 元亨, 利貞, 勿用有攸往, 利建侯.
21) 『詩經 · 旱麓』: 鳶飛戾天, 魚躍于淵. 豈弟君子, 遐不作人.

바르지 않으면 허물이 있을 것이므로 가는 것이 이롭지 않다.
其匪正者, 无妄之不正也, 无妄有正有不正也. 匪正而亦謂之无妄, 則无妄之爲言, 何以稱焉. 方冬之時, 萬物錮蟄, 仲春, 雷乃發聲而萬物爲之振動發生, 是爲天下雷行, 物以无妄. 譬如曉睡攪來方有省覺, 而此際湛然天眞未有雜念 故曰无妄. 无妄者, 自然而然之謂也. 卦德爲動以天, 亦任天眞之象也. 任其自然有正有不正, 立於巖墻之下而曰命也, 其可乎. 若此類乃匪正之无妄也, 故曰有眚, 亦无妄之災也. 其匪正者, 六三上九不得正位也, 不利有攸往者, 匪正不可行也.
"바르지 않다"는 것은 '무망'이 바르지 않은 것이니, '무망'에 바름도 있고 바르지 않음도 있다. 바르지 않는데도 '무망'이라고 하였으니, '무망'이라는 말을 무엇 때문에 칭하게 되었는가? 이제 겨울의 시기에 만물이 가로막혀 숨어 있다가 봄이 한창인 때에 우레가 소리를 내고 만물이 활동하여 진동하고 발생하니, 이것이 하늘 아래에 우레가 움직여 만물이 '무망'이 되는[22] 것이다. 비유하자면 마치 새벽잠을 자다가 흔들려 막 깨어남에 이 즈음에는 깊고 고요하여 자연 그대로여서 잡념이 없기 때문에 '무망'이라고 하였다. '무망'이란 저절로 그러하여 그렇게 된 것을 말한다. 괘의 덕은 천도로 움직임이 되니, 또한 자연 그대로 맡기는 상이다. 저절로 그러한 데에 맡기는 데에도 바름이 있기도 하고 바르지 않음이 있기도 하는데, 담장의 아래에 서서[23] '명(命)'이라고 하면 옳겠는가? 이와 같은 종류는 바르지 않은 '무망'이기 때문에 "허물이 있다"고 하였으니, 또한 '무망'의 재앙[24]이다. "바르지 않다"는 것은 육삼과 상구가 제자리를 얻지 못함이고, "가는 것이 이롭지 않다"란 바르지 않아 가서는 안 되는 것이다.

### 박문건(朴文健) 『주역연의(周易衍義)』

匪正, 則相害, 故有眚. 如此, 則不利升進也.
"바르지 않다"면 서로에게 해를 입히기 때문에 허물이 있다. 이와 같다면 위로 나아감이 이롭지 않다.
〈問, 其字. 曰, 其者, 承上文之辭也. 下六二爻辭則字, 亦同也.
물었다: '기(其)'자는 무슨 뜻입니까?
답하였다: '기(其)'란 위의 글을 잇는 말입니다. 아래 육이 효사의 '즉(則)'자도 같습니다.〉

---

22) 『周易 · 无妄卦』: 象曰, 天下雷行, 物與无妄, 先王以, 茂對時, 育萬物.
23) 『孟子 · 盡心』: 孟子曰 莫非命也, 順受其正. 是故, 知命者, 不立乎巖墻之下, 盡其道而死者, 正命也, 桎梏死者, 非正命也.
24) 『周易 · 无妄卦』: 六三, 无妄之災, 或繫之牛, 行人之得, 邑人之災.

〈○ 問, 元亨利貞. 曰, 陽有升進之勢, 雖大亨, 然用貞而後, 可進也. 利剛道而无害物, 非小人之所能也.
물었다: "크게 형통하고 곧게 함이 이롭다"는 무슨 뜻입니까?
답하였다: 양은 위로 나아가는 형세가 있어서 비록 크게 형통하지만, '바름'을 쓴 뒤에야 나아갈 수 있습니다. 굳센 도이면서 다른 사람을 해침이 없는 것이 이로우니, 소인이 할 수 있는 바가 아닙니다.〉

### 이지연(李止淵) 『주역차의(周易箚疑)』

无妄者, 正也, 正者, 无妄, 不正而往, 何利之有.
"망령됨이 없다"는 것은 바른 것이고, "바르다"는 것은 망령됨이 없는 것이니, 바르지 않은데도 간다면 무슨 이로움이 있겠는가?

### 김기례(金箕澧) 「역요선의강목(易要選義綱目)」

无妄.
무망은.
坤順雷動, 動以順理, 則彊作, 故曰復.
곤(坤)은 따르고 우레는 움직이니, 순리(順理)로 움직인다면 굳세게 일으키기 때문에 '회복[復]'이라고 하였다.

○ 乾純雷動, 動以天理, 則自然, 故曰无妄.
건(乾)은 순수하고 우레는 움직이니 천리로 움직인다면 자연스럽기 때문에 '무망'이라고 하였다.

○ 若以人欲動, 則妄矣.
만약 인욕으로 움직인다면 망령된다.

元亨利貞.
크게 형통하고 곧게 함이 이로우니.
四[25]剛二柔順理而相應, 故大亨以正.
굳센 네 양과 유순한 두 음이 이치에 따르면서 서로 호응하기 때문에 크게 형통하여 바르다.

25) 四: 경학자료집성DB와 영인본에는 모두 '五'로 되어 있으나, 문맥을 살펴 '四'로 바로잡았다.

匪其正有眚[26], 不利有攸往.
바르지 않으면 허물이 있을 것이므로 가는 것이 이롭지 않다.
匪正, 則邪也. 无妄之時, 邪豈无眚. 匪正而往, 豈有利乎. 指上九.
"바르지 않다"란 사특함이다. '무망'의 때에 사특하다면 어찌 허물이 없겠는가? 바르지 않으면서 가면 어찌 이로움이 있겠는가? 상구를 가리킨다.

## 심대윤(沈大允) 『주역상의점법(周易象義占法)』

夫心性相近而習行相遠. 傳曰, 習貫若自然, 疆學力行, 孜孜爲善而至於自然, 則此謂至誠者也. 若隨其染習之成, 而孜孜爲不善, 以至於自然, 則此謂喪性者也. 喪其性而心性亦伏而而不出焉. 眚者, 非其本心之所欲而爲過者也. 本善者, 心性也, 不善非心之所欲也. 不利有攸往, 言精也.
심성은 서로 가깝고 습관이 된 행동은 서로 멀다.[27] 전하는 말에 "습관은 자연스러움과 같다"고 하였으니, 억지로 공부하고 힘써 행동하여서 부지런히 선을 행하여 자연스러움에 이른다면 이것을 '지극히 성실한 것[至誠]'이라고 말한다. 만약 몸에 익은 습관을 따라서 부지런히 불선(不善)을 행하여 자연스러움에 이른다면 이것을 "본성을 잃었다"고 말한다. 그 본성을 잃어 심성(心性)도 엎드려 숨어 나오지 않는다. '허물'이란 본심이 원해서 허물이 되는 것이 아니다. 본래 선한 것은 심성이니, 불선도 마음이 원하는 바가 아니다. "가는 것이 이롭지 않다"란 말이 정밀하다.

## 오치기(吳致箕) 「주역경전증해(周易經傳增解)」

无妄者, 誠實无虛僞也. 史記作无望, 謂无所期望也. 凡事惟盡在我之道, 而吉凶禍福, 皆委之自然, 未有所期望, 此所謂无妄也. 震以一陽在下而動, 乾以純剛在上而健, 卽動以天, 无妄也. 卦體則二五剛柔, 俱得中正而應, 卦義則誠實而无邪妄, 故曰大亨. 乾震二體, 皆居正位, 故曰利貞. 无妄, 卽實理之自然, 而若以柔邪之心妄有所期望, 則爲匪正而有眚. 不利有攸往, 卽戒辭也.
'무망(无妄)'이란 성실하여 거짓이 없는 것이다. 『사기』에는 '무망(无望)'으로 되어 있으니, 기대하고 바라는 바가 없음을 말한다. 일이란 오직 나에게 있는 도를 다할 뿐이고 길흉화복은 모두 자연에 맡겨 기대하고 바라는 바가 있지 않으니, 이것을 이른바 '무망'이라고 한다.

---

26) 『주역 · 무망괘』의 괘사에는 "其匪正有眚"으로 되어 있다.
27) 『論語 · 陽貨』: 子曰, 性相近也, 習相遠也.

진괘(震卦☳)는 하나의 양이 아래에 있어서 움직이고, 건괘(乾卦☰)는 순수하게 굳센 양이 위에 있어서 강건하니, 천도로 움직임이 '무망'이다. 괘의 몸체는 이효와 오효가 굳센 양과 부드러운 음으로 모두 중정함을 얻어 호응하고, 괘의 뜻은 성실하여 사특하고 망령됨이 없기 때문에 "크게 형통하다"고 하였다. 건괘와 진괘인 두 몸체는 모두 바른 자리에 있기 때문에 "곧게 함이 이롭다"고 하였다. '무망'은 실제의 이치가 저절로 그러한 것인데, 만약 유약하고 사특한 마음으로 망령되게 기대하고 바라는 바를 가진다면 바르지 않아 허물이 있게 된다. "가는 것이 이롭지 않다"란 경계하는 말이다.

### 이진상(李震相)『역학관규(易學管窺)』

卦體.

괘체.

上篇將終將究坎離之用, 故此下四卦, 連用四陽四陰相對之卦, 此又臨觀之一變也. 乾坤之次, 便有屯蒙需訟, 坎離之前, 亦有无妄大畜頤大過, 下際上交, 其機妙矣. 此則長男少男陪隨於父後, 而長女居中主饋.

상편에서는 장차 감괘(坎卦☵)와 리괘(離卦☲)의 쓰임을 궁구하면서 끝맺으려고 하기 때문에 여기 아래의 네 괘에서는 네 양과 네 음이 서로 상대하는 괘를 이어서 썼으니, 이것이 또한 림괘(臨卦䷒)와 관괘(觀卦䷓)가 한 번 변한 것이다. 건괘(乾卦☰)와 곤괘(坤卦☷) 다음에는 준괘(屯卦䷂)·몽괘(蒙卦䷃)·수괘(需卦䷄)·송괘(訟卦䷅)가 있고, 감괘와 리괘의 앞에는 또 무망괘·대축괘(大畜卦䷙)·이괘(頤卦䷚)·대과괘(大過卦䷛)가 있어서 아래와 위로 교제하니, 그 구조가 미묘하다. 이것은 바로 맏아들과 막내아들은 아버지의 뒤에서 모시면서 따라 다니고, 맏딸은 집안에 있으면서 음식을 주관함이다.

### 이정규(李正奎)「독역기(讀易記)」

无妄之義, 甚大且吉, 其道元亨利貞, 而不利攸往, 何哉. 竊疑无妄者, 天道, 至誠也. 天下之善, 更无可加矣, 宜貞固无往也. 此與大學所謂止至善而不遷之□, 其意或不相近耶. 故象辭曰, 无妄之往, 何之矣. 天命不佑, 行矣哉. 此若言无妄[28]之道, 至矣盡矣, 更有何往哉. 往則實非天命所佑也. 蓋動以天然后, 天命佑.

'무망'의 뜻은 매우 크고 길하며, 그 도는 크게 형통하고 곧게 함이 이로운데도 가는 것이 이롭지 않은 것은 어째서인가? 내가 생각하기로는 '무망'이란 천도로서 지극히 성실하다.

---

28) 妄: 경학자료집성DB와 영인본에는 모두 '□'로 되어 있으나, 문맥을 살펴 '妄'으로 바로잡았다.

천하의 선은 다시 더할 것이 없으니, 곧고 굳게 하여 가는 바가 없어야 한다. 이것은『대학』에서 "지극한 선에서 멈추어 옮기지 않는다"29)는 □과 그 뜻이 혹 서로 가깝지 않는가? 그러므로「단전」에서는 "무망(无妄)으로 간들 어디를 가겠는가? 천명이 돕지 않는데 행하겠는가?"라고 하였다. 이것은 "'무망'의 도가 지극하고 다하여서 다시 어디를 감이 있겠는가?"라고 말하는 것과 같으니, 간다면 실제로 천명이 돕는 바가 아니다. 천도로 움직인 후에 천명이 돕는다.

29)『大學』: 大學之道, 在明明德, 在新民, 在止於至善.

## 彖曰, 无妄, 剛自外來而爲主於內,

「단전」에서 말하였다: 무망은 굳센 양이 밖으로부터 와서 안에서 주인이 되었으니,

### 中國大全

**傳**

謂初九也. 坤初爻變而爲震, 剛自外而來也. 震以初爻爲主, 成卦由之. 故初爲无妄之主. 動以天, 爲无妄, 動而以天, 動爲主也. 以剛變柔, 爲以正去妄之象, 又剛正爲主於內, 无妄之義也. 九居初, 正也.

초구를 말한다. 곤괘(坤卦☷)의 초효가 변하여 진괘(震卦☳)가 되었으니, 굳센 양이 밖으로부터 왔다. 진괘는 초효를 주인으로 삼으니, 괘를 이루는 것이 이로 말미암았다. 그러므로 초구는 무망의 주인이 된다. 천도로 움직이는 것이 무망이니, 움직이면서 천도로 하는 것은 움직임이 주인이 되는 것이다. 굳셈으로 부드러움을 변화시켰으니, 바름으로써 망령을 제거하는 상이 되고, 또 굳세고 바름이 안에서 주인이 되었으니, 무망의 뜻이다. 구(九)가 초효에 거하는 것이 바르다.

**小註**

進齋徐氏曰, 剛自外來而爲主於內. 以卦變言, 則下體乾交坤而爲震也. 非本卦剛柔之往來, 故曰外來. 初九爲震動之主爻, 故曰爲主於內.

진재서씨가 말하였다: 굳센 양이 밖으로부터 와서 안에서 주인이 되었다. 괘의 변화로 말하면 하체인 건괘(乾卦☰)가 곤괘(坤卦☷)와 사귀어 진괘(震卦☳)가 되었다. 본괘의 굳센 양과 부드러운 음이 왕래한 것이 아니기 때문에, "밖으로부터 왔다"고 말하였다. 초구는 움직임을 상징하는 진괘의 주인 효이기 때문에 "안에서 주인이 되었다"고 말하였다.

# ‖ 韓國大全 ‖

### 서유신(徐有臣) 『역의의언(易義擬言)』

大壯變爲无妄, 初九自四而來, 故曰剛自外來也. 卦變而初九无變, 故曰爲主於內. 震爲无妄之主而初九爲震之主也. 剛實爲主於內, 爲无妄. 然則異端虛寂, 自謂之无妄, 而非吾所謂无妄也, 吾見其爲匪正也.

대장괘(大壯卦☳)가 변하여 무망괘가 되었으니, 초구는 사효로부터 왔기 때문에 "굳센 양이 밖으로부터 왔다"고 하였다. 괘가 변하였어도 초구는 변함이 없기 때문에 "안에서 주인이 되었다"고 하였다. 진괘(震卦☳)는 무망괘의 주인이 되고 초구는 진괘의 주인이 된다. 굳센 양의 실(實)함이 안에서 주인이 되어 무망이 된다. 그렇다면 이단인 도교와 불교는 스스로 '무망'이라고 말하지만 내가 말하는 무망은 아니니, 나는 그들의 바르지 않음을 알았다.

### 박문건(朴文健) 『주역연의(周易衍義)』

剛來相接, 故有无妄之戒也. 此, 以卦變釋卦名.

굳센 양이 와서 서로 접하였기 때문에 무망의 경계가 있다. 이것은 괘의 변화로 괘의 이름을 풀이하였다.

### 김기례(金箕澧) 「역요선의강목(易要選義綱目)」

本義曰, 卦變自訟來.

『본의』에서 말하였다: 괘의 변화가 송괘(訟卦☰)로부터 왔다.[30]

程傳曰, 坤初爻變爲震, 蓋初剛自外來, 爲主於內.

『정전』에서 말하였다: 곤괘(坤卦☷)의 초효가 변하여 진괘(震卦☳)가 되었으니, 초효의 굳센 양은 밖으로부터 와서 안에서 주인이 되었다.[31]

○ 以卦變觀, 則本義是也, 爻辭觀, 則程傳是也. 蓋乾交坤而爲震, 故剛自外來指初.

괘의 변화로 살펴보면 『본의』가 맞고, 효사로 살펴보면 『정전』이 맞다. 건괘(乾卦☰)가 곤괘(坤卦☷)가 사귀어 진괘(震卦☳)가 되기 때문에, "굳센 양이 밖으로부터 온다"는 것은

---

30) 『周易傳義大全 · 无妄卦』: 史記作无望, 謂无所期望而有得焉者, 其義亦通. 爲卦自訟而變, 九自二來而居於初, 又爲震主, 動而不妄者也, 故爲无妄.

31) 『周易傳義大全 · 无妄卦』: 謂初九也. 坤初爻變而爲震, 剛自外而來也.

초효를 가리킨다.

### 이진상(李震相) 『역학관규(易學管窺)』

剛自外來.
굳센 양이 밖으로부터 와서.

本義作自訟二來居初, 馮氏以爲自遯三來居初, 二三雖較初爲外, 而猶未恰於外來之義. 朱氏以爲自反卦大畜來, 若爾則當曰柔自外來, 剛自內往, 相反之地, 恐難成也. 程傳作坤初爻變而爲震, 而徐氏釋之曰, 非本卦剛柔之往來, 故曰外來, 節齋亦曰, 乾自外卦來交坤, 而成其說甚整, 似得夫子本意.
『본의』에서는 송괘(訟卦) 이효로부터 와서 초효에 있다[32]고 하였고, 풍씨는 돈괘(遯卦䷠) 삼효로부터 와서 초효에 있게 되었다고 여겼으나, 이효와 삼효가 비록 초효와 비교하여 밖이 되지만 여전히 "밖으로부터 온다"는 뜻과는 부합되지 않는다. 주씨는 무망괘의 위와 아래가 거꾸로 된 대축괘(大畜卦䷙)로부터 왔다고 여겼는데, 만약 그와 같다면 마땅히 "부드러운 음이 밖으로부터 오고 굳센 양이 안으로부터 간다"고 하여야 하므로 서로 반대가 되는 경우로 아마도 올바른 뜻이 되기는 어렵다. 『정전』에서는 "곤괘(坤卦☷)의 초효가 변하여 진괘(震卦☳)가 되었다"[33]고 하였고 진재서씨는 이것을 풀이하면서 "본괘의 굳센 양과 부드러운 음이 왕래한 것이 아니기 때문에 밖으로부터 왔다"[34]고 말하였으며, 절재 또한 "건괘(乾卦☰)가 외괘로부터 와서 곤괘(坤卦☷)와 사귀었다"고 하였으니, 그 설을 이룸이 매우 정연하여 공자의 본래 뜻을 안 듯하다.

### 최세학(崔世鶴) 「주역단전괘변설(周易彖傳卦變說)」

无妄, 否之一體變也. 初一爻爲主, 故彖以剛自外來言之. 泰初來居於下體之下而爲主也. 凡卦變, 皆自外來而言, 於此以見例也
무망괘는 비괘(否卦䷋)의 한 몸체가 바뀐 것이다. 초효 한 효가 주인이 되기 때문에 「단전」에서 "굳센 양이 밖으로부터 왔다"로 말하였다. 태괘(泰卦䷊)의 초효가 와서 하체의 맨 아래에 있으면서 주인이 되었다. 괘의 변화는 모두 밖에서 온 것으로부터 말하니, 여기에서 사례가 보인다.

---

32) 『周易傳義大全 · 无妄卦』: 史記作无望, 謂无所期望而有得焉者, 其義亦通. 爲卦自訟而變, 九自二來而居於初, 又爲震主, 動而不妄者也, 故爲无妄.
33) 『周易傳義大全 · 无妄卦』: 坤初爻變而爲震, 剛自外而來也.
34) 『周易傳義大全 · 无妄卦』: 進齋徐氏曰, … 非本卦剛柔之往來, 故曰外來.

**動而健, 剛中而應, 大亨以正, 天之命也.**

움직이고 강건하며, 굳센 양이 가운데 있고 호응하여, 크게 형통하여 바르니, 하늘의 명이다.

## 中國大全

### 傳

**下動而上健, 是其動剛健也. 剛健, 无妄之體也. 剛中而應, 五以剛居中正, 二復以中正相應, 是順理而不妄也. 故其道大亨通而貞正, 乃天之命也. 天命謂天道也, 所謂无妄也**

아래는 움직이고 위는 강건하니, 이는 그 움직임이 강건한 것이다. 강건함은 무망의 본체이다. "굳센 양이 가운데 있고 호응한다"는 것은 오효가 굳센 양으로서 중정한데 거하고, 이효가 다시 중정으로 서로 호응하는 것이니, 이는 이치를 따라 망령되지 않은 것이다. 그러므로 그 도가 크게 형통하며 곧고 바르니, 이는 하늘의 명이다. 천명이란 천도를 말하니, 이른바 무망이다.

### 小註

白雲郭氏曰, 動而健者, 動以天, 不以人也.
백운곽씨가 말하였다: 움직이면서 굳건한 사람은 천도로 움직이지 인도로 움직이지 않는다.

○ 龜山楊氏曰, 五以剛健中正, 位乎上, 二以柔順中正, 應於下, 上下相與以正. 故其大亨也以正而已. 大亨以正, 非人之私智所能爲也. 循天理而已, 故曰天之命也. 維天之命, 於穆不已, 所謂命者亦誠而已矣.
구산양씨가 말하였다: 오효는 강건한 중정함으로 위에 자리하고 있고, 이효는 유순한 중정함으로 아래에서 응하고 있어 상하가 바름으로 서로 함께 하고 있다. 그러므로 크게 형통한 것은 바르기 때문일 뿐이다. 바름으로 크게 형통한 것은 사람의 사사로운 지혜로 할 수 있는 것이 아니다. 천리를 따르기 때문에 하늘의 명이라고 말하였다. "오직 하늘의 명이, 아, 빛나서 그치지 않는다"[35]고 하니, 이른바 명이라는 것 또한 성실일 뿐이다.

# 韓國大全

### 이익(李瀷) 『역경질서(易經疾書)』

剛自外來, 卦變也, 詳在訟. 易擧正健上脫愈字.
"굳센 양이 밖으로부터 왔다"는 것은 괘가 변한 것이니, 상세한 설명은 송괘(訟卦)에 있다. 『주역거정』에서는 '건(健)'자 앞에 '유(愈)'자가 빠진 것으로 보았다.

### 유정원(柳正源) 『역해참고(易解參攷)』36)

无妄 [至] 命也.
무망은 … 명이다.

王氏曰, 剛自外來而爲主於內, 則柔邪之道, 消矣. 動而愈健, 則剛直之道, 通矣. 剛中而應, 則齊明之德, 著矣. 故大亨以正也. 天之敎命, 何可犯乎, 何可妄乎.
왕필이 말하였다: '굳센 양이 밖으로부터 와서 안에서 주인이 되니' 유약하고 간사한 도가 사라진다. 움직이고 더욱 강건하니, 강직한 도가 통한다. 굳센 양이 가운데 있고 호응하니, 단정하고 밝은 덕이 드러난다. 그러므로 크게 형통하여 바르다. 하늘의 명(命)이므로 어찌 범할 수 있겠으며, 어찌 망령되게 할 수 있겠는가?

○ 漢上朱氏曰, 无妄大畜之反. 大畜上九之剛, 自外來爲主於內, 主言震也.
한상주씨가 말하였다: 무망괘(无妄卦䷘)는 대축괘(大畜卦䷙)의 위와 아래가 거꾸로 된 괘이다. 대축괘 상구의 굳센 양이 밖으로부터 와서 안에서 주인이 되었으니, 진괘(震卦☳)를 위주로 해서 말하였다.

○ 節齋蔡氏曰, 剛自外來而爲主於內, 初也. 乾交坤而爲震也. 非本體來往, 故曰外來.
절재채씨가 말하였다: "굳센 양이 밖으로부터 와서 안에서 주인이 되었다"는 것은 초효를 말한다. 건괘(乾卦☰)가 곤괘(坤卦☷)와 사귀어 진괘(震卦☳)가 되었다. 본래의 몸체에서 왕래한 것이 아니기 때문에 "밖으로부터 왔다"고 하였다.

---

35) 『詩經 · 維天之命』: 維天之命, 於穆不已. 於乎不顯, 文王之德之純.
36) 경학자료집성DB에서는 무망괘 괘사에 해당하는 것으로 분류했으나, 내용에 따라 이 자리로 옮겼다.

○ 厚齋馮氏曰, 四陽在上, 純體之卦成遯, 今來居於初, 爲一卦之初, 是自外來而爲主於內也, 此所謂元也. 震動而乾健, 所謂亨也. 九五以剛居中而下應六二, 陰陽上下各得其位, 所謂正也.
후재풍씨가 말하였다: 네 양이 위에 있어서 순수한 몸체인 괘가 돈괘(遯卦䷠)를 이루었으며, 이제 위에 있는 양이 와서 초효자리에 있어 한 괘의 처음이 되니, "밖으로부터 와서 안에서 주인이 되었다"는 것이며, 이것이 이른바 '원(元)'이다. 진괘(震卦☳)는 움직이고 건괘(乾卦☰)는 강건하니, 이른바 '형(亨)'이다. 구오는 굳센 양으로 가운데 자리에 있고 아래로 육이와 호응하여 음과 양이 위 아래로 각각 제 자리를 얻었으니, 이른바 '바름[正]'이다.

○ 雙湖胡氏曰, 剛自外來, 分明是卦變. 本義以爲自訟來, 馮氏以爲自遯來, 朱氏以爲自反卦大畜來, 蔡氏以爲乾自外卦來交坤而成, 皆通. 但未知夫子的何所指. 天命乾象也.
쌍호호씨가 말하였다: "굳센 양이 밖으로부터 온다"란 분명히 괘변(卦變)이다. 『본의』에서는 송괘(訟卦䷅)로부터 왔다고 여겼고, 풍씨는 돈괘(遯卦䷠)로부터 왔다고 여겼으며, 주씨는 거꾸로 된 대축괘(大畜卦䷙)로부터 왔다고 여겼고, 채씨는 건괘(乾卦☰)가 외괘로부터 와서 곤괘(坤卦☷)와 사귀어 이루어졌다고 여겼으니, 모두 통한다. 다만 공자가 말한 '하(何)'가 가리키는 바에 대해서는 아직 알지 못하겠다. 천명(天命)은 건괘의 상이다.

### 서유신(徐有臣) 『역의의언(易義擬言)』

動而健, 剛中而應,
움직이고 강건하며, 굳센 양이 가운데 있고 호응하여,
此, 天之无妄也. 剛中而應, 五應於二也.
이것은 하늘의 무망(无妄)이다. '굳센 양이 가운데 있고 호응함'은 오효가 이효와 호응함이다.

大亨以正, 天之命也.
크게 형통하여 바르니, 하늘의 명이다.
此, 萬物之无妄也. 旣亨, 又正以亨而貞也. 臨曰, 大亨以正, 天之道也, 无妄曰, 大亨以正, 天之命也, 自其浸長之理而言, 則道也, 自其在物之理而言, 則命也.
이것은 만물의 무망(无妄)이다. 이미 형통한데도 또 바름으로써 형통하고 곧다. 림괘(臨卦䷒)에서는 "크게 형통하여 바르니, 하늘의 도이다"[37]라고 하였고, 무망괘에서는 "크게 형통하여 바르니 하늘의 명이다"라고 하였으니, 그 점차 자라나는 이치로부터 말하면 도이며

---
37) 『周易 · 臨卦』: 彖曰 臨, 剛浸而長, 說而順, 剛中而應, 大亨以正, 天之道也.

사물에 있는 이치로부터 말하면 명이다.

### 박문건(朴文健) 『주역연의(周易衍義)』

動而健, 則其進必亨, 剛中而應二, 則其志必正, 亨與正天之理也. 此以卦德卦體釋卦辭, 而贊其道之合天也.
움직이고 강건하면 그 나아감이 반드시 형통하고, 굳센 양이 가운데 있고 이효와 호응하면 그 뜻이 반드시 바르니, 형통함과 바름은 하늘의 이치다. 이것은 괘의 덕과 괘의 몸체를 가지고서 괘사를 풀이하여 그 도가 하늘과 합치됨을 찬미하였다.
〈問, 此非主爻上說, 乃人事上說. 曰, 然. 臨之象, 亦然.
물었다: 이것은 주가 되는 효를 가지고서 말한 것이 아니라, 사람의 일을 가지고서 말한 것입니까?
답하였다: 그렇습니다. 림괘(臨卦䷒)의 「단전」도 그러합니다.〉

### 김기례(金箕澧) 「역요선의강목(易要選義綱目)」

動而健.
움직이고 강건하며.
內震外乾.
내괘는 진괘(震卦☳)이고 외괘는 건괘(乾卦☰)이다.

剛中而應.
굳센 양이 가운데 있고 호응하여.
五剛二柔, 中正相應.
오효의 굳센 양과 이효의 부드러운 음이 중정하여 서로 호응한다.

天之命也.
하늘의 명이다.
順天而動, 率性以道, 故无妄.
하늘에 순종하여 움직이고 도로써 성을 따르기 때문에 망령됨이 없다.

### 심대윤(沈大允) 『주역상의점법(周易象義占法)』

彖曰, 无妄, 剛自外來而爲主於內, 動而健, 剛中而應,

「단전」에서 말하였다: 무망은 굳센 양이 밖으로부터 와서 안에서 주인이 되었으니, 움직이고 강건하며, 굳센 양이 가운데 있고 호응하여,

因其心之所向, 而誠生焉, 乃能攝心而進之, 能至於无窮之化, 不測之神, 故曰, 剛自外來而爲主於內. 乾之一陽來居于初而爲震.

그 마음이 향하는 바로 인하여 성실함[誠]이 생겨나므로 마음을 가다듬어 나아갈 수 있어 무궁한 변화와 헤아릴 수 없는 신묘함에 이를 수 있기 때문에 "굳센 양이 밖으로부터 와서 안에서 주인이 되었다"고 하였다. 건괘(乾卦☰)의 한 양이 와서 초효에 있어 진괘(震卦☳)가 되었다.

**其匪正有眚, 不利有攸往, 无妄之往, 何之矣. 天命不祐, 行矣哉.**

"바르지 않으면 허물이 있을 것이므로 가는 것이 이롭지 않음"은 "무망(无妄)으로 간들 어디를 가겠는가? 천명이 돕지 않는데 행하겠는가?"라는 말이다.

## 中國大全

傳

**所謂无妄正而已, 小失於正, 則爲有過, 乃妄也. 所謂匪正, 蓋由有往, 若无妄而不往, 何由有匪正乎. 无妄者, 理之正也, 更有往將何之矣. 乃入於妄也. 往則悖於天理, 天道所不祐, 可行乎哉**

이른바 무망은 바름일 뿐이니, 조금이라도 바름을 잃으면 허물이 있게 되니, 바로 망령이다. 이른바 '바르지 않으면'이란 것은 가기 때문이니, 만약 무망이면서 가지 않으면 무엇으로부터 바르지 않음이 있겠는가? 무망은 이치의 바름이니, 다시 간들 장차 어디로 가겠는가? 마침내 망령에 들어가고 만다. 가면 천리에 어긋나서 천도가 돕지 않을 것인데, 갈 수 있겠는가?

小註

龜山楊氏曰, 大亨以正, 則亨以正爲體, 匪正則有眚, 非順理也. 故天命所不祐, 欲往安之乎.

구산양씨가 말하였다: 바름으로 크게 형통한 것은 바름으로 형통한 것을 몸체로 삼으니, 바르지 않으면 재앙이 있어서 순리가 아니다. 그러므로 천명이 돕지 않는데, 가고자 한들 어디로 가겠는가?

○ 進齋徐氏曰, 行矣哉, 卽州里行乎哉之義.

진재서씨가 말하였다: "행하겠는가?"라는 말은 "고을이나 마을에서라도 행해지겠는가?"[38]라는 뜻이다.

本義

**以卦變卦德卦體, 言卦之善如此. 故其占當獲大亨而利於正, 乃天命之當然也. 其有不正, 則不利有所往, 欲何往哉. 蓋其逆天之命而天不祐之, 故不可以有行也**

괘의 변화와 괘의 덕과 괘의 몸체로 괘의 선함이 이와 같음을 말하였다. 그러므로 그 점이 마땅히 크게 형통함을 얻을 것이나 바르게 함이 이로우니, 이는 바로 천명의 당연함이다. 바르지 못함이 있으면 가는 것이 이롭지 않으니, 어디로 가고자 하는가? 천명을 거슬러서 하늘이 돕지 않으므로 가서는 안 된다.

小註

朱子曰, 剛自外來說卦變, 動而健說卦德, 剛中而應說卦體, 大亨以正說元亨利貞. 伊川易傳, 似不是本意. 剛自外來, 是所以做造无妄, 動而健, 是有卦後說底.
주자가 말하였다: 굳센 양이 밖으로부터 왔다는 것은 괘의 변화를 설명하였고, 움직여서 강건하다는 것은 괘의 덕을 설명하였고, 굳세고 알맞으면서 응한다는 것은 괘의 몸체를 설명하였고, 바름으로 크게 형통하다는 것은 원형이정을 설명하였다. 이천의 『역전』은 본래의 뜻이 아닌 듯하다. 굳센 양이 밖으로부터 왔다는 것은 무망괘가 만들어지는 과정이고, 움직이고 강건하다는 것은 괘가 만들어진 다음에 대한 설명이다.

○ 雲峯胡氏曰, 本義謂, 自訟而來, 二之剛來居初也. 或謂, 外卦爲乾, 震之剛自乾來也, 亦通. 无妄, 釋元亨利貞, 與臨同. 命卽道也, 叶韵耳. 无妄之往, 程子以爲无妄而又往, 本義只順上文本意解正者, 天之命不正, 故不可行也. 蓋无妄之往, 與泰卦包荒得尙于中行句相似, 擧首尾句而包中間也. 不可泥文而失意.
운봉호씨가 말하였다: 『본의』에서는 괘가 송괘(訟卦☰)로부터 왔는데, 굳센 이효가 와서 초효의 자리에 거한다고 하였다. 어떤 이는 외괘가 건괘(乾卦☰)가 되고, 진괘(震卦☳)의 굳센 양은 건괘(乾卦☰)로부터 왔다고 말하니, 또한 통한다. 무망괘에서 원형이정을 해석한 것은 림괘(臨卦☷)와 동일하다. 명은 곧 도이니, 운을 맞추기 위해서 '명'자를 썼을 뿐이다. 무망으로 가는 것을 정자는 무망이고 또 가는 것으로 보았고, 『본의』에서는 다만 윗 문장의 본래 뜻을 따라서 '바름'을 해석하였으니, 하늘의 명이 바르지 않기 때문에 행할 수 없는 것이다. '무망으로 가는 것'은 태괘(泰卦☷)의 "거친 것을 포용하고 중도를 실천하는 사람과 짝을 이룰 수 있을 것이다"라는 구절과 비슷하니, 처음과 끝 구절을 들어서 중간을 포괄하였다. 문장에 구애되어 뜻을 잃어서는 안 된다.

---

38) 『論語 · 衛靈公』: 言不忠信, 行不篤敬, 雖州里. 行乎哉.

## 韓國大全

### 조호익(曺好益) 『역상설(易象說)』

无妄之往, 何之矣, 天命不祐, 行矣哉.
무망(无妄)으로 간들 어디를 가겠는가? 천명이 돕지 않는데 행하겠는가?

无妄者, 誠也, 誠者, 天之道也, 故曰天命.
'무망'이란 성실함이고, 성실함이란 하늘의 도[39]이기 때문에 '천명'이라고 하였다.

### 송시열(宋時烈) 『역설(易說)』[40]

自來外爲主於內, 以初爻言. 動者, 震也, 健者, 天也. 剛中而應, 以二五言也, 天之命, 乾之天, 以震之號令也. 无妄之往, 何之者, 无妄之窮極, 不利攸往也. 天命不祐行矣者, 反之而言, 不可行也.
"밖으로부터 와서 안에서 주인이 되었다"는 것은 초효로 말한 것이다. '움직이는 것'은 진괘(震卦☳)이고 '강건한 것'은 하늘이다. "굳센 양이 가운데 있고 호응한다"는 것은 이효와 오효를 말한 것이고, '하늘의 명'은 건괘(乾卦☰)의 하늘이 진괘(震卦☳)의 호령을 가지고 한다. "무망(无妄)으로 간들 어디를 가겠는가"라는 것은 무망의 궁극이어서 가는 것이 이롭지 않다는 뜻이다. "천명이 돕지 않는데 행하겠는가"라는 것은 반어적으로 한 말이니, 가서는 안 된다.

### 유정원(柳正源) 『역해참고(易解參攷)』[41]

其匪 [至] 矣哉.
바르지 않으면 … 행하겠는가?

案, 何之二字, 含蓄意思淵永, 往以其正, 則天命祐之, 可行矣, 不以其正, 則雖欲往焉,

---

39) 『中庸』: 誠者, 天之道也, 誠之者, 人之道也. 誠者, 不勉而中, 不思而得, 從容中道, 聖人也. 誠之者, 擇善而固執之者也.
40) 이 문장 전체는 경학자료집성DB에 누락되어 있으나, 경학자료집성 원문을 대조하여 보충하였다.
41) 경학자료집성DB에서는 무망괘 괘사에 해당하는 것으로 분류했으나, 내용에 따라 이 자리로 옮겼다.

其於逆天之命何哉. 震動乾健, 終有往底意思, 故深戒之也
내가 살펴보았다: "어디를 가겠는가[何之]"라는 말은 함축하고 있는 뜻이 깊고 길어서, 그 바름으로 간다면 천명이 도와 행할 수가 있고, 바르지 못함으로 간다면 비록 가고자 하더라도 천명에 어긋남에 대해서 어떻게 하겠는가? 진괘(震卦☳)는 움직임[動]이고 건괘(乾卦☰)는 강건함이니, 끝내 가고자하는 뜻을 가지고 있기 때문에 깊이 경계하였다.

### 김상악(金相岳) 『산천역설(山天易說)』

以卦變卦德卦體釋卦辭, 而言剛, 謂初九. 九自二而來, 爲主於內, 是以剛去柔以正去妄之象也. 動而健者, 震承乾也, 剛中而應者, 五與二也. 大亨以正, 天命之所祐, 匪正有眚, 天命之所不祐, 故无妄之不正, 不可以有往也.
괘의 변화와 괘의 덕과 괘의 몸체를 가지고서 괘사를 풀이하였고, '굳센 양'을 말한 것은 초구를 가리킨다. 구(九)가 이효로부터 와서 안에서 주인이 되었으니, 이것은 굳센 양으로써 유약한 음을 없애고 바름으로써 망령됨을 없애는 상이다. "움직이고 강건하다"는 것은 진괘(震卦☳)가 건괘(乾卦☰)를 받들고 있는 것이며, '굳센 양이 가운데 있고 호응함'은 오효가 이효와 함께 함이다. "크게 형통하여 바르다"는 천명이 돕는 바이며, "바르지 않으면 허물이 있다"는 것은 천명이 돕지 않는 바이기 때문에 무망괘에서 바르지 않은 경우는 가서는 안 된다.

○ 動以天爲无妄, 故言天命之祐不祐, 人事之正不正. 初與五皆正, 則往吉而有喜, 三與上匪正, 則有災眚而无攸利, 二得正, 則利往, 四不正, 則有可貞之戒.
'움직이기를 천도(天道)로 함이 무망이기'[42] 때문에 천명의 돕고 돕지 않음과 사람 일의 바르고 바르지 않음을 말하였다. 초효와 오효가 모두 바르니 '가는 것이 길하며'[43] '기쁜 일이 있을 것이고',[44] 삼효와 상효는 바르지 않으니 재앙과 허물이 있고 '이로운 바가 없으며'[45], 이효는 바름을 얻었으니 가는 바가 이롭고, 사효는 바르지 않으니, "곧게 할 수 있다"[46]는 경계가 있다.

---

42) 『周易 · 无妄卦』: 動以天, 爲无妄, 動而以天, 動爲主也.
43) 『周易 · 无妄卦』: 初九, 无妄, 往吉.
44) 『周易 · 无妄卦』: 九五, 无妄之疾, 勿藥, 有喜.
45) 『周易 · 无妄卦』: 上九, 无妄, 行, 有眚, 无攸利.
46) 『周易 · 无妄卦』: 九四, 可貞, 无咎.

## 서유신(徐有臣)『역의의언(易義擬言)』

又稱无妄, 明其匪正者, 亦无妄也. 何之矣者, 設問也. 行矣哉者, 答辭也. 无妄之往, 當何向焉. 正可往, 匪正不可往, 匪正者, 天命之所不祐而不可行也. 正者, 天命, 匪正者, 匪天命也. 上九過於无妄, 有天命不祐之象也.
또 무망(无妄)이라고 칭하였는데도 그 바르지 않음을 밝힌 것도 무망이다. "어디를 가겠는가"라는 것은 가설하여 물은 것이다. "행하겠는가"라는 것은 답한 말이다. 무망으로 간들 마땅히 어디로 향하겠는가? 바르면 가도 되고 바르지 않으면 가면 안 되니, 바르지 않은 것은 천명이 도와주지 않는 바라서 가면 안 된다. 바른 것은 천명이며 바르지 않은 것은 천명이 아니다. 상구는 무망에서 지나치기 때문에 천명이 도와주지 않는 상이 있다.

## 강엄(康儼)『주역(周易)』

本義, 以卦變 [止] 卦之善.
『본의』에서 말하였다: 괘의 변화 … 괘의 선함.

按, 本義於臨无妄, 特言卦之善. 雲峯辨說, 見臨卦.
내가 살펴보았다:『본의』에서는 림괘(臨卦䷒)와 무망괘(无妄卦)에 대하여 특별히 '괘의 선함'을 말하였다. 운봉이 이에 대하여 변별한 설이 림괘에 보인다.

## 박문건(朴文健)『주역연의(周易衍義)』

匪正, 則不利者, 言无妄者之可往也, 有妄者何所之矣. 此亦釋卦辭.
바르지 않으면 이롭지 않다는 것은 망령됨이 없는 사람은 갈만 하지만 망령됨이 있는 사람은 어디를 가겠는가라고 말한 것이다. 이것은 또한 괘사를 풀이한 것이다.

## 김기례(金箕澧)「역요선의강목(易要選義綱目)」

无妄之往, 何之矣. 天命不佑, 行矣.
무망(无妄)으로 간들 어디를 가겠는가? 천명이 돕지 않는데 행하겠는가?

天命之謂性, 若不率性以正, 則雖州里行乎哉.
"하늘이 명(命)한 것을 일러 성(性)이라고 한다"[47]고 하였으니, 만약 바름으로써 성을 따르

---

47)『中庸』: 天命之謂性, 率性之謂道, 脩道之謂敎.

지 않는다면 비록 주(州)나 마을[里]이라 하더라도 행해지겠는가?

### 이항로(李恒老) 「주역전의동이석의(周易傳義同異釋義)」

傳, 所謂匪正, 蓋由有往, 云云.
『정전』에서 말하였다: 이른바 '바르지 않으면'이란 것은 가기 때문이니, 운운.

本義, 其有不正, 則不利有攸往, 云云.
『본의』에서 말하였다: 바르지 못함이 있으면 가는 것이 이롭지 않으니, 운운.

按, 傳以有往爲匪正, 本義謂匪正故不利於往, 蓋以上文大亨以正, 天之命也, 及下文天命不祐, 觀之, 則正與匪正, 爲天命之祐與不祐, 明矣. 若曰匪正由於有往, 則恐非本旨.
내가 살펴보았다: 『정전』에서는 가는 바를 둠을 바르지 않음으로 여겼고, 『본의』에서는 바르지 않기 때문에 가는 것에 이롭지 않다고 하였으니, 앞 문장에 있는 "크게 형통하여 바르니, 하늘의 명이다" 및 아래 문장에 있는 "천명이 돕지 않다"로 살펴보면 바름과 바르지 않음은 천명이 도와줌과 도와주지 않음이 됨이 분명하다. 만약 "바르지 않은 것이 가는 바가 있기 때문이다"고 한다면 아마도 본래의 뜻은 아닌 듯하다.

### 심대윤(沈大允) 『주역상의점법(周易象義占法)』

大亨以正, 天之命也. 其匪正有眚, 不利有攸往, 无妄之往, 何之矣. 天命不祐, 行矣哉.
크게 형통하여 바르니, 하늘의 명이다. 바르지 않으면 허물이 있을 것이므로 가는 것이 이롭지 않다"는 것은 "무망(无妄)으로 간들 어디를 가겠는가? 천명이 돕지 않는데 행하겠는가?"라는 말이다.

性者, 天之命也. 誠于善而率其性, 故元亨利貞也. 習於惡而爲有眚, 則非元亨利貞也. 故曰天命不佑, 言喪其性也. 无妄有眚, 故不釋元也.
'성(性)'이란 하늘의 명이다. 선(善)에 성실하여 그 성을 따르기 때문에 "크게 형통하고 곧게 함이 이롭다".[48] 악에 익숙하여 허물이 있게 되면 '크게 형통하고 곧게 함이 이로운' 것이 아니다. 그러므로 "천명이 돕지 않는다"고 한 것은 그 성을 잃었다는 말이다. 망령됨이 없는[无妄]데도 허물이 있기 때문에 괘사에 나오는 "크다[元]"를 풀이하지 않았다.

---

48) 『周易 · 无妄卦』: 无妄, 元亨利貞, 其匪正有眚, 不利有攸往.

### 오치기(吳致箕) 「주역경전증해(周易經傳增解)」

此以卦反卦德卦體, 釋卦名義及卦辭也. 大畜外體之艮剛, 來居本卦內體而成震剛, 爲卦之主. 下震上乾, 卽動以天, 爲无妄之義, 所以大通亨而利於正固也. 餘見彖解.
이것은 거꾸로 된 괘와 괘의 덕과 괘의 몸체를 가지고서 괘의 이름과 뜻 및 괘사를 풀이하였다. 대축괘(大畜卦☶☰)의 바깥 몸체인 간괘(艮卦☶)의 굳센 양이 본괘의 안쪽 몸체로 와서 있어 진괘(震卦☳)의 굳센 양을 이루어 괘의 주인이 되었다. 아래는 진괘(震卦☳)이고 위는 건괘(乾卦☰)이므로 천도로써 움직임이 무망(无妄)의 뜻이 되니, 이 때문에 크게 형통하여 바르고 곧음에서 이롭게 된다. 나머지는 「단전」의 풀이에 보인다.

楊龜山曰, 匪正則有眚, 非順理, 故天命所不祐, 欲往安之乎.
양구산이 말하였다: 바르지 않으면 허물이 있는 것은 이치를 따르는 것이 아니기 때문에 천명이 도와주지 않는 바이니, 가고자 한들 어디를 가겠는가?

### 박문호(朴文鎬) 「경설(經說) · 주역(周易)」

不利有攸往, 程子因彖傳无妄之往釋之, 而蒙无妄字, 本義則彖傳之釋, 略无妄二字, 而蒙匪正字, 蓋程子取上九之義多, 本義取初九之義多.
"가는 것이 이롭지 않다"에 대하여 정자는 「단전」의 "무망(无妄)으로 가다"에 의하여 풀이하면서 '무망'이라는 글자를 덧씌웠고,[49] 『본의』에서는 「단전」의 풀이가 '무망'이라는 두 글자를 생략하였으므로 '비정(匪正)'이라는 글자를 덧씌웠으니,[50] 정자는 상구의 뜻을 취함이 많았고 『본의』에서는 초구의 뜻을 취함이 많았다.

无妄之往, 以本義之意推之, 蓋曰无妄匪正之往也, 其上以匪正冠之, 故於此略匪正二字.
"무망(无妄)으로 가다"를 『본의』의 뜻으로 미루어보면, "무망은 바르지 않음으로 간다"는 말이니 맨 앞에 "바르지 않다[匪正]"를 두었기 때문에 여기서는 '비정(匪正)'이라는 두 글자를 생략하였다.

---

49) 『周易傳義大全 · 无妄卦』: 所謂匪正, 蓋由有往, 若无妄而不往, 何由有匪正乎. 无妄者, 理之正也, 更有往將何之矣.
50) 『周易傳義大全 · 无妄卦』: 故其占當獲大亨而利於正, 乃天命之當然也. 其有不正, 則不利有所往, 欲何往哉.

### 이병헌(李炳憲) 『역경금문고통론(易經今文考通論)』

釋文曰, 馬鄭王肅, 皆云妄猶望也, 爲無所希望也.
『석문』에서 말하였다: 마융(馬融)과 정현(鄭玄)과 왕숙(王肅)은 모두 "'망(妄)'은 '망(望)'과 같다"고 했으니, 희망하는 바가 없는 것이 된다.

正義曰, 猶不望而忽至也.
『주역정의』에서 말하였다: 오히려 바라지 않았는데도 갑자기 이르는 것과 같다.

按, 史記, 春申君傳無妄作毋望, 史公固以妄爲望, 谷永應劭, 皆從其誼. 此爲今文所傳, 馬鄭王亦從之. 剛自外來, 夫子序六十四卦之時, 將大畜無望爲一對, 以分內外. 同是二陰四陽, 而轉大畜之山爲無望之雷, 則上可以繼復之雷, 而次當復轉爲大畜. 知此則卦變之說定矣. 虞曰, 乾剛中應二, 故曰大亨以正, 天之命也. 祐, 助也, 行矣哉, 言不可行也.
내가 살펴보았다: 『사기』의 「춘신군전」에는 '무망(無妄)'이 '무망(毋望)'으로 되어 있으니, 사마천은 본래 '망(妄)'을 '망(望)'으로 여겼고 곡영과 응소는 모두 그 의론을 따랐다. 이것은 금문(今文)에 의하여 전해졌으며, 마융과 정현과 왕숙도 이것을 따랐다. "굳센 양이 밖으로부터 왔다"에 대해 공자가 육십사괘를 차례 매길 때에 대축괘(大畜卦☶)와 무망괘(無望卦)가 한 짝이 되어 안과 밖으로 나누었다. 모두 두 음과 네 양이어서 대축괘의 산을 거꾸로 하여 무망괘의 우레로 삼았으니, 위로는 복괘(復卦☷)의 우레를 이을 수 있고 다음으로는 마땅히 복괘가 거꾸로 되어 대축괘가 된다. 이것을 안다면 괘변의 설은 정해질 것이다. 우번(虞翻)은 "건괘(乾卦☰)의 가운데 자리의 굳센 양이 이효와 호응하기 때문에, '크게 형통하여 바르니 하늘의 명이다' 라고 하였다"고 하였다. '우(祐)'는 돕는다는 뜻이며, "행하겠는가?"는 것은 행해서는 안 된다는 말이다.

**象曰, 天下雷行, 物與无妄, 先王以, 茂對時, 育萬物.**

「상전」에서 말하였다: 하늘 아래에 우레가 행하여 만물에 무망을 부여하니, 선왕이 그것을 본받아 때에 성대하게 합하여 만물을 기른다.

## 中國大全

**傳**

雷行於天下, 陰陽交和, 相薄而成聲, 於是驚蟄藏, 振萌芽, 發生萬物, 其所賦與洪纖高下, 各正其性命, 无有差妄, 物與无妄也. 先王觀天下雷行, 發生賦與之象, 而以茂對天時, 養育萬物, 使各得其宜, 如天與之无妄也. 茂, 盛也, 茂對之爲言, 猶盛行永言之比. 對時, 謂順合天時. 天道生萬物, 各正其性命而不妄, 王者體天之道, 養育人民, 以至昆蟲草木, 使各得其宜, 乃對時育物之道也.

우레가 하늘 아래에 행해서 음양이 서로 조화하여 서로 부딪쳐 소리를 이루니, 이에 숨고 감춰져 있는 것들을 놀라게 하고 싹을 진동시켜 만물을 발생해서, 부여하는 바가 크고 작으며 높고 낮은 것이 각각 성명(性命)을 바르게 하여 어그러지고 망령됨이 없으니, 이는 물건마다 무망을 부여한 것이다. 선왕은 하늘 아래에 우레가 행하여 발생하고 부여하는 상을 관찰하여 하늘의 때에 성대하게 합하여 만물을 양육해서 각각 마땅함을 얻게 하니, 마치 하늘이 무망을 주는 것과 같다. '무(茂)'는 성대함이니, '무대(茂對)'란 말은 '성행(盛行)', '영언(永言)'이란 말과 같다. '대시(對時)'는 하늘의 때에 따라 합함을 말한다. 천도가 만물을 낳아 각각 그 성명을 바르게 하여 망령되지 않으니, 왕도를 실천하는 사람이 하늘의 도를 체득하여 인민을 양육해서 곤충과 초목에 이르기까지 각각 마땅함을 얻게 함은 바로 하늘의 때에 합하여 물건을 기르는 도이다.

**小註**

程子曰, 天下雷行, 物與无妄, 天下雷行, 付與无妄. 天性豈有妄邪. 聖人以茂對時育萬物, 各使得其性也. 无妄則一毫不可加, 安可往也. 往則妄矣. 无妄, 震下乾上, 動以天, 安有妄乎. 動以人, 則有妄矣.

정자가 말하였다: '천하뇌행, 물여무망'이란 하늘 아래에 우레가 행하여 만물에 무망을 부여한다는 것이다. 천성에 어찌 망령됨이 있겠는가? 성인이 그것을 본받아 때에 성대하게 합하여 만물을 길러 각각 그 본성을 얻도록 한다. 무망에는 조금도 더할 수 없으니, 어찌 갈 수 있겠는가? 무망괘는 진괘(震卦☳)가 아래에 있고 건괘(乾卦☰)가 위에 있어 천도로 움직이니, 어찌 망령됨이 있겠는가? 인욕으로 움직이면 망령됨이 있게 된다.

○ 天下雷行, 物與无妄, 先天後天, 皆合于天理者也. 人欲則僞矣.
하늘 아래에 우레가 행하여 만물에 무망을 부여하여 선천과 후천이 모두 천리에 맞는 것이다. 인욕이면 거짓 된다.

○ 天下雷行, 物與无妄, 動以天理故也. 其大略如此, 又須硏究之, 則自有得處.
하늘 아래에 우레가 행하여 만물에 무망을 부여하는 것은 천리로 움직이기 때문이다. 그 대략이 이와 같은데, 또한 반드시 연구해야 스스로 터득하는 곳이 있다.

本義

**天下雷行, 震動發生, 萬物各得其性命, 是物物而與之以无妄也. 先王法此, 以對時育物, 因其所性而不爲私焉**

하늘 아래에 우레가 행하여 진동하고 발생해서 만물이 각각 성명(性命)을 얻으니, 이는 물건마다 무망을 부여한 것이다. 선왕이 이것을 본받아 때에 맞추어 만물을 길러서 만물의 본성을 따르고 사사롭게 하지 않는다.

小註

或問, 物與无妄, 是各正性命之意. 朱子曰, 然. 一物與他一箇无妄.
어떤 이가 물었다: 만물에 무망을 부여한다는 것은 각각 성명(性命)을 바르게 한다는 뜻입니까?
주자가 답하였다: 그렇습니다. 한 물건에 하나의 무망을 부여하는 것입니다.

○ 節齋蔡氏曰, 對, 與對越上帝之對同. 茂者, 篤實感發之意. 至誠之動, 无時不對, 无物不育也.

절재채씨가 말하였다: '대(對)'는 '대월상제(對越上帝)'라고 할 때의 '대(對)'와 같다. '무(茂)'란 독실하게 느껴 드러낸다는 뜻이다. 지성으로 움직이면 대면하지 않을 때가 없고 기르지 않는 물건이 없다.

○ 中溪張氏曰, 天之生物, 不違乎時, 至誠贊化, 亦不違乎時. 聖人與天同一无妄, 此所謂動以天也.
중계장씨가 말하였다: 하늘이 만물을 낳는 것은 때를 어기지 않으며, 지성으로 돕고 변화시키는 것도 또한 때를 어기지 않는다. 성인과 하늘을 동일하게 무망이니, 이것이 이른바 하늘로 움직인다는 것이다.

○ 雙湖胡氏曰, 天下雷行, 物與无妄, 以理言之, 有會萬爲一, 一實萬分之義. 以象言之, 則一震之頃, 物皆震動, 邪念頓消, 是物與之以无妄也. 聖人茂對天時, 以養育萬物, 是亦聖人之雷行, 物與之以无妄矣.
쌍호호씨가 말하였다: 하늘 아래에 우레가 행하여 만물에 무망을 부여하는 것을 이치로 말하면 만을 모아서 일로 하고 일이 실제로 만으로 나누어진다는 뜻이 있다. 상으로 말하면 한 번 우레가 칠 때에 만물이 모두 움직이고 사념이 갑작스럽게 소멸되니, 이는 만물에 무망으로 부여하는 것이다. 성인이 하늘의 때에 성대하게 합하여 만물을 양육하는 것은 또한 성인이 우레처럼 행동하여 무망으로 만물에게 부여하는 것이다.

○ 雲峯胡氏曰, 夫子釋彖, 從天命上說, 本義釋夫子大象從性上說. 性, 卽天之命也. 天下雷行, 物物與之以无妄, 物物各具一性, 物物各一自然之天. 聖人因物之所性以育萬物, 聖人一自然之天也.
운봉호씨가 말하였다: 공자가 단사를 해석하면서 천명과 관련지어 설명했는데, 『본의』에서는 공자의 「대상전」을 성과 관련지어 설명했다. 성은 곧 하늘의 명이다. 하늘 아래에 우레가 행하여 물건마다 무망을 부여하니, 물건마다 각각 한 성을 구비하고, 물건마다 각각 하나의 저절로 그러한 하늘이다. 성인이 만물이 갖춘 성을 따라 만물을 기르니, 성인도 하나의 저절로 그러한 하늘이다.

# 韓國大全

### 조호익(曺好益) 『역상설(易象說)』

對時, 育萬物.
때에 합하여 만물을 기른다.

无妄者, 誠也, 誠卽太極也, 所謂萬物各具一太極也. 對時, 法天下雷行, 育物, 法物與无妄.
'무망(无妄)'이란 성실함[誠]이며, 성실함이란 태극이니, 이른바 만물이 각각 하나의 태극을 갖추고 있다는 말이다. "때에 성대하게 합한다"란 하늘 아래에 우레가 행함을 본받은 것이고, "만물을 기른다"란 "만물에 무망을 부여한다"를 본받은 것이다.

雙湖曰, 對時育物, 聖人之雷行, 物與也.
쌍호호씨가 말하였다: "때에 성대하게 합하여 만물을 기른다"란 성인이 우레처럼 행동하여 무망으로 만물에게 부여하는 것이다.

### 송시열(宋時烈) 『역설(易說)』[51]

茂對者, 對天時也, 以乾言, 育萬物者, 生物之方也, 以震言. 蓋天之道, 至誠無息, 震之德, 以動而以天之至誠. 所以謂之无妄也.
"성대하게 합한다"는 것은 하늘의 때에 합하는 것이니, 건괘(乾卦☰)로써 말한 것이고, "만물을 기른다"는 것은 만물을 낳는 방법이니, 진괘(震卦☳)로써 말한 것이다. 하늘의 도는 지극히 성실하고 쉼이 없고, 진괘(震卦☳)의 덕은 하늘의 지극한 성실함으로써 움직인다. 이 때문에 '무망(无妄)'이라고 하였다.

### 김도(金濤) 「주역천설(周易淺說)」

愚按, 程傳下程子所釋, 凡三條, 本義下朱子所釋, 惟一條, 蔡氏以下諸儒凡四條, 而皆得於大象之旨矣. 蓋雷者, 陰陽相薄之聲也. 陰陽交和相薄而成聲, 則於斯時也, 驚蟄藏振萌芽, 而萬物發生矣. 既爲發生, 則皆得性命之正, 而无有一理差忒矣, 此所謂物

51) 이 문장 전체는 경학자료집성DB에 누락되어 있으나, 경학자료집성 원문을 대조하여 보충하였다.

與无妄者也. 先王之所以茂對時育萬物者, 莫非法此象也. 天道生萬物而萬物各正其性命, 王者育民生而昆虫草木亦各得其宜, 王者之法无妄, 豈不大哉. 大概王者之无妄, 動以天而不以人, 故所過者化, 所存者神, 日月所照, 霜露所墜, 莫不願戴而父母之矣, 嗚呼. 其盛矣哉.
내가 살펴보았다: 『정전』 아래에 정자가 풀이한 바가 모두 세 조목이고, 『본의』 아래에 주자가 풀이한 바가 오직 한 조목이며, 채씨 이하 여러 유학자들이 모두 네 조목인데, 모두 「대상전」의 뜻에 맞는다. 우레란 음과 양이 서로 부딪쳐 나는 소리이다. 음과 양이 사귀어 화합하면서 서로 부딪쳐 소리를 낸다면, 이 때에 숨어 지내던 것들이 놀라고 싹을 틔워 만물이 일어나 생긴다. 이미 일어나 생기면 하나라도 어긋나는 이치가 없으니, 이것이 이른바 "만물에 무망을 부여한다"고 하는 것이다. 선왕이 때에 성대하게 합하여 만물을 기르는 것은 이러한 상을 본받지 않음이 없다. 천도가 만물을 낳고 만물이 각기 그 성명을 바르게 하여, 왕자(王者)가 백성과 살아 있는 생명들을 길러 곤충과 초목이 또한 각기 그 마땅함을 얻으니, 왕자가 무망을 본받음이 어찌 크지 않겠는가? 대체로 왕자의 무망은 천도로써 움직이고 인욕으로 움직이지 않기 때문에 지나간 곳에서는 교화되고, 머무른 곳에서는 신묘해져서[52] 해와 달이 비추는 바와 서리와 이슬이 내리는 바에[53] 추대하여 부모로 삼기를 원하지 않는 자가 없으니, 아! 그 성대함이여!

### 이만부(李萬敷) 「역통(易統)·역대상편람(易大象便覽)·잡서변(雜書辨)」

臣謹按, 无妄者, 動以天, 卽誠也. 天道至誠無息, 故造化發育, 萬古常然, 是謂无妄. 王者代天育物, 若少虛假, 不以誠實懇切篤至, 豈无妄之謂乎. 以事言之, 則如春省耕而助不給, 秋省斂而補不足, 及數罟不入汚池, 斧斤以時入山林之類, 正是對時育物之道也.
신이 삼가 살펴보았습니다: '무망(无妄)'이란 천도로써 움직이니, 곧 성실함[誠]입니다. 천도는 지극히 성실하고 쉼이 없기 때문에 창조하여 변화시킴[造化]과 일으켜 기름[發育]이 만고에 항상 그러하니, 이것을 '무망'이라고 합니다. 임금 된 자는 하늘을 대신하여 사물을 기르니, 만약 조금이라도 거짓되어 성실하고 간절하며 독실함으로써 하지 못한다면 어찌 무망이라고 할 수 있겠습니까? 일로써 말한다면 마치 "봄에는 경작하는 것을 살펴 부족한 자를 도와주고, 가을에는 추수를 살펴 부족한 자를 보충해준다"[54]거나 "촘촘한 그물을 웅덩이와

---

52) 『孟子·盡心下』: 夫君子, 所過者化, 所存者神, 上下與天地同流, 豈曰小補之哉.
53) 『中庸』: 是以, 聲名, 洋溢乎中國, 施及蠻貊, 舟車所至, 人力所通, 天之所覆, 地之所載, 日月所照, 霜露所隊, 凡有血氣者 莫不尊親, 故, 曰配天.
54) 『孟子·告子下』: 天子適諸侯曰巡狩, 諸侯朝於天子曰述職, 春省耕而補不足, 秋省斂而助不給.

못에 넣지 않고, 도끼와 자귀를 때에 맞게 산림에 들어가도록 한다"는 종류와 같은 것이 바로 "때에 성대하게 합하여 만물을 기른다"[55]는 것입니다.

### 이익(李瀷) 『역경질서(易經疾書)』[56]

天道無往不復. 歲起于春, 於是雷行萬物生, 遂說卦云, 雷以動之, 以之者天也, 所動則物也, 莫非自然而然, 故物與雷, 皆无妄也. 先王以之, 則觀天道之運行, 乃居青陽衣青衣迎春, 耕籍止獄奮鐸之類, 皆茂對時之政也. 茂者, 叢盛之義, 非一事, 故曰茂也. 觀雷之動物, 乃發倉振窮, 牲無用牝, 遊牝於牧, 楚止伐木, 母覆巢殺孩之類, 皆育萬物之政也.

천도는 가서 돌아오지 않음이 없다. 한 해는 봄에 일어나고 이에 우레가 행하고 만물이 생겨나므로 마침내 「설괘전」에서 "우뢰로써 움직인다"[57]고 하였으니, 이것을 쓰는 것은 하늘이며 움직이는 바는 사물이니, 저절로 그렇지 않는 것이 없어서 그러한 까닭이기 때문에 사물과 우레는 모두 망령됨이 없다. 선왕이 이를 본받으면 천도의 운행을 관찰하고서 청양(青陽)[58]에 있으며 봄옷[青衣]을 입고서 봄을 맞이하니, 적전(藉田)을 갈고 옥사에 관련된 일을 멈추며 교령을 널리 선포하는 경우가 모두 '때에 성대하게 합하는' 정치이다. '무(茂)'란 모이고 성대하다는 뜻이다. 한 가지 일이 아니기 때문에 '무'라고 하였다. 우레가 사물을 움직이는 모습을 관찰하고서 이내 창고를 열고 궁핍한 자를 구휼하고, 희생에는 암컷을 쓰지 않으며 목장에서 암컷과 교미하게 하고[59] 나무를 베는 것을 금지하며 둥지를 뒤집어 새끼들을 죽이지 말도록 하는 경우가 모두 만물을 기르는 정치이다.

### 유정원(柳正源) 『역해참고(易解參攷)』

正義, 雷是威恐之聲, 今天下雷行, 震動萬物, 物皆敬肅, 无敢虛妄. 故云天下雷行, 物皆无妄也. 欲見萬物, 皆无妄, 故加物與二字.

『주역정의』에서 말하였다: 우레는 위엄 있고 두렵게 하는 소리이니, 이제 하늘 아래에 우레가 행하여 만물을 진동시키니, 만물이 모두 삼가고 엄숙하여 감히 허망함이 없다. 그러므로

---

55) 『孟子 · 梁惠王上』: 不違農時, 穀不可勝食也, 數罟, 不入洿池, 魚鼈, 不可勝食也, 斧斤, 以時入山林, 材木, 不可勝用也, 穀與魚鼈, 不可勝食, 材木, 不可勝用, 是, 使民養生喪死, 無憾也, 養生喪死, 無憾, 王道之始也.

56) 경학자료집성DB에서는 「단전」에 해당하는 것으로 분류했으나, 내용에 따라 이 자리로 옮겼다.

57) 『周易 · 說卦傳』: 雷以動之, 風以散之, 雨以潤之, 日以烜之, 艮以止之, 兌以說之, 乾以君之, 坤以藏之.

58) 청양(青陽): 명당(明堂)을 뜻한다.

59) 『禮記 · 月令』: 是月也, 乃合累牛騰馬, 遊牝于牧, 犧牲駒犢, 擧書其數.

"하늘 아래에 우레가 행한다"고 하였으니, 만물은 모두 망령됨이 없다. 만물이 모두 망령됨이 없음을 보고자 했기 때문에 '물여(物與)'라는 두 글자를 보탰다.

○ 周子曰, 誠心復其不善之動而已矣, 不善之動妄也. 妄復則无妄矣, 无妄則誠焉, 故无妄次復而曰, 先王以, 茂對時, 育萬物, 深哉.
주자(周子)가 말하였다: 성심은 선하지 않은 행동을 선하게 회복시킬 뿐이니, 선하지 않은 행동이란 망령이다. 망령됨에서 회복되면 망령됨이 없고 망령됨이 없으면 성실하기 때문에 무망괘(无妄卦)가 복괘(復卦)의 다음에 있고 "선왕이 그것을 본받아 때에 성대하게 합하여 만물을 기른다"고 하였으니, 뜻이 깊구나!

○ 白雲蘭氏曰, 如春毋取麛卵, 夏毋伐木之類.
백운란씨가 말하였다: 마치 "봄에는 짐승의 새끼와 알을 취하지 말라"[60]고 하고, "여름에는 나무를 베지 말라"고 한 경우와 같다.

## 김상악(金相岳) 『산천역설(山天易說)』

天下雷行, 物皆遇之者, 无望也. 人之恐懼修省, 物之句萌蟄驚, 皆得其聲, 各正性命者, 无妄也. 茂對時者, 法雷之時行, 育萬物者, 法天之生物也.
하늘 아래에 우레가 행하여 사물마다 모두 그것과 만나는 것이 '바랄 바가 없음[无望]'이다. 사람의 두려워하여 수신하고 반성하는 것과 사물이 싹트고 놀라 깨어나는 것이 모두 그 천명의 소리를 얻어 각기 성명(性命)을 바르게 한 것이 '망령됨이 없음[无妄]'이다. "때에 성대하게 합한다"란 우레가 때에 맞게 행하는 것을 본받는 것이고, "만물을 기른다"는 것은 하늘이 만물을 낳는 것을 본받은 것이다.

○ 傳義, 皆云物與无妄者, 是說天命之性, 以釋无妄之義, 而或以爲物與當句, 无妄者, 卦名也, 以物與无妄爲句, 則大象无此例, 恐未然. 此如同人否之卦名, 與卦辭相連也.
『정전』과 『본의』에서 모두 "만물에 무망을 부여하다[物與无妄]"고 말한 것은 천명의 성(性)을 설명하여 '무망'의 뜻을 풀이하였는데, 어떤 이는 '물여(物與)'는 마땅히 구가 되어야 하니, '무망'은 괘의 이름인데도 '물여무망(物與无妄)'으로 구를 삼은 것은 「대상전」에는 이러한 사례가 없다고 보았는데, 아마도 그렇지는 않은 듯하다. 이것은 동인괘(同人卦)와 비괘(否卦)의 이름과 괘사가 서로 연관된[61] 것과 같다.

---

60) 『禮記·曲禮』: 國君, 春田不圍澤, 大夫, 不掩群, 士不取麛卵.

### 김규오(金奎五)「독역기의(讀易記疑)」

大象義, 因其所性而不爲私焉, 雲峯以因物之所性釋之, 而似於不爲私字, 通不去矣. 竊疑因吾之所性, 隨物養育而不自私, 如中庸盡人性盡物性之爲也. 人物之性, 因其形氣而不同, 而莫非統體一太極, 所謂通天下一性, 是也. 曰, 然則謂之人物性異何也. 曰, 主異體, 而言犬牛人三性, 是也.

「대상전」에 대하여 『본의』는 "만물의 본성을 따르고 사사롭게 하지 않는다"고 하였고, 운봉은 만물이 갖춘 성을 따르는 것으로 풀이하여 "사사롭게 하지 않는다[不爲私]"와 유사하지만 통할 수 없다. 내가 생각하기에 나의 본성을 인해 사물에 따라 기르고 스스로 사사롭게 하지 않는 것이니 『중용』에서 "다른 사람의 성(性)을 다하고, 사물의 성을 다한다"[62]는 행위와 같다. 사람과 사물의 성은 그 형기에 따라 같지 않지만, 전체가 하나의 태극 아닌 것이 없으니, 이른바 천하를 통틀어 하나의 성이라고 하는 것이 이것이다.

물었다: 그러하다면 사람과 사물의 성이 다르다는 것은 무엇입니까?

답하였다: 몸체가 다른 것을 위주로 하여 말하면 개와 소와 사람의 세 가지 성인 것이 이것입니다.

### 서유신(徐有臣)『역의의언(易義擬言)』

无妄之義, 彖詳矣. 天使雷行, 故曰天下雷行也. 物物而皆无妄, 故曰物與无妄也. 與以也. 上古淳熙正得无妄之象, 故曰先王以也. 對時育物, 先王之雷行也. 對時者, 對天也. 育物者, 如雷之振物也.

'무망'의 뜻은「단전」에 상세하다. 하늘이 우레가 행하도록 시켰기 때문에 "하늘 아래에 우레가 행한다"고 하였다. 물건마다 모두 망령됨이 없기 때문에 "만물이 무망을 본받는다"라고 하였다. '여(與)'는 본받는다[以]는 뜻이다. 상고 시대에는 순박하고 밝아서 바로 무망의 상을 얻었기 때문에 "선왕이 그것을 본받다"라고 하였다. "때에 성대하게 합하여 만물을 기른다"는 것은 선왕이 우레처럼 행하는 것이다. "때에 합한다"는 것은 하늘에 합한다는 것이다. "만물을 기른다"는 것은 우레가 사물을 진동시킴과 같다.

---

61)『周易 · 同人卦』: 彖曰, 同人, 柔得位, 得中而應乎乾, 曰同人. 同人曰, 同人于野亨, 利涉大川, 乾行也.『周易 · 否卦』: 彖曰, 否之匪人不利君子貞大往小來, 則是天地不交而萬物不通也, 上下不交而天下无邦也.

62)『中庸』: 惟天下至誠, 爲能盡其性, 能盡其性, 則能盡人之性, 能盡人之性, 則能盡物之性, 能盡物之性, 則可以贊天地之化育, 可以贊天地之化育, 則可以與天地參矣.

### 윤행임(尹行恁) 『신호수필(薪湖隨筆) · 역(易)』

物與无妄, 程傳曰, 發生萬物, 各正性命, 朱義曰, 物物而與之以无妄, 胡仲虎曰, 物物各具一性, 各一自然之天, 凡此各字, 卽中庸章句三各字之意也. 實理自然之謂无妄, 故雞之本然, 曰司晨也, 犬之本然, 曰守夜也. 川泳者, 魚之本然也, 雲飛者, 鳥之本然也. 物物不能各具, 而同一性也, 則雞守夜而犬司晨矣, 魚飛雲而鳥泳川矣.

"만물에 무망을 부여한다[物與无妄]"에 대하여 『정전』에서는 "만물을 발생해서 각각 성명(性命)을 바르게 한다"고 하였고, 주자의 『본의』에서는 "물건마다 무망을 부여한 것이다"라고 하였으며, 호중호는 "물건마다 각각 하나의 성을 구비하고, 물건마다 각각 자연스런 하늘을 하나씩 하였다"라고 하였으니, 이 '각(各)'자는 곧 『중용장구』에서 말한 세 '각(各)'자의 뜻[63]이다. 진실한 이치가 저절로 그러함을 '무망'이라고 하기 때문에 닭의 본연을 새벽을 알리는 일을 맡는 것이라고 하며, 개의 본연을 밤을 지키는 것이라 한다. 시냇물에서 유영하는 것은 물고기의 본연이고, 구름 속을 나는 것은 새의 본연이다. 물건마다 각각 하나의 성을 갖출 수가 없어서 하나의 성으로 같다면, 닭은 밤을 지키고 개는 새벽을 알리는 일을 맡을 것이며 물고기는 구름 속을 날고 새는 시냇물 속을 헤엄칠 것이다.

### 박문건(朴文健) 『주역연의(周易衍義)』

茂, 猶盛也. 對, 猶配也. 茂對物與之時, 而能護育萬物, 使无損壞者, 亦人君之无妄也.

'무(茂)'는 성대함과 같다. '대(對)'는 짝함과 같다. 만물에 부여하는 때에 성대하게 짝하여 만물을 보호하고 기를 수 있어서 손해를 보거나 무너짐이 없도록 하는 것이 또한 임금의 '무망'이다.

〈問, 天下雷行, 物與无妄. 曰, 天下雷行, 則近地之雷也. 物相與而无損, 故謂之无妄也.

물었다: "하늘 아래에 우레가 행하여 만물에 무망을 부여한다"는 무슨 뜻입니까?

답하였다: "하늘 아래에 우레가 행하다"는 것은 땅에 가까운 우레 입니다. 사물이 서로 함께 하여도 손해 봄이 없기 때문에 '무망'이라고 합니다.〉

### 이지연(李止淵) 『주역차의(周易箚疑)』

對時育物, 卽驚蟄以後之事.

'때에 합하여 만물을 기름'은 경칩 이후의 일이다.

---

63) 『中庸章句』: 天以陰陽五行, 化生萬物, 氣以成形而理亦賦焉, 猶命令也. 於是, 人物之生, 因各得其所賦之理, 以爲健順五常之德, 所謂性也. 率, 循也, 道, 猶路也. 人物, 各循其性之自然, 則其日用事物之間, 莫不各有當行之路, 是則所謂道也.

### 김기례(金箕澧) 「역요선의강목(易要選義綱目)」

不喪匕鬯, 誠格而无妄也, 迅雷必變, 思所以无妄也.
"숟가락과 울창주를 잃지 않는다"[64]는 것은 정성이 통하여 망령됨이 없는 것이며, '몹시 맹렬한 우레가 칠 때에 반드시 바꿈'[65]은 망령됨이 없게 되기를 생각한 것이다.
○ 天地位[66], 萬物育, 所以致中和率性命而无妄也.
하늘과 땅이 제자리를 편안히 하고 만물이 생육을 이룸은 중(中)과 화(和)를 지극히 하고[67] 성명(性命)을 좇아 망령됨이 없도록 하는 것이다.

○ 物各有性, 而雷動陽生, 則順時發生, 卽无妄之理.
만물은 각각 성(性)을 가지고 있고 우레가 움직여 양이 생기면 때에 맞게 발생한 것이니, '무망'의 이치이다.

○ 先王[68]謂敬授人時, 庶績咸熙, 若予[69]上下草木鳥獸之聖.
'선왕(先王)'은 "인시(人時)를 공경하게 주도록 하였다"[70]와 "여러 공적이 모두 넓혀졌다"[71]와 "나의 산택의 초목과 조수를 다스리겠는가"[72]라고 한 성왕들을 말한다.

○ 茂, 篤實感發之意.
'무(茂)'는 독실하게 느껴 드러낸다는 뜻이다.

○ 對, 對越上帝之意. 聖人順天明命, 各正性命, 保合大和, 萬物各得无妄.
'대(對)'는 "상제를 대한다"[73]는 뜻이다. 성인이 하늘을 따르고 명(命)을 밝혀 "각각 성명을 바르게 하고 음양이 모여 부드럽게 조화하는[大和] 기운을 보존하고 화합하여"[74] 만물이 각각 '무망'을 얻는다.

---

64) 『周易 · 震卦』: 震驚百里, 不喪匕鬯.
65) 『論語 · 鄕黨』: 迅雷風烈, 必變.
66) 天地位: 경학자료집성DB와 영인본에는 모두 '天位地'로 되어 있으나, 『중용』 원문에 따라 '天地位'로 바로잡았다.
67) 『中庸』: 致中和, 天地位焉, 萬物育焉.
68) 先王: 경학자료집성DB에는 '先正'으로 되어 있으나, 경학자료집성 영인본을 참조하여 '先王'으로 바로잡았다.
69) 予: 경학자료집성DB에는 '子'로 되어 있으나, 경학자료집성 영인본을 참조하여 '予'로 바로잡았다.
70) 『書經 · 堯典』: 乃命羲和, 欽若昊天, 曆象日月星辰, 敬授人時.
71) 『書經 · 舜典』: 三載, 考績, 三考, 黜陟幽明, 庶績, 咸熙, 分北三苗.
72) 『書經 · 堯典』: 帝曰, 疇若予上下草木鳥獸.
73) 『詩經 · 淸廟』: 於穆淸廟, 肅雝顯相. 濟濟多士, 秉文之德. 對越在天, 駿奔走在廟. 不顯不承, 無射於人斯.
74) 『周易 · 乾卦』: 乾道變化, 各正性命, 保合大和, 乃利貞.

### 심대윤(沈大允) 『주역상의점법(周易象義占法)』

天下雷行, 言動天下之動也. 不曰與物而曰物與者, 言體物而不貳也, 忠恕中庸而至誠, 則盡其性, 盡物之性而至於命, 无一毫私僞, 无一息間斷, 天理流行, 天德光明, 先天後天而不違者也. 天下雷行, 物與无妄, 天道之誠也, 茂對時, 育萬物, 人道之誠也. 一而不可二也, 君子有其道者也, 先王有其功者也. 對時, 本卦之象, 育物, 對卦坤巽之象. 巽改离日, 曰時. 巽茂, 艮對, 离物, 艮育.

'하늘 아래에 우레가 행함'은 천하를 움직인다는 움직임을 말한다. '여물(與物)'이라고 하지 않고 '물여(物與)'라고 한 것은 사물에 근간이 되어 둘이 되지 않음을 말하니, 충서(忠恕)와 중용(中庸)으로 성실함을 지극히 하면 그 본성을 다하고 사물의 성을 다하여 명(命)에 이르게 되니, 털 끝 만큼도 사사롭고 거짓됨이 없으며 한 순간도 쉼이 없어서 천리(天理)가 유행하고 천덕(天德)이 밝게 빛나 선천(先天)이나 후천(後天)에 있어서 어긋나지 않는다. "하늘 아래에 우레가 행하여 만물에 무망을 부여한다"는 것은 천도의 성실함이며, "때에 성대하게 합하여 만물을 기른다"는 것은 인도(人道)의 성실함이다. 하나이고 둘로 할 수가 없으니, 군자는 그 도를 가지고 있는 자이며 선왕은 그 공을 가지고 있는 자이다. '때에 성대하게 합함'은 본 괘의 상이고, '만물을 기름'은 음양이 바뀐 괘인 곤괘(坤卦☷)와 손괘(巽卦☴)로 된 승괘(升卦䷭)의 상이다. 손괘(巽卦☴)는 고침이고 큰 이괘(離卦)는 날[日]이라서 '때[時]'라고 하였다. 손괘(巽卦☴)는 성대함[茂]이고 간괘(艮卦☶)는 합함[對]이며 큰 이괘(離卦)는 만물[物]이고 간괘(艮卦☶)는 기름[育]이다.

### 오치기(吳致箕) 「주역경전증해(周易經傳增解)」

天以純剛而无私, 雷以始陽而發生, 故雷行於天下, 萬物之生, 其所賦與, 无有不誠, 卽无妄之象. 而先王以之體天道, 而茂對以時, 育養萬物, 卽因其性而不爲私焉. 茂者, 盛也.

하늘은 순전히 굳세기 때문에 사사로움이 없고 우레는 양의 시작이기 때문에 일으켜 낳으므로 우레가 하늘 아래에서 행하여 만물이 생겨나 그 부여 받은 바가 성실하지 않음이 없으니, '무망'의 상이다. 그리고 선왕은 이것으로써 천도를 체득하여 때에 맞게 성대하게 합하여 만물을 기르니, 그 본성에 따르고 사사롭게 하지 않는다. '무(茂)'란 성대함이다.

### 이진상(李震相) 『역학관규(易學管窺)』

時物, 乾象, 對育, 震象. 又四時合乎乾, 而震以對之, 萬物出乎震, 而乾以育之.

'때'와 '만물'은 건괘(乾卦☰)의 상이고, '합함'과 '기름'은 진괘(震卦☳)의 상이다. 또 네 계절은 건괘(乾卦☰)에 부합하는데 진괘(震卦☳)로 합하며, 만물은 진괘(震卦☳)에서 나오는데 건괘(乾卦☰)로 기른다.

### 박문호(朴文鎬) 「경설(經說) · 주역(周易)」

以他例求之, 當曰天下雷行无妄, 而此不爾者, 蓋增物與二字, 然後物各與性之義, 乃明故也, 此易中之別例也. 物與无妄, 此在物之理也, 對時育物, 此處物之義也. 傳所云, 各得其宜, 如天與之无妄, 言處物, 如其理也. 盛行義屬茂, 永言義屬對, 永言, 卽所謂永言配命也.
다른 사례에서 살펴본다면, 마땅히 "하늘 아래에 우레가 행하여 망령됨이 없다"고 해야 하지만, 여기서 그렇게 하지 않은 것은 '물여(物與)'라는 두 글자를 더 한 후에 만물이 각각 성(性)을 부여 받는 뜻이 분명해지기 때문이니, 이것은 『주역』 가운데에 특별한 사례이다. "만물에 무망을 부여한다"고 하였으니 이것은 만물에 있는 이치이며, "때에 합하여 만물을 기른다"고 하였으니, 이것은 만물에 대처하는 의로움이다. 『정전』에서 "각각 마땅함을 얻으니, 마치 하늘이 무망을 주는 것과 같다"고 한 것은 만물에 대처함이 그 이치와 같음을 말한다. '성행(盛行)'이란 뜻은 '무(茂)'에 속하고 '영언(永言)'이란 뜻은 '대(對)'에 속하니, '영언'이란 이른바 천명에 합함을 길이 말한 것이다.[75]

### 이병헌(李炳憲) 『역경금문고통론(易經今文考通論)』

雷行, 物與句.
"우레가 행하여 만물에 부여하니"라는 구절.

荀九家曰, 天下雷行, 陽氣普遍, 无物不與, 故曰物與也.
『순구가역』에서 말하였다: "하늘 아래에 우레가 행한다"는 것은 양기(陽氣)가 널리 퍼져 사물에 관여하지 않음이 없기 때문에 "만물에 관여한다"고 하였다.

王曰, 茂盛也.
왕필이 말하였다: '무(茂)'는 성대함이다.

虞曰, 乾盈爲茂.
우번이 말하였다: 건(乾)이 가득 찬 것이 '무(茂)'이다.

---

75) 『詩經 · 文王』: 無念爾祖 聿修厥德 永言配命 自求多福 殷之未喪師 克配上帝 宜鑑于殷 駿命不易

## 初九, 无妄, 往吉.

초구는 무망이니, 가는 것이 길하리라.

### 中國大全

**傳**

**九以陽剛爲主於內, 无妄之象, 以剛實變柔而居內, 中誠不妄者也. 以无妄而往, 何所不吉.卦辭言不利有攸往, 謂旣无妄不可復有往也, 過則妄矣. 爻言往吉, 謂以无妄之道而行則吉也**

구(九)는 굳센 양으로 안에서 주인이 되었으니 무망의 상이고, 굳셈과 실질로 부드러움을 변화시켜 안에 거하였으니, 마음이 성실하여 망령되지 않은 자이다. 무망으로 가면 어느 곳인들 길하지 않겠는가! 괘사에 "가는 것이 이롭지 않다"고 말한 것은 이미 무망이면 다시 가서는 안 되니, 지나치면 망령임을 말한 것이다. 효(爻)에 "가서 길하다"고 말한 것은 무망의 도로 가면 길함을 말한 것이다.

**本義**

**以剛在內, 誠之主也. 如是而往其吉可知, 故其象占如此**

굳센 양으로 안에 있어 성실의 주인이다. 이와 같이 하여 가면 길함을 알 수 있다. 그러므로 그 상과 점이 이와 같다.

**小註**

進齋徐氏曰, 初剛當位而動, 爲无妄之主, 動以正者. 如是而行, 何往非吉.
진재서씨가 말하였다: 굳센 초효가 양의 자리에 있어 움직여 무망의 주인이 되니, 바름으로 움직이는 자이다. 이와 같이 행한다면 어디를 간들 길하지 않겠는가?

○ 隆山李氏曰, 初陽无應, 而爻辭謂之往吉何也. 兩剛相遇, 不率於係應之私, 是之謂无妄. 此初所以吉四所以无咎也. 若夫六二九五應六三上九應, 而三不免於災, 五不免於疾, 上不免於眚. 有應者, 反不若无應之爲愈, 可見矣. 震陽初動, 誠一未分, 剛實无私, 以此而往, 動與天合, 其又奚必有應而後能往哉. 此初九之往所以得无心之吉也.
융산이씨가 말하였다: 초효는 양이고 호응이 없는데도 효사에서 "가면 길하다"고 한 것은 왜인가? 굳센 두 양이 서로 만나 얽매여 호응하는 사사로움에 따르지 않는 이것을 바로 무망이라고 말한다. 이것이 초효가 길하고 사효가 허물이 없는 까닭이다. 육이와 구오가 호응하고 육삼과 상구가 호응하는데도 삼효는 재앙을 면하지 못하고 오효는 병을 면하지 못하며 상효는 허물을 면하지 못한다. 호응이 있어도 도리어 호응이 없는 것만 못한 경우도 있음을 알 수 있다. 진괘에서 양효인 초효가 움직여 성실과 한결같음이 아직 나뉘지 않고, 굳세고 실하며 사사로움이 없어 이로써 가서 움직임이 하늘과 합하는데, 어찌 반드시 호응이 있은 다음에야 갈 수 있겠는가? 이것이 바로 초구가 사서 무심한 길함을 얻을 수 있는 까닭이다.

○ 雲峰胡氏曰, 釋彖曰, 剛自外來而爲主於內, 本義於此曰, 以剛在內誠之主也. 主字最有力. 蓋妄者, 誠之反也. 誠之主如此, 妄自然无矣. 如斯而往, 其吉固宜. 此占辭而本義以爲象者, 初九之剛爲主於內, 誠之主之象也.
운봉호씨가 말하였다: 단사를 해석하여 "굳센 양이 밖으로부터 와서 안에서 주인이 된다"고 하였고, 『본의』에서는 이에 대해서 "굳센 양으로 안에 있어 성실의 주인이다"라고 하였다. '주(主)'라는 글자가 가장 힘이 있다. 망령이란 성실의 반대이다. 이와 같이 성실이 주인이 되면 망령은 저절로 없을 것이다. 이처럼 하여 가면 길함은 본래 마땅하다. 이것은 점사인데 『본의』에서 상이라고 한 것은 굳센 초구가 안에서 주인이 되는 것이 성실의 주인이 되는 상이기 때문이다.

○ 蘭氏廷瑞曰, 初則當行, 終則當止. 行止適當, 則无妄, 不妄則吉. 无妄之初, 當行者也, 故往則有吉. 无妄之終, 當止者也, 故行則有眚.
난정서가 말하였다: 처음에는 마땅히 행해야 하고, 마지막에는 마땅히 그쳐야 한다. 행함과 그침이 적적하면 무망이고, 무망이면 길하다. 무망의 처음은 마땅히 행해야 하기 때문에 가면 길하다. 무망의 마지막에는 마땅히 그쳐야 하기 때문에 행하면 허물이 있다.

## 韓國大全

### 송시열(宋時烈) 『역설(易說)』

初, 値旡妄之時, 往而得吉者. 雖非配合, 以陽遇陽, 其志相得. 震之性, 以動爲主, 而往遇天之至誠故也.
초효는 무망의 때에 해당하니, 가서 길함을 얻은 자이다. 비록 짝과 합하지는 않지만 굳센 양으로 양을 만나니, 뜻을 서로 얻는다. 진괘의 성질은 움직임을 주로 하는데, 가서 하늘의 지극한 정성을 만나기 때문이다.

### 이익(李瀷) 『역경질서(易經疾書)』

初九, 旡妄之主也. 往吉者, 元亨利貞, 是也. 元亨利貞, 與不利有攸往對勘, 則利往可知.
초구는 무망의 주인이다. "가는 것이 길하다"는 원·형·리·정이 이것이다. 원·형·리·정은 "가는 것이 이롭지 않다"는 것과 서로 비교해 보면 감이 이로움을 알 수 있다.

### 윤동규(尹東奎) 「경설(經說)-역(易)」

初九之旡妄吉, 以動而健, 剛中而應, 大亨以正, 順天之命故也. 初非中也, 擧一卦之德而盡爲己用者, 居乎初, 是故吉也.
초구의 '무망이니, 길함'은 움직여 굳건하고 강중(剛中)하여 호응하며 크게 형통하여 바루어 하늘의 명을 따르기 때문이다. 초효는 가운데가 아니지만 한 괘의 덕을 들어 전부 자신을 위해 쓰는 것이 초효에 있으니, 이 때문에 길하다.

### 유정원(柳正源) 『역해참고(易解參攷)』

王氏曰, 體剛處下, 以貴下賤, 行不犯妄, 故往得其志.
왕필이 말하였다: 강건한 몸체가 아래에 처함이니, 귀한 자가 천한 자에게 낮추고 행동이 망령됨을 범하지 않으므로 가서 그 뜻을 얻는다.

○ 案, 卦辭之不利往, 動以匪正也, 初九之往吉, 動以正也.
내가 살펴보았다: 괘사의 '감이 이롭지 않음'은 바르지 않음으로 움직임이며, 초구의 "가는

것이 길하다"는 바름으로 움직이기 때문이다.

### 김상악(金相岳) 『산천역설(山天易說)』

以剛在內, 爲誠之主, 以是而往, 其吉宜矣.
굳센 양으로 안에 있어 성실함의 주인이 되고 이것으로 가니, 그 길함이 마땅하다.

○ 彖傳剛來, 在初九, 而爻言往吉, 猶來復之利往也.
「단전」에서 '굳센 양이 옴'은 초구에 있는데, 효사에서 "가는 것이 길하다"고 말한 것은 "와서 회복하니 가는 것이 이롭다"[76]는 것과 같다.

### 박제가(朴齊家) 『주역(周易)』

雷, 不期而聲, 無有阻拒. 故象傳曰, 无妄之往, 得志也. 彖傳亦言, 无妄之往, 何之矣, 句同而用不同. 此誠而往爲得志, 彼誠而往何爲天命不祐, 所以謂无妄, 通善惡而說者也. 此卦惟此一爻言吉, 以後五爻, 都不言吉凶, 以禍福皆无妄故也. 蓋天之无妄在動, 人之无妄在不動, 不動非无事也, 乃守正不動, 故初九之震, 天之動也, 上九之不動, 人之終也. 自二以後, 皆漸有不動, 上九特最深言之.
'우레'는 기약하지 않고서 울리니 막힘이 없다. 그러므로 「상전」에서는 "무망으로 가면 뜻을 얻는다"고 하고, 「단전」에서는 또 "무망으로 간들 어디를 가겠는가?"하였으니, 구절은 같은데 쓰임이 같지 않다. 앞의 것은 정성으로 가서 뜻을 얻게 되고, 뒤의 것은 정성으로 어디를 가더라도 천명이 돕지 않음이 되니, 이 때문에 '무망'은 선함과 악함을 통틀어서 설명한 것이다. 이 무망괘는 이 한 효에서만 길함을 말했고, 이후의 다섯 효에서 모두 길하고 흉함을 말하지 않은 것은 화(禍)와 복(福)이 모두 무망이기 때문이다. 하늘의 무망은 움직임에 있고 사람의 무망은 움직이지 않음에 있으니, 움직이지 않음은 일이 없는 것이 아니고 바름을 지켜 움직이지 않기 때문에 초구의 움직임은 하늘의 움직임이며, 상구의 움직이지 않음은 사람의 끝이다. 이효로부터 이후는 모두 점차 움직이지 않음이 있는데, 상구에서 특별히 가장 심도 있게 말했다.

### 서유신(徐有臣) 『역의의언(易義擬言)』

是卽自外來爲主於內, 故直曰无妄也. 天下雷行, 故迬吉也. 无妄之得正, 无所往而不

---

76) 『周易 · 復卦』: 反復其道, 七日來復, 利有攸往.

吉也.
이것은 바로 밖으로부터 와서 안에서 주인이 된 것이므로 곧바로 '무망'이라고 하였다. 하늘 아래에 우레가 행하므로 가는 것이 길하다. 무망이 바름을 얻으니, 가서 길하지 않은 곳이 없다.

### 강엄(康儼) 『주역(周易)』

本義, 以剛在內, 誠之主也.
『본의』에서 말하였다: 굳센 양으로 안에 있어 성실의 주인이다.

按, 以剛在內, 在人爲中實之象. 人能中實, 則安往而不吉乎. 夫子曰, 言忠信行篤敬, 雖蠻貊之邦行矣, 此爻之謂乎.
내가 살펴보았다: '굳센 양으로 안에 있음'은 사람에 있어 가운데가 꽉 찬 상이 된다. 사람이 가운데가 꽉 찰 수 있으면 어디를 간들 길하지 않겠는가? 공자가 "말이 충성스럽고 미더우며 행실이 돈독하고 공경스러우면 비록 오랑캐의 나라라고 하더라도 행해진다"[77]고 한 것이 이 효를 말하는 것일 것이다.

○ 本義, 於復初九曰, 復之主, 於无妄初九曰, 誠之主, 所以明復與无妄有聖賢之分也. 亦所以明无妄之爲誠也.
『본의』가 복괘 초구에서는 "복괘의 주인이다"고 하고, 무망괘 초구에서는 "성실의 주인이다"고 하였으니, 이 때문에 복괘와 무망괘에 성인과 현인의 구분이 있음을 밝혔다. 또 무망이 성실이 됨을 밝혔다.

### 박문건(朴文健) 『주역연의(周易衍義)』

捨剛用柔, 故有无妄之象. 往則相遇而吉.
굳셈을 버리고 부드러움을 쓰므로 '무망'의 상이 있다. 가면 서로 만나서 길하다.

### 김기례(金箕澧) 「역요선의강목(易要選義綱目)」

无妄則眞實, 眞實卽誠也. 剛自外來, 主於內, 誠之主也. 卦中初尤吉, 而得志故往.

77) 『論語 · 衛靈公』.

망령됨이 없으면 진실하니, 진실하면 곧 성실함이다. 굳셈이 밖으로부터 와서 안에서 주인이 되니, 성실의 주인이다. 괘 가운데 초효가 더욱 길하고 뜻을 얻었으므로 간다.

### 심대윤(沈大允) 『주역상의점법(周易象義占法)』

无妄之道, 有性有敎, 必因其誠而誠之. 故有誠足而誠之者, 有誠不足而誠之者, 其誠之一也. 有難易之殊, 而及其成功一也. 无妄之爻位, 居剛誠自足也, 居柔誠不足也, 有應者, 有所偏係也.
무망의 도는 성(性)도 있고 교(敎)도 있으니, 반드시 그 성실함으로 인하여 성실해지는 것이다. 그러므로 성실함이 충분한데도 성실히 하는 자가 있고 성실함이 부족하여 성실히 하는 자도 있으니, '성실히 함'은 한결같다. 어렵고 쉬움이 다르지만 그 성공에 이르면 같다. 무망괘 효의 자리가 굳센 양의 자리에 있으면 성실함은 저절로 충분하지만, 부드러운 음의 자리에 있으면 성실함이 부족하여 호응하는 것에 치우치게 매인 것이 있다.

无妄之否☷, 不交也. 初九, 以剛才居剛而无應, 不爲外物染習之所遷. 誠自足而自强不息, 此上聖之才也. 离巽爲往, 无妄之□, 誠之之功, 有淺深也.
무망괘가 비괘(否卦☷)로 바뀌었으니, 사귀지 않는다. 초구는 굳센 양의 재질로 양의 자리에 있고 호응함이 없어서 바깥 사물에 물들어 옮겨지지 않는다. 성실함은 저절로 충분하지만 스스로 힘쓰고 쉬지 않으니, 이는 성인의 재질이다. 리괘와 손괘는 '감'이 되니, 무망의 □와 성실히 하는 공부에 깊고 얕음이 있다.

### 이진상(李震相) 『역학관규(易學管窺)』

震陽初動, 乾健相應, 故往而得其陽志. 此卽象所謂爲主乎內者也.
진괘의 양이 초효에서 움직이고 건괘의 굳건함이 서로 호응하므로 가서 그 양의 뜻을 얻는다. 이것이 바로 「단전」에서 이른바 "안에서 주인이 된다"는 것이다.

### 박문호(朴文鎬) 「경설(經說) · 주역(周易)」

爻辭只取其卦名爲象者, 始見於无妄之初, 豈以其爲卦之主而然歟.
효사가 다만 그 괘의 이름을 취하여 상을 삼은 것이 무망의 초효에서 처음 보이는데, 어찌 그것이 괘의 주인이 되는 것으로써 그러한 것이겠는가?

### 이정규(李正奎) 「독역기(讀易記)」

初九之往吉, 六二之利攸往, 與卦辭不利有攸往之往字, 語意似不同. 卦辭往字, 不離无妄之意也, 兩爻辭往字, 以无妄之道, 何往而不利之意也, 動以天故也.
초구의 “가는 것이 길하다[往吉]”와 육이의 “가는 것이 이롭다[利攸往]”는 괘사에서 “가는 것이 이롭지 않다[不利有攸往]”고 한 ‘왕(往)’과는 말의 뜻이 같지 않은 듯하다. 괘사의 ‘왕’자는 무망의 뜻에서 벗어나지 않고, 두 효사의 ‘왕’자는 무망의 도이기 때문에 어디를 가더라도 이롭지 않은 뜻이기 때문에 하늘로써 움직이기 때문이다.

### 오치기(吳致箕) 「주역경전증해(周易經傳增解)」

初九, 陽剛得正, 居无妄之初, 爲主於內. 動以剛正, 上與乾陽同德, 卽動與天合也. 居剛而應剛, 无柔邪之係, 純乎誠實, 故占言往而吉.
초구는 굳센 양으로 바름을 얻고 무망의 처음에(초효에) 있어 안에서 주인이 된다. 굳세고 바름으로 움직여 위로 건괘의 양과 덕을 같이 하니, 바로 움직임이 하늘과 합한다. 굳센 자리에 있고 굳센 양과 호응하여 유약하고 사특한 매임이 없어 성실을 순전하게 하므로 점에서 “가서 길하다”고 하였다.

○ 諸爻, 以剛得正, 而无柔應者, 爲最善. 雖不得正而以剛應剛者, 次之. 若剛柔有應, 則雖得中正, 而未盡善焉. 如其居不得正而有應, 則皆不免災眚也.
여러 효에서 굳센 양으로 바름을 얻고 유약한 호응이 없는 것이 가장 좋다. 비록 바름을 얻지는 못했지만 굳셈으로 굳셈에 호응하는 것이 그 다음이다. 만약 굳센 양과 부드러운 음이 호응함이 있으면 비록 중정(中正)을 얻더라도 완전히 다 좋지는 않다. 가령 그 거처함이 바름을 얻지 못했는데 호응이 있으면 모두 재앙을 면하지 못한다.

## 象曰, 无妄之往, 得志也.

「상전」에서 말하였다: 무망으로 가면 뜻을 얻으리라.

## 中國大全

傳

**以无妄而往, 无不得其志也. 蓋誠之於物, 无不能動, 以之脩身, 則身正, 以之治事, 則事得其理, 以之臨人, 則人感而化, 无所往而不得其志也.**

무망으로 가면 뜻을 얻지 못함이 없을 것이다. 성실함은 상대에 대해서 감동시키지 못함이 없으니, 이로써 몸을 닦으면 몸이 바르게 되고, 이로써 일을 다스리면 일이 이치를 얻고, 이로써 사람에게 임하면 사람이 감동하고 교화되어 가는 곳마다 뜻을 얻지 못함이 없을 것이다.

小註

誠齋楊氏曰, 九本乾體, 初居震, 始動以天者也. 焉往而不吉, 不得志哉.
성재양씨가 말하였다: 구(九)가 본래 건체에 있고, 초(初)가 진괘에 있으니, 처음으로 천도로 움직이는 자이다. 어디를 간들 길하지 않으며 뜻을 얻지 못하겠는가?

○ 丹陽都氏曰, 二陰在前, 无陽以拒之, 故吉. 故得志.
단양도씨가 말하였다: 두 음이 앞에 있고 막을 양이 없기 때문에 길하다. 그러므로 뜻을 얻는다.

## ▌韓國大全▐

### 조호익(曺好益) 『역상설(易象說)』

往, 動體, 故取象. 得志, 得其本志也.
'왕(往)'은 움직이는 몸체이므로 그 상을 취하였다. '득지(得志)'는 그 본래의 뜻을 얻은 것이다.

### 김상악(金相岳) 『산천역설(山天易說)』

志, 卽无妄之志也.
뜻은 무망의 뜻을 말한다.

### 서유신(徐有臣) 『역의의언(易義擬言)』

初與四, 相得也. 卦變而初四不變其剛, 故有是象也.
초효와 사효는 서로 얻는다. 괘가 변하더라도 초효와 사효는 그 굳셈을 변화시키지 않으므로 이러한 상이 있다.

### 박문건(朴文健) 『주역연의(周易衍義)』

信而无疑, 故得其志也.
믿고 의심이 없으므로 그 뜻을 얻는다.

### 오치기(吳致箕) 「주역경전증해(周易經傳增解)」

誠實而无妄, 何所往而不得其志乎.
성실하고 망령됨이 없으니, 어디를 간들 그 뜻을 얻지 못하겠는가?

### 이병헌(李炳憲) 『역경금문고통론(易經今文考通論)』

王曰, 體處下, 以貴下賤, 行不犯妄, 故往得志也. 〈王注, 以邪妄言.〉
왕필이 말하였다: 몸체가 아래에 처하여 귀한 자가 천한 자에게 낮추니, 행실이 망령됨을 범하지 않으므로 가서 뜻을 얻는다. 〈왕필의 주는 사특하고 망령된 것으로 말했다.〉

## 六二, 不耕穫, 不菑畬, 則利有攸往.

정전 육이는 밭을 갈지 않고서도 수확하며, 일 년 된 밭을 만들지 않고서도 삼년 된 밭이 되니, 가는 것이 이롭다.

본의 육이는 밭을 갈거나 수확하지 않으며, 일 년 된 밭과 삼년 된 밭을 만들지 않으니, 가는 것이 이롭다.

## 中國大全

### 傳

凡理之所然者, 非妄也, 人所欲爲者, 乃妄也. 故以耕穫菑畬譬之. 六二居中得正, 又應五之中正, 居動體而柔順, 爲動能順乎中正, 乃无妄者也. 故極言无妄之義. 耕, 農之始, 穫, 其成終也. 田一歲曰菑, 三歲曰畬. 不耕而穫, 不菑而畬, 謂不首造其事, 因其事理所當然也. 首造其事, 則是人心所作爲, 乃妄也. 因事之當然, 則是順理應物, 非妄也, 穫與畬, 是也. 蓋耕則必有穫, 菑則必有畬, 是事理之固然, 非心意之所造作也. 如是則爲无妄, 不妄則所往, 利而无害也. 或曰, 聖人制作, 以利天下者, 皆造端也, 豈非妄乎. 曰, 聖人隨時制作, 合乎風氣之宜, 未嘗先時而開之也. 若不待時, 則一聖人足以盡爲矣, 豈待累聖繼作也. 時乃事之端, 聖人隨時而爲也.

이치상 그러한 것은 망령이 아니고, 사람이 하고자 하는 것이 망령이다. 그러므로 '가는 것과 수확하는 것', '일년 된 밭과 삼년 된 밭'으로 비유하였다. 육이는 가운데 거하면서 바름을 얻었고, 또 중정한 오효와 호응하며, 움직이는 몸체에 거하고 유순하니, 움직여서 중정에 따를 수 있어서 바로 무망인 자이다. 그러므로 무망의 뜻을 지극히 말하였다. 논밭을 가는 것은 농사의 시작이고, 수확은 끝을 이룬다. 밭이 일 년 된 것을 '치(菑)'라고 하고, 밭이 삼년 된 것을 '여(畬)'라고 한다. "밭을 갈지 않고서도 수확하고 일년 된 밭을 만들지 않고서도 삼년 된 밭이 된다"는 것은 앞장서서 일을 만들지 않고 사리의 당연한 바를 따름을 말한다. 앞장서서 일을 만든다면 이는 인심으로 작위한 것이므로 바로 망령이고, 일의 당연한 바를 따른다면 이는 이치와 사물에 순응하는 것이므로 망령이 아니니, '수확'과 '삼년 된 밭'이 이것이다. 밭을 갈면 반드시 수확이 있고, 일년 된 밭을 만들면 반드시 삼년 된 밭이 있으니, 이는 일의 이치가 본래 그러한 것이고, 마음과 뜻으로 조작한 것이 아니다. 이와 같이 하면 무망이 되니, 망령되지 않으면 가는 것이 이롭고 해로움이 없다.

어떤 이가 말하였다: 성인이 제작하여 천하를 이롭게 하는 것은 다 단서를 만드는 것이니, 어찌 망령이 아니겠습니까?
답하였다: 성인은 때에 따라 제작하여 풍속의 마땅함에 합하게 하였고, 일찍이 때에 앞서서 열어 놓지 않았습니다. 만약 때를 기다리지 않았다면, 한 성인이 모두 만들었을 것이니, 어찌 여러 성인이 뒤이어 나오기를 기다렸겠습니까? 때는 바로 일의 단서이니, 성인은 때에 따라 하는 것입니다.

小註

廣平游氏曰, 不耕穫, 不菑畬, 以明君子之於物, 應而不唱, 其於事, 述而不作, 非樂通物也, 樂循理也.
광평유씨가 말하였다: "밭을 갈지 않고서도 수확하며, 일년 된 밭을 만들지 않고서도 삼년 된 밭이 된다"는 것은 군자가 만물에 대해서 응하기는 하지만 먼저 부르지 않고, 일에 대해서는 서술하기는 하지만 창작하지 않아서, 만물과 통하는 것은 즐거워하는 것이 아니라, 이치를 따름을 즐거워한다는 것을 밝혔다.

○ 朱子曰, 耕菑, 固必因時而作. 然對穫畬而言, 則爲首造矣. 易中取象, 亦不可以文害辭辭害義. 若必字字拘泥, 則不耕而望穫, 不菑而望畬, 亦豈有此理耶.
주자가 말하였다: 갈고 만드는 것은 본래 반드시 때를 따라 해야 한다. 그러나 수확을 하고 삼년 된 밭을 만드는 것에 대해 말한다면 처음 만드는 것이 된다. 『주역』 가운데 상을 취하는 것도 또한 구절을 가지고 문장을 해쳐서는 안 되고, 문장으로 뜻을 해쳐서는 안 된다. 반드시 한 글자 한 글자에 얽매인다면, 밭을 갈지 않고서도 수확을 바라며, 일년 된 밭을 만들지 않고서도 삼년 된 밭을 바라는 것과 같으니, 어찌 이러한 이치가 있겠는가?

○ 問, 程傳爻辭, 恐未明白. 竊謂无不耕而穫不菑而畬之理, 只是不於耕而計穫之利. 如程子所解象辭, 移之以解爻辭, 則可. 曰, 易傳爻象之辭, 雖若相反而意實相近, 特辭有未足耳. 爻辭言當循理, 象辭言不計利, 循理則不計利, 計利非循理也. 但考之經文, 則若有可疑者. 若曰不耕而穫, 則多卻而字. 若曰不於耕而求穫之利, 則又須增數字, 方通. 嘗謂此爻乃自始至終, 都不營爲而偶然有得之意. 耕穫菑畬, 擧事之始終而言也. 當无妄之世, 事蓋有如此者, 若以義言, 則聖人之无爲而治, 學者之不要人爵而人爵從之, 皆是也. 大抵此爻所謂无妄之福, 而六三則所謂无妄之禍也.
물었다: 『정전』의 효사에 대한 풀이는 아마도 분명하지 않은 듯합니다. 제가 생각하기에 갈지 않고도 수확을 하고 일년 된 밭을 만들지 않고서도 삼년 된 밭이 되는 이치는 없으며, 다만 갈면서 수확의 이익을 계산하지 않는다는 것입니다. 정자가 상사를 해석한 것을 효사

에 대한 해석으로 옮긴다면 괜찮습니다.
답하였다: 『역전』의 효사와 상사는 비록 상반되는 것 같지만, 뜻은 실제로 서로 가까운데, 다만 글이 충분하지 않을 뿐입니다. 효사에서는 마땅히 이치를 따라야 한다고 말했고, 상사에서는 이익을 계산하지 않는다고 말했는데, 이치를 따르면 이익을 계산하지 않고 이익을 계산하는 것은 이치를 따르는 것이 아닙니다. 다만 경문에서 고찰하면 의심할 만한 것이 있는 듯합니다. "갈지 않고도 수확을 한다[不耕而穫]"고 말하면 '이(而)'자가 많게 되고, "갈면서 수확의 이익을 계산하지 않는다"고 말하면 또한 반드시 몇 글자를 더해야 뜻이 통합니다. 일찍이 생각하기를 이 효는 처음부터 끝까지 모두 인위적으로 하지 않고 우연히 얻는다는 뜻이라고 생각하였습니다. 갈고 수확하며, 일년 된 밭이 삼년 된 밭이 된다는 것은 모두 일의 처음과 끝을 들어서 말한 것입니다. 무망의 세상을 당하여 일이 대체로 이와 같은 것은 의리로 말하면 성인이 무위로 다스리고 배우는 사람이 작위를 요구하지 않아도 작위가 따라오는 것이 모두 그렇습니다. 대체로 이효는 이른바 바라지 않던 복이고, 육삼은 이른바 바라지 않던 화입니다.

○ 潛室陳氏曰, 伊川大意, 只謂不爲穫而耕, 不爲畬而菑. 凡有所爲而爲者, 皆計利之私心, 卽妄也. 但經文中不如此下語, 故易傳中頗費言語, 始謂不耕而穫不菑而畬, 謂不首造其事, 則似以耕菑爲私意. 中謂耕則必有穫, 菑則必有畬, 非心造意作, 則以耕穫菑畬爲非私意. 終謂旣耕則必有穫, 旣菑則必成畬, 非必以穫畬之富而爲, 則又似以穫畬爲私意. 三說不免自相抵牾, 所以本義但據經文, 直說謂无耕穫菑畬之私心. 蓋農夫治田, 都无計利之私心, 當无妄之時, 皆不可有此意想. 如農夫之耕穫, 則於經文甚直, 无繚繞之礙. 又曰, 不首造者, 謂作事之始, 不可萌計較課功意乃明道不計功之說也.
잠실진씨가 말하였다: 이천의 대략적인 뜻은 다만 수확을 위해 가는 것이 아니고, 삼년 된 밭을 위해 일년 된 밭을 만드는 것이 아니라는 것이다. 대체로 무엇을 위해서 하는 것은 모두 이익을 계산하는 사사로운 마음이니, 곧 망령이다. 다만 경문 가운데 이렇게 쓴 말이 없기 때문에 『역전』 가운데서 자못 말을 많이 하여 처음에는 "갈지 않고도 수확을 하고 일년 된 밭을 만들지 않고서도 삼년 된 밭이 된다"고 말하였으니, 그것은 처음 그 일을 만들지 않는다면 갈고 밭을 만드는 것을 사사로운 뜻이라고 여기는 듯하다. 중간에는 갈면 반드시 수확이 있고, 일년 된 밭을 만들면 반드시 삼년 된 밭이 된다고 말하니, 마음과 뜻으로 조작하지 않으면 갈아서 수확하고 일년 된 밭을 만들어 삼년 된 밭이 되는 것이 사사로운 뜻이 되지 않는다는 것이다. 마지막에는 이미 갈면 반드시 수확이 있고, 일년 된 밭을 만들면 반드시 삼년 된 밭이 된다고 말했으니, 반드시 수확하고 삼년 된 밭이 되는 것이 부유하다고 생각해서 하는 것이 아니라면, 또한 수확하고 삼년 된 밭이 되는 것이 사사로운 뜻이 되지 않는다는 뜻인 듯하다. 세 설은 저절로 서로 어긋나는 것을 면하지 못하기 때문에, 『본의』에

서는 다만 경문에 의거하여 곧장 "밭을 갈거나 수확하며, 일년 된 밭과 삼년 된 밭을 만들려는 사사로운 마음이 없다"고 설명하였다. 농부가 밭을 다스리는 것은 전혀 이익을 계산하는 사사로운 마음이 없으니, 무망의 때를 당하여 이러한 뜻을 두어서는 안 된다. 농부가 갈고 수확하는 것은 경문에 매우 잘 맞고, 에두르는 장애가 없다.
또 말하였다: 먼저 만들지 않는다는 것은 일을 시작하는 처음에 비교하여 계산하고 공적을 따지는 뜻을 가져서는 안 된다는 것이니, 동중서의 "도를 밝히고 공적을 계산하지 않는다"[78]는 설명과 같다.

本義

**柔順中正, 因時順理, 而无私意期望之心. 故有不耕穫不菑畬之象, 言其无所爲於前, 无所冀於後也. 占者如是, 則利有所往也.**

유순하고 중정하여 때에 따르고 이치에 순응해서 사사로운 마음으로 기대하고 바라는 마음이 없다. 그러므로 밭을 갈거나 수확하지 않으며 일년 된 밭과 삼년 된 밭을 만들지 않는 상이 있으니, 앞에서 하는 일이 없고 뒤에서 기대하는 일이 없음을 말하였다. 점치는 자가 이와 같이 하면, 가는 것이 이롭다.

小註

朱子曰, 六二在无妄之時, 居中得正, 故吉. 其曰不耕穫不菑畬, 是四事都不做. 蓋自有一様時節, 都不須得作爲, 事事都不動作, 亦自利有攸往. 看來无妄合是无望之義, 如无妄之災, 无妄之疾, 都是没巴鼻恁地. 伊川作三意說, 不耕而穫, 耕而不穫, 耕而不必穫, 看來只是見成領會他.
주자가 말하였다: 육이는 무망의 때에 가운데 있고 바른 자리에 있기 때문에 길하다. "밭을 갈거나 수확하지 않으며, 일년 된 밭과 삼년 된 밭을 만들지 않는다"는 것은 네 가지 일을 모두 하지 않는 것이다. 저절로 하나의 때를 가지고 있는 것에 대해서는 인위적으로 해서는 안 되니, 일마다 모두 동작하지 않는 것 또한 스스로 가는 것을 이롭게 여기는 것이다. 보기에 무망은 바램이 없다는 뜻에 맞으니, 바라지 않던 재앙과 바라지 않던 질병은 모두 어찌할 수가 없다. 이천이 세 가지 뜻으로 만들어 설명하여 갈지 않고도 수확하고, 갈아도 수확하지 않고, 갈아도 반드시 수확하려고는 하지 않는다고 한 것은 보기에 다만 그것을 피상적

78) 『漢書·董仲舒傳』: 夫仁人者, 正其誼, 不謀其利, 明其道, 不計其功.

으로 이해하고 있다.

○ 西溪李氏曰, 无妄, 誠也, 實理也. 有一毫求得於外之心, 便害无妄之體. 耕穫菑畬, 求得於外也. 必无耕穫菑畬之心, 然後可以有所往. 二以陰居陰, 雖得中, 然未實也. 中未實, 則必外求, 因有此戒.
서계이씨가 말하였다: 무망은 성실이고 실제적인 이치이다. 조금이라도 밖에서 구하려는 마음이 있으면 곧 무망의 본 모습을 해치게 된다. 갈고 수확하며, 일년 된 밭을 만들고 삼년 된 밭을 만드는 것은 밖에서 구하는 것이다. 반드시 갈고 수확하며, 일년 된 밭을 만들고 삼년 된 밭을 만들려는 마음이 없은 다음에야 가는 곳을 가질 수 있다. 이효는 음으로서 음에 거하여 비록 가운데 있으나 아직 실하지 못하다. 가운데 있으나 아직 실하지 못하면 반드시 밖에서 구하기 때문에 이러한 경계를 두었다.

○ 廬陵龍氏曰, 耕穫菑畬而得穀, 此常理也. 然天命偶然, 亦有不用力而穫者, 无妄之福也. 若有如此福利, 自然至前, 則宜有所往矣, 則字喚得分明. 然利往與否, 又在占者審擇此未定之占.
여릉용씨가 말하였다: 갈고 수확하며 일년 된 밭을 만들고 삼년 된 밭을 만들어 곡식을 얻는 것은 일상적인 이치이다. 그러나 천명의 우연으로 힘을 쓰지 않고도 수확하는 경우가 있으니, 바라지 않던 복이다. 이와 같은 복과 이익이 자연스럽게 앞에 이른다면 마땅히 가야하고, 그렇게 해석하면 글자가 매우 분명해진다. 그러나 가는 것이 이로운가의 여부는 또 점치는 자가 아직 정해지지 않은 점을 살펴 택하는 데에 달려있다.

○ 雲峯胡氏曰, 耕穫者, 種而斂之也. 菑畬者, 墾而熟之也. 諸家以爲不耕而穫, 不菑而畬, 是從外添一而字. 惟本義以爲一歲之農, 始於耕, 終於穫, 三歲之田, 始於菑, 終於畬, 不耕穫, 不菑畬. 六二柔順中正, 終始无所作爲之象, 而必曰因時順理者, 理本自然无所作爲, 亦有時可如此不煩作爲者. 六二柔順之至, 因其時, 順其理, 自始至終, 絶无計功謀利之心, 无所望而有得焉者也, 故其占曰利有攸往. 或曰, 利有攸往, 則宜於有爲矣, 而以爲无所作爲者何也. 曰, 惟其因時順理而不自作爲, 此所以可有爲也.
운봉호씨가 말하였다: 갈고 수확한다는 것은 씨앗을 뿌리고 거두어들이는 것이다. 일년 된 밭을 만들고 삼년 된 밭을 만든다는 것은 개간하고 익숙한 밭을 만드는 것이다. 여러 학자들이 “갈지 않고도 수확을 하고 일년 된 밭을 만들지 않고서도 삼년 된 밭이 된다”고 한 것은 밖으로부터 하나의 ‘이(而)’라는 글자를 더한 것이다. 오직 『본의』에서는 한 해의 농사가 가는 데서 시작하고 수확하는데서 끝나며, 삼년된 밭은 일년 된 밭에서 시작하고 삼년 된 밭에서 끝나므로, 밭을 갈거나 수확하지 않으며, 일년 된 밭과 삼년 된 밭을 만들지 않는다

고 하였다. 육이는 유순하고 중정하여 처음부터 끝까지 작위하는 상이 없는데, 반드시 때를 따르고 이치를 따르라고 한 것은 이치는 본래 저절로 그러해서 작위가 없지만, 때로는 이처럼 작위하지 않아야 하는 때도 있기 때문이다. 육이는 지극히 유순하여 때를 따르고 이치를 따라서 처음부터 끝까지 절대로 공을 계산하고 이익을 도모하는 마음이 없으니, 바라는 것이 없어도 얻는 자이다. 그러므로 그 점에 가는 것이 이롭다고 하였다.

어떤 이가 물었다: 가는 것이 이로우면 행동을 하는 것이 마땅한데, 작위를 하지 않아야 한다고 말한 것은 왜입니까?

답하였다: 때를 따르고 이치를 따를 뿐 스스로 작위하지 않으니, 이것이 행동할 수 있는 까닭입니다.

## ▌韓國大全▐

### 권근(權近) 『주역천견록(周易淺見錄)』

程子吳氏, 皆謂不耕而穫, 不菑而畬, 語同而意異. 程子謂不首造其事, 因其事理之當然. 吳氏謂在先无求之之心, 而在後有得之之實. 本義以爲无所爲於前, 无所冀於後, 是四者都不爲也. 三說於義皆通, 但程說如舍車而徒之語, 吳說如不富以其鄰之意. 聖人之辭, 雖極簡奧, 亦必用助辭之字, 以明其意, 耕穫菑畬, 雖曰四事, 亦一事之終始先後也. 中无轉辭, 但以一不字包於其上, 則朱子之說, 眞得本旨矣. 猶詩所謂不識不知, 順帝之則也. 象曰不耕穫, 未富也, 言非欲其爲富也. 程說則雖不耕菑, 而猶爲穫畬之事, 吳說則雖不耕菑, 而已得穫畬之利, 皆與此象不合也.

정자와 오징이 모두 "밭을 갈지 않고서도 수확하며 일 년 된 밭을 만들지 않아도 삼년 된 밭이 된다"고 말한 것은 말은 같지만 의미는 다르다. 정자는 "앞장서서 일을 만들지 않고 사리의 당연한 바를 따름을 말한다"고 하였다. 오징은 "앞에서 구하는 마음이 없고 뒤에서 그것을 얻는 결과가 있다"고 하였다. 『본의』는 "앞에서 하는 일이 없고 뒤에서 기대하는 일이 없다"고 하였으니, 이 네 가지를 모두 하지 않는 것이다. 세 설명이 의리상 모두 통하기는 하지만 정자의 설명은 "수레를 버리고 걸어서 간다"는 말과 같고, 오징의 설명은 "부유하지 않고도 이웃과 함께 한다"는 뜻과 같다. 성인의 말이 비록 매우 간단하면서도 심오하지만 반드시 조사가 되는 글자를 써서 그 뜻을 밝혔으니, '밭을 갈고[耕]', '수확하며[穫]', '일 년 된 밭을 만들고[菑]', '삼년 된 밭이 되는 것[畬]'이 비록 네 가지 일이지만 또한 한 가지 일의 끝과 처음, 앞과 뒤이다. 중간에 역접의 조사가 없이 그 앞에 '불(不)'자 한 글자로 포괄하고 있으니, 주자의 설명이 진실로 본래의 뜻을 얻었다. 이는 『시경』에서 "느끼지도 못하고 알지도 못하는 사이에 상제(上帝)의 법칙에 따른다"고 한 경우에 해당한다. 「상전」에서 "밭을 갈거나 수확하지 않음은 부유하게 여겨서가 아니다"고 하였는데, 이는 부유하게 하고자 한 것이 아니라는 말이다. 정자의 설명은 밭을 갈지 않고 일 년 된 밭을 만들지 않더라도 오히려 수확하고 삼년 된 밭이 되는 일이 되는 것이고, 오징의 설명은 밭을 갈지 않고 일 년 된 밭을 만들지 않았으나, 이미 수확하고 삼년 된 밭의 이익을 얻는다는 것이니, 모두 이 상(象)과 합치되지 않는다.

### 조호익(曺好益) 『역상설(易象說)』

六二, 不耕穫, 不菑畬.
육이는 밭을 갈지 않고서도 수확하며, 일 년 된 밭을 만들지 않고서도 삼년 된 밭이 된다.

震居東方, 於時爲春. 乾居西北, 於時爲秋冬之交. 震東作之始, 乾西成之終. 耕穫菑畬, 因卦氣取象. 兩不字, 因卦義取象. 耕穫菑畬, 二田象.
진괘는 동방(東方)에 있어 시기로는 봄이 되고, 건괘는 서북방에 있어 시기로는 가을과 겨울이 교차하는 때가 된다. 진괘인 동쪽은 시작하는 처음이 되고, 건괘인 서쪽은 이루는 끝이 된다. 밭을 갈고 수확하며 일 년 된 밭과 삼년 된 밭은 괘기(卦氣)를 인하여 상을 취하였다. 두 '불(不)'자는 괘의 뜻을 인하여 상을 취하였다. 밭을 갈고 수확하며 일 년 된 밭과 삼년 된 밭은 이효인 '밭'의 상이다.

○ 自初至五, 全體似益, 有斲木爲耜, 揉木爲耒之象. 二在地上, 有田象, 故耕穫菑畬之象. 兩不字, 戒辭. 震爲稼, 不艮止象.
초효부터 오효까지는 전체의 모양이 익괘(益卦䷩)와 비슷하니, 나무를 깎아서 쟁기를 만들고 나무를 휘어서 쟁기자루를 만드는 상이 있다. 이효는 땅 위에 있으니, 밭의 상이 있으므로 밭을 갈고 수확하며 일 년 된 밭과 삼년 된 밭의 상이다. 두 '불(不)'자는 경계하는 말이다. 진괘는 심는 것이 되고, '불(不)'은 간괘의 그치는 상이다.

### 김장생(金長生) 「주역(周易)」

无妄六二, 不耕穫.
무망괘 육이에서 말하였다: 밭을 갈거나 수확하지 않는다.

朱子曰, 不耕穫, 伊川作三意說, 不耕而穫, 耕而不穫, 耕而不必穫.
주자가 말하였다: '불경확(不耕穫)'에 대해 이천은 세 가지 뜻으로 만들어 '밭을 갈지 않고서도 수확하고', '밭을 갈아도 수확하지 않고', '밭을 갈아도 반드시 수확하는 것은 아니다'라고 하였다.

○ 退溪曰, 讀此爻, 須先辨程子初中末三處之異. 又須辨本義之旨, 各有歸宿, 然後隨文訓說, 庶可分明.
퇴계가 말하였다: 이 효를 읽으면 모름지기 먼저 정자가 말한 처음과 중간, 끝 세 곳에서의 차이를 분변해야 한다. 또 『본의』의 뜻은 각각 돌아가는 곳이 있음을 분변해야하니, 그런 뒤에 문장에 따라 설명을 풀이한다면 거의 분명하게 된다.

○ 愚按, 程傳理之所然, 事之當然, 指穫畬也, 是非妄也. 人所欲爲, 人心所作爲, 指耕菑也, 乃妄也. 此卽不耕而穫之說也. 所謂耕而不穫, 耕而不必穫二者, 雖若有異意, 實同歸, 是皆指穫爲妄, 指耕爲非妄也, 而耕有於耕旣耕之分者也. 本義則耕穫皆妄, 而直說不耕穫者也.
내가 살펴보았다: 『정전』에서의 '이치가 그러한 바'와 '일의 당연한 바'는 수확하고 삼년 된 밭을 가리키니, 이는 망령된 것이 아니다. '사람이 하고자 하는 것'과 '인심으로 작위한 것'은 '밭을 갈고' '일 년 된 밭이 되는 것'을 가리키니, 이는 망령된 것이다. 이것이 바로 밭을 갈지 않고서도 수확한다는 설명이다. 이른바 '밭을 갈아도 수확하지 않고', '밭을 갈아도 반드시 수확하는 것은 아니다'라고 한 두 가지는 비록 다른 뜻이 있는 것 같지만 실상은 같은 데로 돌아가니, 이는 모두 수확하는 것이 망령됨을 가리키고, 밭을 가는 것은 망령되지 않은 것이 됨을 가리키는데, 밭을 가는 것에는 갈고 있는지 이미 갈았는지의 구분이 있다. 『본의』에서는 밭을 갈고 수확함이 모두 망령이어서 곧바로 "갈거나 수확하지 않는다"고 말하였다.

## 송시열(宋時烈) 『역설(易說)』

震爲春耕, 故耕菑之象. 二爻往從五爻, 然後家業成矣. 雖不耕菑, 〈菑, 一歲田也.〉 亦有穫畬之道, 所以利往也. 巽爲富, 小象言未富者, 言卦爲震, 而猶未變爲巽也. 蓋不耕而有獲, 不菑而爲畬者, 〈畬, 三歲田也.〉 无妄之利也. 然其利小, 而未富大也.
진괘는 봄에 밭을 가는 것이 되므로 밭을 갈고 일 년 된 밭이 되는 상이다. 이효는 가서 오효를 따르니, 그러한 뒤에 가업이 이루어진다. 비록 밭을 갈지 않고 일 년 된 밭을 만들지 않더라도〈'치(菑)'는 일 년 된 밭이다.〉 수확하고 삼년 된 밭이 되는 도가 있으니, 이 때문에 감이 이롭다. 손괘는 부유함이 되니, 「소상전」에서 "부유하게 여겨서가 아니다"고 말한 것은 괘가 진괘가 되지만, 오히려 아직 손괘로 변한 것이 아님을 말한다. 밭을 갈지 않고서도 수확이 있으며 일 년 된 밭을 만들지 않고서도 삼년 된 밭이 되는 것은〈'여(畬)'는 삼년 된 밭이다.〉 무망의 이로움이다. 그러나 그 이로움이 작아서 아직 부유함이 큰 것은 아니다.

### 강석경(姜碩慶) 「역의문답(易疑問答)」

无妄之六二曰, 不耕穫不菑畬, 何謂也. 曰, 居无妄之世, 得其道, 則都无營爲, 而有无妄之福, 失其道, 則行得邑灾, 遭无望之禍. 六二之利, 六三之灾, 是也. 程傳之義, 艱曲而難通, 有所不敢知也.

무망괘 육이에서 "밭을 갈지 않고서도 수확하며, 일 년 된 밭을 만들지 않고서도 삼년 된 밭이 된다"고 한 것은 무슨 뜻인가? 무망의 때에 있으면서 그 도를 얻으면 모두 영위(營爲)함이 없어도 무망의 복이 있으며, 도를 잃으면 행하더라도 읍의 재앙을 얻고 무망의 화를 만난다. 육이의 이로움과 육삼의 재앙이 이것이다. 『정전』의 뜻이 간곡(艱曲)하지만 통하기 어려우니, 감히 알지 못할 바가 있다.

### 이익(李瀷) 『역경질서(易經疾書)』

六二, 處得中正, 與卦主同義, 故亦利有攸往也. 上與九五中正之君相應, 雖非近君, 卽遇時志行者也, 不耕而獲, 則廩人繼粟也, 不菑而畬, 則有封邑采地也. 此皆自然无望而至, 非有富之之心也. 昔公子荊, 善居室, 雖至富有, 但言苟而已. 苟者, 姑且之意. 財本外物, 有與無不常, 不曾視爲己物, 此未富之義也. 易學正未作求, 更詳之.

육이는 처함이 중정(中正)함을 얻어 괘의 주인과 뜻이 같으므로 또한 가는 것이 이롭다. 위로 구오인 중정한 임금과 서로 호응하니, 비록 임금에게 가깝지는 않지만 때를 만나 뜻이 행해지는 자이니, 밭을 갈지 않고서도 수확함은 창고지기[廩人]가 곡식을 계속 가져다 주는 것이며,[79] 일 년 된 밭을 만들지 않고서도 삼년 된 밭이 되는 것은 봉읍(封邑)과 채지(采地)가 있는 것이다. 이는 모두 저절로 그러하여 바라는 것이 없어도 이르는 것이지 부유하게 하려는 마음이 있는 것이 아니다. 옛날 공자 형(荊)이 집에 거처하기를 잘 하여[80] 비록 부유함에 이르렀지만, 겨우 갖추었다고 말하였다. '구(苟)'는 구차하다는 말이다. 재물은 본래 바깥 사물이어서 있고 없는 것이 일정하지 않아 일찍이 나를 위한 물건으로 보지 않았으니, 이것이 "부유하게 여겨서가 아니다"는 뜻이다. 『주역거정』에서는 '미(未)'를 '구(求)'라고 했으니, 다시 살펴보아야 한다.

---

79) 『孟子 · 萬章』.
80) 『論語 · 子路』

## 심조(沈潮) 「역상차론(易象箚論)」

六二, 不耕穫, 不菑畬.
육이는 밭을 갈지 않고서도 수확하며, 일 년 된 밭을 만들지 않고서도 삼년 된 밭이 된다.

二, 卽地上田也. 自初至五, 似益耒耜之象也. 〈係辭曰, 耒耜取諸益.〉 又互有艮山田也, 故稱菑畬.
이효는 곧 땅위의 밭이다. 초효로부터 오효까지는 익괘(益卦) 뇌사(耒耜)의 상과 같다. 〈『계사전』에서 말하였다: '뇌사'는 익괘에서 취하였다.〉 또 호괘인 간괘에 산전(山田)의 뜻이 있으므로 '치여(菑畬)'라고 말했다.

## 유정원(柳正源) 『역해참고(易解參攷)』

朱子曰, 不耕不穫, 不菑不畬, 无所爲於前, 无所冀於後, 未嘗略起私意以作爲. 唯因時順理而已. 程傳作不耕而穫, 不菑而畬, 不唯添了而字, 又文勢牢强, 恐不如此.
주자는 "밭을 갈지 않고 수확하지 않으며 일 년 된 밭과 삼년 된 밭을 만들지 않으며, 앞에서 하는 일이 없고 뒤에서 기대하는 일이 없다"고 하였으니, 일찍이 사사로운 뜻을 일으켜 작위하고자 하는 것이 아니다. 오직 때에 따르고 이치에 순응할 뿐이다. 『정전』에서는 "밭을 갈지 않고서도 수확하고 일 년 된 밭을 만들지 않고서도 삼년 된 밭이 된다"고 하였는데, 단지 '이(而)'자를 더했을 뿐만이 아니라, 또 문장의 형세가 억지스러우니, 아마도 이와 같지는 않은 듯하다.

○ 雙湖胡氏曰, 卦辭不利有攸往, 戒震也. 爻辭初往吉, 二則利有攸往者, 蓋卦體艮止在前, 動亦不正, 爻則初前二陰, 二前一陰, 无窒碍故也.
쌍호호씨가 말하였다: 괘사에서 "가는 것이 이롭지 않다"는 진괘를 경계한 것이다. 효사 초효에서 "가는 것이 길하다"는 것과 이효에서 "가는 것이 이롭다"는 것은 대체로 괘의 몸체가 간괘인 그침이 앞에 있고 움직임이 또 바르지 않지만 효로써는 초효 앞에 두 음이고 이효 앞에 한 음이어서 막힘이 없기 때문이다.

本義, 小註, 朱子說, 沒巴鼻.
『본의』 소주에서 주자가 말하였다: "어찌할 수가 없다[沒巴鼻]".
案, 巴, 韻書尾也. 巴鼻, 猶言頭尾也. 言无作爲期必, 而利害自至, 是爲无妄之福, 无妄之禍, 故曰沒巴鼻.
내가 살펴보았다: '파(巴)'는 『운서』에서 '미(尾)'라고 하였으니, 파비(巴鼻)는 시작과 끝이

라고 말하는 것과 같다. 작위(作爲)를 기필함이 없지만 이해(利害)가 저절로 이름은 무망의 복이 되기도 하고 무망의 화가 되기도 함을 말하므로 "어찌할 수가 없다"고 하였다.

### 김상악(金相岳) 『산천역설(山天易說)』

六二, 居中得正, 无私意期望者, 而震互巽艮, 故有不耕穫不菑畬之象. 雖有爲于前, 无所望於後, 能如是, 則利有所往也.

육이는 가운데 있고 바름을 얻어 사사로운 뜻으로 기대하고 바라는 것이 없는 자인데, 진괘의 호괘가 손괘(☴)와 간괘(☶)이므로 밭을 갈지 않고서도 수확하며, 일 년 된 밭을 만들지 않고서도 삼년 된 밭이 되는 상이 있다. 비록 앞에서 함이 있더라도 뒤에서 바라는 바가 없으니, 이와 같을 수 있다면 가는 것이 이롭다.

○ 二在地上爲田, 而震木動於下, 巽木進退於上, 耕與菑之象. 所以耒耨之利, 取之于益也. 以艮手持震之禾, 穫與畬之象. 二互離體, 離爲己土, 土爰稼穡, 故全爻之象如此. 方耕而无望其穫, 方菑而无望其畬, 得无妄之義也. 所以利有攸往, 大抵二爲无望之福, 三爲无妄之災也.

이효는 땅 위에 있어서 밭이 되고, 진괘인 나무는 아래에서 움직이고 손괘인 나무는 위에서 나아가고 물러나니, 밭을 갈고 일 년 된 밭이 되는 상이다. 이 때문에 쟁기와 괭이의 이로움을 익괘에서 취하였다. 간괘인 손으로 진괘인 벼를 잡음은 수확하고 삼년 된 밭이 되는 상이다. 이효는 호괘가 '큰 리괘[☲]'의 몸체가 되는데 리괘는 기토(己土)[81]가 되니, 땅은 이에 심고 가꾸는 것이므로 전체 효의 상이 이와 같다. 막 밭을 갈더라도 그 수확할 것을 바라는 것이 없고, 막 일 년 된 밭을 만들더라도 삼년 된 밭을 바라는 것이 없어서 무망의 뜻을 얻는다. 이 때문에 가는 것이 이로우니, 대체로 이효는 무망의 복이 되고 삼효는 무망의 재앙이 된다.

### 김규오(金奎五) 「독역기의(讀易記疑)」

六二傳, 不耕而穫不菑而畬, 三說果相抵捂. 然覽者, 皆以不字遽釋於耕字菑字之下而然耳. 若以此不字釋於穫畬之下, 以爲不於耕菑之時, 求其穫畬而爲之, 如朱子第二說則傳之三說, 亦可以會而通之.

육이의 『정전』에서 "밭을 갈지 않고서도 수확하고 일년 된 밭을 만들지 않고서도 삼년 된

---

81) 기토(己土): 큰 토(土)를 무토(戊土)라 하고 작은 토(土)를 기토(己土)라 한다. 무토(戊土)가 제방이나 산을 의미한다면 기토(己土)는 전답이나 초지처럼 작은 땅을 의미한다.

밭이 된다"고 하였으니, 세 설명이 과연 서로 어긋난다. 그러나 살펴보면 모두 '불(不)'자를 '경(耕)'자와 '치(菑)'자 아래에서 해석하여 그러한 것이다. 만약 이 '불'자를 '확(穫)'과 '여(畬)'자 아래에서 해석하여 밭을 갈거나 일년 된 밭을 만드는 때에 그 수확하거나 삼년 된 밭을 구하여서 그렇게 하는 것이 아니라고 본다면, 주자의 두 번째 설명은 『정전』의 세 번째 설명과 같아서 또한 합하여 통할 수 있을 것이다.

○ 義因時順理, 又曰无所爲无所冀, 旣曰因時, 曰順理, 則亦非全无所事, 特其所事, 无所爲无所冀, 如行其所无事也. 爲, 當作去聲. 旣有所事而謂之无妄之福, 何也. 本非冀其有福, 而福自撈到, 故云耳.
『본의』는 "때에 따르고 이치에 순응한다"고 하고, 또 "하는 일이 없고 기대하는 일이 없다"고 하였으니, 이미 "때에 따른다"고 하고 "이치에 순응한다"고 한다면 또한 전연 하는 일이 없는 것이 아니고, 다만 그 하는 일이 "인위적으로 하는 일이 없고 기대하는 일이 없다"는 것으로 일삼을 것이 없는 것을 행하는 것과 같다. '위(爲)'는 거성으로 읽어야 한다. 이미 일삼을 것이 있는데 무망의 복이라고 말한 것은 어째서인가? 본래 그것이 복이 있을 것이라고 기대하지 않았는데 복이 저절로 들어오므로 그렇게 말한 것이다.

○ 義解當作畬 ㅣ면 往 ᄒᆞ리라
『본의』의 해석은 마땅히 "여(畬)면 왕(往)하리라"로 해야 한다.

## 조유선(趙有善) 「경의(經義)-주역본의(周易本義)」

六二程傳曰, 不耕而穫, 不菑而畬, 謂不首造其事. 又曰, 耕則必有穫, 菑則必有畬, 是事理之固然. 又曰, 耕必穫, 菑必畬, 非必以穫畬之富而爲之也. 陳潛室謂, 三說自相牴牾. 然大意, 則謂不於耕菑而求穫畬之利也. 本義曰, 無所爲於前, 無所冀於後. 又語類曰, 若曰不耕而穫, 則多卻而字. 此爻自始至終, 都不營爲而偶然有得之意. 竊謂治農者, 無所期望則可矣. 竝與所當爲者而廢焉, 此果成事理乎. 耕則必穫, 菑則必畬, 此固事理之當然, 而或有不待耕菑而得穫畬之利者, 正所謂无妄之福也. 六二柔順中正, 故有此象. 耕菑下雖不着而字, 義亦可通. 但傳義說, 俱不如此, 更當詳之.
육이의 『정전』에서 "'밭을 갈지 않고서도 수확하고 일 년 된 밭을 만들지 않고서도 삼년 된 밭이 된다'는 것은 앞장서서 일을 만들지 않음을 말한다"고 하였다. 또 "밭을 갈면 반드시 수확이 있고, 일 년 된 밭을 만들면 반드시 삼년 된 밭이 있으니, 이는 일의 이치가 본래 그러한 것이다"고 하였다. 또 "밭을 갈면 반드시 수확이 있고, 일 년 된 밭을 만들면 반드시 삼년 된 밭이 되게 마련이지, 반드시 수확하고 삼년 된 밭이 되는 것을 부유하게 여겨서 하는 것이 아니다"고 하였다. 잠실진씨는 "세 설은 저절로 서로 어긋난다"고 하였다. 그러나 대의에 있어서는 밭을 갈고 일 년 된 밭을 만들어서 수확하고 삼년 된 밭이 되는 이로움을 구하지 않는 것을 말한다. 『본의』에서는 "앞에서 하는 일이 없고 뒤에서 기대하는 일이 없다"고 하였다. 또 『주자어류』에서는 "만약 밭을 갈지 않고 수확한다고 말한다면 대체로 '이(而)'자를 없애야 한다. 이 효는 처음부터 끝까지 모두 하는 일이 없지만, 우연히 얻는 것이 있다는 뜻이다"고 하였다. 내가 가만히 생각해보건대, 농사를 다스리는 것은 바라기를 기약함이 없는 것이 좋다. 아울러 마땅히 해야 할 바의 것인데도 폐지한다면 이것이 과연 사리에 맞겠는가? 밭을 갈면 반드시 수확하게 되고 일 년 된 밭을 만들면 반드시 삼년 된 밭이 되니, 이는 본래 사리의 당연한 것인데, 혹 밭을 갈고 일 년 된 밭을 만들고서 수확하고 삼년 된 밭의 이로움을 얻는 것을 기대하지 않는 것이 바로 이른바 무망의 복이다. 육이는 유순하고 중정하므로 이러한 상이 있다. '경(耕)'과 '치(菑)' 아래에 비록 '이(而)'자를 쓰지는 않았지만, 뜻이 또한 통할 수 있다. 다만 『정전』과 『본의』의 설명이 모두 이와 같지는 않으니, 다시 마땅히 자세히 살펴야 한다.

○ 本義, 無所爲於前, 無所冀於後, 是謂耕穫菑畬, 俱不爲之矣. 此果事理之當然耶. 傳於象辭下釋之曰, 旣耕則必有穫, 旣菑則必成畬, 非必以穫畬之富而爲之也. 此謂不於耕而求穫, 不於菑而求畬也. 義理固好, 而文勢恐或不順, 未知何所適從耶.
『본의』에서 "앞에서 하는 일이 없고 뒤에서 기대하는 일이 없다"는 것은 '밭을 갈고', '수확하며', '일 년 된 밭을 만들고', '삼년 된 밭이 된다'는 것을 모두 하지 않는 것을 말한다. 이것이 과연 사리의 당연한 것인가? 「상전」 아래의 『정전』에서 그것을 해석하여 "밭을 갈면 반드시 수확이 있고, 일 년 된 밭을 만들면 반드시 삼년 된 밭이 되게 마련이지, 반드시 수확하고 삼년 된 밭이 되는 것을 부유하게 여겨서 하는 것이 아니다"라고 하였다. 이는 밭을 갈고서도 수확하기를 구하지 않으며, 일 년 된 밭을 만들고서도 삼년 된 밭을 구하지 않음을 말한다. 의리(義理)상 진실로 좋지만 문장의 형세는 혹 순하지 않은 듯하니, 무엇을 따라야 알맞을지 모르겠다.

### 서유신(徐有臣) 『역의의언(易義擬言)』

不自耕矣, 爰得穫矣, 不自菑矣, 爰得畬矣. 不自作爲而一聽於天, 受其自至之福, 是爲无妄之福.譬如不干祿, 而官爵自至也. 震有稼象, 又互益有耒耨象, 故以耕菑言也. 六爻分十二朔, 則初爻爲二月, 五爻爲九月. 六爻分三年, 則初爻爲一年, 五爻爲三年, 初九二月而耕, 九五九月而穫, 初九一年而菑, 九五三年而畬, 六二比於初, 應於五, 受其所與之福, 而穫畬自至也. 二柔正而應乎乾, 爲順天命之義, 故有是象也. 則恐當作不.

不耕穫不菑畬, 旣是无妄之得, 亦將无妄而失之, 故不利有攸往也.
스스로 밭을 갈지 않았는데 이에 수확을 얻는 것이며, 스스로 일 년 된 밭을 만들지 않았는데 이에 삼년 된 밭을 얻는 것이다. 스스로 무엇을 하지 않고 한결같이 하늘을 따라서 그 저절로 이르는 복을 받음이 무망의 복이 된다. 예컨대, 녹(祿)을 구하지 않았는데도 벼슬과 작위가 저절로 이르는 것과 같다. 진괘에 곡식을 심는 상이 있고, 또 진괘의 음양이 바뀐 손괘(☴)로 이루어진 익괘(益卦䷩)에 쟁기질하고 김매는 상이 있으므로 밭을 갈고 일 년 된 밭을 만드는 것으로 말하였다. 여섯 효를 열두 달로 나누면 초효는 이월이 되고 오효는 구월이 된다. 여섯 효를 삼년으로 나누면 초효는 일 년이 되고 오효는 삼년이 되니, 초구인 이월에 밭을 갈고 구오인 구월에 수확하며, 초구인 일 년에 '치(菑)'가 되고 구오인 삼년에 '여(畬)'가 되니, 육이는 초효와 비(比)의 관계이고 오효에 호응하여 그 주는 복을 받아서 수확하고 삼년 된 밭이 저절로 이른다. 이효는 부드럽고 바르기에 건괘에 호응하여 천명에 따르는 뜻이 되므로 이러한 상이 있다. '즉(則)'은 아마도 '부(不)'로 써야할 듯하다. "밭을 갈지 않고서도 수확하며 일 년 된 밭을 만들지 않고서도 삼년 된 밭이 된다"는 이미 무망의 얻음이고, 또 무망으로 잃게 되므로 가는 것이 이롭지 않다.

## 박제가(朴齊家) 『주역(周易)』

六二, 不耕穫, 不菑畬.
육이는 밭을 갈거나 수확하지 않으며, 일년된 밭과 삼년 된 밭을 만들지 않는다.

朱子謂, 伊川作三意說, 不耕而穫, 耕而不穫, 耕而不必穫. 潛室陳氏曰, 始謂不耕而穫, 不菑而畬, 謂不首造其事, 則似以耕菑爲私意. 中謂耕則必有穫, 菑則必有畬, 非心造意作, 則以耕穫菑畬爲非私意, 終謂旣耕, 則必有穫, 旣菑則必成畬, 非必以穫菑之富而爲, 則又似以穫畬爲私意. 三說不免自相牴牾, 所以本義但據經文, 直說謂無耕穫菑畬之私心.
주자는 "이천은 세 가지 뜻으로 설명하여 밭을 갈지 않고서도 수확하고, 밭을 갈아도 수확하지 않고, 밭을 갈아도 반드시 수확하는 것은 아니다"고 하였으며, 잠실진씨는 "처음에는 갈지 않고도 수확을 하고 일 년 된 밭을 만들지 않고서도 삼년 된 밭이 된다"고 말하였으니, 그것은 처음 그 일을 만들지 않는다면 갈고 밭을 만드는 것을 사사로운 뜻이라고 여기는 듯하다. 중간에는 갈면 반드시 수확이 있고, 일 년 된 밭을 만들면 반드시 삼년 된 밭이 된다고 말하니, 마음과 뜻으로 조작하지 않으면 갈아서 수확하고 일년 된 밭을 만들어 삼년 된 밭이 되는 것이 사사로운 뜻이 되지 않는다는 것이다. 마지막에는 이미 갈면 반드시 수확이 있고, 일 년 된 밭을 만들면 반드시 삼년 된 밭이 된다고 말했으니, 반드시 수확하고 삼년 된 밭이 되는 것이 부유하다고 생각해서 하는 것이 아니라면, 또한 수확하고 삼년 된 밭이 되는 것을 사사로운 뜻으로 여긴 듯하다. 세 설명은 저절로 서로 어긋나는 것을 면하지 못하니, 이 때문에 『본의』에서는 다만 경문에 의거하여 곧장 "밭을 갈거나 수확하며, 일 년 된 밭과 삼년 된 밭을 만들려는 사사로운 마음이 없다"고 하였다.

案, 此說得之. 但曰農夫治田, 都旡計利之心, 則恐未安. 書云, 不耕胡穫, 力田望秋, 乃正理, 此說當以廬陵龍氏說爲正. 龍氏曰, 耕穫菑畬而得穀, 此常理也. 然天命偶然, 亦有不用力而穫者, 旡妄之福也. 如此福利, 自然至前則宜有所往矣. 則字喚得分明. 然則利往與否, 又在占者審擇此未定之占. 本義旣以旡私意其望之心爲說, 則不耕而得穫, 不菑自畬, 眞所謂没理會時節, 忽然如此得來面前者也. 何必曰, 竝前後首尾, 都不犯手云耶. 若然則經當合耕穫菑畬四字爲句, 不當下兩不字爲兩句. 下六三旡妄之災, 文義明甚. 二之得, 三之失, 竝不言吉凶. 蓋在天爲旡妄, 在人乃正不正之自取, 與彖同義.
내가 살펴보았다: 이 설명이 옳다고 하겠다. 다만 "농부가 밭을 다스리는 것이 모두 이익을 계산하는 사사로운 마음이 없다"고 한 것은 타당하지 않은 듯하다. 『서경』에서 "밭을 갈지 않고서 어찌 수확하겠는가? 힘써 밭을 갈아 가을을 기다림이 바로 바른 이치이다"고 했으니, 이 설명은 마땅히 여릉용씨의 설명으로 바름을 삼아야 한다. 여릉용씨는 "밭을 갈고 수확하며 일 년 된 밭을 만들고 삼년 된 밭을 만들어 곡식을 얻는 것은 일상적인 이치이다. 그러나 천명의 우연으로 힘을 쓰지 않고도 수확하는 경우가 있으니, 바라지 않던 복이다. 이와 같은 복과 이익이 자연스럽게 앞에 이른다면 마땅히 가야하고, 그렇게 하면 '즉(則)'자가 분명하게 된다. 그러나 가는 것이 이로운가의 여부는 또한 점치는 자가 이것이 아직 정해지지 않았을 때의 점을 살펴 택하는 데에 달려있다"고 했다. 『본의』에서는 이미 사사롭게 기대하고 바라는 마음이 없는 것으로 설명했으니, 밭을 갈지 않았는데도 수확을 얻고 일 년 된 밭을 만들지 않아도 저절로 삼년 된 밭이 되는 것은 참으로 왜 그런지 알 수 없는 때에 홀연히 이처럼 앞에 올 것을 얻음을 말하는 것이다. 하필이면 앞과 뒤, 처음과 끝이라고 했으니, 모두 함부로 쓴 것이 아니겠는가? 만약 그렇다면 경은 마땅히 '경(耕)' '확(穫)' '치(菑)' '여(畬)'의 네 글자를 합하여 구절로 삼아야 하고, 두 '불(不)'자를 써서 두 구절로 하는 것이 마땅하지 않다. 아래 육삼의 '무망의 재앙'은 문장의 뜻이 매우 분명하니, 이효의 얻음과 삼효의 잃음에서 모두 길하고 흉함을 말하지 않았다. 대체로 하늘에 있어서는 무망이 되고 사람에 있어서는 바르고 바르지 않음을 스스로 취하는 것이니, 「단전」과 뜻이 같다.

### 윤행임(尹行恁) 『신호수필(新湖隨筆)·역(易)』

旡妄或作旡望, 古者文字之數甚尠, 或以一字而兩三用者, 妄之作望, 似或然矣. 如六二之不耕穫不菑畬, 便有无望之意.
'무망(无妄)'은 혹 '무망(无望)'이라고도 하는데, 옛날 문자의 숫자가 매우 적어 혹 한 글자가 두세 가지로 쓰인 것이니, '망(妄)'을 '망(望)'으로 쓴 것이 혹 그러한 경우인 듯하다. 육이에서 "밭을 갈지 않고서도 수확하며 일 년 된 밭을 만들지 않고서도 삼년 된 밭이 된다"고 한 것에 곧 무망(无望)의 뜻이 있다.

### 박문건(朴文健) 『주역연의(周易衍義)』

見喪自得, 故有不耕穫之象. 田一歲曰菑, 二歲曰畬也. 利有攸往, 言始弱而終彊也.
상(喪)하지만 스스로 얻게 되므로 밭을 갈지 않고서도 수확하는 상이 있다. 밭이 일 년 된 것을 '치(菑)'라고 하고, 이년 된 것을 '여(畬)'라고 한다. "가는 것이 이롭다"는 처음엔 약하지만 끝에 강함을 말한다.
〈問, 不耕穫以下. 曰, 六二雖大喪於九五, 然七日而自得其所喪, 故有不耕而有穫, 不菑而有畬之象也. 始弱而終疆, 故有所往而无害之者也.
물었다: "밭을 갈지 않고서도 수확한다" 이하는 어떻습니까?
답하였다: 육이가 비록 구오에게 크게 상하지만 칠일이 되어야 그 상한 바를 얻으므로 밭을 갈지 않고서도 수확함이 있고, 일 년 된 밭을 만들지 않고서도 삼년 된 밭이 되는 상이 있습니다. 처음은 약하지만 끝엔 강하므로 가는 바가 있어도 해로움이 없는 자입니다.〉

### 이지연(李止淵) 『주역차의(周易箚疑)』

中正, 則无妄也. 耕穫菑畬, 乃用力求利之事. 中正之道, 於无妄之行, 不求利而自无不利.
중정(中正)하면 망령됨이 없다. 밭을 갈고 수확하며 일 년 된 밭을 만들고 삼년 된 밭이 됨은 바로 힘써서 이로움을 구하는 일이다. 중정의 도는 무망이 행해짐에 이로움을 구하지 않아도 저절로 이롭지 않음이 없다.

### 이항로(李恒老) 「주역전의동이석의(周易傳義同異釋義)」

傳, 不耕而穫, 不菑而畬, 謂不首造其事, 因其事理所當然也. 云云.
『정전』에서 말하였다: 밭을 갈지 않고서도 수확하고 일 년 된 밭을 만들지 않고서도 삼년 된 밭이 되는 것은 앞장서서 일을 만들지 않고 사리의 당연한 바를 따름을 말한다고. 운운.

本義, 言其无所爲於前, 无所冀於後也. 云云.
『본의』에서 말하였다: 앞에서 하는 일이 없고 뒤에서 기대하는 일이 없다고. 운운.

按, 朱子曰, 程傳考之經文, 則若有可疑者. 若曰不耕而穫, 則多卻而字, 若曰不於耕而求穫之利, 則又須增數字, 方通. 嘗謂此爻乃自始至終, 都不營爲而偶然有得之意云云. 觀此則程傳之費力解說, 果似未安. 本義之釋, 平順明白. 然物之有終有始, 卽道之當然也. 彖傳所謂天之命也. 學者昧朱子之本指, 而於物之始終, 都不理會, 則又失動而健之義, 而反有害於旡妄之道矣, 故妄爲之說曰不耕穫不菑畬之不字, 與觀盥而不薦, 艮不獲其身不見其人之不字, 同義. 非謂耕穫菑畬, 都不下手. 但不以此累其心害其義云爾, 故象傳釋之曰, 未富也, 言不以富故而爲此耕穫菑畬也. 蓋物也者, 形而下之器也, 理也者, 形而上之道也, 物必有道, 道固不外於物. 然君子之心, 卽其物而行吾之道而已, □其事而盡吾之誠而已, 不計其利害, 不恤其得失, 是乃所謂旡妄之道也. 若或逐物而見化, 應事而泥滯, 則是所謂物欲而非天之命也, 所謂其非正有眚者, 此也. 是以易中大義, 辨別此二者, 分明, 如曰乾元亨利貞. 夫元亨利貞, 生長遂成之道也, 非生長遂成之物也. 如曰君子以自强不息, 卽天行之道也, 非天行之象也. 推此以求, 道與物, 象與德, 雖不相離, 亦不相雜, 由道而行則爲旡妄, 由物而行則爲匪正. 夫耕穫菑畬, 物之終始也. 爲此耕穫菑畬, 道之自然, 義之當然也. 學者, 於此二者, 仔細分別, 思過半矣.

내가 살펴보았다: 주자는 "『정전』을 경문에서 고찰하면 의심할 만한 것이 있다. '갈지 않고도 수확을 한다[不耕而穫]'고 말하면 '이(而)'자를 덧붙이는 것이 되고, '갈면서 수확의 이익을 계산하지 않는다'고 말하면 또한 반드시 몇 글자를 더해야 뜻이 통한다. 일찍이 생각하기를 이 효는 처음부터 끝까지 모두 인위적으로 하지 않고 우연히 얻는다"고 운운하였다. 이를 살펴보면 『정전』에서 힘을 쏟아 풀어 설명한 것은 과연 온당하지 않을 듯하다. 『본의』의 해석이 평이하고 순하다. 그러나 만물에 시작이 있고 끝이 있는 것이 바로 도의 당연함이다. 「단전」에서 이른바 '하늘의 명'이라고 한 것이다. 배우는 자가 주자의 본래 뜻에 어둡고 만물의 시작과 끝에서 대해서도 모두 이해하지 못하면 또 움직여서 굳건한 뜻을 잃어서 도리어 무망의 도에 해로움이 있으므로 내가 감히 다음과 같이 설명한다. "밭을 갈지 않고서도 수확하며 일 년 된 밭을 만들지 않고서도 삼년 된 밭이 된다"고 할 때의 '~않고서도[不]'라는 글자는 관괘(觀卦☷)에서 "손만 씻고 제사를 올리지 않는 듯이 한다"[82]는 것과 간괘(艮卦☶)에서 "그 몸을 얻지 못하며, 사람을 보지 못한다"[83]고 할 때의 '~하지 못한다[不]'는 글자와 뜻이 같다. 밭을 갈고 수확하며 일 년 된 밭과 삼년 된 밭이 모두 손쓰지 않음을 말하는 것이 아니다. 다만 이것으로 그 마음에 누(累)가 되고 그 뜻에 해가 되지 않음을 말하므로 「상전」에서 그것을 해석하여 "부유하게 여겨서가 아니다"고 하였으니, 부유하려 해서가 아니고, 밭

82) 『周易 · 觀卦』: 觀, 盥而不薦, 有孚顒若.
83) 『周易 · 艮卦』: 艮其背, 不獲其身, 行其庭, 不見其人, 无咎.

을 갈고 수확하며 일 년 된 밭을 만들어 삼년 된 밭을 만드는 것이 아니다. 대체로 물건이란 형이하의 그릇이고, 이치란 형이상의 도이니, 물건에는 반드시 도가 있고 도는 본래 물건에서 벗어나지 않는다. 그러나 군자의 마음은 그 물건에 나아가서 나의 도(道)를 행할 따름이며, 그 일에 □하여 나의 정성을 다할 따름이니, 이해를 계산하지 않고 그 얻고 잃음을 근심하지 않으니, 이것이 이른바 무망의 도이다. 만약 혹 물건을 따라 변화[化]되고, 사물에 호응하여 막히게 되면 이것이 이른바 물욕으로 하늘의 명은 아니니, 이른바 "그 바르지 않음에 재앙이 있다"는 것이 이것이다. 이 때문에 『주역』 가운데의 큰 뜻이 이 두 가지를 변별하는 것은 분명하여 마치 '건은 원 · 형 · 리 · 정'이라고 한 것과 같다. 원 · 형 · 리 · 정은 생겨나고 자라며 이루고 완성하는 도이지 생겨나고 자라며 이루고 완성하는 물건이 아니다. 가령 "군자가 그것을 본받아서 스스로 힘쓰고 쉬지 않는다"는 것은 바로 하늘이 행하는 도이지 하늘이 행하는 상은 아니다. 이를 미루어 구한다면 도(道)와 물(物), 상(象)과 덕(德)이 비록 서로 떨어지지 않지만, 또 서로 섞이지도 않아서 도로 말미암아 행하면 무망이 되고, 물건으로 말미암아 행하면 바르지 않음이 된다. 밭을 갈고 수확하며 일 년 된 밭과 삼년 된 밭은 물건의 시작과 끝이다. 이렇게 밭을 갈고 수확하며 일 년 된 밭과 삼년 된 밭이 됨은 도의 자연함이고 의리의 당연함이다. 배우는 자가 이 두 가지에 대해 자세히 분별하면 생각이 반은 넘은 것이다.

### 김기례(金箕澧) 「역요선의강목(易要選義綱目)」

菑, 俗所謂火田, 畬正田.

'치(菑)'는 세속에서 이른바 화전(火田)이며, '여(畬)'는 정전(正田)이다.

○ 柔順中正, 上應剛正, 順天而動. 故不妄之福, 冀望而至, 所謂自天佑之.

유순하고 중정하며 위로 굳센 양의 바름에 호응하여 하늘을 따라서 움직이는 것이다. 그러므로 무망의 복이란 바랄만해서 이르는 것이니, 이른바 하늘이 돕는 것이다.

### 허전(許傳) 「역고(易考)」

六二, 處得中正, 又以柔順上合九五剛陽之應, 則是乃在位之君子, 故不耕不穫不蓄不畬, 則无往不利. 若下侵農夫之事, 則君子不爲也.

육이는 처함이 중정함을 얻고, 또 유순함으로 위로 구오인 굳센 양의 호응에 합하면 이는 바로 지위에 있는 군자이므로 밭을 갈지 않으면 수확하지 못하고, 일 년 된 밭을 만들지 않으면 삼년 된 밭이 되지 않으니, 곧 가서 이롭지 않음이 없다. 만약 아래로 농부의 일을 침해하는 일이라면 군자가 하지 않는다.

### 심대윤(沈大允) 『주역상의점법(周易象義占法)』

无妄之履䷉, 禮也. 六二才柔而居柔, 係應乎五, 而以其中正, 故能勉彊於禮敎. 性不足而敎有餘, 故曰不耕穫不菑畬, 言不耕而穫, 不菑而畬也. 不耕而穫者, 无實力而望得也, 不菑而畬者, 速則无成, 而久則有熟也. 田一歲曰菑, 三歲曰畬, 漸成良田而熟也, 作之不已, 則誠矣. 固當用力而困得, 故曰則利有攸往. 震爲稼, 巽之高低, 互离燥爲田.
무망괘가 리괘(履卦䷉)로 바뀌었으니, 예이다.[84] 육이는 재질은 부드러운데 부드러운 음의 자리에 있어 오효에 매어 호응하고 그 중정함으로써 하기 때문에 예교(禮敎)에 힘쓸 수 있다. 성품은 부족하지만 가르침에는 여유가 있어 '불경확불치여(不耕穫不菑畬)'라고 한 것은 밭을 가지 않고서도 수확하고 일 년 된 밭을 만들지 않고서도 삼년 된 밭이 됨을 말한다. "밭을 갈지 않고서도 수확한다"는 실제적인 노력이 없는데도 얻기를 바라는 것이며, "일 년 된 밭을 만들지 않고서도 삼년 된 밭이 된다"는 빨리하면 이루는 것이 없고 오래하면 성숙되는 것이 있다. 밭이 일 년 된 것을 '치(菑)'라고 하고 삼년 된 것을 '여(畬)'라고 하니, 점차 양전(良田)을 이루어 성숙하게 하고 지어 그치지 않으면 성실하게 된다. 진실로 마땅히 힘을 써서 어렵게 얻으므로 "가는 것이 이롭다"고 했다. 진괘는 심는 것이 되고, 손괘의 높고 낮음과, 이효가 변한 호괘인 리괘의 마른 것이 밭이 된다.

### 오치기(吳致箕) 「주역경전증해(周易經傳增解)」

六二, 以柔應剛, 亦有期望者, 而以其中正相應, 可以去邪妄之意, 故戒言若不方耕而卽望其獲, 方菑而卽望其畬, 則乃動以天而无私意, 明其道而不計功者也. 故能如是, 則利有攸往也.
육이는 부드러운 음으로 굳센 양에 호응하고, 또 바라기를 기약함이 있는 자여서 그 중정함으로 서로 호응하여 사특하고 망령된 뜻을 없앨 수 있으므로 그 경계하는 말이 막 밭을 갈면서 곧바로 그 수확을 바라거나, 일 년 된 밭을 만들면서 삼년 된 밭을 바라는 것이 아니라면 이에 하늘로써 움직여서 사사로운 뜻이 없고 그 도를 밝혀서 공을 도모하지 않는 자라고 하는 것과 같다. 그러므로 이와 같을 수 있다면 가는 것이 이롭다.

○ 二在地位, 故以田事言, 而春種曰耕, 秋收曰穫, 一歲方墾曰菑, 三歲已耕曰畬也. 對體之坤爲牛, 震爲動, 對巽爲木爲入. 以牛重木, 而入于田, 爲耕菑之象. 互艮爲手, 變兌爲毁折, 震爲稼, 以手折禾稼爲收穫之象也. 則者, 卽之謂而戒辭也.
이효는 땅의 자리에 있으므로 밭의 일로 말했으니, 봄에 심는 것을 "밭을 간다"고 하고, 가을

84) 『說文解字』: 禮, 履也. 所以事神致福也.

에 거두어들이는 것을 "수확한다"고 하며, 일 년에 막 개간한 것을 '치(菑)'라고 하고, 삼년에 이미 밭을 가는 것을 '여(畬)'라고 한다. 음양이 바뀐 몸체인 곤괘가 소가 되고, 진괘는 움직임이 되며, 진괘의 음양이 바뀐 손괘가 나무가 되고 들어감이 된다. 소에 나무를 매어 밭에 들어가니, 일 년 된 밭을 가는 상이 된다. 호괘인 간괘는 손이 되고 그 음양이 바뀐 태괘는 꺾음이 되며, 진괘는 심음이 되니, 손으로 곡식을 끊는 것이 수확의 상이 된다. '즉(則)'은 '즉(卽)'이란 말이어서 경계하는 말이다.

### 이진상(李震相) 『역학관규(易學管窺)』

不耕穫.
밭을 갈거나 수확하지 않는다.

六二, 陰體中正, 上應中正之君, 无成而有終. 不居其始, 而能享其成, 故有不耕穫不菑畬之象. 蓋耕菑之事, 九五當之, 而穫畬之利, 六二收之, 如男丁耕稼, 而婦人坐食, 人君制作, 而臣下安榮也, 何往而不利哉. 傳義說, 俱恐難通.
육이는 음의 몸체로 중정하고 위로 중정한 임금에게 호응하니, 이루는 것은 없으나 마침이 있다. 그 처음에 있지 않아서 그 이룸을 누릴 수 있으므로 "밭을 갈지 않고서도 수확하며 일 년 된 밭을 만들지 않고서도 삼년 된 밭이 된다"는 상이 있다. 대체로 밭을 갈고 일 년 된 밭을 만드는 일은 구오가 그에 해당하고, 수확하고 삼년 된 밭이 되는 이로움은 육이가 얻으니, 남자가 밭을 갈아 농사짓고 부인이 앉아서 먹으며, 임금이 정하여 만들고 신하가 편안하게 영화로운 것과 같으니, 어디를 간들 이롭지 않겠는가? 『정전』과 『본의』의 설명은 모두 이해하기 어려운 듯하다.

### 채종식(蔡鍾植) 「주역전의동귀해(周易傳義同歸解)」

无妄六二, 不耕穫, 不菑畬.
무망괘 육이에서 말하였다: 밭을 갈지 않고서도 수확하며, 일 년 된 밭을 만들지 않고서도 삼년 된 밭이 된다.

傳作不耕而穫不菑而畬, 謂不首造其事, 因其事理所當然也, 本義隨經文而作不耕穫不菑畬, 言其无所爲於前, 无所冀於後也. 蓋程子之意, 如董子明其道不計其功之義也. 朱子之意, 如孔子无意无必之義也, 然則其順理無私之義, 一也.
『정전』에서 "'밭을 갈지 않고서도 수확하고 일 년 된 밭을 만들지 않고서도 삼년 된 밭이 된다[不耕而穫不菑而畬]'는 것은 앞장서서 일을 만들지 않고 사리의 당연한 바를 따름을 말한다"고 하였고, 『본의』는 경문에 따라서 "'밭을 갈거나 수확하지 않으며, 일 년 된 밭과 삼년 된 밭을 만들지 않는다[不耕而穫不菑而畬]'라고 했으니, 앞에서 하는 일이 없고 뒤에서 기대하는 일이 없음을 말하였다"고 하였다. 대체로 정자의 뜻은 동중서가 "그 도를 밝히고 그 공을 헤아리지 않는다"는 뜻과 같다. 주자의 뜻은 공자가 하고자 함도 없고 기필함도 없다는 뜻이니, 그렇다면 이치에 따르고 사사로움이 없는 뜻에서는 동일하다.

### 박문호(朴文鎬) 「경설(經說) · 주역(周易)」

不耕穫, 不菑畬.
밭을 갈지 않고서도 수확하며, 일 년 된 밭을 만들지 않고서도 삼년 된 밭이 된다.

程傳非但與下未富註, 自相不同而已. 此註蓋耕以下, 亦與其上文之義, 有所齟齬. 蓋耕則必有穫, 是謂人耕我穫之義耶. 更詳之. 吾於丁丑占山時, 所得卽此爻而辭吉, 故卽斷定山地云.
『정전』은 아래의 "부유하게 여겨서가 아니다"는 주석과 자연 서로 같지 않을 뿐만이 아니다. 여기의 주석이 "대체로 밭을 간다"는 이하는 또한 그 윗글의 뜻과 어긋나는 바가 있다. 밭을 갈면 반드시 수확이 있으니, 이는 남이 밭을 갈고 내가 수확하는 뜻을 말하는 것이겠는가? 다시 자세히 살펴야 한다. 내가 정축(丁丑)년에 산지(山地)에 대해 점쳤을 때 얻은 것이 바로 이 효이고 말이 길했으므로 곧바로 산지를 결정하였다.

### 이병헌(李炳憲) 『역경금문고통론(易經今文考通論)』

六二, 不耕穫, 不菑畬, 凶.
육이는 밭을 갈지 않고서도 수확하며 일 년 된 밭을 만들지 않고서도 삼 년 된 밭이 되니, 흉하다.

舊本, 凶作利有攸往. 今依禮坊記改正.
구본에는 '흉(凶)'이 '리유유왕(利有攸往)'으로 되어 있다. 이제 『예기 · 방기』[85]에 따라 바로잡는다.

---

85) 『禮記 · 坊記』: 易曰, 不耕穫, 不菑畬, 凶.

## 象曰, 不耕穫, 未富也.

정전 「상전」에서 말하였다: "밭을 갈지 않고서도 수확함"은 부유하게 여겨서가 아니다.
본의 「상전」에서 말하였다: "밭을 갈거나 수확하지 않음"은 부유하게 여겨서가 아니다.

## 中國大全

### 傳

未者, 非必之辭, 臨卦曰未順命是也. 不耕而穫, 不菑而畬, 因其事之當然. 旣耕則必有穫, 旣菑則必成畬, 非必以穫畬之富而爲也. 其始耕菑, 乃設心在於求穫畬, 是以其富也. 心有欲而爲者則妄也

'미(未)'는 "반드시 그런 것은 아니다"라는 말이니, 림괘(臨卦)에서 "반드시 명령에 순종하려 해서 그런 것은 아니다[未順命]"라고 한 것이 그것이다. 밭을 갈지 않고서도 수확하며 일년 된 밭을 만들지 않고서도 삼년 된 밭이 되어 일의 당연함을 따르는 것이다. 밭을 갈면 반드시 수확이 있고, 일년 된 밭을 만들면 반드시 삼년 된 밭이 되게 마련이지, 반드시 수확하고 삼년 된 밭이 되는 것을 부유하게 여겨서 하는 것이 아니다. 처음 밭을 갈고 일 년 된 밭을 만들 때에, 수확과 삼년 된 밭을 구하는데 마음을 두었다면 이는 부유해지기 위한 것이다. 마음에 욕심이 있어서 하는 것은 망령이다.

### 本義

富, 如非富天下之富, 言非計其利而爲之也.

'부유함'은 "천하를 부유하게 여겨서가 아니다"[86]라고 할 때의 '부유함'과 같으니, 그 이익을 계산하여 한 것이 아님을 말하였다.

---

86) 『孟子 · 藤文公』: 非富天下也, 爲匹夫匹婦, 復讐也.

小註

雲峯胡氏曰, 无妄, 天也. 計其利而爲之, 則人而非天矣.
운봉호씨가 말하였다: 무망은 하늘이다. 이익을 계산해서 한다면 사람이지 하늘이 아니다.

## 韓國大全

### 조호익(曺好益)『역상설(易象說)』

未富, 陰虛象.
"부유하게 여겨서가 아니다"는 음(陰)의 빈[虛] 상이다.

### 유정원(柳正源)『역해참고(易解參攷)』

未富也.
부유하게 여겨서가 아니다.

問, 伊川說, 爻辭與小象, 卻不同, 朱子曰, 便是曉不得. 爻辭說不耕而穫, 到象卻又說耕而不必求穫, 都不相應.
물었다: 이천의 설명은 효사와 「소상전」이 오히려 같지 않습니다.
주자가 답하였다: 바로 분명하지 않기 때문입니다. 효사에서 "밭을 갈지 않고서도 수확한다"는 것이 「상전」에 이르면 도리어 또 "밭을 갈더라도 반드시 수확하기를 구하지는 않는다"고 하였으니, 모두 서로 호응하지 않습니다.

○ 此句難曉. 旣不耕穫不菑畬, 自是未富. 雖是未富, 卻利有攸往. 程傳凡解未字處, 多費辭.
이 구절은 분명하지 않다. 이미 '밭을 갈거나 수확하지 않으며, 일 년 된 밭을 만들거나 삼년 된 밭이 되지 않는 것'은 저절로 부유하게 여기는 것이 아니다. 비록 부유하게 여기는 것이 아니지만, 오히려 가는 것이 이롭다. 『정전』은 '미(未)'자를 해석하는 곳에서 말을 너무 많이 했다.

○ 建安丘氏曰, 夫陰以得陽爲富. 六二與九五爲正應, 非初九所能間隔, 雖未得陽而終於得陽, 故曰未富也. 未富與不富, 異. 蓋未富終有可富之理, 而不富則終於不富矣.
건안구씨가 말하였다: 음은 양을 얻는 것을 부유함으로 여긴다. 육이는 구오와 정응이 되지만 초구에게서 멀어질 수 있는 것은 아니어서 비록 양을 아직 얻지는 못하더라도 끝내 양을 얻으므로 "부유하게 여겨서가 아니다"고 하였다. "부유하게 여겨서가 아니다"는 것은 "부유하지 않다"는 것과 다르다. 대체로 부유하게 여겨서가 아님은 마침내 부유해질 수 있는 이치가 있으나 "부유하지 않다"는 것은 끝내 부유하지 못한 것이다.

### 김상악(金相岳) 『산천역설(山天易說)』

未富, 言未必爲富也.
"부유하게 여겨서가 아니다"는 반드시 부유하게 되는 것은 아님을 말한다.

○ 富者, 巽之市利也. 小畜九五, 家人六四, 皆言富, 而本爻居互巽之外, 故曰未富也.
'부유함'은 손괘의 장사에서 얻는 이익이다. 소축괘(小畜卦☴) 구오와 가인괘(家人卦☴) 육사에서 모두 '부유함'을 말했는데, 본효는 호괘인 손괘의 밖에 있으므로 "부유하게 여겨서가 아니다"고 하였다.

### 서유신(徐有臣) 『역의의언(易義擬言)』

旣无妄而得之, 必无妄而失之, 未可爲富有也.
이미 망령됨이 없어서 얻기도 하고, 반드시 망령됨이 없기를 기필하는데도 잃으니, 부유하게 될 수 있는 것이 아니다.

### 박제가(朴齊家) 『주역(周易)』

象傳, 未富也.
「상전」에서 말하였다: 부유하게 여겨서가 아니다.

此, 夫子象外之旨. 蓋恐天下後世之有徒信命而不自力者, 故以旡妄之福爲不足恃, 而斷之曰, 未富也. 蓋勸人以自力, 則有進於此之富者, 亦書之不耕胡穫之意, 傳又引臨卦未順命之未字, 恐未然. 九四曰可貞, 蓋旡妄之得失, 已著於二與三矣. 四當自守而不爲動, 乃象之旨也. 其曰可貞, 則聖人之情, 可見. 象傳曰固有之也, 言在我者, 固有旡咎之道也. 九五之有疾勿藥, 上九之行有眚, 亦謂一聽于天而不動也. 五爲尊位, 統一卦, 故合禍福而言. 然則卦象爻辭, 所以爲无妄者, 可知矣. 雲峯胡氏曰, 其行雖无妄, 有眚无利, 則全失經旨.
이는 공자의 상(象) 밖의 뜻이다. 대체로 천하 후세의 사람들 가운데 한갓 명(命)만을 믿어 스스로 노력하지 않는 자가 있을까 두려워하였으므로 무망의 복을 믿기에 부족한 것으로 삼고 단정하여 "부유하게 여겨서가 아니다"고 하였다. 대체로 스스로 노력하는 것으로 사람을 권면하면 이러한 부유함에 나아가는 자가 있는 것이 또 『서경』의 '불경호확(不耕胡穫)'의 뜻이나, 『정전』에서 또 림괘 '미순명(未順命)'의 '미(未)'자를 인용한 것은 아마도 그렇지 않은 듯하다. 구사에서 "곧게 할 수 있다"고 한 것은 대체로 무망의 얻고 잃음이 이미 이효와 삼효에서 드러났다. 사효는 마땅히 스스로 지키고 움직이지 말아야 하니, 바로 「단전」의 뜻이다. "곧게 할 수 있다"고 한 것에서 성인의 정을 볼 수 있다. 「상전」에서 "본래 갖고 있다"고 한 것은 내게 있는 것은 무구의 도를 본래 가지고 있음을 말한다. 구오의 "병에 약을 쓰지 않는다"와 상구의 "행함에 허물이 있다"도 한결같이 하늘을 따라서 움직이지 않음을 말한다. 오효는 존귀한 자리가 되어 한 괘를 거느리므로 화복(禍福)을 합하여 말한다. 그렇다면 괘의 단사와 효사가 무망이 되는 것을 알 수 있다. 운봉호씨는 "그 행함에 비록 무망하지만 재앙이 있고 이로움이 없으면 전부 경의 뜻을 잃는 것이다"라고 했다.

### 박문건(朴文健) 『주역연의(周易衍義)』

不耕後穫, 其始未富也.
밭을 갈지 않았는데도 뒤에 수확하니, 그 시작이 부유하게 여겨서가 아니다.
〈問, 不耕穫, 未富也. 曰, 此與噬嗑上九象辭, 取義略同也.
물었다: "밭을 갈지 않고서도 수확함은 부유하게 여겨서가 아니다"는 무슨 뜻입니까?
답하였다: 이는 서합괘(噬嗑卦䷔) 상구 「상전」의 말과 뜻을 취한 것이 대략 같습니다.〉

### 김기례(金箕澧) 「역요선의강목(易要選義綱目)」

未富.
부유하게 여겨서가 아니다.

不可富而自富.
부유할 수 없는데도 저절로 부유해지는 것이다.

### 오치기(吳致箕) 「주역경전증해(周易經傳增解)」

始爲耕菑, 而心在於穫畬, 則是求其富也. 若能心不在於計利, 則未始妄求其富者也.
시작은 밭을 갈고 일 년 된 밭이 되는데, 마음은 수확하고 삼년 된 밭이 되는데 있다면, 이는 부유하기를 구하는 것이다. 만약 마음이 이로움을 계산하는데 있지 않을 수 있다면, 아직 부유하기를 망령되이 구하는 자가 아니다.

### 이진상(李震相) 『역학관규(易學管窺)』

未富也.
부유하게 여겨서가 아니다.

未者, 將然之辭也. 蓋不耕不菑, 未有欲富之念, 而旣穫旣畬, 自有可富之理, 明其立心之旡妄也.
"아직 ~ 아니다"는 앞으로 그러하다는 말이다. 대체로 밭을 갈지 않고 일 년 된 밭을 만들지 않아 아직 부유하고자 하는 생각이 있지 않으나, 이미 수확하고 이미 삼년 된 밭이 됨에는 저절로 부유하게 되는 이치가 있으니, 그 뜻을 세우는데 무망함을 밝혔다.

### 이병헌(李炳憲) 『역경금문고통론(易經今文考通論)』

鄭曰, 田一歲曰菑, 二歲曰畬, 三歲曰新田, 言必先種之, 乃得穫. 若先菑乃得畬, 安有無事取利者乎. 然則安有不耕而穫者乎. 宜其未富也, 詳見禮坊記.
정현이 말하였다: 밭이 일 년 된 것을 '치(菑)'라고 하고, 이년 된 것을 '여(畬)'라고 하며, 삼년 된 것을 '신전(新田)'이라고 하니, 반드시 먼저 심어야 이에 수확할 수 있음을 말한다. 만약 먼저 일 년 된 밭을 만들었는데 이에 이년 된 밭을 얻었다면, 어찌 일한 것이 없이 이로움을 취한 것이겠는가? 그렇다면 어찌 밭을 갈지 않고서도 수확하는 것이 있겠는가? 부유하게 여겨서가 아님이 마땅하니, 자세한 설명은 『예기 · 방기』편에 나온다.

按, 二要先事後得.
내가 살펴보았다: 이효는 먼저 일하고 뒤에 얻어야 한다.

## 六三, 无妄之災, 或繫之牛, 行人之得, 邑人之災.

육삼은 무망의 재앙이니, 혹 매어 놓은 소도 길 가는 사람의 소득이자 읍 사람의 재앙이다.

## 中國大全

### 傳

三以陰柔而不中正, 是爲妄者也. 又志應於上欲也, 亦妄也, 在无妄之道, 爲災害也. 人之妄動, 由有欲也. 妄動而得亦必有失, 雖使得其所利, 其動而妄, 失已大矣. 況復凶悔隨之乎. 知者見妄之得, 則知其失必與稱也. 故聖人因六三有妄之象, 而發明其理云, 无妄之災, 或繫之牛, 行人之得, 邑人之災, 言如三之爲妄, 乃无妄之災害也. 設如有得, 其失隨至, 如或繫之牛. 或, 謂設或也. 或繫得牛, 行人得之, 以爲有得, 邑人失牛, 乃是災也. 借使邑人繫得馬, 則行人失馬, 乃是災也. 言有得則有失, 不足以爲得也. 行人邑人, 但言有得則有失, 非以爲彼已也. 妄得之福, 災亦隨之, 妄得之得, 失亦稱之, 固不足以爲得也. 人能知此, 則不爲妄動矣.

삼효는 부드러운 음으로서 중정하지 못하니, 이는 망령된 자이다. 또 뜻이 상효와 호응함은 욕심이이어서 또한 망령이니, 무망의 도에 비추어 재해가 된다. 사람이 함부로 움직이는 것은 욕심이 있기 때문이다. 함부로 움직여 얻으면 또한 반드시 잃게 되니, 비록 만일 이로움을 얻었더라도 그 움직임이 망령되었다면 잃음이 이미 크다. 하물며 다시 흉함과 뉘우침이 뒤따름에 있어서랴! 지혜로운 자는 망령되이 얻음을 보면 그 잃음이 반드시 거기에 걸맞음을 안다. 그러므로 성인이 육삼에 망령됨이 있는 상을 인하여 그 이치를 밝혀서 말하기를 "무망의 재앙이니, 혹 매어 놓은 소도 길 가는 사람의 소득이자 읍 사람의 재앙이다"라고 하였으니, 삼효처럼 망령된 짓을 하는 것은 바로 무망의 재해라고 말한 것이다. 만일 얻더라도 그 잃음이 뒤따라 이르러서 혹 소를 매어 놓는 것과 같다. '혹(或)'은 '설혹(設或)'이라는 말이다. 설혹 소를 매어 얻었다 하더라도 길 가는 사람이 얻고서 얻었다고 여기는 것은 읍 사람이 소를 잃은 것이 되니, 이것이 바로 재앙이다. 만일 읍 사람이 말을 매어 얻었다면 길 가는 사람이 말을 잃은 것이 되니, 이것이 바로 재앙이다. 이는 얻음이 있으면 잃음이 있어서 얻은 것이 되기에 부족함을 말한다. 길 가는 사람과 읍 사람은 다만 얻음이 있으면 잃음이 있다고 말한 것이지, 저와 나라고 상대하여 말한 것은 아니다. 망령되이 얻은 복에는 재앙이 또한 뒤따르고, 망령되이 얻은 얻음에는 잃음이 또한 거기에 걸맞으니, 본래 얻었다고 하기에 부족하다. 사람이 이것을 알 수 있다면, 함부로 행동하지 않을 것이다.

小註

臨川吳氏曰, 此假設其象以明之. 如或繫一牛於此, 乃邑人之牛也. 偶脫所繫而爲行人所得, 邑人有失牛之災, 亦適然不幸爾, 非己有以致之. 是謂无妄之災. 六三之遇此災, 莫之致而至者也.
임천오씨가 말하였다: 이는 그 상을 가정하여 밝힌 것이다. 만일 한 마리의 소를 여기에 매어 놓았다면 그것은 읍 사람의 소일 것이다. 우연히 묶인 것이 풀려서 길 가는 사람이 얻었다면 읍인에게는 소를 잃은 재앙이 있으니, 또한 우연한 불행일 뿐이지 자기가 불러온 것은 아니다. 이것을 바라지 않던 재앙이라고 말한다. 육삼이 이러한 재앙을 만난 것은 부르는 사람이 없는데도 이른 것이다.[87)]

○ 誠齋楊氏曰, 我求而我得者, 有妄之災, 非我求而我得者, 无妄之災.
성재양씨가 말하였다: 내가 구하여 내가 얻는 것은 바램이 있는 재앙이고, 내가 구한 것이 아닌데, 내가 얻은 것은 바램이 없는 재앙이다.

本義

**卦之六爻, 皆无妄者也. 六三處不得正, 故遇其占者, 无故而有災. 如行人牽牛以去, 而居者反遭詰捕之擾也.**

괘의 여섯 효가 모두 무망이다. 육삼은 처한 곳이 바름을 얻지 못했기 때문에 그 점을 만난 자는 까닭 없이 재앙이 있다. 예를 들어 길 가는 사람이 소를 끌고 갔는데, 거주하는 사람이 도리어 힐문하고 체포하는 소요를 당하는 것과 같다.

小註

或問, 无妄之災. 朱子曰, 此卦六爻, 皆是无妄. 但六三地頭不正, 故有无妄之災, 言无故而有災也. 如行人牽牛已去, 而居人反遭捕詰之擾, 此正无妄之災之象.
어떤 이가 물었다: 무망의 재앙이란 무엇입니까?
주자가 답하였다: 이 괘의 여섯 효는 모두 무망입니다. 다만 육삼은 바르지 않은 자리에 있기 때문에 바라지 않던 재앙이 있으니, 까닭 없이 재앙을 당하는 것을 말합니다. 만일

---

87)『孟子·萬章』: 莫之爲而爲者, 天也, 莫之致而至者, 命也.

길 가는 사람이 소를 끌고 가버려서 거주하는 사람이 도리어 체포하여 심문하는 소동을 만났다면, 이는 바로 바라지 않던 재앙이라는 상입니다.

○ 習靜劉氏曰, 六三才柔而位不當, 所謂匪正者也, 故有災. 然出於意料之外, 故曰无妄之災.
습정유씨가 말하였다: 육삼을 재질이 유약하고 자리가 마땅하지 않으므로 이른바 바름이 아닌 자이기 때문에 재앙이 있다. 그러나 생각하지도 않던 데서 나왔으므로 바라지 않던 재앙이라고 말하였다.

○ 雲峯胡氏曰, 六爻皆无妄, 三之時則无妄而有災者也. 六二得位而有无妄之福時也. 六三失位而有无妄之禍亦時也. 行人牽牛以去, 而居人反受詰捕之擾, 其災出於意料之外. 雜卦曰, 无妄災也, 其此之謂乎.
운봉호씨가 말하였다: 여섯 효가 모두 무망인데, 삼효의 때는 무망이면서 재앙이 있다. 육이는 자리를 얻고 바라지 않던 복을 얻는 때이다. 육삼이 자리를 잃고 바라지 않던 화를 얻는 것도 때이다. 만일 길 가는 사람이 소를 끌고 가버려서 거주하는 사람이 도리어 체포하여 심문하는 소동을 만났다면, 그 재앙은 생각하지도 않던 데서 나온 것이다. 「잡괘전」에서 "무망은 재앙이다"라고 한 것이 이것을 말한 것인가 보다.

○ 雙湖胡氏曰, 三固是无妄之災, 然亦其不正之所致. 使九三得正, 寧有是乎.
쌍호호씨가 말하였다: 삼효는 본래 바라지 않던 재앙이 있지만, 그의 바르지 않음이 불러온 것이다. 만일 구삼이 바름을 얻었다면, 어찌 그러한 일이 있겠는가?

## 韓國大全

### 조호익(曺好益) 『역상설(易象說)』

雙湖曰, 牛取似體離象. 又互艮象, 繫艮止義.
쌍호호씨가 말하였다: '소'는 몸체가 리괘와 비슷한 상에서 취했다. 또 호괘가 간(☶)의 상이니, "매어 놓는다"는 간괘의 "그친다[止]"는 뜻이다.

愚謂, 卦自訟來, 自二至四, 互離體, 離爲牛. 自三至五, 互巽體, 巽爲繩. 巽繩在離牛上, 艮手止之, 有繫牛之象. 九二變而失離體, 是失牛象. 行人指九二. 九二下於初, 而失牛所在, 是牽牛而去之象. 邑人指三. 坎本坤之再索而成. 九在坤體而往來, 故指三爲邑人. 邑坤土象.

내가 살펴보았다: 무망괘는 송괘(訟卦)로부터 왔으니, 이효에서 사효까지 호괘가 리괘의 몸체인데, 리괘는 소가 된다. 삼효부터 오효까지는 호괘가 손괘의 몸체인데, 손괘(☴)는 새끼줄[繩]이 된다. 손괘인 새끼줄이 리괘인 소의 위에 있고, 간괘인 손이 그것을 저지하니, 소를 매어 놓은 상이 있다. 구이가 변하여 리괘의 몸체를 잃는 것이 소를 잃어버리는 상이다. '길 가는 사람'은 구이를 가리킨다. 구이가 초효 자리로 내려가서 소가 있을 곳을 잃는 것은 소를 끌고 가는 상이다. '읍 사람'은 삼효를 가리킨다. 감괘는 본래 곤괘가 재차 구하여서 이루어진 것이다. 구(九)가 곤괘의 몸체에 있으면서 왕래하므로 삼효를 가리켜서 '읍 사람'이라고 했다. '읍(邑)'은 곤괘인 토(土) 상이다.

### 송시열(宋時烈) 『역설(易說)』

卦雖无妄, 而往應上九, 過極災生也. 或以互巽之繩, 繫下坤之牛, 下卦本坤, 而震之初爻自外來, 故坤之牛, 震之行人得之, 坤邑之人, 所以爲災也.

괘가 비록 무망(无妄)이지만 가서 상구에 호응하니, 허물이 지극하여 재앙이 생겨난다. 혹 호괘인 손괘의 새끼줄로 아래 곤괘의 소를 매지만, 하괘는 본래 곤괘이고 진괘의 초효는 밖으로부터 오므로 곤괘의 소를 진괘의 '길 가는 사람'이 얻으니, 곤괘인 '읍 사람'이 이 때문에 재앙이 된다.

### 이익(李瀷) 『역경질서(易經疾書)』

无妄之災, 謂所行无妄, 而或有災害也. 坤有牛象. 彖傳云, 剛自外來而爲主於內, 此句最可商量. 外者指乾, 卽外卦也. 震是乾之一索於坤而得者, 其剛未及自外來時, 坤而已矣. 內者爲主, 則外者爲客, 行人是也. 自外而來, 爲坤之主, 非得牛而何. 且此卦與大畜反對, 六三, 卽大畜之六四, 而有童牛之象. 牛者, 畜物也. 在行人爲得, 則在邑人爲災, 可知. 凡邑之象, 多於坤之上爻言之, 泰謙之類, 是也. 又晉之伐, 伐六三也, 升之升, 升上六也. 比之五, 與地爲比, 則亦六三也, 皆可證此卦以剛自外來爲義, 則邑亦以坤言也. 六三陰柔, 不中不正, 宜其有災, 其災也, 或繫之牛, 繫者, 災之繫也. 或之者, 疑之也, 謂或然或不然也. 三之於初, 非應非比. 然陽剛爲主, 其勢上進, 或不免失牛之災也. 非切近, 故不言凶咎.

무망의 재앙은 가는 바가 망령됨이 없는데도 혹 재해(災害)가 있는 것을 말한다. 곤괘에 소의 상이 있다. 「단전」에서 "굳센 양이 밖으로부터 와서 안에서 주인이 된다"고 하였으니, 이 구절을 가장 잘 생각해 보아야 한다. '밖'은 건괘를 가리키니, 곧 외괘(外卦)이다. 진괘는 건괘의 한 획이 곤괘에서 구하여 얻은 것이니, 그 굳셈이 아직 밖으로부터 오는 데 이른 때가 아니어서 곤괘일 뿐이다. 안에 있는 것이 주인이 되면 밖에 있는 것이 객(客)이 되니, 길 가는 사람이 이것이다. 밖으로부터 와서 곤괘의 주인이 되니, 소를 얻는 것이 아니고 무엇이겠는가? 또 이 괘는 대축괘(大畜卦䷙)와 위아래가 뒤집어져 바뀌었으니, 육삼은 곧 대축괘의 육사여서 송아지의 상이 있다. 소는 기르는 동물이다. 길 가는 사람에게 있어 얻는 것이 되면 읍 사람에게는 재앙이 됨을 알 수 있다. 읍의 상은 대체로 곤괘의 상효에서 말한 것이 많으니, 태괘(泰卦䷊)와 겸괘(謙卦䷎)의 부류가 이것이다. 또 진괘의 '벌(伐)'은 육삼을 벌함이고, 승괘의 승(升)은 상육에 오름이다. 비괘(比卦䷇)의 오효는 땅과 비(比)의 관계가 되면 곧 또 육삼이어서 모두 이 괘가 굳센 양이 밖으로부터 와서 뜻이 됨을 증명할 수 있으니, 읍은 또한 곤괘로 말하였다. 육삼은 부드러운 음으로 가운데 있지도 않고 바르지도 않아서 그에 재앙이 있음이 마땅한데 그 재앙은 '혹 매어 놓은 소'이니, "맨다"는 것이 재앙의 매임이다. '혹(或)'이라는 것은 의심하는 것이니, 혹은 그렇기도 하고 혹은 그렇지 않기도 함을 말한다. 삼효는 초효에 대하여 호응도 아니고 비(比)의 관계도 아니다. 그러나 굳센 양이 주인이 되고 그 형세가 위로 올라가니, 혹 소를 잃는 재앙을 면치 못한다. 매우 가깝지는 않으므로 흉함과 허물을 말하지 않았다.

### 심조(沈潮) 「역상차론(易象箚論)」

六三, 繫牛, 行人,
육삼에서 말하였다: '매어 놓은 소'와 '길 가는 사람'이다.

繫, 巽繩也. 牛, 取互艮, 蓋土畜也. 艮爲徑路. 三爲人位, 故曰行人.
"맨다[繫]"는 손괘의 새끼줄이다. '소'는 호괘인 간괘에서 취하였으니, 대개 토(土)에 해당하는 가축[土畜]이다. 간괘는 지름길이 된다. 삼효는 사람의 자리가 되므로 '길 가는 사람'이라고 하였다.

### 유정원(柳正源) 『역해참고(易解參攷)』

朱子曰, 六三便是无妄之災, 如諺曰, 閉門屋裏坐, 禍從天上來, 是也.
주자가 말하였다: 육삼은 곧 무망(无妄)의 재앙이니, 마치 속언에 "문을 닫아걸고 집안에

앉아 있더라도 화(禍)가 하늘로부터 온다"는 것이 이것이다.

○ 建安丘氏曰, 初體震動, 是爲行人. 三與二鄰, 是爲邑人.
건안구씨가 말하였다: 초효의 몸체는 진괘의 움직임이니, 이것이 '길 가는 사람'이 된다. 삼효는 이효와 이웃하니, 이것이 읍 사람이 된다.

### 김상악(金相岳) 『산천역설(山天易說)』

六三, 當无妄之時, 不中不正, 故先言災也. 牛指二也. 震互離巽, 故其象如此. 行人牽牛而去, 居者失之, 所以爲无妄之災也.
육삼은 무망(无妄)의 때를 당하여 가운데 있지도 않고 바르지도 않으므로 재앙을 먼저 말하였다. '소'는 이효를 가리키니, 진괘와 호괘인 리괘와 손괘이므로 그 상이 이와 같다. 길 가는 사람이 소를 끌고서 가면 있는 사람이 잃으니, 이 때문에 무망의 재앙이 된다.

○ 牛離象. 係者, 巽之繩也. 震來厲, 故牛脫其所係也. 三四皆人位, 卦變而三與二相比, 爲行人之得也. 四不變而與二相遠, 爲邑人之失也. 與旅上九曰喪牛于易相似. 所以終莫之聞者, 居者, 莫之告也. 又三變, 則爲同人, 三之伏戎而不興者, 乃得牛而行也. 又本爻在大畜爲四, 大畜則童牛之牿, 无失牛之災也. 又卦變自訟而來, 訟九二, 亦言邑人. 行者得牛, 則居者必有所訟, 乃其災也. 災眚者, 五行之相克也. 乾金克震木, 震木生離火, 火又克金, 故三言災, 上言眚也. 无妄六爻, 以得正爲吉, 以无應爲善, 正則无妄, 无應則无望, 故初二五皆正, 而二五之應不如初之往吉, 三四上皆不正, 而三上之應不如四之可貞.
'소'는 리괘의 상이다. "맨다"는 손괘의 새끼줄을 뜻한다. 진괘에 화(禍)가 오므로 소가 그 매인 바를 벗어나는 것이다. 삼효와 사효는 모두 사람의 자리인데, 괘가 변하여 삼효가 이효와 서로 비(比)의 관계이니, 길 가는 사람이 얻게 된다. 사효는 변하지 않고 이효와 서로 멀어 읍 사람이 소를 잃는 것이 된다. 려괘(旅卦䷷) 상구에서 "소를 쉽게 하는데서 잃는다"고 한 것과 서로 같다. 이 때문에 끝내 들어 알지 못하는 것이니, 거주하는 자가 고할 것이 없다. 또 삼효가 변하면 동인괘(同人卦䷌)가 되니, 삼효에서 '군사를 매복시키고 일어나지 못함'은 바로 소를 얻어서 가는 것이다. 또 본 효는 대축괘(大畜卦䷙)에서는 사효가 되니, 대축괘에서 "어린 소의 뿔에 가로나무를 더한다"는 것은 소를 잃는 재앙이 없는 것이다. 또 괘의 변화가 송괘(訟卦䷅)로부터 왔으니, 송괘 구이에 또한 '읍 사람'을 말하였다. 길 가는 사람이 소를 얻으면 있는 자는 반드시 소송하는 바가 있어서 바로 그것이 재앙이다. '재앙[災眚]'은 오행의 상극(相剋)이다. 건(乾)인 금(金)은 진(震)인 목(木)을 이기고, 진인 목은

리(離)인 화(火)를 낳으며, '화'는 또 '금'을 이기므로 삼효에서 '재(災)'를 말했고, 상효에서 '생(眚)'을 말했다. 무망괘 여섯 효가 '바름을 얻는 것'으로 길함을 삼고 '호응이 없는 것'으로 선을 삼으니, 바르면 망령됨이 없고, 호응이 없으면 바라는 것이 없으므로 초효와 이효와 오효가 모두 바르지만, 이효와 오효의 호응은 초효의 "가는 것이 길하다"는 것만은 못하고, 삼효와 사효와 상효가 모두 바르지 않지만, 삼효와 상효의 호응이 사효의 "곧게 할 수 있다"는 것만은 못하다.

## 김규오(金奎五) 「독역기의(讀易記疑)」

六三, 不正而動極, 似非无故, 而義云无故有災, 何也. 素行不正, 故雖非其罪, 而罪歸其身也.

육삼은 바르지 않고 움직임의 끝이어서 까닭이 없지 않을 것 같은데, 『본의』에서 "까닭 없이 재앙이 있다"고 한 것은 어째서인가? 평소의 행동이 바르지 않으므로 비록 죄는 아니지만 죄가 그 몸에 돌아간다.

○ 卦雖大通, 而一主於正, 卦辭申言貞不正, 是也. 初二五得正, 故吉, 三四上不正, 故不吉. 夫以四之剛柔合德, 又无係應之累, 又居動而健之界, 疑若大善, 而堇止於固守, 无咎何也. 卦之所主, 在正故也. 四已如此, 況上九處物極將變之地, 而行之不已, 其不吉必矣. 是以爻辭申說卦辭下段, 而彖所謂天命不祐, 蓋亦指此也. 以此見之, 象所云窮之災, 似謂不正之極之災, 而本義以爲非有妄也, 豈以卦之全體爲无妄故耶.

괘가 비록 크게 통하는데도 '바름'을 한결같이 주장하니, 괘사에서 곧고 바르지 않음을 거듭 말한 것이 이것이다. 초효와 이효, 오효는 바름을 얻었으므로 길하고, 삼효와 사효, 상효는 바르지 않으므로 길하지 않다. 사효의 굳센 양과 부드러운 음의 자리가 덕을 합하고, 또 매여 호응하는 누(累)가 없으며, 또 움직여 굳건한 경계에 있어 크게 선할 것 같지만 겨우 고수(固守)하는데 그쳐 허물이 없는 것은 어째서인가? 괘의 주로 하는 바가 바름에 있기 때문이다. 사효가 이미 이와 같은데, 더욱이 상구는 사물이 다하여 변하려는 곳에 처하여 행하고 그치지 않으니, 반드시 길하지 않을 것이다. 이 때문에 효사에서는 괘사 아래에서 거듭 말하였으니, 「단전」에서 이른바 "천명이 돕지 않는다"는 것이 대체로 또한 이것을 가리킨다. 이것으로 본다면 「상전」에서 '궁극의 재앙'이라고 한 것은 바르지 않은 궁극의 재앙이라고 말할 듯한데, 『본의』에서는 "망령됨이 있는 것이 아니다"고 여겼으니, 어찌 괘의 전체로 무망의 연고를 삼은 것이겠는가?

### 서유신(徐有臣)『역의의언(易義擬言)』

无妄之灾, 自然之灾也. 繫, 互巽爲繩也. 牛, 坤象也. 行人, 初九自外來也. 邑人, 六三也. 邑人之灾之灾, 恐當作失. 初九得坤, 而坤失一陰, 行人得牛邑人失牛之象也. 或繫之牛, 非不牢縶之謹, 而無端失之, 牛自逸也, 是爲无妄之失也. 行人得之, 而不知其爲何人之牛, 故曰或, 蓋得或人之牛也, 是爲无妄之得也. 均是坤體, 而三匪正, 故有灾也.
무망의 재앙은 저절로 그러한 재앙이다. "맨다"는 호괘인 손괘(☴)가 새끼줄이 되기 때문이다. '소'는 곤괘의 상이다. '길 가는 사람'은 초구가 밖으로부터 온 것이다. '읍 사람'은 육삼을 말한다. "읍 사람의 재앙이다"고 한 재앙[灾]은 "잃는다"는 실(失)자로 써야 할 듯하다. 초구는 곤괘를 얻었고 곤괘는 한 음을 잃었으니, 길 가는 사람이 소를 얻고 읍 사람이 소를 잃는 상이다. '혹 매어 놓은 소'는 우리에 잘 매어 놓지 않은 것은 아니지만 단서가 없이 잃어버려 소가 홀로 달아난 것이니, 이것이 무망의 잃음이 된다. 길 가는 사람이 얻지만 그것이 누구의 소인지 알지 못하므로 '혹'이라고 하였으니, 대체로 어떤 사람의 소를 얻은 것이며 이것이 무망의 얻음이 된다. 모두 곤괘의 몸체인데, 삼효가 바르지 않으므로 재앙이 있다.

### 박문건(朴文健)『주역연의(周易衍義)』

災必自外, 故有或繫之象. 繫, 言縶牛而使不能行也. 行人, 謂上九也.
재앙[災]은 반드시 밖으로부터 오므로 혹 매어놓는 상이 있다. '매어놓음[繫]'은 소를 잡아매어 다니지 못하게 함을 말한다. '길 가는 사람'은 상구를 말한다.
〈問, 无妄之災以下. 曰, 六三, 用柔順之道, 而未免上九之來害, 故有无妄之災眚也. 或者, 縶六三之牛, 而爲行人之所得者, 邑人之災禍也, 言邑人反遭失牛之責於六三也.
물었다: '무망의 재앙' 이하는 무슨 뜻입니까?
답하였다: 육삼은 유순한 도를 쓰지만 상구가 와서 해를 입힘을 면하지 못하므로 무망의 재앙이 있습니다. '혹(或)'은 육삼의 소를 잡아매지만 길 가는 사람의 소득이 되는 것으로 읍 사람의 재앙이니, 읍 사람이 도리어 육삼에서 소를 잃는 책임을 만남을 말합니다.〉

### 이지연(李止淵)『주역차의(周易箚疑)』

行人之得牛, 實非邑人之妄而遇灾. 此所謂无妄之灾, 不正不中故也.
길 가는 사람이 소를 얻음이 실제로 읍 사람이 망령되어 재앙을 만나는 것은 아니다. 이것이 이른바 무망의 재앙이니, 바르지도 않고 가운데 있지도 않기 때문이다.

## 이항로(李恒老) 「주역전의동이석의(周易傳義同異釋義)」

傳, 三以陰柔而不中正, 是爲妄者也. 又志應於上欲也, 亦妄也, 在无妄之道, 爲灾害也. 人之妄動, 由有欲也. 妄動而得亦必有失, 云云.
『정전』에서 말하였다: 삼효는 부드러운 음으로서 중정하지 못하니, 이는 망령된 자이다. 또 뜻이 상효와 호응함은 욕심이어서 또한 망령이니, 무망의 도에 비추어 재해가 된다. 사람이 함부로 움직이는 것은 욕심이 있기 때문이다. 함부로 움직여 얻으면 또한 반드시 잃게 된다고 운운.

本義, 卦之六爻, 皆无妄者也. 六三處不得正, 故遇其占者, 无故而有灾. 如行人牽牛以去, 而居者反遭詰捕之擾也.
『본의』에서 말하였다: 괘의 여섯 효가 모두 무망이다. 육삼은 처한 곳이 바름을 얻지 못했기 때문에 그 점을 만난 자는 까닭 없이 재앙이 있다. 예를 들어 길 가는 사람이 소를 끌고 갔는데, 거주하는 사람이 도리어 힐문하고 체포하는 소요를 당하는 것과 같다.

按, 六三陰柔而不中不正, 卽彖所謂其匪正有眚者也. 恐非无故而有災, 程傳之釋, 以无未安.
내가 살펴보았다: 육삼은 부드러운 음으로 가운데 있지도 않고 바르지도 않으니, 곧 「단전」에서 이른바 "바르지 않으면 허물이 있을 것이다"고 한 것이다. 까닭 없이 재앙이 있는 것이 아니니, 『정전』의 해석이 타당하지 못할 것이 없다.

## 김기례(金箕澧) 「역요선의강목(易要選義綱目)」

六三, 无妄之災,
육삼은 무망의 재앙이니,
以陰居剛, 不得中正, 又應无位之上, 動以人欲, 故有无妄之災.
음으로 굳센 양의 자리에 있고 중정함을 얻지 못하였으며, 또 지위가 없는 상효에 호응하여 인욕(人慾)으로 움직이므로 무망의 재앙이 있다.

或繫之牛, 行人之得, 邑人之災.
혹 매어 놓은 소도 길 가는 사람의 소득이자 읍 사람의 재앙이다.
或, 未必然之辭, 已上見. 坤變震, 故取坤牛.
'혹(或)'은 반드시 그러하지는 않다는 말이니, 이미 위에 보인다. 곤괘가 진괘로 변했기 때문에 곤괘인 소를 취했다.

○ 蓋坤初爻變爲震, 坤爲邑而失坤初六, 故邑人有災.
대개 곤괘의 초효가 변하여 진괘가 되니, 곤괘는 읍이 되는데 곤괘의 초육을 잃었기 때문에 읍 사람에게 재앙이 있다.

○ 震爲動而得震初九 故動而行者有得.
진괘는 움직임이 되는데 진괘(☳)의 초구를 얻었기 때문에 움직여 가는 것에 소득이 있다.

○ 在震體, 動則順天, 故初往吉, 二往利, 三行人得, 不動則不順天, 故邑人災.
진괘의 몸체에 있어서 움직이면 하늘을 따르기 때문에 초구에서 '가는 것이 길하며', 이효에서 '감이 이롭고', 삼효에서 '길 가는 사람이 얻는 것이다'. 움직이지 않으면 하늘을 따르지 않으므로 '읍 사람의 재앙'이 된다.

○ 假如有一牛於此, 行人牽去而牛主錯認邑人而告, 則邑人橫罹捕詰之災.
가령 여기에 소 한 마리가 있는데, 길 가는 사람이 끌고 갔는데 소 주인이 읍 사람으로 잘못 알아서 무고하면 읍 사람이 힐문하고 체포되는 뜻밖의 재앙을 당한다.

### 심대윤(沈大允) 『주역상의점법(周易象義占法)』

无妄之同人䷌, 同類也. 居剛爲誠足而才柔有繫應. 但就其心志之所通, 氣味之相近, 而强力焉, 有得失長短也. 故曰无妄之災. 或, 謂四五也. 离巽爲繫牛, 言繫於四五也. 如侯牧之從于君大臣, 是也. 巽乾爲行人, 艮爲得, 言從五之爲得也, 艮乾爲邑人, 离爲災, 言從四之爲災也, 言宜舍其所近, 而勉其所不通也.
무망괘가 동인괘(同人卦䷌)로 바뀌었으니, 같은 무리이다. 굳센 자리에 있어 정성은 넉넉한데 재주가 유약하여 호응에 매임이 있다. 다만 그 심지가 소통되고 기미(氣味)가 서로 가까움에 나아가 힘을 쓰니, 얻고 잃으며 좋고 나쁨이 있다. 그러므로 '무망의 재앙'이라고 했다. '혹(或)'은 사효와 오효를 가리킨다. 리괘와 손괘는 매인 소가 되니, 사효와 오효에 매임을 말한다. 예컨대 후목(侯牧)이 임금과 대신을 따른다는 것이 이것이다. 손괘와 건괘는 길을 가는 사람이 되고 간괘는 얻음이 되니, 오효로부터 얻게 됨을 말하며, 간괘와 건괘는 읍 사람이 되고 리괘는 재앙이 되니, 사효로부터 재앙이 됨을 말하니, 마땅히 그 가까운 것을 버리고 통하지 않는 것에 힘써야 함을 말한다.

### 오치기(吳致箕) 「주역경전증해(周易經傳增解)」

六三, 陰柔不正, 所應亦非中正, 故致无妄之災. 或有繫牛而行人得之, 爲邑人適然之災也, 卽象而占, 可知矣.
육삼은 부드러운 음으로 바르지 않고 호응하는 것도 중정함이 아니므로 무망의 재앙에 이른다. 혹 매어놓은 소가 있더라도 길 가는 사람이 얻어 읍 사람에게 우연한 재앙이 되니, 상에 나아가 점친 것을 알 수 있다.

○ 或者, 未定之辭. 繫, 取互巽. 牛, 取於對坤. 行, 取於震, 邑亦取於對坤也.
'혹(或)'은 아직 정해지지 않았다는 말이다. "맨다"는 호괘인 손괘에서 취했다. '소'는 음양이 바뀐 곤괘에서 취했다. '지나감'은 진괘에서 취했으며, '읍'도 음양이 바뀐 곤괘에서 취했다.

### 이진상(李震相) 『역학관규(易學管窺)』

无妄之災.
무망의 재앙이니.

六三雖不中正, 非有妄也. 无妄之福, 无妄之災, 俱非其自取也. 行人得牛, 非有與於邑人, 而邑人忽遭詰捕之擾, 正所謂張三操刀而李二償命者也. 特其所居所應之失位, 故有此无妄之災. 程傳屢說妄動, 似未安.
육삼이 비록 중정하지 않지만 망령이 있는 것은 아니다. 무망의 복과 무망의 재앙이 모두 스스로 취한 것이 아니다. 길 가는 사람이 소를 얻음이 읍 사람에게 관계됨이 있는 것은 아니지만 읍 사람이 돌연 힐문하고 체포되는 소요를 만나니, 바로 이른바 장씨네 셋째 아들이 칼을 잡았는데 이씨네 둘째 아들이 그를 살인자로 오해하여 죽인다는 것이다. 다만 그 있는 바와 호응하는 바가 제 자리를 잃었기 때문에 이러한 무망의 재앙이 있다. 『정전』에서 "함부로 움직인다"고 여러 번 말한 것은 합당치 않은 듯하다.

### 채종식(蔡鍾植) 「주역전의동귀해(周易傳義同歸解)」

六三, 或繫之牛, 行人之得, 邑人之災.
육삼은 혹 매어놓은 소도 길 가는 사람의 소득이자 읍 사람의 재앙이다.

傳, 解作行人之得牛, 乃是邑人失牛之災, 本義, 解作行人牽牛以去, 而居者反遭詰捕之擾. 蓋程子以无妄作實理, 謂有得則有失, 乃理所難免也. 朱子以无妄作无望, 謂行人之故而居者之擾, 乃无望之災也. 然惟其實理, 所以无妄, 惟其无妄, 所以无望, 則轉輾相解, 未嘗不同也.
『정전』에서는 길 가는 사람이 소를 얻는 것이 바로 읍 사람이 소를 잃는 재앙이라고 해석하였는데, 『본의』에서는 길 가는 사람이 소를 끌고 갔는데, 거주하는 사람이 도리어 힐문하고 체포되는 소요를 당한다고 해석하였다. 대체로 정자는 무망을 실리(實理)로 보았으니, 얻는 것이 있으면 잃는 것이 있는 것은 이치상 면하기 힘든 것임을 말한다. 주자는 무망을 무망(无望)으로 보았으니, 길 가는 사람의 연고로 거주하는 사람이 소요를 당함이 바로 무망의 재앙임을 말한다. 그러나 오직 그 실리가 이 때문에 무망한 것이고, 그 무망이 이 때문에 무망(无望)한 것이니, 돌고 돌아 서로 이어서 해석한 것이 일찍이 같지 않은 것은 아니다.

### 박문호(朴文鎬) 「경설(經說) · 주역(周易)」

如或繫之牛, 如字恐衍.

'여혹계지우(如或繫之牛)'의 '여(如)'자는 잘못 들어간 듯하다.

象曰, 行人得牛, 邑人災也.

「상전」에서 말하였다: "길 가는 사람이 소를 얻음"은 읍 사람의 재앙이다.

## 中國大全

傳

行人得牛, 乃邑人之災也. 有得則有失, 何足以爲得乎.

길 가는 사람이 소를 얻은 것은 바로 읍 사람의 재앙이다. 얻음이 있으면 잃음이 있으니, 어찌 얻었다고 할 수 있겠는가?

小註

臨川吳氏曰, 其得者, 无妄之福, 其失者, 无妄之災. 以无妄之人, 居无妄之時, 災福, 皆非以妄而致也.

임천오씨가 말하였다: 얻는 것은 바라지 않던 복이고, 잃는 것은 바라지 않던 재앙이다. 무망의 사람이 무망의 때에 거하니, 재앙과 복이 모두 바라서 이른 것이 아니다.

## 韓國大全

서유신(徐有臣) 『역의의언(易義擬言)』

此, 猶言所謂行人之得者, 乃得或繫之牛也, 所謂无妄之灾者, 乃是邑人之灾也, 失牛爲灾也. 行人得, 邑人失, 譬如左手得右手失. 有失則有得, 有得則有失, 得失相隨, 而皆无妄也.
이는 이른바 '길 가는 사람의 소득'이라는 것이 바로 '혹 매어놓은 소'를 얻은 것이고, 이른바 '무망의 재앙'은 바로 '읍 사람의 재앙'임을 말하니, 소를 잃는 것이 재앙이 된다. 길 가는 사람이 얻으면 읍 사람이 잃는 것을 비유하면, 왼 손이 얻으면 오른 손이 잃는 것과 같다. 잃는 것이 있으면 얻는 것이 있고 얻는 것이 있으면 잃는 것이 있어서, 잃고 얻음이 서로 따르니, 모두 무망이다.

### 오치기(吳致箕) 「주역경전증해(周易經傳增解)」

行者, 有无妄之得, 居者, 有无妄之失. 災福, 皆不期望而致也.
'길 가는 사람'에게 무망의 얻음이 있으면 '거주하는 사람'은 무망의 잃음이 있다. 재앙과 복이 모두 바라고 기약하지 않아도 이르는 것이다.

### 이병헌(李炳憲) 『역경금문고통론(易經今文考通論)』

王曰, 以陰居陽, 行違謙順, 是无望之所以爲災也. 牛者, 稼穡之資, 或繫之牛, 是有司之所以爲獲, 彼人之所以爲災也.
왕필이 말하였다: 음으로 양의 자리에 있고 행실이 겸손하고 순함에 어긋나니, 무망이 재앙이 되는 까닭이다. '소'는 곡식 농사에 바탕이 되니, '혹 매어 놓은 소'는 유사(有司)에게 얻는 것이 되면 저 사람에게는 재앙이 되는 까닭이다.

# 九四, 可貞, 无咎.

구사는 곧게 할 수 있으니, 허물이 없다.

## 中國大全

### 傳

四剛陽而居乾體, 復无應與, 无妄者也. 剛而无私, 豈有妄乎. 可貞固守此, 自无咎也. 九居陰, 得爲正乎. 曰, 以陽居乾體, 若復處剛, 則爲過矣, 過則妄也. 居四, 无尙剛之志也. 可貞與利貞不同, 可貞, 謂其所處可貞固守之, 利貞, 謂利於貞也.

사효는 굳센 양으로 건괘의 몸체에 거하고 다시 호응하여 함께 하는 자가 없으니, 무망한 자이다. 굳세고 사사로움이 없는데, 어찌 망령됨이 있겠는가? 곧고 굳게 이를 지킬 수 있으니, 스스로 허물이 없다. 구(九)가 음의 자리에 거하는데, 바름이 될 수 있겠는가? 양으로 건괘의 몸체에 거하였으니, 만약 다시 굳센 자리에 처하면 지나침이 되고, 지나치면 망령이다. 사효에 거하는 것은 굳셈을 숭상하는 뜻이 없다." '가정(可貞)'은 '이정(利貞)'과 같지 않으니, '가정(可貞)'은 그 처한 바를 곧고 굳게 지킬 수 있음을 말하고, '이정(利貞)'은 곧음이 이로움을 말한다.

### 本義

陽剛乾體, 下无應與, 可固守而无咎, 不可以有爲之占也.

굳센 양으로 건괘의 몸체에 거하고 아래에 호응하여 함께 하는 자가 없으니, 굳게 지키면 허물이 없을 수 있고, 행동함이 있어서는 안 된다는 점괘이다.

### 小註

進齋徐氏曰, 九四得乾體之剛, 下无係應, 无妄者也. 但可貞與利貞不同, 利貞, 謂利於貞也. 可者, 僅可之辭, 謂以九居四, 剛而不中, 僅可堅守其剛, 貞而勿動爾, 妄動則有咎也.
진재서씨가 말하였다: 구사는 건체의 굳셈을 얻고 아래에 매이고 호응하는 것이 없으니, 바램이 없는 자이다. 다만 '가정(可貞)'과 '이정(利貞)'은 같지 않으니, '이정(利貞)'은 곧음에 이로운 것이다. '가(可)'라는 것은 겨우 괜찮다는 말이니, 구(九)로서 사(四)에 거하여 굳세지만 알맞지 않아 겨우 그 굳셈을 견고하게 지킬 수 있어서 곧게 하여 움직이지 않을 뿐이고, 함부로 움직이면 허물이 있다는 말이다.

○ 雙湖胡氏曰, 四處不中正, 故戒之以可貞, 則无咎, 不正則有咎也. 可之云者, 有誨之之意.
쌍호호씨가 말하였다: 사효는 중정하지 않은 데 처하고 있기 때문에 곧게 할 수 있으면 허물이 없고 바르지 않으면 허물이 있다고 경계하였다. '가(可)'라고 말하는 것은 후회한다는 뜻이 있다.

○ 雲峯胡氏曰, 貞, 正而固也. 曰利貞, 則訓正字而兼固字之義. 曰不可貞, 則專訓固字而无正字之義, 不可不辯. 九四陽剛健體, 下无應與, 僅可貞固守之, 而其占不可有爲, 不如初之吉, 亦不至如上之凶, 僅得无咎而已.
운봉호씨가 말하였다: '정(貞)'은 바르고 굳은 것이다. "바르고 곧게 하는 것이 이롭다"고 말한 것은 '정(正)'자로 풀이하면서 '고(固)'자의 뜻을 겸하였다. "곧게 해서는 안 된다"고 말한 것은 오직 '고(固)'자로 풀이하고 '정(正)'자의 뜻은 없으니, 변별하지 않을 수 없다. 구사는 굳센 양으로 건체에 있고 아래에 호응하여 함께 하는 것이 없어, 겨우 바르고 곧게 지킬 수 있고, 그 점은 작위하지 말라는 것이니, 초효의 길함만 같지 못하고, 또한 상효와 같은 흉함에는 이르지 않으며, 겨우 허물이 없을 수 있을 뿐이다.

## 韓國大全

### 송시열(宋時烈) 『역설(易說)』

可貞者, 可以貞固也, 與初九爲應. 其義可以貞固, 貞固故无咎. 小象固有者, 言陽爻本有貞固之德, 而初九又來相應, 此亦本有之應也. 其道當若固有之也.
"곧게 할 수 있다"는 곧고 굳게 할 수 있다는 말이니, 초구와 호응이 된다. 그 뜻을 곧고 굳게 할 수 있고, 곧고 굳게 할 수 있으므로 허물이 없다. 「소상전」에서의 "본래 가지고 있다"는 양효가 곧고 굳은 덕을 본래 가지고 있고 초구가 또 와서 서로 호응함을 말하니, 이 또한 본래 가지고 있는 호응이다. 그 도가 마땅히 본래 가지고 있는 것과 같다.

### 이익(李瀷) 『역경질서(易經疾書)』

九四, 雖非中正, 上比於中正之君, 下應於初九之正, 可以貞固而无咎. 可者, 僅辭, 固, 屬貞字.

구사가 비록 중정(中正)하지는 않지만, 위로 중정한 임금에게 가깝고 아래로 초구의 바름에 호응하니, 곧고 굳어 허물이 없을 수 있다. '가(可)'는 '겨우'라는 말이고 '고(固)'는 '곧다'는 글자에 속한다.

### 김상악(金相岳) 『산천역설(山天易說)』

震乾之交, 以九居四, 比三而動, 是有妄矣. 然比而不交, 則不失其剛, 可固守而无咎矣.

진괘와 건괘가 사귐에 구(九)가 사효 자리에 있고 삼효와 비(比)의 관계이면서 움직이니, 이는 망령됨이 있다. 그러나 비의 관계이지만 사귀지 않으니, 그 굳셈을 잃지 않아 굳게 지킬 수 있어서 허물이 없다.

○ 无妄者, 實理也. 震乾合體, 動而健, 所以爲无妄. 四之比三, 旣不相交, 則震自震, 乾自乾, 无所虧失. 若累於私係, 不能固守, 則乾變爲巽, 不成爲无妄, 難免於咎也. 九四以陽居陰, 故有可貞之戒, 與坤六三同. 四變巽震反艮而交, 則其卦爲蠱. 幹母則不可貞, 自守則可貞, 所以勉戒不同.

'무망'은 실리(實理)이다. 진괘와 건괘가 몸체를 합하여 움직이고 강건하니, 이 때문에 무망이 된다. 사효는 삼효와 비(比)의 관계이지만, 이미 서로 사귀지 않아서 진괘는 진괘일 뿐이고 건괘는 건괘일 뿐이어서 어그러지고 잃는 바가 없다. 만약 사사롭게 매이는데 얽매여 굳게 지킬 수 없으면, 건괘는 변하여 손괘(☴)가 되어 무망이 됨을 이루지 못하고 허물을 면하기 어렵다. 구사는 굳센 양으로 음의 자리에 있으므로 "곧게 할 수 있다"는 경계가 있으니, 곤괘 육삼과 같다. 사효가 변한 손괘와 진괘가 거꾸로 된 간괘가 사귀게 되면 그 괘가 고괘(蠱卦䷑)가 된다. 어머니의 일을 주관하여 바로잡으면 곧을 수 없으며 스스로 지키면 곧을 수 있으니, 이 때문에 권면하고 경계함이 같지 않다.

서유신(徐有臣)『역의의언(易義擬言)』

大壯變爲无妄, 而初九九四陽剛不變, 故曰可貞也. 可貞則可無匪正之眚也.

대장괘(大壯卦䷡)의 위아래가 바뀌어 무망괘(无妄卦䷘)가 되는데, 초구와 구사의 굳센 양은 바뀌지 않으므로 "곧게 할 수 있다"고 하였다. 곧게 할 수 있으면 바르지 않은 재앙이 없을 수 있다.

박문건(朴文健)『주역연의(周易衍義)』

疑其逼己, 故有可貞之象. 貞者, 旡咎之道.

자기를 핍박할까 의심하므로 '곧게 할 수 있는' 상이 있다. '곧다'는 것은 허물이 없는 도이다.

이지연(李止淵)『주역차의(周易箚疑)』

不正, 故戒之以正. 可貞者, 以正爲可, 然後僅得无咎.

바르지 않기 때문에 바름으로 경계하였다. "곧게 할 수 있다"는 바름으로 옳음을 삼은 뒤에야 겨우 허물이 없게 된다.

김기례(金箕澧)「역요선의강목(易要選義綱目)」

剛居乾體, 无應則无私无妄. 但陽居陰位, 謹當守正而不至咎

굳센 양이 건괘의 몸체에 있지만 호응함이 없으니, 사사로움도 없고 망령됨도 없다. 다만 양이 음의 자리에 있어서 삼가 바름을 지켜 허물에 이르지 않음이 마땅하다.

심대윤(沈大允)『주역상의점법(周易象義占法)』

无妄之益䷩, 損上益下也. 九四居柔, 誠不足, 然才明而无所偏係, 從五而得其正, 能虛心以受益, 擇善而固執者也. 貞, 坤德.

무망괘가 익괘(益卦䷩)로 바뀌었으니, 위를 덜어 아래에 더하는 것이다. 구사는 부드러운 음의 자리에 있어 정성은 부족하지만, 재질은 밝아 치우치거나 얽매인 바가 없고 오효를 따라 그 바름을 얻었으니, 마음을 비워서 이로움을 받고 선을 택하여 굳게 잡을 수 있는 자이다. '곧음'은 곤괘의 덕이다.

### 오치기(吳致箕) 「주역경전증해(周易經傳增解)」

九四, 陽剛而居健體, 下无陰柔之應, 卽无期望之私心者也. 居不得正, 宜若有咎. 然以剛應剛, 无私係之累, 故戒言可守此正道而能无咎也.
구사는 굳센 양으로 굳건한 몸체에 있고 아래로 부드러운 음의 호응이 없으니, 바로 기약하고 바라는 사사로운 마음이 없는 자이다. 거처함이 바름을 얻지 못하였으니, 마땅히 허물이 있을 것 같다. 그러나 굳센 양으로 굳센 양에게 호응하여 사사롭게 얽매이는 누(累)가 없으므로 이 바른 도를 지킬 수 있어서 허물이 없을 수 있음을 경계하여 말하였다.

○ 可者, 戒辭也. 貞, 謂无妄之正道也.
'~할 수 있다[可]'는 경계하는 말이다. '곧음'은 무망의 바른 도를 말한다.

### 박문호(朴文鎬) 「경설(經說)・주역(周易)」

可貞, 傳既以貞固釋之, 又取正字論其餘意. 小註, 一作貞, 恐非是.
"곧게 할 수 있다"에 대해 『정전』에서는 "곧고 굳다"는 것으로 해석하였고, 또 "바르다"는 글자를 취해 그 나머지의 뜻을 논하였다. 소주에서 "곧다"고만 한 것이 있는데, 아마도 옳지 않은 듯하다.

## 象曰, 可貞无咎, 固有之也.

「상전」에서 말하였다: "곧게 할 수 있으니, 허물이 없음"은 본래 갖고 있는 것이다.

## 中國大全

傳

**貞固守之, 則无咎也.**

곧고 굳게 지키면 허물이 없다.

本義

**有, 猶守也.**

'유(有)'는 '수(守)'와 같다.

## 韓國大全

**유정원(柳正源) 『역해참고(易解參攷)』**

可貞 [至] 之也.
곧게 할 수 있으니 … 는 것이다.

雷氏曰, 以陽居陰, 匪正者也. 然體乾之剛, 則能勝己之邪. 始雖不正, 可與爲正矣, 何咎之有. 正者, 人所固有, 反其不正, 何難哉. 故曰固有之也.
뇌씨가 말하였다: 양으로 음의 자리에 있으니, 바르지 않은 것이다. 그러나 몸체가 건괘의 굳셈이니, 자기의 사사로움을 이길 수 있다. 시작은 비록 바르지 않으나 더불어 바르게 될 수 있으니, 무슨 허물이 있겠는가? '바름'은 사람이 본래 가지고 있는 것인데 그 바르지 않은 데로 돌아가니, 무엇을 따지겠는가? 그러므로 "본래 가지고 있는 것이다"라고 하였다.

### 김상악(金相岳) 『산천역설(山天易說)』

固者貞也, 有猶守也.
'본래[固]'는 곧음이며, "갖고 있다[有]"는 것은 지키는 것과 같다.

### 서유신(徐有臣) 『역의의언(易義擬言)』

以剛居柔, 有似匪貞, 故明其可貞乃所自有也. 夫自然之正, 乃人性之所固有也.
굳센 양으로 부드러운 음의 자리에 있어 곧지 않은 듯함이 있기 때문에 곧게 할 수 있는 것이 바로 스스로 가지고 있는 것임을 밝혔다. 저절로 그러한 바름이 바로 사람의 본성이 본래 가지고 있는 바이다.

### 박문건(朴文健) 『주역연의(周易衍義)』

固有, 言固有之理也. 九四所處之時然也.
'고유(固有)'는 본래 갖고 있는 이치를 말한다. 구사의 처한 때가 그러하다.
〈問, 固有. 曰, 上下敵應, 不无相疑之道也, 故用貞爲可, 如此則能制下而致无咎. 此九四固有之時義也.
물었다: '고유(固有)'는 무슨 뜻입니까?
답하였다: 위아래가 대적하여 호응하니, 서로 의심하는 도가 없지 않으므로 곧음을 쓰는 것이 옳으니, 이와 같다면 아래를 제어할 수 있어 허물이 없음을 이룹니다. 이것은 구사가 본래 가지고 있는 때와 뜻입니다.〉

### 오치기(吳致箕) 「주역경전증해(周易經傳增解)」

固有其正道而不失, 即所以旡咎也.
본래 그 바른 도를 가지고 있어서 잃지 않으니, 바로 이 때문에 허물이 없다.

### 이진상(李震相) 『역학관규(易學管窺)』

固有之也.
본래 갖고 있는 것이다.

此謂本有可守之貞也, 如若固有之之意, 恐非以有爲守也.
이는 지킬 수 있는 곧음을 본래 가지고 있는 것을 말하니, "본래 가지고 있다"는 뜻과 같고, "가지고 있다"는 것을 "지킨다"는 것으로 여긴 것은 아닌 듯하다.

### 이병헌(李炳憲) 『역경금문고통론(易經今文考通論)』

程傳曰, 四而居乾, 復无應與, 貞固守之, 无咎也.
『정전』에서 말하였다: 사효로서 건괘에 있고 다시 호응하여 함께하는 자가 없으니, 곧고 굳게 지켜 허물이 없다.

## 九五, 无妄之疾, 勿藥, 有喜.

정전 구오는 무망의 병은 약을 쓰지 않으면 기쁜 일이 있으리라.
본의 구오는 무망의 병이니, 약을 쓰지 않아도 기쁜 일이 있으리라.

## 中國大全

### 傳

九以中正當尊位, 下復以中正順應之, 可謂无妄之至者也, 其道无以加矣. 疾, 爲之病者也. 以九五之无妄, 如其有疾, 勿以藥治, 則有喜也. 人之有疾, 則以藥石攻, 去其邪, 以養其正, 若氣體平和, 本无疾病, 而攻治之, 則反害其正矣. 故勿藥則有喜也. 有喜, 謂疾自亡也. 无妄之所謂疾者, 謂若治之而不治, 率之而不從, 化之而不革以妄, 而爲无妄之疾, 舜之有苗, 周公之管蔡, 孔子之叔孫武叔, 是也. 旣已无妄而有疾之者, 則當自如无妄之疾, 不足患也. 若遂自攻治, 乃是渝其无妄, 而遷於妄也. 五旣處无妄之極, 故唯戒在動, 動則妄矣.

구(九)가 중정함으로 높은 자리에 있고 아래의 육이가 다시 중정함으로 순응하고 있으니, 무망이 지극한 자라고 이를 만하니, 그 도가 이보다 더할 수는 없다. '질(疾)'은 심해지면 병이 되는 것이다. 구오의 무망으로 만약 병이 있다면 약으로 치료하지 않으면 기쁜 일이 있을 것이다. 사람이 질병이 있으면 약이나 침으로 나쁜 기운을 다스려 제거해서 바른 기운을 길러야 하지만, 만약 기운과 몸이 화평하여 본래 질병이 없는데 약이나 침으로 다스린다면 도리어 바른 기운을 해치게 된다. 그러므로 약을 쓰지 않으면 기쁜 일이 있는 것이니, "기쁜 일이 있다"는 것은 질병이 저절로 없어짐을 이른다. 무망괘에서 이른바 '질병'이라고 말한 것은 다스려도 다스려지지 않고 이끌어도 따르지 않고 교화하여도 고쳐지지 않아서 망령되어 무망의 병이 된 것을 이르니, 순임금의 유묘(有苗), 주공의 관숙(管叔)·채숙(蔡叔), 공자의 숙손무숙(叔孫武叔)이 그런 경우이다. 이미 무망인데 병들게 하는 자가 있으면 마땅히 스스로 무망의 병처럼 여겨서 굳이 근심하지 말아야 한다. 만약 마침내 스스로 다스린다면 이는 바로 무망을 변하여 망령으로 옮아가는 것이다. 오효가 이미 무망의 극에 처하였으므로 오직 경계함이 움직임에 있으니, 움직이면 망령이 된다.

本義

**乾剛中正, 以居尊位, 而下應亦中正, 无妄之至也. 如是而有疾, 勿藥而自愈矣. 故其象占如此.**

강건하고 중정함으로 높은 자리에 있고 아래의 호응도 또한 중정하니, 무망이 지극하다. 이와 같은데 병이 있으면 약을 쓰지 않아도 저절로 낫는다. 그러므로 그 상과 점이 이와 같다.

小註

或問, 九五陽剛中正, 以居尊位, 无妄之至, 何爲而有疾. 朱子曰, 此是不期而有此. 但聽其自爾, 久則自定, 所以勿藥有喜而无疾也. 大抵无妄一卦, 固是无妄. 但亦有无故非意之事, 故聖人因象以示戒.
어떤 이가 물었다: 구오는 굳센 양으로 중정하고 높은 자리에 있어서 무망의 지극한 자인데, 무엇 때문에 병이 있습니까?
주자가 답하였다: 이는 기대하지 않아도 이러한 병이 있는 것입니다. 그러나 저절로 그러함을 따라서 오래되면 스스로 안정되니, 약을 쓰지 않아도 기쁜 일이 있어 병이 없어집니다. 대체로 무망괘 한 괘는 본래 바램이 없습니다. 다만 또한 까닭이 없고 의도적이 아닌 일이 있는 법이기 때문에 성인이 상을 따라서 경계를 보여주었습니다.

○ 白雲郭氏曰, 易以乘剛爲疾, 如豫六五, 自取之也, 非无妄也. 九五以剛乘剛, 居中得正, 非自取之道, 故爲无妄之疾也. 人之有疾, 以藥石攻其邪. 然以治豫之貞疾則可, 治无妄之疾則不可也.
백운곽씨가 말하였다: 『주역』은 굳센 양을 타는 것을 병으로 여기는데, 예를 들어 예괘의 육오는 스스로 자초한 것이지 무망이 아니다. 구오는 굳센 양으로서 굳센 양을 타고서 가운데 거하여 바름을 얻었으니, 스스로 자초한 도가 아니기 때문에 무망의 병이 된다. 사람에게 병이 생기면 약과 침으로 그 삿된 기운을 공격한다. 그러나 예괘(豫卦䷏)의 "바르지만 병을 앓는다"[88]는 것을 다스리는 것은 괜찮지만, '무망의 병'을 다스리는 것은 안 된다.

○ 雲峯胡氏曰, 豫六五以柔乘剛, 貞疾固宜. 无妄九五, 剛健中正, 下應柔順中正, 无妄之至也. 如是而有疾, 文王羑里之囚, 周公流言之變也. 不殄厥慍, 亦不殞厥問. 公孫碩膚, 德音不瑕. 文王周公之疾, 不藥而自愈矣.

---

88) 『周易 · 豫卦』: 六五, 貞, 疾, 恒不死.

운봉호씨가 말하였다: 예괘의 육오는 부드러움으로 굳셈을 타고 있기 때문에 "바르지만 병을 앓는다"가 본래 마땅하다. 무망괘의 구오는 강건하고 중정하며 아래로 유순하고 중정한 이효에 응하고 있기 때문에 무망의 지극함이다. 이와 같은데도 병이 있는 것은 문왕이 유리에 갇히고 주공이 유언비어의 변고를 만난 것과 같다. "그 성냄을 끊지 못하나 명성을 떨어뜨리지 아니 하니",[89] "공(公)이 큰 아름다움을 양보하시니, 덕음에 흠집이 없으시네."[90] 문왕과 주공의 병은 약을 먹지 않아도 저절로 낫는다.

## 韓國大全

### 권근(權近) 『주역천견록(周易淺見錄)』

程傳論之詳矣. 吳氏乃以外物之應於心爲疾. 聖人之於應物, 其心動而无動, 雖應未嘗應也. 是之謂无妄之疾. 勿藥, 愼勿用藥理療也. 告子之冥然罔思悍[91]然力制, 以爲不動心, 釋氏之息滅人倫違棄世故, 以爲不住相, 是犯勿藥之戒者也.

『정전』에서 논의한 것이 상세하다. 오징은 외물이 마음에 호응하는 것을 병으로 여겼다. 성인이 사물에 호응할 때에는 그 마음이 움직이면서도 움직이지 않으니, 비록 호응하더라도 호응한 적이 없다. 이것을 무망의 병이라고 한다. "약을 쓰지 않는다"는 삼가 약으로 치료하지 않는다는 뜻이다. 고자(告子)가 아득하게 아무 생각이 없다가 굳세게 힘으로 제압하는 것을 부동심(不動心)으로 여긴 것과 석씨가 인륜을 멸하고 세상사를 버리고 떠나는 것을 형상세계에 머물지 않는 것이라고 보는 것은 약을 쓰지 않는다는 경계를 범한 것이다.

愚謂, 疾者, 以不順而爲害之謂. 心之與物, 雖有內外, 其理一致, 固无內外之間, 彼來而感, 此往而應, 本有當然之則, 在心者爲体, 而應於物者爲用, 各因其理而順應焉, 寧有不順而爲疾者乎. 但衆人之心, 爲欲所蔽, 而昧於理, 故不能順應而有著爾, 安可便以外物之應於心爲疾也. 聖人之心渾然天理, 其於應物, 亦動以天, 喜怒哀樂發皆中節, 所謂從心所欲不踰矩者, 是也. 在我之實心, 自然合於在彼之實理, 千變萬化, 泛應

89) 『詩經 · 緜』: 不殄厥慍, 亦不殞厥問.

90) 『詩經 · 狼跋』: 公孫碩膚, 德音不瑕.

91) 悍: 경학자료집성DB와 영인본에는 모두 '悴'로 되어 있으나, 문맥을 살펴 '悍'으로 바로잡았다.

曲當, 物我之間, 天理流行, 固無彼此・內外之間也. 苟如吳說, 則是[92]聖人之心, 內外異致, 應物之際, 中心漠然, 都無所有, 而於外面姑爲應之之事. 日用之間, 酬酢萬變, 無一誠心之所爲, 而徒苟且以順物, 心與迹有異矣. 是猶未免於告子冥然, 釋氏寂滅之病, 何乃以是而譏彼哉. 又況此爻之象, 安有應物之意, 而强爲此說乎? 蓋吳氏務欲絶去外物, 而自不能無累於心以爲疾, 而又事物雖欲絶去, 有不得絶去者. 故雖懷務絶之心, 內不能無累, 外不得不應, 其心常有所不安者. 意謂聖人能無心於內而應物於外, 是於累心之疾, 勿藥而有喜也. 然此卽釋氏所謂心無所住而能應變, 見闢於先儒者也. 若夫主敬, 則天理常存, 人欲自絶, 未感之前, 所存至靜而安, 旣應之時, 其動循理而和, 內无爲累於心, 外不隨性於物. 心廣體胖, 浩然自得, 至樂存焉, 寧有爲心之疾者哉? 此義理之本源, 差之毫釐, 繆以千里, 故不得以不辨.

내가 살펴보았다: '병'이란 이치에 따르지 않아서 해(害)가 됨을 일컫는 것이다. 마음이 사물에 대하여 비록 안과 밖이 있지만 그 이치는 일치하여 진실로 안팎의 사이가 없어서 사물이 와서 마음을 자극하고 마음이 가서 호응하는 데에 본래 당연한 법칙이 있으니, 마음에 있는 것이 본체가 되고 사물에 호응하는 것은 작용이 되어 각각 그 이치에 따라 순응하니, 어찌 순응하지 않아 병이 되는 것이 있겠는가? 다만 보통 사람의 마음이 욕(欲)에 가리는 바가 되고 이치에 어두우므로 순응할 수 없어 집착하는 것이 있으니, 어찌 외물이 마음에 호응하는 것으로 곧 병이라고 할 수 있겠는가? 성인의 마음은 혼연(渾然)한 천리(天理)여서 사물에 호응할 때도 '하늘에 따라 움직이고', 기뻐하고 노하고 슬퍼하고 즐거워하는 것이 모두 절도에 맞으니, 이른바 "마음이 하고자 하는 대로 따라도 법도에 어긋나지 않는다"는 것이 이것이다. 나에게 있는 실심(實心)이 자연스레 사물에 있는 실리(實理)에 합치하며, 천 가지 만 가지 변화에 두루 호응하고 곡진하게 합치하니, 사물과 나 사이에 천리가 유행하여 진실로 이것과 저것, 안과 밖의 틈이 없다. 정말 오징의 설과 같다면 성인의 마음에 안과 밖의 차이가 있고, 사물에 호응할 즈음에 마음속이 막막하여 전연 가지고 있는 것이 없으면서 외부에 일시적으로 호응하는 일이 있게 된다. 일상 생활하는 가운데 만 가지 변화에 반응하면서 정성스런 마음이 하는 바는 하나도 없고, 한갓 구차하게 사물을 따르니 마음과 자취에 차이가 있다. 이는 오히려 고자의 아득함과 석씨의 적멸에 빠지는 병폐를 벗어나지 못한 것이니, 어찌 이것으로 저들을 비판할 수 있겠는가? 또 하물며 이 효의 상에 사물에 호응하는 의미가 있어 억지로 이렇게 주장하는 것이겠는가? 대체로 오징은 애써 외물을 끊어버리고자 하나 마음에 누가 없을 수 없는 것을 병으로 여기지만, 또 사물은 끊어 버리려 해도 끊어 버릴 수 없는 것이 있다. 그러므로 비록 애써 끊어 버리고자 하는 마음을 품고 있더라도 안으로 누가 없을 수 없고 밖으로 호응하지 않을 수가 없어서 그 마음에 항상 불안한

---

92) 是: 경학자료집성DB와 영인본에는 모두 '□'로 되어 있으나, 문맥을 살펴 '是'로 바로잡았다.

것이 있는 것이다. 내가 생각건대, 성인은 안으로 무심하여 밖으로 사물에 호응할 수 있으니, 이것이 마음에 누가 되는 병에 약을 쓰지 않아도 기쁜 일이 있는 것이다. 그러나 이것이 바로 석씨의 이른바 "마음에 집착하는 것이 없어서 변화에 호응할 수 있다"는 것으로 선유(先儒)들에게 비판받은 견해이다. 만약 경(敬)을 위주로 하면 천리(天理)가 항상 보존되고 인욕(人欲)이 저절로 끊어져 감응하기 전에는 보존된 것이 매우 고요하고 편안하며, 응하고 나서는 그 움직임이 이치를 따라 조화로워 안으로는 마음에 누가 되지 않고 밖으로는 사물의 성(性)에 따르지 않는다. 마음이 넓어지고 몸은 편안해지며 호연하게 자득하여 지극한 즐거움이 있게 되니, 어찌 마음의 병이 되는 것이 있겠는가? 이것이 의리의 본원으로 털끝만큼의 차이가 천리의 잘못으로 드러나므로 변석하지 않을 수 없다.

### 조호익(曺好益) 『역상설(易象說)』

疾, 二五正應, 而四間之, 有无妄而有疾之象. 或曰, 五變則坎, 坎爲疾, 豫五本坎體, 故貞疾, 此爻本健體, 故无妄之疾, 藥中正, 非致疾之道, 故有勿藥自喜之象. 雙湖曰, 藥下體震互體巽, 草木之象. 喜, 喜屬陽, 怒屬陰, 陽發散, 陰翕聚.

'병[疾]'은 이효와 오효가 정응인데 사효가 그 사이에 끼어 있으니, 망령됨이 없는데도 병이 있는 상이 있다. 어떤 사람이 "오효가 변하면 감괘(☵)가 되는데 감괘는 병이 되니, 예괘(豫卦䷏) 오효는 본래 감괘의 몸체이므로 바르더라도 병을 앓지만, 이 효는 본래 굳건한 몸체이므로 무망의 병이다"라고 하였다. '약(藥)'은 중정(中正)하여 병이 낫는 도가 아니므로 약을 쓰지 않아도 기쁜 일이 있는 상이 있다. 쌍호호씨는 "약은 하체(下體)가 진괘(☳)이고 호괘의 몸체는 손괘(☴)이니, 초목(草木)의 상이다"라고 하였다. '희(喜)'는 '희'가 양에 속하고 '노(怒)'가 음에 속하니, 양은 드러나 흩어지고 음은 거두어 모인다.

### 송시열(宋時烈) 『역설(易說)』

乾之中爻得之者坎. 坎爲疾, 而卦値无妄, 故曰无妄之疾. 六二以正應欲爲相救, 此猶以藥治之, 五當勿服其藥, 固守剛陽之道, 則下震爲喜笑象, 自當有喜也. 來易曰, 此爻變, 則互卦爲坎疾. 互巽互艮, 巽爲木, 艮爲石, 此爲藥材也. 巽綜兌爲喜悅象. 此說如何. 無乃變易太過否.

건괘의 가운데 효를 얻은 것이 감괘(☵)이다. 감괘는 질병이 되고 괘는 무망(无妄)에 해당하므로 '무망의 병'이라고 하였다. 육이는 정응으로 서로 구원하고자 하니, 이는 약으로 치료하는 것과 같은데 오효는 마땅히 그 약을 먹지 않고 굳센 양의 도를 고수하려 하니, 아래의 진괘가 기뻐하고 웃는 상이 되어 자연히 기쁨이 있음에 해당한다. 래지덕의 『주역집주』에

"이 효가 변하면 호괘는 감괘(☵)인 질병이 된다. 호괘인 손괘(☴)와 호괘인 간괘(☶)에서 손괘는 나무가 되고 간괘는 돌이 되니, 이는 약재가 된다. 손괘가 거꾸로 된 태괘(☱)는 기뻐하는 상이 된다"고 하였다. 이 설명은 어떠한가? 변역(變易)함이 지나치게 심한 것이 아닌가?

### 석지형(石之珩) 『오위귀감(五位龜鑑)』

臣謹按, 无妄之九五, 以說卦坎爲心病, 而无妄之震, 自訟坎來, 故取疾象. 蓋訟之九二, 變爲无妄之初九, 則訟變爲无妄, 是无妄之九五, 未嘗有疾, 而訟之坎, 爲疾於我也. 故曰无妄之疾. 无妄者, 不當有而有者也. 疾之作, 旣出於无妄, 无妄而藥之, 則反爲妄矣. 以今言之, 國勢之未瘳, 不可謂自致, 亦不可謂无妄, 雖不可驟用毒藥, 亦不可坐而待死. 伏願殿下思試其當試之藥焉.
신이 삼가 살펴보았습니다: 무망괘(无妄卦)의 구오는 「설괘전」에서 감괘(☵)로 '마음의 병'을 삼았고, 무망괘(无妄卦䷘)의 진(☳)이 송괘(訟卦䷅)의 감(☵)에서 왔으므로 질병의 상을 취했습니다. 대체로 송괘의 구이가 변하여 무망괘의 초구가 되면 송괘가 변해 무망괘가 되니, 무망괘의 구오가 아직 병이 있는 것이 아닌데 송괘의 감이 구오에게 질병이 되는 것입니다. 그러므로 '무망의 병'이라고 하였습니다. '무망'은 있지 말아야 하는데 있는 것입니다. 병이 일어남이 이미 무망에서 나왔으니, 무망인데 약을 쓰면 도리어 망령됩니다. 지금의 상황으로 말한다면 나라의 형세가 아직 좋아지지 않았으니, 스스로 있는 힘을 다한다고 말할 수 없고 또 망령됨이 없다고도 말할 수 없으니, 비록 독약을 급히 쓸 수는 없지만 또한 앉아서 죽음을 기다릴 수도 없는 것입니다. 엎드려 바라건대 전하께서는 마땅히 써야 할 약을 써 보려는 생각을 하십시오.

### 이현석(李玄錫) 「역의규반(易義窺斑)」

无妄之卦, 上爲天下爲雷, 有雷行天下之象, 則其驚蟄藏振萌芽發生. 萬物之功, 震實主之, 故以鼓舞振作爲功者, 下卦之震也, 以默運不宰爲用者, 上卦之乾也. 是以聖人於乾, 則深戒其動, 九四之可貞, 九五之勿藥, 上九之有眚, 槪是動之戒也. 若乃初九之往吉, 六二之利往, 六三之行得邑災, 信可見用作吉而用靜凶也, 是聖人以動之功用責之於震也. 嗚呼. 坐而論道, 謂之王公, 作而行之, 謂之士大夫, 恪勤奉公, 夙夜匪懈者, 在下之責, 則雖至治雍熙之世, 政事之臣未嘗逸也. 此所以无妄之下卦, 屬之於震也. 時淸世, 寧宜靜而反動者, 何哉. 蓋恬嬉兆於治平, 鴆毒生於宴安, 驕佚般樂, 厲階成矣. 初九陽剛, 宜能振作, 故直稱往吉, 六二柔弱, 故勉以利有攸往, 六三柔弱, 而又不中, 故委靡頹緩, 不能收拾, 自家之牛, 放而不求, 見得於人, 而已遭失物之災, 亦猶自己之職, 不能自擧, 權柄移人, 而反被瘝曠之責也. 西晉諸人, 惟不知此, 値世寧泰, 而清談望空, 恪勤獲笑, 浮蕩稱賢, 而臣道喪矣, 可勝歎哉. 自九四以上, 德皆陽剛, 處无妄之世, 在出治之位, 足以振厲百辟, 脩擧成憲矣. 第以才健志剛, 或易變動, 故勿藥之戒, 至深且切. 夫藥以攻疾, 人情之所不能已也. 旣謂之疾, 復謂勿藥, 所以明其疾之不足憂, 而戒其動之甚不可也. 趙宋君臣, 惟不知此, 故當神宗時, 百年昇平, 天下晏粲, 其政事小疵, 邊塞微警, 不足爲疾, 而神宗昧勿藥之義, 安石忽可貞之戒, 變亂舊章, 動擾一世, 馴致禍敗, 可勝惜哉. 蓋宜動而不動與不宜動而動, 皆妄也, 无妄之義, 其遠矣哉.

무망괘가 위는 하늘이 되고 아래는 우레가 되어 우레가 하늘 아래에 행해지는 상이 있게 되면, 그 경칩에 숨어있던 것이 떨쳐 움직이고 맹아가 발생한다. 만물의 공효(功效)는 진괘가 실상 주인이 되므로 고무하고 진작하는 것으로 공을 삼는 것이 하괘인 진괘이며, 묵묵히 운행하고 주재하지 않는 것으로 쓰임을 삼는 것이 상괘인 건괘이다. 이 때문에 성인이 건괘에 대해서는 그 움직임을 깊이 경계하였으니, 구사의 "곧게 할 수 있다"는 것과 구오의 "약을 쓰지 않는다"는 것과 상구의 "허물이 있다"는 것이 이미 움직임에 대한 경계이다. 만약 이에 초구의 "가는 것이 길하다"는 것과 육이의 "가는 것이 이롭다"는 것과 육삼의 "가는 사람의 소득이고 읍사람의 재앙이다"라는 것은 진실로 작위를 씀이 길하고 고요함을 씀이 흉함을 볼 수 있으니, 이는 성인이 움직임이라는 공용(功用)을 진괘에서 요구한 것이다. 아! 앉아서 도를 논함을 왕공(王公)이라고 하고 작위하여 행하는 것을 사대부라고 하며, 정성을 다해 부지런히 힘쓰고 아침부터 저녁까지 게으르지 않는 것은 아래에 있는 자의 책임이니, 비록 지극한 치세인 요순의 세상에서도 정사를 보는 신하는 일찍이 편안하지 않았다. 이는 무망의 하괘가 진괘에 속하기 때문이다. 때가 태평한 시대에는 편안하여 의당 고요해야 할 것 같은데 도리어 움직이는 것은 무엇 때문인가? 대체로 잘 다스려 평안한 데에서 맡은 직무를 게을리 하는 조짐이 보이고, 짐독(鴆毒)이 한가하고 편안한데서 생기며, 교만방자하고 맘껏 즐기는 것이 재앙을 받을 빌미를 이루기 때문이다. 초구는 굳센 양으로 마땅히 진작(振作)하여야 하므로 곧바로 "가는 것이 길하다"고 일컬었고, 육이는 유약하므로 "가는 것이 이롭다"는 것으로 힘쓰게 하였으며, 육삼은 유약하고 또 가운데 있지 않으므로 맥이 빠지고 무너지고 느슨하여 수습할 수 없어서 자신의 소를 놓아두고서 구하지 못하여 남이 얻고 자신은 소를 잃는 재앙을 만나게 되니, 또한 오히려 자기의 직분은 스스로 감당하지 못하고, 그 권한이 남에게 옮겨가는데 도리어 직무유기라는 책망을 듣는다. 서진(西晉)의 여러 사람이 오직 이것을 알지 못하여 곧바로 세상을 크게 태평하게 여겨 청담(清談)과 망공(望空)을 일삼아 정성을 다해 힘쓰는 것은 비웃음을 얻고 제멋대로 하는 것은 현자(賢者)로 칭송되어 신하의 도를 상실하였으니, 어찌 탄식을 이기리오? 구사로부터 그 이상은 덕이 모두 굳센 양으로 무망의 세상에 처하여 다스림에서 벗어난 지위에 있으니, 여러 제후를 독려[振厲]할 수 있고 법[成憲]을 잘 시행할 수 있다. 다만 재주는 굳건하고 뜻은 강건하여 혹 쉽게 변동할 수 있기 때문에 약을 쓰지 않는 경계가 매우 깊고 또 간절하다. 약으로 병을 다스림은 인정상 그칠 수 없는 바이다. 이미 병이라고 했는데, 다시 "약을 쓰지 않는다"고 말했으니, 이 때문에 그 병이 근심할 만 한 것이 아님을 밝히고, 그 움직임이 매우 불가함을 경계하였다. 송나라의 임금과 신하가 오직 이것을 알지 못하였으므로 신종(神宗)의 때를 당하여 백년의 태평과 천하의 연찬(晏粲)은 그 정사의 작은 흠이며, 변방의 소홀한 경계는 병이 되지 못하였는데, 신종은 "약을 쓰지 않는다"는 뜻에 어두웠고, 왕안석은 "곧게 할 수 있다"는 경계를 소홀히 하여 옛 제도와 문물을 어지럽히고 일세(一世)를 동요(動擾)시켜 화패(禍敗)에 이르렀으니, 애석함을 이길 수 있겠는가? 대체로 마땅히 움직여야 하는데도 움직이지 않는 것과 마땅히 움직이지 말아야 하는데도 움직이는 것이 모두 망령된 것이니, 무망의 뜻이 심원하다.

### 이익(李瀷) 『역경질서(易經疾書)』

二五, 雖中正相應, 三四居間, 上九居上, 皆不正, 不能無害, 是旡妄而有疾也. 疾有內傷外感之別. 中正相應, 非內傷也, 承乘不正, 是外感, 奚待試其藥而有喜乎. 若豫五之貞疾, 內傷也.

이효와 오효가 비록 중정하여 서로 호응하지만, 삼효와 사효가 그 사이에 있고 상구가 맨 위에 있는 것이 모두 바르지 않아서 해가 없을 수 없으니, 이것이 무망으로 병이 있는 것이다. 병은 안에서 상(傷)하고 밖에서 감염되는 구별이 있다. 중정하여 서로 호응함은 안에서 상함이 아니다. 바르지 않음을 잇고 타는 것을 밖에서 느끼니, 어찌 그 약을 시험하길 기다려서 기뻐함이 있겠는가? 예컨대, 예괘(豫卦䷏) 오효에서 "바르지만 병을 앓는다"는 것이 안에서 상함이다.

### 심조(沈潮) 「역상차론(易象箚論)」

疾者, 從矢者, 互巽之直也. 勿藥而自愈者, 艮之止也.

'병[疾]'에 '시(矢)'자가 있는 것은 호괘인 손괘가 곧기 때문이다. 약을 먹지 않아도 저절로 낫는 것은 간괘의 그침 때문이다.

### 유정원(柳正源) 『역해참고(易解參攷)』

虞氏翻曰, 五動成坎, 坎爲疾病. 巽爲草木, 艮爲藥石.

우번이 말하였다: 오효가 움직여 감괘(☵)를 이루니, 감괘는 질병이 된다. 손괘(☴)는 초목이 되고 간괘(☶)는 약과 침이 된다.

○ 漢上朱氏曰, 九五六二无妄相與, 而九四以妄間之疾者也.
한상주씨가 말하였다: 구오와 육이는 망령됨이 없어 서로 함께하며, 구사는 망령됨으로 이간질하는 질병이다.

○ 程氏曰, 剛中正邇於匪正者, 以爲疾. 然二五, 乃君臣之位, 天地之大義也. 四烏得以疾之. 四之疾不行, 而君臣相驩, 安用毒之, 而反傷和氣哉. 凡言有喜有慶者, 皆君臣相得之象也.
정씨가 말하였다: 굳세고 중정함이 바르지 않음에 가까운 것을 병이라고 한다. 그러나 이효와 오효는 바로 임금과 신하의 자리이니, 천지의 커다란 의리이다. 사효가 어찌 병들게 할 수 있겠는가? 사효의 병이 행하지 않아서 임금과 신하가 서로 기뻐하는데, 어찌 해독을 끼쳐 도리어 화기(和氣)를 상하게 하겠는가? 무릇 기쁜 일이 있고 경사가 있다고 말한 것은 모두 임금과 신하가 서로 얻는 상이다.

○ 案, 耕穫菑畬, 行邑人牛, 疾藥, 必欲以卦象求之, 則恐生穿鑿之病, 姑闕之可也.
내가 살펴보았다: 밭을 갈고 수확하며 일 년 된 밭을 만들고 삼년 된 밭을 얻으며, 지나가는 사람과 읍 사람의 소, 병과 약을 반드시 괘의 상으로 구하고자 하면 아마도 천착하는 병이 생기니, 빼버려도 괜찮다.

傳, 當自如.
『정전』에서 말하였다: 마땅히 스스로 ~로 여기다.
案, 一无自字.
내가 살펴보았다: 어떤 본에는 '스스로[自]'란 글자가 없다.

## 김상악(金相岳) 『산천역설(山天易說)』

无妄之義有應, 不如无應. 九五因卦變而得二之應, 是无妄而有疾也. 然陽上陰下, 无私交之失, 故不待試藥而有喜也.
무망의 뜻에 호응이 있는 것은 호응이 없는 것만 못하다. 구오는 괘의 변화로 인하여 이효의 호응을 얻으니, 망령됨이 없지만 병이 있는 것이다. 그러나 양이 위에 있고 음이 아래에 있어서 사사롭게 사귀는 실수가 없으므로 약을 투여하기를 기다리지 않아도 기쁨이 있다.

○ 凡言疾者, 皆指陰爻也, 故豫六五曰貞疾, 損六四曰損疾, 指本爻也. 遯九三鼎九二曰有疾, 兌九四曰介疾, 指此[93]爻也. 蓋疾本坎象. 六二自坎而變, 與五爲應 是无妄之疾. 然應而不交, 故雖不治而自愈也. 藥, 藥石也. 震爲木, 巽爲艸, 乾爲金, 艮爲石爲土, 中爻離火乾金又生水, 五行皆具藥之象, 曰勿藥者, 艮之止也. 有喜, 疾瘳之辭, 與損兌同.
무릇 '병'이라고 말한 것은 모두 음효를 가리키므로 예괘(豫卦☳☷) 육오에서 "바르지만 병을 앓는다"고 하고 손괘(損卦☶☱) 육사에서 "병을 덜어낸다"고 한 것이 본효를 가리킨다. 돈괘(遯卦☰☶) 구삼과 정괘(鼎卦☲☴) 구이에서 "병이 있다"고 하고 태괘(兌卦☱☱) 구사에서 "절개를 지키고 사악함을 미워한다"는 것이 모두 이 효를 가리킨다. 대체로 병은 본래 감괘의 상이다. 육이는 감괘로부터 변하여 오효와 호응이 되니 무망의 병이다. 그러나 호응은 하지만 사귀지 않으므로 비록 다스리지 않더라도 저절로 낫는다. '약(藥)'은 약과 침이다. 진괘는 나무가 되고 손괘는 풀이 되며 건괘는 쇠가 되고 간괘는 돌이 되고 흙이 되며, 가운데 효인 리괘의 불과 건괘의 쇠는 또 물을 낳으니, 오행이 모두 약의 상을 갖추는데, "약을 쓰지 않는다"는 것은 간괘의 그침이다. "기쁜 일이 있다"는 병이 나아진다는 말이니, 손괘 · 태괘와 같다.

### 윤행임(尹行恁) 『신호수필(新湖隨筆) · 역(易)』

旣无妄矣, 雖有疾, 何藥之爲乎. 絶糧陳蔡而固窮爲不藥, 疾病請禱而不禱爲不藥. 然而所愼者疾也. 我雖无妄, 疾乃橫逆, 則益加自反之工, 爲可.
이미 망령됨이 없으니, 비록 병이 있다한들 무슨 약을 쓰겠는가? 진 · 채(陳蔡)의 사이에서 식량이 떨어져 곤궁한 것이[94] 약을 쓰지 않는 것이 되고, 질병에 청하여 기도를 하고자 하였는데 기도하지 않음은[95] 약을 쓰지 않는 것이 된다. 그렇다면 삼가는 것이 질병이다. 내가 비록 망령되지는 않았더라도 병이 횡횡하면 스스로 반성하는 공부를 더하는 것이 옳다.

### 서유신(徐有臣) 『역의의언(易義擬言)』

二爲正應, 而有間之者, 是爲疾也. 旣云无妄, 自當復正, 又何待於藥治乎. 自然而有相得之喜也.
이효는 정응이 되지만 사이에 낀 것이 있으니, 이것이 병이 된다. 이미 '무망'이라고 하였으니, 스스로 바름을 회복하여야 하는데, 또 어찌 약으로 다스림을 기다리겠는가? 저절로 그러하여 서로 얻는 기쁨이 있다.

---

93) 此: 경학자료집성DB와 영인본에는 모두 '比'로 되어 있으나, 문맥을 살펴 '此'로 바로잡았다.
94) 『論語 · 衛靈公』.
95) 『論語 · 述而』.

### 박문건(朴文健) 『주역연의(周易衍義)』

欲止見傷, 故有无妄疾之象. 勿藥有喜, 言二不能終害也.

상하게 됨을 그치고자 하므로 '무망의 병'인 상이 있다. "약을 쓰지 않아도 기쁜 일이 있다"는 이효가 끝내 해칠 수 없음을 말한다.

〈問, 九五何以遘疾. 曰, 九五剛明中正, 故知六二之害己而不往也. 不往反爲示弱, 故未免遘疾. 然六二安能終敵其上乎. 所以勿藥而自瘳也.

물었다: 구오는 어째서 병을 만나는 것입니까?

답하였다: 구오는 굳세고 밝으며 중정하므로 육이가 자신을 해칠 것을 알아 가지 않습니다. 가지 않아 도리어 약하게 보이게 되므로 병을 만남을 면하지 못하는 것입니다. 그러나 육이가 어찌 끝내 구오와 대적할 수 있겠습니까? 이 때문에 약을 쓰지 않고 스스로 낫는 것입니다.〉

### 이지연(李止淵) 『주역차의(周易箚疑)』

无妄之疾, 非身之疾也, 乃外至之患也. 此如蘓子卿北海之苦也. 向使聽李陵衛律之言而藥之, 則安能有河梁之返乎.

무망의 병은 자기 몸의 병이 아니라 바로 밖에서 오는 근심이다. 이는 소자경(蘓子卿)[96]이 북해에서 고통 받던 것과 같다. 만약 이릉(李陵)[97]과 위율(衛律)[98]의 말을 듣고 약을 처방했다면, 어떻게 하량(河梁)에서 돌아올 수 있었겠는가?

### 김기례(金箕澧) 「역요선의강목(易要選義綱目)」

易中以乘剛爲疾爲難, 而九五以剛乘剛, 則非如豫五柔乘剛之貞疾.

---

96) 소자경(蘓子卿: -140~-60): 이름은 무(武)이고 자가 자경(子卿)이다. 한 무제 때 중랑장(中郞將) 소무(蘇武)는 정절(旌節)을 들고 흉노에 사신 갔다가 억류되어 큰 움 속에 갇히고 북해(北海)에서 양을 치는 등 19년 동안 갖은 고초를 겪었으나, 모직물을 뜯어 눈과 함께 씹어 먹고 땅을 파서 들쥐를 잡아먹으며 버티다가 소제(昭帝)가 즉위하여 흉노와 화친하자 한나라 정절을 안고 19년 만에 돌아오게 되었다.

97) 이릉(李陵: ?~-74): 자는 소경(少卿)이고, 한나라 때의 명장 이광(李廣)의 손자이다. 무제(武帝) 때 군사 오천 인을 거느리고 흉노에 대비하다가, 보병 부대를 이끌고 준계산(浚稽山)에서 선우(單于)의 군대 수천 인을 격살(擊殺)했으나 후속 부대의 지원이 없어 군사가 전멸하고 자신은 흉노에 항복하였다. 선우(單于)는 그를 우교왕(右校王)으로 삼고, 딸을 시집보냈다. 흉노에게 용병술을 가르친다는 말을 전해들은 무제가 가족들을 모두 죽였다. 소제(昭帝)가 즉위하자 곽광(霍光)이 사신을 보내 불렀지만 돌아오지 않았다. 20여 년을 흉노 땅에 살다가 죽었다.

98) 위율(衛律): 예전에 흉노로 파견된 사신 중에 위율(衛律)이란 사람이 있었는데 흉노에게 투항했다.

『주역』에서는 굳센 양을 타는 것을 병으로 여기고 어려움으로 여기는데, 구오는 굳센 양으로 굳센 양을 타니, 예괘(豫卦䷏) 오효의 부드러운 음이 굳센 양을 타서 "바르지만 병을 앓는다"는 것과는 같지 않다.

○ 以陽剛尊位, 應二中正, 可謂无妄. 設有无妄之疾, 勿試无妄之藥, 則自臻无妄之喜. 藥石者, 攻邪之物, 而若試平和之人, 則反生无妄之祟, 故戒其无妄之意.
굳센 양이 높은 지위로 이효의 중정함에 호응하니, '무망'이라고 말할 만하다. 가령 무망의 병이 있는데, 무망의 약을 쓰지 않으면 저절로 무망의 기쁨에 이른다. 약과 침은 사특함을 낫게 하는 물건이어서 만약 화평한 사람에게 쓰면 도리어 무망의 빌미가 생기므로 그 무망의 뜻을 경계하였다.

## 심대윤(沈大允) 『주역상의점법(周易象義占法)』

无妄之噬嗑䷔, 噬而嗑也. 九五以剛居剛, 而中正誠足, 而誠之之功又著. 但有應偏滯而阻于四, 必去之而後合, 氣滯則爲疾. 忠恕者, 所以通物之情而同濟也. 有无妄之誠力而无大有之忠恕, 則猶有偏私之心, 物我而不通, 故曰疾. 坎爲疾, 旣有偏滯, 不可强通之, 故曰勿藥, 巽爲藥. 誠則著, 著則明, 明則有得, 故曰有喜. 坎互兌爲喜, 乾一變爲兌, 疾變爲喜, 故取變也. 誠明者, 道之工力也, 忠恕者, 道之規矩也. 有工力, 則必知規矩, 有規矩, 則必生工力, 故曰誠則明矣, 明則誠矣. 明則能知之, 誠則能行之, 誠則亦能知之, 明則亦能行之.
무망괘가 서합괘(噬嗑卦䷔)로 바뀌었으니, 씹어서 합함이다. 구오는 굳센 양으로 굳센 양의 자리에 있어 중정하고 정성이 충분하여 정성스럽게 하는 공효가 또 드러난다. 다만 호응함이 치우치고 막힘이 있어 사효에게 막히니, 반드시 제거한 뒤에 합하므로 기운이 막히면 병이 된다. 충서(忠恕)는 만물의 정에 통하여 같이 이룸이 된다. 무망의 정성과 힘은 있는데 대유괘(大有卦䷍)의 충서가 없으면 오히려 치우치고 사특한 마음이 있어 남과 내가 서로 통하지 않으므로 '병'이라고 했다. 감괘는 병이 되니 이미 치우치고 막힘이 있지만 억지로 통하게 할 수 없으므로 "약을 쓰지 않는다"고 했으니, 손괘는 약이 된다. 정성되면 드러나고 드러나면 밝으며, 밝으면 얻는 것이 있으므로 "기뻐함이 있다"고 했다. 감괘와 호괘인 태괘가 기쁨이 되니, 건괘가 한번 변해 태괘가 되며, 병이 변해 기쁨이 되므로 효가 변한 것에서 취했다. 성명(誠明)은 도의 공력(功力)이며 충서는 도의 규거[법]이다. 공력이 있으면 반드시 법을 알고 법이 있으면 반드시 공력이 생기므로 "정성스러우면 밝고, 밝으면 정성스럽다"고 했다. 밝으면 알 수 있고 정성스러우면 행할 수 있으며, 정성스러우면 또 알 수 있고, 밝으면 또한 행할 수 있다.

### 오치기(吳致箕) 「주역경전증해(周易經傳增解)」

九五, 陽剛而居尊. 然下有陰柔之應, 未免私係, 故有无妄之疾. 以其居得中正, 而所應亦爲中正, 故終乃勿藥而有喜也.
구오는 굳센 양으로 존귀함에 있다. 그러나 아래에 유순한 음의 호응이 있어 사사로이 얽매임을 면하지 못하므로 무망의 병이 있다. 그 거처함이 중정함을 얻고 호응하는 바가 또한 중정하기 때문에 끝내 약을 쓰지 않고서도 기쁨이 있다.

○ 疾, 取於爻變互坎, 已見豫五. 上乾下震. 互巽互艮爲金石草木, 皆藥之象也. 喜, 取於對體互兌, 爲悅喜之象也.
'병'은 효가 변한 호괘의 감괘(☵)에서 취하였으니, 이미 예괘(豫卦䷏) 오효에 보인다. 상괘는 건괘이고 하괘는 진괘이다. 호괘인 손괘와 호괘인 간괘는 쇠와 돌과 풀과 나무가 되니, 모두 약의 형상이다. '기쁨'은 음양이 바뀐 몸체로서의 호괘인 태괘(☱)에서 취하였으니, 기뻐하는 상이 된다.

### 이진상(李震相) 『역학관규(易學管窺)』

虞氏曰, 五動成坎, 坎爲疾病, 巽爲草木, 艮爲藥石.
우번이 말하였다: 오효가 움직여 감괘를 이루니, 감괘는 질병이 되고 손괘는 초목이 되며, 간괘는 약과 침이 된다.

愚按, 互體之坎巽, 非眞體, 故爲无妄之疾勿藥之喜. 此爻言疾, 九四間之也, 四妄能害其正應乎.
내가 살펴보았다: 호괘의 몸체인 감괘(☵)와 손괘(☴)는 진짜 몸체가 아니므로 무망의 병은 약을 쓰지 않는 기쁨이 된다. 이 효에서 '병'을 말한 것은 구사가 사이에 끼었기 때문인데, 사효가 망령되게 그 정응을 해칠 수 있겠는가?

### 박문호(朴文鎬) 「경설(經說)・주역(周易)」

乾剛中正, 以居尊位, 而下應亦中正, 无妄之至也. 如是而有疾, 勿藥而自愈矣. 朱子曰, 是不期而有此. 但聽其自爾, 久則自定.
강건하고 중정하여 높은 지위에 있고 아래의 호응도 중정하니, 무망의 지극함이다. 이와 같은데도 병이 있으니, 약을 쓰지 않아도 저절로 낫는다. 주자는 "기대하지 않아도 이러한 병이 있다. 그러나 저절로 그러함을 따라서 오래되면 스스로 안정된다"고 하였다.

○ 白雲郭氏曰, 藥石攻邪, 以治豫之貞疾則可, 治无妄之疾則不可也.
백운곽씨가 말하였다: 약과 침으로 삿된 기운을 공격하여 예괘(豫卦䷏)의 "바르지만 병을 앓는다"는 것을 다스리는 것은 괜찮지만, 무망의 병을 다스리는 것은 옳지 않다.

○ 雲峯胡氏曰, 文王不隕厥聞, 周公德音不瑕, 羑里流言之疾, 不藥而自愈矣, 故其象占如此.
운봉호씨가 말하였다: 문왕이 그 명성을 떨어뜨리지 않고 주공의 덕음이 흠집이 없으니, 유리(羑里)와 유언비어의 병은 약을 먹지 않아도 저절로 낫는다고 하였으므로 그 상과 점이 이와 같다.

## 象曰, 无妄之藥, 不可試也.

「상전」에서 말하였다: 무망의 약은 시험해 볼 수 없다.

## 中國大全

### 傳

**人之有妄, 理必修改, 旣无妄矣, 復藥以治之, 是反爲妄也, 其可用乎. 故云不可試也. 試, 暫用也, 猶曰少嘗之也.**

사람이 망령됨이 있으면 이치상 반드시 닦고 고쳐야 하지만, 이미 무망인데 다시 약으로 치료하면 이는 도리어 망령이 되니, 쓸 수 있겠는가. 그러므로 "시험해 볼 수 없다"고 말하였다. '시(試)'는 잠시 쓰는 것이니, "조금 맛본다"는 말과 같다.

### 本義

**旣已无妄而復藥之, 則反爲妄而生疾矣. 試, 謂少嘗之也.**

이미 무망인데 다시 약을 쓰면 도리어 망령이 되어 병이 생긴다. '시(試)'는 조금 맛보는 것을 말한다.

#### 小註

中溪張氏曰, 无妄而疾, 又无妄而藥, 則反爲妄而起其疾矣. 此无妄之藥, 所以不可試也. 孔子曰, 某未達不敢嘗. 聖人不試无妄之藥如此.

중계장씨가 말하였다: 무망인데 병이 나고 또 무망인데 약을 쓰면 도리어 망령되어 병을 일으킨다. 이 무망의 약은 시험해 볼 수 없다. 공자가 "제가 이 약의 성분을 알지 못하기 때문에 감히 맛보지 못합니다"[99]라고 말하였다. 성인이 무망의 약을 시험하지 않았던 것이 이와 같았다.

# ‖ 韓國大全 ‖

## 김상악(金相岳) 『산천역설(山天易說)』

无妄之時, 二變爲應, 是无妄之疾. 然本非有妄, 藥不可試也.
무망의 때엔 이효가 변하여 호응이 되는 것이 무망의 병이다. 그러나 본래 망령됨이 있는 것이 아니어서 약을 쓸 수가 없다.

## 서유신(徐有臣) 『역의의언(易義擬言)』

之下疑有疾字. 試, 嘗試也. 旣云无妄之疾, 則其所祟有不能詳, 而强以藥石嘗試, 則爲妄而反有害焉. 故曰藥不可試也. 无妄之疾, 故知其藥之爲嘗試也. 噫, 世之庸醫淺術, 嘗試以希倖功者, 何限非徒無益而又害之. 藥不可試之訓旨矣哉. 醫國者, 尤宜鑑乎玆也.
'지(之)' 뒤에 아마도 질(疾)자가 있어야 할 듯하다. '시(試)'는 시험삼아 쓰는 것이다. 이미 '무망의 병'이라고 했으니, 그 재앙으로 내려진 병에 자세히 할 수 없음이 있어 억지로 약과 침으로 시험 삼아 쓰면 망령되어 도리어 해가 있다. 그러므로 "약을 시험해 볼 수 없다"고 했다. 무망의 병이므로 그 약을 일찍이 시험해 보았던 것임을 안다. 아! 세상의 평범하고 얕은 의술로 시험해보아 요행히 공을 바라는 것은 어찌 한갓 이로움이 없을 뿐만이 아니어서 또 해롭다고 한정하여 약을 시험해 볼 수 없다는 훈지(訓旨)이겠는가? 명의는 더욱 마땅히 이것을 살펴야 한다.

## 박문건(朴文健) 『주역연의(周易衍義)』

无妄之疾, 以待自瘳, 不當用藥也.
'무망의 병'은 스스로 낫기를 기다리기 때문에 약을 쓰는 것이 마땅하지 않다.

## 오치기(吳致箕) 「주역경전증해(周易經傳增解)」

試藥, 則期望其疾之瘳, 而亦非无妄也.
약을 쓰면 그 병이 낫기를 기망(期望)하는 것이지, 또한 망령되게 바라는 것이 아니다.

---

99) 『論語 · 鄕黨』: 康子饋藥, 拜而受之曰, 丘未達, 不敢嘗.

**이병헌(李炳憲) 『역경금문고통론(易經今文考通論)』**

王曰, 居得尊位, 爲無望主者也. 非妄之災, 勿治自復.
왕필이 말하였다: 거처함이 높은 지위를 얻어서 무망(无妄)의 주인이 된 자이다. 망령된 재앙이 아니어서 재앙을 다스리지 않아도 저절로 돌아온다.

虞氏易言云, 勿藥者, 五之有喜. 无待于上.
우번의 『역언』에서 말하였다: "약을 쓰지 않는다"는 오효에 기쁜 일이 있는 것이니, 상효를 기다림이 없다.

按, 妄實兼期望邪妄之意.
내가 살펴보았다: '망(妄)'은 실상 '기약하고 바람'과 '사특하고 망령됨'의 뜻을 겸한다.

## 上九, 无妄行, 有眚, 无攸利

정전 상구는 무망으로 행하면, 허물이 있고 이로운 바가 없다.
본의 상구는 무망으로 행하니, 허물이 있고 이로운 바가 없다.

## 中國大全

**傳**

**上九居卦之終, 无妄之極者也. 極而復行, 過於理也, 過於理則妄也. 故上九而行, 則有過眚而无所利矣.**

상구는 괘의 끝에 거하였으니, 무망이 지극한 자이다. 지극한데 다시 행하면 이치에 지나치니, 이치에 지나치면 망령이 된다. 그러므로 상구인데도 행하면 허물이 있고 이로움이 없다.

**本義**

**上九非有妄也, 但以其窮極而不可行耳. 故其象占如此.**

상구가 망령된 것이 아니고, 다만 궁극에 있기 때문에 행할 수 없다. 그러므로 그 상과 점이 이와 같다.

**小註**

西溪李氏曰, 處卦之終, 其位不正, 所謂匪正有眚也.
서계이씨가 말하였다: 괘의 끝에 처하여 그 자리가 바르지 않으니, 이른바 바르지 않으면 허물이 있다는 것이다.

○ 中溪張氏曰, 上九居乾之終, 則純乎天矣. 苟復動而妄行, 則失於亢, 故有過眚而无所利. 卦辭所謂匪正有眚, 不利有攸往, 卽指此也. 漢武漠北之征, 唐皇雲南之師, 此爻之謂矣.

중계장씨가 말하였다: 상구는 건괘의 끝에 거하니, 순수하게 하늘이다. 만일 다시 움직여 함부로 행하면 높은 데에서 실수하기 때문에 잘못과 허물이 있고 이익이 없다. 괘사의 이른바 "바르지 않으면 허물이 있을 것이므로 가는 것이 이롭지 않다"는 것이 이것을 가리킨다. 한나라의 무제가 고비 사막 이북을 정벌한 것, 당나라의 현종이 운남에 군사를 파견한 것이 이 효를 말한다.

## 韓國大全

### 권근(權近) 『주역천견록(周易淺見錄)』

愚按, 初九以无妄往則吉, 上九以无妄行則有眚者, 初九无妄之始, 始而不進, 則其道廢而復爲妄矣, 上九无妄之至, 旣至而有行, 則其道變而亦爲妄矣. 九四與初相應之位, 自初至四, 无妄已成, 尙可固守, 況旣至乎? 故當固守其无妄, 而不可行也.
내가 살펴보았다: 초구는 무망으로 가면 길하고 상구는 무망으로 행하면 허물이 있는 것은 초구는 무망의 시작인데 시작하여 나아가지 않는다면 그 도가 폐지되어 다시 망령되기 때문이고, 상구는 무망의 지극함이니, 이미 지극한데 행함이 있으면 그 도가 변하여 또한 망령되게 되기 때문이다. 구사는 초효와 서로 호응하는 자리이고, 초효로부터 사효에 이르면 무망이 이미 이루어져 오히려 굳게 지키는 것이 옳은데, 하물며 이미 지극한 경우에서랴! 그러므로 마땅히 그 '망령됨이 없음'을 굳게 지켜야 하며 행해서는 안 된다.

### 송시열(宋時烈) 『역설(易說)』

此爻, 若窮而變, 則是旡妄之行也. 變則有坎象, 坎爲多眚, 卦象也, 有此意. 行者, 往也.
이 효의 경우 궁(窮)해서 변한다면 이것이 무망으로 행하는 것이다. 변하면 감괘(坎卦)의 상이 있는데, 감괘는 재앙이 많으니 괘의 단사에 이러한 뜻이 있다. '행(行)'이란 가는 것이다.

### 이익(李瀷) 『역경질서(易經疾書)』

上九, 卽彖所謂匪其正有眚, 不利有攸往, 是也. 旡妄者, 無所爲而爲也. 雖無所爲, 容有過失. 處于上窮之位, 孤陋不明, 故曰窮之災也. 書云, 眚災肆赦, 亦不至於凶咎.
상구는 단사에서 말한 "바르지 않으면 허물이 있을 것이므로 가는 것이 이롭지 않다"라 함이 이것이다. '무망'이란 의도적으로 하려는 바가 없이 하는 것이다. 비록 의도적으로 하는 것이 없더라도 과실이 있을 수 있고, 위로 궁한 자리에 있어 외롭고 누추하며 밝지 않으므로 '궁극의 재앙'이라고 하였다. 『서경』에 "실수와 재난으로 지은 죄는 용서한다"[100]라고 하였으니, 또한 흉하고 허물이 있는 데까지는 이르지 않는다.

### 심조(沈潮) 「역상차론(易象箚論)」

上九, 行有眚.
상구는 행함에 허물이 있다.

健之極, 故不得不有行.
굳건함의 끝이므로 부득이 행함이 있다.

### 유정원(柳正源) 『역해참고(易解參攷)』

王氏曰, 處不可妄之極, 唯宜靜保其身而已, 故不可以行也.
왕필이 말하였다: 망령되서는 안 되는 극한에 처하였으니, 오직 잠잠히 그 몸을 지켜야할 뿐이므로 행하여서는 안 된다.

### 김상악(金相岳) 『산천역설(山天易說)』

上九, 居乾之終, 應震之三, 而皆不正, 是所謂其匪正也. 天命不祐, 可行矣哉. 行則有眚, 无所利也.
상구는 건괘(乾卦)의 끝에 있으면서 진괘(震卦)의 삼효와 호응하여 모두 바르지 못하니, 이것이 이른바 '바르지 않음[其匪正]'이다. 천명이 돕지 않는데 행할 수 있겠는가? 행하면 허물이 있으니, 이로울 바가 없다.

### 서유신(徐有臣) 『역의의언(易義擬言)』

无妄下, 疑有之字. 上九有行到窮處之象, 蓋自大壯之三行至于上也. 此卽象所謂, 攸

---

100) 『書經 · 舜典』: 象以典刑, 流宥五刑, 鞭作官刑, 扑作教刑, 金作贖刑, 眚災肆赦, 怙終賊刑. 欽哉欽哉.

往者, 曷爲變往而稱行歟. 自上九更往而之他, 非爻象也. 過於无妄, 有匪正之眚. 但其行亦无妄而行, 故不至於凶也. 无攸利, 應與亦无所利也.
'무망'아래 '지(之)'자가 있었을 듯하다. 상구는 행하여 궁한 곳에 이르는 상이 있으니, 대체로 대장괘(䷡)의 삼효가 가서 상효에 이르는 것이다. 이는 곧 단사에서 말한 '가는 것[往]'인데, 어찌하여 '왕(往)'자를 바꾸어 '행(行)'이라고 하였는가? 상구로부터 다시 가서 다른 것으로 바뀌는 것은 효의 상이 아니다. 무망에서 지나치니, 바르지 않는 허물이 있다. 다만 그 행함 역시 무망으로 행하는 것이므로 흉함에 이르지는 않는다. '이로운 바가 없으니' 호응하여 함께 하는 것 역시 이로운 바가 없다.

### 박문건(朴文健)『주역연의(周易衍義)』

處極用柔, 故有无妄之象. 雖然, 往依則必疑, 如此之行, 无所利.
극한에 처하여 부드러움을 쓰기 때문에 무망의 상이 있다. 그러나 가서 의지하면 반드시 의심을 받으니, 이러한 행함은 이로울 것이 없다.

### 김기례(金箕澧)「역요선의강목(易要選義綱目)」

處乾之元位, 不知窮之災而作无妄之行, 匪其正也. 眚且无利. 乾體利貞, 故四貞五勿藥, 皆不動也. 上以妄動, 有眚.
건괘의 으뜸가는 자리에 처하여 궁극의 재앙을 모르고 무망의 행함을 일으키니 바르지 않다. 허물이 있고 이로움은 없다. 건괘의 몸체는 곧음을 이롭게 여기므로, 사효의 '곧음'과 오효의 '약을 쓰지 않음'이 모두 움직이지 않는 것이다. 상효는 망령되이 움직이기 때문에 허물이 있다.

贊曰, 動以人欲, 災在妄求 動以天理, 順命而休. 率性則天, 許君當修 誠以主內, 吉合到頭.
찬미하여 말한다: 인욕으로 움직이니 재앙은 망령되이 구함에 있네. 천리로써 움직이니 천명에 순종하여 아름다우리. 본성을 따르면 하늘이니 그대는 마땅히 본성을 닦아야 하리. 정성으로 내면의 주인 삼으니, 길함이 합하여 정상에 이르네.

### 심대윤(沈大允)『주역상의점법(周易象義占法)』

无妄之隨䷐. 居柔而誠不足, 才剛而有偏係. 以居无妄之窮, 未有克己去邪之功. 但隨其心之所喜而力爲之, 其爲不善甚矣. 故曰无妄行有眚. 巽爲行, 言无思量也. 兌离爲无心曰眚. 不分善否, 隨事而无妄, 有大畜之義.
무망괘가 수괘(䷐)로 바뀌었다. 부드러운 음의 자리에 있어서 정성이 부족하고 재질이 굳세어 치우치게 매임이 있다. 무망의 궁함에 거하여 자기를 이기고 사악함을 없애는 공이 있지 않다. 다만 그 마음에 기쁜 바를 따라서 힘써 행하니, 그 행위가 매우 선하지 못하다. 그러므로 "무망으로 행하니, 허물이 있다"고 하였다. 손괘가 행함이 되는 것은 헤아림이 없음을 말한다. 태괘와 리괘는 무심함이 되니 '허물'이라고 하였다. 선함의 여부를 구분하지 않고 일마다 생각 없이 행하니, 크게 저지되는 뜻이 있다.

### 오치기(吳致箕) 「주역경전증해(周易經傳增解)」

上九, 以剛居極, 不得其正, 下應六三之陰, 而亦爲不正, 與初九相反, 卽所謂匪正有眚, 不利有攸往者也. 時當旡妄, 而妄有所行, 則必旡攸利, 故占戒如此.
상구는 굳센 양으로 극한에 거하여 그 바름을 얻지 못하고 아래로 육삼의 음과 호응하여 또 바르지 못하게 되니, 초구와는 상반되어 이른바 "바르지 않으면 허물이 있을 것이므로 가는 것이 이롭지 않다"는 것이다. 때가 무망에 해당하는데 망령되게 행하는 바가 있다면, 반드시 이로울 바가 없으므로 점사에서 이처럼 경계하였다.

○ 行, 取於應體之震也.
행함은 호응하는 몸체인 진괘에서 취하였다.

### 이진상(李震相) 『역학관규(易學管窺)』

乾健之極, 行而有眚, 所應非正故也. 爻變, 厚坎, 故言眚.
건괘의 굳건함이 극한이어서 행함에 허물이 있는 것은 호응하는 것이 바르지 않기 때문이다. 효가 변하면 큰 감괘가 되므로 '허물'이라고 하였다.

### 이정규(李正奎) 「독역기(讀易記)」

上九, 處位之過也. 有過此而行之, 故有眚旡攸利.
상구는 처한 자리가 지나친 곳이다. 이 자리를 지나쳐 행함이 있기 때문에 허물이 있고 이로운 바가 없다.

**이병헌(李炳憲) 『역경금문고통론(易經今文考通論)』**

虞謂, 上爲匪正.

우번이 말하였다: 상효는 바르지 않음이 된다.

程傳曰, 上九居卦之終, 无望旣極而復加進, 是窮極而爲災者也.

『정전』에서 말하였다: 상구는 괘의 끝에 거하였으니, 무망이 이미 지극한데 다시 더 나아가면 이는 궁극에 이른 것이라서 재앙이 된다.

## 象曰, 无妄之行, 窮之災也.

「상전」에서 말하였다: "무망으로 행함"은 궁극의 재앙이다.

## 中國大全

傳

**无妄旣極而復加進, 乃爲妄矣, 是窮極而爲災害也**

무망이 이미 지극한데 다시 더 나아가면 바로 망령이 되니, 이는 궁극에 이른 것이라서 재앙이 된다.

小註

雲峯胡氏曰, 六爻皆无妄也. 特初九得位而爲震動之主, 時之方來, 故无妄往吉. 上九失位而居乾體之極, 時已去矣, 故其行雖无妄, 有眚无攸利. 是故善學易者, 在識時. 初曰吉, 二曰利, 時也. 三曰災, 五曰疾, 上曰眚, 非有妄以致之也, 亦時也. 初與二, 皆可往, 時當動而動也. 四可貞, 五勿藥, 上行有眚, 時當靜而靜也.
운봉호씨가 말하였다: 여섯 효가 모두 무망이다. 다만 초구는 자리를 얻어 움직임을 상징하는 진괘의 주인이 되었고, 때가 막 왔기 때문에 무망으로 가면 길하다. 상구는 지위를 잃고 건체의 끝에 거하고 있어 때가 이미 지났기 때문에 행동이 비록 무망하더라도 허물이 있어 이로움이 없다. 그러므로 역을 잘 배우는 것은 때를 아는 데 달려 있다. 초효에서 길함을 말하고, 이효에서 이로움을 말한 것은 때가 그렇다. 삼효에서 재앙을 말하고, 오효에서 병을 말하며, 상효에서 허물을 말한 것은 함부로 해서 불러온 것이 아니라 또한 때가 그렇게 한 것이다. 초효와 이효가 모두 갈 만한 것은 때가 마땅히 움직여야 해서 움직인 것이다. 사효가 곧게 할 수 있고 오효가 약을 쓰지 않으며 상효가 행하여 허물이 있는 것은 때가 마땅히 고요해야 해서 고요한 것이다.

○ 楊氏文煥曰, 无妄, 動以天也. 拂天而動, 則妄矣. 下三爻震體, 初往吉二利往, 三行人之得, 利於動也. 在下當動, 動則應天. 上三爻乾體, 四可貞, 五勿藥, 戒在動也,動則拂天. 上行有眚, 已之天也, 動將何之 故當動而不動, 與不當動而動, 皆妄也夫.
양문환이 말하였다: 무망은 하늘로 움직이는 것이다. 하늘을 어겨 움직이면 망령이다. 아래 세 효는 진괘의 몸체인데, 초효는 가서 길하고 이효는 가서 이로우며, 삼효는 길 가는 사람이 얻는 것은 움직임에서 이로움을 얻는 것이다. 아래에 있어서 마땅히 움직여야 하고, 움직이면 하늘에 응한다. 위 세 효는 건괘의 몸체인데, 사효가 곧을 수 있고, 오효가 약을 쓰지 않는다는 것은 경계함이 움직이는데 있으니, 움직이면 하늘을 어긴다. 위로 행하면 허물이 있는 것은, 이미 하늘에 갔으니 움직이더라도 장차 어디로 가겠는가? 그러므로 마땅히 움직여야 하는데 움직이지 않거나, 마땅히 움직이지 않아야 하는데 움직이는 것은 모두 망령일 것이다.

## 韓國大全

### 유정원(柳正源) 『역해참고(易解參攷)』

災眚之合, 上之窮也. 震爲龍, 而上居乾終, 故與亢龍, 同辭.
재앙과 허물이 합한 것이 상효의 궁함이다. 진괘는 용이고 상효는 건괘의 끝에 있으므로 '항룡'에 대한 「문언전」과 사(辭)가 같다.

### 김상악(金相岳) 『산천역설(山天易說)』

无妄行, 卽彖傳无妄之往也, 又其所謂何之矣. 上往而无所之也, 行矣哉. 下行而亦不利也, 所以爲窮之災也.
'무망으로 행함'이란 곧 「단전」의 "무망으로 간다"이고, 또 그 이른바 "어디를 가겠는가?"이다. 위로 가더라도 갈 곳이 없으니, 행할 수 있겠는가? 아래로 행하여도 이롭지 못하니, 이 때문에 '궁극의 재앙'이 된다.

### 서유신(徐有臣) 『역의의언(易義擬言)』

與文言乾上九, 同辭, 以其行, 至上九之爲灾也.
「문언전」 건괘 상구와 사(辭)가 같으니, 행함 때문에 상구가 재앙이 되는데 이른다.

### 박문건(朴文健) 『주역연의(周易衍義)』

雖旡妄之行, 有窮極之災也.
비록 무망으로 행하지만 궁극의 재앙이 있다.

### 이지연(李止淵) 『주역차의(周易箚疑)』

无妄之行, 一言而蔽之曰正也. 初與二五則正, 故吉而利而喜也. 三與四六, 不正, 故災而可而眚也.
무망으로 행함은 한 마디로 말해서 '바른 것'이다. 초효 · 이효 · 오효는 바르기 때문에 길하고,[101] 이롭고,[102] 기쁘다고[103] 하였다. 삼효 · 사효 · 상효는 바르지 않기 때문에 재앙이고,[104] 곧게 할 수 있고,[105] 허물이 있다고[106] 하였다.

### 심대윤(沈大允) 『주역상의점법(周易象義占法)』

象曰, 无妄之行, 窮之災也. 〈迷復, 在人而不在己. 无妄行, 信己而不就人.〉
「상전」에서 말하였다: '무망으로 행함'은 궁극의 재앙이다. 〈'돌아옴에 혼미함'[107]은 남에게 달린 것이지 내게 달린 것이 아니다. '무망으로 행함'은 자신을 믿고 남에게 나아가지 않는 것이다.〉

无妄, 誠也, 先天之氣也. 大有, 明也, 後天之理也. 大有言忠恕而无妄不言者, 何也. 曰先天之功, 見於後天也, 始終之道也. 〈迷復與无妄行, 若從善道而至於是, 則聖人之從心所欲而无所自執, 神化而无迹者也. 只從復无妄而言之, 則不可用也, 以无分於善不善也.〉
무망은 정성스러움이니 선천의 기(氣)이다. '대유'는 밝음이니 후천의 리(理)이다. 대유괘에서는 충서를 말하였는데, 무망괘에서는 말하지 않은 것은 왜 그런 것인가? 선천의 공은 후천에서 드러나니 시작하고 마치는 도리이다. 〈'미복(迷復)'과 '무망행(无妄行)'이란 선한 도리

---

101) 『周易 · 无妄卦』: 初九, 无妄, 往吉.
102) 『周易 · 无妄卦』: 六二, 不耕穫, 不菑畬, 則利有攸往.
103) 『周易 · 无妄卦』: 九五, 无妄之疾, 勿藥, 有喜.
104) 『周易 · 无妄卦』: 六三, 无妄之災, 或繫之牛, 行人之得, 邑人之災.
105) 『周易 · 无妄卦』: 九四, 可貞, 无咎.
106) 『周易 · 无妄卦』: 上九, 无妄行, 有眚, 无攸利
107) 『周易 · 復卦』: 上六, 迷復, 凶, 有災眚, 用行師, 終有大敗, 以其國君凶, 至于十年, 不克征.

를 따라 여기에 이르면, 성인이 마음에서 하고자 하는 대로 따르더라도 스스로 집착하는 바가 없고, 신령스럽게 변화하여 자취가 없는 것과 같다. 다만 그저 '복(復)'과 '무망(无妄)'만 가지고 말한다면 써서는 안 되니, 선과 불선을 분별하지 않기 때문이다.〉

**오치기(吳致箕) 「주역경전증해(周易經傳增解)」**

其志窮, 故不知无妄之道, 而有期望之行, 乃以致災也.

그 뜻이 궁하므로 무망의 도를 알지 못하고, 바라는 것을 이루려는 행동이 있으므로 이에 재앙에 이른다.

# 26

# 대축괘

## 大畜卦䷙

## 中國大全

傳

**大畜, 序卦, 有无妄然後可畜, 故受之以大畜. 无妄則爲有實, 故可畜聚, 大畜所以次无妄也. 爲卦, 艮上乾下, 天而在於山中, 所畜至大之象. 畜爲畜止又爲畜聚, 止則聚矣. 取天在山中之象, 則爲蘊畜, 取艮之止乾, 則爲畜止. 止而後有積, 故止爲畜義.**

대축괘는 「서괘전」에 "무망이 있은 뒤에 쌓을 수 있으므로 대축괘로 받았다"고 하였다. 무망이면 실질이 있기 때문에 쌓아 모을 수 있으니, 대축괘가 이 때문에 무망괘의 다음이 되었다. 괘는 간괘가 위에 있고 건괘가 아래에 있어서 하늘이 산 가운데에 있으니, 지극히 크게 쌓은 상이다. '축(畜)'은 '쌓아 저지함[畜止]'이 되기도 하고, 또한 '쌓아 모임[畜聚]'이 되기 도하니, 저지하면 모인다. 하늘이 산 가운데에 있는 상을 취하면 온축함이 되고, 간괘가 건괘를 저지함을 취하면 '쌓아 저지함'이 된다. 저지한 뒤에 쌓임이 있으므로 '저지함'이 '축(畜)'의 뜻이 된다.

小註

朱子曰, 小畜以巽之柔順而畜三陽, 畜他不住. 大畜則以艮畜乾, 畜得有力, 所以喚作大畜.
주자가 말하였다: 소축은 손괘의 유순함으로 세 양을 저지하므로 저지할 수 없다. 대축은 간괘로 건괘를 저지하여 힘 있게 저지하므로 대축이라고 부른다.

○ 趙氏曰, 乾健上進, 爲艮所止, 故有畜義. 艮, 陽卦也, 陽爲大, 故曰大畜. 大小畜, 所畜皆乾, 所別者, 艮巽耳. 是故以大畜大, 謂之大畜.
조씨가 말하였다: 강건한 건괘(乾卦☰)가 위로 나아가다가 간괘(艮卦☶)에게 저지당하기 때문에 저지하는 뜻이 있다. 간괘(艮卦)는 양의 괘인데, 양은 크기 때문에 대축이라고 하였다. 대축과 소축은 저지당하는 것이 모두 건인데, 저지하는 것이 간괘(艮卦)인가 손괘(巽卦☴)인가에 따라 구별 될 뿐이다. 그러므로 큰 것으로 큰 것을 저지하는 것을 대축이라고 말하였다.[1]

1) 『주역회통』.

○ 隆山李氏曰, 以陰畜陽, 所畜之力小, 故謂之小畜. 以陽畜陽, 所畜之力大, 故謂之大畜.
융산이씨가 말하였다: 음으로 양을 저지해서 저지하는 힘이 작기 때문에 소축이라고 말하였다. 양으로 양을 저지해서 저지하는 힘이 크기 때문에 대축이라고 말하였다.

## 大畜, 利貞, 不家食吉, 利涉大川.

정전 대축은 곧음이 이롭고, 집에서 밥을 먹지 않으면 길하니, 큰 내를 건너는 것이 이롭다.
본의 대축은 곧음이 이로우니, 집에서 밥을 먹지 않아서 길하고, 큰 내를 건너는 것이 이롭다.

## 中國大全

### 傳

莫大於天而在山中, 艮在上而止乾於下, 皆蘊畜至大之象也. 在人爲學術道德充積於內, 乃所畜之大也. 凡所畜聚皆是, 專言其大者. 人之蘊畜, 宜得正道, 故云利貞. 若夫異端偏學, 所畜至多, 而不正者, 固有矣. 旣道德充積於內, 宜在上位, 以享天祿, 施爲於天下, 則不獨於一身之吉, 天下之吉也. 若窮處而自食於家, 道之否也, 故不家食則吉. 所畜旣大, 宜施之於時, 濟天下之艱險, 乃大畜之用也. 故利涉大川. 此只據大畜之義而言, 彖更以卦之才德而言, 諸爻則惟有止畜之義. 蓋易體道隨宜, 取明且近者.

하늘보다 더 큰 것이 없는데도 하늘이 산 가운데 있고, 간괘(艮卦)가 위에 있으면서 건괘(乾卦)를 아래로 저지하니, 모두 온축함이 지극히 큰 상이다. 사람에게는 학술과 도덕이 내면에 쌓임이 되니, 이는 쌓인 바가 큰 것이다. 쌓아 모으는 것이 모두 해당되지만, 오로지 그 큰 것만을 말하였다. 사람의 온축은 바른 도를 얻어야 하므로 곧음이 이롭다고 말하였다. 이단과 편벽된 학문은 쌓은 것이 지극히 많더라도 바르지 못한 경우가 본래 있다. 이미 도덕이 안에 쌓였으면 높은 지위에서 하늘이 주는 봉록을 누려 천하에 베풀어야 하니, 다만 한 몸이 길할 뿐만 아니고, 천하 사람들이 길하다. 만약 곤궁하게 살아 스스로 집에서 밥을 먹으면 도가 막힌 것이므로 집에서 밥을 먹지 않으면 길하다. 쌓인 바가 이미 크면 당시에 베풀어서 천하의 어려움과 험함을 구제하여야 하니, 이것이 대축의 쓰임이다. 그러므로 큰 내를 건너는 것이 이롭다. 여기서는 다만 대축의 뜻에 근거하여 말하였고, 「단전」에서는 다시 괘의 재질과 덕을 가지고 말하였으며, 여러 효에서는 오직 저지한다는 뜻만 있다. 역은 도를 체득하고 마땅함을 따라야 하므로 분명하고도 또한 가까운 것을 취하였다.

小註

白雲郭氏曰, 賢不家食, 祿之也. 古之人不仕无祿, 則耕而食之於家也. 仕而祿, 足以代耕, 則不耕矣, 非家食也.
백운곽씨가 말하였다: 현명한 사람이 집에서 밥을 먹지 않는 것은 봉록을 주기 때문이다. 옛 사람이 벼슬하지 않아 봉록이 없으면 경작하여 집에서 밥을 먹었다. 벼슬하여 봉록을 받으면 충분히 경작을 대신할 수 있어 경작하지 않았으니, 집에서 밥을 먹는 것이 아니다.

○ 建安丘氏曰, 大畜利貞, 言所畜者大而利於貞正也. 不家食吉, 言賢者當與之共天位, 享天祿, 食於朝而不食於家, 則吉也. 然有所畜者, 必有所用, 有所養者, 必有所施. 賢人又當出而濟天下之艱險, 以究大畜之才, 故曰利涉大川. 利涉者, 乾健於行也.
건안구씨가 말하였다: "대축은 곧음이 이롭다"는 것은 쌓은 것이 크고, 곧고 바른 데에 이롭다는 것이다. "집에서 밥을 먹지 않으면 길하다"는 것은 현명한 사람이 마땅히 하늘이 준 자리를 함께 하고 하늘이 준 봉록을 누리며, 조정에서 먹고 집에서 먹지 않으면 길하다는 말이다. 그러나 쌓은 것은 반드시 쓸 데가 있고, 기른 것은 반드시 베풀 데가 있다. 현인은 또한 세상에 나와서 천하의 어려움을 구제하여 크게 쌓은 재주를 다 써야 하기 때문에 큰 내를 건너는 것이 이롭다고 말하였다. 건너는 것이 이롭다는 것은 건괘가 행하는 데 강건하기 때문이다.

本義

**大陽也, 以艮畜乾, 又畜之大者也. 又以內乾剛健, 外艮篤實輝光. 是以能日新其德, 而爲畜之大也. 以卦變言, 此卦自需而來, 九自五而上, 以卦體言, 六五尊而尚之, 以卦德言, 又能止健, 皆非大正不能. 故其占爲利貞, 而不家食吉也. 又六五下應於乾, 爲應乎天, 故其占又爲利涉大川也. 不家食, 謂食祿於朝, 不食於家也.**

'대(大)'는 '양(陽)'이니, 간괘로 건괘를 저지함은 또한 저지함이 크다. 또 안의 건괘는 강건하고 밖의 간괘는 독실하고 빛난다. 이 때문에 날로 덕을 새롭게 하여 쌓임이 크다. 괘의 변화로 말하면 이 괘는 수괘(需卦䷄)로부터 와서 구(九)가 오효에서 위로 올라갔고, 괘의 몸체로 말하면 육오가 높으면서 상구를 높여주며, 괘의 덕으로 말하면 또 강건함을 저지하니, 모두 크게 바름이 아니면 할 수가 없다. 그러므로 그 점이 곧음이 이롭고 집에서 밥을 먹지 아니하여 길한 것이다. 또 육오가 아래로 건괘에 호응하여 하늘에 호응하므로 그 점이 또 큰 내를 건넘이 이롭다. '불가식(不家食)'은 조정에서 봉록을 먹고 집에서 밥을 먹지 않음을 말한다.

小註

朱子曰, 大畜利貞, 不家食吉, 利涉大川, 只是占得大畜者爲利貞, 不家食而吉, 利於涉大川. 至于剛上尙賢等處, 乃孔子發明各有所主. 爻象亦然.
주자가 말하였다: "대축은 곧음이 이로우니, 집에서 밥을 먹지 않아서 길하고, 큰 내를 건너는 것이 이롭다"는 것은 다만 크게 쌓는 것은 바르게 하는 것이 이롭고, 집에서 밥을 먹지 않아서 길하며, 큰 내를 건너는 것이 이롭다는 점(占)이다. '굳센 양이 위에 있고 현명한 이를 높이며'라는 등의 곳에서는 공자가 각각 중요한 것을 밝힌 것이다. 효의 상도 또한 그렇다.

○ 雲峯胡氏曰, 大畜大壯皆四陽卦, 故皆謂之大. 其占皆曰利貞者, 大壯而不貞, 其壯也, 剛而无禮, 大畜而不貞, 其畜也博而寡要. 不家食, 是賢者不畜于家而畜於朝. 涉大川, 又似有畜極而通之意. 要之兩利字一吉字, 占辭自分而爲三, 不必泥而一之也.
운봉호씨가 말하였다: 대축괘와 대장괘는 모두 양이 넷인 괘이기 때문에 '대(大)'라고 말했다. 그 점에 모두 "곧게 하는 것이 이롭다"고 말한 것은 대장이면서 곧지 않으면 그 씩씩함이 굳세기만 하고 예가 없으며, 대축이면서 곧지 않으면 그 쌓은 것이 넓기만 하고 요점이 적기 때문이다. 집에서 밥을 먹지 않는 것은 현자가 집에 쌓지 않고 조정에 쌓는 것이다. 큰 내를 건너는 것은 또한 저지함이 극에 달하여 통하는 뜻이 있는 듯하다. 요컨대 두 "이롭다[利]"라는 말을 두 번하고 "길하다[吉]"라는 말을 한 번하여, 점사는 저절로 나뉘어 셋이 되므로 반드시 얽매여 하나로 할 필요는 없다.

## 韓國大全

### 조호익(曺好益) 『역상설(易象說)』

傳序卦云云.
『정전』에서 말하였다: 「서괘전(序卦傳)」에서 운운하였다.
无妄則有誠實, 故有從者, 從則聚矣.
'망령됨이 없으면[无妄]' 성실함이 있기 때문에 따르는 자가 있으며, 따름이 있으면 모인다.

不家食吉.
집에서 밥을 먹지 않으면 길하다.

家, 艮門庭象, 食, 兌澤象, 不, 艮止象. 又卦變自需來, 飮食象, 坎變艮, 亦不食象, 上九在上, 五尊而尙之, 故不家食.
'집[家]'은 간괘(艮卦☶)의 문과 정원의 상이며, "먹는다[食]"는 태괘(兌卦☱)의 윤택한 상이며, "~하지 않다[不]"은 간괘(艮卦)의 그치는 상이다. 또 괘의 변화는 수괘(需卦䷄)로부터 왔으니, 수괘는 음식의 상이며, 상괘는 감괘(坎卦☵)가 변하여 간괘(艮卦)가 되었으니, 또한 먹지 않는 상이고, 상구는 맨 위에 있어서 오효가 그를 높이고 숭상하기 때문에 집에서 먹지 않는다.

## 이익(李瀷) 『역경질서(易經疾書)』

大過大壯之大, 皆指陽而言, 大畜與小畜對勘, 則大小者, 乃輕重之義, 更詳之.
대과괘(大過卦䷛)와 대장괘(大壯卦䷡)의 '대(大)'는 모두 양을 가리켜 말하였고, 대축괘(大畜卦)와 소축괘(小畜卦䷈)는 대조하면서 살펴보면 '크고[大]' '작음[小]'이란 가볍고 무거움의 뜻이니 잘 살펴보아야 한다.

## 양응수(楊應秀) 『곤괘강의(坤卦講義)·역본의차의(易本義箚疑)』

大畜利貞ᄒᆞ니 不家食ᄒᆞ야
대축은 곧음이 이로우니 집에서 밥을 먹지 않아서
〈貞ᄒᆞ니 恐當改ᄒᆞ고 食ᄒᆞ야 恐當改이.
'貞ᄒᆞ니'에서 'ᄒᆞ니'는 아마도 마땅히 'ᄒᆞ고'로 고쳐야 하며, '食ᄒᆞ야'에서 'ᄒᆞ야'는 아마도 마땅히 '이'로 고쳐야 할 듯하다.
○ 貞홈이 利ᄒᆞ고 家애食디아니홈이.
곧음이 이롭고 집에서 먹지 아니함이.〉

## 유정원(柳正源) 『역해참고(易解參攷)』

大畜 [至] 大川.
대축은 … 큰 내를 건너는 것이 이롭다.

正義, 人能止健, 非正不可, 故利貞也. 已有大畜之資, 當須養順賢人, 不使賢人在家自食, 如此乃吉也. 養賢應於天道, 不憂險難, 故利涉大川.
『주역정의』에서 말하였다: 사람이 강건[健]을 그치게 할 수 있음은 바름이 아니라면 할 수 없기 때문에 곧음이 이롭다. 이미 대축괘의 자질을 가지고 있다면, 현인(賢人)을 기르고 따라야 하므로 현인이 집에서 스스로 밥을 먹도록 하지 않아야 하니, 이와 같이 하여야 길하다. 현인을 기름은 천도(天道)에 호응하여 험난함을 걱정하지 않는 것이기 때문에 "큰 내를 건너는 것이 이롭다."

○ 林氏曰, 乾陽, 君子之象, 艮山, 有養人之象. 三陽竝進, 受畜於艮, 有不家食之象.
임씨가 말하였다: 건괘(乾卦☰)의 양은 군자의 상이고, 간괘(艮卦☶)의 산에는 사람을 기르는 상이 있다. 세 양이 함께 나아가지만 간괘(艮卦)에 저지를 받아 집에서 밥을 먹지 않는 상이 있다.

○ 雙湖胡氏曰, 大畜, 以艮一陽之大畜乾三陽爲義. 畜, 止也, 相遇而相畜. 卦辭又取乾陽上進之象. 乾陽之進, 九三最先, 艮陽所畜, 亦三爲先, 故九三爲一卦最重爻, 而陽剛得正曰利貞, 主九三言也. 故爻辭唯九三利貞同.
쌍호호씨가 말하였다: 대축은 간괘(艮卦)의 한 양이 건괘(乾卦)의 세 양을 크게 저지한다는 것으로 뜻을 삼았다. '휵(畜)'은 저지함이니, 서로 만나 서로 저지한다. 괘사는 또 건괘의 양들이 위로 나아가는 상을 취하였다. 건괘의 양들이 나아갈 때에 구삼이 가장 앞에 있고, 간괘의 양에 의하여 저지당할 때도 구삼이 앞이 되기 때문에 구삼이 이 한 괘에서 가장 중요한 효가 되며, 굳센 양이 바름을 얻었으므로 "곧음이 이롭다"고 한 것은 구삼을 위주로 말하였다. 그러므로 효사 중에서 오직 구삼에서의 "곧음이 이롭다"[2]만이 같다.

### 김상악(金相岳) 『산천역설(山天易說)』

大畜之變, 九自五上, 而六五尙之. 卦德能止健, 故利貞. 陽旣上行而得養, 故不家食吉, 下濟而應乾, 故利涉大川.
대축괘의 변화는 구(九)가 오효로부터 올라가고 육오가 그를 높인다. 괘의 덕은 강건함을 저지할 수 있기 때문에 곧음이 이롭다. 양이 이미 위로 가서 기를 수 있기 때문에 집에서 밥을 먹지 않으면 길하고, 아래로 건너서 건괘(乾卦☰)와 호응하기 때문에 큰 내를 건너는 것이 이롭다.

○ 卦變, 自需來, 需之飮食, 取之于坎, 而坎變爲艮. 九往居外, 六五尙之, 故取祿食于朝而不于家之象. 涉川, 上九涉二陰而從三也, 與頤相似.
괘의 변화는 수괘(需卦䷄)로부터 왔고, 수괘의 '음식(飮食)'[3]은 감괘(坎卦☵)에서 취하였으

---

2) 『周易 · 大畜卦』: 九三, 良馬逐, 利艱貞, 日閑輿衛, 利有攸往.

며, 감괘는 변하여 간괘(艮卦☶)가 되었다. 구(九)가 바깥으로 가 있고 육오가 그를 높이기 때문에 조정에서 녹봉을 받아서 먹지 집에서 먹지 않는 상을 취하였다. '내를 건넘'이란 상구가 두 음을 건너 삼효를 따르는 것이니, 이괘(頤卦䷚)와 서로 유사하다.

### 김규오(金奎五) 「독역기의(讀易記疑)」

以二五中正相應, 則曰應天, 以五之畜二, 則曰豶豕. 論全卦分各爻, 固爲不同, 而易道无窮, 亦似有互看之妙.

이효와 오효가 중정하여 서로 호응하니 "하늘에 호응한다"고 하였고 오효가 이효를 저지하므로 '거세한 멧돼지'라고 하였다. 괘 전체를 논하고 효 각각을 분석하면 진실로 같지 않아 『주역』의 도가 무궁하므로 또한 서로 참고 하여 보는 묘미가 있는 듯하다.

### 서유신(徐有臣) 『역의의언(易義擬言)』

離乾爲大有, 艮乾爲大畜, 以其光明盛大也. 利貞, 所畜者正也, 不家食吉, 不欲其獨善也, 利涉大川, 欲其匡濟險難也. 大川之象, 與同人同也.

상괘가 리괘(離卦☲)이고 하괘가 건괘(乾卦☰)인 괘가 대유괘(大有卦䷍)이며, 상괘가 간괘(艮卦☶)이고 하괘가 건괘(乾卦)인 괘가 대축괘이니 빛나고 밝으며 성대하기 때문이다. "곧음이 이롭다"란 저지하는 바가 바름이고, "집에서 먹지 않으면 길하다"란 혼자 착하기를 원하지 않음이며, "큰 내를 건넘이 이롭다"란 험난한 데에서 구제하고자 함이다. 큰 내의 상은 동인괘(同人卦䷌)와 같다.

### 윤행임(尹行恁) 『신호수필(薪湖隨筆)·역(易)』

德者, 得也, 本心之所固有, 而若無黙識之工, 則無以畜其德也. 故窮格爲入學之頭腦, 君子見大畜之象而知窮格之方.

'덕(德)'이란 얻음이니 본심에 고유한 바이며, 만약 잠잠히 마음속으로 아는 공부가 없다면 그 덕을 쌓을 수 없다. 그러므로 궁리(窮理)와 격물(格物)이 배움에 들어가는 핵심이 되며, 군자는 대축괘의 상을 보면서 궁리와 격물의 방법을 안다.

胡仲虎以爲大畜大壯, 皆四陽卦, 故謂之大, 此甚不然. 過於四陽而爲五陽, 如小畜者, 何不曰大而曰小耶. 只以所畜之大小言, 不以陽爻之多寡而言也. 大者, 陽也. 易之言

3) 『周易·需卦』: 象曰, 雲上於天, 需, 君子以, 飮食宴樂.

大者, 則胡說得之.
호중호[雲峯胡氏]가 "대축괘와 대장괘는 모두 양이 넷인 괘이기 때문에 '대(大)'라고 말했다"고 하였으나, 이것은 전혀 그렇지 않다. 네 양을 넘어 다섯 양이 되는 예를 들면 소축괘(小畜卦☴)와 같은 경우에는 어째서 크다고 말하지 않고 "작다[小]"고 하였는가? 단지 쌓이는 바의 크고 작음을 가지고서 말한 것이지, 양효의 많고 적음을 가지고서 말한 것이 아니다. 큰 것은 양이다. 『주역』에서 크다고 말한 경우는 호씨의 설명이 잘 터득하였다.

### 박문건(朴文健) 『주역연의(周易衍義)』

貞而後能止. 不家食, 言養於陰也, 利涉川, 言進於上也.
곧은 후에 저지할 수 있다. "집에서 먹지 않는다"란 음에게서 길러짐을 말하고, "내를 건넘이 이롭다"란 위로 나아감을 말한다.
〈問, 利貞以下. 曰, 貞則能固止也. 處於外而爲二陰所養, 故有不家食之象, 進於上而爲二陰所載, 故有利涉川之象也.
물었다: "곧음이 이롭다" 이후는 무슨 뜻입니까?
답하였다: 곧으면 굳게 저지할 수 있습니다. 바깥에 있으면서 두 음에게 길러지기 때문에 집에서 먹지 않는 상이 있고, 위로 나아가 두 음에게 실려지기 때문에 내를 건넘이 이로운 상이 있습니다.〉

### 이지연(李止淵) 『주역차의(周易箚疑)』

國之畜聚賢人, 亦大畜之意, 故曰不家食吉也.
나라에서 현명한 사람들을 모아서 기름도 또한 대축괘(大畜卦)의 뜻이기 때문에 "집에서 밥을 먹지 않으면 길하다"고 하였다.

### 윤종섭(尹鍾燮) 『온유재집(溫裕齋集)・경(經)-역(易)』

大畜小畜大小之名, 在乎卦體, 巽陰卦故曰小, 艮陽卦故曰大. 大陽而小陰, 其稱名也不一, 或以爻之多少, 如小過, 上下皆陽卦而陰爻多, 故曰小, 小者過也, 大過, 皆陰卦而陽爻多, 故曰大, 大者過也.
대축괘(大畜卦)와 소축괘(小畜卦☴)에서 '대(大)'와 '소(小)'의 이름은 괘의 몸체에 달려 있으니, 손괘(巽卦☴)가 음의 괘이기 때문에 '소'라고 하였고, 간괘(艮卦☶)가 양의 괘이기 때문에 '대'라고 하였다. 큰 것은 양이고 작은 것은 음이지만 그 이름을 칭한 것이 일정하지 않아 혹 효의 많고 적음을 가지고 이름을 칭하니, 예를 들어 소과괘(小過卦䷽)는 상괘와 하괘가 모두 양의 괘인데도 음의 효가 많기 때문에 '소'라고 하였으니 '소'가 지나침이며, 대과괘(大過卦䷛)는 상괘와 하괘가 모두 음의 괘인데도 양의 효가 많기 때문에 '대'라고 하였으니 '대'가 지나침이다.

## 김기례(金箕澧) 「역요선의강목(易要選義綱目)」

大畜.
대축.
无妄則實, 故所畜者大. 三陽上進, 外剛而止之, 融結蘊奧, 可畜天地絪縕之氣.
무망이면 가득 차기 때문에 쌓이는 바가 크다. 세 양이 위로 올라가 바깥이 굳세어 저지하여 융합하고 안으로 축적하므로 하늘과 땅이 얽히고 설켜 잘 어울리는 기를 쌓을 수 있다.

利貞.
곧음이 이롭다.
君子蘊畜, 當以正道, 若以異端不正之道, 則何以致君澤利. 畜之无用, 蓋非篤實, 則无以畜健.
군자가 쌓음은 마땅히 바른 도로써 해야 하니, 만약 이단의 바르지 못한 도로써 한다면 무엇으로써 임금을 윤택하게 하고 이롭게 하겠는가? 저지함이 소용없으니, 독실함이 아니면 강건함을 저지할 수 없다.

不家食吉, 利涉大川.
집에서 밥을 먹지 않아서 길하고, 큰 내를 건너는 것이 이롭다.
艮畜乾而尙一陽, 則有尙賢之象. 君子當以學術道德充積, 而食天祿, 濟天下.
간괘(艮卦☶)가 건괘(乾卦☰)를 저지하여 하나의 양을 높이니 현명한 사람을 높이는 상이 있다. 군자는 마땅히 학술과 도덕을 가득 쌓아 천록(天祿)을 먹고 천하를 구제하여야 한다.
○ 健行, 故曰利涉, 易中以乾多爲利涉也.
강건함으로 가기 때문에 "건넘이 이롭다"고 하였으니, 『주역』에서는 건괘(乾卦)로써 대체로 "건넘이 이롭다"고 하였다.

## 심대윤(沈大允) 『주역상의점법(周易象義占法)』

事業所以成終, 故曰利貞, 上九艮德高居, 有尙賢之象, 外有頤體, 故曰不家食. 言事業, 貴其得政而立于天下也, 貴其能濟險難而辨人之所不能了, 故曰利涉大川. 對坎乾爲大川.
사업이 끝마치기 때문에 "곧음이 이롭다"고 하였으며, 상구는 간괘(艮卦☶)의 덕으로 높은 곳에 있으니 현명한 사람을 높이는 상이 있고, 외괘는 크게 보면 이괘(頤卦䷚)의 몸체가 있기[4] 때문에 "집에서 밥을 먹지 않는다"고 하였다. 사업으로 말하자면, 정권을 잡아 천하에 서는 것을 귀하게 여기고 험난한 데에서 구제하여 사람들이 할 수 없는 바를 변별할 수 있음을 귀하게 여기기 때문에 "큰 내를 건너는 것이 이롭다"고 하였다. 이괘의 음양이 바뀐 감괘(坎卦☵)와 건괘(乾卦☰)가 '큰 내'가 된다.

### 오치기(吳致箕) 「주역경전증해(周易經傳增解)」

大者, 陽也, 畜者, 止也. 艮一陽在上, 而主乎畜止, 乾三陽在下, 而爲其所畜. 以陽畜陽, 所畜者大, 匪如小畜之以陰畜陽, 故曰大畜也. 止健之道, 當用正固, 故先戒以利貞. 乾健在內, 有畜德之象, 艮止在上, 有尙賢之象. 畜德而賢, 則可享天祿, 故言不家食吉. 所畜者大, 則无險不濟, 故言利涉大川.
'대(大)'란 양이며, '축(畜)'이란 저지함이다. 간괘(艮卦☶)의 한 양이 위에 있으면서 쌓아 저지하는 데에 주체가 되며, 건괘(乾卦☰)의 세 양이 아래에 있으면서 저지를 당한다. 양으로 양을 저지하여 쌓는 바가 크니, 소축괘(小畜卦䷈)에서 음으로 양을 저지하는 것과는 같지 않기 때문에 '대축(大畜)'이라고 하였다. 강건함을 저지하는 도는 마땅히 바르고 굳셈을 써야 하기 때문에 먼저 "곧음이 이롭다"를 가지고 경계하였다. 건괘(乾卦)의 강건함이 안에 있으므로 덕을 쌓는 상이 있고, 간괘의 저지함이 위에 있으므로 현명한 자를 높이는 상이 있다. 덕을 쌓아 현명해지면 천록(天祿)을 누릴 수 있기 때문에 "집에서 밥을 먹지 않아서 길하다"고 하였다. 쌓는 바가 크면 구제하지 못할 험함이 없기 때문에 "큰 내를 건너는 것이 이롭다"고 하였다.

○ 家取於艮, 食取於互兌爲口食之象. 卦形中虛如舟, 而對體互巽似坎, 亦爲乘木涉川之象也. 健而見止, 故不言亨.
'집'은 간괘(艮卦)에서 취하였고, "먹는다[食]"는 호괘인 태괘가 음식의 상이 되는 데에서 취하였다. 괘의 형상은 가운데가 비어서 배와 같고, 위와 아래가 거꾸로 된 괘인 무망괘(无妄卦䷘)의 호괘인 손괘(巽卦☴)는 감괘(坎卦☵)와 유사하여 또한 나무를 타고 내를 건너는 상이 된다. 강건한데도 저지를 당하기 때문에 형통하다고 말하지 않았다.

4) 『周易 · 頤卦』: 象曰, 山下有雷, 頤, 君子以, 愼言語, 節飮食.

## 이진상(李震相) 『역학관규(易學管窺)』

不家食.

집에서 밥을 먹지 않는다.

三陽在下, 有健進之象. 艮以篤實之德止而養之. 在國家有養賢之道, 是使群賢不食於家而食於朝也. 若以在下之賢人言, 則得時行道, 亦宜進享乎天祿也. 傳義不明說養賢之意, 可疑. 如以時當大畜, 不待其致敬盡禮, 而遽欲有所進取, 則烏可謂畜德之大者乎.

세 양이 아래에 있으니 강건함으로 나아가는 상이 있다. 간괘(艮卦☶)는 독실한 덕으로 저지하고 기른다. 국가에는 현명한 사람을 기르는 도가 있으니, 이것이 여러 현명한 자들에게 집에서 밥을 먹지 않고 조정에서 먹도록 하는 것이다. 만약 아래에 있는 현명한 사람의 입장으로써 말한다면, 때를 얻어 도를 행하니 또한 나아가 천록(天祿)을 누려야 한다. 『정전』과 『본의』에서는 현명한 사람을 기른다는 뜻을 분명하게 설명하지 않은 것은 의심스러울 만하다. 만약 대축괘의 때로 공경을 지극히 하고 예(禮)를 다함을 기다리지 않고 갑작스럽게 나아가 취하고자 한다면, 어찌 덕을 쌓음이 큰 것이라고 말할 수 있겠는가?

○ 利涉大川.

큰 내를 건너는 것이 이롭다.

二陰在中而陽包其其外, 有大川之象.

두 음이 가운데에 있고 양이 그것들의 밖을 포위하니, 큰 내의 상이 있다.

## 박문호(朴文鎬) 「경설(經說) · 주역(周易)」

凡所畜聚皆是, 專言其大者, 言物之畜聚大, 則已矣. 人之畜德, 則不然, 旣大又須正也.[5]

『정전』에서 "쌓아 모으는 것이 모두 해당되지만, 오로지 그 큰 것만을 말하였다"라고 한 것은 사물을 쌓아 모은 것이 크면 그침을 말한다. 사람이 덕을 쌓음은 그렇지 않으니, 이미 크게 되었더라도 또한 바르게 하여야 한다.

大, 陽也, 蓋言四陽聚於一卦也. 讀之如是然後, 下文又字始有著落處. 不然則又字或是字之誤耶. 其占爲利貞而不家食吉, 此不家食吉, 蓋蒙上文日新其德而言也.

'대(大)'란 양이니, 네 양이 한 괘에 모였음을 말하였다. 이와 같이 읽은 후에야 아래 문장에

5) 이 문장 전체는 경학자료집성DB에 누락되어 있으나, 경학자료집성 원문을 대조하여 보충하였다.

있는 '우(又)'자가 비로소 귀결되는 곳이 있게 된다. 그렇지 않다면 '우(又)'자는 혹시 '시(是)' 자의 오자일 것이다. 그 점이 "곧음이 이롭고", "집에서 밥을 먹지 않으면 길하니" 여기서 "집에서 밥을 먹지 않으면 길하다"란 위 문장의 "날로 덕을 새롭게 하다[日新其德]"를 이어서 말한 듯하다.

## 이정규(李正奎) 「독역기(讀易記)」

大畜以卦言之, 以艮畜乾也. 上九實爲畜之主, 而爻才則不如五四之畜, 而力不惟不畜, 反脫畜而自行, 故曰何天之衢亨, 此則所謂時也. 陽雖微而不屈於陰, 陰雖盛而不能勝陽, 定理也. 而初九九二, 以陽剛之性畏陰, 而不敢進者, 下故也, 六五六四, 以陰柔之質能畜陽剛者, 上故也, 此則所謂勢也. 故氣雄三軍者, 或屈於寥寥賓贊之儀, 才略蓋世者, 時聽於昧昧委裘之命矣. 儒者不識時與勢而可言易理哉.

대축괘를 괘로써 말한다면, 간괘(艮卦☶)가 건괘(乾卦☰)를 저지함이다. 상구는 실제로 저지하는 주체가 되는데, 효의 재질은 오효나 사효의 저지함만 못하고, 힘은 저지하지 못할 뿐만 아니라 도리어 저지함에서 벗어나 스스로 행하기 때문에 "어찌 그리 하늘의 거리와 같은가? 형통하다"라고 하였으니, 이것이 이른바 때이다. 양이 비록 미미하지만 음에게 굴복하지 않고, 음이 비록 성대하지만 양을 이길 수가 없으니, 정해진 이치이다. 그런데 초구와 구이는 굳센 양의 성질로 음을 두려워하여 감히 나아가지 못하는 것은 아래에 있기 때문이며, 육오와 육사가 비록 부드러운 음의 성질로 굳센 양을 저지할 수 있는 것은 위에 있기 때문이니, 이것이 이른바 형세이다. 그러므로 기운이 삼군(三軍)[6]처럼 웅장한 사람도 혹 매우 미미한 빈찬(賓贊)[7]의 의례에 굴복하고, 재주와 지략이 세상을 덮을 만한 사람도 때로는 세상에 어두운 위구(委裘)[8]의 명을 듣는다.[9] 유학자가 때와 형세를 알지 못하면서 『주역』의 이치를 말해서야 되겠는가?

---

6) 삼군(三軍): 주나라 때 제후의 상군(上軍)과 중군(中軍)과 하군(下軍)을 말한다.

7) 빈찬(賓贊): 빈(賓)을 보좌하는 사람으로, 머리를 빗기고 마무리하는 등의 일을 돕는다.

8) 위구(委裘): 전왕(前王)이 남긴 옷으로, 전왕이 죽고 새 임금이 아직 서지 않았을 때, 전왕의 의구(衣裘)를 모셔놓는다.

9) 『周易傳義大全·大畜卦』 小註: 漢上朱氏曰, 初剛正也, 二剛中也, 四五柔也. 柔能畜剛, 剛知其不可遽犯而安之, 時也. 夫氣雄九軍者, 或屈於賓贊之儀, 才力蓋世者, 或聽於委裘之命. 故曰大畜, 時也.

## 彖曰, 大畜, 剛健篤實輝光, 日新其德,

「단전」에서 말하였다: 대축은 강건하고 독실하고 빛나서 날로 덕을 새롭게 하니,

### 中國大全

**傳**

以卦之才德而言也. 乾體剛健, 艮體篤實, 人之才, 剛健篤實, 則所畜能大, 充實而有輝光, 畜之不已, 則其德日新也.

괘의 재질과 덕으로 말하였다. 건괘(乾卦☰)의 몸체는 강건하고 간괘(艮卦☶)의 몸체는 독실하니, 사람의 재주가 강건하고 독실하면 쌓인 바가 커질 수 있어서 충실하고 빛남이 있으니, 쌓기를 그치지 않으면 덕이 날로 새로워진다.

**本義**

以卦德, 釋卦名義.

괘의 덕으로 괘의 이름을 해석하였다.

**小註**

朱子曰, 篤實, 便有輝光. 艮止, 便能篤實.
주자가 말하였다: 독실하면 곧 빛이 난다. 간괘의 멈춤이 곧 독실할 수 있다.

○ 雲峯胡氏曰, 諸卦艮德, 只一止字, 此則有篤實輝光四字. 蓋大畜之所重者, 在艮上一爻, 卦名畜字, 已具艮止之義. 此曰, 篤實, 艮一陽之所以能畜也. 曰輝光, 陽能畜諸中而見諸外也.

운봉호씨가 말하였다: 여러 괘에서 간괘의 덕은 다만 하나의 '지(止)'라는 글자인데, 여기에서는 '독실휘광(篤實輝光)'이라는 네 글자로 설명하였다. 대축에서 중요한 것은 간괘 한 효에 있는데, 괘 이름의 '축'이라는 글자는 이미 간괘의 멈춤이라는 뜻을 갖추고 있다. 여기에서 '독실'이라고 말한 것은 간괘 한 양이 쌓을 수 있기 때문이다. "빛난다"고 말한 것은 양이 가운데 쌓여서 밖에 드러날 수 있기 때문이다.

○ 東谷鄭氏曰, 畜有三義, 以畜養言之, 畜賢也, 以畜止言之, 畜健也, 以蘊畜言之, 畜德也. 養賢以及萬民, 此畜養之大者. 乾天下之至健而四五能畜之, 此畜止之大者. 剛健篤實輝光, 日新其德, 此蘊畜之大者. 故彖傳兼此三者言之.
동곡정씨가 말하였다: '축(畜)'은 세 가지 뜻을 갖고 있으니, 쌓아 기르는 것으로 말하면 현명한 사람을 기르는 것이고, 쌓아 저지하는 것으로 말하면 강건함을 저지하는 것이며, 온축하는 것으로 말하면 덕을 온축하는 것이다. 현명한 사람을 길러 만민에게 미치니, 이는 쌓아 기르는 것 가운데 큰 것이다. 건은 천하의 지극히 강건한 것인데, 사효와 오효가 그것을 저지할 수 있으니, 이는 쌓아 저지하는 가운데 큰 것이다. 강건하고 독실하고 빛나서 날로 덕을 새롭게 하니, 이는 온축하는 가운데 큰 것이다. 그러므로 「단전」에서 이 세 가지를 겸하여 말하였다.

## 韓國大全

**권근(權近) 『주역천견록(周易淺見錄)』**

大畜彖曰, 剛健篤實輝光, 日新其德.
「단전」에서 말하였다: 강건하고 독실하고 빛나서 날로 덕을 새롭게 하니.

愚謂, 剛健篤實之德, 蘊畜於內, 而輝光發現於外, 日新其德而不已. 乾健有无息之誠, 艮止有不遷之意, 是明明德之止於至善也. 旣明其德, 又當新民, 故其下云, 不家食吉也. 艮在乾上, 亦有進而止於天位之象. 居天位, 食天祿, 以濟天下之艱險, 故曰利涉大川, 明明德於天下也. 明明德, 大畜於身也, 明明德於天下, 大畜於天下也.
내가 살펴보았다: 강건하고 독실한 덕은 안에서 온축되고 밖에서 빛나며 드러나서 날마다 그 덕을 새롭게 하여 그치지 않는다. 건괘(乾卦)의 강건함에는 쉼이 없는 성실함이 있고,

간괘(艮卦)의 그침에는 옮기지 않는 뜻이 있으니, 이는 '밝은 덕을 밝힘'이 "지극한 선(善)에서 머문다"[10]는 것이다. 이미 그 덕을 밝혔는데도 또 마땅히 백성들을 새롭게 하기 때문에 그 아래에서 "집에서 밥을 먹지 않는다"고 하였다. 간괘(艮卦)가 건괘(乾卦) 위에 있으니, 또한 하늘의 자리에 나아가 멈추는 상이 있다. 하늘의 자리에 있고 하늘의 녹(祿)을 먹어 천하의 험난함을 구제하기 때문에 "큰 내를 건너는 것이 이롭다"고 하였으니, 천하에서 밝은 덕을 밝힘이다. '밝은 덕을 밝힘'이란 자신에게 크게 쌓음이고, 천하에 밝은 덕을 밝힘이란 천하에 크게 쌓음이다.

### 조호익(曺好益) 『역상설(易象說)』

彖曰, 大畜, 剛健篤實輝光, 日新其德,
「단전」에서 말하였다: 대축은 강건하고 독실하고 빛나서 날로 덕을 새롭게 하니,

剛健, 乾之德, 篤實, 坤之德. 輝光, 艮陽明在外, 有輝光象, 日新, 乾行一日一周, 有日新象.
강건함은 건괘(乾卦☰)의 덕이며, 독실함은 곤괘(坤卦☷)의 덕이다. '빛남[輝光]'은 간괘(艮卦☶)의 양이 바깥에서 빛나고 있어 빛나는 상이 있고, '날로 새롭게 함[日新]'이란 건(乾)의 운행이 하루에 한 바퀴 돌므로 날로 새롭게 하는 상이 있다.

### 송시열(宋時烈) 『역설(易說)』[11]

剛健者, 乾也, 篤實輝光者, 艮也, 日新者, 離象也.
'강건함'이란 건괘(乾卦☰)이고, '독실하고 빛남'이란 간괘(艮卦☶)이며, '날로 새롭게 함'이란 리괘(離卦☲)의 상이다.

### 김상악(金相岳) 『산천역설(山天易說)』

以卦德釋卦名義. 內乾剛健, 外艮篤實輝光, 故能日新其德.
괘의 덕으로 괘의 이름을 풀이하였다. 내괘는 건괘(乾卦☰)로 강건하고 외괘는 간괘(艮卦☶)로 독실하고 빛나기 때문에 날로 그 덕을 새롭게 할 수 있다.

---

10) 『大學』: 大學之道, 在明明德, 在親民, 在止於至善.
11) 이 문장 전체는 경학자료집성DB에 누락되어 있으나, 경학자료집성 원문을 대조하여 보충하였다.

### 서유신(徐有臣) 『역의의언(易義擬言)』

此, 釋大畜也. 剛健, 乾也, 篤實, 艮也. 輝光, 兼言也, 乾輝光, 艮輝光, 輝光而又輝光. 日新又新大畜其德也.
이는 '대축(大畜)'을 풀이하였다. '강건'은 건괘(乾卦)이고, '독실'은 간괘(艮卦)이다. '빛남'은 겸하여 말한 것으로, 건괘도 빛남이며 간괘도 빛남이니, 빛나고 또 빛남이다. 날로 새롭게 하고 또 새롭게 하여 덕을 크게 쌓기를 새롭게 함이다.

### 박문건(朴文健) 『주역연의(周易衍義)』

上九, 內畜健實之德, 能脩其有以著其外者, 在於日新而已. 此以卦德釋卦名.
상구는 안으로 건실한 덕을 쌓아 그 가지고 있는 것을 닦아 그것을 밖으로 드러낼 수 있는 자이니, '날로 새롭게 하는' 데에 달려 있을 뿐이다. 이것은 괘의 덕을 가지고서 괘의 이름을 풀이하였다.

### 김기례(金箕澧) 「역요선의강목(易要選義綱目)」

剛健篤實輝光, 日新其德.
강건하고 독실하고 빛나서 날로 덕을 새롭게 하니.

剛健指乾.
'강건함'은 건괘(乾卦☰)를 가리킨다.

○ 艮體光明, 又有篤實像. 上一陽, 止二陰, 二陰又止下乾. 輝光[12]指上陽.
간괘(艮卦☶)의 몸체는 빛나고 밝으며, 또 독실한 상을 가지고 있다. 상효의 한 양은 두 음을 저지하고, 두 음은 또 하괘인 건괘(乾卦☰)를 저지한다. '빛남[輝光]'은 상효인 양을 가리킨다.

○ 大畜有畜健畜賢畜德三義, 故其德大日新.
대축괘에는 강건함을 저지하고 현명함을 쌓고 덕을 쌓은 세 가지 뜻이 있기 때문에 그 덕이 커서 날로 새로워진다.

---

12) 光: 경학자료집성DB와 영인본에 모두 '先'으로 되어 있으나, 문맥을 살펴 '光'으로 바로잡았다.

### 심대윤(沈大允) 『주역상의점법(周易象義占法)』

剛健, 乾之德也, 篤實輝光, 艮之德也. 日新其德, 言今日行一難事, 明日行一難事也. 蓋特言之, 以明大畜之義爲大也.

'강건함'은 건괘(乾卦)의 덕이고, '독실하고 빛남'은 간괘(艮卦)의 덕이다. "날로 덕을 새롭게 한다"는 오늘 어려운 일 하나를 행하고 내일 어려운 일 하나를 행하는 것이다. 다만 이렇게만 말하여 대축괘의 뜻이 큼을 밝혔다.

## 剛上而尚賢, 能止健, 大正也.

굳센 양이 위에 있어 현명한 이를 높이며 강건함을 저지할 수 있어 크게 바르다.

## 中國大全

### 傳

**剛上, 陽居上也. 陽剛居尊位之上, 爲尚賢之義, 止居健上, 爲能止健之義. 止乎健者, 非大正則安能. 以剛陽在上, 與尊尚賢德, 能止至健, 皆大正之道也.**

"굳센 양이 위에 있다"는 것은 양이 위에 거처한 것이다. 굳센 양이 높은 자리의 위에 있으니 어진 이를 높이는 뜻이 되고, 저지하는 간괘(艮卦☶)가 강건한 건괘(乾卦☰)의 위에 있으니 강건함을 저지할 수 있다는 뜻이 된다. 강건함을 저지함은 크게 바름이 아니면 어찌 할 수 있겠는가? 굳센 양으로 위에 있는 것과 현명한 덕이 있는 자를 높이는 것과 지극히 강건함을 저지하는 것은 모두 크게 바른 도이다.

### 本義

**以卦變卦體, 釋卦辭.**

괘의 변화와 괘의 몸체로 괘사를 해석하였다.

### 小註

朱子曰, 能止健, 都不說健而止, 見得是艮來止這乾. 以艮之止, 止乾之健也.
주자가 말하였다: 강건함을 저지할 수 있는 것에 대해 모두 "강건해서 저지한다"고 설명하지 않았으니, 간괘(艮卦☶)로 이 건괘(乾卦☰)를 저지함을 알 수 있다. 간괘의 저지함으로 건괘의 강건함을 저지하는 것이다.

○ 中溪張氏曰, 止健, 以二德言. 不曰健而止, 而曰能止健者, 蓋乾之爲物也最健, 而處於艮之下, 甘受其畜止而不辭. 以剛畜剛, 乃大者之正也, 故曰大正, 此釋利貞之義.
중계장씨가 말하였다: 강건함을 저지한다는 것은 두 괘의 덕으로 말하였다. "강건해서 저지한다"고 말하지 않고, "강건함을 저지할 수 있다"고 말한 것은 건(乾)이라는 것이 가장 강건한데 간괘의 아래에 있어 그 저지함을 달게 받아들여 사양하지 않기 때문이다. 굳셈으로 굳셈을 저지하는 것은 큰 것의 바름이므로 크게 바르다고 말했으니, 이는 바르게 하는 것이 이롭다는 뜻을 풀이한 것이다.

○ 臨川吳氏曰, 二柔尊尙一剛於已之上, 其能止健者, 一剛之大正也, 而非二柔之小者爲之. 不以止健之功, 歸之於陰小, 蓋聖人之微意.
임천오씨가 말하였다: 부드러운 두 음이 자기들의 위에 있는 하나의 굳센 양을 높이고 있으니,[13] 강건함을 저지할 수 있는 자는 크고 바른 한 굳센 양이지, 작은 두 부드러운 음이 할 수 있는 것이 아니다. 강건함을 저지하는 공을 작은 음에게 돌리지 않는 것이 성인의 은미한 뜻이다.

## 韓國大全

### 양응수(楊應秀) 『곤괘강의(坤卦講義)·역본의차의(易本義箚疑)』

彖, 能止健, 大正也ㅣ라
「단전」에서 말하였다: 강건함을 저지할 수 있어 크게 바르다.
〈ㅣ라 恐不如ㅣ오.
'ㅣ라'는 'ㅣ오'만 못한 듯하다.
○ 正홈이오.
바르게 함이오.〉

### 서유신(徐有臣) 『역의의언(易義擬言)』

此, 釋利貞也. 遯變爲大畜, 上九自三而上, 故曰剛上也. 賢者上九, 而尊之者六五也.

---

13) 대축괘의 상괘인 간괘(艮卦☶)에 대한 설명이다.

健者內卦, 而畜之者上卦也. 卦變而上九陽剛不變, 故曰大正也.
이것은 "곧음이 이롭다"를 풀이하였다. 돈괘(遯卦䷠)가 변하여 대축괘(大畜卦)가 되었는데, 상구는 삼효로부터 올라왔기 때문에 "굳센 양이 위에 있다"고 하였다. '현명한 사람'은 상구이며, 높이는 자는 육오이다. '강건[健]'한 것은 내괘이며 저지하는 것은 상괘이다. 괘가 변하였는데도 상구의 굳센 양은 변하지 않았기 때문에 "크게 바르다"고 하였다.

### 박문건(朴文健) 『주역연의(周易衍義)』

處高而尙六五之賢, 親民而止剛健之性大正之道也. 此以卦變卦體, 釋卦辭.
높은 곳에 있으면서 육오의 현명함을 높이고 백성을 새롭게 하면서 강건한 성(性)과 크게 바른 도에 멈춘다. 이는 괘의 변화와 괘의 몸체를 가지고서 괘사를 풀이하였다.
〈問, 剛上而尙賢. 曰, 剛進處高, 尙六五之賢也, 與下養賢之義, 不同. 養賢者, 二陰養上九之賢也. 尙賢之義, 蓋取於萃卦利見大人之辭也. 問, 能止健. 曰, 止健, 非卦德也, 是卦體也. 上九以陽處上, 故能上剛健之性, 而以親在下之二民者. 止字, 畜字上出來者也. 問, 大正. 曰, 大畜正道, 是乃大正也. 大字, 卦名中出來者也.
물었다: "굳센 양이 위에 있어 현명한 이를 높인다"는 무슨 뜻입니까?
답하였다: 굳센 양이 나아가 높은 곳에 있으면서 육오의 현명함을 높이니, 「단전」 뒷부분에 있는 "현명한 이를 기른다"는 뜻과는 같지 않습니다. "현명한 이를 기른다"는 두 음이 상구라는 현명한 사람을 기르는 것입니다. "현명한 이를 높인다"는 뜻은 취괘(萃卦䷬)의 괘사에서 "대인을 보는 것이 이롭다"[14]고 한 말에서 취하였습니다.
물었다: "강건함을 저지할 수 있다"는 무슨 뜻입니까?
답하였다: '강건함을 저지함'이란 괘의 덕이 아니라 괘의 몸체 때문입니다. 상구는 양으로서 맨 위에 있기 때문에 강건한 성질을 높이고 아래에 있는 두 백성과 친할 수 있는 자입니다. '지(止)'자는 '축(畜)'자에서 나온 것입니다.
물었다: "크게 바르다"는 무슨 뜻입니까?
답하였다: 바른 도를 크게 쌓음이 바로 "크게 바르다"는 것입니다. '대(大)'자는 괘의 이름 안에 나온 것입니다.〉

### 김기례(金箕澧) 「역요선의강목(易要選義綱目)」

卦變自需來, 九五往居上, 而二陰尊尙一剛, 能畜下乾. 非大正, 不能釋利貞.

---

14) 『周易 · 萃卦』: 萃, 亨王假有廟, 利見大人, 亨, 利貞.

괘의 변화는 수괘(需卦☵☰)로부터 왔으니, 구오가 상효로 가 있고 두 음이 상효인 한 굳센 양을 숭상하여 하괘인 건괘(乾卦☰)를 저지할 수 있다. '크게 바름'이 아니라면 "곧음이 이롭다"를 풀이할 수 없다.

**최세학(崔世鶴) 「주역단전괘변설(周易彖傳卦變說)」**

彖曰, 剛上而尙賢.
「단전」에서 말하였다: 굳센 양이 위에 있어 현명한 이를 높이며,

大畜, 泰之一體變也. 上一爻爲主, 故彖以剛上言之. 否上往居於上體之上, 爲尙賢之象.
대축괘는 태괘(泰卦☷☰)의 한 몸체가 변한 것이다. 상효인 한 효가 주인이 되기 때문에 「단전」에서는 "굳센 양이 위에 있다"고 말하였다. 비괘(否卦☰☷)의 상효가 상체의 맨 위에 가 있어, '현명한 이를 높이는' 상이 된다.

## 不家食吉, 養賢也,

정전 "집에서 밥을 먹지 않으면 길함"은 현명한 이를 기르는 것이고,
본의 "집에서 밥을 먹지 않아서 길함"은 현명한 이를 기르는 것이고,

## 中國大全

本義

**亦取尙賢之象.**

또한 어진 이를 높이는 상을 취하였다.

## 韓國大全

**심조(沈潮) 「역상차론(易象箚論)」**

象, 不家食.
「단전」에서 말하였다: 집에서 먹지 않는다.

剛健篤實光輝, 日新, 則自見用於世, 不家食也. 且二是家位, 而上應六五, 則是仕於朝也. 又艮爲門闕, 二之應五, 非仕於朝乎. 又互兌之口, 外據於門闕, 非食祿於朝乎.
강건하고 독실하고 빛나서 날로 새롭다면, 스스로 세상에 등용되어 집에서 밥을 먹지 않는다. 또 이효는 집의 위치이고 위로는 육오와 호응하니, 이는 조정에서 벼슬하는 것이다. 또 간괘(艮卦)는 궁궐의 문이 되니, 이효가 오효와 호응함은 조정에서 벼슬하는 것이 아니겠는가? 또 호괘인 태괘(兌卦)의 입은 밖에서 궁궐의 문에 근거하니, 조정에서 녹을 먹는 것이

아니겠는가?

**김기례(金箕澧) 「역요선의강목(易要選義綱目)」**

養賢.
현명한 이를 기르는 것이다.

指一陽在上, 共天祿.
하나의 양이 맨 위에 있으면서 천록(天祿)을 받음을 가리킨다.

## 利涉大川, 應乎天也.

"큰 내를 건너는 것이 이로움"은 하늘에 호응하는 것이다.

## 中國大全

### 傳

**大畜之人, 所宜施其所畜, 以濟天下. 故不食於家則吉, 謂居天位, 享天祿也. 國家養賢, 賢者得行其道也. 利涉大川, 謂大有蘊畜之人, 宜濟天下之艱險也. 彖更發明卦才云, 所以能涉大川者, 以應乎天也. 六五君也, 下應乾之中爻, 乃大畜之君, 應乾而行也. 所行能應乎天, 无艱險之不可濟, 況其他乎.**

크게 쌓은 사람은 그 쌓은 바를 베풀어서 천하를 구제하여야 한다. 그러므로 집에서 밥을 먹지 않으면 길하니, 하늘의 자리에 있으면서 하늘의 봉록을 누림을 말한다. 국가에서 현명한 사람을 기르면 현명한 사람이 도를 행하게 된다. "큰 내를 건너는 것이 이롭다"는 것은 크게 온축함이 있는 사람은 천하의 어려움과 험함을 구제하여야 함을 말한다. 「단전」에서는 다시 괘의 재질을 밝혀서 "큰 내를 건널 수 있는 까닭은 하늘에 호응하기 때문이다"라고 하였다. 육오는 임금이니, 아래로 건괘의 가운데 효에 호응함은 바로 대축의 임금이 건괘에 호응하여 행하는 것이다. 행하는 바가 하늘에 호응하면 구제하지 못할 어려움과 험함이 없는데, 하물며 다른 것이겠는가!

### 本義

**亦以卦體而言.**

또한 괘의 몸체로 말하였다.

#### 小註

臨川吳氏曰, 涉險, 非乾健之力, 不能. 六五, 下應乎乾, 故能涉大川也.

임천오씨가 말하였다: 험한 곳을 건너는 것은 건괘의 강건한 힘이 아니면 할 수 없다. 육오는 아래로 건괘에 호응하고 있기 때문에 큰 내를 건널 수 있다.

○ 雲峯胡氏曰, 卦有乾體者, 多曰利涉大川, 健故也.
운봉호씨가 말하였다: 건괘의 몸체가 있는 괘에 "큰 내를 건너는 것이 이롭다"라는 말이 많은 것은 강건하기 때문이다.

## 韓國大全

### 조호익(曺好益) 『역상설(易象說)』

利涉, 乾健震木象, 又自三至上, 虛中舟象. 大川, 兌澤象, 又自三至上, 離體伏坎象.
"건너는 것이 이롭다"란 건괘(乾卦☰)의 강건함과 진괘(晉卦☷)의 나무인 상이며, 또 삼효로부터 상효까지는 가운데가 비어서 배의 상이다. '큰 내'란 태괘(兌卦☱)의 못인 상이며, 또 삼효로부터 상효까지는 리괘(離卦☲)의 몸체가 감괘(坎卦☵)를 숨기고 있는 상이다.

### 김상악(金相岳) 『산천역설(山天易說)』

剛上而尙賢, 能止健, 大正也. 不家食吉, 養賢也, 利涉大川, 應乎天也.
굳센 양이 위에 있어 현명한 이를 높이며 강건함을 저지할 수 있어 크게 바르다. '집에서 밥을 먹지 않아서 길함'은 현명한 이를 기르는 것이고, '큰 내를 건너는 것이 이로움'은 하늘에 호응하는 것이다.

以卦變卦體釋卦辭. 剛謂上九也. 以剛居上, 是尙賢也, 以艮畜乾, 是止健也. 大正, 卽利貞也, 養賢, 謂祿食於朝也. 止健則在艮, 涉險則從乾, 所以應乎天也.
괘의 변화와 괘의 몸체를 가지고서 괘사를 풀이하였다. '굳셈'이란 상구를 말한다. 굳센 양이 맨 위에 있으니 이는 "현명한 사람을 높인다"는 것이며, 간괘(艮卦☶)로 건괘(乾卦☰)를 저지하니 이는 "강건함을 저지한다"는 것이다. "크게 바르다"란 즉 "곧음이 이롭다"는 것이며, "현명한 사람을 높인다"는 조정에서서 녹을 먹는다는 말이다. '강건함을 저지함'은 간괘(艮卦)에 있고, 험난함을 건넘은 건괘(乾卦)를 따르기 때문에 하늘에 호응한다.

○ 尙賢, 艮一陽在上, 二陰在下而尙之也. 賁六五曰, 賁于邱園, 蠱上九曰, 不事王侯, 皆在上之賢也. 凡物之動, 惟靜者止之. 老陽之九, 乾之動也, 少陽之七, 艮之靜也. 以靜制動, 所以能止健也. 不曰健而止, 曰止健, 其義可見. 應天, 見大有.
"현명한 이를 높인다"란 간괘(艮卦☶)의 한 양이 위에 있고, 두 음이 아래에 있으면서 그를 높이는 것이다. 비괘(賁卦䷕)의 육오에서 "언덕과 동산에서 꾸민다"[15]고 하였고, 고괘(蠱卦䷑)의 상구에서 "왕후(王侯)를 섬기지 않는다"[16]고 하였으니, 모두 위에 있는 현명한 자이다. 사물의 움직임은 오직 고요한 것만이 멈추게 한다. 노양(老陽)인 구(九)는 건괘(乾卦☰)의 움직임이며, 소양(少陽)인 칠(七)은 간괘(艮卦)의 고요함이다. 고요함으로써 움직임을 제어하기 때문에 강건함을 저지할 수 있다. 강건하면서 저지한다고 말하지 않고 "강건함을 저지한다"고 하였으니, 그 뜻을 알 수가 있다. '하늘에 호응함'은 대유괘(大有卦䷍)에서 살펴볼 수 있다[17].

### 서유신(徐有臣) 『역의의언(易義擬言)』

自三以上, 互頤, 故曰食曰養也. 五應於二, 故曰養賢曰應天也.
삼효 이상은 호괘로 이괘(頤卦䷚)이기 때문에 "먹는다"고 하였고 "기른다"고 하였다. 오효는 이효와 호응하기 때문에 "현명한 이를 기른다"고 하였고 "하늘에 호응하는 것이다"고 하였다.

### 박제가(朴齊家) 『주역(周易)』

恐當以輝光日新爲句, 其德剛上而尙賢爲句, 大有亦曰, 其德剛健而文明.
아마도 마땅히 "빛남이 날로 새롭다[輝光日新]"로 구(句)를 삼아야 하며, "그 덕은 굳센 양으로 위에 있어서 현명한 이를 높인다[其德剛上而尙賢]"로 구를 삼아야 하니, 대유괘(大有卦䷍)에서도 또한 "그 덕(德)이 강건하면서 문명(文明)하다"고 하였다.

### 윤행임(尹行恁) 『신호수필(薪湖隨筆)·역(易)』

德旣畜矣, 又日新之, 充積於中者. 自發於外, 光輝四被, 則帝堯是耳. 此學問之極功也.
덕이 이미 쌓여 있고 또 날로 새로우니, 마음에 가득 차 있는 것이다. 스스로 밖으로 드러나 빛이 사방으로 두루 퍼지니, 제요(帝堯)가 이러한 사람일 뿐이다. 이것이 학문의 지극한

---

15) 『周易·賁卦』: 六五, 賁于丘園, 束帛戔戔, 吝, 終吉.
16) 『周易·蠱卦』: 上九, 不事王侯, 高尙其事.
17) 『山天易說·大有卦』: 履, 同人乾在上, 曰應乾 以定位言, 大有, 大畜乾在下, 曰應天, 以相交言.

공이다.

### 박문건(朴文健) 『주역연의(周易衍義)』

不家食吉, 養賢也.
'집에서 밥을 먹지 않아서 길함'은 현명한 이를 기르는 것이고,

利涉大川, 應乎天也.
'큰 내를 건너는 것이 이로움'은 하늘에 호응하는 것이다.

有大正之道, 故下能養賢, 上能應天也. 此亦釋卦辭.
'크게 바른' 도가 있기 때문에 아래로는 현명한 이를 기를 수 있고, 위로는 하늘에 호응할 수 있다. 이는 또한 괘사를 풀이하였다.

### 김기례(金箕澧) 「역요선의강목(易要選義綱目)」

應乎天.
하늘에 호응하는 것이다.

指六五之君, 應乾而行也.
육오인 임금을 가리키니, 건(乾)과 호응하여 행한다는 것이다.

### 윤종섭(尹鍾燮) 『온유재집(溫裕齋集)·경(經)-역(易)』

日新其德, 取象於山中之天, 而涵養德性, 蘊諸中而發爲輝光者, 日新也. 晉之自昭明德, 取象於地上之日, 而隨發修明, 復其本而不爲私物蔽者, 自昭也. 乾爲大明, 垂在山中, 萬象咸露者, 德之日新也. 離爲明照, 出於地上, 不爲坤蔽者, 此自照之明也.
'날로 그 덕을 새롭게 함'이란 산 중의 하늘에서 상을 취하였으며, 덕성을 함양하여 마음에 쌓아 두다가 드러나 빛이 되는 것이 '날로 새롭게 함'이다. 진괘(晉卦☲)의 「단전」에서 말한 "밝은 덕을 스스로 밝힌다"[18]는 땅위의 해에서 상을 취하였으며, 밝고 깨끗함이 드러남을 따라서 그 근본을 회복하여 사사로운 사물이 가리지 않는 것이 '스스로 밝힘'이다. 건괘(乾卦☰)가 크게 밝음으로 산 중에 드리워져 있어서 만상이 모두 드러나는 것이 덕이 날로

---

18) 『周易·晉卦』: 象曰, 明出地上, 晉, 君子以, 自昭明德.

새로워지는 것이다. 리괘(離卦☲)는 밝게 비춤으로 땅 위로 나와 곤괘(坤卦☷)가 가리지 않는 것이니, 이는 스스로 밝히는 밝음이다.

### 심대윤(沈大允) 『주역상의점법(周易象義占法)』

剛上而尙賢, 能止健, 大正也. 不家食吉, 養賢也, 利涉大川, 應乎天也.
굳센 양이 위에 있어 현명한 이를 높이며 강건함을 저지할 수 있어 크게 바르다. '집에서 밥을 먹지 않아서 길함'은 현명한 이를 기르는 것이고, '큰 내를 건너는 것이 이로움'은 하늘에 호응하는 것이다.

乾之剛, 入居坤之上, 而爲艮, 又居卦上也. 能止健者, 健而能止也. 好事而不知義, 好功而不知時, 亂亡之道也. 君子之才知, 足以辨事而有所不爲者, 知義與時而止於至善以終也. 夫子之不王, 非才知不足也. 若起兵力征, 如後世英雄之爲者, 豈不得天下哉. 乃守義順時, 而薄不爲也. 唯能自止其健, 而有所不爲然後, 大正也. 大畜健而止之義, 特重, 故變文而示訓也, 此釋利貞. 亦曰大正, 則凡言大亨者, 非釋元爲大, 明矣. 亨自有盛大之義, 故凡釋亨, 皆曰大亨也. 貞无大義, 故凡釋貞, 未嘗言大正, 而此獨言者, 大畜君子之事業也. 其義至大而上經例不釋利, 故特言大正也. 應乎天者, 言剛健公正, 以集其功也.
건괘(乾卦☰)의 굳센 양이 곤괘(坤卦☷)의 맨 위로 들어가 있어서 간괘(艮卦☶)가 되었고, 또 괘의 맨 위에 있다. "강건함을 저지할 수 있다"란 강건하여서 저지할 수 있음이다. 일을 좋아하면서도 의로움[義]을 모르고, 공(功)을 좋아하면서도 때를 모르니, 어지럽게 되고 망하는 도이다. 군자의 재질과 지혜는 충분히 사물을 변별하여 하지 않는 바가 있으며, 의로움과 때를 알아 지극히 선한 곳에서 그쳐 일을 끝마친다. 공자가 왕이 되지 못한 까닭은 재주나 지혜가 부족해서가 아니다. 만일 군사를 일으키고 힘으로 정벌하여 마치 후세의 영웅들이 했던 것과 같이 하는 자였다면, 어찌 천하를 얻을 수가 없었겠는가? 의로움을 지키고 때에 맞게 하여 하지 않아야 할 일을 적게 하였을 뿐이다. 오직 스스로 그 강건함을 저지할 수 있어서 하지 않아야 할 바가 있은 후에 크게 바르다. 대축괘에서는 강건하면서 저지한다는 뜻이 특히 중요하기 때문에 문장을 바꿔서 뜻을 드러내었으니, 이것이 "곧음이 이롭다"를 풀이한 것이다. 또 "크게 바르다"고 말하였으니, 대체로 "크게 형통하다[大亨]"고 말한 것은 '원(元)'이 '큼[大]'이 된다고 풀이한 것이 아님은 분명하다. '형통함[亨]'에는 본래 성대하다는 뜻이 있기 때문에 '형'을 풀이 할 때에는 모두 "크게 형통하다"라고 하였다. '곧음[貞]'에는 크다는 뜻이 없기 때문에 '정'을 풀이 할 때에는 일찍이 "크게 바르다"고 말하지 않았지만, 여기서 유독 이렇게 말한 것은 대축괘가 군자의 사업이기 때문이다. 그 뜻이 지극히 커서 상경(上經)의 예로써는 "이롭다[利]"를 풀이 하지 못하기 때문에 특별히 "크게 바르다"고 하였다. "하늘에 호응하는 것이다"란 강건하고 공정하여 그 공을 모음을 말한다.

### 오치기(吳致箕) 「주역경전증해(周易經傳增解)」

此, 以卦德卦反卦體, 釋卦名義及卦辭也. 先以卦德言, 乾剛健而艮篤實, 所畜甚大, 旣有蘊畜於內, 則輝光著見於外, 而其德日新也. 次以卦反言, 无妄下體之震剛上, 而爲本卦上體之艮剛, 居君位之上, 賢人之位, 爲尙賢之義, 而卦體, 止居健上, 爲能止健之象. 然止健者, 非大正, 則不能也. 畜德而賢者, 養以祿位, 故不家食而吉, 卽君上之養賢也. 大畜其德之人, 得行其道, 无險不濟, 故爲利涉大川, 而濟險者, 必用剛健之德, 故言應乎天也. 此以卦體而言也. 餘見彖解.

이것은 괘의 덕과 반대괘 및 괘의 몸체를 가지고서 괘의 이름 및 괘사를 풀이하였다. 먼저 괘의 덕을 가지고 말한다면, 건괘(乾卦☰)는 강건하고 간괘(艮卦☶)는 독실하여 쌓은 바가 매우 커서 이미 안으로 쌓아 놓은 바가 있으니, 빛이 밖으로 드러나 그 덕이 날로 새롭게 된다. 다음으로 반대괘를 가지고 말한다면, 무망괘(无妄卦☰☳)의 하체인 진괘의 굳센 양이 위로 올라가 본괘의 상체인 간괘(艮卦)의 굳센 양이 되어 임금의 자리 위인 현인의 자리에 있으니, '현명한 이를 높이는' 뜻이 되고, 괘의 몸체는 저지한다는 의미를 지닌 간괘(艮卦)가 강건하다는 의미를 지닌 건괘(乾卦) 위에 있어 '강건함을 저지할 수 있는' 상이 된다. 그러나 '강건함을 저지함'이란 크게 바르지 않으면 할 수가 없다. 덕을 쌓아 현명하게 된 자는 녹과 지위로 기르기 때문에 집에서 밥을 먹지 않아 길하니, 임금이 현명한 이를 기름이다. 자신의 덕을 크게 쌓는 사람은 그 도를 행할 수 있어서 험난하여 구제하지 못함이 없기 때문에 '큰 내를 건너는 것이 이롭게' 되고, 험난함에서 구제하는 것은 반드시 강건한 덕을 쓰기 때문에 "하늘에 호응하는 것이다"고 하였다. 이것이 괘의 몸체를 가지고서 말한 것이다. 나머지는 괘사의 풀이에 보인다.[19]

### 이진상(李震相) 『역학관규(易學管窺)』

艮爲舍廬, 又有養人之象, 而在外不在內, 故曰不家食, 以其反坎也. 乾陽, 在下賢人也. 上四爻厚離有虛舟象, 中互兌澤, 乾健利往, 故曰利涉大川.

간괘(艮卦☶)는 집이 되고 또 사람을 기르는 상이 있으며, 외괘에 있고 내괘에 있지 않기 때문에 "집에서 밥을 먹지 않는다"고 하였으니, 대축괘의 음양이 바뀐 괘가 두터운 감괘(坎

19) 「周易經傳增解」: 所畜者大, 則无險不濟, 故言利涉大川.

卦☶)이기 때문이다. 건괘(乾卦☰)의 양은 아래에 있는 현명한 사람이다. 위의 네 효는 두터운 리괘(離卦☲)로 빈 배의 상이 있고, 가운데는 호괘가 태괘(兌卦)로 못이며, 건괘(乾卦)는 강건하여 감이 이롭기 때문에 "큰 내를 건너는 것이 이롭다"고 하였다.

○ 傳.
『정전』.
剛健乾, 篤實艮, 輝光日新, 厚離象. 无妄初九之剛, 往居上九, 變泰爲大畜, 故曰剛上而尙賢. 賢, 乾象也.
'강건함'은 건괘(乾卦☰)이고 '독실함'은 간괘(艮卦☶)이며, 빛나고 날로 새롭게 함은 두터운 리괘(離卦)의 상이다. 무망괘(无妄卦䷘)의 굳센 양인 초구가 상구로 가 있고, 태괘(泰卦䷊)가 변하여 대축괘가 되었기 때문에 "굳센 양이 위에 있어 현명한 이를 높인다"고 하였다. '현명한 이'는 건괘(乾卦)의 상이다.

### 이병헌(李炳憲) 『역경금문고통론(易經今文考通論)』

止健, 虞作健止. 虞鄭以輝光日新句.
'강건함을 저지함[止健]'을 우번은 '강건함과 저지함[健止]'라고 하였다. 우번과 정현은 '휘광일신(輝光日新)'을 한 구로 삼았다.[20]

程傳曰, 不家食吉. 所畜旣大, 宜施之於時也.
『정전』에서 말하였다: 집에서 밥을 먹지 않으면 길하다. 쌓인 바가 이미 크면 당시에 베풀어야 한다.

虞曰, 剛健謂乾, 篤實謂艮.
우번이 말하였다: '강건함'은 건괘(乾卦)를 말하며, '독실함'은 간괘(艮卦)를 말한다.

按, 剛自無望, 一轉而上. 艮爲宅, 有牛豕之畜, 不自食而事天, 故曰尙賢. 止乾之健, 是應乎天也. 右一對往來策數, 準需訟.
내가 살펴보았다: 굳센 양은 스스로 바란 적이 없는데도 한 번 바뀌어 위에 있다. 간괘(艮卦☶)는 집이 되어 소와 돼지를 기르지만 자신이 먹지 않고 하늘을 섬기기 때문에 "현명한 이를 높인다"고 하였다. 건괘(乾卦☰)의 강건함을 저지함이 "하늘에 호응하는 것이다." 이상은 한 짝으로 왕래하는 책수(策數)는 수괘(需卦䷄)와 송괘(訟卦䷅)와 같다.

---

20)『周易集解·大畜卦』: 彖曰, 大畜, 剛健篤實, 輝光日新. 虞翻曰, 剛健謂乾, … 故輝光日新也.

**象曰, 天在山中, 大畜, 君子以, 多識前言往行, 以畜其德.**

「상전」에서 말하였다: 하늘이 산 가운데에 있는 것이 대축이니, 군자가 그것을 본받아 이전의 말과 지난 행동을 많이 알아 덕을 쌓는다.

## 中國大全

**傳**

**天爲至大, 而在山之中, 所畜至大之象, 君子觀象, 以大其蘊畜. 人之蘊畜, 由學而大, 在多聞前古聖賢之言與行, 考跡以觀其用, 察言以求其心, 識而得之, 以畜成其德, 乃大畜之義也.**

하늘은 지극히 큰데 산 가운데에 있다는 것은 지극히 크게 쌓은 상이니, 군자가 이 상을 보고서 온축하기를 크게 한다. 사람의 온축은 학문으로 말미암아 커지니, 옛 성현의 말씀과 행실을 많이 들어서 자취를 상고하여 쓰임을 관찰하고 말을 살펴 마음을 찾아서, 알고 체득하여 덕을 쌓아 이루니, 이것이 바로 대축의 뜻이다.

**本義**

**天在山中, 不必實有是事, 但以其象言之耳.**

하늘이 산 가운데 있다는 것은 반드시 실제로 이러한 일이 있는 것이 아니고, 다만 괘의 상을 가지고 말했을 뿐이다.

**小註**

雙湖胡氏曰, 天包地外, 地外有天. 山雖在地上, 然地下之天, 卽山中有天也. 中字, 只作下字解, 如地中有山, 雷在地中, 以卦體言, 只是下義.

쌍호호씨가 말하였다: 하늘은 땅 밖까지 포괄하고 있으니, 땅 밖에는 하늘이 있다. 산이 비록 땅 위에 있지만 땅 아래의 하늘이 있으니, 즉 산 가운데 하늘이 있는 것이다. '중(中)'이라는 글자는 다만 '하(下)'라는 글자로 풀이해야 하니, 예를 들어 "땅 가운데 산이 있다", "우레가 땅 가운데 있다"고 한 것은 괘의 몸체로 말해본다면 다만 '아래'라는 뜻이다.

○ 鶴山魏氏曰, 天在山中, 譬則心之體也. 聞一言焉, 見一行焉, 審問而謹思, 明辨而篤行, 卽所以畜其心之德. 蓋畜故, 乃所以養新, 而新非自外至也. 昭昭之多, 止於所不見, 是以愈畜而愈大.
학산위씨가 말하였다: 하늘이 산 가운데 있는 것은 비유하자면 마음의 본래 모습이다. 한마디 말을 듣고 하나의 행동을 보아 살펴 묻고 삼가 생각하며 분명하게 변별하고 독실하게 행하는 것은 마음의 덕을 쌓는 방법이다. 옛것을 축적하는 것이 새것을 기르는 방법이니, 새것이 밖으로부터 이르는 것이 아니다. 밝고 밝은 것이 많아져서[21] 보이지 않는 데에서 그치기 때문에 더욱 쌓을수록 더욱 커진다.

○ 建安丘氏曰, 風以氣畜, 氣息則散, 故風行天上, 爲小畜. 山以形畜, 形畜則固, 故天在山中, 爲大畜. 大畜言畜德, 小畜言懿文德. 畜德雖同, 而文德則德之小者也.
건안구씨가 말하였다: 바람은 기로 쌓여 있는데, 기가 쉬면 흩어지므로 바람이 하늘 위에 행하는 것이 소축괘가 된다. 산은 형체로 쌓여 있는데, 형체로 쌓여 있으면 굳기 때문에 하늘이 산 가운데 있는 것이 대축괘가 된다. 대축괘에서는 "덕을 쌓는다"고 말하였고, 소축괘에서는 "문덕을 아름답게 한다"고 말하였다. 덕은 쌓는다는 것은 같지만, 문덕은 덕 가운데 작은 것이다.

## ‖韓國大全‖

### 조호익(曺好益) 『역상설(易象說)』

言乾象, 行艮象. 荀九家乾爲言, 艮止爲行. 或曰言兌象, 自睽來, 則兌口變爲乾, 有前

21) 『中庸』: 今夫天, 斯昭昭之多, 及其無窮也, 日月星辰繫焉, 萬物覆焉.

言象, 自需來, 則五往爲艮止, 有往行象.
'말[言]'은 건괘(乾卦☰)의 상이고, '행동[行]'은 간괘(艮卦☶)의 상이다. 『순구가역』에서는 건괘(乾卦)가 '말'이 되고, 간괘(艮卦)의 그침이 '행동'이 된다고 하였다. 어떤 이는 "'말'은 태괘(兌卦☱)의 상인데, 규괘(睽卦䷥)로부터 왔다면 태괘(兌卦)의 입이 건괘(乾卦)로 변하여 '이전의 말'인 상이 있고, 수괘(需卦䷄)로부터 왔다면 오효가 간괘의 그침이 되는 데로 가서 행동하는 상이 있다"고 하였다.

○ 前言, 左氏艮爲言, 荀九家乾爲言, 往行, 艮其止, 乾自强.
'이전의 말'에 대해서 좌씨는 간괘가 말이 된다고 하였고, 순상의 『구가역』에서는 건괘가 말이 된다고 하였다. '지난 행동'에서 간괘는 그침이고 건괘는 스스로 힘씀이다.

### 송시열(宋時烈) 『역설(易說)』[22]

多識者, 大蓄之意. 互兌爲言, 震爲行. 故曰前言往行. 蓄德者, 卦體也.
"많이 안다"란 대축의 뜻이다. 호괘인 태괘(兌卦)는 '말'이 되고 진괘(震卦)는 '행동'이 된다. 그러므로 '이전의 말과 지난 행동'이라고 하였다. '덕을 쌓음'은 괘의 몸체이다.

### 김도(金濤) 「주역천설(周易淺說)」

愚按, 本義下所釋, 胡氏魏氏丘氏, 凡三條, 而皆合於大象之旨矣. 蓄德者, 一心之所蘊而發於外者也. 所蘊者旣大, 則所發者亦大, 而光輝之發外者, 莫非所蘊之大也. 是以君子法大畜之象, 多識前古之言與行, 考跡以觀其用, 察言以求其心, 日新又日新, 以成其德, 故以之養賢, 則能養賢, 以之涉險, 則能濟難, 君子之所畜者, 豈不大哉. 嗚呼. 君子之所尙, 雖在於大, 而以工程言之, 則由小而至於大, 自末而反於本, 然後作聖之功, 幾於可踐矣. 子曰, 由也, 升堂矣, 未入室也, 此非聖學之階梯乎. 愚以爲先以小畜之懿文德致力而後及於大畜之成大德, 可也.
내가 살펴보았다: 『본의』 아래에서 호씨와 위씨와 구씨가 풀이한 세 조목은 모두 「대상전」의 뜻에 부합한다. 덕이란 한 마음에 쌓여 밖으로 드러나는 바이다. 쌓인 바가 이미 크다면 드러나는 바도 또한 크니, 빛이 밖으로 드러나는 것은 쌓인 바가 크지 않음이 없다. 이 때문에 군자가 대축괘의 상을 본받아 지나간 옛 말과 행동을 많이 알아, 행적을 상고하여 그 쓰임을 관찰하고 말을 살펴보아 그 마음을 구하여[23] 날마다 새롭게 하고 또 새롭게 하여

---

22) 이 문장 전체는 경학자료집성DB에 누락되어 있으나, 경학자료집성 원문을 대조하여 보충하였다.
23) 『周易傳義大全 · 大畜卦』 程傳: 人之蘊畜, 由學而大, 在多聞前古聖賢之言與行, 考跡以觀其用, 察言

그 덕을 이루기 때문에 이러한 방법으로 현명한 이를 기르면 현명한 이를 기를 수 있고, 이러한 방법으로 험난함을 구제하면 험난함에서 구제할 수 있으니, 군자가 쌓는 바가 어찌 크지 않겠는가? 오호라! 군자가 숭상하는 바가 비록 큰 것에 있지만, 단계로써 말한다면 작은 것으로 말미암아 큰 것에 이르고 말단으로부터 근본에 돌아가니, 그런 후에 성인이 되는 공은 어느 정도 실천할 수 있다. 공자가 "자로는 당(堂)에는 올랐으나, 아직 방에는 들어오지 못했다"[24]고 하였으니, 이것이 성학(聖學)의 단계가 아니겠는가? 나는 먼저 소축괘(小畜卦)의 「상전」에서 말한 "문덕(文德)을 아름답게 한다"에 힘을 다한 후에 대축괘의 큰 덕을 이룸에 이르는 것이 옳다고 생각한다.

### 이만부(李萬敷) 「역통(易統) · 역대상편람(易大象便覽) · 잡서변(雜書辨)」

山天.
산이 위에 있고 하늘이 아래에 있다.

臣謹按, 畜止者, 有剛有柔, 故所畜者, 有大有小, 大小畜之所以分也. 君子之取象, 爲學亦然, 其學問之始終, 畜德之淺深, 亦可見矣. 大抵前古聖賢之言行, 皆合於天命民彝之則, 而爲人道模範準的. 苟能探賾考究, 察其跡, 觀其心, 玩其理, 推其用, 以之察古今之變, 驗得失之機, 求義理之當, 而反之於身, 所積日多, 蘊畜旣富, 則發而酬應事物, 庶可以泛應曲當, 而左右逢原矣. 傅說告于王曰, 人, 求多聞, 時惟建事, 學于古訓, 乃有獲, 事不師古, 以克永世, 匪說攸聞, 蔡氏註曰, 求多聞者, 資之人, 學古訓者, 反之己. 古訓者, 古先聖王之訓, 載修身治天下之道, 二典三謨之類, 是也. 由是, 則帝王修業進德之具, 尤不可不以前言往[25]行爲要, 如觀堯之事而效堯之仁, 觀舜之事而效舜之孝, 觀禹湯文武之事而效其所以安天下, 撫百姓, 崇敎化, 定禮樂, 以至於歷代賢君名辟. 一言之善, 一事之義, 莫不觀而效之, 則德崇而治隆, 其可量哉.
신이 삼가 살펴보았습니다: 쌓아 저지함에는 굳센 양도 있고 부드러운 음도 있기 때문에 쌓는 바에는 크고 작음이 있어 대축괘(大畜卦)와 소축괘(小畜卦☴)가 나뉘는 바입니다. 군자가 상을 취하여 배움도 또한 그러하니, 그 학문의 시작과 끝이 덕을 쌓음이 얕고 깊음임을 또한 알 수가 있습니다. 대체로 옛 성현의 말과 행동은 모두 하늘이 명한 백성의 떳떳한 법칙[26]과 부합하여 인도(人道)의 모범과 표준이 됩니다. 만약 깊이 상고하고 연구하여 그

---

以求其心, 識而得之, 以畜成其德, 乃大畜之義也.

24) 『論語 · 先進』: 子曰, 由之瑟, 奚爲於丘之門. 門人, 不敬子路, 子曰, 由也, 升堂矣, 未入於室也.

25) 往: 경학자료집성DB와 영인본에 모두 '性'으로 되어 있으나, 문맥을 살펴 '往'으로 바로잡았다.

26) 『詩經 · 烝民』: 天生烝民, 有物有則. 民之秉彝, 好是懿德. 天監有周, 昭假于下, 保玆天子, 生仲山甫.

행적을 살펴보고 그 마음을 관찰하여 그 이치를 완미하고 그 쓰임을 미루어, 이로써 옛날과 오늘의 변화를 살피고 득실의 기미를 증험하며 의리의 마땅함을 구하여 자신에게로 돌이켜 쌓이는 바가 날마다 많아져 간직하여 쌓인 바가 이미 풍부해지면 드러나 사물에 응할 때에 거의 널리 응하고 곡진하게 마땅하며[27] 좌우에서 근원을 만날[28] 수 있습니다. 『서경』에서 부열(傅說)이 왕에게 고하여 말하기를 "사람 중에서 견문이 많은 자를 구함은 이 일을 세우기 위해서이니, 옛 가르침을 배워야 얻을 수 있으므로 일은 옛 것을 본받지 않고서는 영구하게 할 수 있음은 제가 들은 바가 아닙니다"[29]라고 하였고, 이에 대하여 『서경집전(書經集傳)』에서 채침(蔡沈)은 "들은 것이 많은 자를 구함은 다른 사람에게 의지함이며, 옛 가르침을 배움은 자신에게서 돌이킴이다. 옛 가르침이란 앞선 성왕(聖王)의 가르침으로 자신을 닦고 천하를 다스리는 도를 기재한 것이니, 「요전(堯典)」·「순전(舜典)」인 두 「전(典)」과 「대우모(大禹謨)」·「고요모(皐陶謨)」·「익직(益稷)」인 세 「모(謨)」가 이와 같은 것이다"라고 하였습니다. 이것을 말미암으면 제왕이 일을 닦고 덕을 진전시킴을 갖춤은 더욱 '이전의 말'과 '지난 행동'을 요체로 삼지 않을 수 없으니, 예를 들어 요임금의 일을 관찰하여 요임금의 인(仁)을 본받고, 순임금의 일을 관찰하여 순임금의 효를 본받으며, 우임금·탕왕·문왕·무왕의 일을 관찰하여 천하를 안정시키고 백성을 어루만지며 교화를 숭상하고 예악을 정하는 바를 본받음으로써, 역대의 현군(賢君)과 이름난 임금에 이르게 되었습니다. 한 마디 선한 말과 하나의 의로운 일도 관찰하여 본받지 않음이 없다면, 덕이 높아지고 다스림이 융성하게 됨을 헤아릴 수가 있겠습니까?

### 이현익(李顯益) 「주역설(周易說)」[30]

天在山中, 非眞謂山中有天, 本義說, 是也. 雙湖胡氏[31], 天包地外, 地下之天, 卽山中有天之說, 傷巧.

하늘이 산 가운데에 있는 것은 진실로 산 가운데에 하늘이 있다고 말하는 것이 아니니, 『본의』에서 말하는 것이 옳다. 쌍호호씨가 하늘이 땅의 바깥을 포괄하고, 땅 아래의 하늘이 곧 산 가운데 하늘이 있다는 설명은 뜻을 손상시킨 것이 교묘하다.

---

27) 『論語集註·里仁』: 聖人之心, 渾然一理而泛應曲當, 用各不同.

28) 『孟子·離婁下』: 孟子曰, 君子深造之以道, 欲其自得之也, 自得之則居之安, 居之安則資之深, 資之深則取之左右, 逢其原, 故君子, 欲其自得之也.

29) 『서경·열명』.

30) 경학자료집성DB에서는 대축괘(大畜卦) 괘사에 해당하는 것으로 분류했으나, 내용에 따라 이 자리로 옮겼다.

31) 雙湖胡氏: 경학자료집성DB와 영인본에 모두 '雙峯胡氏'로 되어 있으나, 『주역전의대전』을 살펴 '雙湖胡氏'로 바로잡았다.

### 심조(沈潮) 「역상차론(易象箚論)」

象, 前言往行.
「상전」에서 말하였다: 이전의 말과 지난 행동.

互兌爲口, 故稱言, 互震爲足, 故曰行.
호괘인 태괘(兌卦☱)가 입이 되기 때문에 '말'이라고 칭하였고, 호괘인 진괘(震卦☳)가 발이 되기 때문에 '행동'이라고 말하였다.

### 김상악(金相岳) 『산천역설(山天易說)』

地之上, 卽天也. 山圍繞於外, 而藏畜天氣於中, 泄而爲雲雨者 皆天之氣也. 多識前言往行者, 乾也, 以畜其德者艮也 所以日新其德.
땅의 위가 곧 하늘이다. 산이 밖에서 둘러싸 하늘의 기를 안에서 간직하여 쌓고 있으니, 새어 나와 구름과 비가 되는 것은 모두 하늘의 기이다. "이전의 말과 지난 행동을 많이 안다"란 건괘(乾卦☰)이고 그 덕을 쌓는 것은 간괘(艮卦☶)이기 때문에, 날로 덕을 새롭게 한다.

### 서유신(徐有臣) 『역의의언(易義擬言)』

天畜於山, 故大畜也. 畜之如山之止, 所畜如天之大, 是爲大畜也. 天者, 天氣也. 方春陽氣, 已發出於平地, 而未及透到太山之上, 是爲天在山中也. 上九何天之衢亨者, 乃是透到山頂, 時候萬物无不亨長也. 多識前言往行, 以畜其德, 君子之大畜, 將以上達也. 多識乾象, 畜德艮象, 互兌爲言, 互震爲行. 天氣回環, 有前往之象.
하늘의 기운이 산에 쌓이기 때문에 크게 쌓인다. 쌓는 것은 산이 저지하는 것과 같고, 쌓이는 바는 하늘이 큰 것과 같으니, 이것이 크게 쌓임이 된다. '하늘[天]'이란 하늘의 기이다. 막 봄의 양기가 이미 평지에서 나왔으나 아직 태산의 위에 도달하는 데에는 이르지 못하니, 이것이 "하늘이 산 가운데에 있다"는 것이 된다. 상구에서 "어찌 그리 하늘의 거리와 같은가? 형통하다"라고 한 것은 곧 산의 정상에 도달함이니, 절기가 만물이 크게 자라지 않음이 없는 때이다. 이전의 말과 지난 행동을 많이 알아 그 덕을 쌓으니, 군자가 크게 쌓음은 위로 통달하려고 해서이다. "많이 안다"란 건괘(乾卦☰)의 상이고, '덕을 쌓음'이란 간괘(艮卦☶)의 상이며, 호괘인 태괘(兌卦☱)는 '말'이 되고, 호괘인 진괘(震卦☳)는 '행동'이 된다. 하늘의 기운은 순환하므로 '이전'과 '지난'이라는 상이 있다.

### 박제가(朴齊家) 『주역(周易)』

大象, 天在山中.
「대상전」에서 말하였다: 하늘이 산 가운데에 있는 것이.

雙湖胡氏曰, 天包地外, 地外有天. 山雖在地上, 然地下之天, 卽山中有天也. 中字, 只作下字解, 如地中有山, 雷在地中, 以卦體言, 只是下義.
쌍호호씨가 말하였다: 산이 비록 땅 위에 있지만 땅 아래의 하늘이 있으니, 즉 산 가운데 하늘이 있는 것이다. '중(中)'이라는 글자는 다만 '하(下)'라는 글자로 풀이해야 하니, 예를 들어 "땅 가운데 산이 있다", "우레가 땅 가운데 있다"고 한 것은 괘의 몸체로 말해본다면 다만 '아래'라는 뜻이다.

案, 四山圍繞, 而天光納焉, 雖漏日之深峽, 乃天在山中之象. 其空明之氣直接山根, 到地乃止 卽不害其爲下也. 若以地下之天爲山中, 則何不言天氣之通於山骨而謂之山中耶. 本義, 天在山中, 不必實有是事者, 又若非所言者. 九三言馬, 四言牛, 五言豕, 卦爲大畜, 而又若以獸畜之義言之者, 三之閑輿衛, 亦從馴馬而言也.
내가 살펴보았다: 사방으로 산이 둘러싸고 있고 하늘의 빛이 드리웠으니, 비록 햇빛이 새는 깊은 골짜기지만 하늘이 산 가운데에 있는 상이다. 공중에 있는 밝은 기가 직접 산줄기가 뻗어나가기 시작한 곳에 닿아 땅에 이르러 멈추니, '아래'가 된다는 것이 해가 되지 않는다. 만약 땅 속의 하늘을 '산 가운데[山中]'라고 한다면, 어찌 하늘의 기가 산의 골격에 통한다고 말하지 않고 '산 가운데[山中]'라고 하였겠는가? 『본의』에서 "하늘이 산 가운데 있다는 것은 반드시 실제로 이러한 일이 있는 것이 아니다"라고 한 것은 또 말할 바가 아닌 듯하다. 구삼에서는 '말'을 말하고[32] 사효에서는 '소'를 말하며[33] 오효에서는 '돼지'를 말한 것은[34] 괘가 대축괘가 되어 또한 짐승이 길러진다는 뜻으로 말한 것인 듯하니, 삼효에서의 '수레 타기와 호위를 익힘'[35]도 또한 말을 길들이는 것을 따라 말한 것이다.

### 박문건(朴文健) 『주역연의(周易衍義)』

〈問, 天在山中大畜. 曰, 四山則有限, 而天勢則无窮, 故有大畜之象. 曰, 天豈在山中者

32) 『周易·大畜卦』: 九三, 良馬逐, 利艱貞, 日閑輿衛, 利有攸往.
33) 『周易·大畜卦』: 六四, 童牛之牿, 元吉.
34) 『周易·大畜卦』: 六五, 豶豕之牙, 吉.
35) 『周易·大畜卦』: 九三, 良馬逐, 利艱貞, 日閑輿衛, 利有攸往.

乎. 曰, 可見處爲山中, 而不見處爲山外也, 若如此而言之, 則雷在天上, 必在天外也.
물었다: "하늘이 산 가운데에 있는 것이 대축이다"는 무슨 뜻입니까?
답하였다: 사방이 산이면 제한이 있고 하늘의 형세는 다함이 없기 때문에 크게 쌓는 상이 있습니다.
물었다: 하늘이 어째서 산 가운데에 있습니까?
답하였다: 볼 수 있는 곳은 '산 가운데'가 되고 볼 수 없는 곳은 산 밖이 되니, 만약 이와 같이 말한다면 우레가 하늘 위에 있는 것은 반드시 하늘 밖에 있습니다.〉

### 이지연(李止淵) 『주역차의(周易箚疑)』

所畜者, 天也. 前言往行, 皆天理當然底事.
쌓이는 바는 하늘이다. '이전의 말'과 '지난 행동'은 모두 천리(天理)로 당연한 일이다.

### 김기례(金箕澧) 「역요선의강목(易要選義綱目)」

天在山中.
하늘이 산 가운데에 있는 것이.
天以氣言, 山以形言. 好生絪縕之氣入山中, 則萬物可畜.
하늘은 기로써, 산은 형체로써 말하였다. 살려주기를 좋아하는 성대하고 온화한 기가 산 중으로 들어가면 만물이 길러질 수 있다.
○ 如仁入心中, 畜德而多識見.
인(仁)이 마음속으로 들어가 덕을 쌓고 식견(識見)이 많아짐과 같다.

識前言往行.
이전의 말과 지난 행동을 알아.
文武之道, 布在方策, 允懷于玆道, 積于厥[36]躬.
문왕과 무왕의 도가 방책[37]에 널리 퍼져 있으니, 진실로 이 도를 생각하여 그 몸에 쌓이게 한다.
○ 巽天而畜, 則畜小, 止天而畜, 則畜大.

---

36) 厥: 경학자료집성DB에는 '灰'로 되어 있고, 영인본에는 '□'로 되어 있으나, 『서경 · 열명』의 원문에 따라 '厥'로 바로잡았다.
37) 방책(方策): 종이가 발명되기 전에 중국에서 사용되었던 서책(書冊)을 말한다. 이 말은 『서경 · 열명(說明)』에도 보인다.

하늘에 공손해 하면서 쌓으면 쌓은 바가 적고[소축괘(小畜卦☴)], 하늘을 저지하면서 쌓으면 쌓은 바가 크다[대축괘(大畜卦)].

**심대윤(沈大允)『주역상의점법(周易象義占法)』**

天在山中, 以高包大, 大而且高. 君子居則多識事實, 出則務立事業, 所以畜其德而成高大也. 對萃巽爲多, 坎爲識爲前, 巽離爲往, 艮言, 巽行, 離文, 兌變革, 乾畜, 有其象.
하늘이 산 가운데에 있어서 높은 것으로 큰 것은 감싸니, 크고도 또한 높다. 군자는 거처할 때에는 사실을 많이 알고 나가서는 사업을 세우는 데에 힘쓰니, 그 덕을 쌓아 높고 큰 것을 이루는 까닭이다. 음과 양이 서로 바뀐 괘인 취괘(萃卦☱)의 호괘인 손괘(巽卦☴)는 '많음'이 되고, 두터운 감괘(坎卦☵)는 '이전[前]'이 되며, 손괘와 리괘(離卦☲)는 '지난[往]'이 되고, 간괘(艮卦☶)는 '말'이고 손괘는 '행동'이며, 리괘는 꾸밈이고, 태괘(兌卦☱)가 변혁이고, 호괘인 건괘(乾卦☰)가 쌓음이니, 이러한 상이 있다.

**오치기(吳致箕)「주역경전증해(周易經傳增解)」**

天在山中, 不必實有是事, 但以其象言所畜之甚大也. 君子以之, 多識前古聖賢之言與行, 畜成其德, 乃大畜之義也. 互兌爲言, 互震爲行之象.
'하늘이 산 가운데에 있는 것'은 반드시 실제로 이러한 일이 있어야 하는 것은 아니니, 다만 그 상으로써 쌓는 바가 매우 큼을 말한 것이다. 군자가 그것을 본받아서 이전의 옛 성현들의 말과 행동을 많이 알아 그 덕을 쌓고 이룸이 곧 대축괘(大畜卦)의 뜻이다. 호괘인 태괘(兌卦☱)는 '말'의 상이 되고 호괘인 진괘(震卦☳)는 '행동'의 상이 된다.

**이진상(李震相)『역학관규(易學管窺)』**

前言, 互兌象, 往行, 互震象, 畜艮象, 德乾象.
'이전의 말'은 호괘인 태괘(兌卦☱)의 상이고, '지난 행동'은 호괘인 진괘(震卦☳)의 상이며, '쌓음'은 간괘(艮卦☶)의 상이고, 덕은 건괘(乾卦☰)의 상이다.

**박문호(朴文鎬)「경설(經說)·주역(周易)」**

本義旣云, 天在山中, 不必實有是事, 而小註胡氏, 則以中字讀作下義, 必欲成之爲實事, 而以地下之天當之, 恐不必如是言之. 若欲成爲實事, 則世所云洞天足以當之. 又天者虛空也, 山之有空穴, 此亦非天在山中者乎.

『본의』에서는 "하늘이 산 가운데 있다는 것은 반드시 실제로 이러한 일이 있는 것이 아니다"[38]고 하였으나, 소주에서 쌍호호씨는 중(中)이라는 글자를 '아래[下]'라는 뜻으로 풀이하여[39] 반드시 실제의 일이 되도록 하고자 하여서 땅 아래의 하늘로 해당시켰는데, 아마도 반드시 이와 같이 말할 수는 없을 듯하다. 만약 실제의 일이 되도록 만들고자 한다면 세상에서 말하는 동천(洞天)[40]이 충분히 여기에 해당할 것이다. 또 하늘이란 허공이므로 산에 허공이 있는 경우, 이것이 또한 '하늘이 산 가운데에 있는 것'이 아니겠는가?

## 이병헌(李炳憲) 『역경금문고통론(易經今文考通論)』

以眇然之身, 而識前言往行, 以畜其德, 恰如山之畜乾, 其象著明. 易之取象, 無物不有無非實事也.

작은 몸으로 이전의 말과 지나간 행동을 알아 덕을 쌓음은 마치 산이 건(乾)을 쌓음과 같으니, 그 상이 분명하다. 『주역』에서 상을 취함에는 사물이 있지 않음이 없고 실제의 일이 아님이 없다.

---

38) 『周易傳義大全 · 大畜卦』: 天在山中, 不必實有是事, 但以其象言之耳.

39) 『周易傳義大全 · 大畜卦』: 雙湖胡氏曰, 天包地外, 地外有天. 山雖在地上, 然地下之天, 卽山中有天也. 中字, 只作下字解, 如地中有山, 雷在地中, 以卦體言, 只是下義.

40) 동천(洞天): 신선이 산다는 깊고 깊은 골짜기이다.

## 初九, 有厲, 利已.

초구는 어려움이 있으니, 그만 두는 것이 이롭다.

## 中國大全

### 傳

大畜, 艮止畜乾也. 故乾三爻, 皆取被止爲義, 艮三爻, 皆取止之爲義. 初以陽剛, 又健體而居下, 必上進者也. 六四在上, 畜止於己, 安能敵在上得位之勢. 若犯之而進, 則有危厲. 故利在已而不進也. 在他卦, 則四與初, 爲正應相援者也, 在大畜, 則相應乃爲相止畜. 上與三皆陽, 則爲合志, 蓋陽皆上進之物, 故有同志之象, 而无相止之義.

대축은 간괘(艮卦☶)가 건괘(乾卦☰)를 멈추게 한다. 그러므로 건괘(乾卦)의 세 효는 모두 저지당함을 가지고 뜻으로 삼았고, 간괘(艮卦)의 세 효는 모두 저지함을 가지고 뜻으로 삼았다. 초효는 굳센 양으로 또 건괘(乾卦)의 몸체이면서 아래에 있으니, 반드시 위로 나아갈 자이다. 그러나 육사가 위에 있으면서 자기를 저지하니, 위에서 지위를 얻은 자의 형세를 어찌 대적할 수 있겠는가? 만약 범하면서 나아가면 위태로움이 있게 된다. 그러므로 이로움이 그만 두고 나아가지 않음에 있다. 다른 괘에서는 사효와 초효가 정응이 되어 서로 원조하는 자이나, 대축괘에서는 서로 호응함이 바로 서로 저지함이 된다. 상효와 삼효는 모두 양효라서 뜻이 합하니, 양은 모두 위로 나아가는 것이므로 뜻을 같이 하는 상이 있고 서로 저지하는 뜻은 없기 때문이다.

### 本義

乾之三陽, 爲艮所止, 故內外之卦, 各取其義. 初九爲六四所止, 故其占, 往則有危, 而利於止也.

건괘의 세 양이 간괘(艮卦☶)에게 저지당하므로 내외의 괘가 각각 그 뜻을 취하였다. 초구는 육사에게 저지당하므로 그 점은 가면 위태로움이 있어 그만두는 것이 이롭다.

小註

中溪張氏曰, 初九乾體, 志於上進, 六四下與之應而畜止之. 四雖柔而止體, 當畜之時, 剛不能進. 初若恃其陽剛方鋭之勢而欲遽往, 則爲所畜制而有厲矣, 故曰有厲. 利已, 子夏傳曰, 居而俟命, 則利, 往而違上, 則厲.
중계장씨가 말하였다: 초구는 건괘(乾卦☰)의 몸체에 있고 위로 나아가는 데 뜻을 두고 있으며, 육사는 아래로 초구와 호응하면서도 저지하고 있다. 육사는 유약하더라도 저지하는 간괘의 몸체에 있고 저지하는 때여서 굳센 양이 나아갈 수 없다. 초효가 만약 양으로서 굳세고 막 예리한 형세를 믿고서 갑자기 가고자 한다면, 저지를 당하여 어려움이 있으므로 "어려움이 있다"고 말하였다. "그만 두는 것이 이롭다"는 것에 대해서는 「자하전」에서 "집에 있으면서 명을 기다리면 이롭고, 가서 윗사람을 어기면 어렵다"고 말하였다.

○ 雲峯胡氏曰, 他卦取陰陽相應, 此取相畜. 內卦受畜以自止爲義, 外卦能畜以止之爲義. 獨三與上居內外卦之極, 畜極而通, 不取止義.
운봉호씨가 말하였다: 다른 괘에서는 음양이 서로 호응하는 것을 취하였는데 이 괘에서는 서로 저지하는 것을 취하였다. 내괘는 저지함을 받아서 스스로 그치는 것을 뜻으로 삼았고, 외괘는 저지하여 그치게 할 수 있는 것을 뜻으로 삼았다. 유독 삼효와 상효는 내괘와 외괘의 끝에 있어서 저지함이 끝에 이르러 통하게 되므로 그친다는 뜻을 취하지 않았다.

## 韓國大全

### 이익(李瀷) 『역경질서(易經疾書)』

在己則畜德, 在國則尙賢, 畜者養之道也. 畜獸, 亦在其中, 故爻有良馬童牛豶豕之象.
자신에게서는 덕을 쌓고 나라에서는 현명한 사람을 높이니, '휵(畜)'이란 기르는 도이다. 짐승을 기름도 그 안에 있기 때문에 효사에 '좋은 말[良馬]'과 '어린 소'와 '거세된 돼지'의 상이 있다.

天非在山中之物, 此指氣而言也. 天氣下降, 畜在山中, 山勢圜抱而不洩, 草木繁茂, 是山受高高在上之天氣, 故以前言往行爲喩. 若洞開風入, 則爲蠱. 雜卦云, 大畜時也, 非四時皆然, 卽天有在山中之時. 秋冬之令, 天氣上騰, 則春夏之際, 下降, 可知其降有時, 而非恒久也, 可以爲證.
하늘은 산 가운데에 있는 것이 아니니, 이것은 기를 가리켜 말하였다. 하늘의 기가 내려와 산 가운데에 쌓이고 산의 형세가 둘러 싸 새어 나가지 않아 초목이 울창하니, 이것이 높고 높이 위에 있는 하늘의 기를 산이 받는 것이기 때문에 이전의 말과 지난 행동을 가지고 비유로 삼았다. 만약 활짝 열어 바람이 들어온다면 고괘(蠱卦☶)가 된다. 「잡괘전」에서는 "대축(大畜)은 때이다"라고 하였으니, 사철이 모두 그러한 것이 아니라, 곧 하늘에는 산 가운데에 있는 때가 있다는 것이다. 가을에서 겨울로 가는 절기에 하늘의 기가 올라간다면, 봄에서 여름으로 가는 사이에는 하늘의 기가 하강하므로, 그 내려옴에는 때가 있어 항상 그러한 것은 아님을 알 수가 있으니, 이를 증거로 삼을 수가 있다.

## 유정원(柳正源) 『역해참고(易解參攷)』

案, 此爻有占无象. 然初之剛, 果必進, 有厲象, 居下安分, 有已[41]象.
내가 살펴보았다: 초효에는 점(占)은 있고 상은 없다. 그러나 초효의 굳셈은 과연 반드시 나아가니 "어렵다"는 상이 있고, 아래에 있으면서 편안하게 자신의 분수를 지키니 "그친다"는 상이 있다.

## 김상악(金相岳) 『산천역설(山天易說)』

乾之三陽爲艮所畜, 故內外卦, 各取其義. 初九九二與四五爲應, 而當畜之時, 其相應者, 反爲相畜, 故上進則有厲, 而利於止也.
내괘인 건괘(乾卦☰)의 세 양은 외괘인 간괘(艮卦☶)가 저지하기 때문에 내괘와 외괘가 각기 그 뜻을 취하였다. 초구와 구이는 사효와 오효에 정응이 되지만, '축(畜)'의 시절을 맞아 서로 호응하는 것이 도리어 서로 저지함이 되기 때문에 위로 나아가면 어려움이 있고 그치는 데에서 이롭다.

○ 厲者, 見畜之危, 已者, 艮之止也. 大畜與損之初, 皆應艮之爻, 而居損之時, 則曰已事遄往, 當畜之時, 則曰有厲利已, 所以勉戒不同. 變爻爲蠱, 蠱之初曰, 厲終吉, 利已所以終吉也. 彖傳曰, 日新其德 象傳曰, 以畜其德, 取蘊畜之義也. 初之有厲, 二之說輹, 言見畜之象也. 四之牿牛, 五之豶豕, 言成畜之義也. 三之良馬, 上之天衢, 言畜極

41) 已: 경학자료집성DB와 영인본에 모두 '已'로 되어 있으나, 문맥을 살펴 '已'로 바로잡았다.

而通也. 然初二得正得中, 皆止而不進, 不失其乾健之德, 終能成蘊畜之功也. 所以天衢之亨見於上九.
'어려움'이란 저지를 당하는 위기이며, '그만 둠'이란 간괘(艮卦☶)의 그침이다. 대축괘와 손괘(損卦䷨)의 초효는 모두 간괘(艮卦)의 효와 호응하니, 손괘의 시절에 있으면 "일을 마치면 빨리 가야한다"[42]고 하였고, 대축괘의 시절을 맞아서는 "어려움이 있으니, 그만 두는 것이 이롭다"고 하였기 때문에 힘써 경계하는 바가 같지 않다. 효가 변하여 고괘(蠱卦䷑)가 되고 고괘의 초효에서는 "위태롭게 여겨야 끝내 길하다"고 하였으니, "그만 두는 것이 이롭다"란 끝내 길한 바이다. 「단전」에서는 "날로 덕을 새롭게 한다"고 하였고, 「상전」에서는 "덕을 쌓는다"고 하였으니, 온축함의 뜻을 취하였다. 초효에서의 "어려움이 있다"와 이효에서의 "바퀴통이 빠졌다"는 저지당하는 상을 말하였다. 사효에서의 뿔에 가로 나무를 더한 소와 오효에서의 거세된 멧돼지는 저지를 이룬다[43]는 뜻을 말한다. 삼효에서의 '좋은 말'과 상효에서의 '하늘의 거리'는 저지함이 극에 달하여 통함[44]을 말한다. 하지만 초효와 이효는 바름과 알맞음을 얻어 모두 그치고 나아가지 않아 건괘(乾卦☰)의 강건한 덕을 잃지 않으므로 끝내 온축하는 공을 이룰 수 있다. 그러므로 하늘 거리의 형통함이 상구에서 보인다.

### 서유신(徐有臣) 『역의의언(易義擬言)』

此, 初九之畜也. 初剛而易進, 四柔而可凌, 故有厲也. 有厲, 故止而不進, 是其厲適爲其利也已.
이것은 초구의 그침이다. 초효는 굳센 양이라서 쉽게 나아가고 사효는 부드러운 음이라서 업신여길 만하기 때문에 어려움이 있다. 어려움이 있기 때문에 그치고 나아가지 않으니, 이는 그 어려움이 알맞게 이로움이 될 뿐이다.

### 강엄(康儼) 『주역(周易)』

按, 本義, 於此爻, 不言象, 蓋不以有厲爲象也, 然乾之九三, 本義曰, 性體剛健, 有能乾乾惕厲之象, 今以此例之, 則此爻爲六四所止, 有危厲之象, 故曰有厲. 然本義, 只作占辭者, 蓋以象在占中而不待言也.
내가 살펴보았다: 『본의』에서는 초효에 대하여 상을 말하지 않았으므로, 아마도 "어려움이

---

42) 『周易・損卦』: 初九, 已事, 遄往, 无咎, 酌損之.
43) 『周易傳義大全・大畜卦』: 建安丘氏曰, … 二與五應, 受五之畜者, 故二言輿說輹, 而五言豶豕之牙. 此四爻皆已成畜者也.
44) 『周易傳義大全・大畜卦』: 雲峯胡氏曰, … 涉大川, 又似有畜極而通之意.

있다"로 상을 삼지 못하기 때문인 듯하지만, 건괘(乾卦☰)의 구삼에 대하여 『본의』에서는 "성(性)과 체(體)가 강건하여 힘쓰고 힘써 두려워하고 위태롭게 여기는 상이 있다"[45]고 하였으니, 이제 이것을 전례로 본다면 여기서의 효는 육사가 저지하므로 위험하고 어려운 상이 있기 때문에 "어려움이 있다"고 하였다. 그러나 『본의』에서 다만 점사만을 말한 것은 상이 점 가운데에 있어서 더 말할 필요가 없기 때문이다.

### 박문건(朴文健) 『주역연의(周易衍義)』

用剛壯趾, 故有有厲之象. 止則不犯危禍也.
굳센 양으로서 웅장하게 발걸음을 하기 때문에 '어려움이 있는' 상이 있다. 그치면 위험과 재앙을 범하지 않는다.

### 이지연(李止淵) 『주역차의(周易箚疑)』

以陰畜陽之時, 復之可也, 以陽畜陽之時, 此所謂兩虎共鬪, 如相如之避廉頗然後, 合於利已之義也.
음으로 양을 저지하는 때에는 회복할 수 있지만, 양으로 양을 저지하는 때라면, 이것은 이른바 두 호랑이가 함께 싸우는 것이니, 인상여가 염파를 피한[46] 것과 같이 한 후에 "그만 두는 것이 이롭다"는 뜻에 부합된다.

### 김기례(金箕澧) 「역요선의강목(易要選義綱目)」

易中以陰陽相應爲義, 而畜則以相畜爲義. 內受止而外能止之, 獨三與上, 居二體之極, 極則通, 故不取止義.
『주역』 가운데서는 음과 양이 서로 호응함으로 뜻을 삼지만, 소축괘(小畜卦)와 대축괘에서는 서로 저지하는 것으로 뜻을 삼는다. 내괘는 저지함을 받아들이고 외괘는 내괘를 저지할 수 있지만, 유독 삼효와 상효는 두 몸체의 지극한 곳에 있고, 지극하면 통하기 때문에 그친다는 뜻을 취하지 않았다.

○ 乾體欽進, 六四在上止. 初則微陽難動, 況前遇二陽, 不能往, 往犯則危, 止則利.
건괘(乾卦)의 몸체가 공경스럽게 나아가지만, 육사는 위에서 저지한다. 초효는 미미한 양으

45) 『周易傳義大全 · 乾卦』: 九三, … 然性體剛健, 有能乾乾惕厲之象, 故其占如此.
46) 『사기 · 염파인상여전』.

로 움직이기가 어려운데, 하물며 앞에 있는 두 양을 만나서는 갈 수가 없으므로, 가서 범한다면 위태롭고 그만 두면 이롭다.

### 심대윤(沈大允) 『주역상의점법(周易象義占法)』

大畜之爻位, 居剛, 用力者也, 居柔, 不用力也.
대축괘의 효 자리는 굳센 양의 자리에 있으면 힘을 쓰는 자이고, 부드러운 음의 자리에 있으면 힘을 쓰지 못하는 자이다.

大畜之蠱䷑, 多事也. 以剛居剛, 以剛才用力, 而居畜之始, 姑无畜有之形, 而多爲畜之事也. 居卑而用力, 有无所不爲之慮, 故曰有厲. 應於四而爲二剛之隔, 志在乎有爲, 而義與時未可也, 故曰利已. 兌爲已[47], 卽能止健之義也.
대축괘가 고괘(蠱卦䷑)로 바뀌었으니, 일이 많다. 굳센 양으로 굳센 양의 자리에 있으며 굳센 재주로 힘을 쓰지만, 대축괘의 시작하는 자리에 있으므로 잠시도 쌓아서 소유하는 형태는 없고 대부분 저지하는 일이 된다. 낮은 곳에 있으면서 힘을 쓰므로 하지 못하는 짓이 없는 걱정이 있기 때문에 "어려움이 있다"고 하였다. 사효와 호응하지만 두 굳센 양에 의하여 떨어지게 되므로 뜻은 일을 하는 데에 있지만 뜻과 때가 아직 가능하지 않기 때문에 "그만 두는 것이 이롭다"고 하였다. 태괘(兌卦☱)가 "그만 두다"는 뜻이 되니, 강건함을 저지할 수 있다는 뜻이다.

### 오치기(吳致箕) 「주역경전증해(周易經傳增解)」

初九陽剛在下, 志欲上行, 而又有正應於上, 固當往進. 然在大畜之時, 六四乃畜止人者, 而非援引人者也. 若往而犯之, 則必危厲, 故戒言利於自止而不往也.
초구는 굳센 양이 맨 아래에 있으나, 뜻은 위로 가고자 하고 또 위에 정응이 있으니 진실로 나아가야 한다. 그러나 대축괘의 시절에 있어서는 육사는 다른 사람들을 저지하는 자이지 다른 사람들을 끌어주는 자가 아니다. 만약 가서 범한다면 반드시 위태롭고 어렵게 되기 때문에, 스스로 그만두어 가지 않음이 이롭다고 경계하여 말하였다.

○ 已者, 止也, 取於應艮爲止也. 本卦以陽畜陽, 畜道已成, 故自初言見止之義也.
'이(已)'란 그만 둔다는 뜻이니, 호응하는 간괘(艮卦☶)가 그만 둔다는 뜻이 되는 데에서

---

47) 已: 경학자료집성DB에 '已'로 되어 있으나, 경학자료집성 영인본을 참조하여 '已'로 바로잡았다.

취하였다. 본 괘는 양으로서 양을 저지하여 저지하는 도가 이미 이루어졌기 때문에 초효에서부터 저지당한다는 뜻을 말하였다.

### 이진상(李震相) 『역학관규(易學管窺)』

乾體欲進, 而艮方止之本象, 又勿用之爻, 故曰有厲利已. 已, 止也.
건괘(乾卦☰)의 몸체는 나아가고자 하지만 간방(艮方)이 저지함이 본 상이니, 쓰지 말아야 하는 효이기 때문에 "어려움이 있으니, 그만 두는 것이 이롭다"고 하였다. '이(已)'는 그만 둔다는 뜻이다.

## 象曰, 有厲利已, 不犯災也.

「상전」에서 말하였다: "어려움이 있으니, 그만 두는 것이 이로움"은 재앙을 범하지 않는 것이다.

## 中國大全

### 傳

**有危則宜已, 不可犯災危而行也. 不度其勢而進, 有災必矣**

위태로움이 있으면 그만 두어야 하니, 재앙과 위태로움을 범하고 가서는 안 된다. 형세를 헤아리지 않고 나아가면, 반드시 재앙이 있을 것이다.

#### 小註

中溪張氏曰, 厲, 災也. 惟已, 故不犯.
중계장씨가 말하였다: '려(厲)'는 재앙이다. 오직 그만두기 때문에 범하지 않는다.

## 韓國大全

### 송시열(宋時烈) 『역설(易說)』

以陽爻居陽位, 內之三陽共長, 有過剛之象, 故曰有厲. 然初四來爲正應, 故曰利. 已之字讀作旣, 何如已者身也. 利於身, 故小象云, 不犯災耶.
양효로 양의 자리에 있고 내괘의 세 양이 함께 자라서 지나치게 굳센 상이 있기 때문에 "어려움이 있다"고 하였다. 그러나 초효와 사효가 와서 정응이 되기 때문에 "이롭다"고 하였다. '이(已)'라는 글자는 이미[旣]라는 뜻으로 읽어야지 어찌 '이(已)'가 자신이겠는가? 자신에게 이롭기 때문에 「소상」에서 "재앙을 범하지 않는다"고 하였겠는가?

### 김상악(金相岳) 『산천역설(山天易說)』

災者, 見畜之災也. 不犯災, 與需象[48]傳曰不犯難行相似.
'재앙'이란 저지당하는 재앙이다. "재앙을 범하지 않는다"란 수괘(需卦☵) 「상전」에서 "난(難)을 범하여 가지 않는다"[49]고 한 말과 서로 유사하다.

○ 乾艮之合, 本相生, 而當畜之時, 艮得離火之成數, 又互離體而克之, 故戒之以此. 所以大有乾離, 同卦初九曰无交害.
건괘(乾卦☰)와 간괘(艮卦☶)가 합함은 본래 상생(上生)이지만 '축(畜)'의 시절을 맞아서는 간괘(艮卦)가 리괘(離卦☲)인 불의 성수(成數)를 얻고 또 호괘인 리괘(離卦)의 몸체여서 이기기 때문에 이것으로써 경계하였다. 대유괘(大有卦☲)가 건괘(乾卦)와 리괘(離卦)가 함께하는 괘로 초구에서 "해로운 데에 교섭함이 없다"[50]고 한 까닭이다.

### 서유신(徐有臣) 『역의의언(易義擬言)』

不犯灾, 故厲反爲利也.
재앙을 범하지 않기 때문에 어려움은 오히려 이로움이 된다.

### 심대윤(沈大允) 『주역상의점법(周易象義占法)』

不驟從四而犯亂亡之災也.
사효에 달려가 좇아 어지러워지고 망하는 재앙을 범하지 않는다.

### 오치기(吳致箕) 「주역경전증해(周易經傳增解)」

有危, 則宜止而不可犯. 若不度其勢而往, 則有災矣.
위태로움이 있으면 마땅히 그만 두고 범해서는 안 된다. 만약 그 형세를 헤아리지 않고 간다면 재앙이 있게 된다.

---

48) 象: 경학자료집성DB에는 '豕'으로 되어 있으나, 경학자료집성 영인본을 참조하여 '象'으로 바로잡았다.
49) 『周易 · 需卦』: 初九, 象曰, 需于郊, 不犯難行也. 利用恒, 无咎, 未失常也.
50) 『周易 · 大有卦』: 初九, 无交害, 匪咎, 艱則无咎.

**이병헌(李炳憲) 『역경금문고통론(易經今文考通論)』**

本義曰, 九爲六四所止.
『본의』에서 말하였다: 초구는 육사가 저지한다.

程傳曰, 有危則宜已, 不度其勢而進, 有災必矣.
『정전』에서 말하였다: 위태로움이 있으면 그만 두어야 하니, 형세를 헤아리지 않고 나아가면 반드시 재앙이 있을 것이다.

按, 乾自無望而來, 初方轉, 故厲.
내가 살펴보았다: 건괘(乾卦)는 무망괘(无妄卦䷘)로부터 왔으며, 초효가 이제 막 바뀌었기 때문에 어렵다.

## 九二, 輿說輹.

구이는 수레의 바퀴통이 빠졌다.

### 中國大全

**傳**

**二爲六五所畜止, 勢不可進也. 五據在上之勢, 豈可犯也. 二雖剛健之體, 然其處得中道, 故進止无失, 雖志於進, 度其勢之不可, 則止而不行. 如車輿脫去輪輹, 謂不行也.**

이효가 육오에게 저지 당하여 형세가 위로 나아갈 수 없다. 오효가 위에 있는 형세를 점거하였으니, 어찌 범할 수 있겠는가? 이효가 강건한 몸체일지라도 처신함이 중도(中道)를 얻었기 때문에 나아가고 멈춤에 잘못이 없어서, 비록 나아감에 뜻을 두나 형세가 불가하다는 것을 헤아리니, 중지하여 가지 않는다. 마치 수레의 바퀴통이 빠진 것과 같아, 가지 않음을 말한다.

**本義**

**九二, 亦爲六五所畜, 以其處中, 故能自止而不進, 有此象也.**

구이 또한 육오에게 저지당하나, 가운데 처하였기 때문에 스스로 그만 두고 나아가지 않을 수 있어 이러한 상이 있다.

**小註**

雲峯胡氏曰, 初剛居剛, 性欲上進, 曰利已者, 勉其止也. 二剛中自能止而不行, 可謂知時者矣.

운봉호씨가 말하였다: 초효는 굳센 양으로서 굳센 양의 자리에 있어서 본성이 위로 나아가

고자 한다. "그만 두는 것이 이롭다"는 것은 멈추기를 권면한 것이다. 이효는 굳센 양으로서 알맞아 스스로 그쳐서 행하지 않을 수 있으니, 때를 아는 자라고 할 수 있다.

○ 漢上朱氏曰, 初剛正也, 二剛中也, 四五柔也. 柔能畜剛, 剛知其不可遽犯而安之, 時也. 夫氣雄九軍者, 或屈於賓贊之儀, 才力蓋世者, 或聽於委裘之命. 故曰大畜, 時也.
한상주씨가 말하였다: 초효는 굳세고 바르며, 이효는 굳세고 알맞으며, 사효와 오효는 부드럽다. 부드러움은 굳셈을 저지할 수 있는데, 굳셈을 갑작스럽게 범할 수 없는 것을 알아 편안하게 하는 것은 때이다. 기운이 구군(九軍)[51]처럼 웅장한 사람도 혹 빈찬(賓贊)[52]의 의례에 굴복하고, 재주와 힘이 세상을 덮을 만한 사람도 혹 위구(委裘)[53]의 명을 듣는다. 그러므로 "대축은 때이다"라고 말하였다.

○ 童溪王氏曰, 小畜之九三, 見畜於六四, 而曰輿說輻, 四說其輻也. 大畜之九二, 受畜於六五, 又曰輿說輹, 是自說其輹也. 夫說人之輻, 與自說其輹, 語其勢之逆順, 蓋有間矣. 何者. 九三剛過而九二則剛得中故也. 剛而得中, 則進止无失, 故象釋之曰, 中无尤也.
동계왕씨가 말하였다: 소축괘의 구삼은 육사에게 저지를 당하는데, "수레의 바퀏살이 벗겨졌다"고 한 것은 사효가 그 바큇살을 벗긴 것이다. 대축괘의 구이는 육오에게 저지를 받는데, 또 "수레의 바퀴통이 빠졌다"고 한 것은 스스로 그 바퀴통을 뺀 것이다. 남의 바퀴통을 뺀다는 것과 스스로 바퀴통을 뺀다는 것은 형세의 역순을 말한 것으로 차이가 있다. 왜 그런가? 구삼은 굳셈이 지나치고 구이는 굳센 양으로 알맞음을 얻었기 때문이다. 굳세면서도 알맞음을 얻으면 나아가고 멈춤에 잘못이 없기 때문에 「상전」에서 풀이하여 "알맞아서 허물이 없다"고 말하였다.

○ 蘭氏廷瑞曰, 小畜以一陰而畜五陽, 而六四爲小畜之主, 近畜九三, 以小畜大, 以陰畜陽, 又非正應, 所以九三不受畜而有夫妻反目之象. 大畜則艮能止三陽之健, 九二在下卦之中而止, 受六五大君所畜, 以君畜臣以上畜下. 二五皆中, 又其正應. 居中相應, 何尤之有. 所以不同也.

---

51) 구군(九軍): 천자의 육군과 제후의 삼군을 말한다.
52) 빈찬(賓贊): 빈(賓)을 보좌하는 사람으로, 머리를 빗기고 마무리하는 등의 일을 돕는다.
53) 위구(委裘): 전왕(前王)이 남긴 옷으로, 전왕이 죽고 새 임금이 아직 서지 않았을 때, 전왕의 의구(衣裘)를 모셔놓는다.

난정서가 말하였다: 소축괘는 한 음이 다섯 양을 저지하는데, 육사는 소축괘의 주인이 되어 가까이 구삼을 저지하고 있으니, 작은 것으로 큰 것을 저지하고 음으로 양을 저지하며, 또한 정응이 아니기 때문에 구삼이 저지를 받지 않아서 부부가 반목하는 상이 있다. 대축괘는 간괘가 세 양의 굳셈을 저지할 수 있고, 구이가 하괘의 가운데 멈추고 있어서 육오인 대군의 저지를 받아 임금이 신하를 저지하고 윗사람이 아랫사람을 저지하는 것이다. 이효와 오효가 모두 가운데 있고, 또한 정응이다. 가운데 있으면서 서로 상응하니, 무슨 허물이 있겠는가? 그러므로 같지 않다.

## 韓國大全

### 조호익(曺好益) 『역상설(易象說)』

輿, 坎象, 離, 伏坎. 二乾體, 乾圜輪象. 輹, 輿輪間橫木. 二變, 則中虛, 說象. 雙湖曰, 說, 艮止象, 二變則艮.

수레는 감괘(坎卦☵)의 상이고, 리괘(離卦☲)는 감괘를 간직하고 있다. 이효는 건괘(乾卦☰)의 몸체이며, 건괘는 둥근 바퀴의 상이다. '복(輹)'은 수레바퀴 사이를 가로 지르는 나무이다. 이효가 변하면 가운데가 비니, 빠지는[說] 상이다. 쌍호호씨가 말하기를 "'탈(說)'은 간괘(艮卦☶)의 그치는 상이며, 두 번 변하면 간괘가 된다"고 하였다.

### 송시열(宋時烈) 『역설(易說)』

乾錯則爲坤, 坤爲輿, 而互兌爲毁折, 故曰輿說輹[54]也.

건괘(乾卦)가 음양이 바뀌면 곤괘(坤卦)가 되고 곤괘는 수레가 되며, 호괘인 태괘(兌卦)는 부딪쳐서 꺾인다는 뜻이 되기 때문에 "수레의 바퀴통이 빠졌다"고 하였다.

### 유정원(柳正源) 『역해참고(易解參攷)』

平庵項氏曰, 諸卦多於乾言輿. 小畜三曰, 輿說輻, 大有二曰, 大車以載, 大畜二曰, 輿說輹, 三曰輿衛, 大壯四曰, 大輿之輹, 皆乾爻也. 車之全體, 唯乾爻足以當之.

---

54) 輿說輹: 경학자료집성DB와 영인본에는 모두 '輿說輻'으로 되어 있으나, 문맥을 살펴 '輿說輹'으로 바로잡았다.

평암항씨가 말하였다: 여러 괘 중에서 대부분 건괘(乾卦☰)에서 수레를 말하였다. 소축괘(小畜卦䷈) 삼효에서는 "수레의 바큇살이 벗겨졌다"[55]라고 하였고, 대유괘(大有卦䷍)의 이효에서는 "큰 수레로 싣는다"[56]고 하였으며, 대축괘의 이효에서는 "수레의 바퀴통이 빠졌다"고 하였고, 삼효에서는 '수레 타기와 호위'를 말하였으며, 대장괘(大壯卦䷡)의 사효에서는 '큰 수레의 바퀴살'[57]이라고 말하였으니, 모두 건괘(乾卦)의 효이다. 수레의 전체는 오직 건괘(乾卦)의 효만이 충분히 여기에 해당한다.

### 김상악(金相岳)『산천역설(山天易說)』

九二, 以乾遇艮, 爲五所畜, 而與四爲互兌, 有輿說輹之象. 自止不進, 與初同, 而以其處中, 故傳釋以无尤.
구이는 건괘(乾卦☰)가 간괘(艮卦☶)를 만나 오효에 의하여 저지당하며, 사효와 호괘는 태괘(兌卦☱)가 되므로, '수레의 바퀴통이 빠지는' 상이 있다. 스스로 그만 두어 나아가지 않는 것은 초효와 같지만, 가운데 자리에 있기 때문에 「상전」에서는 허물이 없다고 풀이하였다.

○ 輿說輹, 見小畜. 說者, 遇兌之毁也. 輿賴輹而行, 說則不行. 大壯九四曰, 壯于輿輹, 健而動也, 此曰說輹, 健之止也. 變則爲賁, 本爻之象如此, 故賁之初曰, 舍車而徒.
"수레의 바퀴통이 빠졌다"에 대한 설명은 소축괘(小畜卦䷈)에 보인다. '빠짐[說]'이란 태괘(兌卦☱)의 훼손됨을 만난 것이다. 수레는 바퀴통에 의지하여 움직이므로 바퀴통이 빠지면 갈 수가 없다. 대장괘(大壯卦)의 구사에서 "수레의 바퀴살이 장성하다"[58]고 한 것은 강건하게 움직이는 것이고, 여기서 "바퀴통이 빠졌다"고 한 것은 강건함이 저지당하는 것이다. 효가 변하면 비괘(賁卦䷕)가 되는데 본래의 효의 상이 이와 같기 때문에 비괘의 초효에서 "수레를 놔두고 걸어간다"[59]고 하였다.

### 서유신(徐有臣)『역의의언(易義擬言)』

此, 九二之畜也. 剛健得中, 故不至爲厲, 而直爲說輹, 不進之象也. 車不行, 則解其輹, 九二自說之也.

---

55)『周易·小畜卦』: 九三, 輿說輻, 夫妻反目.
56)『周易·大有卦』: 九二, 大車以載, 有攸往, 无咎.
57)『周易·大壯卦』: 九四, 貞吉, 悔亡, 藩決不羸, 壯于大輿之輹.
58)『周易·大壯卦』: 九四, 貞吉, 悔亡, 藩決不羸, 壯于大輿之輹.
59)『周易·賁卦』: 初九, 賁其趾, 舍車而徒.

이것은 구이가 저지당함이다. 강건함이 알맞음을 얻었기 때문에 어렵게 되는 데에는 이르지 않고 다만 바퀴통이 빠지게 되니, 나아가지 않는 상이다. 수레가 움직이지 않으면 바퀴통이 풀린 것이니, 구이가 스스로 그것을 뺀 것이다.

### 강엄(康儼) 『주역(周易)』

按, 小畜初九九二, 皆言吉, 此卦初九九二, 皆不言吉, 何也. 蓋陽剛本上進之物, 而小畜以巽畜乾, 乾不爲所畜, 二陽能自上進, 故吉. 此卦以艮畜乾, 乾爲所畜, 不能上進, 隨時自處, 雖无凶咎, 而在陽剛, 亦可謂不得其志矣, 故不言吉.
내가 살펴보았다: 소축괘(小畜卦☴)의 초구와 구이에서는 모두 '길함'을 말하였으나, 이 괘의 초구와 구이에서는 모두 '길함'을 말하지 않았으니, 어째서인가? 굳센 양은 본래 올라가려는 것이지만, 소축괘에서는 손괘(巽卦☴)로 건괘(乾卦☰)를 저지하나 건괘는 저지당하지 않아 두 양이 스스로 올라갈 수 있기 때문에 길하다. 이 괘에서는 간괘(艮卦☶)로 건괘(乾卦)를 저지하고 건괘(乾卦)가 저지당하여 올라갈 수가 없고, 때에 알맞게 스스로 처신하므로 비록 흉함과 허물은 없더라도 굳센 양의 자리에 있으면서 또한 그 뜻을 얻지 못하였다고 말할 만하기 때문에 "길하다"고 말하지 않았다.

### 박문건(朴文健) 『주역연의(周易衍義)』

〈輹輻同, 後大壯卦同.
'복(輹)'과 '복(輻)'은 같으니, 뒤에 나오는 대장괘(大壯卦)에서도 같다.〉

志在必進, 故有輿說輹之象. 雖然, 在中, 故无過.
뜻이 반드시 나아가려는 데에 있기 때문에 '수레의 바퀴통이 빠지는' 상이 있다. 비록 그렇더라도 가운데 자리에 있기 때문에 허물은 없다.

### 김기례(金箕澧) 「역요선의강목(易要選義綱目)」

以中正爲順德之君所畜止. 則有順體, 故取坤輿.
중정함으로 덕을 따르는 임금에 의하여 저지당하는 바가 되었다. 유순한 몸체가 있기 때문에 곤괘(坤卦☷)의 수레를 취하였다.

○ 見畜而自止, 故曰脫輹. 不行, 則得中, 故无尤.
저지를 당하여 스스로 그만 두기 때문에 "바퀴통이 빠진다"고 하였다. 가지 않는다면 알맞음을 얻기 때문에 허물이 없다.

### 심대윤(沈大允)『주역상의점법(周易象義占法)』

大畜之賁☶, 文飾也. 畜之整頓修飾, 而不遽進也. 蓋畜物之道, 當漸致而不可急遽也. 九二居柔得中, 應於五, 而阻于三, 不可進而不進也. 故曰輿脫輹. 坎乾爲輪, 互兌爲脫, 九二, 非不畜也. 附人以行, 而不自進也. 大畜之世, 以應剛爲實, 應柔爲虛, 初二應柔, 爲未實也.

대축괘가 비괘(賁卦☶)로 바뀌었으니, 꾸밈이다. 저지함은 정돈하고 수식하여 갑작스럽게 나아가지 못하는 것이다. 사물을 쌓는 도는 마땅히 점진적으로 이루어야지 갑작스럽게 해서는 안 된다. 구이는 부드러운 음의 자리에 있으면서 가운데 자리를 얻어 오효와 호응하지만, 삼효에 의하여 막혀 떨어지게 되어 나아갈 수가 없어서 나아가지 않기 때문에 "수레의 바퀴통이 빠졌다"고 하였다. 감괘(坎卦☵)와 건괘(乾卦☰)는 바퀴가 되고 호괘인 태괘(兌卦☱)는 '빠짐'이 되니, 구이가 저지당하지 않는 것이 아니다. 사람에 붙어서 가고 스스로 나아가지 못한다. 대축괘의 시절에는 굳센 양과 호응함을 실제로 삼고 부드러운 음과 호응함을 빈 것으로 삼으니, 초효와 이효는 부드러운 음과 호응하여 아직 실제가 아니게 된다.

### 오치기(吳致箕)「주역경전증해(周易經傳增解)」

九二, 剛健得中, 而上有六五之正應, 然爲其所畜, 不能上行, 乃以中德自止, 故有輿說輹之象, 而終以不進也. 卽象而可知其占矣.

구이는 강건하면서 알맞음을 얻었고 위로는 육오라는 정응이 있지만 저지당하게 되어 위로 갈 수가 없으니, 알맞은 덕으로 스스로 그만 두기 때문에 수레의 바퀴통이 빠지는 상이 있고 끝내 나아가지 못한다. 상에 나아가 그 점(占)을 알 수가 있다.

### 이진상(李震相)『역학관규(易學管窺)』

乾爲輿, 而爲艮所止, 故說輹. 〈又上互兌, 兌毁之也.〉

건괘(乾卦☰)는 수레가 되지만 간괘(艮卦☶)에 의하여 저지당하기 때문에 바퀴통이 빠진다. 〈또 위의 호괘가 태괘(兌卦☱)이고, 태괘(兌卦)는 훼손한다.〉

○ 輿, 取於對體之坤. 說, 脫也, 取於互兌. 輹與輻同.

수레는 내괘인 건괘(乾卦☰)의 음양이 바뀐 곤괘(坤卦☷)에서 취하였다. '탈(說)'은 빠진다[脫]는 뜻이니, 호괘인 태괘(兌卦☱)에서 취하였다. '복(輹)'과 '복(輻)'은 뜻이 같다.

## 象曰, 輿說輹, 中无尤也.

「상전」에서 말하였다: "수레의 바퀴통이 빠짐"은 알맞아서 허물이 없는 것이다.

## 中國大全

### 傳

**輿說輹而不行者, 蓋其處得中道, 動不失宜, 故无過尤也. 善莫善於剛中, 柔中者, 不至於過柔耳. 剛中, 中而才也. 初九處不得中, 故戒以有危宜已. 二得中進止, 自无過差, 故但言輿說輹, 謂其能不行也, 不行則无尤矣. 初與二, 乾體剛健, 而不足以進, 四與五, 陰柔而能止, 時之盛衰, 勢之强弱, 學易者, 所宜深識也.**

수레의 바퀴통이 빠져 가지 않는 것은 처함이 중도(中道)를 얻어서 움직임에 마땅함을 잃지 않기 때문에 허물이 없다. 좋음은 굳세고 알맞음보다 더 좋은 것이 없으니, 부드럽고 알맞은 것은 지나치게 부드러움에 이르지 않을 뿐이다. 굳세고 알맞은 것은 알맞으면서 재주가 있다. 초구는 처함이 알맞음을 얻지 못하였기 때문에, "어려움이 있으니, 그만 두는 것이 이롭다"고 경계하였고, 이효는 알맞음을 얻어서 나아가고 멈춤에 스스로 잘못이 없으므로 다만 "수레의 바퀴통이 빠졌다"고 말하였으니, 가지 않을 수 있음을 말한 것이니, 가지 않으면 허물이 없다. 초효와 이효는 건괘의 몸체에 있어서 강건하나 나아가기에 부족하고, 사효와 오효는 부드러운 음이지만 저지할 수 있으니, 때의 성쇠와 세력의 강약을 주역을 배우는 자는 깊이 알아야 한다.

### 小註

息齋余氏曰, 小畜待陰迫之而後說輻, 故反目. 大畜才及中而自說其輹, 此有知幾之吉, 彼有來迫之嫌, 故无尤.

식재여씨가 말하였다: 소축괘(小畜卦䷈)는 음이 다가오기를 기다린 다음에 바큇살이 벗겨지기 때문에 반목한다. 대축괘는 가운데에 이르자마자 스스로 바퀴통을 빼니, 여기에는 기미를 아는 길함이 있고, 소축괘에 와서 급박하게 한다는 혐의가 있으므로 허물은 없다.

## 韓國大全

### 김장생(金長生) 「주역(周易)」

傳.

『정전』.

初與二雖剛健, 而不足以進者, 以畜之時不利於進, 初二俱位乎下, 勢又不能進也. 四與五雖陰柔, 而能止乎健者, 以畜之時在於止, 四五位據乎上, 勢又足以爲止也. 見近思錄註.

초효와 이효는 비록 굳건한 양일지라도 나아가기에 부족한 까닭은 '축(畜)'의 시절에는 나아가는 것이 이롭지 않고 초효와 이효는 모두 아래에 위치하여 형세가 또한 나아갈 수 없기 때문이다. 사효와 오효가 비록 부드러운 음일지라도 강건함을 저지할 수 있는 까닭은 '축(畜)'의 시대에는 그치는 데에 있고 사효와 오효는 자리가 위에 근거하여 형세가 또한 그만두게 하기에 충분하기 때문이다. 『근사록』의 주(註)에 보인다.

### 송시열(宋時烈) 『역설(易說)』

輿之說輹, 不可行也. 蓋五爻以陰畜[60]群陽, 而九二雖爲其正應, 不可往而來之, 故若說輹而不行也. 然以其處中爻, 故能正中而無尤也. 小蓄九二之說輻略同, 而此則有應, 故無反目之象.

수레가 바퀴통이 빠짐은 갈 수가 없는 것이다. 오효는 음으로서 여러 양들을 저지하고 구이는 비록 그 정응이 되지만 가고 올 수가 없기 때문에 마치 바퀴통이 빠져 가지 못하는 것과 같다. 그러나 가운데 효자리에 있기 때문에 중정하여 허물이 없을 수 있다. 소축괘(小畜卦 ䷈)의 구이에서 말한 "바큇살이 벗겨지다"[61]와 대략 같으나, 여기서는 호응함이 있기 때문에 '반목하는' 상이 없다.

### 이익(李瀷) 『역경질서(易經疾書)』

初與二, 當畜止之始, 不可遽進, 宜先看九二辭. 互震有車象, 春秋傳所謂貞屯悔豫, 車

60) 畜: 경학자료집성DB와 영인본에는 모두 '蓄'으로 되어 있으나, 문맥을 살펴 '畜'으로 바로잡았다.

61) 탈복(說輻)은 소축괘의 구이에 나오지 않고, 구삼의 "輿說輻, 夫妻反目."라는 데에 나온다.

班內外, 是也. 或謂說卦震爲旉[62], 旉乃車之誤, 其言良是. 震動而不可進, 則有輿說輻之象, 是初九傳所謂災也. 然處得其中, 故雖有災, 亦無尤也. 然後方看初九, 則其陽剛欲進, 爲有厲, 利在自已[63], 是不犯說輻之災也.
초효와 이효는 저지당하는 시작에 해당하여 재빨리 나아갈 수가 없는데, 구이의 효사를 먼저 보아야 한다. 호괘인 진괘(震卦☳)에는 수레의 상이 있으니, 『춘추전』에서 이른바 내괘는 준괘(屯卦䷂)이고 외괘는 예괘(豫卦䷏)이니, 수레를 내괘와 외괘로 나눈다[64]고 한 것이 이것이다. 어떤 이는 「설괘전」에서 "진괘(震)는 꽃[旉]이 된다"[65]고 했을 때의 '부(旉)'는 '거(車)'가 잘못 기재된 것이라고 하였으니, 그 말이 참으로 옳다. 진동하지만 나아갈 수 없으니 '수레의 바퀴통이 빠지는' 상이 있으므로, 이것이 초구의 「상전」에서 말하는 '재앙'이다. 그러나 거처하는 자리가 가운데를 얻었기 때문에 비록 재앙이 있지만, 또한 허물이 없다. 그러한 후에 이제 초구를 본다면 그 굳센 양은 나아가고자 하지만 어려움이 있게 되어, 이로움은 스스로 그만 두는 데에 있으니 이것이 바퀴통이 빠지는 재앙을 범하지 않는 것이다.

### 유정원(柳正源) 『역해참고(易解參攷)』

廣平游氏曰, 有剛中之德, 有載上之才, 猶有待而後行, 非不欲行也. 道合則從, 不合則去, 此中无尤之道也.
광평유씨가 말하였다: 굳세고 알맞은 덕이 있고 위를 싣는 재질이 있어서, 오히려 기다린 후에 가는 것이지, 가고자 하지 않는 것이 아니다. 도에 부합하면 따르고, 부합하지 않으면 떠나니, 이것이 '알맞아서 허물이 없는' 도이다.

○ 案, 小畜之說輻, 以其不中也, 欲進而自踣, 凶可知也. 大畜之說輹, 以其得中也, 守分而自止, 終无尤也.
내가 살펴보았다: 소축괘(小畜卦☴)에서의 "바큇살이 벗겨지다"[66]란 그것이 알맞지 않기 때문에 나아가고자 하지만 스스로 넘어지는 것이니 흉함을 알 수가 있다. 대축괘에서 "바퀴통이 빠졌다"란 그것이 알맞음을 얻었기 때문에 자신의 분수를 지켜 스스로 그치는 것이니 끝내 허물이 없다.

---

62) 旉: 경학자료집성DB와 영인본에 모두 '旉'으로 되어 있으나, 「설괘전」의 원문에 따라 '旉'으로 바로잡았다.
63) 已: 경학자료집성DB에는 '己'으로 되어 있으나, 경학자료집성 영인본을 참조하여 '已'로 바로잡았다.
64) 『國語 · 晉語』.
65) 『周易 · 說卦傳』: 震, 爲雷, 爲龍, 爲玄黃, 爲旉, 爲大塗, 爲長子, 爲決躁, 爲蒼莨竹, 爲萑葦, 其於馬也, 爲善鳴, 爲馵足, 爲作足, 爲的顙, 其於稼也, 爲反生, 其究, 爲健, 爲蕃鮮.
66) 탈복(說輻)은 소축괘의 구이에 나오지 않고, 구삼의 "輿說輻, 夫妻反目."라는 데에 나온다.

### 김상악(金相岳) 『산천역설(山天易說)』

二之說輹, 處得中道, 故无妄進之尤也.
이효에서 '바퀴통이 빠짐'은 처한 곳이 중도를 얻었기 때문에 망령되게 나아가는 허물이 없다.

### 서유신(徐有臣) 『역의의언(易義擬言)』

无尤, 无有厲也, 得中故也.
"허물이 없다"는 것은 "어려움이 있다"67)는 것이 없음이니, 알맞음을 얻었기 때문이다.

### 박문건(朴文健) 『주역연의(周易衍義)』

〈問, 輿說輹而謂之无尤何. 曰, 二進而五疑, 故有說輹之災也. 雖見傷, 其志在中, 故无尤也. 曰, 何謂其志在中. 曰, 欲遇, 見害, 二何咎哉.
물었다: 수레의 바퀴통이 빠졌는데도 이를 두고 허물이 없다고 한 것은 어째서입니까?
답하였다: 이효는 나아가고 오효는 의심하기 때문에 바퀴통이 빠지는 재앙이 있습니다. 비록 손상을 당하였지만 그 뜻은 알맞은 데에 있기 때문에 허물이 없습니다.
물었다: 어째서 그 뜻이 알맞은 데에 있다고 합니까?
답하였다: 만나고자 하지만 해로움을 입었으니, 이효가 무슨 허물이겠습니까?〉

### 오치기(吳致箕) 「주역경전증해(周易經傳增解)」

處中而不往, 故无輕進之尤也.
가운데 자리에 있으면서 가지 않기 때문에 경솔하게 나아가는 허물이 없다.

### 이병헌(李炳憲) 『역경금문고통론(易經今文考通論)』

王曰, 五處畜盛, 未可犯也, 故輿說輹也. 居得其中, 遇難能止, 故無尤也.
왕필이 말하였다: 오효는 '축(畜)'이 성대한 데에 있으니, 아직 범해서는 안 되기 때문에 수레의 바퀴통이 빠졌다. 거처하는 곳이 그 가운데 자리를 얻어 어려움을 만나면 그만 둘 수 있기 때문에 허물이 없다.

按, 二適于中, 故雖說輹而無尤.
내가 살펴보았다: 이효가 알맞음에 들어맞기 때문에 비록 바퀴통이 빠졌더라도 허물이 없다.

---

67) 『周易 · 大畜卦』: 初九, 有厲, 利已.

## 九三，良馬逐，利艱貞，日閑輿衛，利有攸往.

구삼은 좋은 말이 달려가니, 어렵게 여기고 곧게 함이 이로우니, 날마다 수레 타기와 호위를 익히면, 가는 것이 이롭다.

## 中國大全

### 傳

三剛健之極，而上九之陽亦上進之物，又處畜之極而思變也，與三乃不相畜，而志同相應，以進者也. 三以剛健之才，而在上者與合志而進，其進如良馬之馳逐，言其速也. 雖其進之勢速，不可恃其才之健與上之應，而忘備與愼也. 故宜艱難其事，而由貞正之道. 輿者，用行之物，衛者，所以自防，當自日常閑習其車輿與其防衛，則利有攸往矣. 三乾體而居正，能貞者也，當有銳進，故戒以知難與不失其貞也. 志旣銳於進，雖剛明有時而失，不得不誡也.

삼효는 강건함이 지극하며, 상구의 양효도 위로 나아가는 것이고, 또 대축괘의 끝에 있어서 변할 것을 생각해서 삼효와 서로 저지하지 않고 뜻이 같아 서로 호응하여 나아가는 자이다. 삼효가 강건한 재질로 위에 있는 자와 뜻을 합하여 나아감이 좋은 말이 달려감과 같으니, 그 빠름을 말한다. 비록 나아가는 형세가 빠르나 재주의 강건함과 윗사람의 호응함을 믿고서 대비함와 삼감을 잊어서는 안 된다. 그러므로 그 일을 어렵게 여기고, 곧고 바른 도를 따라야 한다. '수레'는 길을 갈 때에 쓰는 물건이고, '위(衛)'는 스스로 방위하는 것이니, 스스로 날마다 항상 수레 타는 것과 방위하는 것을 익히면 가는 것이 이롭다. 삼효는 건괘의 몸체에 있으면서 바른 자리에 있으니, 바른 도를 행할 수 있는 자이나 나아감에 빨리함이 있으므로 어렵게 여길 줄을 아는 것과 바른 도를 잃지 말라는 것으로 경계하였다. 뜻이 이미 나아감에 빨리하고자 하여 비록 굳세고 밝더라도 때로 실수할 수가 있으니, 경계하지 않을 수 없다.

### 本義

三以陽居健極，上以陽居畜極，極而通之時也. 又皆陽爻，故不相畜而俱進，有

**良馬逐之象焉. 然過剛銳進, 故其占必戒以艱貞閑習, 乃利於有往也. 曰當爲日月之日.**

삼효는 양으로 강건한 건괘의 끝에 있고 상효는 양으로 대축괘의 끝에 있으니, 극에 달하여 통하는 때이다. 또 모두 양효이기 때문에 서로 저지하지 않고 함께 나아가서 좋은 말이 달려가는 상이 있다. 그러나 지나치게 굳세고 나아감에 빨리 하기 때문에 점에서 반드시 어렵게 여기고 곧은 도를 지키며 수레 타는 것과 호위함을 익혀야만 가는 것이 이롭다고 경계하였다. '왈(曰)'자는 마땅히 '일월(日月)'의 '일(日)'자가 되어야 한다.

**小註**

朱子曰, 九三一爻不爲所畜, 而欲進與上九合志同進, 俱爲畜極而通之時. 故有良馬逐, 何天之衢亨之象. 但上九已通達无礙, 只是滔滔去, 三過剛銳進, 故戒以艱貞閑習. 蓋初二兩爻皆爲所畜, 獨九三一爻自進耳. 問, 九六爲正應, 皆陰皆陽, 則爲无應, 獨畜卦不爾何也. 曰, 陽遇陰, 則爲陰所畜. 九三與上九, 皆陽皆欲上進, 故但以同類相求也, 小畜亦然.

주자가 말하였다: 구삼 한 효는 저지당하지 않고 나아가고자 하는 것이 상구와 뜻이 부합되어 함께 나아가니, 모두 저지함이 극에 달하여 통하는 때이다. 그러므로 좋은 말이 달려가고, 하늘의 거리와 같아서 형통한 상이 있다. 다만 상구는 이미 통달해서 장애가 없어 다만 도도히 갈 뿐이고, 삼효는 지나치게 굳세고 빨리 나아가기 때문에 어렵게 여기고 익혀야 한다고 경계하였다. 초효와 이효 두 효는 모두 저지를 당하는데, 구사 한 효는 스스로 나아간다.
물었다: 구와 육은 정응이 되고, 모두 음이나 모두 양이면 호응이 없는 것이 되는데, 유독 축괘에서 그렇지 않은 것은 왜입니까?
답하였다: 양이 음을 만나면 음에게 저지를 당합니다. 구삼과 상구는 모두 양이고, 모두 위로 나아가고자 하기 때문에 다만 같은 종류로서 서로 구할 뿐입니다. 소축괘(小畜卦☴)도 그렇습니다.

○ 雲峯胡氏曰, 閑, 習也, 日閑, 猶言時習. 閑輿衛, 又因二之輿三之馬取象. 輿者, 乘內之二陽, 衛者, 防外之二陰. 良馬逐者, 上一陽與己同志, 三逐上以上, 而下二陽, 又逐三以進之象也. 初利已, 戒其進也. 二說輹, 喜其不進也. 三可進矣, 而猶戒之艱難貞固, 日閑習輿衛之事者, 懼其可進而銳於進也. 二之輿旣說輹而不進, 三復閑輿衛而不輕進. 至是則初之利已者, 三可利往矣.

운봉호씨가 말하였다: '한(閑)'은 익히는 것이다. 날마다 익힌다는 것은 때에 맞추어 익힌다고 말하는 것과 같다. 수레 타기와 호위를 익힌다는 것은 또한 이효의 수레와 삼효의 말을

따라서 상을 취한 것이다. 수레는 안의 두 양을 타는 것이고 호위는 밖의 두 음을 방어하는 것이다. 좋은 말이 달려간다는 것은 위의 한 양이 자기와 뜻을 함께 하여, 삼효가 상효를 따라 올라가며 아래의 두 양 또한 삼효를 따라서 나아가는 상이다. 초효가 그만 두는 것이 이롭다는 것은 그 나아감을 경계한 것이다. 이효의 바퀴통이 빠진 것은 나아가지 않음을 기뻐한 것이다. 삼효는 나아갈 수 있는데도 오히려 어렵게 여기고 곧고 굳게 하며 날마다 수레 몰기와 호위의 일을 익히라고 경계한 것은 나아갈 수 있지만, 나아가는데 빠른 것을 걱정한 것이다. 이효는 수레가 이미 바퀴통이 빠져서 나아갈 수 없고, 삼효는 다시 수레 몰기와 호위를 익히고 쉽게 나아가지 않는다. 여기에 이르러 초효의 그만두는 것이 이로움은 삼효의 가는 것이 이로울 수 있다는 것이다.

○ 平庵項氏曰, 衛, 古書之稱, 皆武衛也. 考工記, 周人上輿, 車有六等之數, 戈也, 人也, 殳也, 戟也, 矛也, 軫也, 皆衞名.
평암항씨가 말하였다: 옛 책에서 '위(衛)'라고 칭한 것은 모두 '무력으로 호위함[武衛]'이다. 『주례 · 고공기』에 의하면 주나라 사람은 수레를 높여, 수레에 여섯 등급을 두어서 과(戈), 인(人), 수(殳), 극(戟), 모(矛), 진(軫)인데, 모두 호위의 이름이다.

○ 節齋蔡氏曰, 凡剛進而上, 遇柔則利, 遇剛則不利. 如大壯之四曰, 藩決不羸, 大畜之三曰, 良馬逐, 皆前遇乎柔也. 大壯之初曰, 征凶, 三曰羝羊觸藩羸其角, 大畜之初曰, 有厲利已, 皆前遇乎剛也.
절재채씨가 말하였다: 굳센 양이 나아가 위로 올라가서 부드러운 음은 만나면 이롭고, 굳센 양을 만나면 이롭지 않다. 예를 들어 대장괘의 사효에서는 "울타리가 뚫리고 뿔이 파리하지 않다"고 하였고, 대축괘이 삼효에서는 "좋은 말이 달려간다"고 하였으니, 모두 앞에서 부드러운 음을 만난 것이다. 대장괘의 초효에서는 "가는 것이 흉하다"고 하였고, 삼효에서는 "숫양이 울타리를 들이받아 그 뿔이 파리하다"고 하였으며, 대축괘의 초효에서는 "어려움이 있으니, 그만 두는 것이 이롭다"고 하였으니, 모두 앞에서 굳센 양을 만난 것이다.

## ‖ 韓國大全 ‖

### 조호익(曺好益) 『역상설(易象說)』

下體乾爲良馬, 互體震爲作足, 有良馬逐之象. 日閑似體離日, 互體震動, 有逐日而動之象. 輿, 乾象, 又三變則坎體, 坎爲輿. 衛, 武衛, 戈兵之在車者, 離在乾上之象.
하체인 건괘(乾卦☰)는 '좋은 말[良馬]'이 되고 호괘의 몸체인 진괘(震卦☳)는 발 빠름이 되니, 좋은 말이 달리는 상이 있다. '날마다 익힘'이란 몸체가 해를 의미하는 리괘(離卦☲)와 유사하고 호괘인 진괘(震卦)는 움직임이니, 날마다 움직이는 상이 있다. '수레'는 건괘(乾卦)의 상이고, 또 세 번 변하면 감괘(坎卦☵)의 몸체가 되는데, 감괘(坎卦)는 수레가 된다. '호위[衛]'란 무장하여 호위하는 것이니 무기가 수레에 있는 것으로, 리괘(離卦)가 건괘(乾卦) 위에 있는 상이다.

### 송시열(宋時烈)『역설(易說)』

乾爲良馬. 言逐者, 若追逐而進也.
건괘(乾卦☰)는 '좋은 말[良馬]'이 되고, '달린다[逐]'라고 말한 것은 각축을 벌여 나아감과 같은 뜻이다.

### 이익(李瀷)『역경질서(易經疾書)』

大畜有畜獸之象, 而乾爲良馬. 在下卦之上, 有馳逐之象, 然必須艱難而守正, 方利也. 馬性善驚, 故閑習於車輿羽衛之間, 可以免覂駕之患, 記所謂始駕馬者, 車在馬前, 是也. 此整駕將發之義也.
대축괘에는 짐승을 기르는 상이 있고 건괘(乾卦☰)는 '좋은 말[良馬]'이 된다. 하괘의 맨 위에 있으니 달려가서 좇는 상이 있지만, 반드시 어렵게 여기고 바름을 지켜야 이로울 수 있다. 말의 성질은 놀라기를 잘하기 때문에 수레와 호위군 사이에서 익혀야 수레를 뒤집는 걱정에서 벗어날 수 있으니,『예기 · 학기(學記)』에서 말한 "처음으로 말에게 멍에를 씌우려고 할 경우에는 말의 위치를 반대로 하여 수레를 말 앞에 두어 수레를 따라가도록 한다"[68]가 이것이다. 이것은 멍에를 가지런히 정리하여 장차 출발하려고 하는 뜻이다.

### 심조(沈潮)「역상차론(易象箚論)」

九三, 良馬.
구삼은 좋은 말.

---

68)『禮記 · 學記』: 良冶之子, 必學爲裘, 良弓之子, 必學爲箕, 始駕馬者, 反之, 車在馬前, 君子, 察於此三者, 可以有志於學矣.

良馬, 乾也.
좋은 말[良馬]은 건괘(乾卦☰)이다.

### 양응수(楊應秀) 『곤괘강의(坤卦講義)·역본의차의(易本義箚疑)』

九三, 良馬逐이니
〈이니 恐當改이나.
'이니'는 아마도 마땅히 '이나'로 고쳐야 한다.
○ 逐홈이나.
달려감이나.〉

日閑輿衛면
날마다 수레 타기와 호위를 익히면,
〈면 恐當改이라야.
'면'은 아마도 마땅히 '이라야'로 고쳐야 한다.
○ 閑ᄒᆞ야야.
익혀야.〉

### 유정원(柳正源) 『역해참고(易解參攷)』

九三 [至] 攸往.
구삼은 … 가는 바.

王氏曰, 凡物極則反, 故畜極則通. 初二之進, 値於畜盛, 故不可以升, 至九三, 升于上九, 而上九處天衢之亨, 途徑大通, 進无違距, 可以馳騁, 故曰良馬逐也. 履當其位, 進得其時, 在乎通路, 不憂險戹, 故利艱貞也. 閑, 閡也, 衛, 護也. 進得其時, 雖涉艱難而无患也.
왕필이 말하였다: 사물은 극에 이르면 되돌아가기 때문에 저지함도 극에 이르면 통하게 된다. 초효와 이효의 나아감은 저지함이 성대한 데에 만나기 때문에 올라가서는 안 되지만, 삼효에 이르러서는 상구로 올라가고 상구는 하늘의 거리라는 형통함에 있어서 길이 크게 통하여 나아감에 어긋나거나 막힘이 없어 말을 타고 다릴 수 있기 때문에 "좋은 말이 달려간다"고 하였다. 마땅한 그 자리를 밟고 있으며 나아감에 알맞은 때를 얻어 통할 수 있는 길에 있으니, 험난하고 고생스러움을 걱정하지 않기 때문에 "어렵게 여기고 곧게 함이 이롭다"고 하였다. '한(閑)'은 문을 잠근다는 뜻이며, '위(衛)'는 보호한다는 뜻이다. 나아감에 알맞은 때를 얻었으니, 비록 험난함을 건너더라도 걱정이 없다.

○ 陸氏〈希聲〉曰, 與二陽角逐, 志在疾者也. 得位失中, 故利艱貞.
육희성이 말하였다: 두 양과 각축을 벌리므로 뜻이 빠른 데에 있다. 제자리를 얻었으나 알맞음을 잃었기 때문에 "어렵게 여기고 곧음이 이롭다."

○ 朱子曰, 若恃馬之壯, 而忘艱難之戒, 則必不利矣.
주자가 말하였다: 만약 말의 장대함만을 믿고 어렵게 여기는 경계를 잊는다면 반드시 이롭지 않다.

○ 童溪王氏曰, 是輿也, 方其在九二也, 嘗說其輹, 而不進矣. 九三之進, 卽此旣說之輿, 可不閑而衛之乎.
동계왕씨가 말하였다: 이는 수레이니, 막 구이에 있어서 이미 바퀴통이 빠져 나아가지 못한다. 구삼의 나아감은 즉 이것이 만약 이미 바퀴통이 빠진 수레라면 익히지 않고 호위할 수 있겠는가?

○ 厚齋馮氏曰, 輿以載之, 衛以防之, 皆指下之二陽同力者也. 戒約其无疾驅, 以取覆敗, 則往必利矣.
후재풍씨가 말하였다: 수레로 싣고 호위하여 방비하니 모두 아래의 두 양이 힘을 합침을 가리킨다. 빠르게 달려 전복되거나 부서지지 않을 것을 경계하여 약조한다면 가서 반드시 이롭다.

○ 潼川毛氏曰, 逐者, 總三陽而言之.
동천모씨가 말하였다: '달려감[逐]'이란 세 양을 총괄하여 말하였다.

○ 雙湖胡氏曰, 以馬爲乾象, 始此. 孔子說卦象乾爲馬, 蓋括此爻之例也.
쌍호호씨가 말하였다: 말을 건괘(乾卦☰)의 상으로 삼은 것은 여기로부터 시작한다. 공자가 「설괘전」에서 건괘(乾卦)가 상징하는 것은 말이라고 여겼으니,[69] 이 효의 사례에서 궁구하였다.

本義, 有往.
『본의』에서 말하였다: 가는 것이 있다.
案, 有下一有攸字.
내가 살펴보았다: '있다[有]' 아래에 어떤 본에는 '바[攸]'자가 있다.

---

69) 『周易 · 說卦傳』: 乾爲馬, 坤爲牛, 震爲龍, 巽爲雞, 坎爲豕, 離爲雉, 艮爲狗, 兌爲羊.

### 김상악(金相岳) 『산천역설(山天易說)』

九三居乾之終, 互爲震體, 與上同志而進, 故有良馬逐之象. 然爲四所止, 必利於艱難貞固. 日閑其輿衛, 乃利有攸往也.

구삼은 건괘(乾卦)의 끝에 있고 호괘는 진괘(震卦☳)의 몸체가 되어, 상효와 뜻을 함께하여 나아가기 때문에 '좋은 말이 달려가는' 상이 있다. 그러나 사효가 저지하니, 반드시 어렵게 여기고 곧게 함에서 이롭게 된다. 날마다 수레 타기와 호위를 익혀야 가는 것이 이롭다.

○ 乾爲良馬云, 良者, 乾之德也. 故驥不稱其力, 稱其德也. 互震作足, 兩馬因震而動, 追逐之象. 三變爲兌, 艮得離之成數, 離兌之合爲睽, 睽之初曰, 喪馬勿逐自復, 所以睽極而合, 畜極而通也. 艱貞者, 乾之惕厲也. 陽之見畜, 如明之見傷, 故與明夷同辭. 曰當作日, 互離象. 輿所以任重者, 乘內之二陽也. 衛所以應變者, 防外之二陰也. 必閑習而後, 可以有進, 二之說輹, 至三而閑, 所謂君子之馬, 旣閑且馳, 是也. 大畜與萃爲對, 萃之大象曰, 除戎器, 戒不虞, 閑輿衛所以除戎器也. 利艱貞, 所以戒不虞也. 初之利已, 戒之也, 三之利往, 許之也, 蓋二三兩爻, 當與大壯九四參看. 良馬逐, 所以藩決不羸, 閑輿利往, 所以輹壯而尙往也.

건괘(乾卦☰)가 '좋은 말[良馬]'이 된다고 할 때, 좋음이란 건괘(乾卦)의 덕이다. 그러므로 "좋은 말은 그 힘을 칭찬하는 것이 아니라 그 덕을 칭찬한다."[70] 호괘인 진괘(震卦☳)는 발 빠름이니, 두 말이 진괘로 인하여 움직이므로 각축을 벌이며 달리는 상이다. 삼효가 변하여 태괘(兌卦☱)가 되고 간괘(艮卦☶)는 리괘(離卦☲)의 성수를 얻으니, 리괘와 태괘가 합하여 규괘(睽卦䷥)가 되는데, 규괘의 초효에서 "말을 잃고 쫓지 않아도 스스로 돌아온다"[71] 라고 하였으므로 어긋남이 다해서 화합하고, 저지함이 다해서 통하게 된다. '어렵게 여기고 곧게 함'이란 건괘의 두려워하고 위태롭게 여김이다. 양이 저지를 당함은 밝음이 손상을 입는 것과 같기 때문에 명이괘(明夷卦䷣)의 효사[72]와 같다. '왈(曰)'은 '일(日)'로 되어야 하니, 호괘인 리괘(離卦)의 상이다. '수레'가 무거운 짐을 짊어지는 바는 내괘의 두 양을 올라탐이고 '호위'가 변화에 응하는 바는 외괘의 두 음을 막음이다. 반드시 익힌 후에 나아갈 수 있으니, 이효에서는 바퀴통이 빠졌다가 삼효에 이르러 수레 타기를 익히게 되니, 이른바 "군자의 말이 이미 길들여지고 또 달린다"[73]는 것이 그것이다. 대축괘는 취괘(萃卦䷬)와 음양이 바뀌었는데 취괘의 「대상전」에서 "무기를 정비하여 예기치 못함을 경계한다"고 하였으니, '수레

---

70) 『論語 · 憲問』: 子曰, 驥, 不稱其力, 稱其德也.
71) 『周易 · 睽卦』: 初九, 悔亡, 喪馬, 勿逐, 自復, 見惡人, 无咎.
72) 『周易 · 明夷卦』: 明夷, 利艱貞.
73) 『詩經 · 卷阿』: 君子之車, 旣庶且多, 君子之馬, 旣閑且馳. 矢詩不多, 維以遂歌.

타기와 호위를 익힘'은 '무기를 정비하는' 것이며, "어렵게 여기고 곧게 함이 이롭다"란 '예기치 못함을 경계하는' 것이다. 초효의 "그만 두는 것이 이롭다"[74]란 경계하는 것이고, 삼효의 "가는 것이 이롭다"란 허락하는 것이니, 이효와 삼효라는 두 효는 대장괘(大壯卦)의 구사[75]와 참고하여 보아야 한다. '좋은 말이 달려감'은 '울타리가 터져서 곤궁하지 않게 되는' 것이며, 수레 타기를 익히고 가는 것이 이로움은 바퀴살이 장성하여 '오히려 가는'[76] 것이다.

### 김규오(金奎五) 「독역기의(讀易記疑)」

坤爲輿, 而大有二畜之內, 皆言車輿, 疑乾亦有輿象. 不然則爲互宅之妙否. 坤牛坎豕, 而此以乾之初二爲牛豕者, 但取其牙角之剛耳.

곤괘(坤卦☷)는 수레가 되지만, 대유괘(大有卦䷍)[77]와 소축괘(小畜卦䷈)[78] 및 대축괘에서는 모두 '수레[車나 輿]'를 말하였으니, 아마도 건괘(乾卦☰) 또한 수레의 상이 있는 듯하다. 그러지 않으면 건괘(乾卦)와 곤괘(坤卦)가 서로에게 숨어 있는 오묘함이 아니겠는가? 곤괘(坤卦)는 소이고 감괘(坎卦)는 돼지인데, 여기서 내괘인 건괘의 초효와 이효를 두고 사효와 오효에서 소와 돼지로 여긴 것은 단지 그 이빨과 뿔의 강함을 취하였을 뿐이다.

### 서유신(徐有臣) 『역의의언(易義擬言)』

此, 九三之畜也. 乾行剛健, 自有良馬馳逐之才, 足以需世而當時畜止, 艱以戒愼, 貞以操守, 所畜旣大, 益復時習, 將以騁乎上九之天衢, 故曰利有攸往也. 卦變而三與上九不變, 故有是象, 所以異於小畜也. 曰當作日, 乾之三, 有終日象. 乾爲良馬, 乾又有大車象, 車馬馳逐於艮限之內, 是閑習輿衛之象也.

이것은 구삼의 쌓음이다. 건괘(乾卦☰)의 운행은 강건하여 본래 좋은 말이 달려가서 좇는 재질이 있으니, 충분히 세상에 등용될 만 한데도 저지되는 때를 맞아 어렵게 여겨 경계하고 조심하며 곧게 하여 지조를 굳게 지키니, 쌓은 바가 이미 큰데도 더욱 다시 때때로 익혀 장차 상구에 있는 하늘의 거리로 달려가기 때문에 "가는 것이 이롭다"고 하였다. 괘는 변하여도 삼효와 상구는 변하지 않기 때문에 이러한 상이 있으니, 소축괘(小畜卦䷈)와는 다른 까닭이다. '왈(曰)'은 '일(日)'이 되어야 하니, 건괘(乾卦䷀)의 삼효에는 '종일(終日)'[79]인 상

---

74) 『周易 · 大畜卦』: 初九, 有厲, 利已.
75) 『周易 · 大壯卦』: 九四, 貞吉, 悔亡, 藩決不羸, 壯于大輿之輹.
76) 『周易 · 大壯卦』: 九四, 象曰, 藩決不羸, 尙往也.
77) 『周易 · 大有卦』: 九二, 大車以載, 有攸往, 无咎.
78) 『周易 · 小畜卦』: 九三, 輿說輻, 夫妻反目.
79) 『周易 · 乾卦』: 九三, 君子, 終日乾乾, 夕惕若, 厲, 无咎.

이 있다. 건괘(乾卦)는 '좋은 말[良馬]'이 되고, 건괘(乾卦)는 또 큰 수레의 상이 있으므로 수레와 말이 간괘(艮卦☶)가 한정하는 범위 내에서 달려가 쫓으니, 이것이 수레 타기와 호위를 익히는 상이다.

### 박문건(朴文健) 『주역연의(周易衍義)』

欲行見喪, 故有良馬逐之象. 良馬者, 美其德之善也. 輿衛, 輿上之武衛, 戈戟殳矛之類, 是也.

가고자 하지만 말을 잃기 때문에 좋은 말이 달리는 상이 있다. '좋은 말'이란 그 덕이 선함을 아름답게 여김이다. '수레 타기와 호위'는 수레 위에서 호위하는 무기로 '과(戈)'와 '극(戟)'과 '수(殳)'와 '모(矛)'[80]의 부류가 이것이다.

〈問, 良馬逐以下. 曰, 九三之志, 在於進遇, 而反見喪馬, 故有追逐求得之象也. 是以艱其貞而不進, 則爲利也. 日習輿衛, 勤於自防, 則其志在於保己, 而不在於犯上也, 如此則上必釋疑而合志, 終利有往也.

물었다: "좋은 말이 달려간다" 이하는 무슨 뜻입니까?

답하였다: 구삼의 뜻은 나아가 만나는 데에 있지만 도리어 말을 잃게 되기 때문에 좇아 달려가 얻고자 하는 상이 있습니다. 이 때문에 그 곧게 함을 어렵게 여겨 나아가지 않는다면, 이롭게 됩니다. 날마다 수레 타기와 호위를 익혀 스스로 방어하는 데에 열심히 한다면, 그 뜻은 자기를 보호하는 데에 있고 윗사람을 범하는 데에 있지 않으니, 이와 같다면 윗사람은 반드시 의심을 풀고 뜻을 합쳐 끝내 가는 것이 이롭게 됩니다.〉

### 이지연(李止淵) 『주역차의(周易箚疑)』

雖有所恃, 而吾所以自衛之道, 不可忽也.

비록 믿는 바가 있지만 내가 스스로 호위하는 도를 소홀히 해서는 안 된다.

### 김기례(金箕澧) 「역요선의강목(易要選義綱目)」

畜極當通. 上又陽也, 同志相應而進也.

저지함이 극에 달하면 마땅히 통하게 된다. 상효도 양이므로 뜻을 함께 하고 서로 호응하여 나아간다.

○ 乾爲良馬. 以陽應陽, 又有下二陽竝逐上進之象, 故曰逐.

---

80) 『司馬法 · 定爵』: 弓矢禦, 殳矛守, 戈戟助.

건괘(乾卦☰)는 '좋은 말'이 된다. 양으로 양과 호응하며 또 아래의 두 양이 함께 달려 위로 나아가는 상이 있기 때문에 "달려간다"고 하였다.

○ 過剛銳進, 故戒艱正.
지나치게 굳세고 신속하게 나아가기 때문에, 어렵게 여기고 바르게 할 것을 경계하였다.

○ 閑, 習. 上進之威儀, 從容做去, 則利.
'한(閑)'은 익힘이다. 위로 나아가는 위엄 있는 태도에서는 여유 있게 실행하여 나가면 이롭다.

### 허전(許傳) 「역고(易考)」

九三良馬逐〈이니〉 利艱貞〈이어니와〉 曰閑輿衛〈라야〉 利有攸往〈ᄒᆞ리라〉
九三은 良馬逐ᄒᆞᆷ이니 艱貞ᄒᆞᆫᄃᆡ됴이ᄒᆞ거니와 輿衛ᄅᆞᆯ閑ᄒᆞ여야 往ᄒᆞᄂᆞᆫᄇᆡ 利ᄒᆞ리라.
구삼은 좋은 말이 달려감이니 어렵게 여기고 곧게 함이 좋게 하거니와 수레 타기와 호위를 익혀야 가는 바가 이로우리라.

乾爲良馬, 三又居乾之終, 健之極者也. 艮爲山而在前, 有艱難貞固之象, 故良馬逐, 利艱貞, 謂良馬馳逐. 利於艱貞之地. 然猶戒過剛銳進, 故曰閑習其輿衛, 然後乃能利有攸往也.
건괘(乾卦☰)는 '좋은 말'이 되고, 삼효는 또 건괘의 맨 끝에 있으므로 강건함이 지극한 자이다. 간괘(艮卦)는 산이 되고 앞에 있어서 어렵게 여기고 곧게 하는 상이 있기 때문에 "좋은 말이 달려가니, 어렵게 여기고 곧게 함이 이롭다"는 좋은 말이 달려가므로 어렵게 여기고 곧게 하는 곳에서 이롭다는 말이다. 그러나 오히려 지나치게 굳세어 신속하게 나아감을 경계하였기 때문에 "수레 타기와 호위를 익힌 후에 가는 것이 이로울 수 있다"고 하였다.

### 심대윤(沈大允) 『주역상의점법(周易象義占法)』

大畜之損䷨, 損下益上也. 畜之功, 始可見矣. 九三剛而居剛, 用力太過. 良馬逐, 言疾進也. 乾坎曰良馬, 震爲逐. 坎艱, 坤貞. 曰閑輿衛, 以其銳進, 故更端以設戒也. 艮爲防閑, 艮坤爲徒衆, 曰衛.
대축괘가 손괘(損卦䷨)로 바뀌었으니, 아래를 덜어 위를 보탠다. '축(畜)'의 공을 비로소 볼 수가 있다. 구삼은 굳센 양이면서 양의 자리에 있으므로 힘을 씀이 크게 지나치다. '좋은 말이 달려감'은 빠르게 나아감을 말한다. 건괘(乾卦☰)와 감괘(坎卦☵)를 '좋은 말'이라고 한다. 호괘인 진괘(震卦☳)는 '달려감'이 되고 감괘는 '어렵게 여김'이며 곤괘(坤卦☷)는 '곧게 함'이다. "날마다 수레 타기와 호위를 익힌다"란 그것이 신속하게 나아가기 때문에 주제를 바꾸어 경계를 세운 것이다. 간괘(艮卦☶)는 막음이 되고 간괘와 곤괘는 무리가 되므로 '호위'라고 하였다.

### 오치기(吳致箕) 「주역경전증해(周易經傳增解)」

九三, 剛健得正, 而上无正應, 乃與上九之剛同德而合志, 卽畜積其德者也. 勇往前進, 有良馬追逐之象, 而以其過剛, 故戒言利在於兢畏自持思慮艱貞, 而乃以德行爲車輿, 禮義爲干櫓, 有日閑輿衛之象. 與初二之見止於正應者, 不同, 故言利有攸往.
구삼은 강건하면서 바름을 얻었으나 위로는 정응이 없어 상구의 굳센 양과 덕을 같이 하여 뜻을 함께 하였으니, 덕을 축적하는 자이다. 용감하게 나아가 전진하니, 좋은 말이 좇아 달려가는 상이 있고, 지나치게 굳세기 때문에 두려워하여 스스로를 억제하고 근심하여 어렵게 여기고 곧게 함에 이로움이 있음을 경계하여 말하였는데, 덕행을 수레로 삼고 예의(禮義)를 방패로 삼았으니, 날마다 수레 타기와 호위를 익히는 상이 있다. 초효와 이효가 정응하는 대상에게서 저지당하는 것과는 같지 않기 때문에 "가는 것이 이롭다"고 하였다.

○ 乾爲良馬之象, 逐取於互震. 曰本義當作日, 似離爲日也. 閑者, 習也. 輿取於爻變互坤, 衛者, 防衛之物, 而艮爲止防之象也.
건괘(乾卦☰)는 좋은 말의 상이 되고, "달려간다[逐]"는 호괘인 진괘(震卦☳)에서 취하였다. '왈(曰)'은 『본의』에서 마땅히 '일(日)'이 되어야 한다고 하였으니, 리괘(離卦☲)가 '일(日)'이 되는 것과 유사하기 때문이다. '한(閑)'이란 익힘이다. '수레'는 효가 변할 때 호괘인 곤괘에서 취하였고, '호위'는 방위하는 물건이며, 간괘(艮卦☶)는 저지하여 막는 상이 된다.

### 이진상(李震相) 『역학관규(易學管窺)』

日閑輿衛.
날마다 수레 타기와 호위를 익히다.

九三日閑之輿, 卽九二說輹之輿, 皆乾象. 此言良馬逐, 而說卦乾爲馬, 蓋取行健之義.
구삼에서 날마다 익히는 수레는 곧 구이에서 바퀴통이 빠진 수레이니, 모두 건괘(乾卦)의 상이다. 여기서는 "좋은 말이 달려간다"고 하였고 「설괘전」에서는 "건괘는 말이 된다"[81]고 하였으니, "하늘의 운행이 굳건하다"[82]라는 뜻을 취한 것이다.

---

81) 『周易 · 說卦傳』: 乾爲馬, 坤爲牛, 震爲龍, 巽爲雞, 坎爲豕, 離爲雉, 艮爲狗, 兌爲羊.
82) 『周易 · 乾卦』: 象曰, 天行健, 君子以, 自彊不息.

## 象曰, 利有攸往, 上合志也.

「상전」에서 말하였다: "가는 것이 이로움"은 위와 뜻이 합하기 때문이다.

## 中國大全

傳

**所以利有攸往者, 以與在上者合志也. 上九, 陽性上進, 且畜已極, 故不下畜三, 而與合志上進也.**

가는 것이 이로운 까닭은 위에 있는 자와 뜻이 합하기 때문이다. 상구는 양의 성질이라서 위로 나아가고 또 저지함이 이미 지극하기 때문에 아래로 삼효를 저지하지 않고 뜻을 합하여 위로 나아간다.

## 韓國大全

송시열(宋時烈) 『역설(易說)』

過此三爻, 則二陰在上, 上九亦遇剛陽. 又艮爲山爲止, 故利在於艱難而貞固, 言其勿往也. 然若日日閑習於坤輿之護衛, 則利往而合志於六五也. 乾錯則爲坤, 而必取坤之輿者, 以良馬之逐肯着而言也.

여기 삼효를 지나면 두 음이 위에 있고 상구에서 또한 굳센 양을 만난다. 간괘(艮卦☶)는 산이 되고 그침이 되기 때문에 어렵게 여기고 곧고 굳센 데에 이로움이 있으니, 가지 말라고 말하는 것이다. 그러나 날마다 곤괘(坤卦☷)인 수레를 호위함을 익힌다면, 가서 육오와 뜻을 합치는 것이 이롭다. 건괘(乾卦☰)의 음양이 바뀐 괘는 곤괘가 되는데, 반드시 곤괘의 수레를 취한 것은 좋은 말의 달려감을 기꺼이 관련시켜서 말하려고 했기 때문이다.

### 이익(李瀷) 『역경질서(易經疾書)』

陽爲陰畜, 至於上九, 則陽在畜外, 有天衢之象. 三與上雖非正應, 在畜則決之爲貴, 兩陽同德, 故曰上合志也.
양은 음에 의하여 저지되다가 상구에 이르면 양은 저지됨에서 벗어나므로 '하늘의 거리'[83]라는 상이 있다. 삼효와 상효가 비록 정응은 아니지만 소축괘와 대축괘에서는 결단함을 귀하게 여기는 데에서 두 양이 덕을 함께 하기 때문에 "위와 뜻이 합하기 때문이다"라고 하였다.

### 김상악(金相岳) 『산천역설(山天易說)』

合志, 所以畜極而通也. 與小畜六四, 同辭.
"뜻이 합한다"란 저지함이 지극해서 통하기 때문이다. 소축괘(小畜卦)의 육사와 「상전」의 말[84]이 같다.

### 서유신(徐有臣) 『역의의언(易義擬言)』

上九合志也.
상구와 뜻이 합한다.

### 박문건(朴文健) 『주역연의(周易衍義)』

上合志, 言上與己而合志也.
"위와 뜻이 합하기 때문이다"란 윗사람이 자신과 함께하여 뜻이 합침을 말한다.

### 오치기(吳致箕) 「주역경전증해(周易經傳增解)」

言, 與上九同德而合志, 故往進而有利也.
상구와 덕이 같아 뜻을 합치기 때문에 나아감에 이로움이 있다고 말하였다.

---

83) 『周易 · 大畜卦』: 上九, 何天之衢, 亨.
84) 『周易 · 小畜卦』: 六四, 象曰, 有孚惕出, 上合志也.

**이병헌(李炳憲) 『역경금문고통론(易經今文考通論)』**

京曰, 逐進也, 言大臣得賢者謀, 當顯進其人.
경방이 말하였다: '축(逐)'은 나아감이니, 대신이 현자를 얻어 정사를 도모하려면 마땅히 그 사람에게로 현저하게 나아가야함을 말한다.

虞曰, 乾爲良馬.
우번이 말하였다: 건괘(乾卦)는 '좋은 말'이 된다.

釋文劉表云, 曰猶言也.
『석문』에서 유표가 말하였다: '왈(曰)'은 말과 같다.

鄭云, 人實反, 猶日月之日也.
정현이 말하였다: '왈(曰)'자는 '인(人)'과 '실(實)'의 반절음이니, '일월(一月)'에서의 '일(日)'과 같다.

程傳曰, 日常閑習其車輿與防衛, 則利有攸往.
『정전』에서 말하였다: 날마다 항상 수레 타는 것과 방위하는 것을 익히면 가는 것이 이롭다.

按, 上, 上九也.
내가 살펴보았다: '상(上)'은 상구이다.

## 六四, 童牛之牿, 元吉.

육사는 어린 소의 뿔에 가로 나무를 더하니, 크게 길하다.

### 中國大全

**傳**

以位而言, 則四下應於初, 畜初者也. 初居最下, 陽之微者, 微而畜之, 則易制, 猶童牛而加牿, 大善而吉也. 槪論畜道, 則四艮體, 居上位而得正, 是以正德居大臣之位, 當畜之任者也. 大臣之任, 上畜止人君之邪心, 下畜止天下之惡人, 人之惡止於初則易, 旣盛而後禁則扞格而難勝. 故上之惡旣甚, 則雖聖人救之, 不能免違拂, 下之惡旣甚, 則雖聖人治之, 不能免刑戮, 莫若止之於初. 如童牛而加牿, 則元吉也. 牛之性, 觝觸以角, 故牿以制之, 若童犢始角, 而加之以牿, 使觝觸之性不發, 則易而无傷. 以況六四能畜止上下之惡於未發之前, 則大善之吉也.

자리로 말하면 사효가 아래로 초효와 호응하니, 초효를 저지하는 자이다. 초효는 가장 낮은 자리에 있어서 양 가운데 미약한 자인데, 미약할 때에 저지하면 제지하기 쉬워서 어린 소에 가로 나무를 더한 것과 같으니, 크게 선하고 길하다. 저지하는 도를 대체적으로 논하면 사효는 간괘의 몸체로 높은 지위에 있어서 바름을 얻었으니, 이는 바른 덕으로 대신의 지위에 있어서 저지하는 임무를 맡은 자이다. 대신의 임무는 위로는 임금의 잘못된 마음을 저지하고 아래로는 천하의 악한 사람을 저지하는 것이니, 사람의 악은 초기에 저지하면 저지하기가 쉽고, 이미 성대한 뒤에 금하면 거슬러서 이기기 어렵다. 그러므로 윗사람의 악이 이미 심하면 비록 성인이 바로잡더라도 어김을 면하지 못하고, 아랫사람의 악이 이미 심하면 비록 성인이 다스리더라도 형벌을 면하지 못하니, 초기에 저지하는 것만 못하다. 어린 소에 가로 나무를 더함과 같이 하면 크게 선하고 길하다. 소의 성질은 뿔로 받기 때문에 가로 나무를 더하여 제지하니, 어린 송아지가 처음 뿔이 났을 때에 가로 나무를 더하여 뿔로 받는 성질이 나오지 않게 하듯이 하면 제지하기가 쉬워 상함이 없다. 이로써 육사가 상하의 악이 발로되기 전에 저지함을 비유하였으니, 크게 선하여 길하다.

小註

程子曰, 教人之術, 若童牛之牿, 當其未能觸時, 已先制之. 其次則豶豕之牙, 豕之有牙, 旣已難制, 以百方制之, 終不能使之改. 惟豶其勢, 則自調伏, 雖有牙, 亦不能爲害. 如有不率教之人, 卻須置其槚楚, 別以道格其心, 則不須槚楚, 將自化矣.
정자가 말하였다: 사람을 가르치는 방법은 어린 소의 뿔에 가로 나무를 더하는 것과 같아서 아직 뿔로 받을 수 없을 때에 먼저 제어하여야 한다. 그 다음은 멧돼지를 거세하여 이빨을 쓰지 못하게 하는 것처럼 해야 하니, 멧돼지의 이빨은 이미 제어하기 어려워 여러 방법으로 제어하려 해도 끝내 고치도록 할 수 없다. 오직 거세를 하면 스스로 복종하여 비록 이빨이 있더라도 해를 끼칠 수 없다. 예를 들어 가르침을 따르지 않는 사람이 있을 경우에, 반드시 회초리를 놓아두고 따로 도로써 그 마음을 바르게 한다면, 회초리를 칠 필요 없이 장차 스스로 교화될 것이다.

○ 藍田呂氏曰, 六四六五, 皆以柔畜剛, 止健者也. 牛之剛健在角, 豕之剛健在牙.
남전여씨가 말하였다: 육사와 육오는 모두 부드러움으로 굳셈을 저지하니, 강건함을 그치게 하는 자이다. 소의 강건함은 뿔에 있고, 멧돼지의 강건함은 이빨에 있다.

○ 厚齋馮氏曰, 小畜之畜乾者, 六四也, 九居五爲之助者也. 大畜之畜陽者, 六四六五也, 九居上爲之助者也. 夫外无陽爻, 則坤順而不能畜, 內无陰爻, 則同類而不相畜. 然則成大畜之義者, 在艮之上九, 而能畜乾之陽者, 在艮之六四六五也.
후재풍씨가 말하였다: 소축괘에서 건괘를 저지하는 것은 육사이고, 구(九)는 오효의 자리에 있으면서 돕는 자이다. 대축괘에서 양을 저지하는 것은 육사와 육오이고, 구(九)는 상효의 자리에 있으면서 돕는 자이다. 밖에 양효가 없으면 곤괘는 유순하여 저지할 수 없고, 안에 음효가 없으면 같은 종류로서 서로 저지할 수 없다. 그렇다면 대축의 뜻을 이루는 것은 간괘의 상구에 있고, 건괘의 양을 저지하는 것은 간괘의 육사와 육오이다.

○ 建安丘氏曰, 或謂, 小畜大畜, 皆以六四下畜乾. 初在小畜, 有復自道之吉, 在大畜, 有有厲利已之戒, 何也. 曰, 小畜以巽畜乾, 巽陰卦也, 而四又柔爻, 故未能畜初. 大畜以艮畜乾, 艮陽卦也, 四雖柔爻而實艮體, 故初爲所畜而不能進. 二爻雖同爲柔而巽艮畜乾之義異矣.
건안구씨가 말하였다: 어떤 사람이 물었다: 소축과 대축은 모두 육사가 아래로 건괘를 저지하고 있습니다. 초효는 소축에서는 회복함을 도로부터 하는 길함이 있는데, 대축에서는 "어려움이 있으니, 그만 두는 것이 이롭다"는 경계가 있는 것은 왜입니까?

답하였다: 소축괘는 손괘로 건괘를 저지하고 있는데, 손괘는 음의 괘이고, 사효 또한 부드러운 음효이기 때문에 초효를 저지할 수 없습니다. 대축괘는 간괘로 건괘를 저지하고 있는데, 간괘는 양의 괘이고, 사효가 비록 부드러운 음의 효이지만 실제로 간괘의 몸체에 있기 때문에 초효는 저지당하여 나아갈 수 없습니다. 두 효는 비록 똑같이 부드럽지만, 손괘와 간괘가 건괘를 저지한다는 뜻은 다릅니다.

本義

**童者, 未角之稱, 牿, 施橫木於牛角, 以防其觸, 詩所謂楅衡者也. 止之於未角之時, 爲力則易, 大善之吉也. 故其象占如此. 學記曰, 禁於未發之謂豫, 正此意也**

'어린[童]'은 뿔이 아직 나지 않은 것을 말하고, '가로나무[牿]'는 소의 뿔에 나무를 가로로 설치하여 뿔로 받음을 막는 것이니, 『시경』에서는 '복형(楅衡)'이라고 말하였다.85) 아직 뿔이 나지 않았을 때에 저지하면 힘이 덜 들어 쉬우니, 크게 선하여 길하다. 그러므로 그 상과 점이 이와 같다. 「학기(學記)」에 "발로되지 않았을 때에 금하는 것을 '예(豫)'라고 한다"고 하였으니, 바로 이러한 뜻이다.

小註

朱子詩傳曰, 楅衡施於牛角, 所以止觸也. 周禮封人, 凡祭飾其牛牲, 設其楅衡, 學記禁於未發之謂, 豫注云, 豫者先事之謂.

주자가 『시전』에서 말하였다: 가로 나무를 소의 뿔에 가로 댄 것은 뿔로 받는 것을 저지하려는 것이다. 『주례 · 봉인』에 "모든 제사에 희생 소를 다스림에는 뿔막이 나무를 가로로 댄다"고 하였고, 『예기 · 학기』에 "아직 발로되지 않았을 때에 금한다"고 하였고, 예괘의 주석에 "예(豫)란 일에 앞서는 것을 말한다"고 하였다.

○ 雲峯胡氏曰, 祭天地之牛, 角繭栗, 童則猶未有角, 其天全矣. 此時牿之, 禁於未發者也, 用力甚易, 故其占大善而吉.

운봉호씨가 말하였다: 천지에 제사하는 소는 뿔이 고치나 밤만 한데, 어리면 아직 뿔이 없어서 온전히 자연스럽다. 이 때에 가로 나무를 대어 주는 것은 아직 발로되지 않았을 때에 금지하는 것이므로 힘을 쓰는 것이 매우 쉽다. 그러므로 그 점이 크게 선하고 길하다.

---

85) 『詩經 · 閟宮』: 秋而載嘗, 夏而楅衡.

## 韓國大全

### 조호익(曺好益) 『역상설(易象說)』

六四, 童牛之牿.
육사는 어린 소의 뿔에.

雙湖曰, 牛艮象, 又取似體離象. 童艮象.
쌍호가 말하였다: 소는 간괘(艮卦☶)의 상이고 또 비슷한 몸체인 리괘(離卦)의 상에서 취하였다. '어린[童]'은 간괘의 상이다.

愚謂, 四畜初, 此象恐未穩. 雙湖, 嘗以乾伏坤, 取牛象, 下體位離, 取日象. 以此例之, 下卦有牛象, 童初象, 牿取震木艮止象.
내가 살펴보았다: 사효는 초효를 저지하니, 이러한 상은 아마도 편안하지 못할 듯하다. 쌍호는 일찍이 건괘(乾卦☰)가 곤괘(坤卦☷)에 숨어 있는 것으로 소의 상을 취하였고, 하체가 리괘(離卦☲)의 자리에 있다는 것으로 '해[日]'의 상을 취하였다. 이것으로 사례로 삼는다면 하괘에는 소의 상이 있고 '어린'은 초효의 상이며 '뿔에 더한 가로 나무[牿]'는 진괘(晉卦☳)인 나무와 간괘(艮卦☶)인 그침의 상에서 취하였다.

### 송시열(宋時烈) 『역설(易說)』

艮爲童, 乾錯坤爲牛, 又離爲牛, 上有離象故也. 離錯則爲坎, 坎爲桎梏之者, 一畫前遮於上爻, 若加一楅於上故也.
간괘(艮卦☶)는 '어린[童]'이 되고 건괘(乾卦☰)의 음양이 바뀐 괘인 곤괘(坤卦☷)는 '소'가 되며, 또 리괘(離卦☲)도 소가 되는데 괘의 위쪽에 리괘의 상이 있기 때문이다. 리괘의 음양이 바뀐 괘는 감괘(坎卦☵)가 되며 감괘는 속박하는 것이 되니, 양인 한 획이 상효의 자리에서 앞을 가로 막는 것이 마치 두 뿔 위에다 가로댄 나무를 더한 것과 같기 때문이다.

### 이익(李瀷) 『역경질서(易經疾書)』

卦有畜獸之象, 以剛居剛, 則爲馬, 以柔居柔, 則爲牛, 以柔居剛, 則爲豕, 各有其象也. 牛本順畜而童, 是易制, 牿又制之之具, 豈復有放逸之憂. 所以元吉. 械在手曰梏, 在足曰桎梏. 如桎梏之牛, 未泰鼻, 宜有梏其脚而制之. 書云, 今有淫舍牿牛馬, 無敢傷牿, 牿若是閑牧, 則何以云傷牿. 鄭玄謂, 施於牛馬之脚, 使不得走失也. 意者, 軍旅之時, 不復穿鼻絡頭, 只牿其脚而放之, 任其齕飽時謂之牿, 而人不敢傷毁也. 今行子適野放牧, 亦必如是矣. 若以爲楅衡, 則恐未然. 旣無角矣. 楅於何施.
괘에는 짐승을 기르는 상이 있는데, 굳센 양으로 양의 자리에 있다면 말이 되고, 부드러운 음으로 음의 자리에 있다면 소가 되며, 부드러운 음으로 굳센 양의 자리에 있다면 돼지가 되니, 각각 그 상이 있다. 소는 본래 유순하게 길러지는데, 어리니 이것은 통제하기가 쉽고, '뿔에 더한 가로 나무[牿]'는 통제하는 도구이니, 어찌 다시 제 멋대로 하거나 함부로 하는 걱정이 있겠는가? 그러므로 크게 길하다. 손에 있는 형틀을 '곡(梏)'이라고 하고, 발에 있는 형틀을 '질곡(桎梏)'이라고 한다. 만약 질곡 하는 소 가운데서 코가 아직 크지 않을 때에는 반드시 그 다리에 쇠고랑을 두어 통제한다. 『서경』에서 "이제 질곡한 소와 말이 큰 우리에 있다"고 하고 "감히 곡(牿)을 상하게 하지 말라"[86]고 하였는데, '곡(牿)'을 만약 가두어 기르는 것[閑牧]이라고 한다면 어째서 '곡(牿)을 상하게 함'을 말하였겠는가? 정현은 "소나 말의 다리에 설치하여 달아나 잃지 않도록 한다"고 하였다. 생각건대, 전쟁을 할 때에 다시 코를 뚫어서 끈을 매어 머리에 묶지 않고, 다만 그 다리에 질곡을 채워 방목하여 풀을 뜯거나 먹을 때에 자유롭게 하는 것을 '곡(牿)'이라고 하니, 사람이 감히 손상시키거나 훼손할 수 없다. 오늘날 길을 떠난 사람들이 들을 만나 방목할 때에도 또한 반드시 이와 같이 한다. 만약 "뿔에 가로로 나무를 댄다[楅衡]"[87]고 여긴다면 아마도 그렇지는 않은 듯하다. 아직 뿔이 없는데 뿔막이 나무를 어디에 설치하겠는가?

### 심조(沈潮) 「역상차론(易象箚論)」

六四, 童牛之牿.
육사는 어린 소의 뿔에 가로 나무를 더하니.

童牛, 艮也. 陰爻有兩角象, 牿, 震木也. 牛, 陰物也.
'어린 소'는 간괘(艮卦☶)이다. 음효에는 두 뿔의 상이 있으며, '곡(牿)'은 진괘(震卦☳)인 나무이다. '소'는 음인 동물이다.

86) 『書經 · 費誓』: 今惟淫舍牿牛馬, 杜乃擭, 敜乃穽, 無敢傷牿, 牿之傷, 汝則有常刑.
87) 『詩經 · 閟宮』: 秋而載嘗, 夏而楅衡, 白牡騂剛, 犧尊將將, 毛炰胾羹, 籩豆大房, 萬舞洋洋, 孝孫有慶.

### 유정원(柳正源) 『역해참고(易解參攷)』

六四 [至] 之牿.
육사는 … 가로 나무를 더하니.

雙湖胡氏曰, 牛離象, 三至上似離. 童艮象, 牿艮止義. 大畜六四在无妄, 則爲六三, 故无妄稱或繫之牛, 而大畜稱童牛之牿, 蓋於離艮取象與義也.
쌍호호씨가 말하였다: '소'는 리괘(離卦☲)의 상이니, 삼효에서 상효에 이르기까지 리괘(離卦)와 유사하다. '어린'은 간괘(艮卦☶)의 상이고, "가로 나무를 더하다"란 간괘(艮卦)의 저지하다는 뜻이다. 대축괘의 육사가 무망괘(无妄卦䷘)에서는 육삼이 되기 때문에 무망괘에서는 '혹 매어 놓은 소'[88]라고 칭하였고 대축괘에서는 "어린 소의 뿔에 가로 나무를 더한다"고 하였으니, 리괘(離卦)와 간괘에서 상과 뜻을 취하였다.

傳, 小註, 程子說, 檟楚.
『정전』 아래의 소주에서 정자가 말하였다: 회초리질을 하다.

案, 檟與夏同, 學記夏楚註, 夏, 榎也, 楚, 荊也. 榎形圓, 楚形方, 以二物爲朴, 以警其怠忽者.
내가 살펴보았다: '가(檟)'는 '개오동나무로 만든 회초리[夏]'와 같으니, 『예기 · 학기(學記)』에 나오는 '가초(夏楚)'에 대하여 주(註)에서 "'가(夏)'는 개오동나무로 만든 회초리이며, '초(楚)'는 가시나무로 만든 회초리이다. '가(夏)'의 형태는 원형이고, '초(楚)'의 형태는 모가 났으며, 이 두 물건을 회초리로 삼아 태만하고 소홀함을 경계하는 것이다"라고 하였다.

### 김상악(金相岳) 『산천역설(山天易說)』

牿者, 施橫木於牛角, 以防其觸者, 卽詩之楅衡也. 六四, 艮互離震, 應初以畜之, 故有牿童牛之象. 禁於未發, 大善之吉也.
'곡(牿)'이란 소의 뿔에 가로로 된 나무를 설치하여 소가 뿔로 떠받는 것을 방지하는 것이니, 즉 『시경』에서 말하는 "뿔에 가로로 나무를 댄다[楅衡]"[89]는 것이다. 육사는 간괘(艮卦☶)와 호괘인 리괘(離卦☲)와 진괘(震卦☳)에 있고 초효와 호응하면서도 저지하기 때문에 뿔에 가로 나무를 더한 소의 상이 있다. 아직 일어나지 않은 것에 대하여 금하였으니, 크게

88) 『周易 · 无妄卦』: 六三, 无妄之災, 或繫之牛, 行人之得, 邑人之災.
89) 『詩經 · 閟宮』: 秋而載嘗, 夏而楅衡, 白牡騂剛, 犧尊將將, 毛炰胾羹, 籩豆大房, 萬舞洋洋, 孝孫有慶.

선한 길함이다

○ 童者, 艮之少也. 牛馬豕, 皆畜之大者, 而童牛, 角繭栗者. 初爲陽之穉, 故取象之. 或曰, 牛之剛在角, 豕之剛在牙, 故四五之取象, 如此. 牿與梏同. 四互震體, 以艮手施震木於角, 而爲牿也. 睽之三曰, 其牛掣, 乃說牿者也. 蒙初六曰, 利用刑人, 用說桎梏者, 去其昏蒙之蔽也. 若禁於未發, 如童牛之牿, 則不須用刑, 所以其六五曰, 童蒙, 吉, 與二爲應而發蒙也. 蓋艮體篤實, 非篤實, 无以止角觸之勢. 大壯則有震无艮, 故曰, 羝羊觸藩, 羸其角.
'어린'이란 간괘(艮卦☶)의 막내아들이다. 소와 말과 돼지는 모두 가축 중에서 큰 것이며, '어린 소'란 뿔이 누에고치나 밤톨 만하게 작은 것이다. 초효는 어린 양(陽)이 되기 때문에 어린 소를 상징함을 취하였다. 어떤 이가 말하기를 "소의 굳셈은 뿔에 있고, 돼지의 굳셈은 송곳니에 있기 때문에 사효와 오효가 취한 상이 이와 같다"고 하였다. '곡(牿)'과 '곡(梏)'은 같다. 사효는 호괘인 진괘(震卦☳)의 몸체에 있어 간괘(艮卦)의 손으로 뿔에다 진괘(震卦)의 나무를 설치하여 '곡(牿)'이 되었다. 규괘(睽卦☲☱)의 삼효에서 "소가 끌다"[90]라고 하였으니, '곡(牿)'을 벗겨낸 것이다. 몽괘(蒙卦☶☵)의 초육에서 "사람에게 형벌을 써서 질곡을 벗겨 줌이 이롭다"[91]고 한 것은 어둡고 어리석음이 가림을 제거하는 것이다. 만약 아직 일어나지 않는 것에 대하여 금하는 것이 '어린 소의 뿔에 가로 나무를 더함'과 같다면 반드시 형벌을 써서는 안 되기 때문에 몽괘의 육오에서 "철부지 어린이이니 길하다"[92]고 하였으니, 이효와 호응함이 되어 몽매함을 깨우쳐 주는 것이다. 간괘(艮卦)의 몸체는 독실하니, 독실하지 않다면 뿔이 떠받는 형세를 저지할 수 없다. 대장괘(大壯卦☳☰)에는 진괘(震卦)는 있고 간괘(艮卦)는 없기 때문에 "숫양이 울타리를 받아서, 그 뿔이 위태롭다"[93]라고 하였다.

### 서유신(徐有臣)『역의의언(易義擬言)』

此, 六四之畜也. 六四, 乃遯之初六, 而畜止, 不得浸長, 是爲童牛加牿之象, 可喩於人欲之遏止也. 艮爲少男, 坤爲子母牛, 故曰童牛. 上九, 橫於坤上, 加牿於牛也.
이것은 육사의 저지함이다. 육사는 준괘(屯卦☵☳)의 초육인데, 저지되어 점점 자라날 수가 없으니, 이것은 어린 소의 뿔에 가로 나무를 더하는 상이 되어, 사람의 욕심을 막아 저지함을 비유할 수 있다. 간괘(艮卦☶)는 막내아들이 되고, 곤괘(坤卦☷)는 새끼를 밴 어미 소가

---

90)『周易·睽卦』: 六三, 見輿曳, 其牛掣, 其人天且劓, 无初有終.
91)『周易·蒙卦』: 初六, 發蒙, 利用刑人, 用說桎梏, 以往吝.
92)『周易·蒙卦』: 六五, 童蒙, 吉.
93)『周易·大壯卦』: 九三, 小人用壯, 君子用罔, 貞厲, 羝羊觸藩, 羸其角.

되기 때문에 '어린 소'라고 하였다. 상구는 곤괘 위에서 가로로 되어 있으니, 소에게 가로 나무를 더하는 것이다.

### 강엄(康儼) 「주역(周易)」

按, 程傳, 以童牛爲始角而牿, 本義謂, 未角而牿, 是未發而禁之者也, 所以爲元吉. 若如程傳, 則是已發而禁之, 用力猶難, 何足以爲元吉乎. 此六五所以止於吉而不得爲元者也.
내가 살펴보았다: 『정전』에서는 '어린 소'를 처음 뿔이 났을 때에 가로 나무를 더하는 것으로 보았고, 『본의』에서는 아직 뿔이 나지 않았을 때 가로 나무를 더하는 것이라고 하였으니, 이는 아직 발하지 않았을 때에 금하는 것이기 때문에 "크게 길하다". 만약 『정전』과 같이 본다면, 이는 이미 발하였을 때에 금하여 힘쓰기가 오히려 어려우니, 어찌 충분히 크게 길함이 되겠는가? 이는 육오가 길한 데에서 멈추면서도 크게 될 수 없는 까닭이다.

○ 六四六五, 皆爲畜陽之義. 然推廣而言之, 則人君之畜止邪惡, 君子之畜止小人, 學者之畜止人欲, 皆是也. 及其畜極而通, 而爲上九天衢之亨, 則邪惡已去而天下大治, 小人屏息而君子得志, 人欲淨盡而天理流行矣. 夫士生斯世, 而見此時節, 從事學問而到此境界, 則豈不快樂哉.
육사와 육오는 모두 양을 저지하는 뜻이 된다. 그러나 미루어 넓혀 말하면 임금이 사악함을 저지함과 군자가 소인을 저지함과 배우는 자가 인욕(人欲)을 저지함이 모두 이것이다. 저지함이 극한 데에 이르러 통하여 상구의 '하늘의 거리'라는 형통함이 되니, 사악함은 이미 없어지고 천하는 크게 다스려지며, 소인은 숨을 죽이고 움츠려들고 군자는 뜻을 얻으며, 인욕은 깨끗하게 없어지고 천리는 유행한다. 선비가 이 세상을 살면서 이러한 시절을 만나, 학문에 종사하여 이러한 경계에 이른다면 어찌 상쾌하고 즐겁지 않겠는가?

### 박문건(朴文健) 『주역연의(周易衍義)』

用順不觸, 故有童牛牿之象. 牿, 角之始生而如繭栗者也.
유순함을 써서 떠받지 않기 때문에 어린 소의 뿔에 가로 나무를 더하는 상이 있다. '곡(牿)'은 뿔이 막 생기기 시작하여 누에고치나 밤톨만한 것이다.
〈問, 童牛, 元吉, 豶豕, 吉. 曰, 童牛, 始終不異, 故謂之元吉, 豶豕, 始終不同, 故止謂之吉也.
물었다: '어린 소'는 "크게 길하다"고 하고, '멧돼지'는 "길하다"고 한 것은 어째서입니까?

답하였다: '어린 소'는 처음부터 끝까지 다르지 않기 때문에 "크게 길하다"고 말하였고, '멧돼지'는 처음과 끝이 같지 않기 때문에 다만 "길하다"고 말하였습니다.〉

### 김기례(金箕澧) 「역요선의강목(易要選義綱目)」

六四, 童牛之牿.
육사는 어린 소의 뿔에 가로 나무를 더하다.

童牛, 指初. 童牛, 未角之時, 施□衡於首, 以禁牴觸之習.
'어린 소'는 초효를 가리킨다. '어린 소'란 아직 뿔이 나지 않은 때이니, 머리에 '□衡'을 설치하여 서로 떠받는 습관을 막는다.

○ 初本微陽, 四當畜止於始, 則无上進之志.
초효는 본래 미약한 양이니, 사효가 처음부터 저지한다면, 위로 나아가려는 뜻이 없을 것이다.

○ 微陽見畜, 无健進之志, 有利順之象, 故取坤牛.
미약한 양이 저지당하니 굳세게 나아가는 뜻이 없고 따름을 이롭게 여기는 상이 있기 때문에 곤괘(坤卦☷)인 소에서 취하였다.

### 박종영(朴宗永) 「경지몽해(經旨蒙解) · 주역(周易)」

傳曰, 四居大臣之位, 當畜之任者也. 上畜止人君之邪心, 下畜止天下之惡人, 人之惡止於初則易, 旣盛而後禁則扞格而難勝, 故上之惡旣甚, 則雖[94]聖人救之, 不能免違拂, 下之惡旣甚, 則雖聖人治之, 不能免刑戮, 莫若止之於初. 如童牛而加牿, 則元吉也. 牛之牴觸以角, 故牿以制之, 若童犢始角, 而加之以牿, 使牴觸之性不發, 則易而无傷. 六四能畜止上下之惡於未發之前, 則大善之吉也.
『정전』에서 말하였다: 사효는 대신의 지위에 있어서 저지하는 임무를 맡은 자이다. 위로는 임금의 잘못된 마음을 저지하고 아래로는 천하의 악한 사람을 저지하는 것이니, 사람의 악은 초기에 저지하면 저지하기가 쉽고, 이미 성한 뒤에 금하면 거슬러서 이기기 어렵다. 그러므로 윗사람의 악이 이미 심하면 비록 성인이 바로잡더라도 어김을 면하지 못하고, 아랫사람의 악이 이미 심하면 비록 성인이 다스리더라도 형벌을 면하지 못하니, 초기에 저지하는

94) 雖: 경학자료집성DB와 영인본에 모두 '難'로 되어 있으나, 『정전』을 따라 '雖'로 바로잡았다.

것만 못하다. 어린 소에 가로 나무를 더함과 같이 하면 크게 선하고 길하다. 소가 뿔로 받기 때문에 가로 나무를 더하여 제지하니, 어린 송아지가 처음 뿔이 났을 때에 가로 나무를 더하여 뿔로 받는 성질이 나오지 않게 하듯이 하면 제지하기가 쉬워 상함이 없다. 육사가 상하의 악이 발로되기 전에 저지함을 비유하였으니, 크게 선하여 길하다.

### 심대윤(沈大允) 『주역상의점법(周易象義占法)』

大畜之大有☲. 四下畜三陽, 有積實, 又應剛而居柔, 不用力而畜也. 畜之道過半, 則順矣. 牿, 閑牧也. 童牛之牧, 自然龐大也. 艮童, 離牛, 乾野, 兌享, 震草, 曰牿.
대축괘가 대유괘(大有卦☲)로 바뀌었다. 사효는 아래로 세 양을 저지하여 실질을 쌓음이 있고, 또 굳센 양과 호응하면서 부드러운 음의 자리에 있어서 힘을 쓰지 않고도 저지한다. 저지하는 도가 절반을 지나니 유순하다. '곡(牿)'은 막아서 기름이다. 어린 소를 기름은 자연스럽게 두텁고 크다. 간괘(艮卦☶)는 '어린'이고, 리괘(離卦☲)는 '소'이며, 건괘(乾卦☰)는 들판이고, 태괘(兌卦☱)는 '형통함'이며, 진괘(震卦☳)는 풀이니, '곡(牿)'이라고 말한 것이다.

### 오치기(吳致箕) 「주역경전증해(周易經傳增解)」

六四, 以柔得正, 而居艮體, 與初九爲應, 而畜止之者也. 初, 居最下, 其剛未盛, 畜之爲力甚易, 有牿童牛之象, 而禁止於易制之時, 則用力少而成功多, 故言大善而吉也.
육사는 부드러운 음으로 바름을 얻었고 간괘(艮卦☶)의 몸체에 있어 초구와 호응하면서도 저지하는 자이다. 초효는 가장 아래에 있어서 그 굳셈이 아직 성대하지 않아 그를 저지하려는 힘이 덜 들어 매우 쉬우니, '어린 소의 뿔에 가로 나무를 더하는' 상이 있고, 제어하기 쉬운 때에 금지한다면 적은 힘을 쓰고도 공을 이룸은 많기 때문에 크게 선하여 길함을 말하였다.

○ 童, 取於艮, 牛, 取於對坤. 牿與梏通, 而卽橫木于角, 防其觸者也. 取於艮, 爲止防之象也.
'어린'은 간괘(艮卦☶)에서 취하였고, '소'는 하괘인 건괘(乾卦☰)가 음양이 바뀐 괘인 곤괘(坤卦☷)에서 취하였다. '곡(牿)'과 '곡(梏)'은 통하니 뿔에 가로로 된 나무를 대서 그 떠받는 것을 막는다. 간괘(艮卦)에서 취하여 저지하고 막는 상이 된다.

### 이진상(李震相) 『역학관규(易學管窺)』

童牛之牿.

어린 소의 뿔에 가로 나무를 더한다.

外卦本坤. 坤爲牛, 而剛往居上, 有牛未出角橫木爲牿之象, 非離之牝牛也.
외괘는 본래 곤괘(坤卦☷)이다. 곤괘(坤卦)는 소가 되며, 굳센 양이 맨 위로 와 있으니, 소가 아직 뿔이 나지 않아 가로 나무를 더하는 상이 있으니, 리괘(離卦☲)의 '암소'가 아니다.

### 박문호(朴文鎬) 「경설(經說)·주역(周易)」

牿, 傳以應初爲正義, 此指位之初也. 槪論以下, 又推餘意, 竝取畜君之義 而云止之於初, 此指事之初也. 蓋大臣之任, 畜君爲急, 故如是推說. 至象傳註, 又提之曰, 上畜亦然云.
'곡(牿)'에 대하여 『정전』에서는 초효와 호응함으로써 올바른 뜻으로 삼았으니, 이는 자리의 처음을 가리킨다. "대체적으로 논한다[槪論]" 이하에서 또 나머지 뜻을 추론하여 아울러 임금을 저지하는 뜻을 취하였면서 "초기에 저지한다"고 하였으니, 이는 일의 처음을 가리킨다. 대신의 임무는 임금을 저지함을 급선무로 삼기 때문에 이와 같이 미루어 설명하였다. 「상전」에 대한 『정전』의 주에 이르러서는 또 이것을 제기하여 "위로 저지함도 또한 그렇다"[95]고 하였다.

---

95) 『周易傳義大全·大畜卦』: 四之畜初是也, 上畜亦然.

## 象曰, 六四元吉, 有喜也.

「상전」에서 말하였다: "육사의 크게 길함"은 기쁨이 있다.

## 中國大全

傳

**天下之惡, 已盛而止之, 則上勞於禁制, 而下傷於刑誅. 故畜止於微小之前, 則大善而吉, 不勞而无傷, 故可喜也. 四之畜初是也, 上畜亦然.**

천하의 악이 이미 성하였는데 저지하면 윗사람은 금지하여 제재하기에 수고롭고 아랫사람은 형벌에 상한다. 그러므로 작게 형성되기 전에 저지하면 크게 선하고 길해서 수고롭지 않고 상함이 없게 되므로 기쁘다. 사효가 초효를 저지함이 이러하니, 위로 저지함도 그렇다.

## 韓國大全

### 송시열(宋時烈) 『역설(易說)』

小象有喜者, 互震爲喜也. 童牛, 易制之物.

「소상」에 '기쁨'이 있는 것은 호괘인 진괘(震卦☳)가 기쁨이 되기 때문이다. '어린 소'는 통제하기 쉬운 동물이다.

### 김상악(金相岳) 『산천역설(山天易說)』

有喜者, 畜得其道也.

"기쁨이 있다"란 저지함이 그 도를 얻음이다.

### 서유신(徐有臣) 『역의의언(易義擬言)』

象必稱六四六五者, 謂其爻有牛豕之象也. 其所畜止得於陽剛之應, 故曰有喜有慶也.
「상전」에서 반드시 '육사'와 '육오'를 칭한 것은 그 효에 소와 돼지의 상이 있음을 말한 것이다. 저지하는 대상을 호응하는 굳센 양에서 얻기 때문에 "기쁨이 있다"고 하였고 "경사가 있다"고 하였다.

### 박문건(朴文健) 『주역연의(周易衍義)』

有喜, 言相遇也.
"기쁨이 있다"란 서로 만남을 말한다.

### 김기례(金箕澧) 「역요선의강목(易要選義綱目)」

有喜.
기쁨이 있다.

四能止[96]未盛之陽, 不勞不傷, 故元吉而喜.
사효는 아직 성대하지 않은 양을 저지할 수 있어서 수고롭지도 않고 손상을 입지도 않기 때문에 크게 길하여 기쁘다.

### 오치기(吳致箕) 「주역경전증해(周易經傳增解)」

止剛於初, 制其微小之時, 則大善而吉, 不勞而无傷, 故有可喜也.
처음에 굳센 양을 저지하고 미약하며 작은 것을 제재하는 때라면, 크게 선하여 길하고 수고롭지 않으면서 상함이 없게 되기 때문에 기쁠만하다.

### 이병헌(李炳憲) 『역경금문고통론(易經今文考通論)』

王曰, 處艮之始, 能止初健.
왕필이 말하였다: 간괘(艮卦☶)의 처음에 있어 강건한 초효를 저지할 수 있다.

本義曰, 童者, 未角之稱, 牿, 施横木於牛角, 以防其觸, 詩所謂福衡者也.〈與孟義合.〉

---

96) 지(止): 경학자료집성DB와 영인본에는 모두 '□'로 되어 있으나, 문맥을 살펴 '止'로 바로잡았다.

『본의』에서 말하였다: '어린[童]'은 뿔이 아직 나지 않은 것을 말하고, '곡(牿)'은 소의 뿔에 가로로 나무를 설치하여 뿔로 받음을 막는 것이니, 『시경』에서는 '복형(楅衡)'이라고 말하였다.[97] 〈맹씨의 뜻과 부합된다.〉

虞氏易言曰, 禮所以防民惡, 而豫其事. 童牛之告 敎之豫也, 是畜之元吉也.
우번이 『역언』에서 말하였다: 예(禮)는 백성들의 악을 막아 그 일을 예비한다. '어린 소'를 말함은 가르침으로 예비한 것이니, 이는 저지함이 크게 길하다는 것이다.

97) 『詩經 · 閟宮』: 秋而載嘗, 夏而楅衡.

## 六五, 豶豕之牙, 吉.

육오는 멧돼지를 거세하여 이빨을 쓰지 못하게 하니, 길하다.

## 中國大全

傳

六五居君位, 止畜天下之邪惡. 夫以億兆之衆, 發其邪欲之心, 人君欲力以制之, 雖密法嚴刑, 不能勝也. 夫物有總攝, 事有機會, 聖人操得其要, 則視億兆之心猶一心, 道之斯行, 止之則戢, 故不勞而治, 其用若豶豕之牙也. 豕剛躁之物, 而牙爲猛利, 若强制其牙, 則用力勞, 而不能止其躁猛, 雖縶之維之, 不能使之變也. 若豶去其勢, 則牙雖存而剛躁自止, 其用如此, 所以吉也. 君子發豶豕之義, 知天下之惡, 不可以力制也, 則察其機, 持其要, 塞絶其本原. 故不假刑法嚴峻, 而惡自止也. 且如止盜, 民有欲心, 見利則動, 苟不知教而迫於飢寒, 雖刑殺日施, 其能勝億兆利欲之心乎. 聖人則知所以止之之道, 不尙威刑, 而修政敎, 使之有農桑之業, 知廉恥之道, 雖賞之, 不竊矣. 故止惡之道, 在知其本得其要而已. 不嚴刑於彼, 而修政於此, 是猶患牙之利, 不制其牙, 而豶其勢也.

육오가 임금의 지위에 있으면서 천하 사람들의 사악함을 저지한다. 억조의 많은 사람들이 잘못된 욕심을 드러내는데, 임금이 힘으로 이것을 제지하고자 하면, 비록 법을 치밀하게 하고 형벌을 엄격하게 하더라도 감당할 수가 없다. 물건에는 핵심적으로 잡는 데가 있고 일에는 기회가 있으니, 성인이 요령을 잡으면 억조의 마음을 한 마음처럼 보아서, 인도하면 따라오고 멈추면 그치기 때문에 수고롭지 않고도 다스려지니, 그 쓰임이 멧돼지를 거세하여 이빨을 쓰지 못하게 하는 것과 같다. 멧돼지는 강하고 조급한 동물이며 이빨은 사납고 날카로우니, 만약 그 이빨을 억지로 제지하면 힘은 수고롭게 들면서도 그 조급하고 사나움을 제지하지 못하니, 비록 묶고 동여매더라도 변하게 할 수 없다. 그러나 만약 거세하면 이빨이 비록 있어도 강함과 조급함이 저절로 그치니, 그 쓰임이 이와 같기 때문에 길하다. 군자가 멧돼지를 거세하는 뜻을 말하여 천하의 악을 힘으로 억제할 수 없으니, 기미를 살피고 요점을 잡아서 근본과 근원을 막고 끊어야 함을 알았다. 그러므로 형법의 준엄함을 빌리지 않고도 악이 저절로 저지된다. 또한 도둑질을 그치게 하는 것과 같으니, 백성들은 욕심이 있어서 이익을 보면 움직이니, 만약 가르침을 알지 못하고 굶주림과 추위에 절박하면, 비록 형벌과 죽임을 날마다 시행하더라도 억조의 이욕의 마음을 이길 수 있겠는가? 성인은 이것을 저지하는 방도를 알아 위엄과 형벌을 숭상하지 않고, 정치와 교육을 닦아서 농사짓고 누에치는 생업이 있게 하고 염치의 도리를 알게 하니, 상을 주더라도 도둑질하지 않는다. 그러므로 악을 저지하는 도는 근본을 알고 요점을 얻는데 있을 뿐이다. 저들에게 형벌을 엄하게 하지 않고서도 여기에서 정사(政事)가 닦여지는 것은 멧돼지 이빨의 예리함을 걱정하여도 그 이빨을 제지하지 않고 거세하는 것과 같다.

小註

程子曰, 豶豕之牙. 豕牙最能囓害人, 只制其牙, 如何制得. 今人爲惡, 卻只就他惡禁之, 便无由禁止. 此見聖人機會處.
정자가 말하였다: 멧돼지를 거세하여 이빨을 쓰지 못하게 한다. 멧돼지의 이빨은 사람을 가장 잘 깨물어 해칠 수 있는데, 다만 그 이빨은 제어하고자 한다면 어떻게 제어할 수 있겠는가? 지금 어떤 사람이 악을 행하는데, 다만 바로 그 악을 금지하려고 하면 금지할 방법이 없다. 여기에서 성인이 임기응변하는 것을 알 수 있다.

○ 進齋徐氏曰, 牡豕曰豭, 攻其特而去之曰豶, 所以去其勢也. 豕之害物在牙, 人不能去其牙之猛利, 惟去其勢, 以絶其剛躁之性, 則牙雖存亦不能害物矣. 豕牙二也, 豶之者五也. 二陽已壯則難制, 五得其要領而能制也. 制於已壯之後, 猶欲去豕牙之害而豶之. 此用柔畜剛之道也.
진재서씨가 말하였다: 숫 멧돼지를 '가(豭)'라고 하고, 수컷의 성질을 공격하여 제거하는 것을 '분(豶)'이라고 하니, 거세하는 것이다. 멧돼지가 상대를 해치는 것은 이빨에 있으니, 사람이 그 이빨의 맹렬한 날카로움을 제거할 수는 없어, 오직 거세하여 굳세고 조급한 성질을 끊으면, 이빨이 비록 존재하고 있더라도 상대를 해칠 수 없다. 멧돼지의 이빨이란 이효를 말하고, 거세한 멧돼지란 오효를 말한다. 이효인 양이 이미 장성하면 제어하기 어렵지만, 오효는 요령을 얻어서 제어할 수 있다. 이미 장성한 후에 제어하는 것은 마치 멧돼지 이빨의 해로움을 제거하기 위해서 거세하는 것과 같다. 이것이 부드러움으로 굳셈을 저지하는 방법이다.

本義

陽已進而止之, 不若初之易矣. 然以柔居中而當尊位, 是以得其機會而可制. 故其象如此, 占雖吉而不言元也.

양이 이미 나아왔는데 육오가 저지하니, 초구처럼 쉽지 않다. 그러나 부드러운 음으로서 가운데 있고 높은 자리를 담당하였기 때문에 기회를 얻어 제지할 수 있다. 그러므로 그 상이 이와 같으니, 점이 비록 길하나, 크다고 말하지는 않았다.

小註

朱子曰, 大畜下三爻, 取其能自畜而不進, 上三爻, 取其能畜彼而不使進. 然四能止之於初, 故爲力易, 五則陽已進而止之則難. 但以柔居尊, 得其機會可制, 故亦吉. 但不能如四之元吉耳.
주자가 말하였다: 대축괘의 아래 세 효는 스스로 저지할 수 있어서 나아가지 않는 것을 취하였고, 위 세 효는 아래 세 효를 저지할 수 있어서 나아갈 수 없도록 하는 것을 취하였다. 그러나 사효는 초효를 저지할 수 있기 때문에 힘이 덜 들고, 오효는 양이 이미 나아왔는데 저지하니 어렵다. 다만 부드러운 음으로 높은 자리에 있어서 제어할 수 있는 기회를 얻기 때문에 또한 길하다. 다만 사효가 크게 길한 것과는 같을 수 없을 뿐이다.

○ 雲峯胡氏曰, 初之陽, 未進而止之, 用力猶易, 二陽已進, 則亦難矣. 六五柔中居尊, 故得其機會而可制, 如豶豕然, 然已不如初之易, 故曰吉而不如初之元吉也. 或曰, 牛與豕皆陰物而以象陽者, 何也. 曰, 牛之剛在角, 豕之剛在牙. 四五下畜二剛, 蓋取牿牛防其角. 豶豕防其牙之象也.
운봉호씨가 말하였다: 초효의 양은 아직 나아가지 않았을 때에 저지하므로 힘이 덜 들고, 이효의 양은 이미 나아갔으니 어렵다. 육오는 부드럽고 알맞음으로 높은 자리에 있기 때문에 기회를 얻어 제어할 수 있는 것이 마치 멧돼지를 거세하는 것과 같지만, 초효의 쉬움만 못하기 때문에 길하다고 말했지만, 초효가 크게 길한 것만 같지 못하다.
어떤 사람이 물었다: 소와 멧돼지는 모두 음에 속하는 동물인데, 양을 상징한 것은 왜입니까?
답하였다: 소의 굳셈은 뿔에 있고, 멧돼지의 굳셈은 이빨에 있습니다. 사효와 오효는 아래로 두 굳센 양을 저지하고 있으니, 소에 가로 막대기를 대어 뿔을 방비하고, 멧돼지를 거세하여 이빨을 방비하는 상입니다.

## 韓國大全

### 조호익(曺好益)『역상설(易象說)』

六五, 豶豕之牙.
육오는 멧돼지를 거세하여 이빨을 쓰지 못하게 한다.

雙湖曰, 豶豕, 艮止義.
쌍호가 말하였다: "멧돼지를 거세하다"란 간괘(艮卦)의 그친다는 뜻이다.

愚謂, 以雙湖取初九象例推之, 卦自需來, 上體本坎. 坎爲豕, 變艮, 艮爲黔喙牙象, 但五畜二, 恐不如是. 雙湖嘗以乾亥取豕象, 以此例之, 乾有豕象, 牙互兌口象. 或曰, 自二至四位, 互坎體, 或曰, 自二至四, 互兌體, 兌巽之反, 巽陰躁之卦, 以象豕. 姤之羸豕, 中孚豚魚, 皆取巽象. 二在巽上正牙象, 亦通.
내가 살펴보았다: 쌍호가 초구의 상에서 취한 사례로 미루어 본다면, 괘는 수괘(需卦䷄)로부터 왔으니, 상체는 본래 감괘(坎卦☵)이다. 감괘는 '멧돼지'가 되며, 오효가 변하여 간괘(艮卦☶)가 되면 간괘는 '주둥이가 검은 짐승'[98]과 '이빨'의 상이 되지만, 단지 오효는 이효를 저지하게 되니 아마도 이와 같지는 않은 듯하다. 쌍호는 일찍이 건해(乾亥)를 가지고서 '멧돼지'의 상을 취하였으니, 이를 가지고 예를 든다면 건괘(乾卦☰)는 '멧돼지'의 상이 있고, '이빨'은 호괘인 태괘(兌卦☱)의 입인 상이다. 어떤 이가 "이효로부터 사효에 이르는 자리는 호괘가 감괘의 몸체이다"라고 하였고, 어떤 이는 "이효로부터 사효에 이르기까지 호괘가 태괘의 몸체이며, 태괘는 손괘(巽卦☴)를 거꾸로 한 괘이고 손괘는 음으로 조급한 괘로 '멧돼지'를 상징하니, 구괘(姤卦䷫)에서의 '여윈 돼지'[99]와 중부괘(中孚卦䷼)에서의 '돼지와 물고기'[100]는 모두 손괘의 상에서 취하였다. 이 두 괘에는 손괘 상에서 바로 '이빨'의 상이 있다"고 하였으니, 역시 뜻이 통한다.

---

98)『周易 · 說卦傳』: 艮, 爲山, 爲徑路, 爲小石, 爲門闕, 爲果蓏, 爲閽寺, 爲指, 爲狗, 爲鼠, 爲黔喙之屬. 其於木也, 爲堅多節.
99)『周易 · 姤卦』: 初六, 繫于金柅, 貞吉, 有攸往, 見凶, 羸豕孚蹢躅.
100)『周易 · 中孚卦』: 中孚, 豚魚, 吉, 利涉大川, 利貞.

### 송시열(宋時烈)『역설(易說)』

豶豕者, 傳以爲豕之豶如馬之騸, 去其勢也, 云云. 來易曰, 豶者, 走也, 牙者, 埤[101]雅云, 以杙繫豕者, 非齒牙之牙, 云云, 與傳大異. 蓋離錯坎, 故云豕也. 四爻應於初, 而以梏牛言之, 五爻應於二, 而以牙豕言之, 上九應於三, 而以馬逐天衢言之. 卦爲大蓄, 故皆以牛馬豕蓄物之大者, 言之. 曰梏曰牙曰輿衛, 是蓄物之道也.
"멧돼지를 거세하다"에 대해『정전』에서는 멧돼지를 거세함은 말을 거세함과 같으므로 그 기세를 제거하는 것이라고 여겼다. 래지덕의『주역집주』에서는 "'분(豶)'이란 달린다는 것이며 '아(牙)'란『비아(埤雅)』에서 '말뚝에 돼지를 매는 것이니, 치아(齒牙)할 때의 '아(牙)'가 아니다'라고 하였다"고 하였으니,『정전』과는 매우 다르다. 리괘(離卦☲)의 음양이 바뀐 괘는 감괘(坎卦☵)이기 때문에 '멧돼지'를 말하였다. 사효는 초효와 호응하므로 뿔에 가로 나무를 더한 소로 말하였고, 오효는 이효와 호응하므로 이빨과 돼지로 말하였으며, 상구는 삼효와 호응하므로 말이 '하늘의 거리'를 좇음으로 말하였다. 괘가 크게 쌓음[大蓄]이 되기 때문에 모두 소와 말과 돼지 등 쌓는 재물 중에서 큰 것을 가지고 말하였다. '곡(梏)'이라고 하고 '말뚝에 돼지를 매는 것[牙]'라고 하고 '수레와 호위'라고 하였으니, 이것은 사물을 쌓는 도이다.

### 석지형(石之珩)『오위귀감(五位龜鑑)』

臣謹按, 大畜之六五, 取豶豕牙之象, 豶者, 去勢之謂也. 豕性躁暴, 其牙猛利, 甚未易制, 善制豕者, 不攖其牙, 而先去其勢, 故牙雖存, 无所用其剛矣. 蓋大畜爲卦, 自需卦來, 需之上體爲坎, 坎者, 豕也. 坎之剛在於五, 今變而上去, 猶豕之去牙也, 故其取象如此. 大抵凡制强之道, 當審其機要, 形格勢禁, 俾之自喪其剛, 可也. 不然用力勞而終不可勝矣. 噫. 剛强而難制者, 无代无之, 伏願殿下玩其微旨焉.
신이 삼가 살펴보았습니다: 대축괘의 육오는 '멧돼지를 거세하여 이빨을 쓰지 못하게 하는' 상을 취하였으니, '분(豶)'이란 거세를 말합니다. 돼지의 성질은 조급하고 난폭하며 그 이빨이 사납고 날카로워 매우 통제하기가 쉽지 않으니, 돼지를 잘 통제하는 자는 그 이빨을 건드리지 않고 먼저 거세를 하기 때문에 이빨이 비록 있기는 하지만 그 굳셈을 사용할 바가 없습니다. 대축괘는 수괘(需卦☵☰)로부터 왔고 수괘의 상체는 감괘(坎卦☵)가 되며 감괘란 돼지입니다. 감괘의 굳센 양이 오효에 있다가 이제 변하여 위로 갔으니, 이빨을 제거한 멧돼지와 같기 때문에 상을 취함이 이와 같습니다. 대체로 강한 것을 제재하는 도는 마땅히 그 요점을 살펴 행동의 자유를 구속하여 스스로 그 굳셈을 잃어버리도록 하는 것이 좋습니다.

---

101) 埤: 경학자료집성DB와 영인본에 모두 '稗'로 되어 있으나, 문맥을 살펴 '埤'로 바로잡았다.

그렇지 않으면 힘을 써서 수고롭더라도 끝내 이길 수가 없습니다. 아! 굳세고 강하여 제재하기 어려운 자는 없었던 시대가 없었으니, 신이 엎드려 전하께 바라옵건대, 그 은미한 뜻을 깊이 생각하여 주시옵소서.

### 홍여하(洪汝河) 「책제(策題): 문역(問易) · 독서차기(讀書箚記)-주역(周易)」[102]

六五, 豶豕之牙.
육오는 멧돼지를 거세하여 이빨을 쓰지 못하게 하니.

見豕負塗取坎象, 姤初居巽體, 故曰羸豕. 此云豕牙, 取牙之剛而居上, 有艮象也.
규괘(睽卦䷥)의 상구에 나오는 "돼지가 진흙을 짊어짐을 본다"[103]는 호괘인 감괘(坎卦☵)의 상에서 취하였고, 구괘(姤卦䷫)의 초효는 손괘(巽卦☴)의 몸체에 있기 때문에 '여윈 돼지'[104]라고 하였다. 여기서 말하는 돼지의 이빨은 이빨이 굳세면서 위에 있는 데에서 취하였으니, 간괘(艮卦☶)의 상이 있다.

### 이익(李瀷) 『역경질서(易經疾書)』

豶, 從豕賁聲, 賁與奔同, 故虎賁, 亦曰虎奔, 從豕爲豶, 從馬爲(馬+賁). (馬+賁)是馬走, 則豶亦是豕走也. 楊雄方言, 海岱之間, 繫豕杙謂之牙, 博雅亦云, 牙者, 畜豶豕之杙也, 可以旁證六五處得其中, 故有奔豕繫杙之象. 若曰去勢, 則旣騸矣, 牙爲剩語矣. 豶豕之牙, 與童牛之牿, 語脉相帖.
'분(豶)'은 '시(豕)' 부수에 '분(賁)'으로 소리가 나며, '분(賁)'과 '분(奔)'은 같기 때문에 '호분(虎賁)'을 또한 '호분(虎奔)'이라고 하였으니, '시(豕)'를 부수로 하면 '분(豶)'이 되고, '말[馬]'을 부수로 하면 '분(馬+賁)'이 된다. '분(馬+賁)'은 말이 달린다는 뜻이니, '분(豶)'도 또한 돼지가 달린다는 뜻이다. 양웅(揚雄)이 지은 『방언』에서 "발해(渤海)와 태산(泰山) 사이의 지역에서 돼지를 매는 말뚝을 '아(牙)'라고 하였다"고 하였으며, 『박아(博雅)』에서도 "'아(牙)'란 거세된 멧돼지를 제지하는 말뚝이다"고 하였으니, 육오의 자리가 알맞음을 얻었기 때문에 달아나는 돼지를 말뚝에 묶는 상이 있음을 널리 증명할 수가 있다. 만약 '아(牙)'를 거세라고 말한다면 이미 거세되었으므로, '아(牙)'는 쓸데없는 말이 된다. '멧돼지를 거세하여 이빨을 쓰지 못하게 함'과 '어린 소의 뿔에 가로 나무를 더함'은 말의 맥락이 서로 연결된다.

---

102) 경학자료집성DB에서는 대축괘 「단전」에 해당하는 것으로 분류했으나, 내용에 따라 이 자리로 옮겨 바로잡는다.
103) 『周易 · 睽卦』: 上九, 睽孤, 見豕負塗載鬼一車. 先張之弧, 後說之弧, 匪寇, 婚媾. 往遇雨則吉.
104) 『周易 · 姤卦』: 初六, 繫于金柅, 貞吉, 有攸往, 見凶, 羸豕孚蹢躅.

### 심조(沈潮) 「역상차론(易象箚論)」

六五, 豶豕之牙.
육오는 멧돼지를 거세하여 이빨을 쓰지 못하게 한다.

豕, 陰物也. 偶畫, 亦有牙象.
'멧돼지'는 음한 동물이다. 음의 획에는 또한 '이빨'의 상이 있다.

### 유정원(柳正源) 『역해참고(易解參攷)』

六五 [至] 之牙.
육오는 … 이빨을 쓰지 못하게 하니.

正義, 豶, 是禁制損去之名. 豶其牙, 謂止其牙也.
『주역정의』에서 말하였다: '분(豶)'은 억제하고 덜어내고 제거한다는 이름이다. 그 이빨을 "분(豶)한다"란 그 이빨을 제지한다는 말이다.

○ 縉雲馮氏曰, 以弱畜剛, 苟不有以制之, 將不免觸齧之禍. 君相畜材, 雖天下之健者, 俯伏奔走, 爲我之用, 此二陰所以能成畜之功也.
진운풍씨가 말하였다: 약함으로써 굳셈을 저지하니, 진실로 제재함이 없다면 장차 떠받치고 물어뜯기는 화를 면할 수가 없다. 임금과 재상이 인재를 기를 때에 비록 천하의 강건한 자가 부끄러워 머리를 숙이고 엎드리며 분주하게 뛰어다니며 놀라 식은땀을 흘리더라도[105] 나의 쓰임이 되니, 이 두 음이 쌓는 공을 이룰 수 있다.

○ 平庵項氏曰, 埤雅云, 牙以杙繫豕也, 胡翼之易傳, 正用其說, 今按牿以制牛, 則牙以制豕, 可知.
평암항씨가 말하였다: 『비아(埤雅)』에서 말하기를 "'아(牙)'는 말뚝으로 돼지를 묶는 것이다"라고 하였고, 호원(胡瑗)의 『역전』에서는 그 설을 바로 인용하였으니, 이제 가로 나무를 더하여서 소를 통제하는 것을 살펴보면, 돼지를 말뚝에 묶어서[牙] 돼지를 제재함을 알 수가 있다.

---

105) 「相州晝錦堂記」: 一旦高車駟馬, 旗旄導前而騎卒擁後, 夾道之人, 相與駢肩累跡, 瞻望咨嗟, 而所謂庸夫愚婦者, 奔走駭汗, 羞愧俯伏, 以自悔罪於車塵馬足之間, 此一介之士, 得志當時而意氣之盛, 昔人比之衣錦之榮也.

○ 案, 豶豕之牙, 或釋云, 豶其豕之牙, 或云, 豶勢之豕牙, 皆似未安. 恐當云豕之牙者, 豶去其勢.
내가 살펴보았다: '멧돼지를 거세하여 이빨을 쓰지 못하게 함'에 대하여 어떤 이는 풀어 말하기를 "그 돼지의 이빨을 제거한다"고 하였고, 어떤 이는 '거세한 돼지의 이빨'이라고 하였으나, 모두 잘 이해되지 않는 듯하다. 아마도 마땅히 돼지의 이빨이라고 말해야 하니, 분(豶)은 거세이다.

傳, 發豶.
『정전』에서 말하였다: 군자가 멧돼지를 거세하는 뜻을 말하여.
案, 發一作法.
내가 살펴보았다: '발(發)'은 다른 판본에는 '법(法)'으로 되어 있다.

## 김상악(金相岳) 『산천역설(山天易說)』

六五艮體得中, 以畜乾之九二, 而與三上互爲離體, 故有豶豕防其牙之象. 陽已進而扞格難勝, 故雖吉而不言元也.
육오는 간괘(艮卦☶)의 몸체에 있으면서 알맞음을 얻어 건괘(乾卦☰)의 구이를 저지하고, 삼효와 상효와 호괘는 리괘(離卦☲)의 몸체가 되기 때문에 멧돼지를 거세하여 그 이빨을 방비하는 상이 있다. 양이 이미 나아가 행동에 잘못이 많아 이기기 어렵기 때문에 비록 길하더라도 크다고 말하지 않았다.

○ 牡豕曰豭, 攻其特而去之爲豶. 乾居亥, 亥之神爲豕也. 豕性剛躁, 牙爲猛利, 故不制其牙而去其勢, 則剛躁自止. 離爲頤口, 四五象齒, 艮一陽止于外, 是防其牙之象. 來註, 牙者, 埤雅, 以杙繫豕也, 乃杙牙也, 非齒牙也. 此對牿字而言也. 无妄六三言, 牛脫所繫, 爲行人之得, 故四曰童牛之牿, 姤初六言, 豕雖羸弱, 志在於蹢躅, 故五曰, 豶豕之牙, 所謂得其機會而制之者, 是也.
수퇘지를 가(豭)라고 하며, 수컷의 성질을 공격하여 제거하는 것이 분(豶)이 된다. 건괘(乾卦☰)는 해(亥)의 자리에 있고 해(亥)의 신(神)이 돼지가 된다. 돼지의 성질은 굳세면서 조급하고 이빨은 사납고 날카롭게 때문에 그 이빨을 제지하지 않고 거세한다면, 굳셈과 조급함은 저절로 그치게 된다. 리괘(離卦)는 턱과 입이 되고, 사효와 오효는 치아를 상징하며, 간괘의 한 양은 밖에서 저지하니, 이는 그 이빨을 방비하는 상이다. 래지덕의 주(註)에서 "'아(牙)'란 『비아(埤雅)』에서는 말뚝으로 돼지를 맨다"라고 하였으니, 익아(杙牙)이지 치아가 아니다. 이는 '곡(牿)'자와 댓구를 하여 말하였다. 무망괘(无妄卦䷘)의 육삼에서 소가 매어 있는 데에서 풀렸으니, 길 가는 사람의 소득이라고[106] 하였기 때문에, 사효에서 "어린 소의 뿔에 가로 나무를 더한다"고 하였고, 구괘(姤卦☰)의 초육에서 돼지가 비록 여위고 약할지라도 뜻이 뛰고 뛰는 데에 있다고[107] 하였기 때문에 오효에서 "멧돼지를 거세하여 이빨을 쓰지 못하게 한다"고 하였으니, 이른바 "그 기회를 얻어 제지할 수 있다"고 하는 것이 이것이다.

## 서유신(徐有臣)『역의의언(易義擬言)』

此, 六五之畜也. 六五, 乃遯之六二, 卦變而畜止, 是爲豶豕之牙也. 豕搖尾不停, 風屬, 巽象. 在遯爲疊畫之巽, 而變來而畜矣. 艮爲閽寺, 寺人無勢, 有豶象. 豶之必在童豕之時, 亦爲艮象也. 自三至上爲互頤, 五乃其牙也. 豶豕者, 已豶之豕也. 豕牙剛而豶者不剛, 豶之所以制牙也. 此亦喩止遏人欲也. 較進一位, 不若六四之牿於初, 故不稱元吉也.

이것은 육오의 저지함이다. 육오는 돈괘(遯卦☴)의 육이인데, 괘가 변하여 저지하니, 이것이 '멧돼지를 거세하여 이빨을 쓰지 못하게 함'이 된다. 돼지는 꼬리를 흔들면서 가만히 있지 않으니, 바람의 부류로 손괘(巽卦☴)의 상이다. 돈괘에서는 큰 획의 손괘(巽卦)가 되었다가 변하여 와서 저지하였다. 간괘(艮卦☶)는 내시가 되고, 내시는 세가 없어서 거세하는 상이 있다. 거세는 반드시 어린 돼지인 때에 하니, 또한 간괘(艮卦)의 상이다. 삼효로부터 상효에 이르기까지는 호괘는 이괘(頤卦☶)가 되니 오효는 그 이빨이다. '멧돼지를 거세함[豶豕]'은 이미 거세된 돼지이다. 돼지의 이빨은 굳세지만 거세된 것은 굳세지 않으니 거세함이 이빨을 제지하였기 때문이다. 이것은 또한 인욕(人欲)을 저지하여 막음을 비유하였다. 한 자리를 나아가 비교하여 보면, 육사가 초효에 대하여 가로 나무를 더한 것만은 못하기 때문에 크게 길하다고 말하지 않았다.

## 박문건(朴文健)『주역연의(周易衍義)』

捨剛不噬, 故有豶豕牙之象. 豶, 去勢而止剛也.

굳셈을 버리고 깨물지 않기 때문에 '멧돼지를 거세하여 이빨을 쓰지 못하게 하는' 상이 있다. '분(豶)'은 거세하여 굳셈을 저지하는 것이다.

〈問, 豶豕之義. 曰, 六五始有噬二之心, 而反爲二之所制, 故有豶豕之象. 終有歸順之

---

106)『周易 · 无妄卦』: 六三, 无妄之災, 或繫之牛, 行人之得, 邑人之災.

107)『周易 · 姤卦』: 初六, 繫于金柅, 貞吉, 有攸往, 見凶, 羸豕孚蹢躅.

道而得吉者也.
물었다: "멧돼지를 거세한다"는 무슨 뜻입니까?
답하였다: 육오에서 비로소 이효를 깨물고자 하는 마음이 생기지만, 도리어 이효에 의하여 제재를 받게 되기 때문에 멧돼지를 거세하는 상이 있습니다. 끝내 순종하는 도에 돌아가 길함을 얻음이 있습니다.〉

### 김기례(金箕禮) 「역요선의강목(易要選義綱目)」

六五, 豶豕之牙.
육오는 멧돼지를 거세하여 이빨을 쓰지 못하게 한다.

豕, 指二.
돼지는 이효를 가리킨다.

○ 五本需坎, 故曰豕. 易之取象, 有以己比他者, 以他比己者, 其義誠難象. 二剛陽有躁進之志, 而五以在上之君畜止, 而如割豕之勢, 防其牙猛, 不勞而无至傷, 故吉又有慶.
오효는 본래 수괘(需卦䷄)의 외괘인 감괘(坎卦)에 있기 때문에 '멧돼지'라고 하였다. 『주역』에서 상을 취할 때에 자기로 다른 사람을 비교하는 경우도 있고, 다른 사람으로 자기를 비교하는 경우도 있어서 그 뜻은 진실로 형상화하기가 어렵다. 이효의 굳센 양에는 조급하게 나아가려는 뜻이 있고 오효는 위에 있는 임금으로 이효를 저지하여, 마치 거세된 돼지처럼 그 이빨의 사나움을 방비하므로 수고롭지 않으면서 손상을 입지 않기 때문에 길하고 또 경사가 있다.

### 허전(許傳) 「역고(易考)」

六五는 豶훈 豕의 牙니 吉토다.
육오는 거세한 돼지의 이빨이니 길하다.

豶者, 去勢之名, 非去牙之名也. 豶豕之牙, 謂去其勢之豕之牙也. 豕牙猛利, 難制. 然豶去其勢, 則牙雖存而自不猛利. 程子所謂, 不制其牙, 而豶其勢者, 此義也.
'분(豶)'이란 거세한다는 이름이지, 이빨을 제거한다는 이름이 아니다. '분시지아(豶豕之牙)'는 거세한 돼지의 이빨을 말한다. 돼지의 이빨은 사납고 날카로워 제지하기가 어렵다. 그러나 거세를 한다면 이빨이 비록 있더라도 스스로 사납거나 날카로워지지 않는다. 정자가 이른바 "그 이빨을 제지하지 않고 거세한다"는 것이 이러한 뜻이다.

〈伊川曰, 豶去其勢, 則牙雖存而剛躁自止, 君子法豶牙之義, 知天下之惡, 不可以力制也, 察其幾, 持[108]其要, 絶其本原.
이천이 말하였다: 거세한다면 이빨이 비록 있더라도 굳세고 조급함은 저절로 멈추게 될 것이니, 군자는 거세된 돼지의 이빨이라는 뜻을 본받아 천하의 악한 자는 힘으로 통제할 수 없으니, 그 기미를 살피고 요점을 잡아서 근본과 근원을 끊어야 함을 알았다.〉

○ 易疏, 豶除也, 除其牙也.
『주역정의』의 소(疏)에서 말하였다: '분(豶)'은 제거함이니, 그 이빨을 제거함이다.

○ 埤雅曰, 牙者, 畜豶豕之杙, 海岱之間[109], 繫豕之杙謂之牙.
『비아(埤雅)』에서 말하였다: '아(牙)'란 거세된 돼지를 제지하는 말뚝이니, 바다와 태산(泰山) 사이의 지역에서 돼지를 매는 말뚝을 '아(牙)'라고 한다.

### 박종영(朴宗永) 「경지몽해(經旨蒙解)·주역(周易)」

傳曰, 六五居君位, 止畜天下之邪惡. 夫以億兆之衆, 發其邪欲之心, 欲力以制之, 雖密法嚴刑, 不能勝也. 聖人操得其要, 則不勞而治, 其用若豶豕之牙也. 豕剛躁之物, 而牙爲猛利, 若强制其牙, 則用力勞, 而不能止. 豶去其勢, 則牙雖存而剛躁自止, 其用如此, 所以吉也. 君子察其機, 持其要, 塞絶其本原. 故不假刑法嚴峻, 而惡自止也. 且如止盜, 民有欲心, 見利則動, 雖刑殺日施, 其能勝億兆利欲之心乎. 聖人不尙威刑, 而脩政敎, 使之有農桑之業, 知廉耻之道, 雖賞之, 不竊矣. 是猶不制其牙, 而豶其勢也.
『정전』에서 말하였다: 육오가 임금의 지위에 있으면서 천하 사람들의 사악함을 저지한다. 억조의 많은 사람들이 잘못된 욕심을 드러내는데, 임금이 힘으로 이것을 제지하고자 하면, 비록 법을 치밀하게 하고 형벌을 엄격하게 하더라도 감당할 수가 없다. 성인이 요령을 잡으면 수고롭지 않고도 다스려지니, 그 쓰임이 멧돼지를 거세하여 이빨을 쓰지 못하게 하는 것과 같다. 멧돼지는 강하고 조급한 동물이며 이빨은 사납고 날카로우니, 만약 그 이빨을 억지로 제지하면 힘은 수고롭게 들면서도 제지하지 못한다. 거세하면 이빨이 비록 있어도 강함과 조급함이 저절로 그치니, 그 쓰임이 이와 같기 때문에 길하다. 군자가 기미를 살피고 요점을 잡아서 근본과 근원을 막고 끊어야 함을 알았다. 그러므로 형법의 준엄함을 빌리지 않고도 악이 저절로 저지된다. 또한 도둑질을 그치게 하는 것과 같으니, 백성들은 욕심이

108) 持: 경학자료집성DB와 영인본에는 모두 '□'로 되어 있으나, 문맥을 살펴 '持'로 바로잡았다.
109) 間: 경학자료집성DB와 영인본에는 모두 '□'로 되어 있으나, 문맥을 살펴 '間'로 바로잡았다.

있어서 이익을 보면 움직이니, 비록 형벌과 죽임을 날마다 시행하더라도 억조의 이욕의 마음을 이길 수 있겠는가? 성인은 위엄과 형벌을 숭상하지 않고, 정치와 교육을 닦아서 농사짓고 누에치는 생업이 있게 하고 염치의 도리를 알게 하여, 비록 상을 주더라도 도둑질하지 않는다. 그 이빨을 제지하지 않고 거세하는 것과 같다.

此, 非但人君治天下之道, 如此, 父師之敎誨子弟, 成就其德業, 蓋亦不外乎此. 書曰, 若生子, 罔不在厥初生, 自孩提之時, 敎以義, 方制其邪心, 如童牛之牿. 不尙夏楚呵責, 而導之以善, 折其物欲之萌, 塞其邪曲之逕, 使孝悌之心油然而生, 義理之說, 浹洽乎內, 不知不覺之中, 自能復於本然之性, 此與豶豖之牙, 同其義也. 凡厥君子之欲畜德而日新者, 宜玩啬而致意焉.
이것은 임금이 천하를 다스리는 도가 이와 같을 뿐만이 아니라 아버지와 스승이 자제(子弟)를 가르쳐 덕업을 성취시켜 주는 것도 또한 여기서 벗어나지 않는다는 것이다. 『서경』에서 "자식을 낳음은 처음 낳을 때에 달려 있지 않음이 없다"110)고 하였으니, 아이일 때부터 의(義)로써 가르쳐야 그 사특한 마음을 제어할 수 있다는 것으로 "어린 소의 뿔에 가로 나무를 더한다"와 같다. 회초리로 꾸짖는 것을 숭상하지 않고 선으로 이끌어 물욕(物欲)의 싹을 끊어내고 간사하고 굽은 지름길을 막아 효제의 마음이 유연하게 생겨나와 의리(義理)에 대한 기쁨이 마음에 흠뻑 젖어 알지도 깨닫지도 못하는 사이에 스스로 본연지성(本然之性)에 대하여 회복할 수 있도록 하니, 이는 '멧돼지를 거세하여 이빨을 쓰지 못하게 함'과 그 뜻이 같다. 군자가 덕을 쌓아 날마다 새롭게 되고자 하는 것은 마땅히 깊이 생각하여 간직하고 뜻을 지극히 하여야 한다.

### 심대윤(沈大允) 『주역상의점법(周易象義占法)』

大畜之小畜☴, 畜而未見其形也. 六五, 才柔而居剛應剛, 以柔道用力, 如豶豖之尙有牙也. 豶豖, 割勢者也. 坤一變爲艮, 再變爲坎, 坎爲豖, 互艮前剛爲豶豖, 兌骨在頤中爲牙. 事業垂成, 漸以无爲, 故取變也. 豶豖之牙, 事業垂成, 尤當用力也.
대축괘가 소축괘(小畜卦☴)로 바뀌었으니, 쌓으면서도 그 형체를 볼 수가 없다. 육오는 재질이 부드러운데도 굳센 양의 자리에 있으면서 굳센 양과 호응하여, 부드러운 도로 힘을 쓰니, 거세된 돼지에 여전히 이빨이 있는 것과 같다. '거세된 돼지[豶豖]'는 거세된 것이다. 곤괘(坤卦☷)가 한 번 변하면 간괘(艮卦☶)가 되고, 다시 변하면 감괘(坎卦☵)가 되는데, 감괘(坎卦)는 돼지가 되고, 호괘인 간괘(艮卦)에서 앞에 있는 굳센 양이 거세된 돼지가 되

110) 『書經・召誥』: 嗚呼. 若生子 罔不在厥初生, 自貽哲命, 今天, 其命哲, 命吉凶, 命歷年, 知今我初服.

며, 태괘(兌卦☱)의 골격이 턱 가운데에 있어 이빨이 된다. 사업이 거의 다 이루어지면 점차적으로 일을 하지 않기 때문에 변한 괘를 취하였다. "멧돼지를 거세하여 이빨을 쓰지 못하게 한다"는 것은 사업이 거의 다 이루어졌으니, 더욱 마땅히 힘을 써야 한다는 것이다.

### 오치기(吳致箕) 「주역경전증해(周易經傳增解)」

六五, 以柔得中而居艮體, 與九二爲正應而畜止其剛者也. 二比於初, 其勢稍爲健强, 難制, 故有豶豕繫杙之象, 而使不得肆其奔突, 爲畜道之得中, 故言吉.
육오는 부드러운 음으로 알맞음을 얻어 간괘(艮卦☶)의 몸체에 있으며, 구이와 정응이 되면서 그 굳센 양을 저지하는 자이다. 이효는 초효보다 가까워서 그 형세가 점차 강건하게 되므로 통제하기가 어렵기 때문에 거세한 돼지를 말뚝에 묶는 상이 있고, 자기 멋대로 내달릴 수 없도록 하여 저지하는 도가 알맞음을 얻게 되었기 때문에 "길하다"고 하였다.

○ 豶者, 犗也, 卽豕之健强而難制者也. 對體似坎, 爲豕之象也. 牙者, 埤雅云, 繫豕杙也. 取於變巽爲繩爲木也.
'분(豶)'이란 힘이 센 짐승이니, 즉 멧돼지는 강건하여 통제하기 어려운 것이다. 음양이 바뀐 괘는 감괘(坎卦☵)와 비슷한데, 돼지의 상이 된다. '아(牙)'란 『비아(埤雅)』에서 돼지를 묶는 말뚝이라고 하였다.[111] 본 효가 변한 손괘(巽卦☴)가 끈이 되고 나무가 되는 데에서 취하였다.

### 이진상(李震相) 『역학관규(易學管窺)』

豶豕之牙.
멧돼지를 거세하여 이빨을 쓰지 못하게 한다.

牙, 恐當依埤雅, 作牙杙之牙, 蓋旣豶其勢, 而又繫以杙也. 童牛, 則設牿, 豶豕, 則設牙, 皆所以防其悍突也. 牙音互. 此卦言馬言牛言豕, 皆畜物也.
'호(牙)'는 아마도 『비아(埤雅)』에 의거하여 '말뚝으로 돼지를 묶음[牙杙]'[112]이라고 할 때의 '말뚝[牙]'가 되어야 하니, 이미 거세하고 또 말뚝에 묶는 것이다. '어린 소'에게는 쇠고랑[牿]을 설치하고, '거세된 멧돼지'에게는 말뚝[牙]을 설치하니, 모두 사납고 갑작스러운 일을 방

---

111) 『埤雅』: 牙杙也, 海岱之間, 以杙繫豕, 謂之牙賦, 曰置牙擺牲, 是也.
112) 『埤雅』: 牙杙也, 海岱之間, 以杙繫豕, 謂之牙賦, 曰置牙擺牲, 是也.

비하는 것이다. '牙'의 음은 '호(互)'이다. 이 괘에서 말을 말하고 소를 말하고 돼지를 말하였으니, 모두 가축이다.

**박문호(朴文鎬) 「경설(經說)・주역(周易)」**

豶豕之牙, 若依童牛之牿文勢讀之, 恐亦通. 且傳義之釋, 皆未見與諺解同, 若如諺釋, 亦不必深泥於其文勢. 蓋非謂豶其牙也, 乃謂豶其勢而制其牙也, 是豶豕之牙也.
"멧돼지를 거세하여 이빨을 쓰지 못하게 하다[豶豕之牙]"란 만약 "어린 소의 뿔에 가로 나무를 더하다"의 문세(文勢)에 의거하여 읽는다면, 아마도 또한 통할 듯하다. 또한 『정전』과 『본의』의 풀이는 모두 『주역언해』와 같은지를 아직 알지 못하겠으니, 만약 『주역언해』의 풀이와 같다면, 또한 반드시 그 문세에 깊이 빠질 필요는 없다. 아마도 그 이빨을 제거함을 말하는 것이 아니라 거세하여 그 이빨을 제지함을 말하니, 이것이 "멧돼지를 거세하여 이빨을 쓰지 못하게 하다[豶豕之牙]"이다.

## 象曰, 六五之吉, 有慶也.

「상전」에서 말하였다: "육오의 길함"은 경사가 있는 것이다.

## 中國大全

傳

**在上者, 不知止惡之方, 嚴刑以適民欲, 則其傷甚而无功. 若知其本, 制之有道, 則不勞无傷而俗革, 天下之福慶也.**

위에 있는 사람이 악을 저지하는 방법을 알지 못해서 형벌을 엄격히 하여 백성의 욕망을 대적하고자 한다면, 그 상함이 심하고 공이 없을 것이다. 만약 그 근본을 알아 제지함에 방도가 있게 하면 수고롭지 않고 상함이 없으면서 풍속이 개혁될 것이니, 천하의 복과 경사이다.

## 韓國大全

### 송시열(宋時烈) 『역설(易說)』

小象有慶者, 比之有喜, 更深一節. 喜在心, 慶主發於事, 皆以震喜兌悅之道而極言之.

「소상」에 "경사가 있다"고 한 것은 "기쁨이 있다"와 비교한다면, 다시 한층 더 깊다. 기쁨은 마음에 있고 경사는 일에서 주로 드러나니, 모두 진괘(震卦)의 기쁨과 태괘(兌卦)의 즐거운 도로써 지극하게 말하였다.

### 김상악(金相岳) 『산천역설(山天易說)』

有慶, 謂畜道成也.

"경사가 있다"란 저지하는 도가 이루어짐을 말한다.

### 서유신(徐有臣)『역의의언(易義擬言)』

君臣之象, 故慶大於喜也.
임금과 신하의 상이기 때문에 경사가 기쁨보다 크다.

### 박문건(朴文健)『주역연의(周易衍義)』

有慶, 言相信也.
"경사가 있다"란 서로 믿음을 말한다.

### 오치기(吳致箕)「주역경전증해(周易經傳增解)」

居尊而畜剛, 所畜者大, 故言有慶, 而慶大於喜也.
존귀한 자리에 있으면서 굳센 양을 저지하니, 저지하는 바가 크기 때문에 "경사가 있다"고 말하였는데, 경사는 기쁨보다 크다.

### 이병헌(李炳憲)『역경금문고통론(易經今文考通論)』

劉表曰, 豕去勢曰豶.
유표가 말하였다: 돼지가 거세 되면 '분(豶)'이라고 한다.

程傳曰, 若豶去其勢, 則牙雖存剛躁自止.
『정전』에서 말하였다: 만약 거세하면 이빨이 비록 있어도 강함과 조급함이 저절로 그친다.

鄭曰, 牙讀爲互.
정현이 말하였다: '牙'는 '호(互)'로 읽는다.

先鄭〈衆〉云, 互福衡之屬, 鄭義, 則蓋指祭牲.
정중이 말하기를 "호(互)는『시경』에서 말하는 '복형(楅衡)'[113]과 같은 부류이다"고 하였으니, 정중의 뜻은 아마도 제사의 희생을 가리키는 듯하다.

---

113)『詩經·閟宮』: 秋而載嘗, 夏而楅衡, 白牡騂剛, 犧尊將將, 毛炰胾羹, 籩豆大房, 萬舞洋洋, 孝孫有慶.

姚曰, 豶, 幼豕也.
요신이 말하였다: '분(豶)'은 어린 돼지이다.
〈爾雅云, 豕子豬, 䝚豶幺, 其義亦當考.
『이아』에서 "돼지 새끼는 저(豬)이고, 위(䝚)는 거세된 새끼 돼지이다"라고 하였으니, 그 뜻을 또한 마땅히 살펴보아야 한다.〉

## 上九, 何天之衢, 亨.

정전 상구는 하늘의 거리이니, 형통하다.
본의 상구는 어찌 그리 하늘의 거리와 같은가? 형통하다.

### 中國大全

**傳**

予聞之胡先生, 曰天之衢亨, 誤加何字. 事極則反, 理之常也. 故畜極而亨. 小畜畜之小, 故極而成, 大畜畜之大, 故極而散. 極旣當變, 又陽性上行, 故遂散也. 天衢, 天路也, 謂虛空之中, 雲氣飛鳥往來, 故謂之天衢. 天衢之亨, 謂其亨通曠潤无有蔽阻也. 在畜道, 則變矣, 變而亨, 非畜道之亨也.

내가 호선생(胡先生)[114]에게 들으니, "'천지구형(天之衢亨)'에 '하(何)'자가 잘못 더해졌다"고 말하였다. 일이 궁극에 이르면 되돌아가는 것은 항상 그러한 이치이다. 그러므로 저지함이 극에 이르면 형통하다. 소축괘는 저지함이 작기 때문에 지극하면 이루어지고, 대축괘는 저지함이 크기 때문에 지극하면 흩어진다. 궁극에 이르면 변해야 하고, 또 양의 성질은 위로 가기 때문에 마침내 흩어진다. '하늘의 거리[天衢]'는 하늘의 길로, 허공의 가운데를 말하니, 구름 기운과 나는 새가 왕래하기 때문에 하늘의 거리라고 말하였다. 하늘의 거리가 형통함은 형통함이 광활하여 가리움과 막힘이 없는 것을 말한다. 저지하는 도에 있어서는 변한 것이니 변하여 형통한 것이고, 저지하는 도가 형통하다는 것은 아니다.

**本義**

何天之衢, 言何其通達之甚也. 畜極而通, 豁達无礙, 故其象占如此

"어찌 그리 하늘의 거리와 같은가?"라고 한 것은 어쩌면 그리도 통달함이 심하냐고 말한 것이다. 저지함이 지극하여 통해서 활달하여 막힘이 없기 때문에 그 상과 점이 이와 같다.

---

114) 호선생(胡先生): 호원(胡瑗)을 말한다.

小註

朱子曰, 何天之衢亨, 或如伊川說, 衍一何字, 亦不可知.
주자가 말하였다: "어찌 그리 하늘의 거리와 같은가? 형통하다"라는 문장에 대해서 어떤 사람은 이천의 설명과 같이 하나의 '하(何)'라는 글자가 잘못 들어간 글자라고 하는데, 또한 알 수 없다.

○ 陳氏皐曰, 陽久被抑, 今而亨通, 故曰何, 訝之也, 實喜之也.
진고가 말하였다: 양이 오랫동안 억제를 당하였다가 지금 형통하기 때문에 '어찌'라고 말하였으니, 놀란 것이지만 실제로는 기뻐한 것이다.

○ 雙湖胡氏曰, 艮爲徑路, 衢亦路也. 在上, 故爲天衢.
쌍호호씨가 말하였다: 간괘(艮卦☶)는 지름길이 되고, '거리[衢]' 또한 길이다. 위에 있기 때문에 하늘의 거리라고 하였다.

○ 厚齋馮氏曰, 五天位也. 上位乎天之上, 乾三陽上達于此之路, 故曰天衢.
후재풍씨가 말하였다: 오효는 하늘의 자리이다. 상효는 하늘의 위에 자리하여 건괘(乾卦☰)의 세 양이 위로 여기에 도달하는 길이기 때문에 하늘의 길이라고 하였다.

○ 雲峯胡氏曰, 隨畜隨發, 不足爲大畜. 惟畜之極而通, 豁達无礙, 如天衢然. 何之一字, 讚之之辭也, 蓋曰是何通達之甚如此也. 此不徒爲仕者之占, 大學章句, 所謂用力之久, 一旦豁然貫通者, 亦是此意. 多識前言往行, 以畜其德者, 以之可也.
운봉호씨가 말하였다: 쌓았다가 흩었다가 하는 것은 대축이 되기에 부족하다. 오직 쌓는 것이 극에 이르러 통해서 환하게 통달하여 막힘이 없어 마치 하늘의 거리와 같아야 한다. '하(何)'라는 한 글자는 찬미하는 말이니, "이 어찌 이처럼 심히 통달한다는 말인가!"라고 말한 것이다. 이것은 벼슬하는 사람의 점일 뿐만 아니라, 『대학장구』에서 "힘을 씀이 오래됨에 하루아침에 활연관통한다"고 말한 것도 이 뜻이다. 이전의 말과 지나간 행동을 많이 알아서 덕을 기르는 자가 써도 된다.

# 韓國大全

## 송시열(宋時烈) 『역설(易說)』

何字, 來氏以爲當[115]以底字意看, 與傳意不同. 蓋天者以最高而言, 衢者艮爲經路震爲大塗故也. 小象, 道大行者, 亦以震爲行耶. 丘氏曰, 小蓄, 蓄極而成, 大蓄, 蓄極而散, 可謂善言易矣. 何字以噬嗑何校,及詩何天之龍見之, 是荷字之義也, 如云擔荷於天衢也. 上九居上而爲卦主, 折中亦有此意.

'하(何)'자에 대하여 래지덕은 마땅히 '저(底)'자의 뜻으로 보아야 한다고 했으니, 『정전』의 뜻과는 같지 않다. '하늘[天]'이란 가장 높음으로 말하는 것이고, '거리[衢]'라고 말한 것은 간괘(艮卦☶)가 경로(經路)가 되고 진괘(震卦☳)가 큰 길이 되기 때문이다. 「소상전」에서 "도로에 크게 통행하기 때문이다"라고 한 것도 진괘(震卦)가 "가다[行]"를 의미하기 때문인가? 건안구씨가 말하기를 "소축괘(小畜卦䷈)는 저지함이 지극하면 이루어지고 대축괘(大畜卦)는 저지함이 지극하면 흩어진다"라고 하였으니 『주역』에 대하여 잘 말하였다고 말할 만하다. '하(何)'자는 서합괘(噬嗑卦䷔)의 "형틀을 채우다[何校]"[116]와 『시경』에 나오는 "하늘의 영광을 받으셨다[何天之龍]"[117]로 본다면 '하(荷)'자의 뜻이니, 하늘의 거리에서 짐을 진다고 말하는 것과 같다. 상구는 맨 위에 있으면서 괘의 주인이 되니, 『주역절중(周易折中)』에도 이러한 뜻이 있다.

## 이익(李瀷) 『역경질서(易經疾書)』

聞之良溪曰, 何卽向字之誤, 向天之衢, 謂大道向天, 無所障碍也. 傳云, 道大行也, 道字屬衢, 大字屬天, 行字屬向. 天在山中, 畜止之極, 其道乃上通, 有如此者.

양계(良溪)에게서 들었다: '하(何)'는 '향(向)'자의 오기이니, 하늘을 향한 거리는 큰 길이 하늘을 향하여 장애가 되지 않음을 말한다. 「상전」에서 말한 "도로에 크게 통행하기 때문이다"에서 '도로[道]'는 '거리'에 속하고, '대(大)'자는 '하늘'에 속하며, '행(行)'자는 향함에 속한다. 하늘이 산 가운데에 있으면서 저지함의 지극함이니, 그 도로가 위로 통하므로 이와 같음이 있다.

---

115) 當: 경학자료집성DB와 영인본에 모두 '富'로 되어 있으나, 문맥을 살펴 '當'으로 바로잡았다.

116) 『周易 · 噬嗑卦』: 上九, 何校, 滅耳, 凶.

117) 『詩經 · 長發』: 受小共大共, 爲下國駿厖. 何天之龍, 敷奏其勇, 不震不動, 不戁不竦, 百祿是總.

或曰, 何, 如何校之何, 在首曰何. 天在山中, 爲山所畜, 上九山頂也. 畜極則通, 上通于山頂, 是何天之衢, 何天爲句也.
어떤 이가 말하였다: '하(何)'는 "형틀을 메다[何校]"118)의 "메다[何]"와 같은데, 머리에 메는 것을 '하(何)'라고 한다. 하늘이 산 가운데에 있어서 산이 저지하는데 상구는 산의 정상이다. 저지함이 지극하면 통하고 상구는 산의 정장으로 통하니, 이것이 '하늘을 메는 거리'로 '하천(何天)'이 구(句)가 된다.

吳澄曰, 王延壽靈光殿賦, 荷天衢而元亨, 何作荷, 何天之衢, 如詩言何天之休, 何天之龍.
오징이 말하였다: 왕연수(王延壽)가 지은 「노령광전부(魯靈光殿賦)」에서는 "하늘의 거리를메고 있어서 크게 형통하다"119)라고 하였으니, '하(何)'를 '하(荷)'로 본다면 "하늘의 거리를 메다[何天之衢]"는 『시경』에 나오는 "하늘의 아름다움을 받으셨다"120)와 "하늘의 영광을 받으셨다[何天之龍]"121)의 경우와 같다.

愚謂, 詩所言, 卽天休天龍爲句. 王賦所言, 靈光峻高, 故提何天衢之義, 亦天衢爲句, 而彼又不過用易之文, 不可爲證. 竊疑何旣行字之訛. 據傳文, 天屬大, 衢屬道, 則何之屬行, 明矣. 縱曰非訛, 何必有行義也.
내가 살펴보았다: 『시경』에서 말하는 바는 '하늘의 아름다움[天休]'과 '하늘의 영광[天龍]'을 한 구절로 삼았다. 왕연수의 부(賦)에서 말하는 바는 영광전(靈光殿)이 준엄하고 높았기 때문에 하늘의 거리를 메고 있다는 뜻을 제시하였으니, '하늘의 거리[天衢]'도 또한 한 구절이 되지만, 왕연수도 『주역』의 문장을 사용한 데에 지나지 않으니 증명할 수가 없다. 아마도 의심컨대 '하(何)'는 이미 '행(行)'을 잘못 기재한 듯하다. 『상전』에 의거하면, '하늘[天]'은 크다는 것에 속하고 '거리[衢]'는 길에 속하니, '하(何)'가 '행(行)'에 속함은 분명하다. 비록 잘못된 기재한 글자가 아니라고 할 수 있을지라도 '하(何)'에는 반드시 "통행한다[行]"는 뜻이 있다.

118) 『周易 · 噬嗑卦』: 上九, 何校, 滅耳, 凶.
119) 「魯靈光殿賦」: 粵若稽古, 帝漢祖宗, 浚哲欽明. 殷五代之純熙, 紹伊唐之炎精. 荷天衢以元亨, 廓宇宙而作京. 敷皇極以創業, 協神道而大寧. 於是百姓昭明, 九族敦序. 乃命孝孫, 俾侯於魯.
120) 『詩經 · 長發』: 受小球大球, 爲下國綴旒. 何天之休, 不競不絿, 不剛不柔, 敷政優優, 百祿是遒.
121) 『詩經 · 長發』: 受小共大共, 爲下國駿厖. 何天之龍, 敷奏其勇, 不震不動, 不戁不竦, 百祿是總.

### 심조(沈潮) 「역상차론(易象箚論)」

上九, 何天之衢,
상구는 하늘의 거리이니,

艮爲徑路而在上, 故稱天衢.
간괘(艮卦☶)가 경로가 되면서 상괘로 있기 때문에 '하늘의 거리'를 칭하였다.

### 유정원(柳正源) 『역해참고(易解參攷)』

王氏曰, 處畜之極, 畜極則通, 大畜以至於大亨之時. 何, 辭也, 猶云何畜, 乃天之衢亨也.
왕필이 말하였다: 저지함의 지극한 곳에 있어서 저지함이 지극해지면 통하므로 대축괘는 크게 형통한 시기에 이르게 된다. '하(何)'는 어조사이므로 어떻게 저지하였기에 하늘의 거리가 형통한가라는 말과 같다.

○ 案, 天衢, 猶言康莊之衢. 艮陽在上, 乾陽上達, 故曰天衢.
내가 살펴보았다: '하늘의 거리'는 '번화한 사통오달의 거리[康莊之衢]'[122]라는 말과 같다. 간괘(艮卦☶)의 양은 맨 위에 있고 삼효인 건괘(乾卦)의 양은 위로 도달하기 때문에 '하늘의 거리'라고 하였다.

### 김상악(金相岳) 『산천역설(山天易說)』

何者, 荷也. 天衢, 良馬所逐之道. 上居艮終, 與三爲應, 乾互震體, 故有何天衢之象, 亨孰大焉. 居上而言何者, 能勝其任也.
'하(何)'란 "메다[荷]"의 뜻이다. '하늘의 거리'는 좋은 말이 달려가는 길이다. 상효가 간괘의 끝에 있으면서 삼효와 호응하고 건괘(乾卦☰)는 호괘인 진괘(震卦☳)의 몸체이기 때문에 하늘의 거리를 메고 있는 상이 있으니, 무엇이 이것보다 형통하겠는가? 맨 위에 있으면서 '하(何)'를 말한 것은 책임을 다할 수 있다는 것이다.

○ 艮爲背何之象. 詩之何簑, 亦負荷之意也. 靈光殿賦, 荷天衢以元亨. 乾爲天, 震大塗, 天衢之象. 大畜與泰, 爭上一爻, 畜極而通, 故有天衢之亨, 无平陂之患. 大畜之陽,

122) 『史記 · 孟子荀卿列傳』: 自如淳於髡以下, 皆命曰列大夫, 爲開第康莊之衢.

爲二陰所畜, 而上之得亨, 卽所謂大亨有時, 先以小抑, 是也. 彖傳曰, 日新其德, 大象曰, 多識前言往行, 以畜其德, 而九[123]三曰, 日閑輿衛, 利有攸往, 上九曰, 何天之衢亨者, 卽下學上達之功也. 用力之久, 一朝豁然貫通, 此之謂也.
간괘(艮卦☶)는 등에 메는 상이 된다. 『시경』에 나오는 "도롱이를 메다[何簑]"[124]도 또한 등에 멘다는 뜻이다. 「노령광전부(魯靈光殿賦)」에서는 "하늘의 거리를 메고 있어서 크게 형통하다"[125]라고 하였다. 건괘(乾卦☰)는 하늘이 되고 진괘(震卦☳)는 큰 길이 되어 하늘의 거리인 상이다. 대축괘와 태괘(泰卦☷☰)는 상효인 한 효를 다투는데, 저지함이 지극하면 통하기 때문에 하늘의 거리라는 형통함이 있고 평평한 것이 기우는 걱정[126]이 없다. 대축괘의 양은 두 음에 의하여 저지당하지만, 상효가 형통함을 얻음은 즉 이른바 "크게 형통함에는 때가 있으니, 먼저 작은 것으로써 억제 한다"[127]가 이것이다. 「단전」에서 "날로 덕을 새롭게 한다"고 하였고 「대상전」에서 "이전의 말과 지난 행동을 많이 알아 덕을 쌓는다"고 하였으며, 구삼에서 "날마다 수레 타기와 호위를 익히면, 가는 것이 이롭다"고 하였고, 상구에서 "상구는 하늘의 거리를 메어서 형통하다"고 한 것은 즉 아래로 배워서 위로 통달하는[128] 공이다. 힘쓰기를 오래하면 하루아침에 확 관통하게 되니, 이것을 말한다.

## 서유신(徐有臣) 『역의의언(易義擬言)』

此上九之畜旣大而通也. 何, 加也. 乾爲天, 震爲大塗, 天上之大塗, 故曰何天之衢也. 上九又在天衢之上, 彖所謂尙賢之象也.
이것은 상구의 저지함이 이미 커서 통한다는 것이다. '하(何)'는 덧보태진 것이다. 건괘(乾卦☰)는 하늘이 되고 진괘(震卦☳)는 큰 길이 되어 하늘 위에 큰 길이기 때문에 '하늘의 큰 거리'라고 하였다. 상구는 또 하늘의 거리 위에 있으니, 「단전」에서 말한 '현명한 이를 높이는' 상이다.

## 박문건(朴文健) 『주역연의(周易衍義)』

升進處高, 故有天衢之象. 何, 負也. 衢, 四通之街也.

---

123) 九: 경학자료집성DB와 영인본에 모두 '六'으로 되어 있으나, 육삼 효사와 문맥을 살펴 '九'로 바로잡았다.
124) 『詩經 · 無羊』: 或降于阿, 或飮于池, 或寢或訛. 爾牧來思, 何簑何笠, 或負其餱. 三十維物, 爾牲則具.
125) 「魯靈光殿賦」: 粵若稽古, 帝漢祖宗, 浚哲欽明. 殷五代之純熙, 紹伊唐之炎精. 荷天衢以元亨, 廓宇宙而作京. 敷皇極以創業, 協神道而大寧. 於是百姓昭明, 九族敦序. 乃命孝孫, 俾侯於魯.
126) 『周易 · 泰卦』: 九三, 无平不陂, 无往不復, 艱貞, 无咎, 勿恤其孚, 于食有福.
127) 「與章伯鎭書」: 伯鎭, 尙淹江郡, 忽已愈年. 大亨有時, 先以小抑, 亦通否之理然也.
128) 『論語 · 憲問』: 子曰 不怨天, 不尤人, 下學而上達, 知我者, 其天乎.

위로 올라가 높은 곳에 있기 때문에 하늘의 거리인 상이 있다. '하(何)'는 등에 진다는 뜻이다. '거리[衢]'는 사방으로 통하는 거리이다.
〈問, 何天之衢亨. 曰, 上九進而處高, 如負荷天衢者也. 无所疑阻, 故其道亨也, 處下者, 不可以亂也.
물었다: "하늘의 거리를 지니, 형통하다"란 무슨 뜻입니까?
답하였다: 상구가 나아가 높은 곳에 있어서 하늘의 거리를 지는 것과 같습니다. 의심하거나 막힘이 없기 때문에 그 도로가 형통하니, 아래에 있는 자가 어지럽힐 수 없습니다.〉

### 이지연(李止淵) 『주역차의(周易箚疑)』

畜其德者之於此四五兩爻, 可謂遏人欲而存天理, 畜之道大行之謂耶, 陽之道大行之謂耶. 卦以畜止爲義, 而爻以畜極而散爲美, 畜而散, 則其所畜之前言往行, 不其散耶. 散則烏在其畜之之效耶. 大抵此卦之義, 有二焉. 以乾父而見, 畜於少子, 此所謂丈夫愛少子, 人情之无怪者也, 以山而畜天, 山非畜天之物, 天理之非常者也. 又三與上之間, 爲重體之離, 離爲大腹, 腹中有畜, 理之正也. 丈夫之偏愛少子, 山中之能畜大天, 終非可久之道也. 畜而散者, 於理爲可, 故曰散. 至於腹中之畜道德者, 畜之久而涵養漸熟, 則前言往行, 皆反爲吾言吾行. 畜而亨者, 又於理爲可, 故云亨.
그 덕을 쌓은 자가 이러한 사효와 오효인 두 효에 대하여 인욕을 막고 천리를 보존한다고 말할 수 있는 것은 저지하는 도가 크게 행하여짐을 말하는가? 양의 도가 크게 행하여짐을 말하는가? 괘로 보면 저지함을 의로움으로 삼고 효로 보면 쌓음이 지극하여 흩어짐을 아름답게 여기니, 쌓아서 흩어진다면 쌓았던 '이전의 말과 지난 행동'은 흩어지지 않는가? 흩어진다면 어디에 쌓았던 효과가 있겠는가? 대체로 이 괘의 뜻은 두 가지가 있다. 건괘(乾卦☰)의 아버지로 보면 어린 아들을 양육하는 것이니 이는 이른바 "장부(丈夫)가 어린 아들을 사랑함에는 인정상 기이할 바가 없다"는 것이지만, 산으로써 하늘을 쌓음으로 본다면 산이란 하늘을 쌓을 수 있는 물건이 아니니 천리의 정상적인 것은 아니다. 또 삼효와 상효의 사이는 크게 보면 몸체가 리괘(離卦☲)가 되고, 리괘는 큰 배가 되니, 배 안에 쌓임이 있는 것은 이치의 바름이다. 장부가 어린 아들을 편애함은 산 가운데에 큰 하늘을 쌓을 수 있음이니, 끝내 오래 할 수 있는 도가 아니다. 쌓았다 흩어짐은 이치상 가능하기 때문에 "흩어진다"고 하였다. 배 가운데에 도덕을 쌓은 것에 이르러 쌓기를 오래하여 함양하기가 점점 무르익게 되면 '이전의 말과 지난 행동'은 모두 도리어 나의 말과 나의 행동이 된다. 쌓아서 형통한 것은 또한 이치상 가능하기 때문에 "형통하다"고 하였다.

### 김기례(金箕澧) 「역요선의강목(易要選義綱目)」

艮爲徑路, 上陽與乾三合志, 通達, 故曰天衢, 言其道大通.
간괘(艮卦)는 경로(徑路)가 되는데, 맨 위의 양과 건괘(乾卦)의 삼효가 뜻을 합쳐 통달하기 때문에 '하늘의 거리'라고 말하였으니, 그 도로가 크게 통한다는 말이다.

○ 何, 程傳曰, 誤加, 朱子曰, 不可謂衍. 易中上一爻, 多有極之災, 或有所善, 无若大畜之上[129]亨, 蓋蘊畜道德, 不可行且爲也. 不止, 則不能畜, 畜大而多識前言往行, 日新之德, 及至豁然而貫通焉, 則士可以往濟天下之險阻, 共天位食祿, 非天衢而何.
'하(何)'에 대하여 『정전』에서는 "잘못 덧보태졌다"고 하였고, 주자는 "쓸데없이 덧보태졌다고 할 수 없다"고 하였다. 『주역』 가운데에 상효인 한 효는 대부분 지극한 재앙이 있지만, 혹 선한 바가 있는데 대축괘의 상효가 형통함만 한 것이 없으니, 아마도 도와 덕을 온축하는 것은 행위를 하면서 할 수가 없기 때문인 듯하다. 멈추지 않는다면 쌓을 수가 없고, 크게 쌓아 이전의 말과 지나간 행동을 많이 알아 날마다 새로운 덕이 시원하게 관통하는 데에 이른다면, 선비는 천하의 험준함을 가서 구제하여 하늘의 지위와 식록을 맞아들일 수 있으니, '하늘의 거리'가 아니라면 무엇이겠는가?

贊曰, 一陽爲上, 賤而尚賢. 三陽爲下, 山而畜天. 篤實健行, 利涉大川. 畜賢畜德, 德日明鮮.
찬미하여 말한다: 하나의 양이 맨 위에 있으면서 스스로를 낮추어 현명한 이를 높이네. 아래에 있는 세 양이 산이면서 하늘을 쌓네. 독실하고 강건하게 가서 큰 내를 건넘이 이롭네. 현명한 이를 기르고 덕을 쌓아 덕이 날마다 밝고 빛나네.

### 이항로(李恒老) 「주역전의동이석의(周易傳義同異釋義)」

傳, 誤加何字.
『정전』에서 말하였다: '하(何)'자가 잘못 더해졌다.

本義, 何天之衢, 言何其通達之甚也.
『본의』에서 말하였다: "어찌 그리 하늘의 거리와 같은가?"라고 한 것은 어쩌면 그리도 통달함이 깊으냐고 말한 것이다.

---

129) 上: 경학자료집성DB와 영인본에는 모두 '□'로 되어 있으나, 문맥을 살펴 '上'으로 바로잡았다.

按, 朱子曰, 何天之衢亨, 或如伊川說, 衍一何字, 亦不可知. 〈朱子說止此.〉 然若无何字, 則多一之字, 當從本義.
내가 살펴보았다: 주자가 말하기를 "'어찌 그리 하늘의 거리와 같은가? 형통하다'라는 문장에 대해서 어떤 사람은 이천의 설명과 같이 '하(何)'라는 한 글자가 잘못 들어갔다고 하는데, 또한 알 수 없다"고 하였다. 〈주자의 설명은 여기서 그치고 있다.〉 그러나 만약 '하(何)'자가 없다면 하나의 글자를 보태야 하니, 마땅히 『본의』를 따라야 한다.

### 심대윤(沈大允) 『주역상의점법(周易象義占法)』

大畜之泰䷊, 交通也. 財物既畜, 取而用之, 材德既畜, 施而行之, 事業既畜, 安而享之, 有泰之義. 上九, 才剛而居柔, 處畜之終, 无事之地, 有其象焉, 故曰何天之衢, 言何其通達也. 亨則泰之吉亨也. 震爲塗, 對乾爲天衢. 財物之取用, 材德之施行, 事業之安享, 尤宜慎其終也, 故不言吉.
대축괘가 태괘(泰卦䷊)로 바뀌었으니, 사귀어 통함이다. 재물이 이미 쌓였으니 그것을 취하여 쓰고, 재주와 덕이 이미 쌓였으니 그것을 베풀어 행하고, 사업이 이미 쌓였으니 그것을 편안하게 누리니, 태평한 뜻이 있다. 상구는 자질이 굳세면서 부드러운 곳에 있고 쌓음의 끝에 있어서 일이 없는 처지라서 이러한 상이 있기 때문에 "어찌 그리 하늘의 거리와 같은가?"라고 하였으니, "어찌 그렇게 통달하는가?"라는 말이다. "형통하다"란 태괘(泰卦䷊)에서의 "길하고 형통하다"[130]이다. 진괘(震卦☳)는 길이 되고, 태괘의 상괘가 음양이 바뀐 괘가 되는 건괘(乾卦☰)는 하늘의 거리가 된다. 재물을 취하여 씀과 재주와 덕을 베풀어 행함과 사업을 편안하게 누림은 더욱 마땅히 그 끝을 조심하여야 하기 때문에 길하다고 말하지 않았다.

### 오치기(吳致箕) 「주역경전증해(周易經傳增解)」

上九居畜之極, 畜積其德, 出而登天子之庭, 擔負大任, 以濟天下. 故有何天衢之象, 卽所謂不家食吉者也, 所以占言亨.
상구는 쌓음의 지극한 곳에 있으면서 그 덕을 축적하고 나아가 천자의 조정에 올라 큰 임무를 맡아 천하를 구제한다. 그러므로 하늘의 거리를 짊어지는 상이 있으니, 이른바 "집에서 밥을 먹지 않으면 길하다"는 것으로 점사에서 "형통하다"고 한 까닭이다.

○ 何者, 負也, 荷也, 背負之謂, 而艮有背之象也. 天位故言天也, 衢取於互震, 爲大塗

---

130) 『周易 · 泰卦』: 泰, 小往大來, 吉亨

衢之象, 而天衢言天子之庭也. 此爻, 卽畜道之通者也, 故言亨.
'하(何)'란 짊어짐이고 멤이니 등에 짊어짐을 말하며, 간괘(艮卦☶)에 등의 상이 있다. 하늘의 자리이기 때문에 '하늘[天]'을 말하였고, '거리[衢]'는 호괘인 진괘(震卦☳)에서 취하였으니 사방으로 통하는 큰 길인 상이 되며, '하늘의 거리'란 천자의 조정을 말한다. 이 효는 저지하는 도가 통하는 것이기 때문에 "형통하다"고 하였다.

### 이진상(李震相) 『역학관규(易學管窺)』

何天之衢.
하늘의 거리.

天衢, 言通闊之路, 恐非雲路也.
'하늘의 거리'란 탁 트이고 통하는 길이니, 아마도 구름이 다니는 길은 아닌 듯하다.

### 박문호(朴文鎬) 「경설(經說)·주역(周易)」

天之衢亨, 以程傳之意觀之, 衢字, 不必爲句. 此亨字, 與易中凡亨字不同, 註所云非畜道之亨, 是也.
"하늘의 거리이니 형통하다[天之衢亨]"를 『정전』의 뜻으로 살펴보면, '구(衢)'자에서 반드시 구절을 끊어야 할 필요는 없다. 여기서의 "형통하다[亨]"는 글자는 『주역』 가운데에 나오는 대부분의 "형통하다[亨]"는 글자와 다르니, 『정전』에서 "저지하는 도가 형통하다는 것은 아니다"라고 한 말이 이것이다.

## 象曰, 何天之衢, 道大行也.

정전 「상전」에서 말하였다: 어찌하여 "하늘의 거리"라고 말하였는가? 도로에 크게 통행하기 때문이다.

본의 「상전」에서 말하였다: "어찌 그리 하늘의 거리와 같은가?"라고 한 것은 도로에 크게 통행하기 때문이다.

# 中國大全

### 傳

**何以謂之天衢. 以其无止礙, 道路大通行也. 以天衢非常語, 故象特設問曰, 何謂天之衢. 以道路大通行, 取空豁之狀也. 以象有何字, 故爻下亦誤加之.**

어찌하여 하늘의 거리라고 말하였는가? 저지함과 막힘이 없어서 도로가 크게 통행되기 때문이다. 하늘의 거리는 항상 쓰는 말이 아니기 때문에 「상전」에서 특별히 가정하여 묻기를 "어찌하여 하늘의 거리라 일렀는가? 도로가 크게 통행되기 때문이다"라고 하였으니, 텅 빈 모습을 취한 것이다. 「상전」에 '하(何)'자가 있기 때문에 효 아래에서도 잘못 '하(何)'자를 더하였다.

### 小註

開封耿氏曰, 下體受畜者也, 上體畜下者也. 受畜者, 至於九三, 則良馬逐矣, 无復如初二也. 畜下者, 至於上九, 則天衢亨矣, 无復如四五也.

개봉경씨가 말하였다: 하체는 저지를 받는 자이고, 상체는 아래를 저지하는 자이다. 저지를 받는 자가 구삼에 이르면 좋은 말이 달려가는 것이니, 다시는 초효나 이효와 같지 않다. 아래를 저지하는 자가 상구에 이르면 하늘의 거리가 형통한 것이니, 다시는 사효나 오효와 같지 않다.

○ 白雲郭氏曰, 觀童牛之牿, 則知有厲利已矣. 觀豶豕之牙, 則知輿說輹矣. 觀良馬逐, 則知何天之衢亨矣. 蓋乾健爲艮所止, 是以三爻各相類.

백운곽씨가 말하였다: 어린 소의 뿔에 가로 나무를 더한 것을 보면, 어려움이 있을 것이니

그만 두는 것이 이로움을 안다. 멧돼지를 거세하여 이빨을 쓰지 못하게 한 것을 보면, 수레의 바퀴통이 빠진 것을 안다. 좋은 말이 달려가는 것을 보면 하늘의 길이 형통한 것을 안다. 강건한 건괘가 간괘에게 저지당하기 때문에 세 효가 각각 서로 함께 한다.

○ 建安丘氏曰, 大畜六爻, 上三爻艮爲畜者也, 下三爻乾受畜者也. 初與四應, 受四之畜者, 故初言有厲利已, 四言童牛之牿. 二與五應, 受五之畜者, 故二言輿說輹, 而五言豶豕之牙. 此四爻皆已成畜者也. 至三與上應, 始與上合志而同進, 故三言良馬逐, 而上言天衢亨也. 畜而至此, 畜道散矣.
건안구씨가 말하였다: 대축괘의 여섯 효는 위의 세 효는 간괘로서 저지하는 자이고, 아래의 세 효는 건괘로서 저지를 받는 자이다. 초효는 사효와 호응하면서 사효의 저지를 받는 자이기 때문에 초효에서는 "어려움이 있으니, 그만 두는 것이 이롭다"고 하였다. 사효에서는 "어린 소의 뿔에 가로 나무를 더한다"고 말하였다. 이효는 오효와 호응하면서 오효의 저지를 받는 자이기 때문에 이효에서는 "수레의 바퀴통이 빠졌다"고 말하였고, 오효에서는 "멧돼지를 거세하여 이빨을 쓰지 못하게 한다"고 말하였다. 이 네 효는 모두 이미 저지를 이룬 자이다. 삼효에 이르러 상효와 호응하여 처음으로 상효와 뜻을 합하여 함께 나아가기 때문에 삼효에서는 "좋은 말이 달려간다"고 말하였고, 상효에서는 "하늘이 길이 형통하다"고 말하였다. 저지하다가 여기에 이르면 저지하는 도가 흩어진다.

## 韓國大全

**권근(權近) 『주역천견록(周易淺見錄)』**

上九, 何天之衢, 亨,
상구는 하늘의 거리이니, 형통하다.

象曰, 何天之衢, 道大行也.
「상전」에서 말하였다: 어찌하여 "하늘의 거리"라고 말하였는가? 도로에 크게 통행하기 때문이다.

上九, 以艮体居於畜時, 疑其止而不行也. 然以陽在乾之上, 其畜已極, 道同德合, 其性上行, 猶以賢德而居天位, 上下同志, 其道大行也. 是不家食而明明德於天下, 新民之止於至善也. 上九无位之地, 以爲居天位者, 以剛上而有尙賢之象. 易道隨時而取義也. 吳氏以何爲何校之何. 猶詩何天之休, 何天之龍語意同, 所引比類, 可謂明矣. 然天休天寵, 可以言負荷也, 天衢不可以言荷[131], 此所謂何[132]者疑之也. 以其在艮, 疑其當止, 而通達无碍, 其道大行, 故疑之也. 或以爲衍字, 亦非.

상구는 간괘(艮卦☶)의 몸체로 저지하는 때[畜]에 있으므로 아마도 멈추고 행하지 않은 듯하다. 그러나 양으로 건괘(乾卦☰)의 위에 있어서 그 저지함이 이미 지극하여 도가 같고 덕이 부합하고, 그 성질은 위로 가려고 하니 현명한 덕을 가지고 하늘의 자리에 있어서 위와 아래가 뜻을 함께하여 그 도가 크게 행하여지는 것과 같다. 이것이 집에서 밥을 먹지 않으면서 천하에 밝은 덕을 밝힘과 백성을 새롭게 함이 지극한 선(善)에서 머문다[133]는 것이다. 상구는 지위가 없는 곳인데도 하늘의 지위에 있다고 여기는 것은 굳센 양으로 맨 위에 있어서 현명한 자를 높이는 상이 있으니, 『주역』의 도는 때에 맞게 뜻을 취하기 때문이다. 오씨는 '하(何)'를 "형틀을 멘다[何校]"[134]에서의 '멘다[何]'로 여겼다. 『시경』에 나오는 "하늘의 아름다움을 받으셨다"[135]와 "하늘의 영광을 받으셨다[何天之龍]"[136]와 뜻이 같으므로 인용하여 비유한 종류가 분명하다고 할 수 있다. 그러나 '하늘의 아름다움'과 '하늘의 영광'은 짊어진다고 말할 수 있지만, '하늘의 거리'는 짊어진다[荷]고 말할 수가 없으니, 여기서 이른바 '하(何)'란 의심한다는 것이다. 간괘(艮卦)에 있기 때문에 아마도 마땅히 멈추어야 할 듯한데도 통달하여 장애가 없어 그 도로에 크게 통행하기 때문에 의심을 하는 것이다. 어떤 이는 '하(何)'자가 쓸데없이 들어간 글자라고 하였으나 또한 잘못이다.

### 유정원(柳正源) 『역해참고(易解參攷)』

何天 [至] 行也.

하늘의 거리 … 통행하기 때문이다.

〈擧正, 衢下脫亨字.

『주역거정』에서 말하였다: '구(衢)'자 아래에 '형(亨)'자가 빠졌다.〉

---

131) 荷: 경학자료집성DB와 영인본에 모두 '何'로 되어 있으나, 문맥을 살펴 '荷'로 바로잡았다.

132) 何: 경학자료집성DB와 영인본에 모두 '荷'로 되어 있으나, 문맥을 살펴 '何'로 바로잡았다.

133) 『大學』: 大學之道, 在明明德, 在親民, 在止於至善.

134) 『周易·噬嗑卦』: 上九, 何校, 滅耳, 凶.

135) 『詩經·長發』: 受小球大球, 爲下國綴旒. 何天之休, 不競不絿, 不剛不柔, 敷政優優, 百祿是遒.

136) 『詩經·長發』: 受小共大共, 爲下國駿厖. 何天之龍, 敷奏其勇, 不震不動, 不戁不竦, 百祿是總.

案, 道大行, 卽亨字之意.
내가 살펴보았다: "도로에 크게 통행하기 때문이다"는 곧 '형(亨)'자의 뜻이다.

### 김상악(金相岳) 『산천역설(山天易說)』

道, 陽道也.
'도(道)'는 양(陽)의 도(道)이다.

### 김규오(金奎五) 「독역기의(讀易記疑)」

象道大行, 傳作道路之道, 蓋以衢字註脚也. 然大行字, 已含道路之意, 又道路大行之文, 亦不甚順, 或作大畜之道如何.
「상전」에서 말한 "도로에 크게 통행하기 때문이다[道大行]"에 대하여 『정전』에서는 '도로(道路)'에서의 '도(道)'라고 하였으니, '구(衢)'자를 가지고서 주석하였다. 그러나 "크게 통행한다[大行]"는 글자는 이미 도로(道路)라는 뜻에 포함되어 있고, 또 '도로대행(道路大行)'이라는 문장도 역시 크게 순조롭지 않으니, 어떤 이가 대축(大畜)의 도라고 한 것은 어떠한가?

○ 陰陽相應, 本爲相好, 而此四五畜初二, 晉四摧初, 夷三誅上, 恒四不應初, 大過三不顧上, 定不可一例看也.
음과 양은 서로 호응하여 본래 서로 좋아하지만, 여기서는 사효와 오효가 초효와 이효를 저지하고, 진괘(晉卦☲)에서는 사효가 초효을 밀어내며, 명이괘(明夷卦☷)에서는 삼효가 상효를 주살하고, 항괘(恒卦☳)에서는 사효가 초효와 호응하지 않으며, 대과괘(大過卦☱)에서는 삼효가 상효를 돌아보지 않으니, 반드시 하나의 사례로만 봐서는 안 된다.

### 서유신(徐有臣) 『역의의언(易義擬言)』

一卦, 皆爲上九之所畜, 是其畜道大行之象也.
한 괘가 모두 상구에 의하여 저지당하니, 이는 대축괘의 도가 크게 행하여지는 상이다.

### 박문건(朴文健) 『주역연의(周易衍義)』

大行, 言其道大亨也.
'크게 통행함'이란 그 도로가 크게 형통함을 말한다.

### 오치기(吳致箕) 「주역경전증해(周易經傳增解)」

此卽不家食涉大川者, 而所畜之道, 大行于天下者也.
이것이 “집에서 밥을 먹지 않는다”와 “큰 내를 건넌다”는 것이며, 쌓는 바의 도가 천하에 크게 행하여지는 것이다.

### 이병헌(李炳憲) 『역경금문고통론(易經今文考通論)』

鄭曰, 艮爲手, 手上肩也, 乾爲首, 首肩之間, 荷物處. 乾爲天, 艮爲徑路, 天衢象也. 人君在上, 負荷天之大道.
정현이 말하였다: 간괘(艮卦☶)는 손이 되고 손 위는 어깨이며 건괘(乾卦☰)는 머리가 되니, 머리와 어깨 사이는 물건을 짊어지는 곳이다. 건괘(乾卦)는 하늘이 되고 간괘(艮卦)는 경로(徑路)가 되니 하늘의 거리인 상이다. 임금이 위에 있으면서 하늘의 큰 길을 짊어진다.

馬曰, 四達謂之衢.
마융이 말하였다: 사방으로 이를 수 있는 것을 ‘구(衢)’라고 한다.

王曰, 畜極則通.
왕필이 말하였다: 저지함이 지극하면 통한다.

# 27

# 이괘

## 頤卦䷚

## 中國大全

傳

頤, 序卦, 物畜然後可養, 故受之以頤. 夫物旣畜聚, 則必有以養之, 无養則不能存息, 頤所以次大畜也. 卦上艮下震, 上下二陽爻中含四陰, 上止而下動, 外實而中虛, 人頤頷之象也. 頤, 養也, 人口所以飮食, 養人之身, 故名爲頤. 聖人設卦推養之義, 大至於天地養育萬物, 聖人養賢以及萬民, 與人之養生養形養德養人, 皆頤養之道也. 動息節宣, 以養生也, 飮食衣服, 以養形也, 威儀行義, 以養德也, 推己及物以養人也.

이괘(頤卦)는 「서괘전」에 "물건이 모인 뒤에 기를 수 있으므로 이괘로 받았다"라고 하였다. 물건이 이미 쌓여 모이면 반드시 길러주어야 하는데, 길러주지 않으면 생존하고 번식할 수 없으니, 이괘가 이 때문에 대축괘의 다음이 되었다. 괘가 위는 간괘(艮卦☶)이고 아래는 진괘(震卦☳)이어서 위아래의 두 양효가 가운데에 네 음을 포함하고 있고, 위는 멈추고[간괘] 아래는 움직이며[진괘], 밖은 충실하고 안은 비었으니, 사람의 턱의 상이다. '이(頤)'는 길러줌이니, 사람의 입은 마시고 먹어서 사람의 몸을 기르는 것이기 때문에, '이(頤)'라고 이름을 지었다. 성인이 괘를 만들어서 기르는 뜻을 미룸이 크게는 천지가 만물을 양육하고 성인이 현자를 길러 만민에 미치며, 또는 사람이 생명을 기르고 형체를 기르며 덕을 기르고 사람을 길러주는 데에까지 이르니, 모두 기르는 도이다. 움직이고 쉬는 것을 절제하거나 펴는 것은 생명을 기르는 것이고, 음식과 의복은 형체를 기르는 것이고, 위의(威儀)와 행의(行義)는 덕을 기르는 것이고, 자기 마음을 미루어 남에게 미치는 것은 사람을 길러주는 것이다.

## 韓國大全

### 박문호(朴文鎬) 「경설(經說)·주역(周易)」[1]

程子所釋序卦之言, 與序卦之本文, 各爲一義. 觀於然後可三字, 及則必二字, 而可知

1) 경학자료집성DB에서는 대축괘 '상구'에 해당하는 것으로 분류했으나, 내용에 따라 이 자리로 옮겼다.

也. 存息, 言存生也, 息, 猶生也. 推養之義之下大字, 似當屬下句, 而或讀屬上句, 亦無妨矣.

정자가 「서괘전」을 풀이한 말은 「서괘전」의 본문[2]과 각각 하나의 뜻이 된다. '연후가(然後可)'라는 세 글자 및 '즉필(則必)'이라는 두 글자를 보고서 알 수가 있다. '존식(存息)'이란 생존을 말하니, '식(息)'이란 삶이다. '추양지의(推養之義)' 아래에 있는 '대(大)'자는 아마도 마땅히 아래 구절에 붙여야 할 듯하지만, 혹 윗 구절에 붙여서 읽어도 또한 무방하다.

2) 『周易・序卦傳』: 物畜然後, 可養, 故受之以頤, 頤者, 養也.

## 頤, 貞吉, 觀頤自求口實.

이(頤)는 곧게 하면 길하니, 길러주며 스스로 음식[口實]을 구하는 것을 살펴보아야 한다.

## 中國大全

**傳**

**頤之道, 以正則吉也. 人之養身養德養人養於人, 皆以正道, 則吉也. 天地造化, 養育萬物, 各得其宜者, 亦正而已矣. 觀頤自求口實, 觀人之所頤與其自求口實之道, 則善惡吉凶可見矣.**

이(頤)의 도는 바른 도로 하면 길하다. 사람이 몸을 기르고 덕을 기르며 남을 길러주고 남에게 길러지는 것을 모두 바른 도로 하면 길하다. 천지의 조화가 만물을 양육해서 각각 마땅함을 얻게 하는 것 또한 바른 도일뿐이다. "길러주며 스스로 음식[口實]을 구하는 것을 살펴보아야 한다"는 것은 사람이 길러주는 바와 스스로 구실을 찾는 도를 보면 선악과 길흉을 볼 수 있다는 말이다.

**小註**

平庵項氏曰, 頤貞吉, 總言一卦之義. 觀頤自求口實, 乃觀頤之道.

평암항씨가 말하였다: "이(頤)는 곧게 하면 길하다"는 것은 한 괘의 뜻을 전체적으로 말한 것이다. "길러주며 스스로 구실[음식]을 구하는 것을 살펴보아야 한다"는 것은 이괘의 도를 살펴보는 것이다.

○ 中溪張氏曰, 觀頤者, 觀其所養之道於人也. 主上下二陽言, 陽爲實, 唯實, 故能養人. 自求口實者, 觀其自養之道於已也. 主中四陰而言, 陰爲虛, 唯虛, 故求口實. 陽實則能養陰, 陰虛則受養於陽. 頤養之道, 當以靜爲本, 靜則知止而不妄求, 所以得貞而吉. 一累於動, 專爲口體之奉, 則失所養之正而凶矣.

중계장씨가 말하였다: 이괘를 살펴본다는 것은 사람에 대해서 기르는 도를 살펴본다는 것이다. 위아래 두 양을 주로 해서 말하면 양은 실하고, 오직 실하기 때문에 사람을 기를 수

있다. 스스로 구실을 구한다는 것은 자기에 대해서 스스로를 기르는 도를 살펴본다는 것이다. 가운데 네 음을 주로 해서 말하면 음은 허하고, 오직 허하기 때문에 구실을 구할 수 있다. 양이 실하면 음을 기를 수 있고, 음이 실하면 양에게 기름을 받을 수 있다. 기르는 도리는 마땅히 고요함을 근본으로 해야 하니, 고요하면 그칠 데를 알아 함부로 구하지 않으며, 그래서 곧음을 얻어 길하다. 조금이라도 움직임에 연루되어 오직 육체만을 기른다면, 기르는 바의 바름을 잃어서 흉하다.

本義

**頤, 口旁也, 口食物以自養, 故爲養義. 爲卦, 上下二陽, 內含四陰, 外實內虛, 上止下動, 爲頤之象, 養之義也. 貞吉者, 占者得正, 則吉. 觀頤, 謂觀其所養之道, 自求口實, 謂觀其所以養身之術, 皆得正則吉也.**

이(頤)는 입가이니, 입은 음식물을 먹어서 스스로 기르기 때문에 길러주는 뜻이 된다. 괘는 위아래의 두 양이 안에 네 음을 포함하여 밖은 충실하고 안은 비었으며, 위는 멈추고 아래는 움직이니, 턱의 상과 기르는 뜻이 된다. "곧게 하면 길하다"는 것은 점치는 자가 바른 도를 얻으면 길하다는 것이다. '관이(觀頤)'는 길러주는 바의 도를 보는 것이고, '자구구실(自求口實)'은 자신을 기르는 바의 방법을 보는 것이니, 두 가지 모두 바른 도를 얻으면 길하다.

小註

朱子曰, 頤須是正則吉. 何以觀其正不正. 蓋觀頤, 是觀其養德是正不正. 自求口實, 是又觀其養身, 是正不正. 未說到養人處.

주자가 말하였다: 기름은 반드시 바르게 하면 길하다. 무엇을 가지고 바르거나 바르지 않음을 살펴볼 것인가? 기름을 살펴본다는 것은 덕을 기르는 것이 바르거나 바르지 않음을 살펴보는 것이다. 스스로 구실을 구한다는 것은 몸을 기르는 것이 바르거나 바르지 않음을 살펴보는 것이다. 다른 사람을 기르는 것에 대해서는 아직 설명하지 않았다.

○ 問, 觀其所養之道, 觀其所以養身之術. 曰, 所養之道, 如學聖賢之道, 則爲正, 黃老申商, 則爲非, 凡見於修身行義皆是也. 所養之術, 則飮食起居是也.

물었다: 기르는 바의 도를 살펴본다는 것은 몸을 기르는 방법을 살펴보는 것입니까?

답하였다: 기르는 바의 도는, 예를 들어 성현의 도를 배우면 바르고, 황제·노자·신도·상앙의 도를 배우면 그르니, 몸을 수양하고 의를 행하는 데 드러나는 것이 모두 그것입니다.

기르는 바의 방법은 음식과 기거가 그것입니다.

○ 建安丘氏曰, 頤, 頷也, 養也. 輔, 上九之象, 車, 初九之象, 中四陰衆齒之象. 上覆下承, 衆齒森然, 全頤之象見矣.
건안구씨가 말하였다: '이(頤)'는 '턱'이고 '기름'이다. '보(輔)'는 상구의 상이고, '거(車)'는 초구의 상이며, 가운데 네 음은 여러 이빨의 상이다. 위가 덮고 아래가 받들며 여러 이빨이 빽빽하여 완전한 턱의 상이 드러난다.

○ 隆山李氏曰, 頤中有物, 曰噬嗑. 頤中有物, 則害其所以爲養, 故不取頤養之義. 而頤中之虛, 元未有物, 則以貞吉告之. 方其未受外物之間, 要當擇其所養. 故正則吉, 不正則不吉也.
융산이씨가 말하였다: 턱 가운데 물건이 있는 것을 서합괘라고 한다. 턱 가운데 물건이 있으면 기르는 데 해를 끼치기 때문에 기른다는 뜻을 취하지 않았다. 그런데 턱 가운데의 빈 곳은 원래 물건이 있지 않았으니, 바르면 길하다는 것으로 고하였다. 아직 밖의 물건을 받아들이지 않았을 사이에 마땅히 그 기를 것을 택해야 한다. 그러므로 바르면 길하고, 바르지 않으면 길하지 않다.

## 韓國大全

**조호익(曺好益)『역상설(易象說)』**

註, 丘氏, 云云.
소주에서 건안구씨가, 운운.

愚謂, 求實, 因頤口, 取象, 觀全體, 似離目象.
내가 살펴보았다: 음식을 구한다는 것은 턱과 입에 따라 상을 취하였으며, 괘 전체를 보면 리괘(離卦☲)의 눈인 상과 유사하다.

或曰, 頤, 自二至上, 自初至五, 反覆, 皆似觀體, 故彖言觀頤, 爻言觀我.

어떤 이가 말하였다: 이괘(頤卦)는 이효로부터 상효까지와 초효로부터 오효까지가 반복하므로 모두 관괘(觀卦䷓)의 몸체와 비슷하기 때문에 단사에서는 '관이(觀頤)'라고 하였고, 초효에서는 "나를 본다[觀我]"[3]고 하였다.

## 이현익(李顯益) 「주역설(周易說)」

中溪張氏謂, 觀頤, 主上下二陽言, 自求口實, 主中四陰言.
중계장씨가 말하였다: '관이(觀頤)'는 상괘와 하괘의 두 양을 위주로 말하였고, "스스로 음식[口實]을 구한다"란 가운데 네 음을 위주로 말하였다.

平菴項氏謂, 觀其所養, 指上九言, 觀其自養, 指初九言.
평암항씨가 말하였다: 「단전」에서 말한 "기르는 바를 관찰한다"[4]는 상구를 가리켜 말하였고, "스스로 기름을 관찰한다"는 초구를 가리켜 말하였다.

二說, 皆本於傳而有少異.[5]
내가 살펴보았다: 두 설은 모두 『정전』에 근본 하였지만 약간 차이가 있다.
〈朱子答董銖, 以傳爲勝於本義, 而其說只曰, 下三爻自養, 上三爻養人, 則是傳與朱子, 不過以上下體言. 然則此二說, 不合於傳與朱子矣.
주자가 동수(董銖)[6]에게 답하면서 『정전』이 『본의』보다 낫다고 여기면서, 설명하기를 단지 "하괘의 세 효는 스스로 기름이며 상괘의 세 효는 다른 사람을 기름이다"라고 하였으니, 이는 『정전』과 주자의 차이가 상괘와 하괘를 말하는 데에 불과하다. 그렇다면 위에서 말한 두 설은 『정전』과 주자와 부합되지 않는다.〉

## 유정원(柳正源) 『역해참고(易解參攷)』

正義, 頤貞吉者, 於頤養之世, 養此貞正, 則得吉也. 觀頤者, 觀聖人所養物也. 自求口實者, 觀其自養, 求其口中之實也.

---

3) 『周易 · 頤卦』: 初九, 舍爾靈龜, 觀我, 朶頤, 凶.
4) 『周易 · 頤卦』: 彖曰, 頤貞吉, 養正則吉也. 觀頤, 觀其所養也. 自求口實, 觀其自養也.
5) 경학자료집성DB에는 "平菴項氏謂, 觀其所養, 指上九言, 觀其自養, 指"라고 되어 있고, "初九言. 二說, 皆本於傳而有少異."를 초구에 해당시켰으나, 내용에 따라 이 자리로 옮겼다.
6) 동수(董銖: 1152~1214): 송나라 요주(饒州) 덕흥(德興) 사람이다. 자는 숙중(叔重)이고, 호는 반간(盤澗)이다. 후에 주희(朱熹)의 문인이 되었다. 가정(嘉定) 연간에 진사(進士)가 되어 금화위(金華尉)에 이르렀다. 종사랑(從事郎)을 지낸 뒤 죽었다. 저서에 『역서주(易書注)』와 『성리주해(性理注解)』가 있다.

『주역정의』에서 말하였다: "이(頤)는 곧게 하면 길하다"란 기르는 시절에 이것을 기르기를 곧고 바르게 한다면 길함을 얻는다는 것이다. '관이(觀頤)'는 성인이 만물을 기르는 바를 관찰함이다. "스스로 음식을 구한다"는 스스로를 기름을 관찰하고서 입 안의 음식을 구함이다.

○ 西溪李氏曰, 人生有口體之累, 孰不求養. 然得之必有道, 故曰貞吉.
서계이씨가 말하였다: 사람의 삶은 육체에 얽매임이 있으니, 어느 누가 기름을 구하지 않겠는가? 그러나 얻음에는 반드시 도가 있기 때문에 "곧게 하면 길하다"고 하였다.

○ 雙湖胡氏曰, 貞吉, 蓋吉凶悔吝生乎動, 況爲口體而動乎. 必以正爲主焉, 故必首之以貞吉之辭.
쌍호호씨가 말하였다: "곧게 하면 길하다"고 함은 길흉과 뉘우침과 부끄러움은 움직임에서 생겨나는데 하물며 신체를 위하여 움직이는 데에 있어서랴! 반드시 바름을 위주로 해야 하기 때문에 반드시 "곧게 하면 길하다"는 말을 문장 앞에 두었다.

### 김상악(金相岳) 『산천역설(山天易說)』

頤者, 養也. 養人與自養得正, 則吉也. 觀頤, 觀其所以養人之道, 自求口實, 觀其所以自養之道也. 陽爲實, 惟實故能養人, 陰爲虛, 惟虛故求口實.
'이(頤)'란 기른다는 것이다. 다른 사람을 기름과 스스로를 기름에 바름을 얻으면 길하다. '관이(觀頤)'는 다른 사람을 길러주는 도를 살펴봄이며, '스스로 음식을 구함'은 스스로를 기르는 도를 살펴봄이다. 양은 참[實]이 되고 오직 차있기 때문에 다른 사람을 기를 수 있고, 음은 빔[虛]이 되고 오직 비어 있기 때문에 음식을 구한다.

○ 頤, 以二陽爲主, 而止則正, 動則入於不正, 故由頤之吉, 得所養自養之道, 朶頤之凶, 竝失自養之道也. 言語飮食, 皆所謂口實, 坤求於乾, 得震得艮, 以成頤體於上下. 坤自居內, 而虛中以求口實.
이괘(頤卦)는 두 양이 주인이 되는데, 그치면 바르고 움직이면 바르지 못한 데로 들어간다. 그러므로 '자신으로 말미암아 길러지는' 길함은 다른 사람을 기르고 스스로를 기르는 도를 얻었기 때문이고, '턱을 늘어뜨리는' 흉함은 스스로를 기르는 도를 아울러 잃었기 때문이다. 말과 음식은 모두 이른바 '구실(口實)'이니, 곤괘(坤卦☷)가 건괘(乾卦☰)에서 구하여, 진괘(震卦☳)를 얻고 간괘(艮卦☶)를 얻어 상괘와 하괘에서 이괘(頤卦)의 몸체를 이루었다. 곤괘(坤卦☷)는 본래 안에 있어서 가운데가 비었으므로 음식을 구한다.

### 김규오(金奎五) 「독역기의(讀易記疑)」

卦辭, 自求口實, 指內體三爻, 三爻之凶[7], 以其不能自求而求於人也.
괘사에서 "스스로 음식[口實]을 구하다"는 내괘의 몸체인 세 효를 가리키니, 세 효가 흉함은 스스로 구할 수가 없어서 다른 사람에게서 구하기 때문이다.

○ 小註, 朱子論觀頤口實, 以爲未說到養人處. 然下答盤澗之問, 又謂程傳似勝, 而以上體三爻爲皆養人, 其說甚詳. 五上小註亦皆然, 先生定論, 恐以此爲正. 蓋釋彖自養二字, 自可包養德養身, 則所養二字, 自可爲養人矣.
소주에서 주자가 '관이(觀頤)'와 '음식[口實]'을 논하면서 다른 사람을 기르는 것에 대해서는 아직 설명하지 않았다고 여겼다. 그러나 아래에 반간[8]의 질문에 대답하면서 『정전』이 나은 듯하며 상체의 세 효를 모두 다른 사람을 기른 것으로 여긴다고 하였으니, 그 설명이 매우 상세하다. 오효와 상효의 소주에서도 또한 모두 그러하니, 선생의 정해진 논지[定論]는 아마도 이것을 바름으로 삼은 듯하다. 「단전」의 '자양(自養)'이라는 두 글자를 풀이할 때에는 자연스럽게 덕을 기르고 몸을 기름을 포함할 수 있으니, '소양(所養)'이라는 두 글자는 자연스럽게 다른 사람을 기름이 된다고 할 수 있다.

### 서유신(徐有臣) 『역의의언(易義擬言)』

頤, 口也, 貞, 口正也, 口正故吉也. 曷以曰口正歟. 均[9]齊方正, 其形之正也, 上止下動, 其義之正也. 卦亦上下均停, 艮止震動, 所以爲口象也. 中含互坤, 萬物所致養, 故頤又有養義也. 觀頤, 觀其口也, 自求口實, 反省其實此口者也. 觀其口之正, 則實此口者, 不可不正也. 然人不能自觀其口, 觀於卦象爲反省之要. 此頤所以取口象, 而以坤實之, 其亦正矣.
'이(頤)'는 입이고, '정(貞)'은 입의 바름이니, 입이 바르기 때문에 길하다. 어째서 입이 바르다고 말하는가? 균형이 잡혀 가지런하고 반듯하니 형태의 바름이고, 위에서는 멈추고 아래에서는 움직이니 뜻의 바름이다. 괘도 또한 상괘와 하괘가 균형있게 머무르니, 간괘(艮卦☶)는 그치고 진괘(震卦☳)는 움직이기 때문에 입의 상이 된다. 가운데에는 호괘인 곤괘(坤

---

7) 『周易·頤卦』: 初九, 舍爾靈龜, 觀我, 朶頤, 凶; 六二, 顚頤拂經, 于丘頤, 征凶; 六三, 拂頤貞凶, 十年勿用, 无攸利.
8) 반간(盤澗): 송나라 요주(饒州)의 동수(董銖: 1152~1214)이다. 자는 숙중(叔重)이고, 반간은 그의 호이다. 저서에 『역서주(易書注)』와 『성리주해(性理注解)』가 있다.
9) 均: 경학자료집성DB와 영인본에 모두 '匀'로 되어 있으나, 문맥을 살펴 '均'으로 바로잡았다.

卦☷)를 머금어 만물이 기름을 다하는 바이기 때문에 이괘(頤卦)에는 기른다는 뜻이 있다. '관이(觀頤)'는 입을 살펴봄이며, "스스로 음식을 구한다"는 이러한 입을 채우는 것을 반성하는 것이다. 입의 바름을 살펴보면 입을 채우는 것이 바르지 않을 수 없다. 그러나 사람들은 스스로 그 입을 살펴볼 수가 없으니, 괘의 상을 살펴봄이 반성의 요체가 된다. 이것이 이괘(頤卦)가 입의 상을 취하는 까닭이며, 곤괘(坤卦☷)로써 채우니 그 또한 바르다.

### 박제가(朴齊家) 『주역(周易)』

傳, 觀人之所頤與其自求口實之道.
『정전』에서 말하였다: 사람이 길러주는 바와 스스로 구실을 찾는 도를 본다.

朱子曰, 觀頤, 是觀其養德, 自求口實, 是又觀其養身, 未說到養人處, 故本義謂觀其所養之道, 與其所以養身之術.
주자는 "기름을 살펴본다는 것은 덕을 기르는 것을 살펴보는 것이며, '스스로 음식[口實]을 구한다'는 것은 몸을 기르는 것을 살펴보는 것이다. 다른 사람을 기르는 것에 대해서는 아직 설명하지 않았다"고 말하였기 때문에, 『본의』에서 '길러주는 바의 도'와 '자신을 기르는 바의 방법'을 보는 것을 말하였다.

案, 兩先生, 皆從彖傳所養自養二句, 而所見不同, 故如此. 蓋經言觀頤者, 固非照鏡自觀也, 而觀人之頤, 必自知其頤矣. 見其頤之爲言語飮食之所由, 必自念其出入之得失. 所謂口實也, 猶范希文之計功量食之意也. 彖傳之觀其所養者, 不過曰養之所也, 此單指頤象, 觀其自養者, 乃正與不正之謂, 合內外而說者, 旣不可以所養爲養人, 又不可言所養爲德而自養爲身. 後儒紛紛, 必分養人養己者, 不能看破經文故也. 夫一頤也而德必屬頤, 身必屬口, 無此文理. 且口實兼出入而言, 非必飮食而已. 如下文養賢, 以及萬民, 乃推極而言之, 非卦象中之義.
내가 살펴보았다: 두 선생은 모두 「단전」에서 말한 '소양(所養)'과 '자양(自養)'이라는 두 구절에 따라 견해가 같지 않기 때문에 이와 같다. 경(經)에서 말한 '관이(觀頤)'란 진실로 거울에 비추어 스스로를 살펴보는 것이 아니라, 다른 사람의 턱을 살펴보면 반드시 스스로 자신의 턱을 안다는 것이다. 그 턱이 말과 음식이 경유하는 바가 됨을 본다면, 반드시 스스로 그 출입의 득실을 생각한다. 이른바 '구실(口實)'이란 범중엄(范仲淹)[10]의 공을

10) 범중엄(范仲淹): 북송 소주(蘇州) 오현(吳縣) 사람. 자는 희문(希文)이고, 시호는 문정(文正)이다.(『중국역대인명사전』(2010, 이회문화사) 발췌.)

계획하고 식량을 헤아린다는 뜻과 같다. 「단전」에서의 "기르는 바를 관찰한다"란 기르는 장소를 말하는 것에 지나지 않으니 이는 단지 이괘(頤卦)의 상을 가리키고, "스스로 기름을 관찰한다"란 바름과 바르지 않음을 두고 한 말로 안과 밖을 합하여 말한 것이니, 이미 '소양(所養)'을 다른 사람을 기르는 것으로 여겨서는 안 되고 또 '소양(所養)'은 덕이 되고 '자양(自養)'은 몸이 된다고 말해서도 안 된다. 후대의 학자들이 갈피를 잡지 못하고 어수선하게 자신들의 견해라고 하면서, 반드시 다른 사람을 기름과 자신을 기름으로 나눈 것은 경문을 간파할 수 없었기 때문이다. 하나의 이괘(頤卦)인데도 덕은 반드시 턱에 속하고 몸은 반드시 입에 속한다고 한다면, 이러한 글의 이치는 없다. 또 '구실(口實)'은 출입을 겸하여 말하였으므로 반드시 음식일 뿐은 아니다. 아래에 있는 「단전」에서 "현인을 길러 만민에게 미치게 한다"라고 말한 경우는 궁극을 미루어서 말한 것이지, 괘사와 「단전」 중의 뜻은 아닌 것과 같다.

### 박문건(朴文健) 『주역연의(周易衍義)』

用貞, 則不危, 故吉. 初九无養身之資, 故觀我所養之道, 而自求其口實之物於我也. 此明上九之得頤時也.
곧음을 사용하면 위태롭지 않기 때문에 길하다. 초구는 자신을 길러줄 의지할 만한 사람이 없기 때문에 내가 기르는 도를 관찰하고 스스로 '구실(口實)'이 되는 물건을 나에게서 구한다. 이것은 상구가 길러지는 때를 얻었음을 밝힌 것이다.

### 김기례(金箕澧) 「역요선의강목(易要選義綱目)」

頤.
이(頤)는,
物旣畜, 則必以養之. 上止下動, 如口養人.
사물이 이미 쌓이면 반드시 길러야 한다. 위에서는 멈추고 아래에서는 움직이니, 입이 사람을 기르는 것과 같다.

貞吉.
곧게 하면 길하다.
養之以不正之道, 則何吉.
바르지 못한 도로써 기르면 어찌 길하겠는가?

### 이항로(李恒老) 「주역전의동이석의(周易傳義同異釋義)」

傳, 觀頤自求口實, 觀人之所頤[11]與其自求口實之道, 則善惡吉凶可見矣.
『정전』에서 말하였다: "길러주며 스스로 음식[口實]을 구하는 것을 살펴보아야 한다"는 것은 사람이 길러주는 바와 스스로 음식[口實]을 찾는 도를 보면 선악과 길흉을 볼 수 있다는 말이다.

本義, 觀頤, 謂觀其所養之道, 自求口實, 謂觀其所以養身之術, 皆得正則吉也.
『본의』에서 말하였다: '관이(觀頤)'는 길러주는 바의 도를 보는 것이고, '자구구실(自求口實)'은 자신을 기르는 바의 방법을 보는 것이니, 두 가지 모두 바른 도를 얻으면 길하다.

按, 傳, 以養人養身, 分作兩段說, 本義, 以道與食, 分作兩段說, 以大象愼言語節飮食推之, 則本義長.
내가 살펴보았다: 『정전』에서는 다른 사람을 기름과 자신을 기름으로 나누어 두 단계의 설로 보았고, 『본의』에서는 도(道)와 음식으로 나누어 두 단계의 설로 보았으니, 「대상전」에서 "언어를 삼가고 음식을 절제한다"라고 한 말을 미루어 본다면, 『본의』가 낫다.

### 허전(許傳) 「역고(易考)」

頤, 貞吉, 觀頤[ᄒᆞ야]自求口實하니라
이(頤)는 곧게 하면 길하니, 이괘(頤卦)를 살펴서 스스로 음식[口實]을 구한다.

觀頤之象, 以求其自養之口實也.
이괘(頤卦)의 상을 살펴보고서 스스로를 기르는 음식을 구한다.

### 박종영(朴宗永) 「경지몽해(經旨蒙解)·주역(周易)」

頤卦曰, 頤, 貞吉, 觀頤自求口實.
이괘(頤卦)의 괘사에서 말하였다: 이(頤)는 곧게 하면 길하니, 길러주며 스스로 음식[口實]을 구하는 것을 살펴보아야 한다.

---

11) 소이(所頤): 경학자료집성DB와 영인본에 모두 '頤所'로 되어 있으나, 『주역전의대전』의 경문에 따라 '所頤'로 바로잡았다.

程傳曰, 頤之道, 以正則吉也. 人之養身養德養人養於人, 皆以正道, 則吉也. 觀頤自求口實, 觀人之所頤與其自求口實之道, 則善惡吉凶可見矣.
『정전』에서 말하였다: 이(頤)의 도는 바른 도로 하면 길하다. 사람이 몸을 기르고 덕을 기르며 남을 길러주고 남에게 길러지는 것을 모두 바른 도로 하면 길하다. "길러주며 스스로 음식[口實]을 구하는 것을 살펴보아야 한다"는 것은 사람이 길러주는 바와 스스로 음식[口實]을 찾는 도를 보면 선악과 길흉을 볼 수 있다는 말이다.

### 심대윤(沈大允) 『주역상의점법(周易象義占法)』

飮食者, 養生之源, 而禍之所以起也, 故不言元亨利也. 得正然後, 可以遂養而免於爭奪之禍, 故曰貞吉. 觀頤, 上九以德食於上, 天下觀仰而養之也. 自求口實, 初九食力於下, 以自養也. 頤之道有食智焉, 有食力焉. 頤養之本在乎下, 而所恃以爲頤養者在乎上, 民者出食者也, 君者食之者也. 記曰君食之口實者, 所食也. 艮爲求爲實. 頤有上下之分, 故分言之也.
음식이란 양생하는 근원이지만 화(禍)를 일으키기도 하기 때문에 "크게 형통하고 이롭다"고 말하지 않았다. 바름을 얻은 후에 마침내 양생을 이룰 수 있고 쟁탈하는 화(禍)를 면할 수 있기 때문에 "곧게 하면 길하다"고 하였다. '관이(觀頤)'는 상구가 덕으로써 위에서 먹으니, 천하 사람들이 우러러 보면서 그를 기른다는 것이다. '스스로 음식을 구함'은 초구가 아래에서 자신의 힘으로 생활해서 스스로를 기른다는 것이다. 기름[頤]의 도에는 먹을 수 있는 지혜가 있고 먹을 수 있는 힘이 있다. 길러주는 근본은 아래에 있고, 믿어서 길러지게 되는 것은 위에 있으니, 백성들은 먹을 것을 내어주는 자이고, 임금이란 그것을 먹는 자이다. 기록에서 말한 '임금이 먹는 음식[口實]'이 먹는 것이다. 간괘(艮卦☶)는 구함이 되고 내용물이 된다. 턱에는 위와 아래의 구분이 있기 때문에 나누어 말하였다.

### 오치기(吳致箕) 「주역경전증해(周易經傳增解)」

頤, 口旁也. 二陽實而包於上下, 四陰虛而含於其中, 爲口之象. 口所以飮食, 卽是養道, 故亦有養人自養之象, 而養道在於得正, 故戒言養正則吉也. 陽實陰虛, 而實者養人, 虛者求養於人也. 觀頤, 謂觀所養於人也, 自求口實, 謂觀其自求口體之養, 而養人自養, 皆當以正也.
턱은 입의 주위이다. 두 양은 차있으면서 맨 아래와 맨 위에서 포괄하고, 네 음은 비어있으면서 그 가운데에 포함되니, 입의 상이 된다. 입을 통해서 먹고 마시니 입은 기르는 방법이기 때문에 또한 다른 사람을 기르고 자신을 기르는 상이 있으며, 기르는 도는 바름을 얻는

데에 달려 있기 때문에 "기름이 바르면 길하다"고 경계하여 말하였다. 양은 차있고 음은 비어 있으니, 차있는 자는 다른 사람을 기르고, 비어있는 자는 다른 사람에게서 길러지기를 구한다. '관이(觀頤)'는 다른 사람에게서 길러지는 바를 보는 것을 말하며 "스스로 음식[口體]을 구한다"란 스스로 음식을 구하는 기름을 보는 것을 말하니, 다른 사람을 기름과 스스로를 기름은 모두 마땅히 바름으로써 해야 한다.

○ 觀取於似離, 爲目觀之象. 此卦專示戒意, 故不言亨.
'살펴봄[觀]'은 괘 전체가 리괘(離卦☲)와 닮은 데에서 취하였으니, 눈으로 살펴보는 상이 된다. 이 괘에서는 단지 경계하는 뜻만을 보였기 때문에 형통하다고 말하지 않았다.

### 이진상(李震相) 『역학관규(易學管窺)』

卦體.
괘의 몸체.

无妄大畜, 皆四陽二陰, 故此以四陰二陽之卦承之, 將以成坎也. 初二相易, 五上相易, 則坎矣. 且與大過相反, 以兩卦言, 則上體以山澤而通氣, 下體以雷風而相薄, 所以著卦位之妙, 而爲咸恒之機也. 此則長男少男娛悅於前, 而母爲之主饋者也.
무망괘(无妄卦䷘)와 대축괘(大畜卦䷙)는 모두 양이 넷이고 음이 둘이기 때문에 여기서는 음이 넷이고 양이 둘인 괘로 이어서 장차 감괘(坎卦䷜)의 순서를 이루었다. 초효와 이효가 서로 바뀌고 오효와 상효가 서로 바뀌면 감괘(坎卦☵)가 된다. 또 대과괘(大過卦䷛)와는 음양이 서로 바뀌었으니, 이 두 괘를 가지고 말하면 상체는 산과 못으로 기를 잘 통하고, 하체는 우레와 바람으로 서로 부딪치므로 괘의 위치가 오묘함을 드러내고 함괘(咸卦䷞)와 항괘(恒卦䷟)의 기미가 된다. 여기서는 맏아들과 막내아들이 앞에서 기뻐하고, 어머니는 그들을 위하여 살림과 음식을 주관 한다.

### 박문호(朴文鎬) 「경설(經說)·주역(周易)」

上旣云, 以正則吉, 故下但汎稱善惡吉凶可見, 然終不若彖傳註再言正則吉之爲詳耳.
『정전』의 앞부분에서 "바른 도로 하면 길하다"고 하였기 때문에 뒷부분에서는 단지 범범하게 "선악과 길흉을 볼 수 있다"고 하였으나, 「단전」에 대한 『정전』에서 "바르게 하면 길하다"[12]를 재차 말하여 상세하게 됨만은 끝내 못할 뿐이다.

人之所頤, 蓋言所養於人也. 象傳註所云, 所養之人, 是也.[13]
『정전』에서 말한 '사람의 기르는 바[人之所頤]'는 다른 사람에게 길러지는 바를 말한다. 「단전」에 대한 『정전』에서 말한 '길러주는 바의 사람'이 이것이다.

### 박문호(朴文鎬) 「경설(經說)·주역(周易)」[14]

外實內虛, 非謂內外卦也. 外實謂上下二陽, 內虛謂中四陰也. 口之爲物, 上常不動而惟下動而已. 卦之取象, 莫切於此矣.
『본의』에서 "밖은 충실하고 안은 비어 있다"[15]고 말한 것은 내괘와 외괘를 말한 것이 아니다. "밖은 충실하다"란 맨 위와 아래에 있는 두 양을 말하며, "안은 비어 있다"란 가운데 네 음을 말한다. 입이란 위는 항상 움직이지 않고 오직 아래만 움직일 뿐이다. 괘가 상을 취함이 이 보다 절실한 것은 없다.

---

12) 『周易傳義大全·頤卦』: 貞吉, 所養者正, 則吉也. 所養, 謂所養之人與養之之道, 自求口實, 謂其自求養身之道, 皆以正則吉也.
13) 경학자료집성DB에서는 이괘 「단전」에 해당하는 것으로 분류했으나, 내용에 따라 이 자리로 옮겼다.
14) 경학자료집성DB에서는 이괘 「대상전」에 해당하는 것으로 분류했으나, 내용에 따라 이 자리로 옮겨 왔다.
15) 『周易傳義大全·頤卦』: 爲卦, 上下二陽, 內含四陰, 外實內虛, 上止下動, 爲頤之象, 養之義也.

## 彖曰, 頤貞吉, 養正則吉也. 觀頤, 觀其所養也. 自求口實, 觀其自養也.

「단전」에서 말하였다: "이(頤)는 곧게 하면 길함"은 기름이 바르면 길하다는 것이다. "길러줌을 살펴봄"는 기르는 바를 관찰하는 것이다. "스스로 음식을 구하는 것"은 스스로 기름을 관찰하는 것이다.

## 中國大全

**傳**

**貞吉, 所養者正, 則吉也. 所養, 謂所養之人與養之之道, 自求口實, 謂其自求養身之道, 皆以正則吉也**

'정길(貞吉)'은 기르는 바가 바르면 길하다는 것이다. '기르는 바'는 길러주는 바의 사람과 기르는 방도를 이르고, '자구구실(自求口實)'은 스스로 몸을 기르는 것을 구하는 방도를 말하니, 모두 바르게 하면 길하다.

**小註**

臨川吳氏曰, 所養養人, 自養養己.
임천오씨가 말하였다: '소양(所養)'은 다른 사람을 기르는 것이고, '자양(自養)'은 자기를 기르는 것이다.

○ 平庵項氏曰, 觀其所養, 指上九言, 觀其自養, 指初九言. 初上二陽上下兩卦之主爻也. 非夫子贊辭明白, 則後儒必不分作養己養人兩條也.
평암항씨가 말하였다: 기르는 바를 살펴본다는 것은 상구를 가리켜 말하였고, 스스로 기름을 살펴본다는 것은 초구를 가리켜 말하였다. 초효와 상효, 두 양은 상하 두 괘의 주인이 되는 효이다. 공자의 찬사가 명백하지 않았다면 후세의 유학자들이 반드시 자기를 기르는 것과 다른 사람을 기르는 것을 두 조목으로 나누지 않았을 것이다.

○ 雲峯胡氏曰, 槃澗董氏嘗問朱子曰, 本義謂觀頤, 觀其所養之道, 自求口實, 觀其所以養身之術. 與程傳以觀頤爲所以養人之道, 自求口實謂所以自養之道, 如何. 朱子沈吟良久曰, 程傳似勝. 蓋下體三爻, 皆是自養, 上體三爻皆是養人, 先人而後己者. 君子觀頤之象, 自上而下, 於上體則觀其所以養人者, 於下體則求其所以自養者, 要在皆得正則吉爾.
운봉호씨가 말하였다: 반간동씨가 일찍이 주자에게 물었다: 『본의』에서 "기름을 살펴본다는 것은 기르는 바의 덕을 살펴보는 것이고, 스스로 구실을 구한다는 것은 몸을 기르는 바의 방법을 살펴보는 것이다"라고 하였습니다. 이를 『정전』에서 "기름을 살펴본다는 것은 다른 사람을 기르는 도를 살펴보는 것이고, 스스로 구실을 구한다는 것은 스스로 기르는 도를 살펴보는 것이다"라고 한 것과 비교해 보면 어떻습니까?
주자가 오래 침묵하다가 말하였다: 『정전』이 나은 것 같다. 하체 세 효는 모두 스스로 기르는 것이고, 상체 세 효는 모두 다른 사람을 기르는 것이니, 다른 사람을 앞세우고 자기를 뒤로 한 것이다. 군자가 이괘의 상을 살펴보는데 위로부터 아래로 내려와 상체에서는 다른 사람을 기르는 방법을 살펴보고, 하체에서는 스스로 기르는 방법을 구하니, 요컨대 모두 바름을 얻으면 길할 뿐이다.

本義

**釋卦辭.**

괘사(卦辭)를 해석하였다.

小註

朱子曰, 觀其所養, 亦只是說君子之所養, 養浩然之氣模樣. 自養則如爵祿下至飮食之類, 是說自求口實. 又曰, 這兩句, 是解養正則吉, 所養之道與養生之術, 正則吉, 不正則不吉.
주자가 말하였다: 기르는 바를 살펴본다는 것은 또한 다만 군자가 기르는 바를 말하니, 호연지기를 기르는 것 등이다. 스스로 기르는 것은 작록으로부터 음식에 이르기까지의 종류와 같은 것이니, 스스로 음식[口實]을 구하는 것을 말한다.
또 말하였다: 이 두 구절은 기르는 것이 바르면 길하다는 것을 해석하였으니, 기르는 바의 도와 양생의 술은 바르면 길하고 바르지 않으면 불길하다.

○ 隆山李氏曰, 古之觀人, 每每觀其所養, 而所養之大小, 則必以其所自養者觀之. 夫重道義之養而略口體, 此養之大者也. 急口體之養而輕道義, 此養之小者也. 養其大體則爲大人, 養其小體則爲小人. 天之賦予, 初無小大之別, 而人之所養各殊, 則其所成就者亦異.
융산이씨가 말하였다: 옛날에 사람을 살펴보는 것은 매양 기르는 바를 살펴보았는데, 기르는 바의 크고 작음은 반드시 그가 스스로 기른 바를 가지고 살펴보았다. 도의를 기르는 것을 중시하고 육체를 기르는 것을 간략하게 생각하는 이것이 기르는 것 가운데 크다. 육체를 기르는 것을 급하게 여기고 도의를 가볍게 여기는 이것이 기르는 것 가운데 작다. 대체를 기르면 대인이 되고, 소체를 기르면 소인이 된다. 하늘이 나에게 부여한 것이 애초에 구별이 없는데, 사람이 기르는 것이 각각 다르면 성취하는 것도 또한 다르다.

○ 開封耿氏曰, 不觀其養心之大, 而觀其自求口實, 何也. 人之所以忘其大體者, 以從事於口體之養也. 口體之養, 求不失義, 則養其大體, 可知矣. 是以觀其自求口實, 足以知其自養矣.
개봉경씨가 말하였다: 마음을 기르는 큰 것을 살펴보지 않고, 스스로 구실을 구하는 것을 살펴보는 것은 왜인가? 사람이 대체를 기르는 것을 잊어버리는 까닭은 육체를 기르는데 종사하기 때문이다. 육체를 기르는 것이라도 구하는 것이 옳음을 잃지 않는다면, 대체를 기름을 알 수 있다. 그러므로 스스로 구실을 구하는 것을 살펴보면 충분히 스스로 기른 것을 알 수 있다.

## 韓國大全

**심조(沈潮) 「역상차론(易象箚論)」**

象, 自求口實.
「단전」에서 말하였다: 자구구실(自求口實).

實者, 從母者, 互坤也.
'실(實)'자에는 '모(母)'가 포함되어 있으니, 호괘가 곤괘(坤卦☷)이다.

### 서유신(徐有臣) 『역의의언(易義擬言)』

頤貞吉, 養正則吉也.
'이(頤)는 곧게 하면 길함'은 기름이 바르면 길하다는 것이다.
頤貞吉, 卦象也. 養正則吉, 踐形之義也. 頤貞吉, 故知養正則吉也, 反省而欲其正也.
'이(頤)는 곧게 하면 길함'은 괘의 상이다. "기름이 바르면 길하다"란 "형색(形色)의 이치를 다하여 형색을 다 실천한다[踐形]"[16]는 뜻이다. '이(頤)는 곧게 하면 길함'이기 때문에 '기름이 바르면 길함'을 알게 되니, 반성하여 바르고자 하는 것이다.

觀頤, 觀其所養也. 自求口實, 觀其自養也.
'길러줌을 살펴봄'는 기르는 바를 관찰하는 것이다. '스스로 음식을 구하는 것'은 스스로 기름을 관찰하는 것이다.
所養者, 口也, 口所以爲養也. 自養者, 飮食也, 飮食以養其口也. 養之求之, 皆自我也, 非由於人也. 旣觀其頤, 又觀其口實, 則其正不正吉不吉, 可見也.
'기르는 바[所養]'란 입이니, 입은 길러지게 되는 바이다. '스스로 기름[自養]'은 먹고 마심이니, 먹고 마셔서 그 입을 기른다. 기르고 구함은 모두 나로부터 비롯되는 것이지 다른 사람에게서 말미암는 것이 아니다. 이미 '길러줌'을 살펴보고 또 '음식'을 살펴본다면, 그 바름과 바르지 않음, 및 길함과 길하지 않음을 알 수가 있다.

### 윤행임(尹行恁) 『신호수필(薪湖隨筆)·역(易)』

頤[17]者, 養也. 養人養身, 姑舍是, 養親爲大, 養身而身立, 養人而名揚, 亦所以養親也. 彖曰, 觀其所養, 卽養親之義居先.
'이(頤)'란 기른다는 뜻이다. 다른 사람을 기르고 자신을 기름을 잠시 접어두더라도, 부모님을 보양함이 큰데, 자신을 길러 자신이 세상에 서고 다른 사람을 길러 이름을 드날리는 것도 또한 부모님을 봉양하는 방법이다. 「단전」에서 "기르는 바를 관찰한다"고 한 말에는 부모님을 봉양한다는 뜻이 먼저 있다.

### 박문건(朴文健) 『주역연의(周易衍義)』

養道得正, 則吉. 觀其所養, 言觀所養之不匱也, 觀其自養, 言觀自養之无有也. 此釋彖辭.

---

16) 『孟子·盡心』: 孟子曰, 形色天性也, 惟聖人然後, 可以踐形.
17) 頤: 경학자료집성DB와 영인본에 모두 '顺'으로 되어 있으나, 문맥을 살펴 '頤'로 바로잡았다.

기르는 도가 바름을 얻으면 길하다. “기르는 바를 관찰하다”란 기르는 바에 대하여 다하지 않음을 살펴봄을 말하고, “스스로 기름을 관찰하다”란 스스로 기름에 남음이 있지 않은지를 살펴봄을 말한다. 이것은 괘사를 풀이하였다.

### 김기례(金箕澧) 「역요선의강목(易要選義綱目)」

觀頤, 自求口實.
‘길러줌을 살펴봄’, ‘스스로 음식을 구하는 것.

觀人之養, 以鑑自養. 自養之道, 當以人之善惡, 照己之善惡.
다른 사람을 기름을 살펴봄으로써 스스로 기름을 성찰한다. 스스로를 기르는 도란, 마땅히 다른 사람의 선과 악을 가지고서 자신의 선과 악을 비춰보는 것이다.

### 허전(許傳) 「역고(易考)」

其指頤也, 觀頤卦所養之象, 以觀自養之道.
‘기(其)’는 ‘이(頤)’를 가리키니 이괘(頤卦)의 기르는 상을 관찰하여 스스로 기르는 도를 관찰하는 것이다.

### 심대윤(沈大允) 『주역상의점법(周易象義占法)』

上養下, 亦以自養也, 下養上, 亦以自養也. 上下交相養, 故再言觀其, 以通貫之, 而以上統之也.
윗사람이 아랫사람을 기름도 또한 스스로 기르는 것이며, 아랫사람이 윗사람을 기름도 또한 스스로 기르는 것이다. 윗사람과 아랫사람이 교대로 서로를 기르기 때문에 ‘관기(觀其)’라고 재차 말하여 관통하게 하였고 윗사람이 통괄하게 하였다.

### 최세학(崔世鶴) 「주역단전괘변설(周易彖傳卦變說)」

頤彖曰, 觀頤, 觀其所養也. 自求口實, 觀其自養也.
이괘(頤卦)의 「단전」에서 말하였다: ‘길러줌을 살펴봄’은 기르는 바를 관찰하는 것이다. ‘스스로 음식을 구하는 것’은 스스로 기름을 관찰하는 것이다.

頤, 坤之二體變也. 初與上二爻爲主, 故象以所養自養言之. 乾初來居於下體之下, 而動於下, 故有自求口實之象. 乾上往居於上體之上, 而止於上, 故有觀其所養之象.
이괘(頤卦)는 곤괘(坤卦☷☷)의 두 몸체가 변한 것이다. 초효와 상효인 두 효가 주인이 되기 때문에 「단전」에서는 '소양(所養)'과 '자양(自養)'으로써 말하였다. 건괘(乾卦☰)의 초효가 하체의 맨 아래에 와 있으면서 진괘(震卦☳)가 되어 아래에서 움직이기 때문에 '스스로 음식[口實]을 구하는' 상이 있다. 건괘의 상효가 상체의 맨 위에 가 있으면서 간괘(艮卦☶)가 되어 위에서 그치기 때문에 '기르는 바를 관찰하는' 상이 있다.

**天地養萬物, 聖人養賢, 以及萬民, 頤之時, 大矣哉.**

천지가 만물을 기르면 성인이 현인을 길러 만민에게 미치게 하니, 이(頤)의 때가 크도다!

## 中國大全

### 傳

聖人極言頤之道, 而贊其大. 天地之道, 則養育萬物, 養育萬物之道, 正而已矣. 聖人作養賢才, 與之共天位, 使之食天祿, 俾施澤於天下, 養賢以及萬民也. 養賢, 所以養萬民也. 夫天地之中, 品物之衆, 非養則不生. 聖人裁成天地之道, 輔相天地之宜, 以養天下, 至於鳥獸草木, 皆有養之之政, 其道配天地. 故夫子推頤之道, 贊天地與聖人之功, 曰頤之時大矣哉. 或云義, 或云用, 或止云時, 以其大者也. 萬物之生與養, 時爲大, 故云時.

성인이 이(頤)의 도를 지극히 말하고 그 큼을 찬미하였다. 천지의 도는 만물을 양육하고, 만물을 양육하는 도는 바름일 뿐이다. 성인은 현명하고 재주 있는 이를 길러 그와 더불어 하늘의 자리를 함께하고, 그로 하여금 하늘의 봉록을 먹게 하여 천하에 은택을 베풀게 하니, 이는 현자를 길러 만민에게 미치게 하는 것이다. 현자를 기르는 것은 만민을 기르는 방법이다. 천지의 가운데에 온갖 만물의 무리가 길러줌이 아니면 살지 못한다. 성인이 천지의 도를 마름질하여 이루고 천지의 마땅함을 도와서 천하를 길러서 새와 짐승, 풀과 나무에 이르기까지 모두 기르는 정사(政事)가 있어 그 도가 천지에 배합한다. 그러므로 공자가 기르는 도를 미루어 천지와 성인의 공을 찬미하기를 "이(頤)의 때가 크도다!"라고 하였다. 혹은 '뜻[義]'이라고 말하고 혹은 '쓰임[用]'이라고 말하고 혹은 다만 '때[時]'라고만 말한 것은 그 큰 것을 가지고 말한 것이다. 만물을 낳고 기르는 것은 '때'가 크기 때문에 '때'라고 말하였다.

### 本義

極言養道而贊之.

기르는 도를 지극히 말하고 찬미하였다.

**小註**

龜山楊氏曰, 頤之義養也, 而以貞正爲道. 天地養萬物, 失其正, 則陰陽繆戾, 而物不遂其生矣. 聖人養賢不以正, 則賢者不安其位, 而民不被其澤矣. 夫天地之養物, 聖人之養賢, 與人之自養, 各當其可然後得其正, 得其正而後吉, 則頤之時, 豈不大矣哉.
구산양씨가 말하였다: '이(頤)'의 뜻은 기르는 것이고, 곧고 바른 것을 도로 삼는다. 천지가 만물을 기르는데 바름을 잃으면 음양이 어긋나고 만물이 그 삶을 완수하지 못한다. 성인이 현인을 기르는데 바름으로 하지 않으면 현인이 그 지위를 편안하게 여기지 못하여 백성들이 그 은택을 입지 못한다. 천지가 만물을 기르는 것과 성인이 현인을 기르는 것과 사람이 스스로 기르는 것이 각각 마땅한 다음에 바름을 얻고 바름을 얻은 다음에 길하니, 이괘의 때가 어찌 크지 않겠는가!

## 韓國大全

### 권근(權近) 『주역천견록(周易淺見錄)』

程傳以所養爲養人, 自養爲養身, 朱子以所養之道, 養身之術, 分言之, 是則所養雖有小大之殊, 皆自養也. 竊意彖傳以所對自, 猶釋氏以所對能, 似分人己而言. 下文極言養道之大, 專以養物養人而言, 則其上文亦必兼人己而言也. 自求口實, 非但養其口体, 養德養道, 亦在其中, 如成湯所謂以台爲口實, 是欲自養其德也. 是當從程說, 故朱子亦於後日答門人之問, 以爲程說似勝議已次矣. 但程傳似欠養德之意, 故本義兼而言之爾, 當合二說, 以自求口實, 兼爲養德, 其意備矣. 然文王卦辭, 本主自養而言, 所謂觀頤自求口實者, 此卦有頤口之象, 而中虛必實之然後爲養, 故云, 觀頤之象, 而自求其口之實, 非兩事也. 至孔子之彖, 始分人己而言之, 猶乾之元亨利貞分爲四德也.
『정전』에서는 '소양(所養)'을 다른 사람을 기르는 것으로 여기고 '자양(自養)'을 자신을 기르는 것으로 여겼으며, 주자는 기르는 바의 도와 자신을 기르는 기술로 나누어 말하였지만, 이는 비록 기르는 바의 크고 작음의 다름이 있을지라도 모두 스스로를 기르는 것이다. 내가 생각하기에는 「단전」에서 '소(所)'와 '자(自)'를 대립시킨 것은 불교에서 '소(所)'와 '능(能)'을 대립시켜 마치 다른 사람과 자신을 구분하여 말한 듯한 것과 같다. 「단전」 중 아래에 있는 문장에서 기르는 도가 크다고 지극하게 말한 것이 오로지 사물을 기르고 사람을 기름을 가지고서 말하였다면, 그 위에 있는 글도 또한 반드시 다른 사람과 자신을 겸하여 말하여야 한다. '자구구실(自求口實)'은 단지 몸만을 기르는 것이 아니라 덕을 기르고 도를 기름도 그 안에 있으니, 성탕(成湯)이 "나를 구실로 삼다"[18]고 한 것과 같으므로 이는 자신의 덕을 스스로 길러내고자 하는 것이다. 여기서는 마땅히 『정전』의 설명을 따라야 하기 때문에 주자도 또한 후일에 문인과의 문답에서 『정전』의 설명이 낫다고 여기면서 의론을 이미 늘어놓았다. 다만 『정전』에서는 덕을 기르는 뜻이 부족한 듯하기 때문에 『본의』에서는 겸하여 말하였을 뿐이니, 마땅히 두 설을 합하여 '자구구실(自求口實)'을 덕을 기름이라고 겸하여 보아야만 그 뜻이 완전하게 갖추어진다. 그러나 문왕의 괘사는 본래 스스로를 기름을 위주로 해서 말하였으니, 이른바 '관이자구구실(觀頤自求口實)'란 이 괘에는 턱과 입의 상이 있어서, 비어있는 가운데가 반드시 채워진 후에 길러지게 되기 때문에 이괘(頤卦)의 상을 보고서 스스로 자신의 입에 채울 것을 구한다는 말이니, 두 가지 일이 아니다. 공자가 지은 「단전」에 이르러서야 비로소 다른 사람과 자신을 나누어 말하였으니, 건괘(乾卦☰)에서 '원형리정'을 나누어 네 가지 덕으로 삼는 것과 같다.

### 이익(李瀷) 『역경질서(易經疾書)』[19]

頤初九爲卦主, 六五雖陰柔, 從上貞吉, 則得居尊之體. 卦辭頤貞吉, 指六五之貞吉, 而自求口實, 指初九也. 初九之舍爾靈龜, 與觀頤相反, 觀我朶頤我字, 帖自字, 則乃自求口實之註脚. 觀其自養者, 觀帖求字, 自養帖口. 實者, 口中之實, 卽飮食之道也, 與噬嗑頤中有物相照. 上言觀, 下言求, 互文也. 以此推之, 觀頤與自求口實對勘, 非自養而專於養人, 可知. 頤有上下, 而口實之道, 繫於下頷, 朶者, 木之根株, 故下頷謂之朶頤, 初九之謂也. 然則初九之觀我朶頤, 非自求口實乎. 天地養萬物以下, 乃鋪說頤貞吉一句, 其義當於六五求之. 上九乃無位之賢德, 而六五順而從上, 豈非養賢以及萬民乎. 上下互叅, 其義極密.

이괘(頤卦)의 초구는 괘의 주인이 되고, 육오는 비록 부드러운 음일지라도 상효를 따라 곧게 하여 길하면 존귀한 몸체에 있을 수 있다. 괘사에서 말하는 "이(頤)는 곧게 하면 길하다"란 육오의 "곧음에 거하면 길하다"[20]를 가리키고, "스스로 음식을 구하다"란 초구를 가리킨다. 초구에서의 "너의 신령스러운 거북을 버린다"[21]란 '관이(觀頤)'와 상반되며, "나를 보고서 턱을 늘어뜨린다[觀我朶頤]"에서의 '아(我)'자는 '자(自)'자와 연결되므로 "스스로 음식을

18) 『書經·仲虺之誥』: 成湯, 放桀于南巢, 惟有慙德, 曰, 予恐來世, 以台爲口實.

19) 경학자료집성DB에서는 이괘 괘사에 해당하는 것으로 분류했으나, 내용에 따라 이 자리로 옮겼다.

20) 『周易·頤卦』: 六五, 拂經, 居貞吉, 不可涉大川.

21) 『周易·頤卦』: 初九, 舍爾靈龜, 觀我, 朶頤, 凶.

구한다"에 대한 주석이다. "스스로 기름을 관찰한다[觀其自養]"에서 '관(觀)'은 '구(求)'자와 연결되며, '스스로 기름[自養]'은 '입[口]'과 연결된다. '실(實)'이란 입 안에 있는 물건이니 먹고 마시는 방식으로, 서합괘(噬嗑卦)의 「단전」에서 말하는 "입 안에 물건이 있다"[22]와 서로 밝힐 수 있다. 문장 앞에서 "살펴보다[觀]"라고 하고 뒤에서 "구한다[求]"라고 하였으니 서로 호응하는 문장이다. 이를 미루어 '관이(觀頤)'와 "스스로 음식을 구한다"를 대조하여 살펴보면, 스스로를 기르는 것이 아니라 다른 사람을 기르는 데 전일한 것임을 알 수가 있다. 턱에는 위와 아래가 있는데 음식[口實]을 먹는 방식은 아래턱에 관련되어 있고, '타(朶)'란 나무의 그루터기이기 때문에 아래턱을 '타이(朶頤)'라고 하니, 초구를 말한다. 그렇다면 초구에서 "나를 보고서 턱을 늘어뜨린다[觀我朶頤]"란 '스스로 음식을 구함'이 아닐 것이다. "천지가 만물을 기른다[天地養萬物]" 이하는 "이(頤)는 곧게 하면 길하다"라는 한 구절을 보충하여 설명하였으니, 그 뜻은 마땅히 육오에게서 구해야 한다. 상구는 지위가 없는 현명한 덕을 지닌 자라서 육오가 상구를 유순하게 따르니, 어찌 "현인을 길러 만민에게 미치게 한다"는 것이 아니겠는가? 앞의 내용과 뒤의 내용을 서로 참조하면 그 뜻이 지극히 정밀하다.

### 유정원(柳正源) 『역해참고(易解參攷)』[23]

厚齋馮氏曰, 又以六畫推廣卦用, 天上九, 聖人上九, 賢人初九, 萬民萬物, 中四陰. 大指二陽, 蓋二陽養四陰也.

후재풍씨가 말하였다: 또 육획으로써 괘의 쓰임을 미루어 넓히면, 하늘은 상구이고 성인도 상구이며 현인(賢人)은 초구이고 만민과 만물은 가운데의 네 음이다. "크다"고 한 것은 두 양을 가리키니, 두 양이 네 음을 기른다.

### 김상악(金相岳) 『산천역설(山天易說)』

釋卦義. 養正則吉, 統言養道之正, 觀頤, 兼言所養自養之道也. 天地以下, 極言養道之大也.

괘의 뜻을 풀이하였다. "기름이 바르면 길하다"란 기르는 도의 바름을 통틀어 말하였고, '관이(觀頤)'는 '기르는 바'와 '스스로 기름'을 겸하여 말하였다. '천지(天地)' 이하는 기르는 도가 큼을 지극하게 말하였다.

○ 自求口實, 觀其自養, 謂震不求艮, 艮不求震, 惟求同體之陽, 乃自字義也, 所以二

---

22) 『周易 · 噬嗑卦』: 彖曰, 頤中有物, 曰噬嗑

23) 경학자료집성DB에서는 이괘 괘사에 해당하는 것으로 분류했으나, 내용에 따라 이 자리로 옮겼다.

之顚頤與四同, 拂經與五同, 四五皆吉而二凶, 其義可見. 上九象天象聖, 初九象地象賢. 中四爻象萬物與萬民, 而皆養之於陽, 所以爲大.
"'자구구실(自求口實)'은 스스로 기름을 관찰하는 것이다"란 진괘(震卦☳)는 간괘(艮卦☶)를 구하지 않고, 간괘(艮卦☶)는 진괘를 구하지 않으면서 오직 같은 몸체의 양만을 구함이 '자(自)'자의 뜻이다. 이효에서 말한 '거꾸로 길러줌[顚頤]'은 사효에서도 똑같이 말하였고 이효에서 말한 '바른 도리에 위배됨'은 오효에서도 똑같이 말하였지만 사효와 오효에서는 모두 길하고 이효에서는 흉하니, 그 뜻을 알 수가 있다. 상구는 하늘을 상징하고 성인(聖人)을 상징하며, 초구는 땅을 상징하고 현명한 이를 상징한다. 가운데에 있는 네 효들은 만물과 만민을 상징하며 모두 양에게서 길러지니 크게 되는 까닭이다.

### 서유신(徐有臣) 『역의의언(易義擬言)』

天地之養物, 聖人之養民, 皆以正也. 雨暘燠寒, 六府三事, 莫非養焉, 而各有其時也. 時下疑脫義字.
'천지가 만물을 기름'과 성인(聖人)이 백성을 기름은 모두 바름으로써 한다. 비가 오거나 화창하거나 덥거나 춥거나 하는 경우와 수(水)·화(火)·목(木)·금(金)·토(土)·곡(穀) 등의 육부(六府)와 정덕(正德)·이용(利用)·후생(厚生) 등의 삼사[24]에는 기름이 아님이 없으며 각각 그 알맞은 때가 있다. '시(時)' 아래에는 아마도 '의(義)'자가 빠진 듯하다.

### 윤행임(尹行恁) 『신호수필(薪湖隨筆)·역(易)』

聖人養賢, 程傳以人君養賢才解之, 而人有三樂, 其一樂育英才, 而王天下不與焉. 孔子門人三千, 卽聖人養賢之功也.
"성인(聖人)이 현인(賢人)을 기른다"에 대하여 『정전』에서는 임금이 현명하고 재주 있는 자를 기른다는 뜻으로 풀이하였으니,[25] 사람에게는 세 가지 즐거움이 있는데 그 하나의 즐거움이 천하의 영재를 얻어 교육하는 것이며 천하의 왕노릇 하는 것은 여기에 들지 못한다.[26] 공자의 문인 삼 천 명이 '성인이 현인을 기르는' 공이다.

---

24) 『書經·大禹謨』: 帝曰, 兪. 地平天成, 六府三事允治, 萬世永賴時乃功.

25) 윤행임은 아마도 『정전』에 나오는 "聖人裁成天地之道, 輔相天地之宜, 以養天下, 至於鳥獸草木, 皆有養之之政, 其道配天地."라는 대목을 두고 말한 듯하다.

26) 『孟子·盡心』: 孟子曰, 君子有三樂而王天下不與存焉, 父母俱存, 兄弟無故, 一樂也, 仰不愧於天, 俯不怍於人, 二樂也, 得天下英才, 而教育之, 三樂也.

### 박문건(朴文健) 『주역연의(周易衍義)』

養物養賢, 頤道之大者, 故極言其時而贊之.
'만물을 기름'과 '현인(賢人)을 기름'은 기르는[頤] 도의 큰 것이기 때문에 그 '시(時)'를 지극하게 말하여 찬미하였다.

### 이지연(李止淵) 『주역차의(周易箚疑)』

人之於身, 兼所愛, 則兼所養也.
사람이 자신의 몸에 대하여 사랑하는 바를 겸한다면 기르는 바도 겸한다.[27]

### 심대윤(沈大允) 『주역상의점법(周易象義占法)』

旣言下養上, 又言上養下也. 下養上, 上養下, 各有其時, 不恒於一偏, 故贊其時也.
이미 아랫사람이 윗사람을 기른다고 말했는데도, 또 윗사람이 아랫사람을 기른다고 말하였다. 아랫사람이 윗사람을 기름과 윗사람이 아랫사람을 기름에는 각각 그 알맞은 때가 있고, 한 쪽에서만 항상 되지 않기 때문에 그 알맞은 때를 찬미하였다.

### 오치기(吳致箕) 「주역경전증해(周易經傳增解)」

此釋卦辭, 而兼釋卦之義. 終又極言頤之道, 以贊其大, 而萬物萬民之育養時爲最大, 故不言義與用, 而特以時之大爲言也. 餘見象解.
이것은 괘사를 풀이하였고 아울러 괘의 뜻을 풀이하였다. 끝부분에서는 이괘(頤卦)의 도를 지극하게 말하여 그 큼을 찬미하였고, 만물과 만민을 양육할 때가 가장 위대하기 때문에, 의(義)와 쓰임을 말하지 않고 다만 때의 큼을 가지고 말을 하였다. 나머지는 괘사에 대한 풀이에 보인다.

### 박문호(朴文鎬) 「경설(經說) · 주역(周易)」[28]

時爲大者, 如物之春夏, 人之朝夕, 莫非養之時也. 他卦皆以象言, 而此乃以形言, 蓋以象汎而形切也. 以形言者, 始見於頤卦.

---

27) 『孟子 · 告子』: 孟子曰, 人之於身也, 兼所愛, 兼所愛, 則兼所養也.
28) 경학자료집성DB에서는 이괘 「대상전」에 해당하는 것으로 분류했으나, 내용을 살펴 이 자리로 옮겼다.

『정전』에서 "'때'가 크기 때문이다"라고 한 것은 사물에게는 봄과 여름, 그리고 사람에게는 아침과 저녁과 같으니, 기르는 때가 아님이 없다. 다른 괘는 모두 상으로 말하였지만 여기서는 형체[形]로 말하였으니, 아마도 상(象)은 평범하고 형체는 간절하기 때문인 듯하다. 형체로 말한 것은 이괘에서 처음 보인다.

## 이병헌(李炳憲) 『역경금문고통론(易經今文考通論)』

鄭曰, 頤, 口車輔之名也. 震動於下, 艮止於上, 口車動而上, 因輔嚼物以養人, 故謂之頤. 頤, 養也. 觀頤, 觀其養賢與不肖也. 頤中有物曰, 口實.
정현이 말하였다: 이(頤)는 입속의 아래 위 잇몸[29]의 이름이다. 진괘(震卦☳)가 아래에서 움직이고 간괘(艮卦☶)가 위에서 그치니, 아래 잇몸은 움직여 올라가고 이로 인해서 위 잇몸은 음식물을 씹어 사람을 기르기 때문에 '이(頤)'라고 하였다. '이(頤)'는 기르는 것이다. '관이(觀頤)'는 현인(賢人)과 불초한 사람을 기름을 살펴보는 것이다. 턱 가운데에 음식물이 있는 것을 '구실(口實)'이라고 한다.

宋曰, 君子割不正不食, 是故, 所養必得賢明, 自求口實, 必得體宜, 是謂養正也.
송충(宋衷)이 말하였다: 군자는 자른 것이 바르지 않으면 먹지 않으므로[30] 이 때문에 기르는 바는 반드시 현명함을 얻어야 하고, '스스로 구실[음식]을 구하는 것'은 반드시 몸의 마땅함을 얻어야 하니, 이를 일러 "기름이 바르다"고 한다.

程傳曰, 萬物之生與養, 時爲大, 故云時.
『정전』에서 말하였다: 만물을 낳고 기르는 것은 '때'가 크기 때문에 '때'라고 말하였다.

按, 自剝復以後一陽出地而應天, 在上則爲艮, 在下則爲震. 至此合而爲頤, 與下大過相反而爲一對, 照應乾坤坎離之始終. 此一對及下篇中孚小過, 不取輪轉相成之勢, 有初無應, 不須論也.
내가 살펴보았다: 박괘(剝卦䷖)와 복괘(復卦䷗) 이후로 하나의 양이 곤괘(坤卦☷)인 땅으로부터 나와 건괘(乾卦☰)인 하늘과 호응할 때에 위에 있으면 간괘(艮卦☶)가 되어 대축괘(大畜卦䷙)가 되고 아래에 있으면 진괘(震卦☳)가 되어 무망괘(无妄卦䷘)가 된다. 여기에 이르러서는 간괘(艮卦☶)와 진괘(震卦☳)가 합하여 이괘(頤卦)가 되니, 다음에 나오는 대

29) 『春秋左傳 · 僖公』: 諺所謂輔車相依, 脣亡齒寒者, 其虞虢之謂也.
30) 『論語 · 鄕黨』: 割不正, 不食, 不得其醬, 不食.

과괘(大過卦䷛)와는 음양이 바뀌어 있어 서로 하나의 짝이 되어 상편에서의 건괘(乾卦䷀)와 곤괘(坤卦䷁) 및 감괘(坎卦䷜)와 리괘(離卦䷝)라는 시작과 끝에 조응하게 된다. 이러한 한 짝은 하편에 있는 중부괘(中孚卦䷼)와 소과괘(小過卦䷽)에 이르러서는 수레의 두 바퀴가 도는 것처럼 서로를 이루어주는 형세를 취하지 않으니, 처음은 있지만 호응함이 없으므로 논할 필요는 없다.

象曰, 山下有雷, 頤, 君子以, 愼言語, 節飮食.

「상전」에서 말하였다: 산 아래에 우레가 있는 것이 이(頤)이니, 군자가 그것을 본받아 언어를 삼가고 음식을 절제한다.

## 中國大全

傳

以二體言之, 山下有雷, 雷震於山下, 山之生物, 皆動其根荄, 發其萌芽, 爲養之象. 以上下之義言之, 艮止而震動, 上止下動, 頤頷之象. 以卦形言之, 上下二陽中含四陰, 外實中虛, 頤口之象, 口所以養身也. 故君子觀其象以養其身, 愼言語以養其德, 節飮食以養其體. 不唯就口取養義, 事之至近而所繫至大者, 莫過於言語飮食也. 在身爲言語, 於天下則凡命令政敎出於身者皆是, 愼之則必當而无失, 在身爲飮食, 於天下則凡貨資財用養於人者皆是, 節之則適宜而无傷. 推養之道, 養德養天下, 莫不然也.

두 몸체로 말하면 산 아래에 우레가 있으니, 우레가 산 아래에서 진동함에 산에서 자라는 식물이 모두 뿌리가 움직이고 싹이 돋아나와 길러주는 상이 된다. 상괘와 하괘의 뜻으로 말하면 간괘는 멈추고 진괘는 움직이니, 위는 멈추고 아래는 움직이는 것은 턱의 상이다. 괘의 형체로 말하면 위아래 두 양이 가운데에 네 음을 포함하고 있어서 밖은 충실하고 안은 비었으니, 입은 몸을 기르는 것이다. 그러므로 군자가 이 상을 보고서 몸을 길러서 언어를 삼가 덕을 기르고, 음식을 절제하여 육체를 기른다. 다만 입에 나아가 길러주는 뜻을 취하였을 뿐만 아니라, 일 중에 지극히 가깝고 관계되는 바가 지극히 큰 것 가운데 언어와 음식보다 더한 것이 없다. 몸에서는 언어가 되고, 천하에서는 모든 명령과 정교로 몸에서 나오는 것이 모두 해당되니, 삼가면 반드시 마땅하여 실수가 없을 것이며, 몸에서는 음식이 되고 천하에서는 모든 재화와 재물로 사람을 길러주는 것이 모두 해당되니, 절제하면 적당하여 상함이 없다. 기르는 도를 미루면 덕을 기르고 천하를 기르는 것이 그렇지 않음이 없다.

**本義**

**二者, 養德養身之切務.**

두 가지는 덕을 기르고 몸을 기름에 간절한 일이다.

**小註**

朱子曰, 諺云, 禍從口出, 病從口入, 甚好此語. 前輩曾用以解頤之象愼言語節飮食.
주자가 말하였다: 속담에 "화는 입으로부터 나오고, 병은 입으로부터 들어온다"고 말하였는데, 이 말이 참 좋다. 선배들이 일찍이 이 말을 가지고 이괘 「상전」의 "언어를 삼가고 음식을 절제한다"는 말을 해설하였다.

○ 中溪張氏曰, 愼言語, 所以養其德也. 出而動者爲言語, 不愼則妄出而招禍. 節飮食, 所以養其體也. 入而動者, 爲飮食, 不節則妄入而致疾, 皆取止其動爲義.
중계장씨가 말하였다: 언어를 삼가는 것은 덕을 기르는 것이다. 나와서 움직이는 것이 언어가 되는데, 삼가지 않으면 함부로 나와서 화를 부른다. 음식을 절제하는 것은 몸을 기르는 것이다. 들어가서 움직이는 것이 음식이 되는데, 절제하지 않으면 함부로 들어와 병을 일으킨다. 이것들은 모두 움직임을 그친다는 뜻을 취하였다.

○ 西山眞氏曰, 頤之爲義, 在天地則養萬物, 在聖人則養賢以及萬民, 功用至博大也. 而象獨以言語飮食爲言, 何哉. 蓋己得其養, 然後可推以及人, 未有不先成吾身而能達之天下者也. 白圭有詩, 南容復之, 金人有銘, 孔門識之, 可不謹乎. 三爵之過, 猶爲非禮, 萬錢之奉, 適以賈禍, 可不節乎. 曰謹曰節云者, 皆養之之功也.
서산진씨가 말하였다: 이괘의 뜻은 천지의 입장에서는 만물을 기르고 성인의 입장에서는 현인을 길러 만민에게 미치는 것이니, 작용이 지극히 넓고 크다. 그런데 「상전」에서 언어와 음식으로만 말한 것은 왜인가? 자신이 기름을 얻은 이후에 미루어 다른 사람에게 미칠 수 있는 것이지, 먼저 자신의 몸에서 이루지 않고도 천하에 미칠 수 있는 경우는 있지 않다. 흰 옥의 흠에 대한 시가 있는데,[31] 남용이 그것을 되풀이해서 외웠고,[32] 쇠로 만든 사람에 글이 새겨져 있었는데, 공자 문하의 사람들이 그것을 알았으니,[33] 삼가지 않을 수 있겠는가!

---

31) 『詩經 · 抑』: 白圭之玷, 尙可磨也. 斯言之玷, 不可爲也.

32) 『論語 · 先進』: 南容三復白圭, 孔子以其兄之子妻之.

33) 『說苑 · 敬愼』: 孔子之周, 觀於太廟右陛之前, 有金人焉, 三緘其口而銘其背曰, 古之愼言人也, 戒之哉. 戒之哉. 無多言, 多口多敗.

세 번 이상 술잔을 올리는 것은 예가 아니고,[34] 수많은 돈으로 봉양하는 것은 다만 화를 불러들일 뿐이니, 절제하지 않을 수 있겠는가? 삼가고 절제한다고 말한 것은 모두 기르는 공이다.

○ 誠齋楊氏曰, 愼言非默, 當其可則諫死, 不羡括囊. 節食非矯, 當其可則采薇, 不羡林肉.
성재양씨가 말하였다: 언어를 삼간다는 것은 침묵이 아니라 말을 해야 할 때는 죽음을 무릅쓰고 간하면서 침묵을 부러워하지 않는 것이다. 음식을 절제한다는 것은 억지로 하는 것이 아니라 음식을 먹어야 할 때는 고사리를 캐어 먹으면서 육식을 부러워하지 않는 것이다.

## ‖韓國大全‖

### 조호익(曺好益)『역상설(易象說)』

雷在山下, 內動外止之象. 纔發於心, 而舌先戒於莫捫, 方悅於口, 而手已急於投箸, 皆內動外止之象.
우레가 산 아래 있으니, 안에서 움직이고 밖에서 멈추는 상이다. 마음에서 일어나자마자 혀가 그에 대한 말을 내뱉지 않도록 먼저 경계하고,[35] 막 입에서 기뻐하는데 손은 이미 젓가락을 내려놓는 데에 급하니, 모두 안에서 움직이고 밖에서 멈추는 상이다.

### 김도(金濤)「주역천설(周易淺說)」

愚按, 本義下朱子所釋, 惟一條, 張氏以下諸儒, 凡三條, 而皆得於大象之旨矣. 蓋人之一身, 萬物皆備, 而所以養萬物者, 惟此心也. 此心不正, 則身且不能養, 況何以養萬物乎. 頤者, 養身之物, 而言語飮食, 皆從此出入, 故言語不愼, 則禍因而至之, 飮食不節, 則病從而生之, 所係豈不大哉. 是以, 君子觀象於頤, 愼言語以養其德, 節飮食以養其

34)『春秋左傳 · 宣公』: 臣侍君宴, 過三爵, 非禮也.
35)『詩經 · 抑』: 無易由言, 無曰苟矣. 莫捫朕舌, 言不可逝矣. 無言不讎, 無德不報. 惠于朋友, 庶民小子, 子孫繩繩, 萬民靡不承.

身, 而所以養萬物者, 皆由於此二者矣. 然耳目口鼻, 皆備於身, 而所以主之者心也, 心而不正, 則從四物之所好而不能以制之, 放僻奢侈, 无不爲已, 則言語之不愼, 飮食之不節, 固不足以責之也. 大槪君子所養之道, 近而自養, 遠而養物, 養育萬物之道, 豈求於他哉. 只是正而已. 心者, 一身之主, 而若不得其正, 則萬物皆失其所, 可不敬哉. 可不愼哉.

내가 살펴보았다: 『본의』에서 주자가 풀이한 바는 오직 한 조목이고, 중계장씨 이하로 여러 학자가 풀이한 바는 모두 세 조목인데, 모두 「대상전」의 뜻을 제대로 이해하였다. 사람의 몸에는 만물의 이치가 모두 갖추어져 있으므로,[36] 만물을 기르는 바도 오직 이 마음이다. 이러한 마음이 바르지 않으면 몸도 또한 길러질 수 없으니, 하물며 어떻게 만물을 기르겠는가? '이(頤)'란 자신을 기르는 것으로, 말과 음식은 모두 이것을 따라서 나오고 들어가기 때문에 말을 삼가지 않으면 화(禍)가 이로 인해서 이르게 되고, 음식을 절제하지 않으면 병이 이에 따라서 생겨나니, 관계되는 바가 어찌 크지 않겠는가? 이 때문에 군자는 이괘(頤卦)에서 상을 살펴보고 말을 삼가서 그 덕을 기르고, 음식을 절제하여 그 몸을 기르니, 만물을 기르는 바는 모두 이 두 가지에 말미암는다. 그러나 이목구비는 모두 몸에 갖추어져 있고 그것에 주인이 되는 것은 마음이다. 마음이 바르지 않으면 이목구비(耳目口鼻)라는 네 가지 사물이 좋아하는 바를 따르게 되어 제재할 수가 없어서 방자하고 간사하며 사치함을 하지 않음이 없을 뿐이니,[37] 말을 삼가지 않음과 음식을 절제하지 않음은 진실로 책망할 것도 없다. 대체로 군자의 기르는 도는 가깝게는 스스로를 기르고 멀게는 만물을 기르는 것이니, 만물을 양육하는 도를 어찌 다른 사람에게서 구하겠는가? 단지 바르게 할 뿐이다. 마음이란 한 사람의 주인이 되므로 만약 그 바름을 얻을 수 없다면 만물은 모두 그 마땅한 곳을 잃게 되니, 조심하지 않을 수 있겠는가? 삼가지 않을 수 있겠는가?

### 이만부(李萬敷) 「역통(易統)·역대상편람(易大象便覽)·잡서변(雜書辨)」

涵養.

함양.

☶山☳雷

☶산☳우레

傳曰, 以二體言之, 山下有雷, 雷震於山下, 山之生物, 皆動其根荄, 發其萌芽, 爲養之象. 以卦形言之, 上下二陽中含四陰, 外實中虛, 頤口之象, 口所以養身也. 故君子觀其

36) 『孟子·盡心』: 孟子曰, 萬物皆備於我矣.

37) 『孟子·梁惠王』: 曰, 無恒産而有恒心者, 惟士爲能, 若民則無恒産, 因無恒心, 苟無恒心, 放辟邪侈, 無不爲已, 及陷於罪然後, 從而刑之, 是, 罔民也.

象以養其身, 慎言語以養其德, 節飮食以養其體. 不惟就口取養義, 事之至近而所係至大者, 莫過於言語飮食也. 在身爲言語, 於天下則凡命令政敎出於身者皆是, 愼之則必當而無失, 在身爲飮食, 於天下則凡貨資財用養於人者皆是, 節之則適宜而无傷. 推養之道, 養德養天下, 莫不然也.

『정전』에서 말하였다: 두 몸체로 말하면 산 아래에 우레가 있으니, 우레가 산 아래에서 진동함에 산에서 자라는 식물이 모두 뿌리가 움직이고 싹이 돋아나와 길러주는 상이 된다. 괘의 형체로 말하면 위아래 두 양이 가운데에 네 음을 포함하고 있어서 밖은 충실하고 안은 비었으니, 입은 몸을 기르는 것이다. 그러므로 군자가 이 상을 보고서 몸을 길러서 언어를 삼가 덕을 기르고, 음식을 절제하여 육체를 기른다. 다만 입에 나아가 길러주는 뜻을 취하였을 뿐만 아니라, 일 중에 지극히 가깝고 관계되는 바가 지극히 큰 것 가운데 언어와 음식보다 더한 것이 없다. 몸에서는 언어가 되고, 천하에서는 모든 명령과 정교로 몸에서 나오는 것이 모두 해당되니 삼가면 반드시 마땅하여 실수가 없을 것이며, 몸에서는 음식이 되고 천하에서는 모든 재화와 재물로 사람을 길러주는 것이 모두 해당되니, 절제하면 적당하여 상함이 없다. 기르는 도를 미루면 덕을 기르고 천하를 기르는 것이 그렇지 않음이 없다.

本義曰, 二者, 養德養身之切務.

『본의』에서 말하였다: 두 가지는 덕을 기르고 몸을 기름에 간절한 일이다.

臣謹按, 周禮三公之職, 師, 導其敎訓, 傅, 傅其德義, 保, 保其身體, 有以見三代事君之道, 未嘗不以保養身體爲重, 而其保養之方, 則蓋莫大於言語飮食而已. 然其愼與節者, 又非若道家之玄默少言辟穀不食之爲. 如孔子之寢不言, 食不語, 不時不食, 不正不食之類, 恐當爲愼節之大體. 以此推類, 毋少放過, 則必有語默適時之益, 而無恣欲傷生之患. 非但保養玉體, 有方傳所謂命令政敎貨資財用, 亦各得其當矣.

신이 삼가 살펴보았습니다: 주(周)나라 예(禮)에서 삼공(三公)의 직책에서 사(師)는 교훈으로 인도하고, 부(傅)는 덕의(德義)를 펴며, 보(保)는 신체를 보호하였으므로 삼대[하(夏)·은(殷)·주(周)]에 임금을 섬기는 도를 볼 수가 있으니, 일찍이 신체를 보양하는 것으로 중요하게 여기지 않은 적이 없었으며, 그 보양의 방향에서는 언어와 음식보다 큰 것이 없었습니다. 그러나 '삼가고' '절제한다'는 것은 또한 도가(道家)에서의 마치 죽은 듯이 아무 말도 하지 않거나 말을 아끼고 곡식을 먹지 않고 솔잎과 대추와 밤 등을 생식하는 행위와 같은 것이 아닙니다. 공자가 "잠잘 때에는 말을 하지 않고, 음식을 먹을 때에는 대답하지 않으며, 때가 아닌 음식은 먹지 않고, 자른 것이 바르지 않으면 먹지 않는다"[38]라고 한 종류

38) 『論語·鄕黨』: 食饐而餲, 魚餒而肉敗, 不食, 色惡不食, 臭惡不食, 失飪不食, 不時不食, 割不正, 不食,

와 같은 것이 아마도 마땅히 삼가고 절제하는 대체가 됩니다. 이것을 유추하여 조금이라도 그냥 지나침이 없으면 반드시 말하고 침묵함이 때에 적절한 이로움이 있게 되고 제멋대로 욕심을 부려 생명을 해치는 걱정은 없게 될 것입니다. 단지 옥체를 보존하실 뿐만이 아니라, 바야흐로 『정전』에서 말한 명령과 정교 및 재화와 재물이 또한 각각 그 마땅함을 얻게 될 것입니다.

### 이익(李瀷) 『역경질서(易經疾書)』

山下有雷, 亦蟄龍之象. 龍蟄不食, 雷隨龍動也. 頤有口象, 書云口實, 指言語也. 此兼飮食言.
산 아래에 우레가 있으니 또한 숨어 있는 용의 상이다. 용은 숨어 있으면서 먹지 않고 우레는 용을 따라 움직인다. 이괘에는 입의 상이 있는데, 『서경』에서 말한 '구실(口實)'[39]은 언어(言語)를 가리킨다. 여기서는 음식을 겸하여 말하였다.

### 유정원(柳正源) 『역해참고(易解參攷)』[40]

愼言 [至] 飮食.
언어를 삼가고 … 음식을 절제한다.

正義, 人之開發言語咀嚼飮食, 皆動頤之事, 故君子觀此頤象, 以謹愼言語, 裁節飮食. 先儒云, 禍從口出, 患從口入, 故於頤養而愼節也.
『주역정의』에서 말하였다: 사람이 말을 하고 음식물을 씹는 것은 모두 턱을 움직이는 일이기 때문에 군자는 이러한 턱의 상을 관찰하여 말을 삼가고 음식을 절제한다. 이전의 학자가 말하기를 "화(禍)는 입으로부터 나오고, 걱정은 입으로부터 들어온다"고 하였으므로 양생하는 데에 삼가고 절제한다.

○ 節齋蔡氏曰, 愼節, 主靜, 艮象, 言語飮食, 主動, 震象.
절재채씨가 말하였다: 삼가고 절제함은 고요함을 위주로 하니 간괘(艮卦☶)의 상이고, 말과 음식은 움직임을 위주로 하니 진괘(震卦☳)의 상이다.

---

不得其醬, 不食. … 食不語, 寢不言.
39) 『書經 · 仲虺之誥』; 成湯, 放桀于南巢, 惟有慙德, 曰 予恐來世以台爲口實.
40) 경학자료집성DB에서는 이괘 괘사에 해당하는 것으로 분류했으나, 내용에 따라 이 자리로 옮겼다.

○ 厚齋馮氏曰, 言語飮食, 出入頤者也. 法雷之動, 以愼其所出, 法山之止, 以節其所入.
후재풍씨가 말하였다: 말과 음식은 턱으로부터 나오고 들어가는 것이다. 우레의 움직임을 본받아 그 나가는 바를 삼가고, 산의 저지함을 본받아 그 들어오는 바를 절제한다.

傳, 根荄.
『정전』에서 말하였다: 풀뿌리[根荄].
案, 荄, 草根也, 又通作核.
내가 살펴보았다: '해(荄)'는 풀뿌리이니, '핵(核)'이라고 하여도 통한다.

### 김상악(金相岳) 『산천역설(山天易說)』

言語飮食, 皆從頤口中出入者. 口容止, 故愼其出以養其德, 節其入以養其身也.
언어(言語)와 음식은 모두 턱과 입 안을 따라서 나가고 들어오는 것이다. 입의 모양은 멈추고 있어야 하기 때문에[41] 그 나감을 삼가서 그 덕을 기르고, 그 들어옴을 절제하여 그 몸을 기른다.

尙書, 予恐來世以台爲口實, 卽言語之實也. 晏子曰, 臣君者, 豈爲其口實, 社稷是養, 卽飮食之實也.
『상서(尙書)』에서 "나는 후세에 나를 두고서 구실(口實)로 삼을까가 두려워한다"고 하였으니, 언어(言語)의 실제이다. 안자(晏子)가 말하기를 "임금에 대하여 신하가 된 것이 어찌 입에 넣을 음식물을 위해서이겠는가? 사직을 지키기 위해서이다"[42]라고 하였으니, 음식의 실제이다.

### 김규오(金奎五) 「독역기의(讀易記疑)」

正取上止下動之貌, 而言語之聲啖啜之響, 出於四圍中虛之間, 其象也. 又言語飮食, 震之動也. 愼之節之, 艮之止也.
위에서는 그치고 아래에서는 움직이는 모양을 바로 취하였고, 말의 소리와 씹고 먹는 소리가, 사방은 둘러싸여 있고 가운데가 비어 있는 사이에서 나오는 것이 그 상이다. 또 말과 음식은 진괘(震卦☳)의 움직임이다. 삼가고 절제하는 것은 간괘(艮卦☶)의 그침이다.

---

41) 『禮記 · 玉藻』: 足容重, 手容恭, 目容端, 口容止, 聲容靜, 頭容直, 氣容肅, 立容德, 色容莊.
42) 『春秋左傳 · 襄公』: 臣君者, 豈爲其口實. 社稷是養, 故君爲社稷死, 則死之, 爲社稷亡, 則亡之.

### 서유신(徐有臣) 『역의의언(易義擬言)』

山之草木, 雷以鼓之, 動盪其體, 振發其氣, 是爲長養之術. 後世修養家之法, 有此象也. 又上止下動, 口象也. 言語飮食屬於口, 皆動而有節者也. 山止重爲愼, 艮限爲節. 震爲言語象, 互坤爲飮食象.

산에 있는 초목을 우레가 쳐서 북돋아주어, 몸을 움직이고 기운을 떨쳐 일으키니, 이것이 자라게 하고 기르는 방법이 된다. 후세에 세상의 수양을 하는 사람들의 방법에는 이러한 상이 있다. 또 위에서는 멈추고 아래에서는 움직이니, 입의 상이다. 언어(言語)와 음식은 입에 속하니, 모두 움직임에 절제가 있는 것이다. 산의 그침과 무거움은 삼가는 것이 되고 간괘(艮卦☶)의 제한은 절제가 된다. 진괘(震卦☳)는 언어(言語)의 상이 되고, 호괘인 곤괘(坤卦☷)는 음식의 상이 된다.

### 윤행임(尹行恁) 『신호수필(新湖隨筆)·역(易)』

出好興戎, 已[43]自大舜時垂戒, 則言語之不愼, 而自取禍敗者, 從古何限. 是以聖人觀頤之象, 而戒之以愼言語, 夫子所謂愼於言, 言寡尤, 卽此意也.

"우호를 내기도 하고 전쟁을 일으키기도 한다"[44]는 말은 이미 위대한 순임금의 시대부터 내려온 경계이니, 언어(言語)를 삼가지 않아 스스로 화와 실패를 취하는 자는 예로부터 한정이 없이 많았다. 이 때문에 성인이 이괘(頤卦)의 상을 관찰하여 말을 삼가는 것으로 경계하였으니, 공자가 "말을 삼가고",[45] "말에 허물이 적다"[46]고 말한 바가 이러한 뜻이다.

### 박문건(朴文健) 『주역연의(周易衍義)』

〈問, 山下有雷, 頤. 曰, 山下之雷, 卽隱伏之雷也. 藏聲畜氣, 故有頤養之道也. 愼言語, 養其聲也, 節飮食, 養其氣也.

물었다: "산 아래에 우레가 있는 것이 이(頤)이다"는 무슨 뜻입니까?

답하였다: 산 아래에 있는 우레는 숨어 있는 우레 입니다. 소리를 감추고 기를 쌓기 때문에 양생하는 도가 있습니다. "언어를 삼가다"란 그 소리를 기름이고, "음식을 절제하다"란 그 기를 기름입니다.〉

---

43) 已: 경학자료집성DB에는 '己'로 되어 있으나, 영인본을 참조하여 '已'로 바로잡았다.
44) 『書經·大禹謨』: 惟口, 出好, 興戎, 朕言, 不再.
45) 『論語·學而』: 子曰 君子食無求飽, 居無求安, 敏於事而愼於言, 就有道而正焉, 可謂好學也已.
46) 『論語·爲政』: 子曰 多問闕疑, 愼言其餘則寡尤, 多見闕殆, 愼行其餘則寡悔, 言寡尤, 行寡悔, 祿在其中矣.

### 이지연(李止淵) 『주역차의(周易箚疑)』

言語飮食, 下動之象, 愼與節, 取上止.
언어(言語)와 음식은 아래에서 움직이는 상이며, 삼가는 것과 절제하는 것은 위에서 그치는 데에서 취하였다.

### 김기례(金箕澧) 「역요선의강목(易要選義綱目)」

君子以, 愼言語, 節飮食.
군자가 그것을 본받아 언어를 삼가고 음식을 절제한다.

不愼, 則出悖來違, 不節, 則以小失大.
삼가지 않으면 나가는 것이 어그러지고 들어오는 것이 위배되며, 절제하지 않으면 작은 것으로 큰 것을 잃는다.

### 박종영(朴宗永) 「경지몽해(經旨蒙解)・주역(周易)」

傳曰, 君子觀其象以養其身, 愼言語以養其德, 節飮食以養其體. 在身爲言語, 於天下則凡命令政敎出於身者, 皆愼之則必當而无失, 在身爲飮食, 於天下則凡貨資財用養於人者, 皆節之則適宜而无傷.
『정전』에서 말하였다: 군자가 이 상을 보고서 몸을 길러서 언어를 삼가 덕을 기르고, 음식을 절제하여 육체를 기른다. 몸에서는 언어가 되고, 천하에서는 모든 명령과 정교로 몸에서 나오는 것을 모두 삼가면 반드시 마땅하여 실수가 없을 것이며, 몸에서는 음식이 되고 천하에서는 모든 재화와 재물로 사람을 길러주는 것을 모두 절제하면 적당하여 상함이 없다.

### 심대윤(沈大允) 『주역상의점법(周易象義占法)』

山下有雷, 有止有動. 言語飮食, 口頤之動也, 愼節, 口頤之止也. 飮食以養身, 言語以養德. 言出而食入, 出不愼則禍, 入不節則病. 艮爲愼言, 對坎兌爲節, 坎爲飮食.
산 아래에 우레가 있으니, 그침이 있으며 움직임이 있다. 언어(言語)와 음식은 입과 턱의 움직임에서 나오며, 삼가는 것과 절제하는 것은 입과 턱의 그침에서 나온다. 음식은 몸을 기르고, 언어(言語)는 덕을 기른다. 말은 나오고 음식은 들어가니, 나오는 것에 삼가지 못하면 화(禍)가 생기고 들어오는 것에 절제하지 않으면 병이 생긴다. 간괘(艮卦☶)는 말을 삼가는 것이 되고, 음양이 바뀐 대과괘(大過卦䷛)인 큰 감괘(坎卦☵)와 이 괘의 상괘인 태괘

(兌卦☱)는 절제함이 되고,[47] 감괘(坎卦☵)는 음식이 된다.

### 오치기(吳致箕 「주역경전증해(周易經傳增解)」

艮山在上, 震雷在下, 而上止下動爲頤之象. 人之言語飮食, 卽自口出入者, 故君子觀頤之象, 愼言語, 以養其德, 節飮食, 以養其體也. 法雷之動而愼其出, 法山之止而節其入也.

간괘(艮卦☶)인 산이 위에 있고 진괘(震卦☳)인 우레가 아래에 있어서 위에서는 그치고 아래에서는 움직임이 턱[頤]의 상이 된다. 사람의 언어와 음식은 곧 입으로부터 나오고 들어오는 것이기 때문에, 군자가 이괘의 상을 관찰하여 언어를 삼가서 덕을 기르고 음식을 절제하여 몸을 기른다. 우레의 움직임을 본받아 나오는 것을 삼가고 산의 그침을 본받아 들어오는 것을 절제한다.

### 이진상(李震相) 『역학관규(易學管窺)』

分言, 則愼言語震象, 節飮食艮象, 震爲出, 艮爲入也. 合看, 則愼節, 艮之靜也, 言語飮食, 震之動也.

나누어 말하면 언어를 삼가는 것은 진괘(震卦☳)의 상이고, "음식을 절제한다"는 간괘(艮卦☶)의 상이니, 진괘(震卦☳)는 나감이 되고 간괘(艮卦☶)는 들어옴이 된다. 합쳐서 보면 삼가는 것과 절제하는 것은 간괘(艮卦☶)의 고요함이고, 언어(言語과 음식은 진괘(震卦☳)의 움직임이다.

### 이진상(李震相 『역학관규(易學管窺)』[48]

全卦有頤口之象, 故直從本卦取象. 言語非兌, 飮食非坎, 大川亦然. 不易之卦, 同於八純, 但厚離, 故稱觀.

괘 전체로 보면 턱과 입의 상이 있기 때문에 곧바로 본괘를 따라 상을 취하였다. '언어'는 태괘(兌卦☱)가 아니고 '음식'은 감괘(坎卦☵)가 아니며, '큰 내[大川]'도 또한 그러하다. 이괘(頤卦)는 뒤집어도 괘가 바뀌지 않는 괘로 여덟 개의 순수한 괘에서 똑같으나, 다만 큰 리괘(離卦☲)이기 때문에 "살펴본다[觀]"고 말하였다.

---

47) 감괘와 태괘가 합쳐 절괘가 되기 때문에 이렇게 말하였다.

48) 경학자료집성DB에서는 이괘 「단전」에 해당하는 것으로 분류했으나, 내용에 따라 이 자리로 옮겼다.

### 박문호(朴文鎬)「경설(經說)·주역(周易)」

口之事, 惟言語飮食也, 而或不愼不節, 則禍病必至, 故王弼以禍從口出, 病從口入釋愼言語節飮食, 而朱子以爲其說甚好.

입의 일이란 오직 언어(言語)와 음식인데 혹 삼가지 않고 절제하지 않는다면, 화(禍)와 병이 반드시 이르기 때문에 왕필은 화(禍)는 입으로부터 나오고 병은 입으로부터 들어온다는 뜻으로 "언어를 삼가고 음식을 절제한다"는 말을 풀이하였고, 주자는 이러한 설명이 매우 좋다고 여겼다.

### 이용구(李容九)「역주해선(易註解選)」

西山眞氏曰, 愼言節食. 是白圭有詩, 南容復之, 金人有詩, 孔門識之, 可不謹乎. 三爵之過, 猶爲非禮, 萬錢之奉, 適以賈禍, 可不節乎.

서산진씨가 말하였다: 말을 삼가고 음식을 절제한다는 것은 다음과 같다. 흰 옥의 흠에 대한 시가 있는데[49] 남용이 그것을 되풀이해서 외웠고,[50] 쇠로 만든 사람에 시가 새겨져 있었는데 공자 문하의 사람들이 그것을 알았으니,[51] 삼가지 않을 수 있겠는가! 세 번 이상 술잔을 올리는 것은 예가 아니고,[52] 수많은 돈으로 봉양하는 것은 다만 화를 불러들일 뿐이니, 절제하지 않은 수 있겠는가?

誠齋楊氏曰, 愼言非默, 當其可則諫死, 不羨括囊. 節食非矯, 當其可則采薇, 不羨林肉.

성재양씨가 말하였다: 언어를 삼간다는 것은 침묵이 아니라 마땅히 말을 해야 할 만하다면 죽음을 무릅쓰고 간하면서 침묵을 부러워하지 않는 것이다. 음식을 절제한다는 것은 억제하는 것이 아니라 마땅히 먹어야 할 만하다면 고사리를 캐어 먹으면서도 육식을 부러워하지 않는 것이다.

---

49)『詩經·抑』: 白圭之玷, 尙可磨也. 斯言之玷, 不可爲也.

50)『論語·先進』: 南容三復白圭, 孔子以其兄之子妻之.

51)『說苑·敬愼』: 孔子之周, 觀於太廟右陛之前, 有金人焉, 三緘其口而銘其背曰, 古之愼言人也, 戒之哉. 戒之哉. 無多言, 多口多敗.

52)『春秋左傳·宣公』: 臣侍君宴, 過三爵, 非禮也.

**이병헌(李炳憲) 『역경금문고통론(易經今文考通論)』**

荀曰, 雷爲號令, 今在山下閉藏, 故愼言語. 雷動於下, 以陽食陰, 艮以止之, 故節飮食也.
순상이 말하였다: 우레는 호령이 되는데, 이제 산 아래에 감춰져 있기 때문에 언어를 삼간다. 우레는 아래에서 움직여 양으로써 음을 먹이고 간괘(艮卦☶)는 이를 저지하기 때문에 음식을 절제한다.

按, 言語飮食, 卽其口實.
내가 살펴보았다: 언어와 음식이 곧 '구실(口實)'이다.

## 初九, 舍爾靈龜, 觀我, 朶頤, 凶.

초구는 너의 신령스러운 거북을 버리고 나를 보고서 턱을 늘어뜨리니, 흉하다.

### 中國大全

傳

蒙之初六蒙者也, 爻乃主發蒙而言, 頤之初九, 亦假外而言. 爾, 謂初也. 舍爾之靈龜, 乃觀我而朶頤, 我對爾而設. 初之所以朶頤者四也. 然非四謂之也, 假設之辭爾. 九陽體剛明, 其才智足以養正者也. 龜能咽息不食, 靈龜喩其明智而可以不求養於外也. 才雖如是, 然以

陽居動體而在頤之時, 求頤人所欲也. 上應於四不能自守, 志在上行, 說所欲而朶頤者也. 心旣動, 則其自失必矣, 迷欲而失己, 以陽而從陰, 則何所不至. 是以凶也. 朶頤, 爲朶動其頤頷, 人見食而欲之, 則動頤垂涎, 故以爲象.

몽괘(蒙卦)의 초육은 몽매한 자이니, 효사에서는 몽매함을 깨우쳐 주는 것을 위주로 하여 말하였고, 이괘(頤卦)의 초구 또한 외괘를 빌어 말하였다. '너[爾]'는 초효를 말한다. "너의 신령스러운 거북을 버리고 나를 보고서 턱을 늘어뜨린다"는 말에서 '나'는 '너'를 상대하여 가정하여 말한 것이다. 초효가 턱을 늘어뜨리는 까닭은 사효 때문이다. 그러나 사효가 그렇다고 말한 것이 아니고, 가정한 말일 뿐이다. 구(九)는 양의 몸체이고 굳세고 밝아서 재주와 지혜가 기르기를 바르게 할 수 있는 자이다. 거북은 목구멍으로 숨만 쉬고 먹지 않을 수 있으니, 신령스러운 거북은 밝고 지혜로워 밖에서 길러주기를 구하지 않음을 비유하였다. 재주가 비록 이와 같으나 양으로서 움직임의 몸체에 있고 이괘(頤卦)의 때에 있으니, 길러주기를 구함은 사람이 바라는 바이다. 위로 사효에 호응하여 스스로 지키지 못하고 뜻이 위로 가는데 있으니, 하고자 하는 바를 좋아하여 턱을 늘어뜨리고 있는 자이다. 마음이 이미 움직이면 스스로 잃을 것이 틀림없으니, 욕심에 어두워 자기 지조를 잃고 양으로서 음을 따른다면 무슨 일인들 하지 않겠는가? 이 때문에 흉하다. '타이(朶頤)'는 턱을 늘어뜨리고 움직이는 것이니, 사람이 음식을 보고 먹고 싶어 하면 턱을 움직이고 침을 흘리므로 상으로 삼았다.

本義

**靈龜, 不食之物. 朶垂也, 朶頤欲食之貌. 初九陽剛在下, 足以不食, 乃上應六四之陰而動於欲, 凶之道也. 故**

**象占如此.**

신령스런 거북은 먹지 않고 사는 동물이다. '타(朶)'는 늘어뜨림이니, '타이(朶頤)'는 먹고 싶어 하는 모양이다. 초구는 굳센 양으로 아래에 있어서 먹지 않고 살 수 있는데, 마침내 위로 육사의 음에 호응하여 욕심에 동요되니, 흉한 도이다. 그러므로 그 상과 점이 이와 같다.

小註

朱子曰, 凡卦中說龜底, 不是正得個離卦, 必是伏個離卦. 如觀我朶頤, 卦雖无離卦, 卻是伏得這卦.

주자가 말하였다: 여러 괘에서 거북을 말한 것은 바로 리괘(☲)가 있는 것은 아니라도 반드시 리괘가 숨겨져 있다. 예를 들어 "나를 보고서 턱을 늘어뜨리니"라고 말했는데, 괘(☶☳)에는 비록 리괘가 없지만, 리괘가 숨겨져 있다.

○ 進齋徐氏曰, 以頤二體合而觀之, 似乎離體之中虛. 離爲龜, 惟虛故靈, 故曰靈龜. 龜能咽息不食, 以氣自養, 可以不求養於外者也. 爾者, 初也, 我者, 四也. 舍爾觀我, 若四語初之辭也. 靈龜以靜而爲養, 朶頤, 以動而爲養, 朶動也. 初九居震體之下, 亦足以爲自養之賢, 而不必求養於人. 今乃舍爾靈龜而朶頤於我, 失其靜養之道, 而溺於動養之欲. 雖與四爲正應, 不能自守, 乃仰觀六四而朶頤, 是陽說乎陰而動念垂涎矣. 孔子曰, 棖也慾, 焉得剛. 苟誠剛也, 則豈屈於欲哉.

진재서씨가 말하였다: 이괘(☶☳)의 두 몸체를 합하여 보면 리괘(☲)의 몸체 가운데가 비어 있는 것과 비슷하다. 리괘가 거북이 되는데, 오직 비어 있기 때문에 신령하고, 그렇기 때문에 신령스러운 거북이라고 하였다. 거북은 목으로 숨을 쉬고 기(氣)로 스스로를 기를 수 있어, 밖으로부터 길러주는 것을 구하지 않을 수 있다. '너'는 초효이고, '나'는 사효이다. 너를 버리고 나를 본다는 것은 마치 사효가 초효에게 하는 말과 같다. 신령스러운 거북은 고요하게 해서 기름을 삼고, 턱을 늘어뜨리는 것은 움직여서 기름을 삼으니, 늘어뜨리는 것은 움직임이다. 초구는 진괘의 아래쪽에 거하니, 또한 충분히 스스로를 기를 수 있는 현인이 되고, 다른 사람이 길러줌을 반드시 구하지는 않는다. 그런데 지금 너의 신령스러운 거북을 버리고 나에게 턱을 늘어뜨리니, 고요히 기르는 도를 잃고 움직여 기르는 욕심에 빠진 것이다. 비록 사효와 정응이지만, 스스로를 지킬 수 없고, 육사를 우러러 보면서 턱을 늘어뜨리

니, 이는 양이 음을 기뻐해서 생각을 움직이고 침을 흘리는 것이다. 공자가 “신정은 욕심이 많으니, 어떻게 굳셀 수 있겠는가?”[53]라고 말하였다. 만일 참으로 굳셀 수 있다면, 어찌 욕심에 굽히겠는가?

○ 雲峯胡氏曰, 觀三五皆曰觀我, 各指本爻而言. 此曰觀我, 獨指外爻而言, 何也. 蓋如靈龜可貴也, 自不知貴, 故爾之在此者爲爾, 則在彼者反爲主, 而以我稱矣. 中孚九二曰, 我有好爵, 吾與爾靡之. 此爲我, 則彼爲爾, 爾我二字, 理欲內外之分, 如此其嚴矣哉.
운봉호씨가 말하였다: 관괘의 삼효와 오효에서 모두 “나를 본다”고 했는데, 각각 본 효를 가리켜 말하였다. 그런데 이 괘에서 “나를 본다”고 한 것은 유독 다른 효를 가리켜서 말한 것은 왜인가? 신령스러운 거북은 귀하지만 스스로 귀한 줄 알지 못하기 때문에 ‘네’가 여기에 있는 것이 ‘네’가 되고, 저기에 있는 것이 도리어 주인이 되어 ‘나’라고 칭하였다. 중부괘 구이에서 “내가 좋은 술잔을 갖고 있으니, 내가 너와 함께 기울이겠다”라고 하였다. 이것이 ‘내’가 되면 저것은 ‘네’가 되니, 너와 나라는 두 글자는 이치와 욕심, 안과 밖의 구분이 이처럼 엄격하구나!

## 韓國大全

### 조호익(曺好益) 『역상설(易象說)』

我者, 非設四謂初之辭. 但旣指初爲爾, 則不得不指四爲我, 此泛然假說之辭也.
‘나[我]’란 사효가 초효에게 말하는 것으로 가정한 말이 아니다. 다만 이미 초효를 가리켜 ‘너[爾]’라고 하였다면, 사효를 가리켜 ‘내[我]’가 된다고 하지 않을 수 없으니, 이것은 범범하게 가설하여 설명한 말이다.

### 유정원(柳正源) 『역해참고(易解參攷)』

正義, 靈龜以喩己之明德也. 朶頤謂朶動之頤, 喩貪惏以求食也.

53) 『論語 · 公冶長』: 子曰, 吾未見剛者. 或對曰, 申棖. 子曰, 棖也慾, 焉得剛?

『주역정의』에서 말하였다: '신령스러운 거북'으로 자기에게 있는 밝은 덕을 비유하였다. "턱을 늘어뜨린다"는 늘어지게 움직이는 턱을 말하니, 욕심을 내어 음식을 구함을 비유하였다.

○ 進齋徐氏曰, 頤卦全體, 內柔外剛, 有龜象.
진재서씨가 말하였다: 이괘(頤卦) 전체는 안은 부드럽고 밖은 굳세어 거북의 상이 있다.

○ 履齋孫氏曰, 頤, 所以觀其養也. 初九旣取於龜, 六四又取於虎, 何哉. 蓋龜不嗜食者也, 虎其交有時者也. 飮食男女, 人之大欲存焉, 一有所溺, 必伐其良心, 戕其正性, 烏有所謂自養者哉. 故聖人有取於龜虎以明君子自養者, 如此.
이재손씨가 말하였다: 이괘(頤卦)는 기르는 것을 관찰하는 것이다. 초구는 이미 거북에서 취하였고, 육사도 또한 호랑이에게서 취하였으니, 어째서인가? 거북은 먹기를 즐겨하지 않는 것이고, 호랑이는 교미에 때가 있는 것이다. 먹고 마시며 남녀가 서로를 사랑함에 사람의 큰 욕심이 있으니,[54] 하나라도 탐닉하는 바가 있으면 반드시 양심을 공격하고 바른 성(性)을 해치니, 어찌 스스로 기른다고 말하는 바가 있겠는가? 그러므로 성인이 거북과 호랑이에서 취하여 군자가 스스로 기르는 것을 밝힘이 있는 것이 이와 같다.

○ 案, 龜能食氣, 而不食物, 蟄藏靜養, 故神明而壽. 初之剛明, 是其象也. 然而居動體之下, 爲人欲所動, 而失其所守, 是所謂舍爾靈龜也. 爾者, 外之之辭也.
내가 살펴보았다: 거북은 기(氣)를 먹을 수 있어서 사물은 먹지 않고, 칩거하면서 고요하게 보양하기 때문에 신명스럽고 장수한다. 초효의 굳센 밝음이 이러한 상이다. 그러나 움직이는 몸체[진괘(震卦☳)]의 아래에 있어서 인욕(人欲)에 의하여 움직이게 되어 지켜야 할 바를 잃으니, 이것이 "너의 신령스러운 거북을 버린다"는 말이다. '이(爾)'란 밖으로 한다는 말이다.

### 김상악(金相岳) 『산천역설(山天易說)』

靈龜, 不食之物. 朶頤, 欲食之貌. 全體離, 而初之陽居震應艮, 不能自養, 從四而動, 凶之道也.
'신령스러운 거북'은 먹지 않는 동물이다. "턱을 늘어뜨린다"는 먹고자 하는 모양이다. 괘 전체는 리괘(離卦☲)이며 초효의 양은 진괘(震卦☳)에 있으면서 간괘(艮卦☶)와 호응하여 스스로 기를 수 없으니, 사효를 따라 움직이므로 흉한 도이다.

---

54) 『禮記 · 禮運』: 飮食男女, 人之大欲, 存焉, 死亡貧苦, 人之大惡, 存焉, 故欲惡者, 心之大端也.

○ 爾謂初也, 我謂四也, 中孚二五爲應, 亦以爾我言之. 龜, 咽息而內養者也. 離之象, 內虛外剛, 故曰靈龜. 舍艮象, 觀者, 離之目也, 朶者, 震之動也. 艮反震爲重震, 震六二曰, 億喪貝, 躋于九陵, 勿逐, 七日得, 故頤之初曰, 舍爾靈龜, 二曰, 于邱頤, 三曰, 十年勿用, 而三爻皆凶, 所以行失類也.

'너[爾]'는 초효를 말하고, '내[我]'는 사효를 말하니, 중부괘(中孚卦☴☱)에서도 이효와 오효가 호응이 되어 또 '너'와 '나'를 말하였다. '거북'은 목으로 숨을 쉬어 안으로 보양하는 것이다. 리괘(離卦☲)의 상은 안은 비어있고 밖은 굳세기 때문에 '신령스러운 거북'이라고 하였다. "버리다"란 간괘(艮卦☶)의 상이고, "본다[觀]"란 리괘의 눈이며, "늘어뜨린다"란 진괘(震卦☳)의 움직임이다. 간괘(艮卦☶)를 거꾸로 하여 진괘(震卦☳)가 되면 중첩된 진괘(震卦☳☳)가 되고, 진괘(震卦☳)의 육이에서 "재물을 잃을 것을 헤아려 아홉 언덕에 오르니, 좇지 않으면 이레 만에 얻으리라"고 하였기 때문에 이괘(頤卦)의 초효에서는 "너의 신령스러운 거북을 버린다"고 하였고, 이효에서는 "언덕에서 길러주기를 구한다"[55]고 하였으며, 삼효에서는 "십년이 되어도 쓰지 못한다"[56]고 하여 세 효가 모두 흉하니, "감이 같은 종류를 잃었기 때문이다"[57].

## 김규오(金奎五) 「독역기의(讀易記疑)」

靈龜, 朱子以爲伏箇离卦, 以卦似离體故也. 損益, 皆有离象, 故亦云龜, 而此特言靈者, 主不食而言耳. 又中四爻, 皆虛, 虛極則靈也. 六四之視耽耽, 亦帶离意, 而五上大川, 又似互藏之坎.

'신령스러운 거북'을 주자가 숨어 있는 리괘(離卦☲)로 여긴 것은 괘가 리괘(離卦☲)의 몸체와 유사하기 때문이다. 손괘(損卦☶☱)와 익괘(益卦☴☳)도 모두 리괘(離卦☲)의 상이 있기 때문에 '거북'을 말하였는데 여기서는 특별히 "신령스럽다[靈]"고 말한 것은 먹지 않는 것을 위주로 하여 말하였을 뿐이다. 또 가운데 네 효는 모두 비어있고 비어있는 것이 지극하면 신령스럽다. 육사에서 '호시탐탐'이라고 한 것도 또한 리괘(離卦☲)로 둘러졌다는 뜻이며, 오효와 상효에서 '큰 내'라고 한 것은 또한 서로 숨어있는 괘인 감괘(坎卦☵)와 유사하다.

## 서유신(徐有臣) 『역의의언(易義擬言)』

爾, 龜也, 我, 龍也. 卦象, 中虛爲龜, 震爲龍也. 初九震動, 不能爲靈龜之靜息不食, 故

---

55) 『周易 · 頤卦』: 六二, 顚頤拂經, 于丘頤, 征凶.
56) 『周易 · 頤卦』: 六三, 拂頤貞凶, 十年勿用, 无攸利.
57) 『周易 · 頤卦』: 象曰, 六二征凶, 行失類也.

曰舍爾靈龜也. 觀我者, 自觀也, 自觀其頤乃垂朶而流涎也, 下動爲垂朶之頤也. 龍性多慾食, 念動則口頷朶動, 而不能自止, 所以致凶也. 蓋初九兼有龜龍之象, 而不能爲龜, 乃爲龍也.
'너'는 거북이고, '나'는 용이다. 괘의 상은 가운데가 비어있는 것이 거북이 되고, 진괘(震卦☳)가 용이 된다. 초구는 진괘(震卦☳)의 움직임에 있어서 고요하게 쉬면서 먹지 않는 신령스러운 거북이 될 수가 없기 때문에 "너의 신령스러운 거북을 버린다"고 하였다. "나를 본다"란 스스로를 보는 것이니, 스스로 턱이 늘어뜨려져 침이 흐름을 보는 것으로, 아래가 움직여서 늘어뜨려진 턱이 된다. 용의 성질은 먹는 것에 욕심이 많아 움직이기를 생각하면 입과 턱이 늘어지면서 움직이며 스스로 그칠 수가 없기 때문에 흉한 데에 이른다. 초구는 거북과 용의 상이 겸하여 있으나 거북은 될 수가 없고 용이 된다.

### 박문건(朴文健)『주역연의(周易衍義)』

待陰養己[58], 故有觀頤之象. 爾謂初九也. 靈龜, 以氣自養之虫也. 我謂四陰也. 朶頤, 垂賜頤養之物也.
음이 자신을 길러주기를 기다리기 때문에 기르는 것을 관찰하는 상이 있다. '너'는 초구를 말한다. '신령스러운 거북'은 기(氣)로 스스로를 기르는 동물이다. '나'는 네 음을 말한다. '타이(朶頤)'란 늘어뜨려 주면서 기르는 물건이다.
〈問, 觀我, 朶頤. 曰, 彖所謂觀頤, 初九觀上九所養之道, 而求其頤養之物也. 爻所謂觀我朶頤, 初九觀四陰之垂賜頤養之物也, 必謂之朶者, 四陰之共賜, 如衆條之共垂也.
물었다: "나를 보고서 턱을 늘어뜨린다"는 무슨 뜻입니까?
답하였다: 「단전」에서 말한 '관이(觀頤)'는 초구가 상구가 자신으로 말미암아 길러지는 도[59]를 보고서 기르는 대상을 구하는 것입니다. 효사에서 말하는 "나를 보고서 턱을 늘어뜨린다"는 초구가 네 음이 늘어뜨려 주면서 기르는 물건을 보는 것이니, 반드시 "늘어뜨린다"고 말한 것은 네 음의 함께 주는 것이 마치 여러 가지가 함께 드리운 것과 같기 때문입니다.〉

### 이지연(李止淵)『주역차의(周易箚疑)』

以神龍而貪餌, 以靈龜而朶頤, 天下之欲, 无甚於食也.
신령스러운 용을 가지고서 먹이를 탐낸다고 하고, 신령스러운 거북을 가지고서 턱을 늘어뜨린다고 하니, 천하의 욕심 중에서 먹는 것보다 심한 것은 없다.

---

58) 己: 경학자료집성DB에는 '已'로 되어 있으나, 경학자료집성 영인본을 참조하여 '己'로 바로잡았다.
59)『周易 · 頤卦』: 上九, 由頤, 厲吉, 利涉大川.

### 김기례(金箕澧) 「역요선의강목(易要選義綱目)」

離爲龜, 卦體似離, 故曰龜. 龜能呑氣自養, 本不求食, 而以初陽之貴, 不得自養, 其明智欲應四, 而心動反失陽德, 若龜之舍靈而觀人食, 垂頤流涎, 故曰凶.
리괘(離卦☲)는 거북이 되는데 괘의 전체 몸체가 리괘와 유사하기 때문에 '거북'이라고 하였다. 거북은 기를 삼켜 스스로를 기를 수 있으므로 본래 음식을 구하지 않는데, 초효인 양의 귀함으로는 스스로를 기를 수가 없으므로 그의 밝고 지혜로움이 사효와 호응하고자 하지만 마음이 이에 동요되어 도리어 양의 덕을 잃으니, 거북이 신령스러움을 버리고 사람의 먹을 것을 보면서 턱을 늘어뜨리고 침을 흘리는 것과 같기 때문에 흉하다고 하였다.

○ 爾, 指初, 我, 指四. 蓋對擧而責之二辭也.
'너'는 초효를 가리키고 '나'는 사효를 가리킨다. 이 둘을 상대하여 들어서 둘에게 책망한 말이다.

### 박종영(朴宗永) 「경지몽해(經旨蒙解) · 주역(周易)」

傳曰, 龜能咽息不食, 靈龜喩其明智, 不求養於外也. 朶頤, 爲朶動其頤頷, 見食而欲之, 則動頤垂涎.
『정전』에서 말하였다: 거북은 목구멍으로 숨만 쉬고 먹지 않을 수 있으니, 신령스러운 거북은 밝고 지혜로워 밖에서 길러주기를 구하지 않는다. '타이(朶頤)'는 턱을 늘어뜨리고 움직이는 것이니, 음식을 보고 먹고 싶어 하면 턱을 움직이고 침을 흘린다.

### 심대윤(沈大允) 『주역상의점법(周易象義占法)』

頤之義, 得食之道也, 非若事理之有當否得失也. 故不取爻位剛柔與中正也. 又食无上下之異, 皆米肉菜果焉, 故亦不取卦位上下也. 夫頤有上下. 上止而下動, 取其象焉, 故分卦爲上下, 下卦三爻无位而自食者也, 上卦三爻有位而食於人者也. 自食者, 奔走勞力, 食於人者, 安坐而勞心, 自食者以養上, 食於人者以養下. 下卦之中, 亦有勞逸之殊, 上卦之中, 亦有多寡之別焉, 此其時不同也.
'이(頤)'의 뜻은 음식을 얻는 도이니, 사리(事理)에 마땅함과 그렇지 않음, 또는 득실과 같은 것이 있는 것과 같지 않다. 그렇기 때문에 '이(頤)'의 뜻을 효의 자리가 굳센 양이거나 부드러운 음이거나 하는 것과 중정에서 취하지 않았다. 또 음식에는 상하(上下)의 다름이 없고 모두 쌀이나 고기나 채소나 과일이기 때문에 또한 소성괘의 자리가 위이거나 아래인 데에서 취하지 않았다. 턱에는 아래와 위가 있다. 위는 멈추어 있고 아래는 움직이므로, 여기서 그 상을 취하였기 때문에 괘를 나누어 아래와 위로 삼았으니, 하괘의 세 효는 지위가 없어서 스스로 먹는 자이고, 상괘의 세 효는 지위가 있어서 다른 사람에게서 얻어먹는 자이다. 스스로 먹는 자는 분주하게 노동을 하며, 다른 사람에게 얻어먹는 자는 편안하게 앉아서 마음으로 일하며, 스스로 먹는 자는 윗사람을 기르고 다른 사람에게 얻어먹는 자는 아랫사람을 기른다. 하괘의 가운데에는 또한 수고롭고 안일한 차이가 있고 상괘의 가운데에는 많고 적음의 구별이 있으니, 이것은 그 때가 같지 않기 때문이다.

頤之剝☶☷, 剝變也. 居卦之下, 躬執役以食者也, 蓋農民也. 夫剝變山川者, 莫如農, 農者天下之大本也. 天下之利害吉凶由乎食, 而農爲本. 靈亀者, 所以卜利害吉凶, 故曰靈亀. 全卦爲离, 离爲亀, 震爲稼, 坤爲民. 震體通接于上, 有以食養天下之義, 而初九爲之主農民之象也. 初九爲下卦之主, 上九爲上卦之主也. 下卦三爻俱有震遷動而求進之志, 富貴人之所欲也. 初九有薄其業而羡上之意, 故曰舍爾靈亀, 觀我, 朶頤. 艮爲舍, 觀仰視也. 离自接于上爲觀, 朶朱子曰垂也. 初有正應不言拂, 而言朶, 何也. 頤之初動, 必垂而下也. 朶頤, 羡食也. 有應乎四. 養上也. 食者, 生人之大福, 而禍亦由之, 不可健羡而强求也. 天下之禍, 常由此起, 又在下自食, 不可謂福, 无福而有禍, 故下三爻皆凶.

이괘(頤卦)가 박괘(剝卦☶☷)로 바뀌었으니, 깎아내어 변하는 것이다. 괘의 맨 아래에 있어서, 몸소 노역을 담당하여 먹는 자이니, 대체로 농민이다. 산천(山川)을 깎아내어 변화시키는 것 중에서는 농사만 한 것이 없으니, 농사란 천하의 큰 근본이다. 천하의 이해(利害)와 길흉(吉凶)은 먹는 것에서 말미암으니, 농사가 근본이 된다. '신령스러운 거북'이란 이해와 길흉을 점치는 것이기 때문에 '신령스러운 거북'이라고 하였다. 괘를 전체적으로 보면 리괘(離卦☲)가 되고, 리괘(離卦☲)는 거북이 되며, 진괘(震卦☳)는 심는다는 뜻이 되고, 곤괘(坤卦☷)는 백성이 된다. 진괘(震卦☳)의 몸체는 위로 통하여 붙어서 음식으로 천하를 기르는 뜻이 있고, 초구는 농민의 주인이 되는 상이 있다. 초구는 하괘의 주인이 되고, 상구는 상괘의 주인이 된다. 하괘의 세 효는 모두 진괘(震卦☳)가 옮겨 움직여 나아가고자 하는 뜻이 있고, 부귀(富貴)는 사람들이 바라는 바이다. 초구는 자신의 직업을 미천하게 보면서 위를 부러워하는 상이 있기 때문에 "너의 신령스러운 거북을 버리고 나를 보고서 턱을 늘어뜨린다"고 하였다. 간괘(艮卦☶)는 버림이 되고, '관(觀)'은 우러러 봄이다. 리괘(離卦☲)는 스스로 위에 붙으니 "본다[觀]"가 되고, '타(朶)'에 대하여 주자는 "늘어뜨린다"고 하였다. 초효에는 정응이 있어서 어긋난다고 말하지는 않았지만, "늘어뜨린다"고 말한 것은 어째서인가? 턱이 처음 움직일 때에는 반드시 늘어뜨려 아래로 내린다. '턱을 늘어뜨림'이란 먹는 것을 탐내는 것이다. 사효와 호응하므로 윗사람을 기르는 것이다. 음식이란 사람을 살리는 큰 복이지만, 화(禍)도 또한 여기서 말미암으니, 탐내서 억지로 구해서는 안 된다. 천하의 화(禍)는 항상 이것으로부터 일어나며, 또 아래에 있어서 스스로 먹으니 복이 있다고 말할 수 없고, 복은 없고 화(禍)가 있기 때문에 아래의 세 효는 모두 흉하다.

### 오치기(吳致箕) 「주역경전증해(周易經傳增解)」

初九, 當頤之初, 陽剛在下, 而居動體, 故以陽實而不能自守, 乃反動以求養於六四之應, 舍其靈龜不食之道, 而有欲食朶頤之象, 故占言凶.
초구는 이괘(頤卦)의 처음에 해당하여 굳센 양이 아래에 있으면서 움직이는 몸체에 있기 때문에 양으로 채워져 있어도 스스로 지킬 수가 없으므로, 이에 도리어 움직여 호응하는 육사에게 길러지기를 구해 신령스러운 거북이 먹지 않는 도를 버리니, 먹고자 하여 턱을 늘어뜨리는 상이 있기 때문에 점사(占辭)에서 "흉하다"고 하였다.

○ 舍取應艮, 我亦取艮, 已見上諸卦. 靈取於陽, 而龜者不食之物也, 取象於似離. 觀之取象, 亦同. 我者, 四爲應, 故四自我, 而爾指初, 假設之辭也. 朶, 張口貌, 而本謂樹木下垂之狀, 故取以喩張口, 則頤乃下垂也.
"버린다[舍]"는 호응하는 간괘(艮卦☶)에서 취하였고, '나' 또한 간괘(艮卦☶)에서 취하였으니, 이미 앞에 나온 여러 괘에 보인다. '신령스러움'은 양에서 취하였고 '거북'은 먹지 않는 동물이니, 리괘(離卦☲)와 유사한 데에서 상을 취하였다. "보다[觀]"를 취한 상도 또한 같다. '나'란 사효가 호응이 되기 때문에 사효는 본래 나이고 '너'는 초효를 가리키니, 비유하여 한 말이다. '타(朶)'란 입을 벌리고 숨을 쉬는 모양인데, 본래 나무가 아래로 늘어뜨려진 모양을 말하기 때문에 이를 취하여 입을 벌리고 숨을 쉬는 모양을 비유하였으니 턱이 아래로 늘어뜨려진 것이다.

### 이진상(李震相) 『역학관규(易學管窺)』

徐氏曰, 頤卦全體, 內柔外剛, 有龜象.
서씨가 말하였다: 이괘(頤卦) 전체는 안으로 부드럽고 밖으로 굳세니, 거북의 상이 있다.

愚按, 初九上應六四, 動於欲, 故曰舍爾靈龜. 且厚離有龜象, 中互坤, 坤位北, 爲玄武.
내가 살펴보았다: 초구는 위로 육사와 호응하여 욕심에서 움직이기 때문에 "너의 신령스러운 거북을 버린다"고 하였다. 또 두터운 리괘(離卦☲)라서 거북의 상이 있고, 가운데 호괘는 곤괘(坤卦☷)이며 곤괘의 방위는 북쪽이므로 현무(玄武)가 된다.

### 박문호(朴文鎬) 「경설(經說)·주역(周易)」

在初九, 則見養於六四, 在六四, 則反見養於初九, 易之取義之廣如此, 蓋罕例也, 而烏之母子反哺, 似之矣.

초구에 있으면 육사에게서 길러지고 육사에 있으면 도리어 초구에게서 길러지니, 『주역』에서 뜻을 취함이 이와 같이 넓지만 이는 매우 드문 예(例)인데, 까마귀의 어미와 새끼가 상대에게 먹여주는 것[60]과 유사하다.

60) 반포(反哺): 까마귀 새끼가 자라면 늙은 어미새에게 먹을 것을 물어다 주는 일을 말한다.

## 象曰, 觀我朶頤, 亦不足貴也.

「상전」에서 말하였다: "나를 보고서 턱을 늘어뜨림"은 또한 귀하게 여기기에 부족하다.

# 中國大全

### 傳

**九動體, 朶頤, 謂其說陰而志動. 旣爲欲所動, 則雖有剛健明智之才, 終必自失. 故其才亦不足貴也. 人之貴乎剛者, 爲其能立而不屈於欲也, 貴乎明者, 爲其能照而不失於正也. 旣惑所欲而失其正, 何剛明之有. 爲可賤也.**

구(九)는 움직이는 몸체이니, 턱을 늘어뜨림은 음을 좋아하여 마음이 움직임을 말한다. 이미 욕심에 마음이 움직였다면 비록 강건하고 밝은 재주가 있더라도 끝내 반드시 스스로 잃을 것이다. 그러므로 그 재주가 또한 귀하게 여길 만하지 못하다. 사람이 굳셈을 귀하게 여기는 까닭은 서서 욕심에 굽히지 않을 수 있기 때문이고, 밝음을 귀하게 여기는 까닭은 비추어 바름을 잃지 않을 수 있기 때문이다. 이미 하고자 하는 바에 미혹되어 바름을 잃었다면 무슨 굳세고 밝음이 있겠는가? 천하게 여길 만하다.

### 小註

中溪張氏曰, 初九陽, 本可貴, 而累於動體, 從慾而動, 則飮食之人, 人皆賤之, 烏得而不凶. 此樂正子之徒餔啜, 所以見斥於孟子也.

중계장씨가 말하였다: 초구는 양으로 본래 귀할 만하지만, 움직이는 몸체[61]에 얽매여 욕심을 따라 움직인다면, 마시고 먹기만 하는 사람이라서 사람들이 모두 천하게 여길 것이니, 어떻게 흉하지 않을 수 있겠는가? 이것이 바로 악정자(樂正子)가 다만 먹고 마시는 것으로 맹자에게 배척을 받았던 까닭이다.[62]

---

61) 움직임을 상징하는 진괘(震卦)를 말한다.

62) 『孟子·離婁』: 孟子謂樂正子曰, 子之從於子敖來, 徒餔啜也. 我不意子學古之道而以餔啜也.

○ 平庵項氏曰, 亦不足貴者, 示其本貴也.
평암항씨가 말하였다: “또한 귀하게 여기기에 부족하다”는 것은 본래 귀했다는 것을 보여준다.

## 韓國大全

### 조호익(曺好益) 『역상설(易象說)』

陽貴陰賤
양은 귀하고 음은 미천하다.

### 김상악(金相岳) 『산천역설(山天易說)』

陽貴陰賤, 以陽之貴求養于陰, 亦不足貴也.
양은 귀하고 음은 미천한데도 양의 귀함으로 음에게 길러지기를 구하니, 또한 귀하기에는 부족하다.

### 서유신(徐有臣) 『역의의언(易義擬言)』

龍之爲物可貴, 而今不足貴也.
용은 귀할 만하지만 이제는 귀하기에 부족하다.

### 박문건(朴文健) 『주역연의(周易衍義)』

厭己之窮, 而慕人之養, 士之可賤也.
자신의 궁핍함을 싫어하여 다른 사람이 길러주는 것을 연모하니, 미천할만한 선비이다.

### 박종영(朴宗永) 「경지몽해(經旨蒙解) · 주역(周易)」

傳曰, 既爲欲所動, 則雖有剛健明智之才, 終必自失, 故不足貴也.
『정전』에서 말하였다: 이미 욕심에 마음이 움직였다면 비록 강건하고 밝은 재주가 있더라도 끝내 반드시 스스로 잃을 것이기 때문에 귀하게 여길 만하지 못하다.

**심대윤(沈大允) 『주역상의점법(周易象義占法)』**

其材地, 不足居上也.
재질이 윗자리에 있기에 부족하다.

**오치기(吳致箕) 「주역경전증해(周易經傳增解)」**

養小而失大者, 人所賤之也. 其本雖貴, 亦不足稱矣.
작은 것을 길러 큰 것을 잃는 것은 사람이 미천하게 여기는 바이다. 본래 귀하였다고 하더라도 귀하다고 칭하기에는 부족하다.

**이병헌(李炳憲) 『역경금문고통론(易經今文考通論)』**

程傳曰, 爾謂初也, 我四也, 假設之辭.
『정전』에서 말하였다: '너'는 초효를 말하고 '나'는 사효이니, 가설한 말이다.

鄭曰, 朶, 動也.
정현이 말하였다: '타(朶)'는 움직임이다.

本義曰, 靈龜, 不食之物. 朶頤, 欲食之貌.
『본의』에서 말하였다: '신령스러운 거북'은 먹지 않는 동물이다. '타이(朶頤)'는 먹고 싶어 하는 모양이다.

按, 陽本貴, 動而失德, 故不足貴也. 內三爻初震爲主, 朶征拂, 皆凶也. 內要自養, 外觀所養.
내가 살펴보았다: 양은 본래 귀하지만 움직여 그러한 덕을 잃었기 때문에 귀하게 되기에는 부족하다. 내괘의 세 효에서 초효가 진괘에서 주인이 되므로, '늘어뜨림[朶]'과 '감[征]'과 '위배됨[拂]'은 모두 흉하다. 안으로는 스스로 기르고자 하며 밖으로는 다른 사람을 기름을 관찰한다.

## 六二, 顚頤拂經, 于丘頤, 征凶.

정전 육이는 거꾸로 길러주기를 구하므로 바른 도리에 위배되니, 언덕에서 길러주기를 구하여 가면 흉하리라.

본의 육이는 거꾸로 길러주기를 구하면 바른 도리에 위배되고, 언덕에서 길러주기를 구하면 가서 흉하리라.

## 中國大全

### 傳

女不能自處, 必從男, 陰不能獨立, 必從陽. 二陰柔不能自養, 待養於人者也. 天子養天下, 諸侯養一國, 臣食君上之祿, 民賴司牧之養, 皆以上養下, 理之正也. 二旣不能自養, 必求養於剛陽, 若反下求於初, 則爲顚倒, 故云顚頤, 顚則拂違經常, 不可行也. 若求養于丘, 則往必有凶. 丘在外而高之物, 謂上九也. 卦止二陽, 旣不可顚頤于初, 若求頤于上九往, 則有凶. 在頤之時相應, 則相養者也, 上非其應而往求養, 非道妄動, 是以凶也. 顚頤則拂經不獲其養爾, 妄求於上往, 則得凶也. 今有人才不足以自養, 見在上者勢力足以養人, 非其族類, 妄往求之, 取辱得凶必矣. 六二中正, 在他卦多吉而凶何也. 曰時然也. 陰柔旣不足以自養, 初上二爻皆非其與, 故往來則悖理而得凶也.

여자는 스스로 생활하지 못하여 반드시 남자를 따르고, 음은 독립하지 못하여 반드시 양을 따른다. 이효는 유약한 음으로서 스스로 기르지 못하여 남에게 길러주기를 기다리는 자이다. 천자가 천하를 기르고 제후가 한 나라를 기르며, 신하가 임금의 봉록을 먹고 백성이 지방관의 기름에 의지하는 것은 모두 위로서 아래를 길러주는 것이 바른 이치이다. 이효는 스스로 기르지 못하니, 반드시 굳센 양에게 길러지기를 구해야 할 것이지만, 만약 도리어 아래로 초구에게 구하면 거꾸로 되므로 "거꾸로 길러준다"고 말하였으니, 거꾸로 되면 바르고 항상된 도리에 어긋나 행할 수가 없다. 만약 언덕에게 길러지기를 구한다면, 감에 반드시 흉함이 있을 것이다. 언덕은 밖에 있으면서 높은 물건이므로 상구를 말한다. 이 괘는 다만 두 양효 뿐이니, 초구에게 거꾸로 길러지기를 바라서는 안 된다. 만약 상구에게 길러지기를 구하여 가면, 흉함이 있을 것이다. 이괘(頤卦)의 때에는 서로 호응하면 서로 길러주는 자이지만, 상효는 호응이 아닌데 가서 길러지기를 구한다면 도가 아니고 함부로 움직이는 것이므로 흉하다. 거꾸로 길러지기를 구하면 바른 도리에 위배되어 기름을 얻지 못하고, 함부로 위에 있는 상효에게 구하여 가면 흉함을 얻는다. 지금 어떤 사람이 자기 재주가 스스로 기를 수 없고, 위에 있는 자의 세력이 남을 길러줄 수 있음을 보고는 같은 종류가 아닌데도 함부로 가서 구한다면 욕을 당하고 흉함을 얻는 것이 반드시 그렇다. 육이는 중정하니, 다른 괘에서는 길함이 많은데 여기서는 흉함은 왜인가? 때가 그러하기 때문이다. 유약한 음으로서 이미 스스로 기르지 못하고, 초효와 상효 두 효가 다 호응하여 함께 하는 자가 아니므로 가서 구하면 이치를 어겨 흉함을 얻는다.

本義

**求養於初, 則顚倒而違於常理, 求養於上, 則往而得凶. 丘土之高者, 上之象也.**

초효에게 길러지기를 구하면 거꾸로 되어 항상 그러한 이치에 위배되고, 상효에게 길러지기를 구하면 가서 흉함을 얻는다. 언덕은 흙이 높은 것이니, 상효의 상이다.

小註

雲峯胡氏曰, 初上二陽, 衆陰所資以養者也. 二在初之上, 反受養於初, 則爲顚頤. 又違五正應, 則爲拂經. 若往而求養於上, 必有凶. 六二在他卦, 爲柔順中正, 在頤則爲動於口體. 初動於六四, 二則下爲初九所動, 上爲上九所動, 兩有所從, 一无所利. 艮爲山, 上九在外而高, 有丘象.
운봉호씨가 말하였다: 초효와 상효의 두 양은 여러 음들이 그 둘을 바탕으로 길러진다. 이효는 초효의 위에 있으면서 도리어 초효의 기름을 받으므로 거꾸로 기르는 것이 된다. 또한 오효가 정응이 되는 데에서 어긋나므로 도리에 위배되는 것이 된다. 만약 가서 위에게 길러지기를 구한다면 반드시 흉함이 있다. 육이는 다른 괘에서는 유순하고 중정한 것이 되지만, 이괘에서는 입이나 몸에서 움직이는 것이 된다. 초효는 육사에 의해서 움직이고, 이효는 아래로는 초구에 의해 움직이며 위로는 상구에 의해 움직여서 양쪽으로 따르더라도 전혀 이익이 없다. 간괘는 산을 상징하고, 상구는 밖에 있으면서 높아서 언덕의 상이 있다.

○ 雙湖胡氏曰, 二之顚頤與四同, 拂經與五同, 而吉凶異者, 頤養之道, 以安靜爲无失, 二動體, 故顚拂而凶, 四五靜體, 故雖顚拂亦吉. 震三爻凶, 艮三爻吉, 可見矣.
쌍호호씨가 말하였다: 이효는 거꾸로 길러지는 것은 사효와 같고, 도리에 위배되는 것은 오효와 같은데, 길흉이 다른 것은 기르는 도리는 편안하고 고요한 것을 잘못이 없는 것으로 삼는데, 이효는 움직이는 몸체에 있기 때문에 거꾸로 되고 어겨서 흉함이 되고, 사효와 오효

는 고요한 몸체에 있기 때문에 비록 거꾸로 되고 어기더라도 또한 길하다. 진괘의 삼효는 흉하고 간괘의 삼효는 길함을 알 수 있다.

## 韓國大全

### 조호익(曺好益) 『역상설(易象說)』

卦全體象頤. 二下而從初, 則初反爲上, 是頤口顚倒之象. 征震動象.
괘 전체는 턱을 상징한다. 이효는 아래로 내려가 초효를 따르므로 초효가 도리어 위가 되니, 이는 턱과 입이 뒤바뀌는 상이다. "간다[征]"란 진괘(震卦☳)가 움직이는 상이다.

### 이익(李瀷) 『역경질서(易經疾書)』

卦有四陰. 顚者, 向下也, 拂者, 向上也. 二與初, 五與上, 以其近而比, 三與上, 四與初, 以其應而從. 初上兩陽, 象頤, 四陰比從於上下, 而頤外無物, 則六爻皆頤也. 養雖用頤, 不可以頤爲養也.
본 괘에는 네 음이 있다. '전(顚)'이란 아래로 향하는 것이며, '불(拂)'이란 위로 향하는 것이다. 이효와 초효 및 오효와 상효는 가까움으로써 친하며, 삼효와 상효 및 사효와 초효는 호응함으로써 따른다. 초효와 상효 두 양이 턱을 상징하고, 네 음이 위와 아래에 친하여 따르고, 초효의 아래와 상효의 위에 다른 효가 없어서 턱 밖에 사물이 없으니, 여섯 효가 모두 턱이다. 기름이 비록 턱을 사용하지만, 턱을 기름으로 여겨서는 안 된다.

初爲朶頤, 朶乃木之根株, 二與四陰位, 故爲顚頤, 三與五陽位, 三爲拂頤, 上爲由頤, 惟五不言頤, 以例推之, 當爲拂頤, 言拂不言頤者, 頤皆統於五故也. 所謂拂經與六二辭同, 五與二相應也. 二則云拂經于丘頤, 竊恐丘頤者, 指五也. 渙四以五爲有丘, 互艮有丘陵之象, 可以相照也. 經以熊經雉經之類推之, 卽卦在木上之義. 二雖顚頤, 五拂上而卦在丘頤, 詳一于字, 丘頤之非六二辭可知. 五雖不言頤, 二旣指名爲丘頤, 則是爲拂經之丘頤也. 然則六爻, 皆頤之義, 明矣.
초효는 '타이(朶頤)'가 되는데 '타(朶)'는 나무의 뿌리와 그루터기이며, 이효와 사효는 음의 자리이기 때문에 '거꾸로 길러줌'이 되고, 삼효와 오효는 양의 자리인데 삼효는 '기름에 위배됨'이 되며 상효는 '자신으로 말미암아 길러짐'이 된다. 오직 오효에서만 '턱[頤]'을 말하지 않았으니, 사례를 미루어 보면 마땅히 '기름에 위배됨'이 되는데도 "위배된다"고만 말하고 '턱[頤]'을 말하지 않은 것은 '턱[頤]'이 모두 오효에 통괄되기 때문이다. 이른바 '바른 도리에 위배됨'은 육이의 효사와 같으니, 오효와 이효가 서로 호응하기 때문이다. 이효에서는 "바른 도리에 위배되니, 언덕에서 길러주기를 구한다"고 하였으니, 아마도 '언덕에서 길러줌'이란 오효를 가리키는 듯하다. 환괘(渙卦䷺) 사효에서는 호괘인 간괘(艮卦☶)에 구릉의 상이 있으므로 오효를 두고 "언덕처럼 많이 모인다"[63]고 여겼으니, 서로 참조할 만하다. '경(經)'에 대해 "곰이 두 앞발로 서서 나무를 부여잡고 매달리다[熊經]"[64]나 "목을 매어 죽다[雉經]"라는 부류로 미루어 보면, 괘에 나무의 위라는 뜻이 있다. 이효가 비록 거꾸로 기름이 되고 오효가 상효에 위배되더라도 괘에는 '언덕에서 길러줌'이 있고 '우(于)'라는 한 글자를 자세하게 살펴보면 "언덕에서 길러준다"란 육이를 가리키는 말이 아님을 알 수가 있다. 오효에서 비록 '턱[頤]'을 말하지 않았지만, 이효에서 이미 '구이(丘頤)'를 가리켜 이름 지었으니, 이는 바른 도리에 위배되는 '길러주는 언덕[丘頤]'이 된다. 그렇다면 여섯 효는 모두 기름의 뜻이 됨이 분명하다.

初之靈龜, 亦指四也. 爾與我對勘而我爲初, 則爾非正應之四乎. 四變則爲离, 离有龜象. 虛中不食, 故曰靈. 初不從不食之靈龜, 求己自養之朵頤, 其凶宜矣. 二陰位也, 旣顚頤, 比於初而又拂經於五之丘頤, 用志不專, 亦凶道也. 三陽位也, 拂頤而應於事外之上九, 雖十年之久, 終何所利哉. 故曰勿用也. 四陰位也, 顚頤之吉宜矣. 四變則爲噬嗑, 乃口中有物之象. 噬物莫如虎, 虎者目光下注之獸也. 所謂虎死目光入地, 是也. 离又有目之象, 而下應初之朵頤, 故其視眈眈然, 其欲逐逐然, 在初爲凶, 在四則无咎也. 傳云上施光也, 此以顚頤言, 非帖於虎視也. 五陽位, 六二所謂丘頤, 是也. 居尊而貞吉, 乃順而從上故也. 由與甹通, 書云由櫱, 是也. 凡言由者, 皆指始端, 卽此義也. 與初之朵相照, 朵是根株而由是芽櫱也. 豫之四居四陰之中, 下卦之上, 則由豫者, 乃區萌於地中也. 頤上居四陰之上, 又上卦之上, 則由頤者, 芽櫱上達也, 彼陰而此陽也.
초효에서의 '신령스러운 거북'도 또한 사효를 가리킨다. '너[爾]'와 '내[我]'를 대조하여 살펴보아 '내'가 초효가 된다면 '너'는 정응하는 사효가 아니겠는가? 사효가 변하면 리괘(離卦☲)가 되고, 리괘(離卦☲)에는 거북의 상이 있다. 가운데를 비우고 먹지 않기 때문에 "신령하다"고 하였다. 초효는 음식을 먹지 않는 거북을 따르지 않고, 스스로 기르는 '타이(朵頤)'를 자기에게서 구하니, 흉함이 마땅하다. 이효는 음의 자리인데 이미 거꾸로 길러주니, 초효와는 비

63) 『周易 · 渙卦』: 六四, 渙其群, 元吉, 渙有丘, 匪夷所思.
64) 『莊子 · 刻意』: 吹呴呼吸, 吐故納新, 熊經鳥申, 爲壽而已矣, 此導引之士.

(比)의 관계인데도 오효인 언덕에서 길러주어 바른 도리에 위배되고 뜻을 씀이 전일하지 않아 또한 흉한 도이다. 삼효는 양의 자리인데, 기름에 위배되고 일의 밖에 있는 상구와 호응하여 비록 10년이라는 오랜 시간이 흐르더라도 끝내 어느 곳에서 이롭겠는가? 그러므로 "쓰지 못한다"고 하였다. 사효는 음의 자리인데, 거꾸로 길러주는 길함이 마땅하다. 사효가 변하면 서합괘(噬嗑卦☲☳)가 되는데, 입 안에 음식물이 있는 상이다. 씹는 동물 중에서는 호랑이만큼 잘 씹는 동물이 없으니, 호랑이는 눈에서 나는 광채가 아래로 흐르는 짐승이다. 이른바 "호랑이는 죽으면 눈의 광채가 땅으로 들어간다"[65]라고 한 것이 이것이다. 리괘(離卦☲)에는 또 눈[目]의 상이 있어서 아래로 초효의 '타이(朶頤)'와 호응하기 때문에 그 시선이 예리하고 날카로우며, 하고자함은 좇고 좇는 듯이 하니, 초효에서는 흉함이 되지만 사효에서는 허물이 없다. 「상전」에서 "위에서 베푸는 것이 빛나기 때문이다"라고 한 것은 거꾸로 길러주기를 구함으로써 말한 것이지, 호랑이가 주시하는 것을 그대로 나타낸 것이 아니다. 오효는 양의 자리인데, 육이에서 이른바 "언덕에서 길러주기를 구한다"고 할 때의 언덕이다. 존귀한 곳에 있으면서 곧으면 길하니, 상효에 순종하기 때문이다. '유(由)'는 '유(甹)'와 뜻이 통하니, 『서경』에서 말하는 '싹[由櫱]'[66]이 이것이다. 대체로 '유(由)'라고 말한 것은 모두 시작을 가리키니, 여기서도 이러한 뜻이다. 초효의 '타(朶)'와 서로 참조해보면, '타(朶)'는 뿌리가 드러난 그루터기이며 '유(由)'는 싹이다. 예괘(豫卦☳☷)의 사효가 네 음의 가운데와 하괘의 위에 있으니, '자신으로 말미암아 즐거워 함[由豫]'이란 땅 속으로부터 싹이 움트는 것이다. 이괘(頤卦)의 상효는 네 음의 위와 또 상괘의 맨 위에 있으므로, '자신으로 말미암아 길러짐[由頤]'이란 싹이 위로 자라남이니, 저기서는 음이고 여기서는 양이다.

### 심조(沈潮) 「역상차론(易象箚論)」

六二, 丘.
이효에서의 '언덕'.

丘者, 土之高者, 上之象也. 艮爲山, 上九在外而高, 有丘象.
'언덕[丘]'이란 땅의 높은 것이니, 위를 상징한다. 간괘(艮卦☶)는 산이 되고 상구는 밖에 있으면서 높기 때문에 '언덕'의 상이 있다.

---

65) 『朱子語類 · 天地』: 魂散, 則魄便自沈了. 今人說虎死則眼光入地, 便是如此.
66) 『書經 · 盤庚』: 若顚木之有由櫱, 天其永我命于玆新邑, 紹復先王之大業, 底綏四方. 이익의 『역경질서(易經疾書)』에는 '유얼(由孼)'로 되어 있으니, 『서경』에는 '유얼(由櫱)'로 되어 있다.

### 유정원(柳正源) 『역해참고(易解參攷)』

王氏曰, 養下曰顚. 拂, 違也. 經, 猶義也. 丘, 所履之常也. 處下[67]體之中, 无應於上, 反而養初居下, 不奉上而反養下, 故曰顚頤拂經于丘也. 以此而養, 未見其福也, 以此而行, 未見有與, 故曰頤征凶.
왕필이 말하였다: 아래를 길러줌을 '거꾸로[顚]'라고 한다. '불(拂)'은 위배됨이다. '바른 도리[經]'는 의로움과 같다. '언덕[丘]'은 항상 밟는 곳이다. 하체의 가운데에 있으면서 위로는 호응함이 없어 도리어 초효를 봉양하여 아래에 있으니, 위를 봉양하지 않고 도리어 아래를 봉양하기 때문에 "거꾸로 길러주기를 구하므로 바른 도리에 위배된다"고 하였다. 이로써 보양하므로 그 복을 볼 수 없고, 이로써 가므로 함께 함이 있는 것을 볼 수 없기 때문에 "길러주기를 구하면 가서 흉하리라"고 하였다.

○ 案, 經者, 中正之常道也, 故於二五言之.
내가 살펴보았다: '바른 도리[經]'란 중정한 항상 된 도이기 때문에 이효와 오효에서 말하였다.

### 김상악(金相岳) 『산천역설(山天易說)』

顚, 猶前也. 拂經謂違拂於常道也. 邱, 指上九也. 六二震體比初, 與艮无應, 而震性好動, 不求養于初而求養于上, 是顚頤而拂經, 終若于邱頤而征, 則凶也.
'전(顚)'은 앞[前]과 같다. '불경(拂經)'이란 항상 된 도에서 위배되거나 어긋남을 말한다. '언덕[邱]'은 상구를 가리킨다. 육이는 진괘(震卦☳)의 몸체에 있으면서 초효와는 비(比)의 관계에 있으나 상괘인 간괘(艮卦☶)와는 호응이 없는데도, 진괘의 성질은 움직이기를 좋아하여 초효에게서 길러지고자 하지 않고 상효에게서 길러지고자 하니, 이는 거꾸로 길러주어 바른 도리에 위배되는 것이므로, 끝내 언덕에서 길러주기를 구하여 간다면 흉하게 된다.

○ 拂者, 震之動也, 經, 常也. 動則不安其常, 故曰拂經. 邱者, 艮之山也. 渙之四比五同體之陽, 故渙有邱而吉, 頤則求養于異體之陽, 故于邱頤而凶. 征者, 震之動也. 動而之損, 故征凶. 與損九二同, 損則以不損而言也.
'불(拂)'이란 진괘(震卦☳)의 움직임이고, '경(經)'이란 항상 됨이다. 움직이면 항상 됨을 편안하게 여기지 않기 때문에 "항상 됨에 위배된다"고 하였다. '언덕[邱]'이란 간괘(艮卦☶)의 산이다. 환괘(渙卦䷺) 구사가 같은 몸체에 있는 양인 오효와 비의 관계가 되기 때문에 환괘

67) 下: 경학자료집성DB와 영인본에는 모두 '上'으로 되어 있으나, 『주역정의』 원문에 따라 '下'로 바로잡았다.

(渙卦)의 구사에서는 언덕처럼 많이 모여 길하고,[68] 이괘(頤卦)에서는 다른 몸체에 있는 양에게서 길러지고자 하기 때문에 언덕에서 길러주기를 구하여 흉하다. "간다[征]"란 진괘(震卦☳)의 움직임이다. 이 효가 움직여 손괘(損卦☶☱)로 바뀌기 때문에 가면 흉하다. 손괘(損卦)의 구이와 같지만 손괘(損卦)에서는 "덜지 말라"[69]로 말하였다.

## 김규오(金奎五) 「독역기의(讀易記疑)」

六二顚拂, 傳義皆作一事, 而雲峯以違五正應爲拂經, 蓋以二五皆有拂經之文, 故欲爲互觀於二五, 然兩陰无相養之道, 恐未必然.

육이의 "거꾸로 하다[顚]"와 "위배되다[拂]"에 대하여 『정전』과 『본의』에서는 모두 하나의 일이라고 하였고, 운봉호씨는 정응이 되는 오효와 어긋나는 것을 "바른 도리에 위배된다"로 여겼다. 이효와 오효에 모두 "바른 도리에 위배된다"는 글이 있기 때문에 이효와 오효를 서로 살펴보고자 한 것이다. 하지만 두 음은 서로 기르는 도가 없으므로, 아마도 반드시 그러하지는 않은 듯하다.

## 서유신(徐有臣) 『역의의언(易義擬言)』

六二, 無應於五, 而比於初, 爲顚頤之象也. 爻義, 向上爲順, 向下爲倒, 故曰顚也. 顚頤者, 倒下之頤也. 二五不能相資, 爲養違拂於經常也. 顚頤拂經, 皆無以爲養也. 其於由頤之上九, 則行之過而爲凶也. 上九艮而尊, 故曰丘也. 丘頤者, 尊高之頤也. 大抵六二於初九, 爲顚頤, 於六五爲拂經, 於上九爲征, 到處不相合, 其凶甚矣.

육이는 오효와 호응함이 없고 초효와 비(比)의 관계가 되니, 거꾸로 길러주기를 구하는 상이 된다. 효의 뜻은 위로 향하면 순함이 되고 아래로 향하면 거스름이 되기 때문에 '거꾸로'라고 하였다. "거꾸로 길러주기를 구한다"란 거꾸로 아래가 길러줌[頤]이다. 이효와 오효는 서로 의지할 수가 없어서 기름에 있어서 떳떳하고 항상 됨에 위배되고 어긋남이 된다. "거꾸로 길러주기를 구하므로 바른 도리에 위배된다"는 모두 기름이 될 수 없기 때문이다. '자신으로 말미암아 길러지는' 상구에게 육이가 가는 것은 지나쳐 흉하게 된다. 상구는 간괘(艮卦☶)이면서 존귀하기 때문에 '언덕[邱]'이라고 하였다. '언덕에서 길러줌'이란 존귀하고 높은 이가 길러줌이다. 대체로 육이는 초구에 대해서는 거꾸로 길러주기를 구함이 되고, 육오에 대해서는 바른 도리에 위배되며, 상구에 대해서는 '감[征]'이 되니, 이르는 곳마다 서로 합하지 못하므로 흉함이 심하다.

---

68) 『周易·渙卦』: 六四, 渙其群, 元吉, 渙有丘, 匪夷所思.
69) 『周易·渙卦』: 九二, 利貞, 征凶, 弗損, 益之.

### 박제가(朴齊家) 『주역(周易)』

六二, 拂經, 于丘頤.
육이는, 바른 도리에 위배되니, 언덕에서 길러주기를 구한다.

拂, 戾也, 經, 經絡也. 頤之脈絡也, 倒其頤而傷于脈絡也. 丘, 大也. 傷而至于大, 則浮高之病也. 三之拂頤, 乃拂之甚喎矣, 故雖貞亦凶. 若以拂經爲違拂常理, 則五之拂經, 何以貞吉. 違拂常理, 背道之極者, 豈有背道之極而又能居貞而吉者乎. 此乃不至拂頤之喎, 而少戾[70]於脈絡者也. 五柔不能養, 故爲少戾[71]經脈, 而順於上則吉也. 五之附上吉, 如二之不附初而凶也. 二爲口內舌下, 五爲口內舌上, 三四合爲舌.
'불(拂)'은 어그러짐이며, '경(經)'은 경락(經絡)이다. 턱의 맥락(脈絡)인데, 그 기름을 거꾸로 하여 맥락에 손상을 입히는 것이다. '언덕[丘]'은 큼이다. 손상을 입어 큰 데까지 이르니, 맥(脈)의 하나인 부(浮)가 높아지는 병이다. 삼효에서의 '불이(拂頤)'란 어그러져 매우 비뚤어진 것이기 때문에 비록 곧더라도 또한 흉하다. 만약 '불경(拂經)'을 항상 된 이치에 어긋나고 위배됨이라고 여긴다면, 오효의 '불경(拂經)'은 어떻게 곧음에 거하여 길하겠는가? 항상 된 이치에 위배되고 어긋남은 도를 배반하는 지극한 것이니, 어찌 도를 배반하는 지극함이면서 또 곧음에 거하여 길하게 되는 것이 있겠는가? 이것은 곧 기름에 위배되는 비뚤어짐에는 이르지 않고 맥락에 약간 어그러지는 것이다. 오효의 부드러운 음은 기를 수가 없기 때문에 경맥에 약간 어긋나게 되어 상효에 따른다면 길하게 된다. 오효가 상효에 붙으면 길한 것은 이효가 초효에 붙지 않아 흉하게 되는 것과 같다. 이효는 입 안의 혀 아래가 되고, 오효는 입 안의 혀 위가 되며, 삼효와 사효는 합하여 혀가 된다.

### 강엄(康儼) 『주역(周易)』

傳, 女不能自處, 云云.
『정전』에서 말하였다: 여자는 스스로 생활하지 못한다, 운운.

或曰, 程傳上下語意, 未免牴牾. 若使六二不求上下, 而專於安靜, 則與女不能自處, 陰不能獨立之說相反, 若以不能自處, 不能獨立, 而求養於上下, 則又不免拂經與征凶矣. 然則爲六二者, 當如何處之也. 曰, 所謂女必從男, 陰必從陽, 皆以正應言也. 今初九與上九, 皆非六二之正應, 故下求而爲拂, 上往而爲凶, 爲六二者, 但當自養其德, 以

---

70) 戾: 경학자료집성DB에 '戻'로 되어 있으나, 경학자료집성 영인본을 참조하여 '戾'로 바로잡았다.
71) 戾: 경학자료집성DB에 '戻'로 되어 있으나, 경학자료집성 영인본을 참조하여 '戾'로 바로잡았다.

待其時運之復, 而正應之來而已. 曰, 六五陰柔而非配偶, 則此卦之內, 終无六二之正應矣, 奈何. 曰, 桀紂之世, 伊尹耕莘, 太公釣渭, 當時固无正應, 而成湯文王自何而來, 遂作正應, 只患在我之道不若伊呂而已, 何患乎无正應哉.

어떤 이가 물었다: 『정전』에서의 위와 아래의 말뜻은 서로 어긋나 거스름을 면하지 못합니다. 만약 육이가 위와 아래에게 구하지 않고 오로지 편안하고 고요하도록 하게만 한다면, 여자는 스스로 생활하지 못한다고 하고 음은 홀로 설 수가 없다고 한 설과는 서로 반대가 되고, 만약 스스로 생활하지 못하고 홀로 설 수 없기 때문에 위와 아래에게 길러지기를 구한다면, 또한 바른 도리에 위배되고 가서 흉하게 됨을 면하지 못합니다. 그렇다면 육이가 된 경우에는 마땅히 어떻게 처신하여야 합니까?

답하였다: 이른바 여자는 반드시 남자를 따라야 하고 음은 반드시 양을 따라야 한다는 것은 모두 정응을 가지고 말하였습니다. 이제 초구와 상구는 모두 육이의 정응이 아니기 때문에 아래로 구하여 어긋나게 되고, 위로 가서 흉하게 되니, 육이가 된 경우는 다만 마땅히 스스로 자신의 덕을 기르면서 시운(時運)이 회복되고 정응이 오기를 기다릴 뿐입니다.

물었다: 육오는 부드러운 음이면서 육이의 짝이 아니니, 이 괘의 안에는 끝내 육이의 정응이 없으므로, 어떻게 해야 합니까?

답하였다: 걸주(桀紂)의 시대에는 이윤(伊尹)이 유신(有莘)의 들에서 농사를 지었고,[72] 태공(太公)은 위수(渭水) 가에서 낚시질을 하였으므로 당시에는 진실로 정응이 없었으나, 탕왕과 문왕이 어디로부턴가 와서 마침내 정응을 일으켰으니, 다만 나에게 있는 도가 이윤과 강태공보다 못한가를 걱정할 뿐이지, 어찌 정응이 없음을 걱정하겠습니까?

## 박문건(朴文健) 『주역연의(周易衍義)』

處家自養, 故有丘頤之象. 顚頤, 爲下所逼也, 拂經, 爲上所疑也. 丘, 鄕邑也.

집에 있으면서 스스로를 기르기 때문에 언덕에서 기르는 상이 있다. '거꾸로 길러주기를 구함'은 아래에 의해 핍박받는 것이고, '바른 도리에 위배됨'은 위에 의해 의심받는 것이다. '구(丘)'는 향읍(鄕邑)이다.

〈問, 顚頤拂經, 于丘頤, 征凶. 曰, 六二乘剛, 故顚覆所養, 而以予其下, 又敵應, 故違拂常道, 而不往其上, 但深處鄕邑, 自養其身也. 若捨應而從比, 則失類而致凶.

물었다: "육이는 거꾸로 길러주기를 구하므로 바른 도리에 위배되니, 언덕에서 길러주기를 구하여 가면 흉하리라"는 무슨 뜻입니까?

---

72) 『孟子·萬章上』: 孟子曰 否. 不然. 伊尹耕於有莘之野而樂堯舜之道焉, 非其義也, 非其道也, 祿之以天下, 弗顧也, 繫馬千駟, 弗視也, 非其義也, 非其道也, 一介, 不以與人, 一介, 不以取諸人.

답하였다: 육이는 굳센 양을 타고 있기 때문에 기르는 바를 거꾸로 하여 그 아래에 주고 또 호응하는 것에 대적하기 때문에 항상 된 도에 위배되어 위로 가지 못하니, 다만 향읍에 깊이 들어가 있으면서 자신을 스스로 기릅니다. 만약 호응을 버리고 비(比)의 관계가 되는 것을 따른다면 동류(同類)를 잃어서 흉하게 됩니다.〉

### 이지연(李止淵) 『주역차의(周易箚疑)』

六二, 征凶, 所謂東敗西喪者也.
육이의 가서 흉하리라는 것은 이른바 동쪽으로는 패전하고 서쪽으로는 땅을 잃는다[73]는 것이다.

### 김기례(金箕澧) 「역요선의강목(易要選義綱目)」

易義, 皆取卦體, 而有吉凶. 下三爻震體, 上三爻艮體. 口實之道, 動則妄求, 故下體, 皆凶, 靜則自養, 故上體, 皆吉.
『주역』의 뜻은 모두 괘의 몸체에서 취하여 길함과 흉함이 있다. 하괘의 세 효는 진괘(震卦☳)의 몸체이며, 상괘의 세 효는 간괘(艮卦☶)의 몸체이다. 음식에 대한 도는 움직이면 망령되게 구하기 때문에 하체는 모두 흉하고, 고요하면 스스로 기르기 때문에 상체는 모두 길하다.

○ 蓋二以陰柔倒比初, 則非正應, 故曰違法. 欲從上, 則亦妄求, 故曰往凶. 求養而皆不得.
이효는 부드러운 음으로 도리어 초효와 비(比)의 관계가 되며, 정응이 아니기 때문에 법에 위배된다고 하였다. 상효를 따르고자 하니, 또한 망령되게 구하기 때문에 "가면 흉하리라"고 하였다. 길러주기를 구하지만 모두 얻을 수 없다.

○ 丘, 指上, 取艮山.
'언덕[丘]'은 상효를 가리키니, 간괘(艮卦☶)의 산에서 취하였다.

---

73) 『孟子 · 梁惠王上』: 及寡人之身, 東敗於齊, 長子死焉, 西喪地於秦七百里, 南辱於楚, 寡人, 恥之, 願比死者, 一洒之, 如之何則可.

## 심대윤(沈大允) 『주역상의점법(周易象義占法)』

頤之損䷨, 損下益上也. 其得食之道, 稍勝於初九, 去下而向上也. 兌爲從革爲口舌, 互震爲遷動, 對巽爲交易, 艮爲求取, 因革遷動而嚻爭交易, 有工商市易之象. 顚, 顚而下也, 兌爲顚. 拂, 拂而上也, 艮執而震動爲拂. 六二從初九, 以得食, 故曰顚頤, 志欲求乎上, 故曰拂經, 于丘頤. 离心, 互艮求, 爲經. 丘, 上九艮象, 非其正應, 故曰拂經而不言拂頤也, 經, 營求也. 六二之從初九, 亦非正應, 而不言顚經者, 頤之諸爻求上而不求下也. 震對巽爲征.

이괘가 손괘(損卦䷨)로 바뀌었으니, 아래를 덜어 위로 보탠다는 것이다. 먹을 수 있는 도는 초구보다 약간 나아 아래를 떠나서 위로 향한다. 태괘(兌卦☱)는 따르고 또 변하는[74] 것이 되고 입과 혀가 되며, 호괘인 진괘(震卦☳)는 옮겨 움직임이 되고, 음양이 바뀐 괘인 손괘(巽卦☴)는 교역함이 되며, 간괘(艮卦☶)는 구하여 취함이 되어, 변하고 옮겨 움직임으로 인하여 시끄럽게 다투어 교역하니, 물건을 만들어 파는 시장인 상이 있다. '전(顚)'은 거꾸로 하여 아래로 가는 것이니, 태괘(兌卦☱)가 '전(顚)'이 된다. '불(拂)'은 어긋나게 위로 가는 것이니, 간괘(艮卦☶)는 고집하고 진괘(震卦☳)는 움직이니 어긋남이 된다. 육이는 초구를 따라서 먹을 수 있기 때문에 "거꾸로 길러준다"고 하였고, 뜻은 상효에게서 구하고자 하기 때문에 "바른 도리에 위배되니, 언덕에서 길러주기를 구한다"라고 하였다. 리괘(離卦☲)는 마음이고, 호괘인 간괘(艮卦☶)는 구함이니, 바른 도리[經]가 된다. '언덕[丘]'은 상구인 간괘(艮卦☶)의 상이나, 정응이 아니기 때문에 "바른 도리에 위배된다"고 말하였고 "기름에 위배된다"라고 말하지 않았으니, '경(經)'이란 구하기를 잘 하는 것이다. 육이가 초구를 따름도 또한 정응이 아닌데도 "바른 도리를 거꾸로 한다[顚經]"라고 말하지 않은 것은 이괘(頤卦)의 여러 효가 위에게서 구하고 아래에게서 구하지 않기 때문이다. 진괘(震卦☳)가 음양이 바뀐 괘인 손괘(巽卦☴)가 '감[征]'이 된다.

## 오치기(吳致箕) 「주역경전증해(周易經傳增解)」

六二, 柔得中正, 而上无應, 與乃下比于初剛而求養, 故雖有顚頤拂經之象, 然不爲凶也. 若或匪應匪比, 而求養於上九高丘之處, 則其行爲凶, 故有此戒也.

육이는 부드러운 음이 중정하지만 위로는 호응이 없어서 차라리 아래로 굳센 양인 초효에게 비(比)의 관계가 되어 길러주기를 구하기 때문에, 비록 '육이는 거꾸로 길러주기를 구하므로 바른 도리에 위배되는' 상이 있지만, 흉하게 되지는 않는다. 만약 혹 호응도 아니고 비(比)의

---

74) 『書經 · 洪範』: 一五行, 一曰水, 二曰火, 三曰木, 四曰金, 五曰土, 水曰潤下, 火曰炎上, 木曰曲直, 金曰從革, 土爰稼穡.

관계도 아닌데도 높은 언덕에 있는 상구에게서 길러주기를 구한다면, 그 가는 것이 흉하게 되기 때문에 이러한 경계가 있다.

○ 顚者, 倒也. 從下求養, 故曰顚也. 上九爲頤之主, 而居于上, 故陰之求養於陽者, 從上而求, 則不可謂顚, 然二與上匪應, 而乃比于初, 卽求養於下者也, 故曰顚頤. 六四, 亦不應上而應於初, 故亦言顚頤也. 拂者, 違也, 經者, 常也. 陰之應陽爲常道, 而若无正應, 乃比於陽, 則卽違經而行權者也, 故曰拂經. 而二五皆无正應, 二比於初陽, 五比於上陽, 故皆言拂經也. 艮爲山, 故言丘而卽謂上九也.
'전(顚)'이란 '거꾸로'이다. 아래를 따라서 길러주기를 구하기 때문에 '거꾸로'라고 하였다. 상구는 이괘(頤卦)의 주인이 되고 맨 위에 있기 때문에 음이 양에게서 길러주기를 구하는 것은 위를 따라서 구하면 '거꾸로'라고 말할 수는 없지만, 이효와 오효가 호응이 아니고 초효와 비(比)의 관계가 되어 아래에게서 길러지기를 구하는 것이기 때문에 "거꾸로 길러주기를 구한다"고 하였다. 육사도 또한 상효와 호응하지 않고 초효와 호응하기 때문에 또 "거꾸로 길러주기를 구한다"고 하였다. '불(拂)'이란 위배됨이고, '경(經)'이란 항상 됨이다. 음이 양에 호응하는 것은 항상 된 도가 되니, 만약 정응이 없고 곧 양과 비(比)의 관계가 된다면 경도(經道)에 위배되면서 권도(權道)를 행하는 것이기 때문에 "바른 도리에 위배된다"고 하였다. 그런데 이효와 오효는 모두 정응이 없고, 이효는 초효인 양과 비(比)의 관계에 있으며 오효는 상효인 양과 비(比)의 관계가 있기 때문에 모두 "바른 도리에 위배된다"고 하였다. 간괘(艮卦☶)는 산이 되기 때문에 '언덕[丘]'이라고 말하였으니 곧 상구를 말한다.

**象曰, 六二征凶, 行失類也.**

정전 「상전」에서 말하였다: "육이가 가면 흉함"은 같은 종류를 잃었기 때문이다.
본의 「상전」에서 말하였다: "육이가 가서 흉함"은 같은 종류를 잃었기 때문이다.

## 中國大全

**傳**

**征而從上則凶者, 非其類故也. 往求而失其類, 得凶宜矣. 行, 往也.**

가서 상효를 따르면 흉한 것은 같은 종류가 아니기 때문이다. 가서 구하면서 같은 종류를 잃는다면 흉함을 얻는 것이 당연하다. '행(行)'은 가는 것이다.

**本義**

**初上, 皆非其類也.**

초효와 상효가 모두 같은 종류가 아니다.

**小註**

雲峯胡氏曰, 初上二陽皆非其應, 故曰失類.
운봉호씨가 말하였다: 초효와 상효 두 양이 모두 그 호응이 아니기 때문에 "같은 종류를 잃었다"고 말하였다.

## 韓國大全

### 이현익(李顯益) 「주역설(周易說)」[75]

六二之象, 只以征凶言, 故傳以行失類爲專指從上. 然本義, 則兼初上言, 蓋雖只擧征凶, 而其義則兼初上. 小象多此例也.
육이의 상은 단지 '정흉(征凶)'을 가지고 말하였기 때문에 『정전』에서는 "감이 같은 종류를 잃었다"에 대하여 오로지 상효를 따르는 것을 가리킨다고 여겼다. 『본의』에서는 초효와 상효를 겸하여 말하였으니, 비록 다만 '정흉(征凶)'을 들었을 뿐이지만 그 뜻은 초효와 상효를 겸하였다. 「소상」에는 이러한 사례가 많다.

### 유정원(柳正源) 『역해참고(易解參攷)』

行失類也
감에 같은 종류를 잃었기 때문이다.

正義, 頤養之體, 類皆養上也. 今此獨養下, 是所行失類也.
『주역정의』에서 말하였다: 기르고 봉양하는 몸체에서는 부류가 모두 위를 기르는 것이다. 이제 이것만이 유독 아래를 기르니, 이것이 같은 종류를 잃은 까닭이다.

### 김상악(金相岳) 『산천역설(山天易說)』

類, 謂初也. 本乎天者, 親上, 本乎地者, 親下, 各從其類, 而二之行, 自失其類也. 卦中四陰, 皆養于上下二陽, 而二與三體震以動, 故二曰行失類也, 三曰道大悖也, 四與五體艮而止, 故四曰上施光也, 五曰從上吉也.
'같은 종류[類]'는 초효를 말한다. 하늘에 근본한 것은 위와 친하고, 땅에 근본한 것은 아래와 친하므로 각각 그 같은 종류를 따르지만, 이효의 감은 스스로 그 같은 종류를 잃은 것이다. 괘 가운데에 있는 네 음은 모두 위와 아래에 있는 두 양에게서 길러지는데, 이효와 삼효는 몸체가 진괘(震卦☳)라서 움직이기 때문에, 이효에서는 "감에 같은 종류를 잃었기 때문이다"라고 하였고, 삼효에서는 "도가 크게 어그러졌기 때문이다"[76]라고 하였으며, 사효와 오효

---

75) 경학자료집성DB에서는 이괘 육이 「소상전」에 해당하는 것으로 분류했으나, 내용에 따라 이 자리로 옮겼다.
76) 『周易·頤卦』: 六三, 象曰, 十年勿用, 道大悖也.

는 몸체가 간괘(艮卦☶)라서 멈추기 때문에 사효에서는 "위에서 베푸는 것이 빛나기 때문이다"[77]라고 하였고, 오효에서는 상구를 따르기 때문에 길하다[78]라고 하였다.

### 김규오(金奎五) 「독역기의(讀易記疑)」

象傳偏言從上, 以經文但申征凶也. 義兼言初上, 以象之爲文以起頭, 或以結辭而全段包其中也.

「상전」에 대한 『정전』의 설명에서 '상효를 따르면'이라고 치우쳐 말한 것은 경문을 가지고 단지 "가면 흉하다"를 거듭 말한 것이다. 『본의』에서 초효와 상효를 겸하여 말한 것은 「상전」의 문장이 초효인 앞 내용을 제기하는 것이거나, 혹은 결론을 맺어 전체가 그 안에 포함되기 때문이다.

### 서유신(徐有臣) 『역의의언(易義擬言)』

類, 比應也.

'같은 종류[類]'란 비(比)의 관계에 있거나 호응하는 대상이다.

### 박문건(朴文健) 『주역연의(周易衍義)』

類, 謂六五也.

'같은 종류[類]'란 육오를 가리킨다.

### 오치기(吳致箕) 「주역경전증해(周易經傳增解)」

若舍初剛之當比, 而往從於上之匪應, 則其行失類而凶也.

만약 가까이 해야 하는 굳센 초효를 버리고 호응이 아닌 상효에게 가서 따른다면 같은 종류를 잃어서 흉하게 된다.

### 이진상(李震相) 『역학관규(易學管窺)』

顚頤, 于丘, 傳義皆作對說, 諺釋恐誤, 當曰顚頤면 拂經이오 于丘頤면 征에 凶ᄒᆞ리라 蓋初九在下, 非能養者也, 顚倒求之, 固違常理, 而上九居尊爲頤之主, 苟其養物之仁,

77) 『周易 · 頤卦』: 六四, 象曰, 顚頤之吉, 上施光也.

78) 『周易 · 頤卦』: 六五, 象曰, 居貞之吉, 順以從上也.

推及於二, 則自可受養, 然而在二, 則本非正應, 不可往求其養, 所以謂之征凶.
"거꾸로 길러진다"와 "언덕에서 구한다"에 대하여 『정전』과 『본의』는 모두 상대하여 설명하였으니, 『주역언해』의 풀이는 아마도 잘못된 듯하며 마땅히 "거꾸로 길러지면 바른 도리에 위배되고, 언덕에서 길러주기를 구하면 감에 흉하리라"라고 말해야 한다. 초구가 아래에 있으니 길러줄 수 있는 자가 아니므로 거꾸로 구하면 진실로 항상 된 이치에서 위배되고, 상구는 존귀한 자리에 있으면서 이괘(頤卦)의 주인이 되므로 다른 사람을 길러주는 인(仁)을 미루어 이효에게 미친다면 길러짐을 스스로 받을 수 있지만, 이효에게는 본래 정응이 아니라서 그 길러짐을 가서 구할 수가 없으니, "가면 흉하리라"고 하였다.

### 박문호(朴文鎬) 「경설(經說)·주역(周易)」

易之類字, 皆以陰陽言, 而此失類之類, 則以相應言, 六四傳有應類之說.
『주역』에서 '류(類)'자는 모두 음양을 가지고 말하였으나, 여기 '실류(失類)'에서의 '류(類)'는 서로 호응함을 가지고 말하였으니, 육사에 대한 『정전』에는 '호응하는 종류'[79]라는 말이 있다.

### 이병헌(李炳憲) 『역경금문고통론(易經今文考通論)』

王肅曰, 顚拂, 違也, 經, 常也. 丘, 小山, 謂六五也.
왕숙이 말하였다: '전(顚)'과 '불(拂)'은 위배됨이고, '경(經)'은 항상 됨이다. '구(丘)'는 작은 산이니 육오를 가리킨다.

姚曰, 五艮中, 故曰丘.
요신이 말하였다: 오효가 간괘(艮卦☶)의 가운데이기 때문에 '구(丘)'라고 하였다.

按, 五不應二, 而從上, 故曰失類. 顚頤者, 恐是向上而求養之謂也. 字典曰, 頤, 從上而殞.
내가 살펴보았다: 오효는 이효와 호응하지 않아 상효를 따르기 때문에 "같은 종류를 잃었기 때문이다"라고 하였다. "거꾸로 길러준다"란 아마도 상효로 향하여 길러주기를 구함을 말하는 것인 듯하다. 『자전(字典)』에서 말하기를 "이(頤)는 위를 따르다가 떨어지는 것이다"라고 하였다.

---

79) 『周易傳義大全·頤卦』: 六四, 曰二在上而反求養於下, 下非其應類, 故爲拂經, 四則居上位, 以貴下賤, 使在下之賢由己以行其道, 上下之志相應而施於民, 何吉如之.

# 六三, 拂頤貞凶, 十年勿用, 无攸利.

정전 육삼은 기르는 곧은 도에 위배되기 때문에 흉하여 십년이 되어도 쓰지 못하니, 이로운 바가 없다.
본의 육삼은 기름에 위배되면 곧더라도 흉하여 십년이 되어도 쓰지 못하니, 이로운 바가 없다.

## 中國大全

### 傳

頤之道, 唯正則吉. 三以陰柔之質而處不中正, 又在動之極, 是柔邪不正而動者也. 其養如此, 拂違於頤之正道, 是以凶也. 得頤之正, 則所養皆吉, 求養養人則合於義, 自養則成其德, 三乃拂違正道, 故戒以十年勿用. 十, 數之終, 謂終不可用, 无所往而利也.

기르는 도는 오직 바르게 하면 길하다. 삼효는 부드러운 음의 자질로 처함이 중정하지 못하고 또 움직임의 끝에 있으니, 이는 유약하고 사악함으로 바르지 못하면서 움직이는 자이다. 그 기름이 이와 같으면 기름의 바른 도에 어긋나기 때문에 흉하다. 기름의 바른 도를 얻으면 기르는 바가 모두 길하여, 남에게 길러지기를 구하거나 남을 길러주면 의에 합하고, 스스로 기르면 그 덕을 이룰 수 있는데, 삼효는 마침내 바른 도에 어긋나기 때문에 십년이 되어도 쓰지 말라고 경계하였다. '십'은 수의 마지막으로 끝내 쓸 수 없음을 말하였으니, 가는 곳마다 이로움이 없다.

### 本義

陰柔不中正, 以處動極, 拂於頤矣. 旣拂於頤, 雖正亦凶, 故其象占如此.

부드러운 음으로 중정하지 못하면서 움직임의 끝에 있으니, 기름에 위배된다. 이미 기름에 위배되면 비록 바르더라도 또한 흉하다. 그러므로 그 상과 점이 이와 같다.

### 小註

雙湖胡氏曰, 六三不正而云貞凶者, 蓋謂拂頤之常理, 雖貞且凶. 況不正乎. 其凶必矣.

쌍호호씨가 말하였다: 육삼은 바르지 않은데 "곧더라도 흉하다"고 말한 것은 기름에 위배되는 일상적인 이치는 비록 곧더라도 또한 흉하다는 말이다. 하물며 바르지 않은 경우이겠는가? 반드시 흉하다.

○ 雲峯胡氏曰, 諸家多以爲拂頤之貞故凶, 本義謂旣拂於頤, 雖正亦凶. 蓋謂之拂頤貞凶, 疑與拂經同意. 但曰拂頤, 則又不止拂經而已, 雖貞亦凶, 況不貞乎. 三陰柔不中正, 又居動極. 人皆求頤於上, 三獨拂之而隨下體之動, 是自拂於頤矣. 故不但曰凶, 且曰十年勿用无攸利. 下三爻皆動故凶, 三動之極故貞. 十, 數之終, 互坤象.
운봉호씨가 말하였다: 여러 학자들이 기르는 곧은 도에 위배되기 때문에 흉하다고 했는데, 『본의』에서는 이미 기름에 위배되기 때문에 바르더라도 흉하다고 하였다. "기름에 위배되면 곧더라도 흉하다"는 것을 아마도 '바른 도리에서 위배됨[拂經]'과 같은 뜻이라고 말한 것 같다. 다만 "기름에 위배된다"고 말하면, 떳떳함을 어기는 데 그칠 뿐만이 아니어서 비록 곧더라도 또한 흉하다. 하물며 곧지 않은 경우이겠는가? 삼효는 부드러운 음으로 중정하지 않고, 또한 움직임을 상징하는 진괘(震卦)의 끝에 있다. 사람이 모두 윗사람에게 길러지기를 구하는데, 삼효는 홀로 하체의 움직임을 따르니, 이는 기름을 스스로 어기는 것이다. 그러므로 "흉하다"고만 말하지 않고, 또한 "십년이 되어도 쓰지 못하니, 이로운 바가 없다"고 말하였다. 아래의 세 효는 모두 움직이기 때문에 흉하고, 삼효는 움직임의 끝에 있기 때문에 곧다. '십(十)'이라는 것은 수의 끝이며, 호괘에 곤괘의 상이 있다.

## 韓國大全

### 유정원(柳正源) 『역해참고(易解參攷)』

沙隨程氏曰, 張魏公罷督府使屬官李侍郎〈春, 字壽翁〉, 筮遇頤之賁. 李曰, 雖不再用〈頤六三, 十年勿用〉, 卻无他慮以之卦〈賁九三〉, 有終莫之陵也.
사수정씨가 말하였다: 위국공(衛國公) 장준(張浚)이 독부사(督府使)의 속관(屬官)으로 시랑(侍郎)인 이춘(李春)〈이름은 춘(春)이고 자는 수옹(壽翁)이다〉을 파직시켰을 때에 점을 치니 이괘(頤卦)가 비괘(賁卦䷕)로 바뀌는 점괘를 얻었다. 이춘이 말하기를 "비록 다시 등용되지 못하겠지만〈이괘(頤卦)의 육삼에 십년이 되어도 쓰지 못한다고 하였다〉, 도리어 다

른 걱정이 없이 괘가 바뀌었으니〈비괘(賁卦) 구삼이다〉, '끝내 능멸하는 자가 없게 됨'이 있다"고 하였다.

○ 隆山陳氏曰, 陰雖求養於陽, 然必以正而後吉. 六三求養於上九, 六四求養於初九, 均也, 而吉凶異焉何也. 此正不正之辨也, 六四正也, 初九亦正也. 以正養正, 於理爲順, 故吉且无咎. 六三不正, 上九亦不正. 以不正養不正, 於理爲拂, 故凶而无攸利.
융산진씨가 말하였다: 음이 비록 양에게서 길러지고자 하지만, 반드시 바름으로써 한 후에 길하다. 육삼은 상구에게서 길러지기를 구하고, 육사는 초구에게서 길러지기를 구함은 똑같지만, 길하고 흉한 차이가 있는 것은 어째서인가? 이것은 바르고 바르지 못한 구분이니, 육사는 바르고 초구 또한 바르다. 올바름을 가지고 바름을 기르니, 이치에 따름이 되기 때문에 길하고 또 허물이 없다. 육삼은 바르지 못하고 상구 또한 바르지 못하다. 바르지 못함을 가지고 바르지 못함을 기르니, 이치에 위배되기 때문에 흉하고 이로울 바가 없다.

○ 案, 中正相應, 頤之道也. 三以陰柔不中正, 又處動極, 則反爲人欲所動, 而拂其頤之常道也. 旣拂於頤, 則雖以平日貞正之德, 而亦凶矣, 況不正乎.
내가 살펴보았다: 중정하고 서로 호응하는 것이 이괘(頤卦)의 도이다. 삼효는 부드러운 음으로 중정하지 못하며 또 진괘(震卦☳)의 움직임에서 끝에 있으니, 도리어 인욕(人欲)에 의하여 움직이게 되어 이괘(頤卦)의 항상 된 도에 위배된다. 이미 이(頤)의 도에 위배되었다면 비록 평일의 곧고 바른 덕이라고 하더라도 또한 흉할 것이니, 하물며 바르지 못한 데에 있어서랴!

### 김상악(金相岳)『산천역설(山天易說)』

拂頤, 謂違拂於養道也. 六三, 柔不中正, 以處動極, 故有拂頤之象. 雖有由頤之應動而見止, 雖正亦凶至十年, 而不可用, 有何所利.
"기름에 위배된다"란 기르는 도에 위배되고 어긋남을 말한다. 육삼은 부드러운 음으로 중정하지 않아 진괘(震卦☳)의 움직임에서 맨 끝에 있기 때문에 길러짐에 위배되는 상이 있다. 비록 '자신으로 말미암아 길러지는'[80] 상구의 호응이 있어서 움직이더라도 저지를 당하고, 비록 바르더라도 또한 흉함이 10년에 이르러 쓸 수가 없으니, 무슨 이로운 바가 있겠는가?

○ 貞者, 上爲正應, 非不正也. 然不求養于初而求養于上, 故雖正而凶矣. 十者, 互坤

80)『周易 · 頤卦』: 上九, 由頤, 厲吉, 利涉大川.

之數, 十年見屯六二. 屯以從五爲貞, 故十年乃字而反其常, 頤以遇上爲貞, 故十年勿用而悖於道, 中正與不中正之辨也. 勿用, 艮之止也, 與小過九四相似, 无攸利, 與大過九二曰无不利, 相反.

'곧음[貞]'이란 상효가 정응이 되는 것이니, 바르지 않은 것은 아니다. 그러나 초효에게서 길러지기를 구하지 않고 상효에게서 길러지기를 구하기 때문에 비록 바르더라도 흉하게 된다. '10'이란 호괘인 곤괘(坤卦☷)의 수이니, '십년'은 준괘(屯卦䷂)의 육이에서 보인다.[81] 준괘(屯卦)에서는 오효를 따르는 것을 곧다고 여기기 때문에 십년이 되어서야 잉태하여 일상적인 것으로 되돌아가며, 이괘(頤卦)에서는 상효를 만나는 것을 곧다고 여기기 때문에 십년이 되어도 쓰지 못하여 도에서 어긋나니, 중정하고 중정하지 못한 구분 때문이다. "쓰지 못한다"는 간괘(艮卦☶)의 그침이니, 소과괘(小過卦䷽) 구사와 서로 유사하고, "이로운 바가 없다"는 대과괘(大過卦䷛) 구이에서 "이롭지 않음이 없다"라고 한 말과 서로 반대가 된다.

### 김규오(金奎五) 「독역기의(讀易記疑)」

六三, 貞凶, 兩胡皆云, 雖正亦凶, 況不貞乎. 說得可喜, 然屯五正亦稱貞凶, 又經文不必如是翻巧. 只以屯五之例看之, 似好.

육삼에서의 '정흉(貞凶)'에 대하여 쌍호호씨와 운봉호씨는 모두 "비록 바르더라도 또한 흉하니, 하물며 곧지 않은 데에 있어서랴"라고 말하였다. 좋은 말이라고 할 수 있지만, 준괘(屯卦䷂)의 오효는 제자리에 있는데도 또한 "곧아도 흉하다"라고 하였으니, 또한 경문(經文)이 이와 같이 날개 짓 하는 것처럼 이리저리 바꾸어 교묘하게 하는 것은 아니다. 다만 준괘(屯卦) 오효의 사례로 본다면 좋을 듯하다.

### 서유신(徐有臣) 『역의의언(易義擬言)』

頤諸爻, 六三獨不中正, 妄動而取凶者也. 拂頤貞者, 違於頤貞之義也, 十年勿用者, 竟不知觀頤而反省也, 无攸利者, 不但六三爲凶, 所應之上九, 亦无所利也.

이괘(頤卦)의 여러 효 중에서 육삼만이 유독 중정하지 못하여 망령되이 움직이다가 흉함을 취하는 것이다. "기르는 곧은 도에 위배된다"란 기르는 곧음에서 위배된다는 뜻이다. "십년이 되어도 쓰지 못한다"란 끝내 '다른 사람을 길러줌[觀頤]'[82]을 알아서 반성하지 못하는 것이고, "이로운 바가 없다"란 단지 육삼만이 흉하게 될 뿐만이 아니라 호응하는 상구도 이로운 바가 없다는 것이다.

---

81) 『周易·屯卦』: 六二, 屯如邅如, 乘馬班如, 匪寇, 婚媾. 女子貞, 不字, 十年, 乃字.

82) 『周易·頤卦』: 彖曰, 頤貞吉, 養正則吉也. 觀頤, 觀其所養也. 自求口實, 觀其自養也.

### 백경해(白慶楷) 「독역(讀易)」

頤之道, 正則吉, 靜則吉. 六三動之極, 不正之甚, 所以有由頤之正應, 而不取其義, 極言其凶甚矣. 不正而動之害也.
기름의 도는 바르면 길하고 고요하면 길하다. 육삼은 진괘(震卦☳)의 움직이는 데에서 맨 끝이니 바르지 않음이 심하기 때문에 자신으로 말미암아 길러지는 상구인 정응이 있더라도 그 의로움을 취하지 못하므로, 흉함이 심함을 지극하게 말하였으니, 바르지 않으면서 움직이는 해로움이다.

### 강엄(康儼) 『주역(周易)』

本義, 旣拂于頤, 雖正亦凶.
『본의』에서 말하였다: 이미 기름에 위배되면 비록 바르더라도 또한 흉하다.

按, 易言貞凶, 至此凡三見, 師六五之貞凶, 隨九四之貞凶, 及此爻之貞凶, 是也. 本義, 皆以雖正亦凶釋之. 蓋師之六五, 田有禽利執言, 固正也, 若任將不專, 則雖正亦凶. 隨之九四, 以剛居上之下, 與五同德, 故其占隨而有獲, 固非不正也, 但勢陵於上, 故雖正亦凶. 至於頤之六三, 旣拂於頤, 則已不正矣, 何以云雖正亦凶也. 註中雖有雙湖雲峯之說, 亦未曉. 然敢以臆說論之, 曰六三與上九爲正應, 然安靜以自養, 乃頤之常理, 而六三以陰柔不中正, 又處動極, 有妄動求養, 而拂於常理之象, 如是則雖曰正應, 亦凶矣, 如是釋之, 如何. 然程傳本義, 皆不言上九而但言六三之如此, 亦恐不然.
내가 살펴보았다: 『주역』에서 "곧더라도 흉하다"라고 말한 곳은 여기에 이르기까지 모두 세 번 보이니, 사괘(師卦䷆) 육오에서의 '정흉(貞凶)'[83]과 수괘(隨卦䷐) 구사에서의 '정흉(貞凶)'[84]과 여기 이괘(頤卦) 삼효에서의 '정흉(貞凶)'이 이것이다. 『본의』에서는 모두 "비록 바르더라도 또한 흉하다"로 풀이하였다. 그러나 사괘(師卦)의 육오에서는 "밭에 새가 있으면 말을 받들음이 이롭다"는 것은 진실로 바르지만, 만약 "장수를 임명함에 전일하지 않다"[85]면 비록 바르더라도 또한 흉하다. 수괘(隨卦)의 구사는 굳센 양으로 상괘의 맨 아래에 있고, 오효와 덕이 같기 때문에 그 점이 "사람들을 따라서 그 마음을 얻는다"[86]고 하여 진실로 바르지 않은 것은 아니지만, 단지 형세가 오효에 대하여 능멸하기 때문에 비록 바르더라도 또한 흉하다.[87] 이괘(頤卦)의 육삼에 이르러서는 이미 기름에 위배되면 이미 바르지 않

---

83) 『周易 · 師卦』: 六五, 田有禽, 利執言, 无咎. 長子帥師, 弟子輿尸, 貞凶.
84) 『周易 · 隨卦』: 九四, 隨有獲, 貞凶. 有孚在道以明, 何咎.
85) 『周易傳義大全 · 師卦』 六五: 自古, 任將不專, 而致覆敗, 如晉荀林父邲之戰, 唐郭子儀相州之敗是也.
86) 『周易 · 隨卦』: 九四, 隨有獲, 貞凶. 有孚在道以明, 何咎.

은 것이니, 어째서 "비록 바르더라도 또한 흉하다"고 하겠는가? 소주(小註) 중에는 비록 쌍호호씨와 운봉호씨의 설이 있지만, 또한 분명하지 않다. 그러나 감히 억설로 이를 논해본다면, 육삼은 상구와 정응이 되지만, 편안하고 고요함으로 스스로를 기름이 곧 기름의 항상된 이치인데도, 육삼이 부드러운 음으로 중정하지 않으면서 또 움직이는 맨 끝에 있어서 망령되게 움직여 길러지고자 하여 항상 된 이치에 위배되는 상이 있으니, 이와 같다면 비록 '정응'이라고 말하더라도 또한 흉하게 된다고 할 수 있으므로, 이와 같이 풀이하면 어떻겠는가? 그러나 『정전』과 『본의』는 모두 상구를 말하지 않고 다만 육삼이 이와 같음을 말하였으니, 또한 아마도 나의 생각은 그렇지 않은 듯하다.

### 박문건(朴文健) 『주역연의(周易衍義)』

不養其上, 故有拂頤之象. 拂頤, 言有疑而違拂養上之道也.
상효를 기르지 않기 때문에 기름에 위배되는 상이 있다. "기름에 위배된다"란 의심하여 위를 기르는 도에 위배되고 어긋남을 말한다.
〈問, 拂頤貞凶, 十年勿用, 无攸利. 曰, 六三, 有所疑, 故違拂養上之道也. 若用柔貞, 則其疑益甚, 而有凶至于十年之久, 而勿用[88]養上者, 无所利之事也.
물었다: "육삼은 기르는 곧은 도에 위배되기 때문에 흉하여 십년이 되어도 쓰지 못하니, 이로운 바가 없다"는 무슨 뜻입니까?
답하였다: 육삼은 의심하는 바가 있기 때문에 위를 기르는 도에 위배되고 어긋나게 됩니다. 만약 부드러운 음을 써서 곧다면 그 의심함이 더욱 심해져서 흉함이 10년이라는 오랜 기간에 이르게 되어 위를 기름을 쓰지 못하는 것이니, 이로운 일이 없습니다.〉

### 이항로(李恒老) 「주역전의동이석의(周易傳義同異釋義)」

傳, 其養如此, 拂違於頤之正道, 是以凶也.
『정전』에서 말하였다: 그 기름이 이와 같으면 기름의 바른 도에 어긋나기 때문에 흉하다.

本義, 旣拂於頤, 雖正亦凶.
『본의』에서 말하였다: 이미 기름에 어긋나면 비록 바르더라도 또한 흉하다.

按, 六爻皆於頤下爲句, 恐不當於此變例.
내가 살펴보았다: 여섯 효는 모두 '이(頤)'자 아래에서 구절을 끊었으니, 아마도 여기에서만

---

87) 『周易傳義大全·師卦』 九四: 九四以剛居上之下, 與五同德, 故其占, 隨而有獲, 然勢陵於五, 故雖正而凶.
88) 用: 경학자료집성DB에는 '川'으로 되어 있으나, 경학자료집성 영인본을 참조하여 '用'으로 바로잡았다.

이러한 사례를 바꿔서는 안 될 듯하다.

### 김기례(金箕澧) 「역요선의강목(易要選義綱目)」

以不中正, 居震體之極, 求養妄動之甚者, 雖正亦凶. 九爲陽數之極, 則十爲坤數之終, 故取卦中互坤, 謂十年, 言久而不用.

중정하지 못하면서 진괘(震卦☳)의 몸체에서 가장 끝에 있으니, 길러지기를 구하면서 망령되게 움직임이 심한 자이므로, 비록 바르더라도 또한 흉하다. '구(九)'가 양의 수의 지극한 것이면, '십(十)'은 곤(坤)의 수에서 끝이 되기 때문에 이괘(頤卦) 안에 있는 호괘인 곤괘(坤卦☷)에서 취하여 '십년(十年)'이라고 하였으니, 오래되어도 쓰지 못함을 말한다.

### 심대윤(沈大允) 『주역상의점법(周易象義占法)』

頤之賁☶, 文飾也. 遠初而應上, 无位而近貴者也. 离互坎爲文章弓弩, 有儒士學文業武之象. 應乎上, 故曰拂頤, 旣不耕而食, 志專求乎上, 故曰貞凶, 旣其无位而不得志, 故曰十年勿用, 无攸利. 坤爲十, 离互震艮爲年, 艮震爲用.

이괘(頤卦)가 비괘(賁卦☶)로 바뀌었으니, 꾸미는 것이다. 초효와 멀고 상효와 호응하니, 지위가 없으면서도 존귀한 사람과 가까운 자이다. 삼효가 변하였을 때에 하괘인 리괘(離卦☲)와 호괘인 감괘(坎卦☵)는 문장(文章)과 활과 쇠뇌가 되니, 유학자가 글을 배우고 무예를 수업하는 상이 있다. 상효와 호응하기 때문에 "기름에 위배된다"고 하였고, 이미 농사를 짓지 않으면서 먹고, 뜻은 오로지 상효에게서만 구하기 때문에 "곧더라도 흉하다"고 하였으며, 이미 지위가 없으면서 뜻을 얻지 못하기 때문에 "십년이 되어도 쓰지 못하니, 이로운 바가 없다"고 하였다. 곤괘(坤卦☷)는 '십(十)'이 되고, 리괘(離卦☲)와 호괘인 진괘(震卦☳) 및 상괘인 간괘(艮卦☶)는 '년(年)'이 되며, 간괘(艮卦☶)와 진괘(震卦☳)는 '쓰임[用]'이 된다.

### 오치기(吳致箕) 「주역경전증해(周易經傳增解)」

六三, 陰柔不中不正, 而居動體之極, 雖與上九之頤主, 爲正應, 然柔邪不正而動者也. 所以求養之道, 違失其正, 與彖辭頤貞吉之義相反, 故占言其凶, 雖至十年之久, 而終不可用, 亦无所利也. 程傳已備矣.

육삼은 부드러운 음으로 알맞지도 바르지도 않으면서 움직임을 뜻하는 진괘(震卦☳)의 몸체에서 가장 끝에 있으므로, 비록 이괘(頤卦)의 주인이 되는 상구와 정응이 되더라도 유약하고 사악함으로 바르지 못하면서 움직이는 자이다. 그러므로 기름을 구하는 도가 그 바름을 위배하여 잃었으니, 괘사에서 말한 "곧게 하면 길하다"라는 뜻과 서로 반대가 되기 때문에 효사에서는 흉하여 비록 십년이라는 오랜 시간 뒤에 이르더라도 끝내 쓰일 수 없어서 또한 이로운 바가 없다고 말하였다. 『정전』에 이미 이러한 뜻이 갖추어져 있다.

○ 拂者, 違也. 拂頤貞, 言違於養道之正也. 十年, 言其久, 而十取於坤. 勿用, 言不可用養道也. 上言凶者, 以得失而言也, 下言无攸利者, 言求養本欲利己而不得養道, 故无所利也.
'불(拂)'이란 위배된다는 뜻이다. '불이정(拂頤貞)'이란 기르는 도의 바름에 위배됨을 말한다. '십년(十年)'이란 오랜 시간을 말하는데, '십(十)'은 곤괘(坤卦☷)에서 취하였다. "쓰지 못한다"란 기르는 도를 쓸 수가 없음을 말한다. 앞에 있는 '흉(凶)'이란 말은 득실(得失)로 말한 것이고, 뒤에 있는 "이로운 바가 없다"는 말은 길러주기를 구함이 본래 자기를 이롭게 하고자 하는 것인데, 기르는 도를 얻지 못하기 때문에 이로운 바가 없음을 말하였다.

## 이진상(李震相) 『역학관규(易學管窺)』

不中正, 故謂之拂, 中互坤體, 故曰十年勿用. 所應上九, 亦不中正, 故无攸利.
중정하지 못하기 때문에 "위배된다[拂]"고 하였고, 가운데에 있는 호괘가 곤괘(坤卦☷)이기 때문에 "십년이 되어도 쓰지 못한다"고 하였다. 호응하는 상구도 또한 중정하기 못하기 때문에 이로운 바가 없다.

## 채종식(蔡鍾植) 「주역전의동귀해(周易傳義同歸解)」

頤, 六三, 拂頤貞凶, 傳解作拂頤之正道, 本義解作既拂於頤, 雖正亦凶, 蓋程子直言六三拂正之義, 朱子則言六三既拂於頤矣, 雖正亦凶, 況不正乎之義也. 然則句異而旨同也.
이괘(頤卦) 육삼에서의 '불이정흉(拂頤貞凶)'에 대하여 『정전』에서는 기르는 바른 도에 위배된다고 풀이하였고, 『본의』에서는 이미 기름에 위배되어 비록 바르더라도 또한 흉하다고 풀이 하였다. 아마도 정자는 육삼이 바름에서 위배된다는 뜻으로 곧바로 말한 듯하며, 주자는 육삼이 이미 기름에 위배되었으므로 비록 바르더라도 또한 흉한데 하물며 바르지 못한 데에 있어서 어떠하겠는가라는 뜻으로 말한 듯하다. 그렇다면 구절은 다르더라도 뜻은 같다.

## 이병헌(李炳憲) 『역경금문고통론(易經今文考通論)』

王曰, 履夫不正. 拂養正之義, 故拂頤貞凶也.
왕필이 말하였다: 바르지 못한 곳을 밟고 있다. 바름을 기르는 뜻에서 위배되기 때문에 '불이정흉(拂頤貞凶)'이라고 하였다.

## 象曰, 十年勿用, 道大悖也.

「상전」에서 말하였다: "십년이 되어도 쓰지 못함"은 도가 크게 어그러졌기 때문이다.

## 中國大全

### 傳

**所以戒終不可用, 以其所由之道, 大悖義理也.**

끝내 쓸 수 없다고 경계한 까닭은 행하는 바의 도가 의리에 크게 어그러졌기 때문이다.

#### 小註

中溪張氏曰, 悖釋拂義.
중계장씨가 말하였다: "어그러졌다"는 것은 '불(拂)'의 뜻을 해석한 것이다.

## 韓國大全

### 김상악(金相岳) 『산천역설(山天易說)』

拂頤, 所以大悖於道也.
기름에 위배되기 때문에 도에 크게 어긋나게 된다.

○ 鼎有養義, 而其初曰, 顚趾, 以從應於外爲未悖, 此曰, 拂頤, 以不求於內爲大悖也.
정괘(鼎卦)에는 기른다는 뜻이 있으니, 초효에서 "솥이 발에 넘어진다"[89]라고 하여 바깥에 따라서 호응함을 가지고서 아직 어긋나지 않았다고 여기고, 여기 이괘(頤卦) 육삼에서는 "기름에 위배된다"고 하여 안에서 구하지 않음을 가지고서 크게 어그러진다고 여겼다.

### 서유신(徐有臣)『역의의언(易義擬言)』

悖, 訓拂也.

'패(悖)'는 어긋난다는 뜻이다.

### 박문건(朴文健)『주역연의(周易衍義)』

道, 言爲下之道也.

'도(道)'는 아랫사람이 되는 도(道)[90]를 말한다.

### 심대윤(沈大允)『주역상의점법(周易象義占法)』

在下而爲上之事, 以求食, 故曰, 道大悖也.

아래에 있으면서 윗사람의 일을 하여 음식을 구하기 때문에 "도가 크게 어그러졌기 때문이다"라고 하였다.

### 오치기(吳致箕)「주역경전증해(周易經傳增解)」

失養正之道, 卽大悖於理者也. 悖釋拂義.

바름을 기르는 도를 잃었으니, 이치에 크게 어그러진 것이다. '패(悖)'는 위배된다는 뜻으로 풀이하였다.

---

89)『周易·鼎卦』: 初六, 鼎顚趾, 利出否, 得妾, 以其子, 无咎.

90)『周易傳義大全·坤卦』: 爲下之道, 不居其功, 含晦其章美, 以從王事, 代上以終其事, 而不敢有其成功也, 猶地道代天終物而成功則主於天也, 妻道亦然.

## 六四, 顚頤吉, 虎視耽耽, 其欲逐逐无咎.

육사는 거꾸로 길러주기를 구하나 길하니, 호시탐탐하여 하고자함을 좇고 좇으면 허물이 없으리라.

### 中國大全

**傳**

四在人上, 大臣之位, 六以陰居之, 陰柔不足以自養, 況養天下乎. 初九以剛陽居下, 在下之賢也, 與四爲應, 四又柔順而正, 是能順於初, 賴初之養也. 以上養下, 則爲順, 今反求下之養, 顚倒也. 故曰, 顚頤. 然己不勝其任, 求在下之賢而順從之, 以濟其事, 則天下得其養而已无曠敗之咎, 故爲吉也. 夫居上位者, 必有才德威望, 爲下民所尊畏, 則事行而衆心服從. 若或下易其上, 則政出而人違刑施而怨起輕於陵犯, 亂之由也. 六四雖能順從剛陽, 不廢厥職, 然質本陰柔, 賴人以濟, 人之所輕. 故必養其威嚴, 耽耽然如虎視, 則能重其體貌, 下不敢易. 又從於人者, 必有常, 若間或无繼, 則其政敗矣, 其欲, 謂所須用者, 必逐逐相繼而不乏, 則其事可濟, 若取於人而无繼, 則困窮矣. 旣有威嚴, 又所施不窮, 故能无咎也. 二顚頤, 則拂經, 四則吉何也. 曰二在上而反求養於下, 下非其應類, 故爲拂經, 四則居上位, 以貴下賤, 使在下之賢由己以行其道, 上下之志相應而施於民, 何吉如之. 自三以下養口體者也, 四以上養德義者也. 以君而資養於臣, 以上位而賴養於下, 皆養德也.

사효는 사람의 위에 있으니,[91] 대신(大臣)의 자리인데 육사가 음으로 여기에 있으니, 유약한 음으로서 자기 자신도 기르지 못하는데, 하물며 천하 사람들을 기르겠는가? 초구는 굳센 양으로 아래에 있으니 아래에 있는 현명한 사람인데, 사효와 호응이 되고 사효가 또 유순하고 바르니, 이는 초효에게 순종하여 초효의 길러줌에 의지하는 것이다. 위에서 아래를 길러주면 순함이 되는데, 이제 도리어 아랫사람이 길러주기를 구하니, 이는 거꾸로 된 것이다. 그러므로 “거꾸로 길러준다”고 하였다. 그러

91) 삼효와 사효는 사람의 자리인데, 그 가운데 사효가 위에 있기 때문에 이렇게 말하였다.

나 자기가 임무를 감당하지 못해서 아래에 있는 현명한 사람을 구하여 순종해서 그 일을 이룬다면 천하 사람들이 길러짐을 얻고, 자신은 임무를 버리거나 실패하는 허물이 없으므로 길하게 된다. 윗자리에 있는 사람이 반드시 재주와 덕과 위엄과 명망이 있어서 아래 백성들에게 존경과 두려움을 받는다면, 일이 행해져서 사람들이 마음으로 복종할 것이다. 만약 혹 아랫사람이 윗사람을 함부로 여기면 정사가 나옴에 백성들이 어기고, 형벌이 베풀어짐에 원망이 일어나서 능멸하고 범하기를 가볍게 여길 것이니, 어지러움이 일어나는 이유이다. 육사가 비록 굳센 양에게 순종하여 그 직책을 폐하지 않으나, 자질이 본래 부드러운 음이어서 사람에게 의지하여 이루니, 사람들이 경멸하는 바이다. 그러므로 반드시 위엄을 길러서 호랑이가 노려보듯이 한다면, 그 체모(體貌)를 중시하여 아랫사람들이 감히 함부로 대하지 못할 것이다. 또 남을 따르는 자는 반드시 항상됨이 있어야 하니, 만약 혹 계속하지 못하면 정사가 무너진다. '기욕(其欲)'은 필요하여 쓰는 것이니, 반드시 좇고 좇아 서로 계속되고 다하지 않으면 일이 이루어질 것이고, 만약 남에게 취하되 계속되지 못하면 곤궁해질 것이다. 이미 위엄이 있고 또 베푸는 바가 다하지 않으므로 허물이 없을 수 있다. 이효는 거꾸로 되어 길러주기를 구하면 바른 도에 어긋나는데, 사효가 길함은 왜인가? 이효는 위에 있으면서 도리어 아래의 초효에게 길러지기를 구하니, 아래가 호응하는 종류가 아니기 때문에 바른 도에 어긋나고, 사효는 윗자리에 있어서 귀한 신분으로 천한 자에게 낮추어 아래에 있는 현명한 사람으로 하여금 자기로 말미암아 그 도를 행하게 해서 위아래의 뜻이 서로 호응하여 백성에게 베풀어지니, 어떤 길함이 이만 하겠는가? 삼효로부터 이하는 몸을 기르는 자이며, 사효 이상은 덕과 의를 기르는 자이다. 임금으로서 신하에게 기름을 의지하고, 윗자리에 있으면서 아래 사람에게 기름을 의지함은 모두 덕을 기르는 것이다.

**本義**

**柔居上而得正, 所應又正, 而賴其養以施於下, 故雖顚而吉. 虎視耽耽, 下而專也, 其欲逐逐, 求而繼也, 又能如是, 則无咎矣.**

부드러운 음이 위에 있어서 바름을 얻고 호응하는 초효가 또 바르며, 그 기름에 의지하여 아래에 베풀기 때문에 비록 거꾸로 되나 길하다. '호시탐탐(虎視耽耽)'은 아래에 대해서 전일한 것이고, '기욕축축(其欲逐逐)'은 구하기를 계속함이니, 또 이와 같이 하면 허물이 없을 것이다.

**小註**

朱子曰, 頤六四一爻, 理會不得. 雖是恁地解, 畢竟曉不得如何是施於下, 又如何是虎. 六五陰柔之才, 但守正則吉, 故不可以涉患難. 問, 虎視耽耽, 本義以爲下而專也, 蓋賴其養以施於下, 必有下專之誠, 方能无咎. 程傳作欲立威嚴, 恐未必然. 曰, 頤卦難看, 正謂此等. 且虎視耽耽, 必是此象, 但今未曉耳. 董銖曰, 音辯載馬氏云, 耽耽, 虎下視貌, 則當爲下而專矣. 曰然. 又問, 其欲逐逐如何. 曰, 求養於下以養人, 必當繼繼求之,不厭乎數, 然後可以養人而不窮. 不然則所以養人者, 必无繼矣. 以四而賴養於初, 亦是顚倒, 但是求養以養人, 所以雖顚而吉.
주자가 말하였다: 이괘의 육사 한 효는 이해하기 어렵다. 이리저리 해석해 보아도 결국 어떤 것이 아래에 베푸는 것인지, 어떤 것이 호랑이인지 밝히기 어렵다. 육오는 부드러운 음의 재질이지만, 다만 바름을 지키면 길하기 때문에 환란을 건널 수 없다.
물었다: 호시탐탐을 『본의』에서는 아래에 있어서 전일하다고 여겼는데, 그 기름에 힘입어 아래에 베푸니, 반드시 아래로 전일한 정성이 있어야 허물이 없을 수 있습니다. 『정전』에서는 위엄을 세우려 하는 것이라고 했는데, 아마도 꼭 그렇지는 않은 듯합니다.
답하였다: 이괘를 이해하기 어렵다는 것이 바로 이런 것들을 말합니다. 또한 호시탐탐은 반드시 이러한 상이 있을 것인데, 다만 지금 분명하지 않을 뿐입니다.
동수(董銖)가 물었다: 『음변(音辯)』에 실린 마씨의 말에 "탐탐은 호랑이가 아래로 보는 모양이다"라고 하였으니, 마땅히 아래도 전일하다는 것이 되어야 할 것입니다. 그렇지 않습니까?
답하였다: 그렇다.
또 물었다: "하고자함을 좇고 좇는다"는 것은 어떻습니까?
답하였다: 아래에서 기름을 구하여 사람을 기르려면 반드시 계속해서 구하여 자주 구하는 것을 싫어하지 않은 다음에야 사람을 길러 다하지 않을 수 있습니다. 그렇지 않으면 사람을 기른다는 것이 반드시 계속되지 않을 것입니다. 사효로서 초효의 기름에 의지하는 것 또한 거꾸로 된 것이지만, 다만 기름을 구하여 다른 사람을 기르기 때문에 비록 거꾸로 되었더라도 길합니다.

○ 南軒張氏曰, 虎視, 常垂首. 按荀九家易, 艮有虎象.
남헌장씨가 말하였다: 호랑이가 볼 때, 항상 머리를 내려뜨린다. 『순구가역』을 살펴보면 간괘에 호랑이 상이 있다고 하였다.

○ 臨川吳氏曰, 陰柔不能自養, 而求養在下之正應. 如在上之人, 才有不足, 而求益於在下之賢, 以養其德者. 夫求養於外者, 莫如虎, 虎視常下. 四之於初, 其下賢求益之心, 必如虎之視下求食而後可. 其視下也, 專一而不他, 其欲食也, 繼續而不歇, 如是則於人不貳, 於己不自足, 乃得居上求下之道. 苟下賢之心不專, 則賢者不樂告以善矣. 求益之心不繼, 則未少有得而止矣.
임천오씨가 말하였다: 부드러운 음은 스스로 기를 수 없고, 아래에 있는 정응에게 기름을 구한다. 예를 들어 위에 있는 사람이 재주가 부족하여 아래에 있는 현인에게 보태주기를 구하여 자기의 덕을 기르는 것과 같다. 밖에서 기름을 구하는 것으로는 호랑이만한 것이 없으니, 호랑이는 항상 아래를 본다. 사효는 초효에 대해서 현인에게 낮추어 보탬을 구하는

마음을 반드시 호랑이가 아래를 보면서 먹이를 구하는 것처럼 한 후에야 괜찮다. 아래를 보기를 전일하게 하여 다른 데를 보지 않고, 먹으려는 욕구를 계속하여 쉬지 않으니, 이와 같이 하면 다른 사람에 대해서 두 마음을 갖지 않고 자기에 대해서 만족하지 않아서 위에 있으면서 아래를 구하는 도를 얻는다. 현인에게 낮추는 마음이 전일하지 않으면, 현인이 선으로 고해주기를 즐거워하지 않을 것이다. 보태주기를 구하는 마음이 계속되지 않으면, 거의 얻지 못했는데도 그치게 된다.

○ 雲峯胡氏曰, 二與四, 柔順得正, 皆曰顚頤, 而吉凶不同何也. 卦有二陽, 衆陰所資以養者, 二下比初之陽, 又欲上求上之陽, 兩用其心故凶. 六四柔順, 唯知下應初剛, 上非其應也. 虎視眈眈, 下視初九之陽而專, 不以上之陽間之也. 其欲逐逐, 求於初之陽者, 不已也. 求養於下以養人, 求之既專, 又繼繼求之, 不厭乎數, 故其養人不窮, 非特吉且无咎矣.
운봉호씨가 말하였다: 이효와 사효는 유순하고 바름을 얻어 모두 "거꾸로 길러준다"고 하였는데, 길흉이 같지 않은 것은 왜인가? 괘에는 두 양이 있고 여러 음이 그 양을 바탕으로 하여 길러지는데, 이효는 아래로 양인 초효와 비(比)의 관계이고, 또한 위로 양인 상구를 구하고자 하여, 그 마음을 둘로 쓰기 때문에 흉하다. 육사는 유순하여 오직 아래로 굳센 초효에 응하고 상효는 자기의 호응이 아닌 줄 안다. '호시탐탐'은 아래로 초구의 양을 보아 전일해서 상효의 양이 틈타지 못하는 것이다. "하고자함을 좇고 좇는다"는 것은 초효의 양을 구해서 그치지 않는 것이다. '아래에서 기름을 구하여 다른 사람을 기르는 것'은 구하기를 전일하게 하고 또 계속 구하여 자주 하는 것을 싫증내지 않기 때문에 사람을 기르는 것이 한이 없으니, 길할 뿐만 아니라 또한 허물이 없다.

## 韓國大全

### 권근(權近) 『주역천견록(周易淺見錄)』

程傳以虎視爲養其威嚴, 本義下而專也. 吳氏曰離象龜, 又象虎. 頤卦肖离. 龜者, 以其介甲之外堅, 虎者, 以其文明之外著, 夫自養於內, 莫如龜, 求養於外, 莫如虎. 故頤之初九六四, 取二物爲象. 視亦离目[92]之象也. 虎視常下眈眈專一貌, 逐逐相繼也. 四之於初, 其下賢求益之心, 必如虎之視下求食而後可. 其視下也, 專一而不他, 其欲食也, 繼續而不歇, 如是則於人不貳, 於己不自足, 乃得居上求下之道. 苟下賢之心不專, 則賢者不樂告以善. 求益之心不繼, 則未少有得而止矣. 竊意, 程說雖善, 然欲立威嚴, 非居上求下之道, 故朱子以爲下而專也. 吳氏發明朱子之意, 殆無餘蘊. 龜虎之象, 朱子語門人, 凡卦中說龜, 不是正得离卦, 必是伏箇离, 如朶頤是也, 是已明說. 於虎, 卻云此象未曉. 吳氏說此二象, 亦發朱子之所未發. 大抵吳說於卦爻象例, 多所發明, 自謂庶乎文王周公之心. 然務爲新論, 以異先儒, 故往往亦多附會奇巧之病. 又於大本上, 未免有淫於老佛之弊. 此觀吳說者, 所當知而自擇也.

『정전』에서는 '호시(虎視)'를 "위엄을 기른다"라고 여겼고, 『본의』에서는 "아래에 대해서 전일한 것이다"라고 여겼다. 임천오씨는 "리괘(離卦☲)가 거북을 상징하고 또 호랑이를 상징한다. 이괘(頤卦)는 리괘(離卦☲)를 닮았다. 거북이란 밖이 단단한 껍질로 견고하고, 호랑이는 밖이 문채가 나고 밝은 표피로 드러난다. 안에서 스스로를 기르는 것 중에서는 거북만한 것이 없으며, 밖에서 길러지기를 구하는 것 중에는 호랑이만한 것이 없다. 그러므로 이괘(頤卦)의 초구와 육사에서는 두 동물을 취하여 상(象)으로 삼았다. '주시한다[視]'란 또한 이괘(頤卦)인 눈[目]의 상이다. '호랑이가 노려 봄[虎視]'은 항상 전일하게 아래로 위엄 있게 주시하는 모양이고, '축축(逐逐)'은 서로 잇는다는 것이다. 사효가 초효에 대하여 현인에게 낮추어 보탬을 구하는 마음은 반드시 호랑이가 아래를 보면서 먹이를 구하는 것처럼 한 후에야 가능하다. 아래를 보기를 전일하게 하여 다른 데를 보지 않고, 먹으려는 욕구를 계속하여 쉬지 않으니, 이와 같이 하면 다른 사람에 대해서 두 마음을 갖지 않고 자기에 대해서 만족하지 않아서 위에 있으면서 아래에 구하는 도를 얻는다. 현인에게 낮추는 마음이 전일하지 않으면, 현인이 선으로 고해주기를 즐거워하지 않을 것이다. 보태주기를 구하는 마음이 계속되지 않으면, 거의 얻지 못했는데도 그치게 된다"고 하였다.

내가 생각하기에는 정자의 설명이 비록 좋기는 하지만, 위엄을 세우고자 하는 것이 윗자리에 있으면서 아랫사람에게 구하는 도리는 아니기 때문에 주자가 "아래에 대해서 전일한 것이다"라고 여긴 듯하다. 임천오씨는 주자의 의도를 드러내 밝혀 거의 남김이 없었다. 거북과 호랑이의 상에 대하여 주자가 문인들에게 말하기를 "대개 괘중에서 거북이를 말한 경우는 곧바로 리괘(離卦☲)를 얻은 경우가 아니라면 반드시 리괘가 숨겨져 있는 경우이니, 예를 들어 '턱을 늘어뜨린다[朶頤]'가 이것이다"라고 하였으니, 거북에 대해서는 이미 분명하게 설명하였다. 하지만 호랑이에 대해서는 도리어 이러한 상에 대해 아직 잘 모르겠다고 하였다. 임천오씨는 이러한 두 상을 설명하면서 또한 주자가 아직 드러내지 못한 바를 드러내었다. 대체로 임천오씨가 괘와 효와 상의 상례(常例)를 설명할 때에는 새롭게 드러내 밝힌 바가 많았으니, 스스로 말하기를 "문왕과 주공의 마음에 거의 가깝다"고 하였다. 그러나 새

---

92) 目: 경학자료집성DB와 영인본에는 모두 '□'로 되어 있으나, 오징의 『역찬언』 본문에 따라 '目'자로 바로잡았다.

로운 의론을 만들어 이전의 유학자들과 다르게 하는 데에 힘을 썼기 때문에 가끔 견강부회하고 교묘하게 하는 문제도 많았다. 또 큰 근본에서는 노장(老莊)과 불교에 빠지는 폐단에서 벗어나지 못하였다. 이는 임천오씨의 설을 보는 사람들이 마땅히 알아서 스스로 가려내야할 바이다.

又按, 勉齋黃氏曰, 頤之六爻, 只是顚拂二字, 求養於下爲顚, 求養於上爲拂. 六二, 比初而又求上, 故顚頤爲句, 拂經于丘頤〈句〉征凶, 即其占辭也.
또 내가 살펴보았다: 면재황씨가 말하기를 "이괘(頤卦)의 여섯 효는 단지 '전(顚)'자와 '불(拂)'자라는 두 글자일 뿐이니, 아래에서 길러주기를 구하는 것이 '전(顚)'이 되고 위에서 길러주기를 구하는 것이 '불(拂)'이 된다. 육이는 초효와 비(比)의 관계에 있는데도 또한 상효에게서 구하기 때문에, '거꾸로 길러주기를 구한다[顚頤]'로 구(句)를 삼았고, '언덕에서 길러주기를 구한다는 데에서 바른 도리에 위배되니[拂經于丘頤]'〈구(句)가 된다〉, '가면 흉하리라'는 점사이다"라고 하였다.

吳氏又推其意, 以爲倒首而下曰顚, 謂求養於下也, 引手摩上曰拂, 謂求養於上也. 上下二陽養中四陰, 各以所比所應而受養. 初九, 比二而應四, 六二六四, 皆資養於下, 故以顚爲象. 上九, 比五而應三, 六五六三, 皆資養於上, 故以拂爲象. 經歷也. 六二欲拂上而求上之養, 則上非其應, 必經歷六五而後至上. 六五, 雖爲六二所應之位, 然亦資養於上, 何能爲人求養. 故征凶. 六三, 亦受上九之養, 然上九所養者, 賢也. 六三, 陰柔不中正, 不賢而竊祿者也, 故正, 主事則凶.
임천오씨는 이러한 뜻을 미루어 다음과 같이 말하였다: "머리를 거꾸로 하여 아래로 하는 것을 '전(顚)'이라고 하니, 아래에서 길러주기를 구함을 뜻하고, 손을 당겨서 윗사람에 가까이 하는 것을 '불(拂)'이라고 하니, 위에서 길러주기를 구함을 뜻한다. 위와 아래에 있는 두 양이 가운데에 있는 네 음을 기르니, 각각 비(比)의 관계가 되거나 호응하는 바로써 길러줌을 받는다. 초구는 이효와 비(比)의 관계에 있으면서 사효와 호응하여, 육이와 육사가 모두 아래에서 길러주기를 의지하기 때문에 '거꾸로[顚]'로 상을 삼았다. 상구는 오효와 비(比)의 관계에 있으면서 삼효와 호응하여, 육오와 육삼은 모두 위에서 길러주기를 의지하기 때문에 '위배된다[拂]'로 상을 삼았다. '경(經)'은 단계를 밟음을 뜻한다. 육이가 상효를 당겨 가까이 하여 상효가 길러주기를 구하고자 한다면, 상효는 호응이 아니므로 반드시 육오를 거쳐 간 후에 상효에 이르게 된다. 육오는 비록 육이가 호응하는 자리가 되지만, 또한 상효에서 길러주기를 의지하니, 어찌 다른 사람에 의하여 길러주기를 구할 수 있겠는가? 그러므로 가면 흉하다. 육삼도 또한 상구가 길러줌을 받게 되지만, 상구가 기르는 대상은 어진 사람이다. 육삼은 부드러운 음으로 중정하지 못하므로 어질지 못하면서 봉록을 훔치는 자이기 때문에 바르더라도 일을 주관하면 흉하다."

以此而觀, 此卦六爻, 顚拂之象, 甚明. 然吳說, 亦有未盡之意, 此卦所以爲頤, 由上九也. 六二比初而求養於下, 然初在下, 但能自養, 而於自養之道, 亦失而凶, 何能養人. 故六二雖顚頤於下, 未得受養, 仰見上九爲由頤之主, 乃舍下而上, 經于六五, 以求養於九. 而六五與二雖居應位, 以皆陰故無相應之義, 豈能援引以受上九之養. 女無姸醜, 入宮見妬. 江沱之嫡, 不與媵行, 此六二之征失類而凶也. 故象曰, 六二征凶, 行失類也. 蓋嫡妾同類, 嫡不同行媵, 失其類也.
이로써 본다면, 본 괘의 여섯 효는 '머리를 거꾸로 하여 아래로 하고[顚]' '손을 당겨 윗사람과 가까이 하는[拂]' 상이 됨이 매우 분명하다. 그러나 임천오씨의 설명은 또한 미진한 뜻이 있다. 본 괘가 이괘(頤卦)가 되는 까닭은 상구 때문이다. 육이는 초효와 비(比)의 관계에 있어서 길러주기를 아래에서 구하지만, 초효는 맨 아래에 있어서 단지 스스로를 기를 수 있고 스스로를 기르는 도에 대해서도 잘못을 하여 흉하니, 어떻게 다른 사람을 기를 수 있겠는가? 그러므로 육이가 비록 아래로 거꾸로 길러주기를 구하지만, 아직 길러줌을 받을 수 없으므로 자신으로 말미암아 길러지는 주체인 상구를 우러러보면서 아래를 버리고 위로 올라가 육오를 거쳐 상구에게서 길러주기를 구한다. 그러나 육오가 이효와 비록 호응하는 자리에 있지만, 모두 음이기 때문에 서로 호응하는 뜻이 없으니, 어떻게 끌어 당겨서 상구가 길러줌을 받을 수 있겠는가? 여자는 아름답거나 추하거나 상관없이 집에 들어가면 투기를 받는다. 『시경(詩經)·강사(江汜)』에 나오는 적처(嫡妻)가 잉첩과 같이 가지 않았으니,[93] 이것이 육이가 가면 같은 종류를 잃어 흉하게 되는 까닭이다. 그러므로 「상전」에서는 "'육이가 가면 흉함'은 같은 종류를 잃었기 때문이다"라고 하였다. 적처와 첩은 동류인데도 적처가 잉첩과 같이 가지 않은 것은 그 동류를 잃은 것이다.

吳氏謂, 六五不能爲六二求養於上, 不爲也, 非不能也. 六三與上居相應之位, 有相應之義, 求養於上, 是其正也. 然六三陰柔不中正, 不爲上九所齒, 故所應雖正而亦凶. 非竊位而正主事然後, 凶也. 凡貞吉貞凶之類, 吳氏本幹事之義, 皆訓以爲正主事. 然頤貞吉, 象傳明言養正則吉, 未見有主事之意. 上九由[94]頤而吉, 亦以爲頤之主所養皆正故吉, 豈蔽於私以養所應不正之人, 使之竊祿而致凶乎. 象曰, 道大悖也, 言六三柔邪不正, 妄動以求之, 其道大悖於上九也. 故雖在應位, 而不得受養, 非特爲六三之戒, 亦可見上九之明也.

---

93) 『詩經·江汜』: 江有沱, 之子歸, 不我過. 不我過, 其嘯也歌.
94) 由: 경학자료집성DB와 영인본에 모두 '曰'로 되어 있으나, 문맥을 살펴 '由'로 바로잡았다.

임천오씨는 육오가 육이를 위하여 상효에게 길러주기를 구할 수가 없는 것은 하지 않는 것이지 할 수 없는 것이 아니라고 하였다. 육삼은 상효와 서로 호응하는 자리에 있어서 서로 호응하는 뜻이 있으니, 상효에게서 길러주기를 구함은 올바르다. 그러나 육삼은 부드러운 음으로 중정하지 못하여 상구에 의하여 선택될 수가 없기 때문에 호응하는 바가 비록 바르더라도 또한 흉하다. 자리를 훔쳐서 바르게 일을 주관한 후에 흉하게 되는 것이 아니다. 괘사에 나오는 "곧게 하면 길하다[貞吉]"와 육삼에 나오는 "곧더라도 흉하다[貞凶]"[95]라는 부류에 대하여 임천오씨는 일을 주관한다는 뜻에 근본하여 모두 일을 바르게 주관한다는 뜻으로 풀이하였다. 그러나 괘사에서 말한 "이(頤)는 곧게 하면 길하다"[96]에 대하여 「단전」에서는 "기름이 바르면 길하다는 것이다"[97]라고 분명하게 말하고 있고, 일을 주관한다는 뜻이 있음은 아직 보이지 않는다. 상구에서 자신으로 말미암아 길러져서 길하다고 한 것도 이괘(頤卦)의 주인에 의하여 길러지는 바가 모두 바르기 때문에 길하니, 어떻게 사사로움에 가려져 호응하는 바르지 못한 사람을 길러내어 녹봉을 훔쳐서 흉함에 이르도록 하겠는가? 「상전」에서의 "도가 크게 어그러졌기 때문이다"라는 말은 육삼이 유약하고 사악함으로 바르지 못하면서 망령되게 움직여 구하므로 그 도가 상구에게서 크게 어그러졌기 때문임을 말한다. 그러므로 비록 호응하는 자리에 있어도 길러짐을 받을 수가 없으니, 다만 육삼에 대한 경계가 될 뿐만이 아니라, 상구의 밝음을 볼 수가 있다.

### 조호익(曺好益) 『역상설(易象說)』

六四, 虎視耽耽, 其欲逐逐无咎.
호시탐탐하여 하고자함을 좇고 좇으면 허물이 없으리라.

南軒先生曰, 虎視常垂首.
남헌선생이 말하였다: 호랑이가 주시할 때에는 항상 머리를 늘어뜨린다.

按, 荀九家易, 艮爲虎象, 愚謂視全體似離目象. 或曰, 四變則離. 耽耽, 下視貌. 離卦三畫, 上畫奇象上睫, 中畫偶象目之睛, 下畫奇象下睫. 凡視下, 則正見上睫, 而下睫微露兩傍, 卽艮卦三畫之象, 故取下視之象. 欲陰求陽之象, 逐逐戒之之辭, 艮止故戒.
내가 살펴보았다: 『순구가역』에서는 간괘(艮卦☶)가 호랑이 상이 된다고 하였으나, 내가

---

95) 『周易·頤卦』: 六三, 拂頤貞凶, 十年勿用, 无攸利.
96) 『周易·頤卦』: 頤, 貞吉, 觀頤自求口實.
97) 『周易·頤卦』: 彖曰, 頤貞吉, 養正則吉也.

생각하기에는 괘 전체를 보면 리괘(離卦☲)의 눈[目]의 상과 유사하기 때문이다. 어떤 이가 말하기를 "사효가 변하면 리괘(離卦☲)가 된다"고 하였다. '탐탐(耽耽)'은 아래로 주시하는 모양이다. 리괘(離卦☲)의 세 획에서 맨 위의 획은 양(陽)으로 위의 속눈썹을 상징하고, 가운데 획은 음(陰)으로 눈동자를 상징하며, 맨 아래의 획은 양으로 아래의 속눈썹을 상징한다. 아래를 주시하면 바로 위의 속눈썹이 보이고, 아래 속눈썹은 양 끝이 아주 약간 드러나니, 간괘(艮卦☶)가 되는 삼획의 상이기 때문에 아래로 주시하는 상을 취하였다. '하고자 함[欲]'은 음이 양을 구하는 상이고, "좇고 좇다[逐逐]"는 경계하는 말이니, 간괘(艮卦☶)가 그침을 의미하기 때문에 경계하였다.

### 유정원(柳正源) 『역해참고(易解參攷)』

厚齋馮氏曰, 二爲苟用, 四爲正應, 二動而有求, 四止而待求, 此吉所以獨在四也.
후재풍씨가 말하였다: 이효는 구차한 쓰임이 되고, 사효는 정응이 되는데, 이효는 움직여 구함이 있고, 사효는 멈추어 구함을 기다리니, 이는 길함이 오직 사효에게만 있는 까닭이다.

○ 天原發微, 虎屬西方, 居兌. 兌金肅殺之氣, 有虎象焉. 履言履虎尾者, 內卦兌也, 革言虎變者, 外卦兌也, 頤言虎視者, 有伏兌也.
하늘은 원래 일어남이 미미하고, 호랑이는 서방에 속하여 태괘(兌卦☱)에 있다. 태괘(兌卦☱)는 쇠를 의미하며 쌀쌀하여 초목을 말려 죽이는 기운이니, 호랑이의 상이 있다. 리괘(履卦䷉)에서 "호랑이 꼬리를 밟는다"[98]고 말한 것은 내괘가 태괘(兌卦☱)이기 때문이며, 혁괘(革卦䷰)에서 "호랑이가 변하다"[99]고 말한 것은 외괘가 태괘이기 때문이며, 이괘(頤卦)에서 "호랑이가 주시하다"라고 말한 것은 태괘(兌卦☱)가 숨어 있기 때문이다.

○ 案, 虎者, 嚴威之物也. 四之視初, 嚴以臨之, 當如虎視之耽耽. 若視五而耽耽, 則必有陵犯之患, 此爻專取以嚴臨下之義
내가 살펴보았다: 호랑이란 위엄이 있는 동물이다. 사효가 초효를 주시함은 위엄 있게 임하여 마땅히 호랑이가 노려보듯이 주시하여야 한다. 만약 오효를 보면서 노려보듯이 한다면, 반드시 능멸하면서 범하는 걱정이 있을 것이니, 이 효는 위엄으로 아래에 임하는 뜻을 오로지 취하였다.

98) 『周易 · 履卦』: 履虎尾, 不咥人, 亨.
99) 『周易 · 革卦』: 九五, 大人虎變, 未占, 有孚.

小註, 朱子說, 音辨.
소주(小註)에서 주자가 말하였다: 『음변(音辯)』에 대해 말하였다.[100)]
〈案, 疑群經音辨.
내가 살펴보았다: 아마도 『군경음변(群經音辨)』인 듯하다.〉

## 김상악(金相岳) 『산천역설(山天易說)』

六四居艮之下, 雖有正應, 貞悔異德, 故舍初而從上. 上有始物之德, 以施于下, 故顚頤而吉矣. 虎視眈眈, 求養之專也. 其欲逐逐, 求養之繼也. 吉者, 事也, 无咎者, 道理也.
육사는 간괘(艮卦☶)의 맨 아래에 있으며, 비록 정응이 있더라도 내괘와 외괘가 덕이 다르기 때문에 초효를 버리고 상효를 좇는다. 상효에는 사물을 시작하도록 하는 덕이 있어서 아래로 베풀기 때문에 거꾸로 길러주기를 구하여도 길하다. '호시탐탐'이란 길러주기를 구함이 전일한 것이다. "하고자함을 좇고 좇다"란 길러주기를 계속 구하는 것이다. '길함'이란 일에 해당하며, "허물이 없다"란 도리에 해당한다.

○ 虎者, 求養於外者也, 艮象. 初不能自養於內, 故舍龜而凶, 四能求養於外, 故虎視而吉. 內主心, 外主事. 凡人之欲, 皆屬于陰. 下卦二陰, 上卦二陰, 皆求養於陽, 故曰, 其欲逐逐.
호랑이란 밖에서 길러주기를 구하는 동물이니, 간괘(艮卦☶)의 상이다. 초효는 스스로 안에서 기를 수 없기 때문에 거북을 버려서 흉하지만, 사효는 밖에서 길러주기를 구할 수 있기 때문에 호랑이처럼 주시하여 길하다. 안[內]은 마음을 위주로 하고, 밖은 일을 위주로 한다. 사람의 욕심은 모두 음에 속한다. 하괘의 두 음과 상괘의 두 음은 모두 양에게서 길러주기를 구하기 때문에 "하고자함을 좇고 좇는다"고 하였다.

## 서유신(徐有臣) 『역의의언(易義擬言)』

六二之顚頤, 哆張不合之象, 六四之顚頤, 向下求合之象, 得頤之正而爲吉也. 虎視耽耽, 目光之可畏也. 其欲逐逐, 禁其貪欲也. 逐逐者, 逐之猛也. 初九小民也, 六四臨民者也. 小人不畏不義, 不威不懲, 苟動於口體之欲, 而將無所不至矣. 上之人, 不得不示以虎威, 大畏民志, 俾禁其邪欲, 爲養民之術, 而是不厭其嚴猛, 故无咎也.
육이의 '거꾸로 길러주기를 구함'은 입을 늘어뜨리고 딱 벌려 합치되지 않는 상이고, 육사의

---

100) 『周易傳義大全·頤卦』: 董銖曰, 音辯載馬氏云, 耽耽, 虎下視貌, 則當爲下而專矣. 曰然.

'거꾸로 길러주기를 구함'은 아래로 향하여 합치되기를 구하는 상이여서 기름의 바름을 얻어 길하게 된다. '호시탐탐'은 눈에 빛이 나 두려워할 만한 것이다. "하고자함을 좇고 좇는다"란 탐욕을 금하는 것이다. '좇고 좇음'이란 매섭게 좇음이다. 초구는 소민(小民)이고 육사는 백성에 임하는 자이다. 소인은 '의롭지 못함을 두려워하지 않으며', '위엄을 보이지 않으면 징계되지 않으니',[101] 신체적 욕구에서 구차하게 움직여 장차 하지 못하는 바가 없게 된다. 위에 있는 사람은 호랑이의 위엄을 보이지 않을 수 없으니, 백성들의 뜻을 크게 두렵게 만들어 그들의 사사로운 욕심을 금하도록 하여 백성들을 기르는 방법으로 삼으니, 이는 위엄과 매서움을 싫어하지 않는 까닭이 되기 때문에 허물이 없다.

## 박제가(朴齊家) 『주역(周易)』

其欲, 虎之欲也. 頤, 下動而食上者也. 四以上而欲食下, 故曰顚頤, 曰上施, 志不在自養, 故吉. 二當附初而動, 而欲自動, 故亦曰顚, 而失類, 故凶.

그 '욕(欲)'이란 호랑이의 욕심이다. 이괘(頤卦)는 아랫사람이 움직여 윗사람을 먹이는 것이다. 사효는 윗사람으로서 아랫사람을 먹이고자 하기 때문에 "거꾸로 길러주기를 구한다"고 하였고, "위에서 베푼다"라고 하였으니, 뜻이 스스로를 기르는 데에 있지 않기 때문에 길하다. 이효는 마땅히 초효에 붙어서 움직여야 하지만, 스스로 움직이고자 하기 때문에 또한 "거꾸로 구한다"고 하였으니, 같은 종류를 잃기 때문에 흉하다.

## 박문건(朴文健) 『주역연의(周易衍義)』

爲下所逼, 故有顚頤之象. 顚頤, 言顚覆所養之物, 而以予其下也. 虎, 謂初九也. 耽耽, 探視之貌也.

아래에게서 핍박을 받기 때문에 '거꾸로 길러주기를 구하는' 상이 있다. '거꾸로 길러주기를 구함'은 길러주는 대상을 뒤집어엎어 그 아래에게 줌을 말한다. 호랑이는 초구를 말한다. '노려봄[耽耽]'이란 살펴보는 모양이다.

〈問, 顚頤吉以下. 曰, 六四爲初九之所逼, 故雖顚頤, 无吝嗇之情, 故吉. 虎視耽耽, 雖欲逐逐, 俾充其欲, 故无咎也. 逐逐, 言逐取之心不已也.

물었다: "거꾸로 길러주기를 구하나 길하다" 이하는 무슨 뜻입니까?

답하였다: 육사는 초구에 의하여 핍박을 받기 때문에 비록 거꾸로 길러주기를 구하더라도

101) 『周易 · 繫辭傳』: 子曰, 小人, 不恥不仁, 不畏不義. 不見利不勸, 不威不懲, 小懲而大誡, 此小人之福也. 易曰, 屨校滅趾, 无咎, 此之謂也.

체면을 생각하지 않고 인색한 감정이 없으므로 길합니다. 호시탐탐하여 비록 하고자함을 좇고 좇더라도 그 하고자함을 채우도록 하기 때문에 허물이 없습니다. '좇고 좇음'이란 취하고자 하는 것을 좇는 마음이 그치지 않음을 말합니다.〉

### 김기례(金箕澧) 「역요선의강목(易要選義綱目)」

以陰居陰, 靜而應初, 則雖是正應, 求養於下, 故曰顚頤, 正應, 故曰吉. 二云凶, 間於初上而不專一, 又非正應也. 專賴初養, 故曰耽耽.
음으로서 음의 자리에 있어 고요하게 초효와 호응하니, 비록 정응이더라도 아래에서 길러주기를 구하기 때문에 "거꾸로 길러주기를 구한다"고 하였고, 정응이기 때문에 길하다고 하였다. 이효에서 "흉하다"고 한 것은 초효와 상효 사이에 끼어서 전일하지 못하고, 또 정응이 아니기 때문이다. 오로지 초효가 길러주기를 의지하기 때문에 "노려본다[耽耽]"고 하였다.

○ 虎視, 下視貌.
'호시(虎視)'는 아래로 주시하는 모양이다.

○ 居大臣位求養, 而又能施及於下, 養人以繼之, 故曰逐逐. 荀九家云, 艮爲虎.
대신(大臣)의 자리에 있으면서 길러주기를 구하고, 또 아래에까지 베풀어 미칠 수가 있어서 다른 사람을 길러줌이 계속되기 때문에 "좇고 좇는다"고 하였다. 『순구가역』에서는 "간괘(艮卦☶)가 호랑이가 된다"고 하였다.

### 이항로(李恒老) 「주역전의동이석의(周易傳義同異釋義)」

傳, 質本陰柔, 賴人以濟, 人之所輕, 故必[102]養其威嚴, 耽耽然如虎視, 則能重其體貌, 下不敢易.
『정전』에서 말하였다: 자질이 본래 부드러운 음이어서 사람에게 의지하여 이루니, 사람들이 경멸하는 바이다. 그러므로 반드시 위엄을 길러서 호랑이가 노려보듯이 한다면, 그 체모(體貌)를 중시하여 아랫사람들이 감히 함부로 대하지 못할 것이다.

本義, 虎視耽耽, 下而專也.
『본의』에서 말하였다: '호시탐탐(虎視眈眈)'은 아래에 대해서 전일한 것이다.

---

102) 必: 경학자료집성DB에 '心'으로 되어 있으나, 경학자료집성 영인본을 참조하여 '必'로 바로잡았다.

按, 六四, 无養威之象, 以陰居上, 應于初陽, 有下視耽耽之象.
내가 살펴보았다: 육사는 위엄을 기르는 상이 없으며, 음으로서 위에 있고 초효인 양과 호응하여 아래로 노려보는 상이 있다.

## 박종영(朴宗永) 「경지몽해(經旨蒙解)·주역(周易)」

傳曰, 四, 大臣之位, 六以陰居之, 陰柔不足以自養, 況養天下乎. 初九剛陽在下之賢, 與四爲應, 四柔順而賴初之養也. 以上養下爲順, 今反求下之養, 顚倒也. 故曰顚頤. 然求在下之賢而順從之, 以濟其事, 則天下得其養, 故爲吉也. 夫居上位者, 必有才德威望, 爲下民所尊畏, 則事行而衆心服從. 若或下易其上, 則政出而人違, 刑施而怨起, 輕於凌犯, 亂之由也. 必養其威嚴, 耽耽然如虎視, 則下不敢易. 又從於人[103]者, 逐逐相繼, 則其事可濟. 旣有威嚴, 又所施不窮, 故能无咎也.
『정전』에서 말하였다: 사효는 대신(大臣)의 자리인데 육사가 음으로 여기에 있으니, 유약한 음으로서 자기 자신도 기르지 못하는데 하물며 천하 사람들을 기르겠는가? 초구는 굳센 양으로 아래에 있는 현명한 사람인데 사효와 호응이 되고, 사효가 유순하고 초효의 길러줌에 의지하는 것이다. 위에서 아래를 길러줌이 순함이 되는데 이제 도리어 아랫사람이 길러주기를 구하니, 거꾸로 된 것이다. 그러므로 "거꾸로 길러준다"고 하였다. 그러나 아래에 있는 현명한 사람을 구하여 순종해서 그 일을 이룬다면 천하 사람들이 길러짐을 얻으므로 길하게 된다. 윗자리에 있는 사람이 반드시 재주와 덕과 위엄과 명망이 있어서 아래 백성들에게 존경과 두려움을 받는다면, 일이 행해져서 사람들이 마음으로 복종할 것이다. 만약 혹 아랫사람이 윗사람을 함부로 여기면 정사가 나옴에 백성들이 어기고, 형벌이 베풀어짐에 원망이 일어나서 능멸하고 범하기를 가볍게 여길 것이니, 어지러움이 일어나는 이유이다. 반드시 위엄을 길러서 호랑이가 노려보듯이 한다면, 아랫사람들이 감히 함부로 대하지 못할 것이다. 또 남을 따르는 자가 좇고 좇아 서로 계속된다면 일이 이루어질 것이다. 이미 위엄이 있고 또 베푸는 바가 다하지 않으므로 허물이 없을 수 있다.

## 심대윤(沈大允) 『주역상의점법(周易象義占法)』

頤之噬嗑䷔, 噬而合也, 勞而後得也. 六四, 遠上而應初, 有位而近民者也. 艮爲邑, 坤爲民, 蓋牧民之官也. 勸耕穫, 修溝洫, 助貧乏, 均賦稅, 勞而後食者也. 應於初, 故曰顚頤. 下卦變巽, 則四居兌體爲顚, 變民之苦而爲樂, 故取下對也. 憂懼而急於養民, 故

103) 人: 경학자료집성DB와 영인본에 모두 '入'으로 되어 있으나, 문맥을 살펴 '人'으로 바로잡았다.

曰虎視耽耽. 虎視, 俯首取其爲下也. 對卦之鼎有乾, 兌爲虎, 离爲視, 艮求, 兌欲, 曰耽. 震爲逐, 其欲逐逐, 言得食於民也.
이괘(頤卦)가 서합괘(噬嗑卦☲)로 바뀌었으니, 씹어서 합하는 것이고, 수고한 후에 얻는 것이다. 육사는 상효와 멀고 초효와 호응하여 지위가 있으면서 백성들과 가까운 자이다. 간괘(艮卦☶)는 읍(邑)이 되고, 곤괘(坤卦☷)는 백성이 되니, 목민(牧民)하는 관리이다. 농사짓고 거두는 일을 권면하고 도랑과 구획을 수선하며 가난하고 부족한 자를 도와주고 부역과 세금을 균등하게 하여 수고를 한 후에 먹는 자이다. 초효와 호응하기 때문에 "거꾸로 길러주기를 구한다"고 하였다. 하괘가 음양이 서로 변하면 손괘(巽卦☴)가 되니, 사효는 호괘인 태괘(兌卦☱)의 몸체에 있어서 거꾸로 하게 되어 백성들의 고충을 바꾸어 즐거움이 되도록 하기 때문에 하괘의 음양이 바뀐 괘에서 취하였다. 근심하고 두려워하여 백성을 기르는 데에 급하게 하기 때문에 '호시탐탐'이라고 하였다. 호랑이가 주시하는 것은 머리를 구부려 아래가 되는 것을 취한다. 서합괘(噬嗑卦)의 하괘가 음양이 바뀐 괘인 정괘(鼎卦☲)에는 건괘(乾卦☰)가 있고, 태괘(兌卦☱)는 호랑이가 되며, 리괘(離卦☲)는 보는 것이 되고, 간괘(艮卦☶)는 구함이고, 태괘(兌卦☱)는 욕심이기 때문에 '탐(耽)'이라고 하였다. 본 괘의 하괘인 진괘(震卦☳)는 '좇음'이 되고, '하고자함을 좇고 좇음'이란 백성에게서 음식을 얻음을 말한다.

### 오치기(吳致箕) 「주역경전증해(周易經傳增解)」

六四, 以柔居正, 而應初剛, 卽求益於下而得養道之正者也. 故雖爲顚頤, 而乃言其吉也. 視下求養, 有虎視耽耽之象. 賴養不已, 有其欲逐逐之象. 求養如此, 宜若有咎, 然以其得正, 故言无咎.
육사는 부드러운 음으로 제자리에 있고 굳센 양인 초효와 호응하니, 아래에게서 보탬을 구하여 기르는 도의 바름을 얻은 자이다. 그러므로 비록 거꾸로 길러주기를 구하지만, 길하다고 말하였다. 아래를 주시하면 길러주기를 구하니, '호시탐탐'하는 상이 있다. 길러주기를 의지하면서 그치지 않으니, '하고자함을 좇고 좇는' 상이 있다. 길러주기를 구함이 이와 같으면 마땅히 허물이 있을 듯하지만, 그 바름을 얻었기 때문에 "허물이 없다"고 하였다.

○ 顚頤之義, 已見六二. 虎取於艮, 而耽耽, 下視貌, 取於變離. 欲, 謂求養之心, 而亦取於離. 逐逐, 相繼之謂, 而取於應震, 已見大畜九三.
'전이(顚頤)'의 뜻은 이미 육이에 보인다. 호랑이는 간괘(艮卦☶)에서 취하였고 '노려봄[耽耽]'은 아래를 주시하는 모양이니, 사효가 변한 괘인 리괘(離卦☲)에서 취하였다. '욕(欲)'은 길러주기를 구하는 마음을 말하며 또한 리괘(離卦☲)에서 취하였다. '좇고 좇음'이란 서로 계속함을 말하며 호응하는 진괘(震卦☳)에서 취하였으니, 이미 대축괘(大畜卦☰)의 구삼[104]에 보인다.

### 이진상(李震相) 『역학관규(易學管窺)』

虎視耽.[105]
호시탐.

耽當作眈.[106] 虎之求食, 視必下而專, 若無求者, 然其求食之欲, 逐逐而相繼, 臨川說最明. 虎取艮象, 鮑氏以兌當之者誤. 三山謂四之視初, 嚴以臨之, 如虎視之耽耽, 然四方有賴於初, 初乃在下剛明之賢, 苟以嚴威臨之, 則豈能資益之哉.
'탐(耽)'은 마땅히 '탐(眈)'이 되어야 한다. 호랑이가 먹이를 구함은 시선을 반드시 아래로 전일하게 하여 마치 구함이 없는 것 같지만, 먹이를 구하고자 하는 욕심을 좇고 좇아서 서로 계속하니, 임천오씨의 설명이 가장 분명하다. 호랑이는 간괘(艮卦☶)의 상에서 취하였으니, 포씨(鮑氏)가 태괘(兌卦☱)에 해당시킨 것은 잘못이다. 『삼산문집(三山文集)』[107]에서 "사효가 초효를 주시할 때에 위엄 있게 임하는 것이 마치 호랑이가 노려보는 것과 같다"라고 하였지만, 사효는 바야흐로 초효에 의지하여야 하고 초효는 아래에 있는 굳세고 밝은 현인이니, 만약 위엄으로써 그에게 임한다면 어찌 그에게 의지하여 보탬이 될 수 있겠는가?

### 박문호(朴文鎬) 「경설(經說)·주역(周易)」

下而專, 言下視之專也. 以虎下視之專, 譬六四下賢之專也.
『본의』에서 말한 "아래에 대해서 전일하다"란 아래로 보는 것이 전일함을 말한다. 호랑이가 아래로 주시함이 전일한 것을 가지고 육사가 아래에 있는 현인을 보기가 전일한 것을 비유하였다.

---

104) 『周易·大畜卦』: 九三, 良馬逐, 利艱貞, 日閑輿衛, 利有攸往.
105) 耽: 경학자료집성DB에는 '耽耽'으로 되어 있으나, 경학자료집성 영인본을 참조하여 '耽'으로 바로잡았다.
106) 眈: 경학자료집성DB에는 '耽'으로 되어 있고 영인본에는 '□'로 되어 있으나, 문맥을 살펴 '眈'으로 바로잡았다.
107) 『삼산문집(三山文集)』: 조선 후기의 유정원(柳正源: 1703~1761)이 지은 시문집이다.

**象曰, 顚頤之吉, 上施光也.**

「상전」에서 말하였다: "거꾸로 길러주기를 구하나 길함"은 위에서 베푸는 것이 빛나기 때문이다.

## 中國大全

**傳**

**顚倒求養而所以吉者, 蓋得剛陽之應, 以濟其事, 致己居上之德施, 光明被于天下, 吉孰大焉.**

거꾸로 길러지기를 구하나 길한 까닭은 굳센 양의 호응을 얻어서 그 일을 이루고 지위에 있는 자신의 덕스러운 베품을 이루어 광명이 천하에 입혀지기 때문이니, 길함이 어느 것이 이보다 크겠는가?

## 韓國大全

### 조호익(曺好益) 『역상설(易象說)』

光, 艮體, 輝光也.

'광(光)'은 간괘(艮卦☶)의 몸체이니, 빛남이다.

### 유정원(柳正源) 『역해참고(易解參攷)』

上施光也.

위에서 베푸는 것이 빛나기 때문이다.

正義, 下養於初, 是上施也. 能威而不猛, 如虎視耽耽, 又寡欲少[108]求, 其欲逐逐, 是上之所施有光明也.
『주역정의』에서 말하였다: 아래로 초효에 대해 길러줌이 '위에서 베풂'이다. 위엄 있게 할 수 있으나 사납지 않음이 '호시탐탐'과 같고, 또 욕심이 적고 구함도 작아 '하고자 함을 좇고 좇으니' 위에서 베푸는 바에 빛나고 밝음이 있다.

### 김상악(金相岳) 『산천역설(山天易說)』

上由頤之施, 得四而光也. 光者, 艮體之篤實輝光也.
자신으로 말미암아 길러지는 상효의 베풂이 사효를 얻어 빛난다. '광(光)'이란 간괘(艮卦☶)의 몸체가 독실하여 빛이 남이다.

### 서유신(徐有臣) 『역의의언(易義擬言)』

光, 虎之目光也.
'빛남[光]'이란 호랑이의 눈이 빛남이다.

### 박문건(朴文健) 『주역연의(周易衍義)』

上施光, 言顚其有[109]而予下也.
"위에서 베푸는 것이 빛나다"란 가지고 있는 것을 거꾸로 아래에 줌을 말한다.

### 이지연(李止淵) 『주역차의(周易箚疑)』

資養於人者, 屈己而下之, 不使其間斷然後, 可以成頤養之功, 虎之視下而常逐逐然動. 其食欲, 若爲養其小體, 則必凶而有咎, 在下之人, 不可如是, 況在上者乎. 能知初九之才足以養己而顚頤, 其所以顚者, 乃所以施光也.
다른 사람에게 의지하여 길러지는 사람은 자신을 굽혀 낮추고, 이를 중단하지 않도록 한 후에 기르는 공을 이룰 수가 있으니, 호랑이가 아래를 주시하면서 항상 좇고 좇듯이 움직이는 것이다. 식욕이 만약 소체(小體)[110]만을 기르는 것이 된다면, 반드시 흉하게 되어 허물이

---

108) 少: 경학자료집성DB와 영인본에는 모두 '所'로 되어 있으나, 『주역정의』 원문에 따라 '少'로 바로잡았다.
109) 有: 경학자료집성DB와 영인본에는 모두 '有有'로 되어 있으나, 문맥을 살펴 '有'로 바로잡았다.
110) 『孟子 · 告子』: 公都子問曰, 鈞是人也, 或爲大人, 或爲小人, 何也. 孟子曰, 從其大體, 爲大人, 從其小體, 爲小人.

있을 것이므로 아래에 있는 사람들도 이와 같이 하면 안 되는데, 하물며 위에 있는 사람에 있어서랴! 초구의 재능이 자신을 길러주기에 충분함을 알 수가 있어서 거꾸로 길러주기를 구하니, 거꾸로 구하는 것이 바로 베푸는 것이 빛난다는 것이다.

오치기(吳致箕) 「주역경전증해(周易經傳增解)」

柔居上, 而得陽剛之應, 求益於下, 而所施光明, 吉之道也.
부드러운 음이 위에 있으면서 굳센 양의 호응을 얻어 아래에게서 이익을 구하니, 베푸는 바가 빛나고 밝으므로 길한 도(道)이다.

이병헌(李炳憲) 『역경금문고통론(易經今文考通論)』

王曰, 居上體, 得其位而應於初, 以上養下, 得頤之義, 故曰顚頤吉也. 下交不瀆, 故虎視耽耽, 威而不猛.
왕필이 말하였다: 상체에 있으면서 지위를 얻고 초효와 호응하여 윗사람으로서 아랫사람을 길러 기르는 의로움을 얻었기 때문에 "거꾸로 길러주기를 구하나 길하다"고 하였다. 아래로 사귀더라도 업신여기지 않기 때문에 호시탐탐하여 위엄이 있어도 사납지 않다.

馬曰, 耽耽, 虎下視貌.
마융이 말하였다: '탐탐(耽耽)'은 호랑이가 아래를 주시하는 모양이다.

虞曰, 逐逐, 心煩貌.
우번이 말하였다: '축축(逐逐)'이란 마음이 복잡하여 답답한 모양이다.

姚曰, 喩貪也.
요신이 말하였다: 탐함을 비유하였다.

正義曰, 上之所施, 有光明也.
『주역정의』에서 말하였다: 위에서 베풂에 빛나고 밝음이 있다.

按, 四之顚, 承上施, 故吉也. 外三爻上艮爲主也
내가 살펴보았다: 사효의 거꾸로 구함은 위에서 베풂을 잇기 때문에 길하다. 외괘의 세 효에서 간괘(艮卦☶)의 상효가 주인이 된다.

## 六五, 拂經, 居貞吉, 不可涉大川.

육오는 바른 도리에 위배되나 곧음에 거하면 길하지만, 큰 내를 건너서는 안 된다.

## 中國大全

### 傳

六五, 頤之時, 居君位, 養天下者也. 然其陰柔之質, 才不足以養天下, 上有剛陽之賢, 故順從之, 賴其養己, 以濟天下. 君者養人者也, 反賴人之養, 是違拂於經常. 旣以己之不足而順從於賢師傅, 上師傅之位也, 必居守貞固篤於委信, 則能輔翼其身, 澤及天下, 故吉也. 陰柔之質, 元貞剛之性, 故戒以能居貞則吉, 以陰柔之才, 雖倚賴剛賢, 能持循於平時, 不可處艱難變故之際, 故云不可涉大川也. 以成王之才, 不至甚柔弱也, 當管蔡之亂, 幾不保於周公, 況其下者乎. 故書曰, 王亦未敢誚公, 賴二公得終信. 故艱險之際, 非剛明之主, 不可恃也, 不得已而濟艱險者則有矣. 發此義者, 所以深戒於爲君也, 於上九則據爲臣致身盡忠之道言, 故不同也.

육오는 이괘(頤卦)의 때에 임금의 자리에 있으니, 천하 사람들을 기르는 자이다. 그러나 부드러운 음의 자질로 재주가 천하 사람들을 기를 수 없고, 위에 굳센 양의 현명한 사람이 있으므로 그에게 순종하여 자기를 길러줌을 의지해서 천하 사람들을 구제한다. 임금은 사람을 길러주는 자인데 도리어 다른 사람의 길러줌에 의지하니, 이는 바르고 떳떳함에 어긋나는 것이다. 이미 자기가 부족하여 어진 스승에게 순종하니, 상효는 스승의 자리이니, 반드시 곧고 굳셈에 거하고 지켜서 돈독히 위임하고 신임하면 그 몸을 도와 천하에 은택이 미치므로 길하다. 부드러운 음의 재질로 바르고 굳센 성질이 없기 때문에 곧음에 거하면 길하다고 경계하였으며, 부드러운 음의 재질로 비록 강한 현자에게 의지하나 평상시에 따를 수 있을 뿐이고, 어렵고 변고가 있는 즈음에는 대처할 수 없기 때문에 큰 내를 건너서는 안 된다고 말하였다. 성왕(成王)의 재질은 심히 유약함에 이르지 않았으나, 관숙(管叔)과 채숙(蔡叔)의 난을 당하여 거의 주공(周公)을 보존하지 못하였는데, 하물며 그보다 못한 자에 있어서이겠는가? 그러므로 『서경』에 "왕도 또한 감히 공(公)을 꾸짖지 못했다"라고 말하였으니, 두 공(公)[111]을 의뢰하여 끝내 믿음을 얻은 것이다. 그러므로 어렵고 험한 즈음에는 굳세고 현명한 임

111) 태공(太公)과 소공(召公)을 말한다.

금이 아니면 믿을 수 없지만, 부득이하여 어렵고 험함을 구제한 자도 있다. 이 뜻을 말한 것은 임금이 된 자를 깊이 경계하기 위한 것이고, 상구에게는 신하가 되어 몸을 바쳐 충성을 다하는 도를 근거하여 말했으므로 같지 않다.

本義

**六五, 陰柔不正, 居尊位而不能養人, 反賴上九之養, 故其象占如此.**

육오는 부드러운 음으로 바르지 않고, 높은 자리에 있으면서 사람을 길러주지 못하고 도리어 상구의 기름에 의지하기 때문에 그 상과 점이 이와 같다.

小註

朱子曰, 六五居貞吉, 猶洪範用靜吉, 用作凶, 所以不可涉大川. 六五不能養人, 反賴上九之養, 是以拂其常矣. 故守常則吉, 而涉險阻則不可也. 此卦下體三爻, 皆是自養, 上體三爻, 皆是養人. 不能自求所養, 而求人以養己, 則凶, 故下三爻皆凶. 求於人以養其下, 雖不免於顚拂, 畢竟皆好, 故上三爻皆吉.

주자가 말하였다: "육오가 곧음에 거하면 길하다"는 것은 「홍범」에서 "고요함을 쓰면 길하고 움직임을 쓰면 흉하다"[112]고 한 것과 같으니, 큰 내를 건너서는 안 된다. 육오는 사람을 기를 수 없고, 도리어 상구의 기름에 의지하기 때문에 바른 도리에 위배된다. 그러므로 바른 도리를 지키면 길하고 험난함을 무릅쓰면 불가하다. 이 괘의 하체 세 효는 모두 스스로 기르고, 상체 세 효는 모두 다른 사람을 기른다. 스스로 기름을 구할 수 없고 다른 사람에게 구하여 자기를 기르면 흉하기 때문에 아래 세 효는 모두 흉하다. 다른 사람에게 구하여 아랫사람을 기르면 비록 거꾸로 기르고 위배됨을 면하지 못하지만, 결국 모두 좋기 때문에 위 세 효는 모두 길하다.

○ 古爲徐氏曰, 上養下者, 常也, 五以君位, 无剛健之德, 不足以養天下, 方待上九之養, 亦拂其常者也. 於是獨不言頤, 而於上九言由頤, 其意微矣.

고위 서씨가 말하였다: 윗사람이 아랫사람을 기르는 것이 바른 도리인데, 오효는 임금의 자리에 있으면서 강건한 덕이 없어 천하를 기르기에 부족하고, 상구의 기름을 기다리므로 또한 바른 도리를 위배하는 자이다. 그러므로 오효에서만 '기름'을 말하지 않았고, 상구에서는

112) 『書經 · 洪範』: 龜筮共違于人, 用靜吉, 用作凶.

"자신으로 말미암아 길러진다"고 했으니, 그 뜻이 은미하다.

○ 瀘川毛氏曰, 六五君也, 養人者其事也, 養賢者其道也. 而爻則陰也, 二者胥失之, 是拂其常者也. 无事, 猶可以分相縻, 故曰居貞吉. 欲有所爲, 則難以濟矣, 故曰不可涉大川.
노천모씨가 말하였다: 육오는 임금이니, 사람을 기르는 것이 그의 일이고, 현인을 기르는 것이 그의 도이다. 그런데 효는 음이라서 둘이 모두 본분을 잃고 있으니, 바른 도리를 위배하고 있는 것이다. 일이 없으면 오히려 나누어 얽맬 수 있기 때문에 "곧음에 거하면 길하다"고 말하였다. 무엇을 하고자 하면 이루기 어렵기 때문에 "큰 내를 건너서는 안 된다"고 말하였다.

○ 雲峯胡氏曰, 二與四言顚頤者, 皆在初之上, 而反求養於初也. 五與二, 皆言拂經者, 二五相應經也, 今則二拂五而求養於初, 五拂二而求養於上也. 五獨不言頤者, 由豫在九四, 故五獨不言豫, 由頤在上九, 故五獨不曰頤也. 然彼貞疾, 而此居貞吉, 彼在豫之時, 以柔乘剛, 此在頤之時, 以柔乘剛也. 六二亦拂頤而彼曰凶, 此曰吉者何也. 下三爻動皆凶, 上三爻静皆吉, 故曰征凶, 動而凶也, 曰居貞吉, 靜而吉也. 居貞吉, 猶云用靜吉, 謂自養可也. 不可涉大川, 猶云用作凶, 謂欲以養人不可也. 艮爲止, 有居之象.
운봉호씨가 말하였다: 이효와 사효에서 "거꾸로 길러준다"고 말한 것은 모두 초효의 위에 있으면서 도리어 초효에게 길러주기를 구하기 때문이다. 오효와 이효에서 모두 바른 "도리에 위배 된다"고 말한 것은 이효와 오효가 서로 호응하는 것이 바른 도리인데, 지금 이효가 오효를 어기고 초효에게 길러주기를 구하고, 오효는 이효를 어기고 상효에게 길러주기를 구하기 때문이다. 오효에서만 '기름'을 말하지 않은 것은 예괘에서 '자신으로 말미암아 즐거워하는[豫] 것'이 구사에 있으므로 오효에서 유독 '즐거움'을 말하지 않은 것처럼, '자신으로 말미암아 길러지는 것'이 상구에 있으므로 오효에서 유독 '기름'을 말하지 않았기 때문이다. 그러나 예괘에서는 '곧더라도 늘 병을 앓고', 이괘에서는 '곧음에 거하면 길한' 것은 전자는 즐거운 때에 부드러움으로 강함을 탔고, 후자는 기르는 때에 부드러움으로 굳셈을 탔기 때문이다. 육이도 또한 기르는 도에 위배되는데, 육이에서는 흉하다고 말하고, 육오에서는 길하다고 말한 것은 왜인가? 아래 세 효는 움직여서 모두 흉하고 위 세 효는 고요해서 모두 길하기 때문에, "가면 흉하다"고 한 것은 움직여서 흉한 것이고, "곧음에 거하면 길하다"고 한 것은 고요해서 길한 것이다. "곧음에 거하면 길하다"고 한 것은 "고요함을 쓰면 길하다"는 것과 같으니, 스스로 기르는 것이 괜찮다는 말이다. "큰 내를 건너서는 안 된다"라고 한 것은 "움직임을 쓰면 흉하다"는 것과 같으니, 다른 사람을 기르고자 해서는 안 된다는 말이다. 간괘는 그침이 되니, 거처하는 상이 있다.

## ▌韓國大全▐

### 조호익(曺好益) 『역상설(易象說)』

六五, 不可涉大川.
육오는 큰 내를 건너서는 안 된다.

雙湖曰, 不可涉, 艮止象.
쌍호호씨가 말하였다: "건너서는 안 된다"는 간괘(艮卦☶)의 그치는 상이다.

愚謂, 上體位坎, 有大川之象.
내가 살펴보았다: 상체는 감괘(坎卦☵)에 있으므로 큰 내의 상이 있다.

或曰, 頤原畫離, 伏卽原畫坎.
어떤 이가 말하였다: 이괘(頤卦)는 원래의 획이 리괘(離卦☲)이고, 숨어 있는 괘로 본다면 원래의 획이 감괘(坎卦☵)이다.

### 석지형(石之珩) 『오위귀감(五位龜鑑)』

臣謹按, 頤之六五, 以待養於上九, 爲貞吉. 夫君者養人者, 而反賴人之養, 是違拂於經常者也. 雖然, 旣不能養人, 又以養於人爲恥, 是絶物而自棄也. 故順從於在上之賢傅, 自養其德, 而推及於天下, 則其所以拂於經者, 乃所以求順乎經也. 其曰, 不可涉大川者, 何也. 才弱故也. 苟有剛陽之才, 而又能得師, 何險之不可濟哉. 伏願, 殿下毋徒守常, 而求所以自養焉.
신이 삼가 살펴보았습니다: 이괘의 육오는 상구에게서 길러주기를 기다림으로써 곧음에 거하면 길함으로 여깁니다. 임금이 된 자는 사람들을 기르는 자인데, 도리어 다른 사람이 길러줌을 의지하니, 이것이 바른 도리의 항상 됨에서 위배되고 어긋나는 것입니다. 비록 그렇더라도 이미 다른 사람을 기를 수가 없고 또 다른 사람에게서 길러지는 것을 부끄럽게 여긴다면, 이것은 다른 사람들을 끊어내고 스스로를 포기 하는 것입니다. 그러므로 위에 있는 현명한 스승에게 순종하여 그 덕을 스스로 길러서 천하에까지 미루어 이르게 한다면, 바른 도리에서 위배되었던 바가 이내 바른 도리에 순종하기를 구하는 바가 됩니다. "큰 내를 건너서는 안 된다"고 말한 것은 어째서이겠습니까? 재능이 약하기 때문입니다. 만약 굳센 양의 재능이 있고 또 스승을 얻을 수가 있다면, 어떤 험준함인들 구제하지 못하겠습니까? 신이 엎드려 바라옵건대, 전하께서는 단지 항상 됨만을 지키지 마시고, 스스로를 길러주는 바를 구하시옵소서.

### 이현익(李顯益) 「주역설(周易說)」

六五, 是賴上九之養, 以養天下者, 則亦多養人而能養人者. 但以陰柔不正, 故不能濟艱險耳, 不可涉大川, 其義只是如此. 瀘川毛氏謂, 不能養人養賢, 雲峯胡氏謂, 欲以養人不可, 皆不然. 朱子, 則只以涉險阻則不可言.
육오는 상구가 길러줌을 의지하여 천하를 기르는 자이니, 또한 다른 사람을 기르는 것이 많고 다른 사람을 기를 수 있는 자이다. 다만 부드러운 음으로 바르지 않기 때문에 험난함에서 구제할 수 없을 뿐이니, "큰 내를 건너서는 안 된다"는 말의 뜻이 단지 이와 같을 뿐이다. 노천모씨는 다른 사람을 기를 수도, 현명한 사람을 기를 수도 없다고 하였고, 운봉호씨는 다른 사람을 기르고자 해서는 안 된다고 하였으나, 모두 그렇지 않다. 주자는 단지 험난함을 건넌다면 불가하다고 말하였다.

〈本義, 所謂不能養人, 只謂不能自養人也. 下文曰, 順從於上九之賢, 以養天下, 又曰, 賴上九之養以養人, 其能養人, 可知矣.
『본의』에서 말한 "사람을 길러주지 못한다"란 단지 스스로 다른 사람을 길러주지 못함을 말한 것이다. 아래 『정전』에서 "상구의 현명한 사람에게 순종하여 천하 사람들을 기를 수 있다"라고 말하고 또 "상구의 길러줌에 의지하여 사람을 기른다"라고 하였으니, 다른 사람을 기를 수 있음을 알 수가 있다.〉

### 유정원(柳正源) 『역해참고(易解參攷)』

楊氏〈繪〉曰, 六二從初, 六五從上, 俱失中爻之常.
양회가 말하였다: 육이는 초효를 따르고 육오는 상효를 따르니, 모두 가운데 효의 항상 됨을 잃었다.

○ 劉氏曰, 以无養下之德, 故不加頤字, 只曰拂經.
유씨가 말하였다: 아래를 기르는 덕이 없기 때문에 '이(頤)'자를 붙이지 않고 다만 "바른 도리에 위배된다"고 하였다.

○ 建安丘氏曰, 豫五不言豫, 以豫說之權由乎四也, 頤五不言頤, 以頤養之權由乎上也. 五君位也, 豫頤六五不能自有其權者, 以弱而迫於强臣故也. 然頤五承柔, 故雖拂經而居貞則吉, 豫五承剛, 是以有貞疾未亡之戒.
건안구씨가 말하였다: 예괘(豫卦䷏) 오효에서 '예(豫)'를 말하지 않은[113] 것은 즐겁고 기쁜 권세가 사효에서 말미암기 때문이며, 이괘(頤卦)의 오효에서 '이(頤)'를 말하지 않은 것은 기르는 권세가 상효에서 말미암기 때문이다. 오효는 임금의 자리이지만, 예괘와 이괘의 육오는 그 권세를 스스로 가질 수 없는 자이니, 약하여 강한 신하에게 핍박을 받기 때문이다. 그러나 이괘의 오효는 부드러운 음을 올라타고 있기 때문에 비록 바른 도리에 위배되더라도 곧음에 거하면 길하고, 예괘의 오효는 굳센 양을 올라타고 있기 때문에 바르지만 병을 앓고 또 가운데 자리를 잃지 않는다는[114] 경계가 있다.

○ 勉齋黃氏曰, 頤之六爻, 只是顚拂二字, 求養於下, 則爲顚, 求食於上, 則爲拂. 六二比初而求上, 故顚頤當爲句, 拂經于丘頤爲句, 征凶則其占辭也. 六三拂頤, 雖與上爲正應, 然畢竟是求於上以養己, 所以有拂頤之象, 故雖貞亦凶也. 六四顚頤, 固與初爲正應, 然是賴初之養以養人, 故雖顚亦吉. 六五拂經, 則是比于上, 所以有拂經之象, 然是賴上九之養以養人, 所以居貞而吉, 但不能自養, 所以不可涉大川.
면재황씨가 말하였다: 이괘의 여섯 효는 다만 "거꾸로하다[顚]"와 "위배되다[拂]"라는 두 글자인데, 아래에게서 길러주기를 구하면 "거꾸로하다[顚]"가 되고, 위에게서 길러주기를 구하면 "위배되다[拂]"가 된다. 육이는 초효와 비(比)의 관계에 있으면서 상구에게서 구하기 때문에, "거꾸로 길러주기를 구하다[顚頤]"는 마땅히 한 구(句)가 되어야 하고 "바른 도리에 위배되니 언덕에서 길러주기를 구하다[拂經于丘頤]"도 한 구가 되어야 하며, "가면 흉하리라[征凶]"는 점사가 된다. 육삼에서의 "기름에 위배된다"란 비록 상효와 정응이 되더라도 끝내 상효에게서 구하여 자기를 기르기 때문에 기르는 도에 위배되는 상이 있으므로, 비록 곧더라도 또한 흉하다. 육사에서의 '거꾸로 길러주기를 구함'이란 진실로 초효와 정응이 되지만 초효가 길러줌에 의지하여 다른 사람을 기르기 때문에 거꾸로 길러주기를 구하더라도 또한 길하다. 육오에서의 "바른 도리에 위배된다"란 상효와 비의 관계에 있기 때문에 바른 도리에서 위배되는 상이 있지만, 상구가 길러줌에 의지하여 다른 사람을 기르므로 곧음에 거하여 길하고, 다만 스스로를 기르지 못하므로 큰 내를 건너서는 안 된다.

○ 雙湖胡氏曰, 六五不正, 故戒以居貞則吉. 卦體象虛舟, 上卦坎位象大川, 五不利涉, 上利涉者, 五柔安於艮止, 上剛止極而動也.
쌍호호씨가 말하였다: 육오는 바르지 않기 때문에 곧음에 거하면 길하다고 경계하였다. 괘

113) 『周易 · 豫卦』: 六五, 貞疾, 恒不死.
114) 『周易 · 豫卦』: 象曰, 六五貞疾, 乘剛也. 恒不死, 中未亡也.

의 몸체는 빈 배를 상징하고 상괘는 감괘(坎卦☵)의 자리로 큰 내를 상징하는데, 오효는 건넘이 이롭지 않고 상효는 건넘이 이롭다는 것은 오효는 부드러운 음으로 간괘(艮卦☶)의 그침에서 편안하고 상효는 굳센 양으로 그침이 지극하여 움직이기 때문이다.

### 김상악(金相岳) 『산천역설(山天易說)』

六五, 以陰居尊, 不足以養人, 反求養于下, 是違拂於常道也. 然艮體得中, 能順而從上, 守其靜正, 則吉而不可以濟難.
육오는 음으로 존귀한 자리에 있어서 다른 사람을 기르기에는 부족하므로 도리어 아래에서 길러주기를 구하니, 이것이 항상 된 도에서 어긋나고 위배되는 것이다. 그러나 간괘(艮卦☶)의 몸체로 알맞음을 얻어 상효를 유순하게 따라서 고요한 바름을 지킬 수 있다면, 길하지만 험난함을 구제할 수는 없다.

朱子曰, 居貞吉, 如洪範用靜吉, 用作凶.
주자가 말하였다: "곧음에 거하면 길하다"는 것은 「홍범」에서 "고요함을 쓰면 길하고 움직임을 쓰면 흉하다"[115]고 한 것과 같다.

○ 拂經與二同, 而二以動而求外, 故凶, 五以靜而從上, 故吉也. 五之不言頤, 如豫五之不言豫, 豫則由豫在下而以柔乘剛, 故爲貞疾, 頤則由頤在上而以柔承剛, 故爲貞吉. 所以卦之貞吉, 屬上九, 而爻在六五, 故上與五合而由頤之功成也. 卦體之中虛有舟之象, 而五變爲益, 木道乃行, 可以涉川, 而五之柔守靜而无及人之功, 上之剛由頤而有濟物之德, 故取象相反. 未濟之三互爲重坎, 而曰征凶利涉, 朱子以爲不可陸走, 可以浮水也. 頤之五, 則艮互坤體, 而曰居吉, 不可涉, 吾亦以爲可以安土, 不可浮水云爾.
"바른 도리에 위배된다[拂經]"는 말은 이효와 같으나,[116] 이효는 움직여서 밖에서 구하기 때문에 흉하고, 오효는 고요하여 위를 따르기 때문에 길하다. 오효에서 "기른다[頤]"고 말하지 않은 것은 예괘(豫卦䷏)의 오효에서 "즐거워하다[豫]"고 말하지 않은[117] 것과 같으나, 예괘에서는 '자신으로 말미암아 즐거워하는[由豫]' 것이 아래에 있어서[118] 부드러운 음으로 굳센 양을 올라타고 있기 때문에 바르지만 병을 앓고, 이괘에서는 '자신으로 말미암아 길러지는[由頤]' 것이 위에 있어서[119] 부드러운 음으로 굳센 양을 받들기 때문에 "곧음에 거하면

115) 『書經 · 洪範』: 龜筮共違于人, 用靜吉, 用作凶.
116) 『周易 · 頤卦』: 六二, 顚頤拂經, 于丘頤, 征凶.
117) 『周易 · 豫卦』: 六五, 貞疾, 恒不死.
118) 『周易 · 豫卦』: 九四, 由豫, 大有得. 勿疑, 朋盍簪.

길하다". 그래서 괘사에서의 "곧게 하면 길하다"를 상구에 관련시키고 효는 육오에 있기 때문에 상효는 오효와 더불어 부합하여 자신으로 말미암아 길러지는 공이 이루어진다. 괘의 몸체 가운데는 비어 있어서 배의 상이 있는데, 오효가 변하여 익괘(益卦䷩)가 되면 '나무의 도가 이에 행해지니'[120] 내를 건널 수 있으나, 이괘의 오효는 부드러운 음으로 고요함을 지키지만 다른 사람에게 미치는 공은 없고 상효는 굳센 양으로 자신으로 말미암아 길러져서 다른 사람을 구제하는 덕이 있기 때문에 취하는 상이 서로 반대가 된다. 미제괘(未濟卦䷿)의 삼효는 하괘에서도 또 호괘에서도 감괘(坎卦☵)로 거듭된 감괘(坎卦䷜)여서 "가면 흉하지만 내를 건넘이 이롭다"고 하였으니, 주자는 육지에서 달릴 수는 없고 물에 뜰 수는 있다고 여겼다. 이괘(頤卦)의 오효는 간괘(艮卦☶)에 있고 호괘는 곤괘(坤卦☷)의 몸체라서 "거하면 길하지만 건너서는 안 된다"고 하였으니, 나도 또한 땅에서는 편안할 수 있지만 물에 뜰 수는 없다고 말할 뿐이다.

### 서유신(徐有臣) 『역의의언(易義擬言)』

五與二, 不相應不相資養, 故亦爲拂經也. 艮體止而不動, 故曰居也, 是能得上止之義, 故貞而吉也. 大抵頤之義, 惡動而貴止, 故下三爻皆凶, 上三爻皆吉也. 以五之位而莫能養下, 其可乎. 由頤之功, 一付之上九, 不害爲養賢及民之義, 是亦爲貞吉也. 然其才終不可以涉大川濟大事也.

오효는 이효와 서로 호응하지도 않고 서로 도와 길러주지도 않기 때문에 또한 바른 도리에 위배된다. 간괘(艮卦☶)의 몸체로 그치고 움직이지 않기 때문에 "거한다[居]"고 하였으니, 이는 위에서 그치는 뜻을 얻을 수 있기 때문에 곧아서 길하다. 이괘(頤卦)의 뜻은 움직임을 싫어하고 그침을 귀하게 여기기 때문에 아래에 있는 세 효는 모두 흉하고, 위에 있는 세 효는 모두 길하다. 오효의 자리로도 아래를 기를 수 없으니, 되겠는가? 자신으로 말미암아 길러지는 공을 상구에게 일임하는 것은 현명한 사람과 백성들을 기르는 뜻이 되는 데에 방해가 되지 않으니, 또한 곧아서 길하다. 그러나 자질은 끝내 큰 내를 건너서 큰일을 이룰 수가 없다.

### 강엄(康儼) 『주역(周易)』

按, 此爻拂經, 非若六二之拂經, 但爲人君不能由己以養人, 而反賴上九之養, 故謂之

---

119) 『周易 · 頤卦』: 上九, 由頤, 厲吉, 利涉大川.

120) 『周易 · 益卦』: 利涉大川, 木道乃行.

拂經. 其曰居貞吉者, 謂就拂經, 處居守貞固, 終始不貳, 則吉也. 非以拂經爲不可, 而貞固自守, 不求養於上九也. 本義不釋居貞者, 恐與程傳无異義故也.
내가 살펴보았다: 이 효의 "바른 도리에 위배된다"란 육이의 "바른 도리에 위배된다"와 같은 것이 아니니, 다만 다른 사람의 임금이 되어 자기로 말미암아 다른 사람을 기를 수 없어 도리어 상구가 길러줌을 의지하기 때문에 "바른 도리에 위배된다"고 하였다. 그 "곧음에 거하면 길하다"란 바른 도리에 위배되는 데에 나아가더라도 곧고 굳음을 지키는 데에 거처하여 시종 두 마음을 품지 않는다면 길함을 말한다. 도리에 위배됨을 불가하다고 여겨 곧고 굳게 스스로를 지켜 상구에게서 길러줌을 구하지 않는다는 것이 아니다. 『본의』에서는 '곧음에 거하면 길함'에 대하여 풀이하지 않은 것은 아마도 『정전』과 다른 뜻이 없기 때문인 듯하다.

### 박문건(朴文健) 『주역연의(周易衍義)』

爲下所疑, 故有拂經之象. 拂經, 言有懼而違拂從下之道也. 不可涉大川, 言危難在下也.
아래에 의하여 의심을 받기 때문에 '바른 도리에 위배되는' 상이 있다. "바른 도리에 위배된다"란 두려워서 아래를 따르는 도에 어긋나고 위배됨이 있음을 말한다. "큰 내를 건너서는 안 된다"란 위험과 험난함이 아래에 있음을 말한다.
〈問, 拂經, 居貞吉, 不可涉大川. 曰[121], 六五若違拂常道, 而不往其下, 且居而用貞, 則上九必信己, 故吉. 又涉川爲不可者, 六二之[122]所陷溺也.
물었다: "바른 도리에 위배되나 곧음에 거하면 길하지만, 큰 내를 건너서는 안 된다"는 무슨 뜻입니까?
답하였다: 육오가 만약 항상 된 도에 어긋나고 위배되더라도 아래로 가지 않고 또한 그대로 있으면서 곧음을 쓴다면, 상구는 반드시 자기를 믿어 주어 길합니다. 또 내를 건넘이 불가하다는 것은 육이가 빠뜨리기 때문입니다.〉

### 이지연(李止淵) 『주역차의(周易箚疑)』

旣不能令, 又不受命, 是絶物也. 頤養之道, 不失其貞, 則資於下, 資於上, 不害爲吉, 而陰柔无資身之策者, 安能涉險乎.
이미 명령을 내릴 수도 없고 또 받을 수도 없다면, 이것은 상대방과 끊은 것이다.[123] 기르는

---

121) 川曰: 경학자료집성DB에는 '川而'로 되어 있고 경학자료집성 영인본에는 '□□'로 되어 있으나, 문맥을 살펴 '川曰'로 바로잡았다.
122) 之: 경학자료집성DB에는 '六'으로 되어 있으나, 경학자료집성 영인본을 참조하여 '之'로 바로잡았다.

도가 그 곧음을 잃지 않는다면, 아래에게 의지하거나 위에 의지하여도 길함에는 방해가 되지 않지만, 부드러운 음은 스스로를 의지할 방책이 없으니, 어찌 험준함을 건널 수 있겠는가?

## 김기례(金箕澧) 「역요선의강목(易要選義綱目)」

君位而柔, 不能養人, 外比上陽, 賴以養, 則非正理, 故曰拂經.
임금의 자리이면서도 부드러운 음이라서 다른 사람을 기를 수가 없고, 밖으로 양인 상효와 비(比)의 관계에 있어서 길러주기를 의지하니, 바른 이치가 아니기 때문에 "바른 도리에 위배된다"고 하였다.

○ 能任賢師施澤, 若及天下, 則可爲正道, 故曰吉.
현명한 스승에게 맡겨서 은택을 베풀어 만약 천하에까지 미치도록 할 수 있다면, 바른 도리가 된다고 할 수 있기 때문에 "길하다"고 하였다.

○ 柔不能自濟, 故曰不涉川.
부드러운 음은 스스로를 구제할 수 없기 때문에 "큰 내를 건너서는 안 된다"고 하였다.

○ 艮止, 故曰居貞.
간괘(艮卦☶)로 그친다는 뜻이기 때문에 "곧음에 거한다"고 하였다.

## 박종영(朴宗永) 「경지몽해(經旨蒙解)·주역(周易)」

傳曰, 六五, 居君位, 而養天下者也. 然其陰柔, 才不足以養天下, 上有剛陽之賢, 故順從之, 以濟天下. 君者養人者也, 反賴人之養, 是違拂於經常. 旣以己之不足而順從於賢師傅, 篤於委信, 則能輔翼其身, 澤及天下, 故吉也. 以陰柔之才, 雖倚賴剛賢, 能持循於平時, 不可處艱難變故之際, 故云不可涉大川也.
『정전』에서 말하였다: 육오는 임금의 자리에 있으니, 천하 사람들을 기르는 자이다. 그러나 부드러운 음의 자질로 재주가 천하 사람들을 기를 수 없고, 위에 굳센 양의 현명한 사람이 있으므로 그에게 순종하여 천하 사람들을 구제한다. 임금은 사람을 길러주는 자인데 도리어 다른 사람의 길러줌에 의지하니, 이는 바르고 떳떳함에 어긋나는 것이다. 이미 자기가 부족하여 어진 스승에게 순종하니, 돈독히 위임하고 신임하면 그 몸을 도와 천하에 은택이 미치

---

123) 『孟子·離婁』: 齊景公曰, 旣不能令, 又不受命, 是絶物也, 涕出而女於吳.

므로 길하다. 부드러운 음의 재질로 비록 강한 현자에게 의지하나 평상시에 따를 수 있을 뿐이고, 어렵고 변고가 있는 즈음에는 대처할 수 없기 때문에 큰 내를 건너서는 안 된다고 말하였다.

### 심대윤(沈大允) 『주역상의점법(周易象義占法)』

頤之益䷩, 損上益下也. 六五, 從上以得食, 有其義也. 艮爲言, 巽爲承命, 爲職位, 离震爲附麗而遷動之象, 在朝百官之象也. 從上而非應, 故曰, 拂經. 臣者, 從君之命者也, 故曰, 居貞吉, 艮坤爲居貞. 不可涉大川者, 卦有上下二陽而中虛, 有乘舟泛空之象. 五居上剛之下, 有沈没象. 巽坎爲涉, 對坎乾爲大川. 曰不可者, 言不惟不利而已. 凡人臣從君得食, 不可大有作爲而濟險難也. 人臣行險以求食者, 罪不赦.

이괘(頤卦)가 익괘(益卦䷩)로 바뀌었으니, 위를 덜어내어 아래를 보탠다. 육오는 상효를 좇아서 음식을 얻는 데에 뜻이 있다. 간괘(艮卦☶)는 말[言]이 되고, 손괘(巽卦☴)는 명령을 받듦이 되며 직위가 되고, 리괘(離卦☲)와 진괘(震卦☳)는 붙어서 움직여 옮기는 상이 되니, 조정(朝廷)에 있는 백관의 상이다. 상효를 좇지만 호응이 아니기 때문에 "바른 도리에 위배된다"고 하였다. 신하란 임금의 명령을 따르는 자이기 때문에 "곧음에 거하면 길하다"고 하였으니, 간괘(艮卦☶)와 곤괘(坤卦☷)가 곧음에 거함이 된다. "큰 내를 건너서는 안 된다"고 한 것은 괘의 맨 아래와 맨 위가 두 양이고 가운데가 비어 있어서 배를 타고 공중에 뜨는 상이 있기 때문이다. 오효는 굳센 양인 상효 아래에 있으므로 침몰하는 상이 있다. 손괘(巽卦☴)와 감괘(坎卦☵)는 건넘이 되고, 대괘(對卦)인 감괘(坎卦☵)와 건괘(乾卦☰)는 큰 내가 된다. "안 된다"고 말한 것은 단지 이롭지 않을 뿐만이 아님을 말한다. 신하란 임금을 좇아서 음식을 얻으므로 크게 일을 일으켜 험난함을 구제할 수가 없다. 신하 중에 위험한 일을 행하여 음식을 구하는 자[124]는 죄를 면하지 못한다.

### 오치기(吳致箕) 「주역경전증해(周易經傳增解)」

六五, 柔中而位尊, 下无正應, 乃比于上剛而賴養, 故爲拂經, 而居尊處中, 亦爲得正, 故言居正而吉也. 然以君位之尊, 柔不能有所養, 而賴於上九之賢, 故言不可涉大川, 而謂不能濟險也.

육오는 부드러운 음으로 알맞으면서 자리가 존귀하여도, 아래로 정응이 없고 굳센 양인 상

124) 『中庸』: 在上位, 不陵下, 在下位, 不援上, 正己而不求於人, 則無怨, 上不怨天, 下不尤人. 故, 君子, 居易以俟命, 小人, 行險以徼幸.

효와 비(比)의 관계에 있어서 길러주기를 의지하기 때문에 바른 도리에 위배되지만, 존귀한 자리에 있고 가운데 자리에 있으며 또한 바름을 얻게 되기 때문에 바름에 거하여 길하다고 하였다. 그러나 임금의 자리라는 존귀함으로써 부드러운 음으로 기르는 바가 있을 수가 없어서 현명한 상구에게 의지하기 때문에 "큰 내를 건너서는 안 된다"고 하였으니, 험난함을 구제할 수 없음을 말한다.

○ 拂經之義, 已見六二. 居取於艮. 此爻獨不言頤者, 亦以居尊而无所養也.
"바른 도리에 위배된다"는 뜻은 이미 육이에 보인다. '거함[居]'이란 간괘(艮卦☶)에서 취하였다. 여기 오효에서는 유독 "기른다[頤]"를 말하지 않은 것은 또한 존귀한 자리에 있으면서도 기르는 바가 없기 때문이다.

### 이진상(李震相) 『역학관규(易學管窺)』

不能養人而養於人, 故曰拂經. 經震象, 居艮象. 厚離有虛舟象, 而艮以止之方在陰中, 且變巽爲風, 故曰不可涉大川. 大川, 以四陰言.
다른 사람을 기를 수 없고 다른 사람에게서 길러지기 때문에 "바른 도리에 위배된다"고 하였다. '바른 도리[經]'는 진괘(震卦☳)의 상이고, '거함'은 간괘(艮卦☶)의 상이다. 두터운 리괘(離卦☲)에는 빈 배의 상이 있고, 간괘(艮卦☶)는 그치는 방위로써 음 가운데에 있으며, 오효가 변한 손괘(巽卦☴)는 바람이 되기 때문에 "큰 내를 건너서는 안 된다"라고 하였다. '큰 내'는 네 음으로 말하였다.
〈上爻陽而五爻陰者, 離艮爲然, 而離則下畫亦陽, 故從上.
상효는 양이고 오효는 음인 것은 상괘로 리괘(離卦☲)와 간괘(艮卦☶)가 그러한데, 리괘(離卦☲)는 아래 획이 또한 양이기 때문에 상효를 따른다.〉

### 박문호(朴文鎬) 「경설(經說) · 주역(周易)」

賴二公得終信, 言成王賴太公召公之保明, 終得信周公也
『정전』에서 말한 "두 공(公)[125]을 의뢰하여 끝내 믿음을 얻은 것이다"라는 것은 성왕(成王)이 태공(太公)과 소공(召公)이 보호해 주고 밝혀줌에 의지하여 끝내 주공(周公)을 믿을 수 있었음을 말한다.[126]

125) 태공(太公)과 소공(召公)을 말한다.
126) 이러한 내용은 『서경(書經) · 금등(金縢)』에 보인다.

## 象曰, 居貞之吉, 順以從上也.

「상전」에서 말하였다: "곧음에 거하면 길함"은 순조롭게 상구를 따르기 때문이다.

## 中國大全

### 傳

**居貞之吉者, 謂能堅固順從於上九之賢, 以養天下也.**

'곧음에 거하면 길함'은 견고하게 상구의 현명한 사람에게 순종하여 천하 사람들을 기를 수 있다는 말이다.

### 小註

中溪張氏曰, 五不恃其尊, 能柔順以從上九之賢, 賴之以養天下, 眞聖人養賢以及萬民之事也. 然六二拂經而凶者, 以動而求上也, 六五拂經而吉者, 以靜而從上也.

중계장씨가 말하였다: 오효은 자신의 높음에 기대지 않고 유순함으로 현명한 상구를 따라 그에 의뢰하여 천하를 기르니, 참으로 성인이 현인을 길러 만민에게 미치는 일이다. 그러나 육이가 바른 도리를 위배하여 흉한 것은 움직여서 위를 구하기 때문이고, 육오가 바른 도리를 위배하여도 길한 것은 고요하여 위를 따르기 때문이다.

## ∥韓國大全∥

### 김상악(金相岳) 『산천역설(山天易說)』

居貞, 无濟難之才, 從上, 有尙賢之德也.
"곧음에 거하다"란 험난함을 구제할 재주가 없다는 것이고, "상구를 따르다"란 현명한 사람을 높이는 덕이 있다는 것이다.

### 서유신(徐有臣) 『역의의언(易義擬言)』

順, 拂之反也, 上, 上九也.
"순조롭다"란 위배된다와 반대의 뜻이고, '상(上)'은 상구이다.

### 박문건(朴文健) 『주역연의(周易衍義)』

用貞, 則可以從上也.
곧음을 쓴다면 상효를 따를 수 있다.

### 이항로(李恒老) 「주역전의동이석의(周易傳義同異釋義)」[127]

傳, 征而從上凶者, 非其類故也.
『정전』에서 말하였다: 가서 상효를 따르면 흉한 것은 같은 종류가 아니기 때문이다.

本義, 初上, 皆非其類也.
『본의』에서 말하였다: 초효와 상효가 모두 같은 종류가 아니다.

按, 象傳摠釋一爻之辭, 單言從上, 恐偏.
내가 살펴보았다: 「상전」은 한 효의 말을 총괄적으로 풀이하는데, 여기서는 다만 "상효를 따른다"고 하였으니, 아마도 치우친 듯하다.

---

127) 경학자료집성DB에서는 이괘 '육이'에 해당하는 것으로 분류했으나, 내용에 따라 이 자리로 옮겼다.

**오치기(吳致箕) 「주역경전증해(周易經傳增解)」**

言能順從於上九之賢, 而賴養也.
현명한 상구에게 순종하여서 길러줌을 의지할 수 있음을 말한다.

**이병헌(李炳憲) 『역경금문고통론(易經今文考通論)』**

虞曰, 失位, 故拂經, 无應, 故不可涉大川.
우번이 말하였다: 제자리를 잃었기 때문에 바른 도리에서 위배되고, 호응함이 없기 때문에 큰 내를 건너서는 안 된다.

正義曰, 五近上九, 以陰順陽, 故得居貞吉也.
『주역정의』에서 말하였다: 오효는 상구와 가깝고 음으로써 양에 순종하기 때문에 곧음에 거하면 길할 수 있다.

## 上九, 由頤, 厲吉, 利涉大川.

상구는 자신으로 말미암아 길러지므로 위태롭게 여기면 길하니, 큰 내를 건너는 것이 이롭다.

### 中國大全

**傳**

上九, 以剛陽之德, 居師傅之任, 六五之君柔順而從於己, 賴己之養. 是當天下之任, 天下由之以養也. 以人臣而當是任, 必常懷危厲則吉也, 如伊尹周公, 何嘗不憂勤兢畏. 故得終吉. 夫以君之才不足而倚賴於己身, 當天下大任, 宜竭其才力, 濟天下之艱危, 成天下之治安. 故曰, 利涉大川. 得君如此之專, 受任如此之重, 苟不濟天下艱危, 何足稱委遇而謂之賢乎. 當盡誠竭力而不顧慮. 然惕厲, 則不可忘也.

상구는 굳센 양의 덕으로 스승의 임무를 담당하고 있고, 육오의 임금이 유순하여 자신을 따라 자신의 길러줌에 의지한다. 이는 천하의 임무를 담당한 것이니, 천하가 자기로 말미암아 길러지는 것이다. 신하로서 이 임무를 담당하였으면 반드시 항상 위태로운 마음을 품으면 길하다. 이윤(伊尹)과 주공(周公)과 같은 사람이 어찌 일찍이 근심하고 수고로우며 조심하고 두려워하지 않았겠는가? 그러므로 끝내 길함을 얻은 것이다. 임금의 재주가 부족한 까닭에 자기에게 의지하여 자신이 천하의 큰 임무를 감당하였다면, 마땅히 재주와 힘을 다해서 천하의 어려움과 위태로움을 구제하고 천하의 치안을 이루어야 한다. 그러므로 “큰 내를 건너는 것이 이롭다”고 말하였다. 임금의 신임을 얻은 것이 이와 같이 전일하고 임무를 맡은 것이 이와 같이 무거운데, 만일 천하의 어려움과 위태로움을 구제하지 못한다면, 어찌 맡기고 예우함에 걸맞아서 어질다고 말하겠는가? 마땅히 정성을 다하고 힘을 다하여 몸을 돌보거나 생각하지 말아야 할 것이다. 그러나 두려워하고 위태롭게 여기는 것을 잊어서는 안 된다.

本義

**六五, 賴上九之養以養人, 是物由上九以養也. 位高任重故厲而吉, 陽剛在上, 故利涉川.**

육오는 상구의 길러줌에 의지하여 사람을 기르니, 이는 다른 사람이 상구로 말미암아 길러지는 것이다. 지위가 높고 임무가 무겁기 때문에 위태롭게 여기면 길하며, 굳센 양이 위에 있기 때문에 내를 건너는 것이 이롭다.

小註

建安丘氏曰, 養人之權, 在五而已. 居其上, 爲衆所歸, 位高任重, 易失之專, 故必以危厲處之而後得吉也.
건안구씨가 말하였다: 사람을 기를 권한은 오효에 있을 뿐이다. 위에 있고 대중이 귀의하며 지위가 높고 임무가 중요하여 쉽게 마음대로 하는 잘못이 있기 때문에, 반드시 위태롭게 여겨 대처한 다음에야 길할 수 있다.

○ 雲峯胡氏曰, 六五, 君也. 君不能養人而賴上九之養以養天下, 是上九者, 頤之由. 五不利涉大川, 而上則利涉大川, 五柔而上剛也.
운봉호씨가 말하였다. 육오는 임금이다. 임금은 사람을 직접 기를 수 없고 상구의 길러줌에 의지하여 천하를 기르니, 이것이 상구가 자신으로 말미암아 길러지는 것이다. 오효는 큰 내를 건너는 것이 이롭지 않고, 상효는 큰 내를 건너는 것이 이로운 이유는 오효는 유약하고 상효는 굳세기 때문이다.

○ 隆山李氏曰, 豫九四曰, 由豫者, 卽由頤之謂也. 由豫在四, 猶下於五也, 而已有可疑之迹. 乃今由頤在上, 則過中而嫌於不安, 故厲. 然艮止之性, 雖使之當權, 亦必不致於侵暴以招凶. 而況君子居此, 要之以仁德爲養, 使天下皆被其澤, 何嫌之有. 故由豫, 則終於勿疑, 由頤則雖厲而吉也. 此非周公之才德, 不足以勝也.
융산이씨가 말하였다: 예괘 구사에서 '자신으로 말미암아 즐거워하는[豫] 것'이 바로 이괘에서 '자신으로 말미암아 길러지는[頤] 것'과 같다. '자신으로 말미암아 즐거워하는 것'은 사효에 있는데, 오효의 아래에 있어 이미 의심스러운 자취가 있다. 지금 '자신으로 말미암아 길러지는 것'은 상효에 있으니, 가운데를 넘어서서 편안하지 않은 혐의가 있기 때문에 위태롭다. 그러나 간괘의 그치는 성질은 비록 권한을 담당하게 하더라도 또한 반드시 침범하고 포악해서 흉함을 부르지는 않는다. 하물며 군자가 여기에 거해서 요컨대 인의로 기름을 삼

아 천하로 하여금 그 은택을 입게 한다면 무슨 혐의가 있겠는가? 그러므로 자신으로 말미암아 즐거워하면 의심이 없는 데서 끝나고, 자신으로 말미암아 길러지면 비록 위태로우나 길하다. 이는 주공의 재주와 덕이 아니면 감당하기에 부족하다.

## 韓國大全

### 조호익(曺好益)『역상설(易象說)』

上九, 利涉大川.
상구는 큰 내를 건너는 것이 이롭다.

雙湖曰, 利涉, 陽爻象, 又全體虛舟象.
쌍호호씨가 말하였다: "건너는 것이 이롭다"란 양효의 상이고, 또 괘 전체는 빈 배의 상이다.

愚謂, 大川, 位坎之象. 或曰, 伏原畫坎象.
내가 살펴보았다: '큰 내'란 자리가 감괘(坎卦☵)의 상이다. 어떤 이가 말하기를 "숨어있는 원래의 획이 감괘(坎卦☵)의 상이다"라고 하였다.

### 유정원(柳正源)『역해참고(易解參攷)』

案, 大凡濟時之險難者, 非剛明, 不能, 故五之柔不利, 而上之剛乃利也.
내가 살펴보았다: 대체로 험난한 때를 구제하는 자는 굳세고 밝지 않으면 할 수가 없기 때문에, 오효의 부드러운 음은 이롭지 않고 상효의 굳센 양은 이에 이롭다.

### 김상악(金相岳)『산천역설(山天易說)』

由頤者, 由己而養之也. 以陽居上, 六五之君, 賴其賢以養人, 故有由頤之象. 然位高任重, 必危厲則吉, 而益勉濟物之功也.
'유이(由頤)'란 자기로 말미암아 기름이다. 양으로써 맨 위에 있고 육오의 임금이 현명한 사람에 의지하여 사람을 기르기 때문에 자신으로 말미암아 길러지는 상이 있다. 그러나 지위가 높고 임무가 막중하여 반드시 위태롭게 여긴다면 길하니, 물(物)을 이루는 공에 더욱 힘쓰게 된다.

○ 萬物之養, 皆由乎陽, 故曰由頤. 厲者, 上之无位也. 豫九四, 承柔順之君, 天下由己而豫, 猶有勿疑之戒, 況由頤居上位高地危乎. 所以能兢畏而吉也. 下震伏巽爲蠱, 故與蠱初曰厲終吉同, 而此爲已然之吉, 故不言終. 涉川, 涉四陰而從初也. 上止之用, 必資下動, 故有利涉之功也. 上下體互爲剝復, 五之不可涉, 上之利涉, 與復曰利有攸往, 剝曰不利有攸往相似. 又頤與大過爲對, 與小過爲交, 大之過者, 必至於陷, 小之過者, 猶可以濟. 又震木生於坎水, 艮土生乾金, 變而爲需, 需訟二卦, 乾坎之交不交, 故涉川之利不利不同.
만물의 기름은 모두 양에게서 말미암기 때문에 "자신으로 말미암아 길러진다"고 하였다. "위태롭게 여긴다"란 상효는 지위가 없기 때문이다. 예괘(豫卦䷏)의 구사는 유순한 임금을 받들고 천하 사람들이 자기로 말미암아 기뻐하는데도 오히려 의심하지 말라는 경계가 있다. 하물며 자신으로 말미암아 길러지면서 맨 위의 자리로 높은 곳에 있어서 위태로운 데에 있어서랴! 두려워하여 길할 수 있다. 하괘를 진괘(震卦☳)에 감추어진 손괘(巽卦☴)로 보면 고괘(蠱卦䷑)가 되기 때문에 고괘(蠱卦) 초효에서 말한 "위태롭게 여겨야 마침내 길할 것이다"[128]와 같지만 이 이괘(頤卦)는 이미 그러한 길함이 되기 때문에 '마침내'라고 말하지 않았다. 내를 건넌다는 것은 네 음을 건너 초효를 따름이다. 위에서의 그치는 쓰임은 반드시 아래에서의 움직임에 의지하기 때문에 건너는 것이 이로운 공이 있다. 상괘와 하괘의 몸체와 호괘는 박괘(剝卦䷖)와 복괘(復卦䷗)가 되므로, 이괘(頤卦)의 오효는 건널 수 없고 상효는 건넘이 이로운 것은 복괘(復卦)에서 "가는 것이 이롭다"[129]고 하고 박괘(剝卦)에서 "가는 것이 이롭지 않다"[130]라고 한 것과 서로 유사하다. 또 이괘(頤卦)는 대과괘(大過卦䷛)와는 음양이 서로 바뀌었고, 소과괘(小過卦䷽)와는 상괘와 하괘가 서로 바뀌었으니, 큰 잘못은 반드시 빠지는 데에 이르고 작은 잘못은 오히려 구제할 수 있다. 또 진괘(震卦☳)의 나무는 감괘(坎卦☵)의 물에서 생기고 간괘(艮卦☶)의 흙은 건괘(乾卦☰)의 쇠를 낳으니 감괘(坎卦☵)와 건괘(乾卦☰)로 변하여 수괘(需卦䷄)가 되며, 수괘(需卦)와 송괘(訟卦䷅)는 건괘(乾卦☰)와 감괘(坎卦☵)가 서로 바뀌었거나 바뀌지 않은 것이기 때문에 내를 건넘의 이롭거나 이롭지 않음이 같지 않다.

---

128) 『周易 · 蠱卦』: 初六, 幹父之蠱. 有子, 考无咎. 厲, 終吉.
129) 『周易 · 復卦』: 反復其道, 七日來復, 利有攸往.
130) 『周易 · 剝卦』: 剝, 不利有攸往.

### 서유신(徐有臣) 『역의의언(易義擬言)』

卦之爲頤, 實由乎上下二剛, 有頤頷之象也. 上九, 卦之終成, 故至是, 乃曰由頤, 此猶云由是爲口也. 卦有震坤艮之體焉, 帝出乎震, 致役乎坤, 成言乎艮, 萬物之生遂矣, 故曰由頤, 此猶云由是爲養也. 正不正吉不吉之所在, 故爲可懼厲也, 能厲, 故終吉也. 卦爲舟形, 上九已濟矣, 故曰, 利涉大川也.
본 괘가 이괘(頤卦)가 됨은 진실로 위와 아래에 있는 두 굳센 양에 말미암으니, 턱의 상이 있다. 상구에서 괘가 마침내 이루어지기 때문에 여기에 이르러 곧 '유이(由頤)'라고 하였으니, 이는 이로 말미암아 입이 된다고 말하는 것과 같다. 괘에는 진괘(震卦☳)와 곤괘(坤卦☷)와 간괘(艮卦☶)의 몸체가 있어서 '제(帝)가 진괘(震卦☳)에서 나와 곤괘(坤卦☷)에 일을 이루고, 간괘(艮卦☶)에서 이루어'[131] 만물의 삶이 완수되기 때문에 '유이(由頤)'라고 하였으니, 이는 이로 말미암아 길러줌이 된다고 말하는 것과 같다. 바름과 바르지 않음, 그리고 길함과 길하지 않음이 달려 있는 바이기 때문에 두려워하고 위태롭게 여길 만하니, 위태롭게 여길 수 있기 때문에 끝내 길하다. 괘는 배의 형상이 되고, 상구는 이미 건너기 때문에 "큰 내를 건너는 것이 이롭다"고 하였다.

### 박제가(朴齊家) 『주역(周易)』

上九, 由頤.
상구는 자신으로 말미암아 길러진다.

由, 自由也. 頤雖下動, 若無上, 則不合矣. 故頤之養, 由上而成也. 不可但以五之賴, 而曰由也.
'유(由)'는 스스로 말미암음이다. 이괘(頤卦)가 비록 아래는 움직이더라도 만약 위가 없다면 합하지 못한다. 그러므로 이괘(頤卦)의 기름은 위로 말미암아 이루어진다. 단지 오효의 의지함을 가지고서 "말미암는다"고 말해서는 안 된다.

朱子曰, 此卦下三爻, 皆自養, 上三爻, 皆養人. 不能自求所養, 而求人以養己則凶, 故下三爻, 皆凶. 求於人以養其下, 雖不免於顚拂, 畢竟皆好, 故上三爻皆吉.
주자가 말하였다: 이 이괘(頤卦)의 아래 세 효는 모두 스스로를 길러주고, 위 세 효는 모두 다른 사람을 길러준다. 스스로 길러주는 바를 구할 수 없어서 다른 사람을 구하여 자신을 기르면 흉하기 때문에 아래 세 효는 모두 흉하다. 다른 사람에게서 구하여 그 아래를 길러주

---

131) 『周易 · 說卦傳』: 帝出乎震, 齊乎巽, 相見乎離, 致役乎坤, 說言乎兌, 戰乎乾, 勞乎坎, 成言乎艮.

어 비록 거꾸로 길러주기를 구하고 바른 도리에 위배됨을 면하지 못하더라도 끝내 모두 좋아지기 때문에 위 세 효는 모두 길하다.

案,下雖動非但自養, 上雖止亦待下而食, 上下相合, 皆自養. 特以三居動之極而拂頤, 四欲受之而志在成其下, 故轉而爲自上施下之象, 而已不可以上下分自養與養人. 其下體則凶, 上體則吉, 蓋動而食則凶, 不動而食則吉. 口腹之累, 專由於動, 無以口體爲心害, 則自求口實之謂也. 然則耕也, 餒在其中, 學也, 祿在其中之訓, 蓋取諸頤矣.
내가 살펴보았다: 아래가 비록 움직이더라도 단지 스스로를 길러주는 것만은 아니고, 위가 비록 그치더라도 또한 아래를 기다려 먹으니, 위와 아래가 서로 합하므로 모두 스스로를 길러준다. 다만 삼효는 움직임의 끝에 있어서 기르는 도에 위배되고, 사효는 받고자 하여 뜻이 아래를 이루어 주는 데에 있기 때문에 뒤집혀 위로부터 아래로 베푸는 상이 되지만, 이미 위와 아래로 스스로를 길러줌과 다른 사람을 길러줌을 나눌 수는 없다. 하체는 흉하고 상체는 길하니, 움직여 먹으면 흉하고 움직이지 않으면서 먹으면 길하다. 육체의 폐단은 오로지 움직이는 데에서 말미암으니, 육체로써 마음을 해치지 않는다면 이것이 "음식을 스스로 구한다"는 것이다. 그렇다면 "농사를 지어도 굶주림이 그 안에 있고, 학문을 해도 녹(祿)이 그 안에 있다"[132]는 가르침은 아마도 이괘(頤卦)에서 취한 듯하다.

厚齋馮氏曰, 養人, 亦所以自養也. 六爻之中, 動以從人者, 以求養者皆凶, 靜而受人之養者皆吉, 幾幾及之. 若改其從人受人, 合爲頤之上下而曰動曰靜, 則皆歸之食, 則象可得矣.
후재풍씨가 말하기를 "다른 사람을 기르는 것은 또한 스스로를 기르는 것이다. 여섯 효의 가운데 움직여서 다른 사람을 따라 기름을 구하는 경우는 모두 흉하고, 고요해서 다른 사람의 기름을 받는 경우는 모두 길하다"고 하였으니, 올바른 뜻에 거의 미치었다. 만약 다른 사람을 따름[從人]과 다른 사람에게서 받음[受人]을 바꾸어, 둘을 합하여 이괘의 위와 아래를 만들어서 움직인다고 하고 고요하다고 한다면, 모두 먹는 데로 돌아올 것이니 상을 알 수가 있다.

### 박문건(朴文健) 『주역연의(周易衍義)』

恒用其養, 故有由頤之象. 由頤, 言久由衆陰之養而不變也. 利涉大川, 言爲陰所載而不覆也.

132) 『論語 · 衛靈公』: 子曰, 君子, 謀道, 不謀食, 耕也, 餒在其中矣, 學也, 祿在其中矣, 君子, 憂道, 不憂貧.

항상 그 길러짐을 쓰기 때문에 '말미암아 길러지는[由頤]' 상이 있다. "말미암아 길러진다"란 오랫동안 여러 음이 길러줌을 말미암고 변하지 않음을 말한다. "큰 내를 건너는 것이 이롭다"란 음에 의하여 실려져 뒤집히지 않음을 말한다.
〈問, 由頤, 厲吉, 利涉大川. 曰, 上九, 恒由其養, 故有由頤之象, 處四陰之上, 故雖有危厲之道, 相信, 故吉. 又處上而不見陷溺於六三, 故有利涉大川之象, 言往涉有利也.
물었다: "자신으로 말미암아 길러지므로 위태롭게 여기면 길하니, 큰 내를 건너는 것이 이롭다"는 무슨 뜻입니까?
답하였다: 상구는 항상 그 길러짐을 말미암기 때문에 '말미암아 길러지는[由頤]' 상이 있고, 네 음의 위에 있기 때문에 비록 위태로운 도가 있더라도 서로 믿기 때문에 길합니다. 또 위에 있어서 육삼에게 빠짐을 당하지 않기 때문에 큰 내를 건너는 것이 이로운 상이 있으니, 가서 건넘에 이로움이 있다는 말입니다.〉

### 이지연(李止淵) 『주역차의(周易箚疑)』

我今王之叔父, 一飯三吐哺, 以待天下之士, 然而不得免公將不利之流言, 至其終也, 赤舃几几, 有遵渚之詩.
우리 지금 왕의 숙부는 한 번 밥을 먹을 때에 세 번 먹던 음식을 뱉어내고 일어나 천하의 선비를 대접하였는데도[133] 공(公)이 장차 이롭지 못한 유언비어가 있는 데에서 면할 수 없었지만, 그 끝에 이르러서는 "붉은 신을 신으신 모습이 의젓하시니",[134] "물가를 따라간다"는 시(詩)[135]가 있게 되었다.

### 김기례(金箕澧) 「역요선의강목(易要選義綱目)」

五君賴是而養天下, 故曰由頤.
오효인 임금이 상구를 의지하여 천하를 길러주기 때문에 "자신으로 말미암아 길러진다"고 하였다.

○ 己任大, 故危懼而後, 得盡在我之道, 故曰厲吉.
자신이 맡은 임무가 크기 때문에 위태롭게 여긴 후에 나에게 있는 도를 다할 수 있으므로

---

133) 『史記 · 魯周公世家』: 周公戒伯禽曰, 我文王之子, 武王之弟, 成王之叔父. 我於天下, 亦不賤矣, 然我一沐, 三握髮, 一飯, 三吐哺起, 以待士, 猶恐失天下之賢人.
134) 『詩經 · 狼跋』: 狼跋其胡, 載疐其尾. 公孫碩膚, 赤舃几几.
135) 『詩經 · 九罭』: 鴻飛遵渚, 公歸無所, 於女信處.

"위태롭게 여기면 길하다"고 하였다.

○ 以陽剛居上, 才明任重, 故濟險, 則爲利涉.
굳센 양으로써 맨 위에 있고 재주가 밝으며 임무가 무겁기 때문에 험난함을 구제하니, 건너는 것이 이롭게 된다.

贊曰, 觀人之養, 以養其身. 言語不愼, 禍必荐臻. 飮食不節, 病必相因. 觀我觀爾, 養之以仁.
찬미하여 말하였다: 다른 사람의 길러줌을 보고서 자신을 기르네. 말이 조심스럽지 못하면 화(禍)가 거듭 이르네. 음식에 절제하지 못하면 병이 반드시 서로 따르네. 나를 보고 너를 보아 인(仁)으로 길러주네.

### 박종영(朴宗永) 「경지몽해(經旨蒙解) · 주역(周易)」136)

傳曰, 上九, 以剛陽之德, 居師傅之位, 六五之君柔順而從於己, 賴己之養, 是當天下之任, 天下由之以養也. 以人臣而當是任, 必常懷危, 則吉也, 如伊尹周公, 何嘗不憂勤兢畏. 故得終吉. 身當天下之大任, 宜竭其才力, 濟天下之艱危, 成天下之治安. 故曰, 利涉大川. 然惕, 則不可忘也.
『정전』에서 말하였다: 상구는 굳센 양의 덕으로 스승의 임무를 담당하고 있고 육오의 임금이 유순하여 자신을 따라 자신의 길러줌에 의지하니, 이는 천하의 임무를 담당한 것이니, 천하가 자기로 말미암아 길러지는 것이다. 신하로서 이 임무를 담당하였으면 반드시 항상 위태로운 마음을 품으면 길하다. 이윤(伊尹)과 주공(周公)과 같은 사람이 어찌 일찍이 근심하고 수고로우며 조심하고 두려워하지 않았겠는가? 그러므로 끝내 길함을 얻은 것이다. 자신이 천하의 큰 임무를 감당하였다면 마땅히 재주와 힘을 다해서 천하의 어려움과 위태로움을 구제하고 천하의 치안을 이루어야 한다. 그러므로 "큰 내를 건너는 것이 이롭다"고 말하였다. 그러나 두려워하고 위태롭게 여기는 것을 잊어서는 안 된다.

嗚呼. 夫以人臣, 居師傅之位, 由已以養天下, 苟無平日素畜之才學, 曷能致澤. 此必有動心忍性增益其所不能者然後, 可以當天降之大任. 中庸曰, 博137)學之, 審問之, 愼思

---

136) 경학자료집성DB에서는 이괘 '육오'에 해당하는 것으로 분류했으나, 내용에 따라 이 자리로 옮겼다.
137) 博: 경학자료집성DB에는 '慱'으로 되어 있고 영인본에는 무슨 글자인지 알 수 없으나, 『중용』에 따라 '博'으로 바로잡았다.

之, 明辨之, 篤行之, 又曰, 尊德性而道問學, 噫, 人之於學, 不可不勤者, 將以有爲於天下[138]也. 凡百君子其勉旃哉.

오호라! 신하로써 스승의 자리에 있어서 자신으로 말미암아 천하를 기르니, 진실로 평상시에 본래부터 쌓아두는 재주와 학문이 없다면 어찌 은택을 미치게 할 수 있겠는가? 이는 반드시 '마음을 분발시키고 성질을 참게 하여 능하지 못한 바를 잘하도록 증진시키려고 한'[139] 후에 하늘이 내려 준 큰 임무를 감당할 수 있다. 『중용』에서 "이를 널리 배우며 자세히 물으며 신중하게 생각하며 밝게 분별하며 독실하게 행하여야 한다"[140]고 하였고, 또 "덕성(德性)을 높이고 학문을 말미암는다"[141]고 하였으니, 아! 사람이 학문에 대하여 근면하지 않을 수 없는 것은 장차 천하에 대하여 할 일이 있기 때문이다. 여러 군자들은 힘써 노력해야한다.

### 심대윤(沈大允) 『주역상의점법(周易象義占法)』

頤之復☷, 反也. 以民之所用養己者, 反養之也. 居艮德而位乎上, 爲天下所養, 而化坤, 有開國錫命之象, 人主之頤也. 由頤, 頤道之所由成也. 艮爲由奉養旣厚, 易生豊侈之心, 故曰厲. 人君食人, 可以大有作爲而濟險難, 從人得食者, 係乎人而不自由, 故不可大事也. 食人者, 能左右之, 可以大作也. 上三爻, 居艮而能止, 在上得養, 可謂有福, 又能知止, 故皆吉也.

이괘(頤卦)가 복괘(復卦☷)로 바뀌었으니, 돌이키는 것이다. 백성들이 자신을 길러주는 것으로써 도리어 길러준다. 간괘(艮卦☶)의 덕에 있고 맨 위에 자리하여 천하 사람들에 의하여 길러지지만, 곤괘(坤卦☷)로 변하면 나라를 세워 명령을 내리는 상이 있으니, 군주가 길러줌이다. '유이(由頤)'는 기르는 도가 말미암아서 이루는 것이다. 간괘(艮卦☶)는 봉양함이 이미 두텁게 됨을 말미암아 성대하게 사치하는 마음이 쉽게 생기게 되기 때문에 "위태롭게 여기다"라고 하였다. 임금이 다른 사람을 먹임은 크게 일을 일으켜 험난함을 구제할 수 있지만, 다른 사람을 좇아 먹을 수 있는 자는 다른 사람에게 매여서 자유롭지 못하기 때문에 큰일을 할 수가 없다. 다른 사람을 먹이는 자는 자신의 뜻대로 하여 큰일을 일으킬 수 있다. 위의 세 효는 간괘(艮卦☶)에 있어서 그칠 수 있고 위에 있어서 길러줄 수 있으므로 복이 있다고 할 수 있고, 또 그칠 곳을 알 수 있기[142] 때문에 모두 길하다.

---

138) 下: 경학자료집성DB와 영인본에는 모두 '不'로 되어 있으나, 문맥을 살펴 '下'로 바로잡았다.

139) 『孟子 · 告子』: 故天將降大任於是人也, 必先苦其心志, 勞其筋骨, 餓其體膚, 空乏其身, 行拂亂其所爲, 所以動心忍性, 曾益其所不能.

140) 『中庸』: 博學之, 審問之, 愼思之, 明辨之, 篤行之.

141) 『中庸』: 故, 君子, 尊德性而道問學, 致廣大而盡精微, 極高明而道中庸, 溫故而知新, 敦厚以崇禮.

142) 『中庸』: 知止而后有定, 定而后能靜, 靜而后能安, 安而后能慮, 慮而后能得.

〈能頤養人者, 可以爲大過之事, 小頤之滿志, 當以過溢爲戒, 過溢失頤之道也.
다른 사람을 길러줄 수 있는 자는 크게 지나친 일을 할 수 있고, 작게 길러주는 데에 뜻이 가득하면 마땅히 지나치게 넘치는 것을 경계로 삼아야 하니, 지나치게 넘치면 기르는 도를 잃게 된다.〉

### 오치기(吳致箕) 「주역경전증해(周易經傳增解)」

上九, 以陽剛之德, 无位而在上, 居師傅之任, 爲頤之主, 天下之養所由出者也. 爲君上之所倚, 群下之所毗, 受任甚大, 故戒言常懷危厲之心則得吉, 而亦以其才剛, 而有賢德, 故言利涉大川, 而謂无險不濟也.
상구는 굳센 양의 덕으로 지위가 없이 맨 위에 있어 스승의 임무를 가지고 있으니, 이괘(頤卦)의 주인이 되어 천하 사람들을 기름이 말미암아 나오는 바이다. 임금이 의지하는 바가 되고 여러 아랫사람들이 돕는 바가 되어 막중하고 큰 임무를 받기 때문에, 항상 위태롭게 여기는 마음을 품으면 길하다고 경계하여 말하였고, 또한 자질이 굳세고 어진 덕이 있기 때문에 "큰 내를 건너는 것이 이롭다"고 하였으니, 구제하지 못할 험난함이 없음을 말한다.

○ 由者, 從也, 言天下從己而賴養也. 卦形中虛如舟, 而對體之似坎及巽, 爲乘木涉川之象也. 頤道, 利止不利動, 故上三爻以止體而皆言吉, 下三爻以動體而多言凶也.
'유(由)'란 따른다는 것이니, 천하 사람들이 자신을 따르고 길러주기를 의지함을 말한다. 괘의 형상은 가운데가 비어 있어서 배와 같고, 음양이 바뀐 괘의 몸체가 감괘(坎卦☵)와 손괘(巽卦☴)와 비슷함은 나무를 타고 내를 건너는 상이 된다. 기르는 도는 그침을 이롭게 여기고 움직임을 이롭지 않게 여기기 때문에, 위의 세 효는 그치는 몸체이므로 모두 길함을 말하였고, 아래 세 효는 움직이는 몸체이므로 대부분 흉함을 말하였다.

### 이진상(李震相) 『역학관규(易學管窺)』

〈䷚之志未專, 艮則只有一陽上戴而已, 故從上之志最篤.
이괘(頤卦䷚)의 뜻이 아직 전일하지 않고, 간괘(艮卦☶)는 다만 하나의 양이 있다는 데에서 받들 뿐이기 때문에 상효를 따르는 뜻이 가장 독실하다.〉

象言剛上, 成卦之主也. 旣離四陰正在虛舟之上, 變坤爲順, 故曰利涉大川. 坤居北水鄕, 亦大川象也.
「단전」에서 "굳센 양이 위에 있다"고 말한 것은 괘를 이루는 주인이다. 이미 리괘(離卦☲)

인데 네 음이 바로 빈 배의 위에 있고, 오효가 변한 곤괘가 유순함이 되기 때문에 "큰 내를 건너는 것이 이롭다"고 하였다. 곤괘(坤卦)는 북쪽 물의 방향에 있으니, 또 큰 내의 상이다.

### 박문호(朴文鎬) 「경설(經說)・주역(周易)」

上本無位, 而在乾, 則爲太上, 在蠱則爲處士, 在頤則爲師傅, 是蓋無位之位也.
상효는 본래 지위가 없어서, 건괘(乾卦䷀)에 있으면 가장 높이 있는 자가 되고, 고괘(蠱卦䷑)에 있으면 처사(處士)가 되며, 이괘(頤卦)에 있으면 스승이 되니, 이는 아마도 지위가 없기 때문인 듯하다.

稱委遇, 言與委遇意, 相稱也.
『정전』에서 말한 "맡기고 예우함에 걸맞다"란 맡기고 예우하는 의도와 서로 어울린다는 말이다.

### 이병헌(李炳憲) 『역경금문고통론(易經今文考通論)』

王曰, 以陽處上而履四陰, 陰莫不由之而得其養, 故曰由頤. 貴而无位, 是以厲也. 高而有民, 是以吉也. 爲養之主, 而物莫之違, 故利涉大川也.
왕필이 말하였다: 양으로써 맨 위에 있고 네 음을 밟고 있으니, 음 중에 그를 말미암지 않고 자신을 기를 수 있는 것이 없기 때문에 "자신으로 말미암아 길러진다"고 하였다. 귀하면서도 지위가 없으니, 이 때문에 위태롭다. 높으면서 백성이 있으니, 이 때문에 길하다. 기르는 주인이 되어 물(物) 중에 어긋나는 것이 없기 때문에 큰 내를 건너는 것이 이롭다.

按, 養正爲聖功, 善養老, 則天下之人, 其歸之歟.
내가 살펴보았다: 바름을 기르는 것은 성인(聖人)의 일이니, 나이 든 사람을 잘 봉양하면 천하 사람들이 그에게 돌아오겠구나!

## 象曰, 由頤厲吉, 大有慶也.

「상전」에서 말하였다: "자신으로 말미암아 길러지므로 위태롭게 여기면 길함"은 크게 경사가 있는 것이다.

## 中國大全

### 傳

**若上九之當大任如是, 能兢畏如是, 天下被其德澤, 是大有福慶也.**

만약 상구가 큰 임무를 담당하기를 이와 같이 하고 조심하고 두려워하기를 이와 같이 하여 천하가 덕택을 입는다면, 이는 크게 복과 경사가 있는 것이다.

### 小註

朱子曰, 頤卦下三爻, 是資人以爲養, 上三爻, 是養人. 六四六五, 雖是資初與上之養, 其實是他居尊位, 藉人以養, 而又推以養人, 故此三爻以都是養人之事.
주자가 말하였다: 이괘의 아래 세 효는 다른 사람에 의지하여 기르고, 위 세효는 다른 사람을 기른다. 육사와 육오는 비록 초효와 상효가 길러줌에 의지하지만, 실제로 높은 자리에 있으면서 다른 사람에 의지하여 기르고, 또한 미루어 다른 사람을 기르기 때문에, 이 세 효는 모두 다른 사람을 기르는 일에 해당한다.

○ 厚齋馮氏曰, 頤者, 養也. 養人, 亦所以自養也. 六爻之中, 動而從人, 以求養者皆凶, 靜而受人之養者皆吉.
후재풍씨가 말하였다: 이괘는 '기름'을 뜻한다. 다른 사람을 기르는 것은 또한 스스로를 기르는 것이다. 여섯 효의 가운데 움직여서 다른 사람을 따라 기름을 구하는 경우는 모두 흉하고, 고요해서 다른 사람의 기름을 받는 경우는 모두 길하다.

○ 隆山李氏曰, 頤六爻, 上三爻皆吉, 下三爻皆凶. 蓋下體震, 易失於妄動, 上體艮, 知止其所當止故也. 觀此則君子之所養, 當如何哉.
융산이씨가 말하였다: 이괘의 여섯 효 가운데 위의 세 효는 모두 길하고 아래의 세 효는 모두 흉하다. 하체는 움직임을 상징하는 진괘이므로 함부로 움직이는데서 쉽게 잘못되고, 상체는 그침을 상징하는 간괘이므로 마땅히 그칠 데에서 그칠 줄 알기 때문이다. 이것을 본다면 군자가 기르는 것을 어떻게 해야만 하겠는가?

○ 西溪李氏曰, 口容止, 故頤貴止, 不貴動. 而艮上三爻皆吉, 震下三爻皆凶.
서계이씨가 말하였다: 입의 모양은 멈추고 있어야 하므로,[143] 이괘는 멈추는 것을 귀하게 여기고 움직이는 것을 귀하게 여기지 않는다. 그래서 간괘인 위 세 효는 모두 길하고, 진괘인 아래 세 효는 모두 흉하다.

○ 建安丘氏曰, 陽實陰虛, 實者養人, 虛者求人之養. 故四陰, 皆求養於陽者. 然養之權在上, 是二陽爻, 又以上爲主, 而初陽亦求養者也. 故直於上九一爻, 曰由頤焉.
건안구씨가 말하였다: 양은 실하고 음은 허하니, 실한 것은 다른 사람을 기르고 허한 것은 다른 사람이 길러주는 것을 구한다. 그러므로 네 음이 모두 양에게 길러줌을 구한다. 그러나 기르는 권한은 위에 있으니, 이는 두 양효 가운데 위의 양효가 주인이 되는 것이고, 초효인 양은 또한 기름을 구하는 자이다. 그러므로 다만 상구 한 효에서 "자신으로 말미암아 길러진다"고 말하였다.

## 韓國大全

### 김상악(金相岳) 『산천역설(山天易說)』

以爻則上九由己而養人, 故厲而能吉, 以卦則聖人養賢, 以及萬民, 故大有慶也. 書[144]云, 一人有慶, 兆民賴之, 此之謂也.
효로써 본다면 상구는 자신으로 말미암아 다른 사람을 길러주기 때문에 위태로워도 길할 수 있고, 괘로써 본다면 성인(聖人)은 어진 사람을 길러 만민에게 미치기 때문에 크게 경사

143) 『禮記 · 玉藻』: 足容重, 手容恭, 目容端, 口容止, 聲容靜, 頭容直, 氣容肅, 立容德, 色容莊.
144) 書: 경학자료집성DB와 영인본에는 모두 '詩'로 되어 있으나, 『서경(書經)』에 따라 '書'로 바로잡았다.

가 있다. 시(詩)에서 말하기를 “한 사람이 경사가 있으면 만 백성이 그에게 힘입는다”[145]고 하였으니, 이를 말한다.

### 서유신(徐有臣) 『역의의언(易義擬言)』

與履上九, 同也

리괘(履卦) 상구의 「상전」[146]과 같다.

### 박문건(朴文健) 『주역연의(周易衍義)』

大有慶, 言得陰之信, 養也.

“크게 경사가 있다”는 것은 음의 신임을 얻어 길러줌을 말한다.

### 오치기(吳致箕) 「주역경전증해(周易經傳增解)」

當大任, 旣如是能兢畏, 又如是, 則天下賴其養, 大有福慶也.

막대한 임무를 담당하면서 이미 이와 같이 두려워하고, 또 이와 같이 두려워할 수 있다면, 천하의 사람들이 그가 길러주기를 의지하여 복과 경사가 크게 있다.

### 이진상(李震相) 『역학관규(易學管窺)』

象曰, 大有慶.

「상전」에서 말하였다: 크게 경사가 있는 것이다.

上九窮而無位之爻, 而忽遇吉利之象, 故曰, 大有慶, 所以深幸之也.

상구가 궁극이 되어 지위가 없는 효이지만, 홀연히 길하고 이로움을 만나는 상이기 때문에 “크게 경사가 있다”고 하였으니, 매우 다행스럽게 여긴 것이다.

---

145) 『書經 · 呂刑』: 雖畏, 勿畏, 雖休, 勿休, 惟敬五刑, 以成三德, 一人有慶, 兆民賴之, 其寧惟永.

146) 『周易 · 履卦』: 上九, 象曰, 元吉在上, 大有慶也.

# 28

## 대과괘

### 大過卦䷛

# 中國大全

傳

**大過, 序卦曰, 頤者,養也, 不養則不可動, 故受之以大過. 凡物養而後能成, 成則能動, 動則有過, 大過所以次頤也. 爲卦上兌下巽, 澤在木上, 滅木也. 澤者, 潤養於木, 乃至滅沒於木, 爲大過之義. 大過者, 陽過也. 故爲大者過, 過之大, 與大事過也. 聖賢道德功業, 大過於人, 凡事之大過於常者, 皆是也. 夫聖人盡人道, 非過於理也. 其制事以天下之正理, 矯失之用, 小過於中者則有之, 如行過乎恭, 喪過乎哀, 用過乎儉, 是也. 蓋矯之小過而後, 能及於中, 乃求中之用也. 所謂大過者, 常事之大者耳. 非有過於理也, 唯其大故不常見, 以其比常所見者大, 故謂之大過, 如堯舜之禪讓, 湯武之放伐, 皆由道也, 道无不中无不常, 以世人所不常見, 故謂之.**

대과괘(大過卦)는 「서괘전(序卦傳)」에 "이(頤)는 기름이니, 기르지 않으면 움직일 수 없기 때문에 대과괘(大過卦)로 받았다"고 하였다. 만물은 길러진 뒤에 이루어질 수 있고 이루어지면 움직일 수 있다. 움직이면 지나치게[過] 되니, 대과괘(大過卦)가 이 때문에 이괘(頤卦)의 다음이 되었다. 대과괘는 위는 태괘(兌卦☱)이고 아래는 손괘(巽卦☴)이니, 못[澤]이 나무[木] 위에 있음은 나무를 없애는 것이다. 못은 나무를 윤택하게 하고 길러주는 것인데 마침내 나무를 없애는 데에 이르니, 이것이 대과(大過)의 뜻이다. '대과'란 양이 지나친 것이다. 그러므로 '큰 것이 지나침'과 '지나침이 큼'과 '대사(大事)의 지나침'이 된다. 보통사람보다 크게 뛰어난 성현의 도덕과 공업 및 보통의 일보다 크게 뛰어난 모든 일이 다 여기에 해당한다. 성인이 인도(人道)를 다하는 것이 이치에 지나친 것이 아니다. 천하의 바른 이치로써 일을 다루나, 잘못을 바로잡는 작용[用]이 조금 중(中)보다 지나치는 경우도 있다. 예컨대 행함에 공손을 지나치게 함과 초상(初喪)에 슬픔을 지나치게 함과 씀에 검소함을 지나치게 함과 같은 것이 이것이다. 바로잡기를 조금 지나치게 한 뒤에야 중(中)에 미칠 수 있으니, 이것이 바로 중(中)을 구하는 작용이다. 이른바 '대과'라는 것은 보통의 일 가운데에서 큰 것일 뿐이지, 이치에 지나침이 있는 것이 아니다. 다만 크기 때문에 항상 볼 수가 없고, 항상 보는 바에 비하여 크기 때문에 '대과'라고 이른 것이다. 요임금과 순임금이 선양(禪讓)하고 탕왕과 무왕이 방벌(放伐)한 것과 같은 것은 모두 도(道)를 말미암은 것이니, 도는 중(中) 아님이 없고 항상 되지 않음이 없으나, 세상 사람들이 항상 보지 못하기 때문에 "보통보다 크게 지나치다[大過]"고 이르는 것이다.

小註

或問, 程易說大過, 以爲大過者, 常事之大者耳, 非有過於理也. 聖人盡人道, 非過於理, 是此意否. 朱子曰, 正是如此.
어떤 이가 물었다: 『정전』에서 '대과'를 설명하기를 "대과라는 것은 보통의 일 가운데에서 큰 것일 뿐이지, 이치에 지나침이 있는 것이 아니다"라고 하였으니 앞에서 말한 "성인이 인도(人道)를 다하는 것이 이치에 지나친 것이 아니다"라는 말이 이러한 뜻입니까?
주자가 답하였다: 바로 이와 같습니다.

○ 易傳云, 道无不中, 无不常, 聖人有小過, 无大過看來, 亦不消如此說. 聖人旣說有大過, 直是有此事, 雖云大過, 亦是常理, 始得.
『정전』에 "도는 중(中) 아님이 없고 항상 되지 않음이 없다"고 하였으나, 성인에게는 작은 지나침[小過]은 있을 수 있으나 큰 지나침[大過]은 없다는 의미로 살펴보면, 굳이 이와 같이 말할 필요가 없다. 성인이 이미 '대과'가 있다고 말했다면 다만 이런 일이 있는 것이니, 비록 '대과'라 하더라도 항상 된 이치라는 것을 비로소 알 수 있는 것이다.

○ 問, 大過小過, 先生與伊川之說, 不同. 曰, 然. 伊川此論, 正是如以反經合道爲非相似. 殊不知大過自有大過時節, 小過自有小過時節, 處大過之時, 則當爲大過之事, 處小過之時, 則當爲小過之事.
물었다: 대과와 소과에 대하여 선생님과 정이천의 설명이 같지 않습니다.
답하였다: 그렇습니다. 정이천의 이러한 논리는 '항상된 도에 반하여 도에 합함'[1]을 잘못이라고 여기는 것과 서로 흡사합니다. 이는 대과에는 본래 대과의 때가 있고 소과에는 본래 소과의 때가 있으니, 대과의 때에 처하면 대과에 맞는 일을 해야 하고 소과의 때에 처하면 소과에 맞는 일을 해야 함을 전혀 모르는 것입니다.

○ 大過是事之大過, 小過是事之小過. 大過便如堯舜之揖遜, 湯武之征伐, 獨立不懼, 遯世无悶. 這都是常人做不得底事, 唯聖人大賢以上, 便做得, 故謂之大過, 是大過人底事. 小過便如行過乎恭, 喪過乎哀, 用過乎儉, 事之小過得些子底, 常人皆能之. 若當大過時, 做大過底事, 當小過時, 做小過底事, 當過而過, 理也. 如此則豈可謂事之過. 不是事之過, 只是事之平常也. 大過之事, 聖人極是不得已處, 且如堯舜之有朱均, 豈不欲多擇賢輔以立其子. 然理到這裏, 做不得, 只得如此. 湯武之於桀紂, 豈不欲多方

1) 『論語集註 · 子罕』: 程子曰, 漢儒以反經合道爲權, 故, 有權變權術之論, 皆非也.

恐懼之, 使之悔過自省. 然理到這裏, 做不得, 只得放伐而後已. 皆是事之不得已處, 只著如此做, 故雖過乎事而不過乎理也.
대과는 일이 크게 지나친 것이고 소과는 일이 작게 지나친 것이다. 대과는 곧 요임금·순임금이 선양(禪讓)한 것과 탕왕·무왕이 정벌한 일과 같으니, 홀로 서서 두려워하지 않고, 세상을 피하여 은둔하여도 근심함이 없다. 이것은 모두 보통사람이 할 수 없는 일로서 성인과 대현(大賢)이상 만이 해 낼 수 있기 때문에 '대과'라고 한 것이니, 보통사람보다 크게 뛰어난 일이다. 소과는 곧 행함에 공손을 지나치게 함과 초상(初喪)에 슬픔을 지나치게 함과 씀에 검소함을 지나치게 함과 같으니, 일에 있어서 작은 지나침은 보통사람들이 모두 그럴 수 있는 것이다. 대과의 때를 당하면 대과의 일을 하고 소과의 때를 당하면 소과의 일을 하는 것이니, 지나쳐야 할 때에 지나치게 하는 것이 이치이다. 이와 같다면 어찌 일의 지나침이라고 하겠는가? 일의 지나침이 아니고 단지 정상적인 일이다. 대과의 일은 성인이 매우 부득이하게 대처하는 경우이다. 예컨대 요임금에게 아들 단주(丹朱)가 있었고 순임금에게 아들 상균(商均)이 있었으니, 어찌 현자와 보필할 신하들을 많이 선발하여 자기 아들이 즉위하기를 바라지 않았겠는가? 하지만 이치가 여기에 이르면 할 수 없으니, 단지 이와 같이 선양하였을 뿐이었다. 탕왕·무왕이 걸왕·주왕에 대해서 어찌 다방면으로 두려워하게 해서 그들에게 잘못을 뉘우치고 스스로 반성하게 할 것을 바라지 않았겠는가? 하지만 이치가 여기에 이르면 할 수 없으니, 다만 방벌하고만 말았던 것이다. 모두 일에 부득이하게 대처하였던 경우이니, 이와 같이 드러났을 뿐이기 때문에 비록 일에는 지나치다 하더라도 이치에는 지나치지 않았다.

## 大過, 棟橈, 利有攸往, 亨.

대과(大過)는 들보가 휘어지니, 가는 것이 이로워 형통하다.

## 中國大全

### 傳

**小過, 陰過於上下, 大過, 陽過於中, 陽過於中而上下弱矣, 故爲棟橈之象. 棟取其勝重, 四陽聚於中, 可謂重矣. 九三九四, 皆取棟象, 謂任重也. 橈取其本末弱, 中强而本末弱, 是以橈也. 陰弱而陽强, 君子盛而小人衰, 故利有攸往而亨也. 棟今人謂之檁.**

소과괘(小過卦䷽)는 음이 위와 아래에 지나치게 많고, 대과괘(大過卦䷛)는 양이 가운데에 지나치게 많으니, 양이 가운데에 지나치게 많아 위와 아래가 약하기 때문에 들보가 휘어지는 상(象)이다. 들보는 무거운 것을 감당함을 취하였으니, 네 양이 가운데에 모여서 무겁다고 이를 만하다. 구삼과 구사는 모두 들보의 상을 취하였으니, 짐이 무거움을 이른다. 휘어짐은 밑과 끝이 약함을 취한 것이니, 가운데가 강한데 밑과 끝이 약하기 때문에 휘어지는 것이다. 음이 약하고 양이 강하여 군자가 성하고 소인이 쇠하기 때문에 가는 바를 둠이 이로워 형통한 것이다. 동(棟)을 지금 사람들은 '들보 기둥[檁]'이라고 한다.

### 本義

**大, 陽也. 四陽居中過盛, 故爲大過. 上下二陰, 不勝其重, 故有棟橈之象. 又以四陽雖過, 而二五得中, 內巽外說, 有可行之道, 故利有所往而得亨也.**

대(大)는 양(陽)이니, 네 양이 가운데 있어서 지나치게 성하므로 대과(大過)라 하였다. 위와 아래의 두 음이 무거움을 감당하지 못하므로 들보가 휘는 상이 있다. 또 네 양이 비록 지나치나 이효 · 오효가 중(中)을 얻었고, 안은 공손하고 밖은 기뻐하여 행할 만한 도가 있기 때문에 가는 바를 둠이 이로워 형통하다.

小註

隆山李氏曰, 四陽橫而居中, 有棟之象, 而上下二陰柔而无力. 是上无所附, 而下无所寄也, 安得不橈. 大壯, 凡四陽而在下者, 亦壯. 故上棟下宇, 取諸其象者, 得所載也. 今大者, 過乎剛而无所附, 小者, 過乎柔而不能載, 是棟將壓而危之甚也. 雜卦曰, 大過, 顚也, 大厦之顚, 非一木所能支. 是必過而求濟, 然後可, 故曰利有攸往亨.
융산이씨가 말하였다: 네 개의 양이 가로가 되어 가운데에 있으므로 들보의 상이 있고, 위와 아래는 부드러운 음이 둘이어서 힘이 없다. 이는 위로 붙어있을 곳이 없고 아래로 기대있을 곳이 없으니 어찌 휘어지지 않겠는가. 대장괘(大壯卦䷡)는 네 양이 전부 아래에 있는 것이니 또한 튼튼하다. 그러므로 위에 들보를 얹고 아래로 처마를 드리우는 것이니, 괘상에서 취한 것은 실어 준 것을 얻음이다. 지금 큰 것은 굳센 양이 지나쳐 따르는 바가 없고 작은 것은 부드러운 음이 지나쳐서 실을 수가 없으니, 이는 들보가 눌려서 매우 위태로운 것이다. 「잡괘전」에 "대과는 엎어지는 것이다"[2]라고 하였으니, 큰 집이 전복됨은 나무 하나로 지탱할 수 있는 것이 아니다. 이는 반드시 지나치게 하여 구제한 뒤에야 가능한 것이기 때문에 "가는 바를 둠이 이로워 형통하다"고 한 것이다.

○ 雲峯胡氏曰, 旣曰棟橈, 又曰利有攸往亨, 何也. 曰, 棟橈, 以卦象言也, 利往而後亨, 是不可无大有爲之才, 而天下亦无不可爲之事, 以占言也.
운봉호씨가 말하였다: 이미 '들보가 휘어짐'이라고 말하고 또 "가는 바를 둠이 이로워 형통(亨通)하다"고 말한 것은 무슨 뜻인가? 들보가 휘어짐은 괘상으로 말한 것이고, 가는 바가 이로운 뒤에 형통함은 크게 큰일을 해낼 수 있는 재주가 없을 수 없어서 천하에 할 수 없는 일은 없다는 것이니, 점으로 말한 것이다.

○ 臨川吳氏曰, 大過, 陽之盛也, 有棟橈之象, 何也. 中有四陽之强, 而上下猶有二陰之弱也. 聖人崇陽之意多, 以其未能如純乾之六陽, 故取大者雖過, 而棟猶橈, 蓋有所不足於此也.
임천오씨가 말하였다: 대과괘(大過卦)는 양이 번성한데도 들보가 휘어지는 상이 있는 것은 어째서인가? 가운데에 강한 네 양이 있으나 위와 아래에는 오히려 약한 두 음이 있기 때문이다. 성인은 양을 높이는 뜻이 많은데, 대과괘는 아직 순전한 건괘(乾卦䷀)의 여섯 양만 못하기 때문에 큰 것이 비록 지나치나 들보는 오히려 휘어짐을 취하였으니, 이는 여기에 부족한 것이 있기 때문이다.

2)『周易·雜卦傳』: 大過, 顚也.

# 韓國大全

## 조호익(曺好益) 『역상설(易象說)』

大過, 棟撓.
대과(大過)는 들보가 휘어짐이다.

雙湖曰, 棟撓, 巽遇兌, 全體取象.
쌍호호씨가 말하였다: '들보가 휘어짐'은 손괘(巽卦☴)가 태괘(兌卦☱)를 만나 괘 전체의 몸체에서 상을 취한 것이다.

愚謂, 荀九家易, 巽爲棟象, 下體巽, 上體兌, 兌巽之反, 皆有棟象.
내가 살펴보았다: 『순구가역』에서는 손괘(巽卦☴)가 '들보'의 상이 되고, 하체는 손괘이고 상체는 태괘(兌卦☱)이니 태괘(兌卦☱)와 손괘(巽卦☴)는 위와 아래가 거꾸로 된 괘이므로 모두 '들보'의 상이 있다.

## 송시열(宋時烈) 『역설(易說)』[3]

大者, 陽也, 過者, 多也. 坎爲棟, 卦爲大坎, 故云棟也, 如頤之言龜. 木之本末, 弱者, 易爲撓動故也. 撓萬物者, 莫疾乎風, 而下之巽, 上之綜巽, 皆爲風, 故亦以撓言之. 且撓字以木邊觀之, 則是橈櫓之橈, 非撓動之橈. 木之本末, 俱弱者, 與棟相似矣. 坎爲水, 上澤下木, 取義似以橈櫓看, 然旣無傳義, 不敢强解. 九三之橈, 九四之陰相對說去, 則撓動之意似長.
"크다[大]"란 양이며, "지나치다[過]"란 많음이다. 감괘(坎卦☵)는 들보이며, 괘는 큰 감괘(坎卦)가 되기 때문에 '들보'라고 하였으니, 이괘(頤卦)에서 '거북'을 말한[4] 것과 같다. 나무의 밑과 끝이 약한 것은 쉽게 휘어지고 움직이기 때문이다. 만물을 휘게 하는 것은 바람보다 빠른 것이 없는데, 하괘는 손괘(巽卦☴)이고 상괘는 거꾸로된 손괘(巽卦)이니, 모두 바람이 되기 때문에 '휘어짐'으로써 말하였다. 또한 '요(撓)'를 '목(木)' 변인[橈] 것으로 본다면, 노를 젓는다고 할 때의 '요(橈)'이지, 휘어져 움직이다[撓動]라고 할 때의 '요(橈)'가 아니다. 나무

---

3) 이 문장 전체는 경학자료집성DB에 누락되어 있으나, 경학자료집성 원문을 대조하여 보충하였다.
4) 『周易 · 頤卦』: 初九, 舍爾靈龜, 觀我, 朶頤, 凶.

의 밑과 끝은 모두 약한 것이니, 용마루와 서로 유사하게 굽어진다. 감괘(坎卦)는 물이 되고, 상괘는 못[澤]이며 하괘는 나무라서 뜻을 취함이 노를 젓는다고 보는 것과 유사하지만, 이미 『정전』과 『본의』에는 없으므로, 감히 억지로 해설하지 않는다. 구삼의 '요(橈)'와 구사의 음을 상대해서 말하면 "휘어져 움직이다"는 뜻이 더 낫다.

### 유정원(柳正源) 『역해참고(易解參攷)』

傳, 過之大 [至] 過也.

『정전』에서 말하였다: 지나침이 큼 … 대사(大事)의 지나침이 된다.

案, 過之大謂, 道德功業之過於人者, 如堯之峻德, 周公之大勳勞, 是也. 事之過, 謂大事之過於常理者, 如禪讓征伐之類, 是也.

내가 살펴보았다: '지나침이 큼'이란 도덕과 공업이 다른 사람들보다 뛰어남을 말하니, 요임금의 매우 큰 덕과 주공의 매우 큰 공로와 같은 것이 그것이다. '일의 지나침'이란 큰 일이 평상시의 이치보다 뛰어남을 말하니, 요임금과 순임금이 선양(禪讓)하고 탕왕과 무왕이 방벌한 류와 같은 것이 그것이다.

小註, 朱子說, 反經合道.

소주에서 주자가 말하였다: 항상된 도에 반하여 도에 부합한다.[5]

〈公羊傳, 權者, 反於經然後, 有善者也.

『춘추공양전(春秋公羊傳)』에서 말하였다: '권(權)'이란 떳떳한 도리[經]에 반한 후에 선함이 있다.[6]

○ 韓康伯, 繫辭註, 權反經而合道, 必合乎巽順而後, 可以行權.

한강백(韓康伯)이 「계사전」에 주(註)를 달면서 말하였다: 권(權)은 떳떳한 도리[經]에 반하여 도(道)에 부합하는 것이니, 반드시 손괘(巽卦☴)의 공손함에 부합된 후에 권(權)을 행할 수 있다.〉

○ 程子曰, 反經合道爲權, 公羊唱之, 何休和之, 其實未嘗反經. 古人多錯用權字, 才說權便是變詐, 不知權只是經所不及者. 權, 量輕重, 使之合義, 才合義便是權也. 漢儒以反經合道爲權, 故有權變權術之論, 皆非也. 權, 只是經也, 自漢以下, 无人識權字.

정자가 말하였다: '반경합도(反經合道)'를 권(權)으로 삼은 것은 공양(公羊)이 제창하였고

---

5) 『論語集註 · 子罕』: 程子曰, 漢儒以反經合道爲權, 故, 有權變權術之論, 皆非也.

6) 『춘추공양전 · 환공』 11년 조목에 보인다.

하휴(何休)가 동조하였으나, 실제로는 일찍이 떳떳한 도리[經]에 반하지 않았다. 옛 사람들은 대부분 '권(權)'자를 잘못 써서 권(權)을 설명하자마자 곧바로 거짓으로 속이게 되어, 권(權)이 단지 경전에서 언급하지 않은 것인 줄 알지 못하였다. 권(權)이란 경중(輕重)을 헤아려 의리에 부합하도록 하는 것이며, 의리에 부합하면 곧바로 권(權)이 된다. 한(漢)나라 유학자(儒學者)들은 떳떳한 도리[經]에 반하여 도에 부합하는 것을 권(權)이라고 여겼기 때문에 때와 형편에 따라 둘러대어 대응하는 권변(權變)과 권모술수라는 설이 있게 되었으니, 모두 잘못이다. 권(權)이란 단지 떳떳한 도리[經]일 뿐이니, 한나라 이래로 권(權)자의 뜻을 아는 사람이 없다.

○ 案, 程子斥漢儒反經合道爲權之說, 而謂聖人卽是權衡, 又曰權只是經, 而朱子卻謂, 孟子嫂溺援之以手之義, 推之, 則權與經, 亦當有辨. 今論大過, 程子謂, 聖人盡人道, 非過於理也, 堯舜禪讓, 湯武放伐, 皆由道也, 道无不中无不常, 而朱子卻謂, 處大過之時, 則當爲大過之事. 其曰, 道无不常, 非過於理者, 卽權只是經之說也, 其曰, 當爲大過之事者, 卽權與經有辨之說也. 合此二說而細究之, 可也.
내가 살펴보았다: 정자가 한(漢)나라 유학자(儒學者)가 '반경합도(反經合道)'를 권(權)으로 여긴 설명을 배척하고 성인(聖人)이 곧 권형(權衡)이라고 말하였고, 또 "권(權)이란 단지 떳떳한 도리[經]일 뿐이다"라고 하였으나, 주자는 도리어 맹자가 형수가 물에 빠졌을 때에 손으로 잡아 끌어내어 구해줘야 한다고 한 뜻을 미룬다면 권(權)과 떳떳한 도리[經]는 또한 구별이 있다고 말하였다. 이제 대과괘(大過卦)를 논의하면서 정자는 성인(聖人)은 인도(人道)를 다하는 것이지 이치에서 지나친 것이 아니니, 요임금과 순임금이 선양(禪讓)을 하고 탕왕과 무왕이 방벌을 한 것은 모두 도(道)에 말미암은 것이며, 도(道)에는 알맞지 않음이 없고 항상 되지 않음이 없다고 하였으나, 주자는 도리어 "대과(大過)의 때에 있으면 마땅히 크게 지나친 일을 해야 한다"[7]고 하였다. 정자가 "도(道)에는 항상 되지 않음이 없고, 이치에서 지나친 것이 아니다"고 한 말은 권(權)이 단지 떳떳한 도리[經]일 뿐이라는 설이며, 주자가 "마땅히 크게 지나친 일을 해야 한다"고 한 말은 권(權)과 떳떳한 도리[經]에 구별이 있다는 설이다. 이러한 두 설을 합하여 세밀하게 살펴보아야 옳다.

大過, [至] 往, 亨.
대과는 … 가는 것이 이로워 형통하다.
雙湖胡氏曰, 利有攸往, 論卦變也. 以陽言, 五往成鼎, 四往成巽, 皆利. 三往成訟, 二

7) 『朱子語類』: 曰, 然. 伊川此論, 正如以反經合道爲非相似. 殊不知大過自有大過時節, 小過自有小過時節. 處大過之時, 則當爲大過之事; 處小過之時, 칙당위小過之事.

往成遯, 不利矣. 以陰言, 初往二成革, 初往三成兌, 初往四成需, 初往五成壯, 皆利也. 今大過, 象辭曰, 棟橈, 便接以利有攸往之辭, 正以一陰在下爲橈之尤甚者. 陰若往五, 則變爲大壯而橈者爲棟宇之大壯矣, 此亨通也.
쌍호호씨가 말하였다: "가는 것이 이롭다"란 괘의 변화를 논한 것이다. 양으로 말한다면, 오효가 가면 정괘(鼎卦䷱)를 이루고, 사효가 가면 손괘(巽卦䷸)를 이루니, 모두 이롭다. 삼효가 가면 송괘(訟卦䷅)를 이루고, 이효가 가면 돈괘(遯卦䷠)를 이루니, 이롭지 않다. 음으로 말한다면, 초효가 이효로 가면 혁괘(革卦䷰)를 이루고, 초효가 삼효로 가면 태괘(兌卦䷹)를 이루고, 초효가 사효로 가면 수괘(需卦䷄)를 이루고, 초효가 오효로 가면 대장괘(大壯卦䷡)를 이루니, 모두 이롭다. 이제 대과괘(大過卦)의 괘사에서 "들보가 휘어진다"고 말한 것은 곧바로 "가는 것이 이롭다"는 말과 이어졌으니, 바로 하나의 음이 아래에 있어서 휘어짐이 더욱 심하다고 여긴 것이다. 음이 만약 오효로 간다면 변하여 대장괘(大壯卦)가 되어, 휘어졌던 것이 장대한 들보가 되니, 이것이 형통한 것이다.

傳, 棟.
『정전』에서 말하였다: 들보기둥.
〈海篇心鏡, 音凜, 屋上橫木.
『해편심경(海篇心鏡)』에서 말하였다: '棟'의 음(音)은 름(凜)이니, 지붕 위에 가로로 댄 나무이다.〉

## 김상악(金相岳) 『산천역설(山天易說)』

棟橈, 由上下二陰之弱也. 四陽雖過, 而二五得中, 內巽外說, 有可行之道, 故利有攸往而亨也.
'들보가 휘어짐'은 맨 위와 맨 아래에 있는 두 음이 약하기 때문이다. 네 양이 비록 지나치지만, 이효와 오효가 알맞음을 얻고 안으로는 공손하고 밖으로는 기뻐하여 행할만한 도가 있기 때문에 가는 것이 이로워 형통하다.

○ 大象坎, 坎爲棟橈屈也, 折也. 卦之棟橈, 巽木遇坎之陷也. 三之棟橈, 應兌之折也. 四之棟隆, 濟巽之柔也. 又圖書之木數, 皆在東而木之从東爲棟, 故卦取棟象. 六爻亦取木象, 上六曰, 過涉滅頂, 亦澤滅木之象也. 利有攸往, 二五爲終始, 而二居柔五居剛, 故生稊生華, 不同亨之所主, 亦可見矣.
큰 형상은 감괘(坎卦☵)이고, 감괘(坎卦☵)는 들보가 휘어져 굽어짐이 되니, 꺾임이다. 괘사에서 말하는 '들보가 휘어짐'이란 손괘(巽卦☴)의 나무가 감괘(坎卦☵)의 빠짐을 만난 것이다. 삼효에서 말하는 '들보가 휘어짐'이란 태괘(兌卦☱)의 꺾임에 호응하는 것이다. 사효에서 말한 '들보가 솟음'이란 손괘(巽卦☴)의 부드러움을 구제한 것이다. 또 「하도(河圖)」와 「낙서(洛書)」에서 '목(木)'의 수는 모두 동쪽에 있고 '목(木)'이 부수이며 '동(東)'과 합한 것이 '동(棟)'이 되기 때문에 괘에서는 '들보[棟]'의 상을 취하였다. 육효도 나무의 상을 취하였으니, 상육에서 "지나치게 건너 이마까지 빠진다"란 또한 못[澤]이 나무를 없애는 상이다. "가는 것이 이롭다"는 이효와 오효가 그 시작과 끝이 되는데, 이효는 부드러운 음에 있고 오효는 굳센 양에 있기 때문에 이효에서는 뿌리가 생기고 오효에서는 꽃이 피니, 형통함이 주장하는 바가 같지 않음을 또한 알 수가 있다.

### 김규오(金奎五) 「독역기의(讀易記疑)」

序卦曰之曰字, 疑衍.
"「서괘전」에서 말하였다[序卦曰]"에서의 '말하다[曰]'는 아마도 잘못 들어간 글자인 듯하다.

### 서유신(徐有臣) 『역의의언(易義擬言)』

頤有舟象, 大過有車象, 棟車轅也. 詩云, 五楘梁輈, 車轅降起, 如棟梁也. 巽弱, 故橈弱也, 蓋是陽過而力弱也. 雖然卦形勻正不偏, 互乾健行, 行之以巽順和說之道, 可以無僨敗之憂, 故利有攸往亨也.
이괘(頤卦)에는 배의 형상이 있고, 대과괘(大過卦)에는 수레의 형상이 있으니, '동(棟)'은 수레의 끌채이다. 『시경』에서 "다섯 곳을 묶은 문채 나고 굽은 끌채이구나"[8]라고 하였으니, 수레의 끌채가 내리고 오르는 것이 마룻대, 들보와 같다. 손괘(巽卦☴)는 약하기 때문에 휘어져 약해지니, 아마도 이는 양이 지나쳐서 힘이 약해지는 듯하다. 비록 그렇더라도 괘의 형태가 균등하고 바르며 치우치지 않고, 호괘인 건괘(乾卦☰)가 강건하게 행하여, 공손하고 유순하며 온화하고 기뻐하는 도로써 행하니, 낭패하는 걱정이 없을 수 있기 때문에 가는 것이 이로워 형통하다.

### 강엄(康儼) 『주역(周易)』

按, 橈韻折也. 程子亦以橈折言之, 或以動撓之意看, 誤.
내가 살펴보았다: '요(橈)'는 "꺾다[折]"의 뜻으로 읽는다. 정자도 또한 휘어지고 꺾인다는

8) 『詩經 · 小戎』: 小戎俴收, 五楘梁輈, 游環脅驅, 陰靷鋈續, 文茵暢轂, 駕我騏馵. 言念君子, 溫其如玉. 在其板屋, 亂我心曲.

뜻으로 말하였으니, 혹 움직여 휘어진다는 뜻으로 보는 것은 잘못이다.

○ 旣曰棟橈, 而又曰利有攸往者, 蓋棟橈而居宇傾覆, 則必當重修改, 以復其故, 不可以无可奈何而棄之也. 天下之事, 莫不皆然, 觀於卦辭, 尤[9]可見, 聖人之心, 不忘天下也.
이미 "들보가 휘어진다"고 하고서 또 "가는 것이 이롭다"고 한 것은 들보가 휘어져 거처하는 집이 기울어져 엎어지게 되면 반드시 다시 고치고 수리하여 옛 모습을 회복해야 하니, 어떻게 할 수 없다고 하면서 포기할 수 없다. 천하의 일이 모두 그렇지 않음이 없으니, 괘사를 살펴보면 성인(聖人)의 마음은 천하를 잊지 않음을 더욱 알 수가 있다.

### 박문건(朴文健) 『주역연의(周易衍義)』

棟, 負榱者也. 本末弱, 故有橈折之象. 然陰升進, 故利有所往, 其道亨也.
'동(棟)'이란 서까래를 짊어지는 것이다. 밑과 끝이 약하기 때문에 휘어져 꺾이는 상이 있다. 그러나 음이 위로 나아가기 때문에 가는 것이 이로우니 그 도(道)가 형통하다.

### 이지연(李止淵) 『주역차의(周易箚疑)』

焉有天德陽德得位得中, 而不亨者乎.
어찌 하늘의 덕(德)과 양의 덕이 제자리를 얻고 알맞음을 얻었는데도 형통하지 않음이 있겠는가?

### 김기례(金箕澧) 「역요선의강목(易要選義綱目)」

大, 指陽, 陽過之謂也.
'큼[大]'은 양을 가리키니, 양이 지나침을 말한다.

○ 養物而至成, 則有大過之象.
물(物)을 길러서 완성되면 크게 지나친 상이 있다.

○ 澤當潤木, 而滅木者, 陽過也.
못[澤]은 마땅히 나무를 윤택하게 해야 하지만, 나무를 없애는 경우는 양이 지나치기 때문이다.

---

9) 尤: 경학자료집성DB와 영인본에 모두 '无'로 되어 있으나, 문맥을 살펴 '尤'로 바로잡았다.

棟撓, 利有攸往, 亨.
들보가 휘어지니, 가는 것이 이로워 형통하다.
陽過於中, 陰弱於上下, 如上棟下宇, 宇弱而不能載棟, 故撓.
양은 가운데에서 지나치고 음은 맨 위와 맨 아래에서 약하여, 마치 들보를 위로 하고 처마를 아래로 할 때에 처마가 약하여 들보를 실을 수 없기 때문에 휘어지는 것과 같다.

○ 雜卦曰, 大過, 顚也, 如一木之難支大厦. 有大過之才, 成大過之功, 則利攸往而亨.
「잡괘전」에서 "대과괘는 엎어지는 것이다"[10]라고 하였으니, 나무 한 그루로는 큰 집을 지탱할 수 없는 것과 같다. 지나치게 큰 재주가 있어서 지나치게 큰 공을 이룬다면, 가는 것이 이로워 형통하다.

○ 蓋二五得中, 陽勝陰, 故亨.
이효와 오효가 알맞음을 얻고 양이 음을 이기기 때문에 형통하다.

## 심대윤(沈大允) 『주역상의점법(周易象義占法)』

卦之兩頭纖弱, 而中强大, 爲棟橈之象. 對离巽爲往. 小過无形之過, 言行之過常者也, 如行過恭, 用過儉, 過而不失於正, 故言利貞. 大過有形之過, 事爲之過常者也, 如堯禪湯伐, 過而不可謂之正, 故不言貞利. 二過同其時中, 故曰亨. 小過下就 而大過上行也, 君子言行可下, 而事業可高也.
괘의 양 끝은 가냘프고 약하며, 가운데는 강대하니, 들보가 휘어지는 상이 된다. 괘 전체로 보았을 때에 음양이 바뀐 괘인 리괘(離卦☲)와 손괘(巽卦☴)는 가는 것이 된다. 소과괘(小過卦䷽)에서는 드러나는 허물은 없지만 언행이 항상 됨보다 지나친 것이니, 행동은 공손함을 지나치고 쓰는 것은 검소함을 지나친 것과 같이 지나치더라도 바름을 잃지 않기 때문에 "곧음이 이롭다"[11]고 말하였다. 대과괘(大過卦)에서는 드러나는 허물이 있으니, 일과 행위가 항상 됨보다 지나친 것이라서 요임금이 선양하고 탕왕이 방벌(放伐)하는 것과 같아 지나쳐서 바르다고 말할 수 없기 때문에 "곧음이 이롭다"고 말하지 않았다. 소과괘(小過卦)와 대과괘(大過卦)는 때에 따라 알맞게 하는[時中] 것은 같기 때문에 형통하다고 하였다. 소과괘(小過卦)는 아래로 나아가고 대과괘(大過卦)는 위로 가니, 군자는 언행을 낮출 수 있고 사업을 높일 수 있다.

---

10) 『周易 · 雜卦傳』: 大過, 顚也.
11) 『周易 · 小過卦』: 小過, 亨, 利貞, 可小事, 不可大事, 飛鳥遺之音, 不宜上, 宜下, 大吉.

### 오치기(吳致箕) 「주역경전증해(周易經傳增解)」

大者, 陽也, 過者, 陽過於陰也. 四陽, 中聚而剛盛, 二陰外包而柔微, 爲大者過之象. 中剛而外柔. 爲棟橈之象也. 當大過之時, 陽剛得二五之中, 內巽而外說, 有可行之象, 故言利有攸往, 而又言亨. 棟負衆欀之重, 而取於巽, 橈亦巽象. 以卦體而先言棟橈, 以卦位卦德而後言往亨. 巽失其位, 故不言貞, 二五不相應, 故不言大亨.

'큼[大]'이란 양이고, '지나침[過]'이란 양이 음보다 지나침이다. 네 양은 가운데에 모여 있어 굳세고 성대하며, 두 음은 밖으로 둘러싸고 있지만 부드럽고 미약하니, 큰 것이 지나친 상이 된다. 가운데는 굳세고 밖은 부드러워 들보가 휘어지는 상이 된다. 대과괘(大過卦)의 때를 맞아 굳센 양이 이효와 오효의 알맞음을 얻어 안으로는 공손하고 밖으로는 기뻐하니, 갈만한 상이 있기 때문에 "가는 것이 이롭다"고 말하고 또 "형통하다"고 말하였다. '들보[棟]'란 여러 굴거리나무의 무게를 짊어지니 손괘(巽卦☴)에서 취하였고, '휘어짐[橈]'도 또한 손괘(巽卦☴)의 상이다. 괘의 몸체로 "들보가 휘어진다"고 먼저 말하였고, 괘의 자리와 괘의 덕으로 "간다"와 "형통하다"를 나중에 말하였다. 손괘(巽卦☴)가 제자리를 잃었기 때문에 "곧다"고 말하지 않았고, 이효와 오효가 서로 호응하지 않기 때문에 "크게 형통하다"고 말하지 않았다.

### 이진상(李震相) 『역학관규(易學管窺)』

利有攸往
가는 것이 이롭다.

初之陰, 往居於五, 則是爲大壯之棟字, 焉有撓弱之患乎.
초효인 음이 오효로 가 있으면 대장괘(大壯卦䷡)의 '동(棟)'자가 되니,[12] 어찌 휘어져 약해지는 걱정이 있겠는가?

### 박문호(朴文鎬) 「경설(經說) · 주역(周易)」

棟是梁上短柱, 而乘承皆弱, 故有橈之象焉. 欞字, 書云, 屋上橫木, 恐與棟異.
'동(棟)'이란 들보 위의 동자기둥이니, 태우고 받드는 것이 모두 약하기 때문에 휘어지는 상이 있다. '름(欞)'자는 『서경』에서 지붕위에 있는 가로 댄 나무라고 하였으니, 아마도 '동(棟)'과는 다른 듯하다.

---

12) 『周易 · 繫辭傳』: 上古, 穴居而野處, 後世聖人, 易之以宮室, 上棟下宇, 以待風雨, 蓋取諸大壯,

象曰, 大過, 大者過也.

「단전」에서 말하였다: 대과는 큰 것이 지나침이다.

## 中國大全

傳

大者過, 謂陽過也. 在事, 爲事之大者過, 與其過之大

'큰 것이 지나침[大者過]'은 양이 지나침을 이르니, 일에 있어서 "사안이 커서 지나치다"라는 것과 "지나친 정도가 크다"라는 것이 된다.

本義

以卦體, 釋卦名義.

괘의 몸체로 괘의 이름을 해석하였다.

## 韓國大全

이현익(李顯益) 「주역설(周易說」

獨立遯世, 陽在陰中之象, 不懼無悶, 剛過之象. 建安丘氏之以獨立不懼, 爲巽木象, 遯世無悶, 爲兌說象, 非是.

홀로 서고 세상을 피해 은둔하니 양이 음 가운데에 있는 상이고, 두려워하지 않고 번민이 없으니 굳셈이 지나친 상이다. 건안구씨가 홀로 서고 두려워하지 않음을 손괘(巽卦☴)인 나무의 상으로 여기고, 세상을 피해 은둔하고 번민이 없음을 태괘(兌卦☱)인 기쁨의 상으로 여긴 것은 옳지 않다.

〈朱子曰, 木雖爲水侵而未嘗動, 故君子觀之獨立不懼, 遯世無悶, 此以木爲獨立遯世者. 以二體言, 則只當如此說.

주자는 "나무가 비록 물에 잠기더라도 일찍이 움직이지 않기 때문에 군자가 이것을 보고 홀로 서서 두려워하지 않아 세상을 피해 은둔하면서 번민이 없다"라고 하였으니, 이는 나무를 홀로 서서 세상을 피하여 은둔하는 것으로 여긴 것이다. 두 몸체로 말한다면 단지 이와 같은 설명이 마땅하다.〉

或問, 大過棟撓, 是初上二陰, 不能勝四陽之重. 九三是其重剛不中, 自不能勝其任. 兩義自不同. 朱子曰, 是如此.

어떤 이가 물었다: 대과괘(大過卦)에 나오는 '들보가 휘어짐[棟撓]'이란 초효와 상효인 두 음이 네 양의 무게를 이길 수 없다는 것입니다. 구삼은 중첩된 굳센 양이지만 알맞지 않아서 스스로 그 임무를 감당할 수가 없습니다. 이러한 두 뜻이 자연스럽게 같지 않다고 생각됩니다. 어떻습니까?

주자가 답하였다: 이와 같습니다.

雙峯胡氏謂, 非謂九三自不勝其重, 指初六柔弱, 故不勝其重. 西溪李氏謂, 棟撓, 凶, 言下弱而無助, 與朱子此說, 不同.

쌍봉호씨는 "구삼이 스스로 무게를 감당하지 못함을 이르는 것이 아니라 초육이 유약하기 때문에 무게를 감당하지 못함을 가리킨 것이다"[13]라고 하였고, 서계이씨는 "'들보가 휘어지니 흉하다'고 하였으니 아래가 약하고 도움이 없음을 말한 것이다"[14]라고 하였으니, 주자의 이러한 설과 같지 않다.

## 김상악(金相岳) 『산천역설(山天易說)』

彖曰, 大過, 大者過也.

「단전」에서 말하였다: 대과는 큰 것이 지나침이다.

---

13) 『周易傳義大全·大過卦』 小註: 橈者, 非謂九三自不勝其重, 指初六柔弱, 故不勝其重耳.

14) 『周易傳義大全·大過卦』 小註: 曰棟橈凶, 言下弱而无助也. 上卦, 上弱而下實.

以卦體, 釋卦名義.
괘의 몸체로 괘의 이름과 뜻을 풀이하였다.

### 박문건(朴文健) 『주역연의(周易衍義)』

彖曰, 大過, 大者過也.
「단전」에서 말하였다: 대과(大過)는 큰 것이 지나침이다.

大, 謂陽也. 過, 言過盛也. 此以卦體釋卦名.
'큼'은 양을 말한다. '지나침'은 지나치게 성대함을 말한다. 이것은 괘의 몸체로써 괘의 이름을 풀이하였다.

## 棟橈, 本末弱也.

"들보가 휘어짐"은 밑과 끝이 약해서이다.

# 中國大全

### 傳

**謂上下二陰衰弱, 陽盛則陰衰, 故爲大者過. 在小過則曰小者過, 陰過也**

이는 위아래의 두 음이 쇠약함을 이른다. 양이 번성하면 음이 쇠퇴하므로 '큰 것이 지나침'이 된 것이다. 소과괘(小過卦䷽)에서는 "작은 것이 지나치다"고 하였으니, 음이 지나친 것이다.

### 本義

**復以卦體, 釋卦辭. 本謂初, 末謂上, 弱謂陰柔.**

다시 괘체(卦體)로 괘사(卦辭)를 해석하였다. 밑[本]은 초효를 이르고, 끝[末]은 상효를 이르며, 약함[弱]은 부드러운 음(陰柔)을 이른다.

#### 小註

史氏詠曰, 古文篆體, 本末字, 皆无勾脚, 兩字, 皆當從木. 以一陽畫藏於木之下, 則根株回暖, 故爲本. 以一陽畫散於木之上, 則枝葉向榮, 故爲末. 而大過卦體, 巽下兌上, 四陽畫積於中, 二陰畫處於初上, 猶之木焉上缺下短, 所以爲本末弱也.

사영이 말하였다: 고문의 전서(篆書)에 본(本)자와 말(末)자는 모두 갈고리모양이 없으니, 두 글자는 모두 부수가 목(木)이다. 하나의 양획을 나무[木] 아래에 그려 보관하면 뿌리가 따뜻함을 회복하므로 밑[本]이라 하고, 하나의 양획을 나무[木] 위에 그려 발산하면 가지와 이파리가 피려하므로 끝[末]이라 한다. 대과괘의 몸체는 손괘가 아래에 있고 태괘가 위에 있으니, 네 개의 양획이 가운데에 쌓여있고 두 개의 음획이 초효와 상효에 있다. 이를 나무에 비유하면 위가 훼손되고 아래가 짤막한 것과 같으니, 이 때문에 밑과 끝이 약한 것이다.

## 韓國大全

### 이익(李瀷) 『역경질서(易經疾書)』[15]

棟橈, 彖與九三同辭, 而彖以六畫卦言, 則本末皆弱爻, 以三畫卦言, 下卦本弱, 上卦末弱. 九三棟橈, 重在本弱, 不在末弱. 九四雖末弱, 不因本弱而有撓也. 本者, 下也, 末者, 上也. 屋之有棟也, 梁柱居下, 楹桷居上, 上之弱於棟, 猶可矣, 下之弱於棟, 則必壓也.

"들보가 휘어진다[棟橈]"는 말은 「단전」과 구삼에 함께 보이니, 「단전」에서 육획괘로 말한다면 밑과 끝이 모두 약한 효이고, 삼획괘로 말한다면 하괘는 밑이 약하고 상괘는 끝이 약하다. 구삼에서의 "들보가 휘어진다"란 중요한 점이 밑이 약하다는 데에 있지 끝이 약하다는 데에 있지 않다. 구사가 비록 끝이 약하지만 밑이 약함으로 인하여 휘어짐이 있는 것은 아니다. 밑은 아래에 있고, 끝은 위에 있다. 집에 있는 들보에서, 대들보를 받치는 기둥[梁柱]은 아래에 있고 기둥과 서까래는 위에 있으니, 들보에서 위가 약한 것은 그래도 괜찮지만 아래가 약하다면 반드시 무너진다.

### 심조(沈潮) 「역상차론(易象箚論)」

彖, 棟橈, 利有攸往.
「단전」에서 말하였다: '들보가 휘어짐'은 가는 것이 이롭다.

陽畫, 長棟象也. 雖無震體, 下則巽股, 故曰, 利有攸往.
양의 획은 긴 들보의 상이다. 비록 진괘(震卦☳)의 몸체가 없더라도, 아래가 곧 손괘(巽卦☴)인 넓적다리이기 때문에 "가는 것이 이롭다"고 하였다.

### 유정원(柳正源) 『역해참고(易解參攷)』[16]

本末弱也.
밑과 끝이 약해서이다.

---

15) 경학자료집성DB에서는 대과괘 괘사에 해당하는 것으로 분류했으나, 내용에 따라 이 자리로 옮겼다.
16) 경학자료집성DB에서는 대과괘 괘사에 해당하는 것으로 분류했으나, 내용에 따라 이 자리로 옮겼다.

正義, 本末俱弱, 故屋棟橈弱也, 似若衰難之世始終弱.
『주역정의』에서 말하였다: 밑과 끝이 모두 약하기 때문에 지붕을 받치고 있는 들보가 휘어지고 약하니, 마치 쇠락하고 험난한 시대가 시작부터 끝까지 약한 것과 유사하다.

### 서유신(徐有臣) 『역의의언(易義擬言)』

大過, 大者過也. 棟橈, 本末弱也.
「단전」에서 말하였다: 대과는 큰 것이 지나침이다. '들보가 휘어짐'은 밑과 끝이 약해서이다.

大者過也者, 過而不壯也. 弱者, 巽之義而橈之訓也. 棟大則宜於大車, 棟小則宜於小車, 惟當均大均小, 而是棟也. 中間大而兩端小, 是爲大棟而反弱也. 屋廩無本末之可言, 車轅乃有本有末也.
"큰 것이 지나침이다"란 지나쳐서 웅장하지 않은 것이다. "약하다"란 손괘(巽卦☴)를 뜻하며 "휘어진다"를 풀이한 것이다. 들보가 크면 큰 수레에 마땅하고 들보가 작으면 작은 수레에 마땅하니, 오직 고르게 크고 고르게 작아야 '들보'이다. 중간이 크고 양 쪽 끝이 작은 것이 큰 들보가 되지만 도리어 약하다. 집이나 곳간에서는 '본(本)'과 '말(末)'이 없다고 말할 수 있지만, 수레의 끌채에는 '본(本)'도 있고 '말(末)'도 있다.

### 박문건(朴文健) 『주역연의(周易衍義)』

棟橈, 本末弱也.
「단전」에서 말하였다: '들보가 휘어짐'은 밑과 끝이 약해서이다.

本末, 謂上下二陰也. 此亦以卦體釋卦辭.
'밑[本]'과 '끝[末]'은 맨 위와 맨 아래에 있는 두 음을 말한다. 이것도 또한 괘의 몸체로써 괘사를 풀이하였다.

### 김기례(金箕澧) 「역요선의강목(易要選義綱目)」

本末弱.
「단전」에서 말하였다: 밑과 끝이 약해서이다.

指上下陰弱.
맨 위와 맨 아래의 유약한 음을 가리킨다.

### 최세학(崔世鶴) 「주역단전괘변설(周易彖傳卦變說)」

大過, 彖曰, 棟撓, 本末弱也.
대과괘 「단전」에서 말하였다: '들보가 휘어짐'은 밑과 끝이 약해서이다.

大過, 乾之二體變也. 初與上二爻爲主, 故彖以本末弱言之. 坤初來居於下體之下, 坤上往居於上體之上, 上下二陰, 衰弱也.
대과괘는 건괘(乾卦䷀)의 두 몸체가 변한 것이다. 초효와 상효, 두 효가 주인이 되기 때문에 「단전」에서는 '밑'과 '끝'이 약함으로 말하였다. 곤괘(坤卦䷁)의 초효가 대과괘 하체의 맨 아래에 와 있고, 곤괘(坤卦䷁)의 상효가 대과괘 상체의 맨 위에 가 있으니, 맨 위와 맨 아래의 두 음은 쇠약하다.

### 이정규(李正奎) 「독역기(讀易記)」[17]

大過之取義, 非一也. 語其象, 則四陽中盛, 本末二柔, 无以扶載, 有棟橈危覆之象. 是則以陽之大過取義. 語其德, 則剛而中, 巽而說, 利攸往而亨, 可以有所作爲也. 是則以大過於人者行大過於人之事, 取義也.
대과괘에서 뜻을 취함은 하나가 아니다. 상으로 말하면, 네 양이 가운데에서 성대하고, 밑[本]과 끝[末]인 두 부드러운 음은 붙잡아 실음이 없으니, 들보가 휘어져 엎어지는 위험한 상이 있다. 이는 곧 양의 크게 지나침에서 뜻을 취하였다. 덕으로 말하면, 굳세면서 가운데 자리에 있고 공손하면서 기뻐하여 가는 것이 이로워 형통하니, 일을 일으키는 바가 있을 수 있다. 이는 곧 다른 사람보다 크게 뛰어난 자가 다른 사람보다 크게 뛰어난 일을 하는 데에서 뜻을 취하였다.

17) 경학자료집성DB에서는 대과괘 「대상전」에 해당하는 것으로 분류했으나, 내용에 살펴 이 자리로 옮겼다.

**剛過而中, 巽而說行, 利有攸往, 乃亨.**

굳센 양이 지나치나 가운데 자리에 있고, 공손하면서 기쁨으로 행하니 "가는 것이 이로워 형통하다".

## 中國大全

**傳**

**言卦才之善也. 剛雖過, 而二五皆得中, 是處不失中道也. 下巽上兌, 是以巽順和說之道 而行也. 在大過之時, 以中道, 巽說而行, 故利有攸往, 乃所以能亨也.**

괘의 재질이 선함을 말하였다. 굳센 양이 비록 지나치나 이효와 오효가 모두 중(中)을 얻었으니, 이는 처함에 중도를 잃지 않음이다. 아래는 손(☴)이고 위는 태(☱)이니 이는 손순(巽順)과 화열(和說)의 도로써 행한다. 대과의 때에 있어서 중도로써 손순하고 화열하면서 행하기 때문에 가는 것이 이로운 것이니, 바로 이렇기 때문에 형통할 수 있다.

**本義**

**又以卦體卦德, 釋卦辭.**

또 괘의 몸체와 괘의 덕으로 괘사를 해석하였다.

**小註**

進齋徐氏曰, 卦以初爲本, 上爲末, 初上皆柔, 故曰本末弱. 剛過而中, 以二五言, 巽而說, 以二德言. 處大過之世, 四陽過盛, 必用剛而得中, 內巽而外說, 則可以抑中强之弊, 而扶本末之弱, 雖過, 不過矣, 以是而往, 宜其亨也.

진재서씨가 말하였다: 괘는 초효를 밑으로 하고 상효를 끝으로 하는데, 대과괘는 초효와 상효가 모두 부드러운 음이기 때문에 "밑과 끝이 약하다"고 하였다. '굳센 양이 지나치나 가운데 자리에 있음'은 이효 · 오효로써 말한 것이고, '공손하면서 기쁨'은 상괘 · 하괘의 두 가지

덕으로써 말하였다. 대과의 세상에 처하여 네 개의 양이 지나치게 강성하니 반드시 강을 쓰나 중(中)을 얻고, 안으로 공손하면서 밖으로 기뻐하니 가운데가 강한 폐단을 억제하고 밑과 끝의 약함을 도울 수 있을 것이다. 그러므로 비록 지나치나 지나친 것이 아니니, 이러한 방식으로 나아간다면 마땅히 형통할 것이다.

○ 建安丘氏曰, 棟橈本末弱, 此以成卦之義言大過也. 剛過而中, 巽而說行, 此以卦才言所以救過之道. 蓋剛而得中, 則不過巽而說行, 則能往, 所以亨也.
건안구씨가 말하였다: "들보가 휘어졌다는 것은 밑과 끝이 약해서이다"는 괘를 이루는 뜻으로 '대과'를 말한 것이고, "굳센 양이 지나치나 가운데 자리에 있고, 공손하면서 기쁨으로 행하다"라는 이 말은 괘의 재질로 지나침을 구제하는 방법을 말한 것이다. 강이면서 중을 얻었으니 지나치지 않고 공손하면서 기쁨으로 행하니, 갈 수 있기 때문에 형통한 것이다.

## 韓國大全

### 권근(權近) 『주역천견록(周易淺見錄)』

大過, 彖曰, 剛過而中.
대과괘 「단전」에서 말하였다: 굳센 양이 지나치나 가운데 자리에 있다.

過與不及, 皆非中也. 謂剛過而中何哉. 過謂陽之過盛, 中謂位之得中. 以事而言, 則雖過於常, 而不失於時中, 堯舜湯武之事, 是也. 所以過而中者, 時而已矣, 故其下文云, 大過之時, 大矣哉. 過常而不合乎時中, 悖乱之道也.
지나침과 미치지 못함은 모두 알맞음이 아니다. "굳센 양이 지나치나 가운데 자리에 있다"란 무슨 뜻인가? '지나침'이란 양이 지나치게 성대함을 말하고, "가운데 자리에 있다"란 자리가 가운데 자리를 얻음을 말한다. 일로써 말한다면, 비록 일상에서 지나치더라도 때에 알맞음을 잃지 않았으니, 요임금 · 순임금 · 탕왕 · 무왕의 일이 이러하다. 지나치지만 가운데 자리에 있는 것은 때에 알맞을 뿐이기 때문에 아래 문장에서 "대과(大過)의 때가 크도다!"라고 하였다. 일상에서 지나쳐서 때에 알맞음에 부합하지 않는다면 혼란시키는 도이다.

### 유정원(柳正源) 『역해참고(易解參攷)』[18]

王氏曰, 謂二也. 居陰, 過也, 處二, 中也. 拯弱興衰, 不失其中也. 危而不持, 則將安用. 故往乃亨.
왕필이 말하였다: 이효를 말한다. 음에 있으면 지나친 것이고, 이효에 있으면 알맞다. 약한 데에서 구하고 쇠락한 데에서 흥기시키니, 그 알맞음을 잃지 않았다. 위태로운데도 지키지 못한다면 장차 어찌 쓰겠는가? 그러므로 가면 형통하다.

○ 梁山來氏曰, 以人事論, 體質本是剛毅, 足以奮發有爲, 而又用之以中, 不過于剛. 德性本是巽順, 足以深入乎義理, 而又行之以和, 不拂乎人情. 所以利有攸往, 乃亨.
양산래씨가 말하였다: 사람의 일로 논한다면, 몸체의 성질은 본래 굳세어 굴하지 않아서 분발하여 훌륭한 일을 충분히 할 수 있고, 또 알맞음으로써 쓰니, 굳셈에 지나치지 않는다. 덕성(德性)은 본래 공손하고 유순하여 충분히 의리에 깊이 들어가고, 또 화합함으로써 행하여 인정(人情)에 어긋나지 않는다. 그러므로 가는 것이 이로워 형통하다.

傳.
『정전』.
〈案, 傳末本有, 說音悅, 三字.
내가 살펴보았다: 『정전』의 끝 부분에는 본래 "'열(說)'은 음이 '열(悅)'이다[說音悅]"라는 세 글자가 있었다.〉

### 김기례(金箕澧) 「역요선의강목(易要選義綱目)」

陽過, 雖賢於陰過, 過則失中, 不可謂无過. 但二五得中, 則可以扶本末弱, 內巽外悅, 則可以抑中剛, 雖過无傷. 釋利有往亨.
양이 지나침은 비록 음이 지나침보다 낫지만, 지나치면 알맞음을 잃으므로 허물이 없다고 할 수 없다. 다만 이효와 오효가 가운데 자리를 얻었으니, 약한 밑과 끝을 붙잡을 수가 있고, 안으로는 공손하고 밖으로는 기뻐하여 가운데에 있는 굳센 양을 억제할 수 있으므로, 비록 지나치더라도 손상됨은 없다. "가는 것이 이로워 형통하다"를 풀이하였다.

---

18) 경학자료집성DB에서는 대과괘 괘사에 해당하는 것으로 분류했으나, 내용에 따라 이 자리로 옮겼다.

## 심대윤(沈大允) 『주역상의점법(周易象義占法)』

彖曰, 大過, 大者過也. 棟橈, 本末弱也. 剛過而中, 巽而說行, 利有攸往, 乃亨.
「단전」에서 말하였다: 대과는 큰 것이 지나침이다. 들보가 휘어짐은 밑과 끝이 약해서이다. 굳센 양이 지나치나 가운데 자리에 있고, 공손하면서 기쁨으로 행하니 가는 것이 이로워 형통하다.

傳曰, 利不百, 則不變常, 其變常者, 必大事也. 剛過而中, 二五得中也. 巽而說行, 明非怫然拂衆而卻立也. 和遜而剛斷, 違衆獨行而衆无怨怒非笑, 始雖驚疑而不敢不從, 終則悅服也.
『사기(史記)·상군열전(商君列傳)』에서 "이로움이 백 가지가 되지 않으면, 항상 된 법을 바꾸지 않는다"[19]라고 하였으니, 항상됨을 바꾸는 것은 반드시 큰일이다. "굳센 양이 지나치나 가운데 자리에 있다"란 이효와 오효가 가운데 자리를 얻음이다. "공손하면서 기쁨으로 행한다"란 불끈 화를 내며 여러 사람들을 위배하여 서는 것이 아님을 밝혔다. 온화하면서도 공손하지만 강단(剛斷)이 있어서 여러 사람들에 어긋나 홀로 행하더라도 여러 사람들 중에 원망하거나 노여워하거나 또는 비웃는 자가 없으니, 처음에는 비록 의아해하고 놀라더라도 감히 따르지 않을 수 없지만, 끝에는 곧 기뻐서 복종한다.

19) 『史記·商君列傳』: 杜摯曰, 利不百, 不變法, 功不十, 不易器. 法古無過, 循禮無邪.

## 大過之時, 大矣哉.

대과의 때가 크도다!

### 中國大全

**傳**

**大過之時, 其事甚大, 故贊之曰大矣哉. 如立非常之大事, 興不世之大功, 成絶俗之大德, 皆大過之事也.**

대과의 때는 그 일이 매우 크기 때문에 "크도다[大矣哉]"라고 찬미하였으니, 보통이 아닌 큰일을 세우고, 세상에 보기 드문 큰 공을 일으키고, 세속에 뛰어난 큰 덕을 이루는 것이 모두 대과(大過)의 일이다.

**本義**

**大過之時, 非有大過人之材, 不能濟也, 故歎其大.**

대과의 때에는 보통사람보다 크게 뛰어난 재주가 아니면 구제할 수 없기 때문에 큼을 감탄한 것이다.

**小註**

進齋徐氏曰, 時字當玩. 自是時節當如此, 適其時, 當其事, 雖曰大過, 而不悖於道. 所謂剛過而中, 巽而說行者, 如堯舜之禪授, 而謳歌獄訟之皆歸, 湯武之放伐, 而徯后迎師之恐後, 所以成大功, 而濟於時焉. 苟非其時, 則堯舜亦且傳子, 而不傳賢矣, 湯武亦只是守臣節, 而不敢革夏革殷矣. 時不可失, 此聖賢所以當大運, 立大事, 成大業也. 否則大亂之道 , 而謂之利且亨, 可乎.

진재서씨가 말하였다: '시(時)'자를 완미해 보아야 한다. '시(時)'자는 본래 때가 마땅히 이와

같아야 하는 것이니, 그 때에 나아가 그 일을 감당하면 비록 크게 지나치다고 했더라도 도에 어긋나지 않을 것이다. 이른바 굳셈이 지나치나 가운데 자리에 있고, 공손하면서 기쁨으로 행한다는 것은 마치 요임금과 순임금이 선위하자 노래 부르고 송사를 결정해야 하는 이들이 모두 순임금과 우임금에게 귀의하였고, 탕왕과 무왕이 방벌하자 임금을 기다리고 군대를 맞이한 이들이 자기들이 나중이 되지 않을까 걱정한 것과 같으니, 이렇기 때문에 큰 공을 이루고 때를 구제하였다. 만일 그 때가 아니라면 요 · 순도 장차 제위(帝位)를 아들에게 전하고 현인에게 전하지 못하였을 것이며, 탕 · 무도 단지 신하의 절개를 지켜 감히 하나라를 바꾸고 은나라를 바꾸지 못하였을 것이다. 때를 놓쳐서는 안 되니, 이것이 성현이 대운(大運)을 당하여 큰일을 확립하고 큰 업적을 이룬 이유이다. 그렇지 않다면 크게 어지럽게 되는 길이니, 이를 일러 이롭고 형통하다고 하는 것이 옳겠는가?

○ 雲峯胡氏曰, 他卦多是釋卦辭, 後復引天地聖人而言之, 是極言以贊其時之大. 大過方釋卦辭, 遽曰大過之時大矣哉, 故本義, 以大過人之才言之, 所謂才者, 指上文卦才而言也. 蓋大過之事, 甚大, 无其時, 不可過, 有其時, 无其才, 愈不可過, 本義之意, 深矣.

운봉호씨가 말하였다: 다른괘에서는 대부분 괘사를 해석한 뒤에 다시 천지와 성인을 끌어다가 말하였으니, 이는 극도로 말해서 때의 큼을 찬미한 것이다. 대과괘는 괘사를 해석하면서 곧바로 "대과의 때가 위대하도다"라고 하였기 때문에 『본의』에서 '보통사람보다 크게 뛰어난 재주'로 말했으니 이른바 재주[才]라는 것은 윗글의 괘의 재질[卦才]을 가리켜 말한 것이다. 대과의 일은 매우 커서 그런 때가 아니면 지나쳐서는 안 되고, 그런 때라도 그런 재주가 없다면 더욱 지나쳐서는 안 되니, 『본의』의 뜻이 깊도다.

## 韓國大全

### 이익(李瀷) 『역경질서(易經疾書)』

下巽上兌, 木得雨澤而長大之象, 長大則中材矣. 卦有剛過而中之象, 則任重之義也. 木之任重, 莫如棟, 故以取象.

하괘가 손괘(巽卦☴)이고 상괘가 태괘(兌卦☱)인데, 나무가 비와 연못을 얻어 장대한 상이니, 장대하면 재목으로 쓰기가 알맞다. 괘에 '굳센 양이 지나치나 가운데 자리에 있는' 상이 있으니, 임무가 막중하다는 뜻이다. 나무에서 임무가 막중한 것은 들보만한 것이 없기 때문에 이로써 상을 취하였다.

### 김상악(金相岳) 『산천역설(山天易說)』

棟橈, 本末弱也. 剛過而中, 巽而說行, 利有攸往, 乃亨. 大過之時, 大矣哉.
「단전」에서 말하였다: "들보가 휘어짐"은 밑과 끝이 약해서이다. 굳센 양이 지나치나 가운데 자리에 있고, 공손하면서 기쁨으로 행하니 "가는 것이 이로워 형통하다". 대과의 때가 크도다!

以卦體卦德釋卦辭, 而歎其大. 本謂初, 末謂上, 弱謂陰柔也. 本末弱, 所以棟橈也. 剛謂二五也. 剛過而中, 以濟其過, 巽說而行之, 故有利往之亨. 過而合乎時中, 所以爲大.
괘의 몸체와 괘의 덕으로 괘사를 풀이하였으며, 그 큼을 감탄하였다. '밑[本]'은 초효를 말하고, '끝[末]'은 상효를 말하며, "약하다"는 부드러운 음을 말한다. "밑과 끝이 약하다"가 들보가 휘어지는 까닭이다. 굳센 양은 이효와 오효를 말한다. 굳센 양이 지나치나 가운데 자리에 있어서 지나침에서 구제할 수 있으며, 공손하면서 기쁨으로 행하기 때문에 가는 것이 이로운 형통함이 있다. 지나치지만 때에 알맞음과 부합하기 때문에 '큼'이 된다.

○ 本末謂二陰也. 本弱則无所承, 末弱則无所寄, 所以致棟之橈也. 大壯則四陽在下而壯, 二陰居上而不橈, 故曰上棟下宇. 又本末字, 皆從木, 一陽藏於下, 則根株回暖而爲本, 一陽加於上, 則枝葉向榮而爲末, 故二曰生稊, 五曰生華. 中者, 无過不及之名. 大小過名卦以陰陽之過而欲損過就中, 故大過以剛中爲亨, 小過以柔中爲吉. 巽而說者, 救四陽之過也. 陽過則不可以復往, 必有巽說之德, 乃利於往矣. 然止於巽說, 則亦不可往矣, 故足之以行字, 所以過而不過, 動而能亨也.
'밑'과 '끝'은 두 음을 말한다. '밑'이 약하면 받들 바가 없고, '끝'이 약하면 의지할 바가 없어서 들보가 휘어지는 데에 이른다. 대장괘(大壯卦䷡)는 네 양이 아래에 있어서 장성하고, 두 음이 위에 있어서 휘어지지 않기 때문에 "들보를 올리고 서까래를 내린다"[20]고 말하였다. 또 '본(本)'과 '말(末)'자는 모두 '목(木)'을 부수로 하는데, 한 양이 아래에 감춰져 있으면 뿌리와 그루터기가 다시 따뜻해져서 '밑'이 되고, 한 양이 위에 더해지면 가지와 잎은 꽃이 피는 데를 향하여 '끝'이 되기 때문에, 이효에서는 "뿌리가 생긴다"고 하였고 오효에서는 "꽃이 핀다"고 하였다. '중(中)'이란 지나치거나 미치지 못함이 없다는 이름이다. 대과괘(大過

20) 『周易·繫辭傳』: 上古, 穴居而野處, 後世聖人, 易之以宮室, 上棟下宇, 以待風雨, 蓋取諸大壯.

卦)와 소과괘(小過卦䷽)는 음양이 지나침을 가지고서 괘를 이름 지어 지나침을 덜어내어 알맞음에 나아가고자 하였기 때문에, 대과괘에서는 굳센 양이 알맞게 됨을 형통함으로 삼고 소과괘에서는 부드러운 음이 알맞게 됨을 길함으로 삼았다. '공손하면서 기쁨'이란 네 양의 지나침을 구제하였기 때문이다. 양이 지나치면 다시 갈 수 없기 때문에 반드시 공손하면서 기뻐하는 덕이 있어야만 가는 것에 대하여 이롭다. 하지만 공손하면서 기쁜 데에서만 그친다면 또한 갈 수 없기 때문에 '행(行)'자를 덧붙였으니, 지나치더라도 지나치지 않고 움직이더라도 형통할 수 있다.

### 서유신(徐有臣) 『역의의언(易義擬言)』

剛過而中, 巽而說行, 利有攸往, 乃亨. 大過之時, 大矣哉.
굳센 양이 지나치나 가운데 자리에 있고, 공손하면서 기쁨으로 행하니 "가는 것이 이로워 형통하다". 대과의 때가 크도다!

四剛在中, 巽兌相重, 爲互乾之行健, 故曰剛過而中, 巽以說行也. 中可以救剛之過矣, 行可以有往而亨矣. 大過之時者, 有大過之事之時也.
네 굳센 양이 가운데에 있고, 손괘(巽卦☴)와 태괘(兌卦☱)가 서로 중첩되어 있으며, 호괘인 건괘(乾卦☰)의 움직임이 강건함이 되기 때문에 "굳센 양이 지나치나 가운데 자리에 있고, 공손함으로써 기쁨으로 행한다"고 하였다. '가운데 자리에 있음'은 굳센 양의 지나침을 구할 수 있고, '행함'은 가서 형통함이 있을 수 있다. '대과(大過)의 때'란 크게 지나친 일이 있는 때이다.

### 박문건(朴文健) 『주역연의(周易衍義)』

剛過而中, 巽而說行, 利有攸往, 乃亨. 大過之時, 大矣哉.
「단전」에서 말하였다: 굳센 양이 지나치나 가운데 자리에 있고, 공손하면서 기쁨으로 행하니 "가는 것이 이로워 형통하다". 대과의 때가 크도다!

剛過得中, 巽說以行, 故利有所往也, 乃亨. 此復以卦體卦德釋卦辭, 而贊其時之大也.
굳센 양이 지나치지만 가운데 자리를 얻었고, 공손하고 기뻐하여서 행하기 때문에 가는 것이 이로우니, 형통하다. 이는 다시 괘의 몸체와 괘의 덕으로써 괘사를 풀이하였고 그 때의 큼을 찬미하였다.
〈問, 剛過而中, 巽而說行, 何以爲大過之義乎. 曰, 過則多過剛, 而乃用時中, 則有大過之行也. 過則多用[21]剛, 而乃用巽說, 則有大過之德也. 大過之時, 所以爲大也. 然此亦人事上說, 非主爻上說也.
물었다: "굳센 양이 지나치나 가운데 자리에 있고 공손하면서 기쁨으로 행한다"가 어떻게 대과(大過)의 뜻이 됩니까?
답하였다: '지나침'은 곧 지나친 굳센 양이 많음이지만 때에 알맞음을 쓰니, 대과(大過)의 행함이 있습니다. '지나침'은 곧 굳센 양을 많이 씀이지만 공손하고 기뻐함을 쓰니, 대과(大過)의 덕이 있습니다. '대과의 때'이므로 크게 됩니다. 그러나 이는 또한 사람의 일을 두고서 말한 것이지, 효를 위주로 하여 말한 것은 아닙니다.〉

### 심대윤(沈大允)『주역상의점법(周易象義占法)』

大過之時, 大矣哉.
「단전」에서 말하였다: 대과의 때가 크도다!

大過, 不可常也, 故贊其時.
대과(大過)는 항상 될 수가 없기 때문에 그 때를 찬미하였다.

### 오치기(吳致箕)「주역경전증해(周易經傳增解)」

彖曰, 大過, 大者過也.[卦體] 棟橈, 本末弱也〈卦體〉. 剛過而中〈二五〉, 巽〈巽〉而說〈兌〉行, 利有攸往, 乃亨. 大[22]過之時, 大矣哉.〈說音悅〉
「단전」에서 말하였다: 대과는 큰 것이 지나침이다.〈괘의 몸체이다.〉 "들보가 휘어짐"은 밑과 끝이 약해서이다.〈괘의 몸체이다.〉 굳센 양이 지나치나 가운데 자리에 있고,〈이효와 오효이다.〉 공손하면서〈손괘(巽卦☴)이다.〉 기쁨으로 행하니〈태괘(兌卦☱)이다.〉 "가는 것이 이로워 형통하다". 대과의 때가 크도다!〈'說'의 음(音)은 '열(悅)'이다.〉

此以卦體, 釋卦名義, 以卦體卦德, 釋卦辭也. 大者過, 謂陽之過也, 本末弱, 謂初上二陰之柔微也. 剛雖過而二五皆得剛中, 不失其道, 下巽上說而行巽順和說之德, 故利有攸往, 乃所以亨也. 蓋以卦體言, 則四剛在內而過盛, 二柔居外而太弱, 爲棟橈之象, 以卦位卦德而言, 則剛得其中, 內巽而外說, 可以救大[23]剛而扶本末之弱, 故言利往而能

21) 用: 경학자료집성DB에는 '川'으로 되어 있으나, 경학자료집성 영인본을 참조하여 '用'으로 바로잡았다.
22) 大: 경학자료집성DB에는 '火'로 되어 있으나, 경학자료집성 영인본을 참조하여 '大'로 바로잡았다.
23) 大: 경학자료집성DB에는 '火'로 되어 있으나, 경학자료집성 영인본을 참조하여 '大'로 바로잡았다.

亨也. 人有大過之才而成大過之功者, 惟時爲最, 故特言其時而贊其大也.
이것은 괘의 몸체로 괘 이름의 뜻을 풀이하였고, 괘의 몸체와 괘의 덕으로 괘사를 풀이하였다. "큰 것이 지나침이다"란 양이 지나침을 말하고, "밑과 끝이 약하다"란 초효와 상효인 두 음이 부드럽고 미미함을 말한다. 굳센 양이 비록 지나치더라도 이효와 오효가 모두 굳센 양으로 가운데 자리를 얻어 도(道)를 잃지 않았고, 하괘는 손괘(巽卦☴)이고 상괘는 태괘(兌卦☱)라서 공순(巽順)하고 화열(和說)한 덕을 행하기 때문에 가는 것이 이로워 형통하다. 괘의 몸체로 말하면, 네 굳센 양이 안에 있어서 지나치게 성대하고 두 부드러운 음이 밖에 있어서 크게 유약하니 '들보가 휘어지는' 상이 되며, 괘의 자리와 괘의 덕으로 말하면, 굳센 양이 가운데 자리를 얻었고 안으로는 공손하고 밖으로는 기뻐하여 크게 굳셈에서 구제하고 밑과 끝이 약함을 붙잡아 줄 수 있기 때문에 가는 것이 이로워 형통할 수 있다. 사람 중에 재주가 크게 지나쳐서 크게 지나친 공을 이룬 자는 오직 때를 최고로 여겼기 때문에 다만 그 때를 말하여 그 큼을 찬미하였다.

### 이진상(李震相) 『역학관규(易學管窺)』

陽過於中, 而上下弱, 故爲棟僥之象. 中互乾健, 故利有攸往. 初之陰, 若往於五, 則變爲大壯之棟宇矣.
가운데에서 양이 지나치고 맨 위와 맨 아래가 약하기 때문에 '들보가 휘어지는' 상이 된다. 가운데 호괘인 건괘(乾卦☰)가 강건하기 때문에 가는 것이 이롭다. 초효인 음이 만약 오효로 간다면, 대장괘(大壯卦䷡)의 '들보'와 '서까래'[24]로 변한다.
〈往二成革, 往三成兌, 往四成需, 亦皆利也.
이효로 가면 혁괘(革卦䷰)를 이루고, 삼효로 가면 태괘(兌卦䷹)를 이루며, 사효로 가면 수괘(需卦䷄)를 이루니, 또한 모두 이롭다.〉

### 박문호(朴文鎬) 「경설(經說)·주역(周易)」

巽而說行, 傳釋作巽說而行, 蓋欲便於文也.
'손이열행(巽而說行)'에 대하여 『정전』에서는 "손순하고 화열하면서 행한다[巽說而行]"로 풀이하였으니, 문장에 대하여 편하게 풀이하고자 한 듯하다.

---

24) 『周易·繫辭傳』: 上古, 穴居而野處, 後世聖人, 易之以宮室, 上棟下宇, 以待風雨, 蓋取諸大壯.

### 이병헌(李炳憲) 『역경금문고통론(易經今文考通論)』

橈, 枉也, 弱也.
'요(橈)'는 굽어짐이며, 약함이다.

虞曰, 陽稱大, 巽爲長木, 稱棟. 初上陰柔, 本末弱, 故棟橈也.
우번이 말하였다: 양이라서 "크다"고 하였고, 손괘(巽卦☴)는 긴 나무가 되므로 '들보'라고 하였다. 초효와 상효는 부드러운 음이라서 '밑'과 '끝'이 약하기 때문에 들보가 휘어진다.

按, 卦與頤反而爲大過. 利有攸往, 指初六之往九二之過, 以相與也. 乃亨, 時必有中也. 頤大過一對之策, 損過補不及, 準中數.
내가 살펴보았다: 괘는 이괘(頤卦䷚)와 음양이 바뀌어 대과괘(大過卦)가 되었다. "가는 것이 이롭다"란 초육이 구이의 지나침에 가서 서로 함께함을 말한다. "형통하다"란 때가 반드시 알맞음을 가지고 있음이다. 이괘(頤卦)와 대과괘는 하나의 짝이 되어 지나침을 덜어내고 미치지 못한 데에 보충하여 책수가 360이 된다.

**象曰, 澤滅木, 大過, 君子以, 獨立不懼, 遯世无悶.**

「상전」에서 말하였다: 못이 나무를 없애는 것이 대과(大過)이니, 군자가 그것을 본받아 홀로 서서 두려워하지 않으며, 세상을 피하여 은둔하여도 근심하지 않는다.

## 中國大全

**傳**

**澤, 潤養於木者也, 乃至滅沒於木, 則過甚矣, 故爲大過. 君子觀大過之象, 以立其大過人之行. 君子所以大過人者, 以其能獨立不懼, 遯世无悶也. 天下非之而不顧, 獨立不懼也. 擧世不見知而不悔, 遯世无悶也. 如此然後能自守, 所以爲大過人也.**

못은 나무를 윤택하게 하고 길러주는 것인데, 마침내 나무를 없애는 데 이르니, 지나침이 심하다. 그러므로 대과괘(大過卦)가 된다. 군자가 대과의 상을 보고서 보통사람보다 크게 뛰어난 행실을 세운다. 군자가 보통사람보다 크게 뛰어난 까닭은 홀로 서서 두려워하지 않고 세상을 피하여 은둔하여도 근심함이 없기 때문이다. 천하가 비난하여도 돌아보지 않음이 홀로 서서 두려워하지 않는 것이고, 온 세상이 알아주지 않아도 후회하지 않음이 세상을 피하여 은둔하여도 근심함이 없는 것이다. 이와 같이 한 뒤에야 스스로 지킬 수 있으니, 이 때문에 보통사람보다 크게 뛰어남이 되는 것이다.

**本義**

**澤滅於木, 大過之象也. 不懼无悶, 大過之行也.**

못이 나무를 없앰이 대과괘의 상이고, 두려워하지 않고 근심함이 없음이 대과괘의 행실이다.

**小註**

朱子曰, 澤滅木, 澤在下而木在上, 今澤水高漲, 乃至浸没了木, 是爲大過. 木雖爲水浸而未嘗動, 故君子觀之, 而獨立不懼, 遯世无悶.
주자가 말하였다: 못이 나무를 없앤다고 한 것은 본래 못은 아래에 있고 나무는 위에 있는 것이나 지금은 못물이 높이 팽창하여 나무를 침몰시키는 데 이르렀으니 이것이 대과이다. 나무는 비록 물에 침몰되더라도 움직인 적이 없기 때문에 군자가 보고서 홀로 서서 두려워하지 않으며 세상을 피하여 은둔하여도 근심하지 않는다

○ 建安丘氏曰, 澤本潤木, 今在木上, 而至於滅木, 大過之象也. 然木在澤下, 澤過乎木, 而木不仆, 君子觀象, 以之立大過人之行. 故用之, 則獨立不懼, 舍之, 則遯世无悶. 人之常情, 獨立而莫我輔者, 必懼, 遯世而莫我知者, 必悶. 惟聖賢之卓行絶識, 大過乎人, 故能不懼无悶. 獨立不懼, 巽木象, 周公當之, 遯世无悶, 兌說象, 顏子當之.
건안구씨가 말하였다: 못은 본래 나무를 윤택하게 하는 것인데, 지금은 나무 위에 있어서 나무를 멸하는 데 이르렀으니, 이것이 대과의 상이다. 그러나 나무가 못 아래에 있어서 못이 나무보다 지나치게 높아도 나무는 쓰러지지 않으니, 군자가 상을 보고서 이로써 보통사람보다 크게 뛰어난 행실을 세운다. 그러므로 그것을 쓰면 홀로서서 두려워하지 않고 버려두고 쓰지 않으면 세상을 피하여 은둔하여도 근심함이 없다. 보통 사람의 심정은 홀로 섰는데 나를 도와주는 이가 없으면 반드시 두려워하고, 세상을 피하여 은둔했는데 나를 알아주는 이가 없으면 반드시 근심한다. 오직 탁월한 행실과 뛰어난 식견을 지닌 성현은 남보다 크게 뛰어나기 때문에 두려워하지 않고 근심이 없을 수 있다. 홀로 서서 두려워하지 않음은 손괘(☴)인 나무[木]의 상이니 주공(周公)이 여기에 해당하고, 세상을 피하여 은둔해도 근심함이 없음은 태괘(☱)인 기쁨[說]의 상이니 안자[顏回]가 여기에 해당한다.

○ 童溪王氏曰, 當大過之時, 獨立不懼, 遯世无悶, 非所養之大過人者, 不足以語此. 孔子曰, 勇者不懼, 仁者不憂, 是已.
동계왕씨가 말하였다: 대과의 때를 당하여 홀로서서 두려워하지 않고 세상을 피하여 은둔하여도 근심함이 없음은 기르는 것이 보통사람보다 뛰어난 이가 아니면 이런 말을 하기에 부족하다. 공자가 "용기가 있는 사람은 두려워하지 않고 어진 사람은 근심하지 않는다"[25]고 한 말이 이 뜻이다.

25)『論語 · 子罕』.

# ‖ 韓國大全 ‖

### 권근(權近) 『주역천견록(周易淺見錄)』

澤水滅木, 大過於常. 木[26]何嘗動. 挺然植立而已. 君子觀此, 雖在衆惡滔天之時, 挺能獨立而不懼. 木在澤中, 不見有木, 木何所患. 君子象此, 雖在人欲橫流之際, 泰然遯世而无悶也.

못[澤]의 물이 나무를 없앰은 정상에서 크게 지나친 것이다. 나무가 어찌 일찍이 움직였겠는가? 두드러지게 우뚝 심겨져 서있을 뿐이다. 군자가 이를 살펴보고서 비록 여러 악(惡)이 하늘에 널리 퍼지는 시대에 있다하더라도 우뚝 홀로 서면서 두려워하지 않을 수 있다. 나무가 못 가운데에 있어서 나무가 있음을 보지 못하더라도 나무가 근심하는 바가 무엇이겠는가? 군자가 이를 본받아 비록 인욕이 횡횡하면서 흐르는 사이에 있다하더라도 태연하게 세상을 피하여 은둔하여 근심하지 않는다.

### 김도(金濤) 「주역천설(周易淺說)」

愚按, 本義下朱子所釋, 惟一條, 丘氏王氏凡二條, 而皆得於大象之旨矣. 蓋過者, 常人之所不能無, 而大則必陷於罪惡而終滅其身, 小則或犯於不義而汚辱其身. 聖人則不然, 不失於動靜而所踐者常理也. 堯舜之揖遜, 湯武之放伐, 以常人觀之, 則變也. 然堯舜之有朱均, 湯武之遇桀紂, 皆不幸之時也. 遇不幸之時, 而以常道處之者, 豈聖人之心哉. 大過之卦所以爲大過者, 以其澤滅於木而木能以自立无懼悶之意故也. 故名謂之大過, 其義可謂大矣. 是以君子觀象於此, 獨立而不懼, 遯世而无悶, 君子過人之行, 孰大於此哉. 伯夷之採薇獨立不懼也, 顔子之陋巷遯世无悶也, 天下非之而不顧, 擧世不見知而不憂, 則君子所養之大, 至此而益可見矣. 嗚呼, 其聖矣哉.

내가 살펴보았다: 『본의』 아래에 주자가 풀이한 것은 오직 한 조목이고, 건안구씨와 동계왕씨가 풀이한 것은 총 두 조목인데, 모두 「대상전」의 뜻에 맞는다. '지나침[過]'이란 일반적인 사람에게 없을 수 없는 것이니, 크게는 반드시 죄악에 빠져 끝내 그 자신을 없애게 되고, 작게는 혹 불의를 저질러서 자신에게 모욕을 입힌다. 성인(聖人)은 그렇지 않으니, 움직이거나 고요할 때에도 잃지 않아 실천하는 바가 항상 이치에 맞는다. 요임금과 순임금의 선양과 탕왕과 무왕의 방벌을 일반적인 사람으로서 살펴본다면 변고이다. 그러나 요임금과 순임

---

26) 木: 경학자료집성DB와 영인본에는 모두 '及'으로 되어 있으나, 문맥을 살펴 '木'으로 바로잡았다.

금에게는 각자의 아들인 단주(丹朱)와 상균(商均)이 있었고, 탕왕과 무왕은 걸임금과 주임금을 만났으니, 모두 불행한 시기였다. 불행한 시기를 만나 일상적인 도로써 대처하는 것이 어찌 성인의 마음이겠는가? 대과괘가 대과(大過)가 되는 까닭은 못이 나무를 없애지만 나무는 스스로 서서 두려움과 근심이 없을 수 있다는 뜻이기 때문이다. 그러므로 이름하여 대과라고 하였으니, 그 뜻이 크다고 할만하다. 이 때문에 군자가 여기서 상을 관찰하여 홀로 서도 두려워하지 않고 세상을 피하여 은둔하더라도 근심이 없으니, 군자가 다른 사람보다 뛰어난 행실이 무엇이 이 보다 크겠는가? 백이가 고사리를 캐 먹으면서 홀로 서도 두려워하지 않은 것과 안자(顔子)가 좁고 지저분한 시골 골목에서 세상을 피하여 은둔하여도 근심이 없던 것은 천하 사람들이 비판하더라도 돌아보지 않고 온 세상이 알아주지 않더라도 걱정하지 않은 것이니, 군자의 기르는 바가 큼을 여기에 이르러 더욱 알 수가 있다. 오호라! 성스러움이여!

### 이만부(李萬敷) 「역통(易統)·역대상편람(易大象便覽)·잡서변(雜書辨)」

傳曰, 澤, 潤養於木者也, 乃至滅没於木, 則過甚矣, 故爲大過. 君子觀大過之象, 以立其大過人之行. 君子所以大過人者, 以其能獨立不懼, 遯世无悶也. 天下非之而不顧, 擧世不見知而不悔, 遯世无悶也. 如此然後能自守, 所以爲大過人也.
『정전』에서 말하였다: 못은 나무를 윤택하게 하고 길러주는 것인데 마침내 나무를 없애는 데 이르니, 지나침이 심하다. 그러므로 대과괘(大過卦)가 된다. 군자가 대과의 상을 보고서 보통사람보다 크게 뛰어난 행실을 세운다. 군자가 보통사람보다 크게 뛰어난 까닭은 홀로 서서 두려워하지 않고 세상을 피하여 은둔하여도 근심함이 없기 때문이다. 천하가 비난하여도 돌아보지 않고, 온 세상이 알아주지 않아도 후회하지 않음이 세상을 피하여 은둔하여도 근심함이 없는 것이다. 이와 같이 한 뒤에야 스스로 지킬 수 있으니, 이 때문에 보통사람보다 크게 뛰어남이 되는 것이다.

本義曰, 澤滅於木, 大過之象也. 不懼无悶, 大過之行也.
『본의』에서 말하였다: 못이 나무를 없앰이 대과괘의 상이고, 두려워하지 않고 근심함이 없음이 대과괘의 행실이다.

臣謹按, 大過者, 聖人之用, 非道成德立之人, 何以能不懼无悶乎. 故先儒以爲獨立不懼, 巽木象, 周公當之, 遯世无悶, 兌說象, 顔子當之.
신이 삼가 살펴보았습니다: '대과(大過)'란 성인(聖人)의 쓰임이니, 도가 이루어지고 덕이 선 사람이 아니라면 어떻게 두려워하지 않고 근심하지 않을 수 있겠습니까? 그러므로 이전의 학자들은 '홀로 서서 두려워하지 않음'은 손괘(巽卦☴)인 나무의 상이고 주공(周公)이 이에 해당하며, '세상을 피하여 은둔하여도 근심하지 않음'은 태괘(兌卦☱)인 기쁨의 상이고 안자(顔子)가 이에 해당한다고 여겼습니다.

### 이익(李瀷) 『역경질서(易經疾書)』

澤雖益于木, 過而渰沒焉, 則反爲災, 如上六之辭是也. 然猶植立不漂, 深藏自安, 則善矣, 君子之所以也.
못[澤]이 비록 나무에 보탬이 되더라도 지나쳐서 나무를 수몰시키면 도리어 재앙이 되니, 상육의 효사[27]와 같은 것이 이것이다. 그러나 오히려 심겨져 서서 떠다니지 않고, 깊게 숨겨서 스스로 안정된다면 좋은 것이니, 군자가 본받는 까닭이다.

### 심조(沈潮) 「역상차론(易象箚論)」

象, 獨立.
「상전」에서 말하였다: 홀로 서다.

巽股在下, 有立象.
손괘(巽卦☴)인 넓적다리가 아래에 있으니, 서는 상이 있다.

### 유정원(柳正源) 『역해참고(易解參攷)』[28]

正義, 澤體處下, 木體處[29]上, 澤无滅木之理. 今云, 澤滅木者, 是澤之甚極而至沒木, 是極大過越之義.
『주역정의』에서 말하였다: 못[澤]의 몸체는 아래에 있고 나무의 몸체가 위에 있으니, 못에는 나무를 없애는 이치가 없다. 이제 "못이 나무를 없앤다"는 것은 못이 매우 지극하여 나무를 없애는 데에까지 이른다는 것이니, 이것이 지극히 커서 지나치게 넘어선다는 뜻이다.

傳, 乃至..
『정전』에서 말하였다: 마침내 이르다.

---

27) 『周易 · 大過卦』: 上六, 過涉滅頂, 凶, 无咎.
28) 경학자료집성DB에서는 대과괘 괘사에 해당하는 것으로 분류했으나, 내용에 따라 이 자리로 옮겼다.
29) 體處: 경학자료집성DB와 영인본에는 모두 '處體'로 되어 있으나, 『주역정의』에 따라 '體處'로 바로잡았다.

〈案, 至一作致.
내가 살펴보았다: '지(至)'는 어떤 판본에는 '치(致)'로 되어 있다.〉

### 김상악(金相岳) 『산천역설(山天易說)』

獨立不懼, 木在澤下, 未嘗動搖之象. 遯世无悶, 澤上於木, 漸至浸沒之象. 不懼无悶, 大過之行也.
홀로 서서 두려워하지 않음은 나무가 못[澤] 아래에 있는 것이니, 일찍이 동요(動搖)하지 않는 상이다. 세상을 피하여 은둔하여도 근심하지 않음은 못이 나무 보다 올라가는 것이니, 점차 침몰하는 데에 이르는 상이다. 두려워하지 않고 근심하지 않음은 대과(大過)의 행함이다.

### 서유신(徐有臣) 『역의의언(易義擬言)』

汎溢而沈沒於木上, 澤之大過也, 沈沒於澤而確乎不可拔, 木之大過也. 木立澤中, 如在難特立也, 木隱澤下, 如隱跡遯世也. 獨立遯世, 君子之大過也. 不懼則勇大矣, 无悶則志大矣. 獨立巽股象, 遯世巽伏象, 不懼无悶, 兌說象.
물이 넘쳐흘러 나무 위까지 침몰시키는 것은 못[澤]의 크게 지나침이며, 못에 침몰하여도 확고하게 뽑을 수 없는 것은 나무의 크게 지나침이다. 나무가 못 가운데 서는 것은 어려움 속에 있어도 홀로 서는 것과 같고, 나무가 못 아래에 숨어 있는 것은 종적을 감추고 세상을 피하여 은둔하는 것과 같다. 홀로 서고 세상을 피하여 은둔하는 것은 군자의 크게 지나침이다. 두려워하지 않음은 용기가 큰 것이며, 근심을 하지 않음은 뜻이 큰 것이다. 홀로 서는 것은 손괘(巽卦☴)인 넓적다리의 상이고, 세상을 피하여 은둔하는 것은 손괘(巽卦☴)인 엎드리는 상이며, 두려워하지 않고 근심하지 않음은 태괘(兌卦☱)인 기뻐하는 상이다.

### 박문건(朴文健) 『주역연의(周易衍義)』

獨立遯世, 取澤下木之象也.
홀로 서고 세상을 피하여 은둔함은 못[澤] 아래의 나무라는 상에서 취하였다.

### 이지연(李止淵) 『주역차의(周易箚疑)』

除初六一爻而觀之, 則自九二以上至上六, 卽兌之重體者, 是澤之大過者也. 除上六一爻而觀之, 則自九五以下至初六, 卽巽之重體者, 是木之大過者也. 又一卦之體爲重體之坎, 坎者水也, 亦水之大過者也. 澤非滅木之物, 而能滅木, 木非見滅於澤者, 而乃見滅, 此非水之故耶. 諸家皆以獨立不懼遯世无悶八字, 屬之木而解之, 似皆拘於立遯二字. 然而獨立不懼, 宜屬之水也.
초육이라는 한 효를 제거하고 본다면, 구이 이상으로부터 상육에 이르기까지는 태괘(兌卦☱)의 큰 몸체인 것이니, 이는 못[澤]의 크게 지나친 것이다. 상효라는 한 효를 제거하고 본다면, 구오 이하로부터 초효에 이르기까지는 손괘(巽卦☴)의 큰 몸체인 것이니, 이는 나무의 크게 지나친 것이다. 또 괘의 몸체가 큰 감괘(坎卦☵)가 되고 감괘(坎卦☵)란 물이니, 또한 물의 크게 지나친 것이다. 못이란 나무를 없애는 사물이 아니지만 나무를 없앨 수 있고, 나무란 못에 의하여 없애질 수 있는 것이 아니지만 없애지니, 이는 물 때문이 아니겠는가? 여러 학자들은 모두 '독립불구둔세무민(獨立不懼遯世无悶)'이라는 여덟 글자를 나무에 속하게 하여 풀이하였으니, 모두 "서다[立]"와 "은둔하다[遯]"라는 두 글자에 얽매인 듯하다. 하지만 '홀로 서서 두려워하지 않음'은 마땅히 물에 속해야 한다.

### 김기례(金箕澧) 「역요선의강목(易要選義綱目)」

澤滅木, 大過.
「상전」에서 말하였다: 못이 나무를 없애는 것이 대과(大過)이다.
澤深則沒木, 爲大過之象, 木浸而不動, 有大過之功.
못[澤]이 깊으면 나무를 빠뜨리니 크게 지나친 상이 되고, 나무가 빠져도 움직이지 않으니 크게 지나친 공(功)이 있다.

君子以, 獨立不懼, 遯世无悶.
「상전」에서 말하였다: 군자가 그것을 본받아 홀로 서서 두려워하지 않으며, 세상을 피하여 은둔하여도 근심하지 않는다.
卓行絕識之士, 若有非常之變, 則特立非常之功, 爲大過之義.
탁월한 행실을 하고 뛰어난 식견을 가진 선비에게 만약 일상적이지 않은 변고가 있게 되면 특별히 비상한 공을 세우니, 크게 뛰어남[大過]의 뜻이 된다.

### 심대윤(沈大允) 『주역상의점법(周易象義占法)』

澤滅木, 上行過也. 過而以其悅也, 故民不背隨. 隨天下而用天下大過, 違衆而衆從之, 非苟隨也. 非好反也, 顧其時不得不然也. 君子明乎善, 而審其大利害, 辨其大是非, 故有時乎違衆而行非常. 獨立不懼, 時可以行而行也, 遯世无悶, 時可以藏而藏也, 故天下終乃大服也. 坎爲獨, 對震爲立, 爲懼, 艮背巽行爲避 ,互坎匿曰遯, 乾坤爲世, 兌艮爲无悶.

'못[澤]이 나무를 없애는 것'은 위로 감이 지나친 것이다. 지나치더라도 기쁨으로 하기 때문에 백성들이 배반하지 않고 따른다. 천하 사람들을 따라 천하 사람들에게 크게 지나침을 써서, 여러 사람들을 위배하더라도 여러 사람들이 따르니, 구차하게 따르는 것이 아니다. 반대로 하기를 좋아해서가 아니라, 그 때를 돌아보아 그렇게 하지 않을 수 없기 때문이다. 군자는 선(善)에 밝아 큰 이득과 해로움을 살피고 큰 옳음과 그름을 변별하기 때문에 어떤 때에는 여러 사람들에 위배하며 항상 되지 않은 것을 행한다. '홀로 서서 두려워하지 않음'은 때가 행할 만하여 행하는 것이고, '세상을 피하여 은둔하여도 근심하지 않음'은 때가 숨을 만하여 숨는 것이기 때문에 천하 사람들이 끝내 크게 복종하게 된다. 감괘(坎卦☵)는 '홀로'가 되고, 하괘의 음양이 바뀐 괘인 진괘(震卦☳)는 '섬[立]'이 되고 '두려워함'이 되며, 간괘(艮卦☶)는 물러남이고 손괘(巽卦☴)는 가는 것이어서 도피함이 되며, 호괘인 감괘(坎卦☵)는 숨음이니 은둔한다고 하였고, 건괘(乾卦☰)와 곤괘(坤卦☷)는 세상이 되며, 태괘(兌卦☱)와 간괘(艮卦☶)는 '근심이 없음'이 된다.

### 오치기(吳致箕) 「주역경전증해(周易經傳增解)」

澤之卑而反没木之高, 乃大過之象也. 君子觀其象, 以之用大過之行, 能獨立正道, 雖天下非之而不懼, 遯避于世, 雖不見知而无悶. 此乃自守所以大過人者也. 獨立不懼, 取巽木爲高之象, 遯世无悶, 取兌澤爲悅之象也.
못[澤]이 낮으나 도리어 나무의 높음을 빠뜨릴 수 있으니, 크게 지나친[大過] 상이다. 군자가 이 상을 관찰하여 이로써 대과(大過)의 행(行)을 써서 홀로 바른 도를 세울 수 있으니, 비록 천하의 사람들이 비판을 하더라도 두려워하지 않고, 세상을 피하여 은둔할 수 있으니, 비록 알아주지 않더라도 근심이 없다. 이것이 다른 사람보다 크게 뛰어난 것을 스스로 지키는 것이다. '홀로 바른 도를 세워서 두려워하지 않음'은 손괘(巽卦☴)인 나무가 높음이 되는 상에서 취하였고, '세상을 피하여 은둔하여도 근심이 없음'은 태괘(兌卦☱)인 못이 기쁨이 되는 상에서 취하였다.

### 이진상(李震相) 『역학관규(易學管窺)』

丘氏曰, 獨立不懼, 巽木象, 遯世无悶, 兌說象.
구씨가 말하였다: 홀로 서서 두려워하지 않음은 손괘(☴)인 나무[木]의 상이고, 세상을 피하여 은둔해도 근심함이 없음은 태괘(☱)인 기쁨[說]의 상이다.

愚按, 不懼无悶, 皆乾德之剛也.
내가 살펴보았다: '두려워하지 않음'과 '근심하지 않음'은 모두 건괘(乾卦☰)의 덕인 굳셈이다.

### 박문호(朴文鎬) 「경설(經說)·주역(周易)」

獨立不懼, 遯世無悶, 小註, 丘氏, 以周公顏子當之. 若合而言之於一人, 則惟伯夷叔齊乎.
"홀로 서서 두려워하지 않으며, 세상을 피하여 은둔하여도 근심하지 않는다"에 대하여 소주에서 건안구씨는 주공과 안자(顏子)를 여기에 해당시켰다. 만약 한 사람으로 합하여 말한다면, 오직 백이(伯夷)와 숙제(叔齊)이겠구나!

### 이정규(李正奎) 「독역기(讀易記)」

巽風也而此獨取象於木, 何也. 或澤下之風, 無可象故然歟.
손괘(巽卦☴)는 바람인데도 여기서 유독 나무에서 상을 취하였으니, 어째서인가? 혹 못[澤] 아래의 바람이라고 하면 상징할 만한 것이 없기 때문에 그러한가보다.

### 이병헌(李炳憲) 『역경금문고통론(易經今文考通論)』

荀子曰, 天下有中, 敢直其身, 先王有道, 敢行其意. 上不循於亂世之君, 下不俗於亂世之民. 獨立天地之間而不畏, 是也.
순자가 말하였다: 천하에 표준이 있으면 감히 자신을 곧게 하고, 선왕이 끼친 도가 있으면 감히 그 뜻을 행한다. 위로는 어지러운 세상의 임금을 따르지 않고 아래로는 어지러운 세상의 백성에게 세속화되지 않는다. 홀로 천지 사이에 서서 두려워하지 않는다는 것이 그것이다.[30]

30) 『荀子·性惡』: 有上勇者, 有中勇者, 有下勇者. 天下有中, 敢直其身, 先王有道, 敢行其意, 上不循於亂世之君, 下不俗於亂世之民, 仁之所在無貧窮, 仁之所亡無富貴, 天下知之, 則欲與天下同苦樂之, 天下不知之, 則傀然獨立天地之間而不畏, 是上勇也.

## 初六, 藉用白茅, 无咎.

초육은 자리를 까는데 흰 띠풀을 사용하니, 허물이 없다.

### 中國大全

傳

初以陰柔巽體而處下, 過於畏愼者也. 以柔在下, 用茅藉物之象. 不錯諸地, 而藉以茅過於愼也. 是以无咎. 茅之爲物雖薄, 而用可重者, 以用之能成敬愼之道也. 愼守斯術而行, 豈有失乎大過之用也. 繫辭云, 苟錯諸地而可矣, 藉之用茅, 何咎之有. 愼之至也. 夫茅之爲物薄, 而用可重也. 愼斯術也以往, 其无所失矣, 言敬愼之至也. 茅雖至薄之物, 然用之可甚重, 以之藉薦, 則爲重愼之道, 是用之重也. 人之過於敬愼, 爲之非難, 而可以保其安而无過, 苟能愼斯道, 推而行之於事, 其无所失矣.

초효는 부드러운 음으로 손(☴)의 몸체이면서 아래에 있으니, 두려워하고 삼가기를 지나치게 하는 자이다. 부드러운 음으로 아래에 있음은 띠풀을 사용하여 물건에 까는 상이니, 땅에 놓지 않고 띠풀을 까는 것은 삼감을 지나치게 하는 것이다. 이 때문에 허물이 없다. 띠풀은 하찮은 것인데도 쓰임이 중한 까닭은 이것을 사용하여 공경하고 삼가는 도를 이룰 수 있기 때문이다. 이 방법을 삼가 지켜서 행한다면 어찌 대과(大過)의 쓰임[用]에 잘못이 있겠는가. 「계사전」에 "땅에 놓더라도 괜찮은데 자리를 까는데 띠풀을 사용하니 무슨 허물이 있겠는가? 삼감이 지극한 것이다. 띠풀이란 물건은 하찮으나 쓰임은 소중히 여길 만하니, 이 방법을 삼가서 가면 잘못되는 바가 없으리라"라고 하였으니, 공경과 삼감이 지극함을 말한 것이다. 띠풀은 지극히 하찮은 물건이나 쓰임이 매우 중하여, 이것을 깔면 신중히 하는 도가 되니, 이는 쓰임이 중하기 때문이다. 사람이 공경하고 삼감을 지나치게 함은 하기 어려운 것이 아니나 이렇게 하면 편안함을 보존하여 허물이 없을 수 있으니, 이 방법을 삼가서 미루어 일에 행하면 잘못되는 바가 없을 것이다.

本義

**當大過之時, 以陰柔居巽下, 過於畏愼而无咎者也. 故其象占如此. 白茅, 物之潔者.**

대과의 때를 당하여 부드러운 음으로 손괘의 아래에 있으니, 두려워하고 삼가기를 지나치게 하여 허물이 없는 자이다. 그러므로 상과 점이 이와 같다. 흰 띠풀은 물건 중에 깨끗한 것이다.

小註

朱子曰, 藉用白茅, 亦有過愼之意. 此是大過之初, 所以其過尙小.
주자가 말하였다: 자리를 까는데 흰 띠풀을 사용하는 것은 또한 지나치게 삼가는 뜻이 있다. 이는 대과의 초기이니, 이 때문에 지나침이 오히려 작은 것이다.

○ 節齋蔡氏曰, 錯諸地, 而又藉以茅, 過於厚也. 藉以初言, 柔以六言.
절재채씨가 말하였다: 땅에다 놓고 또 띠풀을 까니 두터움이 지나치다. "자리를 깔다[藉]"는 초효[初]를 가지고 말한 것이고, '부드러움[柔]'은 육(六)을 가지고 말한 것이다.

○ 中溪張氏曰, 茅柔物也, 巽爲白.
중계장씨가 말하였다: 띠풀은 부드러운 물건이고, 손(巽)은 흰색에 해당한다.

○ 雲峯胡氏曰, 成卦, 以棟橈爲象. 三四爻, 亦取棟象, 使六爻不出乎棟橈之一說, 則付天下之事於不可爲然後已. 故又因爻象, 而別發其義. 初六以柔承上剛. 剛易缺折, 而柔以藉之, 則可无傷. 如物措諸地可矣, 而必有以藉之. 藉之用茅可矣, 而必用白茅, 此戒愼恐懼之過者也. 故其占无咎.
운봉호씨가 말하였다: 괘를 이루어 '들보가 휘어짐[棟橈]'으로 상을 삼았다. 삼효 · 사효도 들보[棟]를 취하여 상으로 삼았으니, 가령 여섯 효가 전부 들보가 휘어진다는 한 가지 설명에서 벗어나지 못한다면, 천하의 일을 불가능한 데에 붙이고야 말 것이다. 그러므로 또한 효의 상에 따라 별도의 의미를 밝힌 것이다. 초육은 '부드러움[陰柔]'으로 위의 '굳센 양[陽剛]'을 받들고 있다. 굳센 것은 결손되고 단절되기 쉬우니 부드러운 것으로 깔아 준다면 상해가 없을 수 있다. 물건을 땅에다 놓아도 괜찮으나 반드시 자리를 깔아주고, 자리를 깔아주는데 띠풀을 쓰는 것도 괜찮으나 반드시 흰색 띠풀을 사용하니, 이는 경계하고 삼가며 두려워함이 지나친 자이다. 그러므로 허물이 없다는 점(占)이 나왔다.

## ▎韓國大全▎

### 조호익(曺好益)『역상설(易象說)』

初六, 藉用白茅.
초육은 자리를 까는데 흰 띠풀을 사용한다.

節齋曰, 藉初象, 茅六象.
절재채씨가 말하였다: "자리를 깔다[藉]"는 초효의 상이고, 띠풀은 육(六)의 상이다.

中溪張氏曰, 茅柔物, 巽爲白.
중계장씨가 말하였다: 띠풀은 부드러운 물건이고, 손괘(巽卦☴)는 흰색이 된다.

愚謂, 初承四剛, 故爲藉. 茅, 巽爲草木象.
내가 살펴보았다: 초효는 굳센 네 양을 받들기 때문에 자리가 된다. '띠풀'은 손괘(巽卦☴)가 초목의 상이 되기 때문이다.

### 곽설(郭設)「역전요의(易傳要義)」

釋大過初六爻, 藉用白茅, 無咎, 子曰, 苟錯諸地, 而可矣, 藉之用茅, 何咎之有. 愼之至也. 夫茅之爲物薄而用可重也, 愼斯術也, 以往, 其无所失矣.
「계사전」에서 대과괘(大過卦) 초육의 효사를 풀이하였다: "초육은 자리를 까는데 흰 띠풀을 사용하니 허물이 없다"라고 하니, 공자가 다음과 같이 말하였다. "땅에 놓더라도 괜찮은데 자리를 까는데 띠풀을 사용하니 무슨 허물이 있겠는가? 삼감이 지극한 것이다. 띠풀이란 물건은 하찮으나 쓰임은 소중히 여길 만하니, 이 방법을 삼가서 가면 잘못되는 바가 없으리라."

### 송시열(宋時烈)『역설(易說)』

巽爲白爲茅. 居初, 故云藉也, 詳見繫辭. 折中易以茅對棟而言, 似是過也. 卦取卦義, 爻取爻義,可也. 言藉地以陰柔之物, 則雖用於木過重者, 可無破敗之道, 只如是看似好.
손괘(巽卦☴)는 '흰색'이 되고 '띠풀'이 된다. 초효에 있기 때문에 '자리'를 말하였으니, 「계사전」에 상세하게 보인다.[31] 『주역절중』에서는 '띠풀'을 '들보'와 댓구로 말하였으니, 이는 지나친 듯하다. 괘는 괘의 뜻에서 취하고, 효는 효의 뜻에서 취함이 옳다. 부드러운 음의 물건으로써 땅에 자리를 깐다면, 비록 지나치게 무거운 나무를 올려놓아 사용하더라도 부서지거나 무너지는 도리가 없을 것이니, 단지 이와 같이 보아야 좋을 듯하다.

### 이익(李瀷)『역경질서(易經疾書)』

至哉, 聖人之用易. 苟無大傳之說, 孰知藉茅有愼術用重之義哉. 君子聲入心通, 目擊道存, 故有觸必感發揮. 如此學易, 寡過之意, 宜於此類求之也. 卦有草木之象, 而剛過者爲棟, 則柔弱者爲草矣. 茅者, 柔弱而潔白也. 剛上爲棟, 則柔下爲藉矣. 古者包藉禮物, 皆用茅, 禮不忘本也. 詩云, 束麕, 禮云, 縮酒, 皆此義也. 傳云, 柔在下也, 其在上者乾剛也, 故曰籍也. 其所藉, 雖不言其物,意者, 古人凡用重物, 莫不如此, 不以一物著之, 不錯諸地, 必用茅, 非愼之至乎. 以易得之, 茅藉莫重之物, 非用重乎. 推此術施於日用之間, 何咎之有.

지극하구나! 성인(聖人)이 역(易)을 씀이여! 만약「계사전」의 설명이 없었다면, 누가 돗자리에 '방법'을 삼가고 '쓰임'을 소중하게 여기는 뜻이 있음을 알았겠는가? 군자는 소리만 듣고 마음으로 통하여 여기에 도가 있음을 보기 때문에 접촉함이 있으면 반드시 감동함이 발휘된다. 이와 같이 역(易)을 배울 때에 부족하거나 지나친 뜻을 마땅히 이러한 종류[類]에서 찾아야 한다. 괘에는 초목의 상이 있으니, 굳셈이 지나친 것이 들보가 되면 유약한 것은 풀이 된다. '띠풀'이란 유약하면서 깨끗하고 하얗다. 굳센 양이 위에 있어서 '들보'가 되면, 부드러운 음이 아래에 있어서 '자리'가 된다. 옛날에 예물(禮物)을 싸거나 내려놓을 때 바닥에 까는 것은 모두 띠풀을 사용하였으니, 예(禮)란 근본을 잊지 않는 것이다.『시경(詩經)』에서 "노루를 묶다"[32]고 하였고,『예기(禮記)』에서는 "술을 거른다"[33]라고 하였으니, 모두 이러한 뜻이다.『정전』에서 "부드러운 음으로 아래에 있다"고 하였으니, 위에 있는 것은 굳센 건괘(乾卦☰)이므로 '자리'라고 하였다. 자리를 까는 것에 대하여 비록 그 물건을 무엇인지 말하지 않았더라도, 생각하건대 옛날 사람들은 일반적으로 중요한 물건을 사용할 때에는 이와 같이 하지 않음이 없었고, 한 가지 사물로 분명하게 드러내지는 않았지만 땅에 닿지 않으려면 반드시 띠풀을 사용하였으니, 삼감의 지극함이 아니겠는가? 쉽게 얻을 수 있기 때문에 띠풀로 가장 중요한 물건 아래에 깔았으니, 소중히 쓰인 것이 아니겠는가? 이러한 방법을 미루어서 날마다 쓰는 사이에 시행한다면 무슨 허물이 있겠는가?

---

31)『周易·繫辭傳』: 初六, 藉用白茅, 无咎, 子曰, 苟錯諸地, 而可矣, 藉之用茅, 何咎之有. 愼之至也. 夫茅之爲物, 薄而用, 可重也, 愼斯術也, 以往, 其无所失矣.

32)『詩經·野有死麕』: 林有樸樕, 野有死鹿. 白茅純束, 有女如玉.

33)『禮記·郊特牲』: 縮酌用茅, 明酌也.

## 유정원(柳正源) 『역해참고(易解參攷)』

王氏曰, 以柔處下, 過而无咎, 其唯愼乎.
왕필이 말하였다: 부드러운 음으로 아래에 있어 지나치지만 허물이 없으니 오직 조심하는구나!

○ 正義言, 以潔素之道奉事於上也.
『주역정의』에서 말하였다: 깨끗하고 소박한 도로 윗사람을 받들어 섬긴다.

○ 梁山來氏曰, 巽陰木爲茅, 故泰卦變巽曰茅, 否大象巽亦曰茅. 巽爲白, 白茅之象也.
양산래씨가 말하였다: 손괘(巽卦☴)의 음인 나무는 '띠풀'이 되기 때문에 태괘(泰卦䷊)의 하괘가 변하여 손괘(巽卦☴)가 되므로 '띠풀'이라고 하였고,[34] 비괘(否卦䷋)의 「대상전」에서도 상괘가 변하면 손괘(巽卦☴)가 되므로 '띠풀'이라고 하였다.[35] 손괘(巽卦☴)는 흰 것이 되므로 흰 띠풀의 상이 된다.

小註, 節齋說, 柔以.
소주에서 절제채씨가 말하였다: 부드러움은 상효를 가지고 말하였다.
〈案, 柔當作茅.
내가 살펴보았다: '부드러움[柔]'은 마땅히 '띠풀[茅]'이라고 써야 한다.〉

## 김상악(金相岳) 『산천역설(山天易說)』

初六, 居卦之始, 處巽之下, 比二應四, 以柔承剛, 故有藉用白茅之象. 當過之時, 過於敬愼, 无咎之道也. 詩云, 敬愼威儀, 以近有德, 此之謂也.
초육은 괘의 시작하는 데에 있고 손괘(巽卦☴)의 맨 아래에 있으며, 이효와 비(比)의 관계에 있고 사효와 호응하며, 부드러운 음으로 굳센 양을 받들기 때문에 "자리를 까는데 흰 띠풀을 사용하는" 상이 있다. 지나친[過] 때를 맞아 공경하고 조심함에 지나치니, 허물이 없는 도이다. 『시경』에서 "위의(威儀)를 공경하고 조심하여 덕이 있는 사람을 가까이 하라"[36]고 하였으니 이를 말한다.

---

34) 『周易 · 泰卦』: 初九, 拔茅茹. 以其彙征, 吉.
35) '띠풀[茅]'은 『주역(周易) · 비괘(否卦)』의 「대상전」에 보이지 않고, 초효에서 "初六, 拔茅茹. 以其彙, 貞, 吉亨."과 같이 보인다.
36) 『詩經 · 民勞』: 民亦勞止, 汔可小息. 惠此京師, 以綏四國. 無縱詭隨, 以謹罔極. 式遏寇虐. 無俾作慝.

○ 巽爲草爲白, 白茅之象. 大過全體, 具夬姤二卦之象, 以柔承剛, 則曰藉用白茅, 以剛決柔, 則曰莧陸夬夬, 以剛遇柔, 則曰以杞包瓜, 剛柔相與, 則曰枯楊, 生稊, 生華. 无咎者, 善補過之辭也. 故大過初上, 皆言无咎, 以補其過.
손괘(巽卦☴)는 풀이 되고 흰색이 되니, 흰 띠풀의 상이 된다. 대과괘의 전체에는 쾌괘(夬卦䷪)와 구괘(姤卦䷫)라는 두 괘의 상이 갖추어져 있으니, 부드러운 음으로 굳센 양을 받들면 "자리를 까는데 흰 띠풀을 사용한다"고 하고, 굳센 양으로 부드러운 음을 결단하면[37] "비름나물을 끊듯이 결단한다"[38]고 하며, 굳센 양으로 부드러운 음을 만나면 "박달나무 잎으로 오이를 싼다"[39]고 하고, 굳센 양과 부드러운 음이 서로 함께하면 "뿌리가 생긴다"[40]고 하고 "꽃이 핀다"[41]고 하였다. "허물이 없다"란 잘못에 대하여 보완하기를 잘한다는 말이다. 그러므로 대과괘의 초효와 상효에서는 모두 "허물이 없다"고 하였으니, 잘못에 대하여 보완하기 때문이다.

## 서유신(徐有臣) 『역의의언(易義擬言)』

此初六之過也. 小過, 過之小, 故三四爲不過也. 大過, 過之大, 故初上亦爲過也. 白巽象, 茅, 柔爻象也. 在兌乾之下, 蓋用藉於金玉也. 以茅在下, 苟失其用, 則等是草芥賤薄而已矣. 以其用於藉, 故爲過愼之義, 而雖是薄物, 亦无咎也. 茅之薄物而爲可用於重事者, 以其潔白也. 潔白而可重, 當過而過, 故雖爲過巽, 亦无卑賤可羞之失也.
이것은 초육의 지나침이다. 소과괘(小過卦䷽)는 지나침이 작기 때문에 삼효와 사효가 지나치지 않게 된다.[42] 대과괘(大過卦)는 지나침이 크기 때문에 초효와 상효가 또한 지나침이 된다. 흰색은 손괘(巽卦☴)의 상이고, '띠풀'은 부드러운 음효의 상이다. 태괘(兌卦☱)와 호괘인 건괘(乾卦☰)의 아래에 있으니, 금과 옥에 대한 자리로 쓰인다. 띠풀은 아래에 두는 것인데도 만약 그 쓰임을 잃는다면 초개가 천하고 박한 것과 같을 뿐이다. 자리로 쓰이기 때문에 지나치게 삼가는 뜻이 되며, 비록 하찮은 물건이지만 또한 허물이 없다. 띠풀이 하찮은 물건이면서도 중요한 일에 쓰일 수 있는 것은 깨끗하고 하얗기 때문이다. 깨끗하고 희어서 중요하게 쓰일 수 있어서 마땅히 지나쳐야 할 경우에 지나치기 때문에 비록 지나친 공손함이 되더라도, 또한 비천하여 부끄러워할 만한 잘못은 없다.

---

敬愼威儀, 以近有德.

37) 『周易・夬卦』: 彖曰, 夬, 決也, 剛決柔也, 健而說, 決而和.
38) 『周易・夬卦』: 九五, 莧陸夬夬, 中行, 无咎.
39) 『周易・姤卦』: 九五, 以杞包瓜, 含章, 有隕自天.
40) 『周易・大過卦』: 九二, 枯楊, 生稊, 老夫, 得其女妻, 无不利.
41) 『周易・大過卦』: 九五, 枯楊, 生華, 老婦, 得其士夫, 无咎无譽.
42) 『周易・小過卦』: 九三, 弗過防之, 從或戕之, 凶. ; 九四, 无咎, 弗過, 遇之, 往厲, 必戒, 勿用永貞.

### 박제가(朴齊家) 『주역(周易)』

以象傳本末弱之象律之, 則初爲罪魁, 而爻忽舍之而不言, 卻稱无咎, 孔子於繫辭, 又仍而極贊之, 與象傳了不相關者, 何也. 蓋極天下之賾, 而擬諸形容, 觀其會通, 固安得以一義勘斷一卦一爻. 故曰不可爲典要, 此之白茅自白茅, 本末自本末. 棟撓之凶, 雖專歸九三, 而各指所之. 大約四陽皆棟, 而近陰上下, 忽以枯楊象之, 非枯楊之中都無棟象而然也. 又不可以本末弱三字勘斷, 此卦所謂存乎通存乎變存乎其人者也. 此學易之一隅也 自當[43]反三.

「단전」에서 말한 "밑과 끝이 약하다"는 상을 기준으로 해서 본다면, 초효는 죄의 우두머리가 되는 데도 효사에서는 돌연 이를 버리고 말하지 않으면서 오히려 "허물이 없다"고 하였으며, 공자는 「계사전」에서 재차 지극히 찬미하였으니,[44] 「단전」에서 말한 것과는 전혀 서로 관련되지 않는 것은 어째서인가? 천하의 복잡다단함을 지극히 하여 그 모양에서 헤아리며 회통(會通)함을 관찰하니,[45] 진실로 어찌 한 가지 뜻으로 하나의 괘와 하나의 효를 헤아려 판단할 수 있겠는가? 그러므로 "일정한 법칙으로 삼을 수 없다"[46]고 하였으니, 여기서의 '흰 띠풀'은 그 자체로 흰 띠풀이며 '밑'과 '끝'은 그 자체로 밑과 끝이다. 들보가 휘어지는 흉함은 비록 전적으로 구삼에게 돌아가지만 각기 그 향하는 바를 가리킨다.[47] 대략 네 양이 모두 들보인데도 음에 가까운 맨 위[九五]와 맨 아래[九二]는 돌연 '마른 버드나무'로 상징되니, 마른 버드나무의 가운데에 모두 들보의 상이 없어서 그러한 것이 아니다. 또 '본말약(本末弱)'이라는 세 글자로 헤아려 판단해서는 안 되니, 이것이 「괘사전」에서 이른바 "통함에 있다"와 "변함에 있다"와 "그 사람에 있다"[48]는 것이다. 이것은 역(易)을 배우는 한 모퉁이가 되니, 스스로 마땅히 항상 이를 통해서 세 모퉁이를 반증해야 한다[49].

### 박문건(朴文健) 『주역연의(周易衍義)』

順承四剛, 故有藉用白茅之象. 白茅, 茅之柔潔者也. 處下用柔, 故无咎.

---

43) 當: 경학자료집성DB에는 '常'으로 되어 있으나, 경학자료집성 영인본을 참조하여 '當'으로 바로잡았다.
44) 『周易·繫辭傳』: 初六, 藉用白茅, 无咎, 子曰, 苟錯諸地, 而可矣, 藉之用茅, 何咎之有. 愼之至也. 夫茅之爲物, 薄而用, 可重也, 愼斯術也, 以往, 其无所失矣.
45) 『周易·繫辭傳』: 是故夫象, 聖人有以見天下之賾, 而擬諸其形容, 象其物宜, 是故謂之象. 聖人有以見天下之動, 而觀其會通, 以行其典禮, 繫辭焉, 以斷其吉凶. 是故謂之爻.
46) 『周易·繫辭傳』: 易之爲書也不可遠, 爲道也屢遷. 變動不居, 周流六虛, 上下无常, 剛柔相易, 不可爲典要, 唯變所適.
47) 『周易·繫辭傳』: 是故, 卦有小大, 辭有險易, 辭也者, 各指其所之.
48) 『周易·繫辭傳』: 化而裁之, 存乎變, 推而行之, 存乎通, 神而明之, 存乎其人, 默而成之, 不言而信, 存乎德行.
49) 『論語·述而』: 子曰, 不憤, 不啓, 不悱, 不發, 擧一隅, 不以三隅反, 則不復也.

네 굳센 양을 순종하면서 받들기 때문에 자리를 까는데 흰 띠풀을 사용하는 상이 있다. '흰 띠풀'이란 띠풀 중에서 부드럽고 깨끗한 것이다. 아래에 두면서 부드러움을 쓰기 때문에 허물이 없다.

### 이지연(李止淵) 『주역차의(周易箚疑)』

初六, 愼之大過者也. 九二, 陽之年齒大過者也. 九三, 撓之大過者也. 九四, 隆之大過者也. 九五, 陰之年齒大過者也. 九四之有他, 陰之於陽, 本非我類故也.

초육은 삼감이 크게 지나친 것이다. 구이는 양의 나이가 크게 지나친 것이다. 구삼은 휘어짐이 크게 지나친 것이다. 구사는 솟음이 크게 지나친 것이다. 구오는 음의 나이가 크게 지나친 것이다. 구사에 '다른 데[他]에 마음을 둠'[50]은 음이 양에 대하여 본래 우리와 같은 부류가 아니기 때문이다.

### 김기례(金箕澧) 「역요선의강목(易要選義綱目)」

巽爲白, 故曰白茅. 茅柔而潔白, 指巽體下陰, 潔而自柔, 承二之剛, 故无咎. 如物可置地而茅藉, 則過愼, 若非過愼, 弱陰凶.

손괘(巽卦☴)는 흰색이 되기 때문에 '흰 띠풀'이라고 하였다. 띠풀은 부드러우면서 깨끗하고 희며, 손괘(巽卦☴)의 몸체에서 맨 아래에 있는 음을 가리키니, 깨끗하고 본래 부드러우면서 구이와 구삼인 두 굳센 양을 받들기 때문에 허물이 없다. 땅에 두어도 될 만한 물건인데도 띠풀로 자리를 깔면 지나치게 삼가는 것이니, 지나치게 삼가는 경우가 아니라면 유약한 음으로 흉하다.

### 심대윤(沈大允) 『주역상의점법(周易象義占法)』

大過之義, 不論君位也. 有應者, 志有所偏執準的也. 二五爲行中, 而三四爲時中, 時中大於行中也. 大過之爻位, 居剛, 行過而衆之所惑也, 居柔, 衆之所欲也.

'대과(大過)'의 뜻은 임금의 자리를 논하지 않는다. 호응이 있는 자는 뜻에 치우치게 고집하는 준적(準的)이 있다. 이효와 오효는 중도(中道)를 행함이 되고 삼효와 사효는 때에 알맞게 함[時中]이 되는데, 때에 알맞게 하는 것이 중도를 행하는 것보다 크다. 대과괘의 효 자리는 굳센 양의 자리에 있으면 행동이 지나쳐서 여러 사람들이 의혹하게 되고, 부드러운 음의 자리에 있으면 여러 사람들이 바라게 된다.

---

50) 『周易·大過卦』: 九四, 棟隆, 吉, 有它, 吝.

大過之夬䷪, 明決也. 居剛而有應, 不顧衆論而執志有準, 以柔藉於衆剛, 有畏懼之象. 蓋爲非常之事者, 於其作計之始, 必明決固執而柔巽畏愼也. 當大過之初, 未能時中, 而以能明決而愼, 故爲无咎也. 巽居坎臀之下爲藉, 艮震爲用, 取對頤也. 茅草之剛□而柔者也, 巽爲白茅.
대과괘(大過卦)가 쾌괘(夬卦䷪)로 바뀌었으니 명쾌함이다. 굳센 양의 자리에 있고 호응함이 있어서 다른 사람들의 의론을 돌아보지 않아 뜻을 고집하는 데에 준적이 있고, 부드러운 음으로 여러 굳센 양들에게 자리가 되니, 두려워하는 상이 있다. 일상적이지 않은 일을 하는 사람은 계획을 세우는 처음에 반드시 명쾌하게 고집을 부리지만, 부드럽고 공손하며 두려워하고 삼간다. 대과의 처음을 맞아 때에 알맞게 할 수 없지만, 명쾌하여 삼갈 수 있기 때문에 허물이 없게 된다. 손괘(巽卦☴)는 큰 감괘(坎卦☵)의 엉덩이 아래 있어서 자리가 되고, 간괘(艮卦☶)와 진괘(震卦☳)는 '쓰임[用]'이 되는데 대과괘(大過卦)의 음양이 바뀐 괘인 이괘(頤卦䷚)에서 취하였다. 띠풀은 굳세고 □하면서도 부드러운 것이니, 손괘(巽卦☴)가 '흰 띠풀'이 된다.

## 오치기(吳致箕) 「주역경전증해(周易經傳增解)」

初六, 以柔居下, 而體旣巽順, 上承衆剛, 而志在敬愼, 有藉用白茅之象. 然柔不得正, 宜若有咎, 而以其能大過於愼, 而无所失, 故言无咎. 繫辭傳備矣.
초육은 부드러운 음으로 맨 아래에 있고 몸체가 이미 공손하고 유순하여 위로는 여러 양들을 받들고 뜻은 공경하고 조심하는 데에 있으니, '자리를 까는데 흰 띠풀을 사용하는' 상이 있다. 그러나 부드러운 음으로 바름을 얻지 못하여 마땅히 허물이 있을 듯하지만, 삼가 하는 데에 크게 지나쳐서 잘못이 없을 수 있기 때문에 "허물이 없다"고 하였다. 「계사전」에 이미 갖추어져 있다.[51]

○ 藉, 薦也. 上承四陽, 有藉薦之象. 巽爲白, 而茅亦取於巽, 已見泰否二卦.
'자(藉)'는 자리이다. 위로 네 양을 받드니, 자리의 상이 있다. 손괘(巽卦☴)는 흰색이 되고, '띠풀'도 또한 손괘(巽卦☴)에서 취하였으니, 태괘(泰卦䷊)와 비괘(否卦䷋)의 두 괘에 이미 보인다.

---

51) 『周易·繫辭傳』: 初六, 藉用白茅, 无咎, 子曰, 苟錯諸地, 而可矣, 藉之用茅, 何咎之有. 愼之至也. 夫茅之爲物, 薄而用, 可重也, 愼斯術也, 以往, 其无所失矣.

### 이진상(李震相) 『역학관규(易學管窺)』

泰初變巽, 亦取茅象, 蓋巽爲草, 爲白白茅象也. 初在下, 故曰藉. 乾爲玉, 合用藉也.
태괘(泰卦☷)의 초효가 변하여 하괘가 손괘(巽卦☴)가 되므로 또한 띠풀의 상을 취하였으니, 손괘(巽卦☴)는 풀이 되고 흰색이 되므로 하얀 띠풀의 상이다. 초효가 맨 아래에 있기 때문에 '자리'라고 하였다. 건괘(乾卦☰)는 옥(玉)이 되며 자리를 쓰는 데에 부합된다.

### 박문호(朴文鎬) 「경설(經說)·주역(周易)」

白茅, 程傳取柔象, 本義取潔義, 以彖傳觀之, 程傳似長.
'흰 띠풀'에 대하여 『정전』에서는 '부드러운' 상을 취하였고, 『본의』에서는 '깨끗하다'는 뜻을 취하였는데, 「단전」으로 살펴본다면 『정전』이 나을 듯하다.

豈有失乎大過之用也, 或分作二句讀, 或合作一句讀, 兩皆似通.
"기유실호대과지용야(豈有失乎大過之用也)"에 대하여 어떤 경우에는 두 구절로 읽고, 어떤 경우에는 한 구절로 읽는데, 두 경우 다 뜻이 통할 듯하다.

## 象曰, 藉用白茅, 柔在下也.

「상전」에서 말하였다: "자리를 까는데 흰 띠풀을 사용함"은 부드러운 음이 아래에 있기 때문이다.

# 中國大全

### 傳

**以陰柔處卑下之道, 唯當過於敬愼而已. 以柔在下, 爲以茅藉物之象, 敬愼之道也.**

부드러운 음으로서 아랫자리에 처하는 도는 오직 공경하고 삼감을 지나치게 할 뿐이다. 부드러운 음으로서 아래에 있는 것이 띠풀을 물건에 까는 상이 되니, 이것이 공경하고 삼가는 도이다.

### 小註

隆山陳氏曰, 柔在下, 上承四剛, 故有白茅藉物之象也.
융산진씨가 말하였다: 부드러운 음이 아래에 있고 위로 네 개의 굳센 양을 받들고 있기 때문에 흰 띠풀로 물건을 까는 상이 있다.

## 韓國大全

### 김상악(金相岳) 『산천역설(山天易說)』

柔之承剛, 有敬愼之義, 柔之在下, 得卑巽之道也.
부드러운 음이 굳센 양을 받듦에는 공경하고 조심하는 뜻이 있고, 부드러운 음이 아래에 있음은 낮추어 공손한 도를 얻는다.

### 서유신(徐有臣) 『역의의언(易義擬言)』

茅者, 柔之象也, 藉者, 在下之象也.
'띠풀'은 부드러운 음의 상이고, '자리'는 아래에 있는 상이다.

### 김기례(金箕澧) 「역요선의강목(易要選義綱目)」

柔在下.
「상전」에서 말하였다: 부드러운 음이 아래에 있기 때문이다.

柔而盡在下之道.
부드러운 음으로 아래에 있는 도를 다하였다.

### 오치기(吳致箕) 「주역경전증해(周易經傳增解)」

巽柔在下, 故有藉茅之象, 而敬愼之至也.
손괘(巽卦)의 부드러운 음이 맨 아래에 있기 때문에 띠풀로 자리를 까는 상이 있으니, 지극히 공경하고 조심함이다.

### 이병헌(李炳憲) 『역경금문고통론(易經今文考通論)』

虞曰, 位在下稱藉, 巽柔白爲茅.
우번이 말하였다: 자리[位]가 맨 아래에 있어서 '깔개[藉]'를 칭하였고, 손괘(巽卦☴)는 부드러움과 흰색을 의미하므로 '띠풀'이 된다.

## 九二, 枯楊, 生稊, 老夫, 得其女妻, 无不利.

구이는 마른 버드나무에 뿌리가 생기며 늙은 남자가 젊은 아내를 얻으니 이롭지 않음이 없다.

## 中國大全

### 傳

陽之大過, 比陰則合, 故二與五, 皆有生象. 九二, 當大過之初, 得中而居柔, 與初密比而相與. 初旣切比於二, 二復无應於上, 其相與可知. 是剛過之人, 而能以中自處, 用柔相濟者也. 過剛則不能有所爲, 九三是也. 得中用柔, 則能成大過之功, 九二是也. 楊者, 陽氣易感之物, 陽過則枯矣. 楊枯槁而復生稊, 陽過而未至於極也. 九二陽過而與初, 老夫得女妻之象, 老夫而得女妻, 則能成生育之功. 二得中居柔而與初, 故能復生稊, 而无過極之失, 无所不利也. 在大過, 陽爻居陰則善, 二與四是也. 二不言吉, 方言无所不利, 未遽至吉也. 稊根也. 劉琨勸進表云, 生繁華於枯荑, 謂枯根也. 鄭玄易, 亦作荑字, 與稊同.

양이 크게 지나쳐 음을 가까이 하면 합하기 때문에 이효와 오효에 모두 낳는 상이 있다. 구이는 대과의 처음을 당하여 중을 얻었고 부드러운 음의 자리에 있으며 초효와 매우 가까워 서로 함께한다. 초효는 이미 이효와 매우 가까운데 이효가 다시 위에 응(應)이 없으니, 이들이 서로 함께함을 알 수 있다. 이는 굳센 양이 지나친 사람으로서 중도(中道)로 자처하고 부드러움을 써서 서로 구제할 수 있는 자이다. 지나치게 강하면 무슨 일을 할 수가 없으니, 구삼이 여기에 해당한다. 중(中)을 얻고 부드러움을 쓰면 대과(大過)의 공(功)을 이룰 수 있으니, 구이가 여기에 해당한다. 버드나무는 양기(陽氣)가 감동시키기 쉬운 물건이니, 양이 지나치면 마른다. 버드나무가 말랐으나 다시 뿌리가 생겼다면 양(陽)이 지나치나 극단에는 이르지 않은 것이다. 구이는 양이 지나치나 초효와 친함은 늙은 남자가 젊은 아내를 얻는 상이니, 늙은 남자가 젊은 아내를 얻으면 낳고 기르는 공을 이룰 수 있다. 이효는 중(中)을 얻고 부드러운 음의 자리에 있어 초효와 함께하기 때문에 다시 뿌리가 나고 극도로 지나친 잘못이 없어 이롭지 않음이 없다. 대과(大過)에 있어서는 양효가 음의 자리에 있으면 좋으니, 이효와 사효가 이 경우이다. 그러나 이효에서 길함을 말하지 않고, 바야흐로 이롭지 않음이 없다고 말한 것은 갑자기 길함에 이를 수 없기 때문이다. 제(稊)는 뿌리이다. 유곤(劉琨)의 「권진표(勸進表)」[52]에 "화려한 꽃이 마른 뿌리[枯荑]에서 난다"라고 하였으니, '고제(枯荑)'는 '마른 뿌리[枯根]'를 이른 것이다. 정현(鄭玄)의 역(易)에도 '제(荑)'자로 되어 있으니, '제(稊)'와 같다.

本義

**陽過之始, 而比初陰, 故其象占如此. 稊根也, 榮於下者也. 榮於下, 則生於上矣. 夫雖老而得女妻, 猶能成生育之功也.**

양이 지나치게 많은 처음에 초효의 음과 가까이 있기 때문에 상과 점이 이와 같다. 제(稊)는 뿌리이니, 아래에서 꽃이 피는 것이다. 아래에서 꽃이 피면 위에서 생겨난다. 비록 남자가 늙었으나 젊은 아내를 얻으면 여전히 낳고 기르는 공을 이룰 수 있다.

小註

雲峯胡氏曰, 巽爲木, 兌爲澤. 楊近澤之木, 故以取象. 枯楊, 大過象, 稊, 初在下象, 老夫, 九象, 女妻, 初柔在下象. 九二陽, 雖過而下, 比於陰, 如枯楊, 雖過於老, 稊榮於下, 則復生於上矣. 老夫而得女妻, 雖過以相與, 終能成生育之功. 无他, 以陽從陰, 過而不過, 生道也.

운봉호씨가 말하였다: 손괘(巽卦☴)는 나무이고 태괘(兌卦☱)는 못이다. 버드나무는 못 가까이 있는 나무이기 때문에 그것으로 상을 취했다. '마른 버드나무'는 크게 지나친 상이고 '뿌리'는 초효가 아래에 있는 상이며 '늙은 남자'는 노양[九]의 상이고 '젊은 아내'는 초효인 음효가 아래에 있는 상이다. 구이의 양은 비록 지나치나 아래에 있으면서 음효와 가까우니, 마른 버드나무가 비록 늙음에 지나치더라도 아래에서 뿌리가 피어나면 다시 위에서 생겨날 수 있는 것과 같다. 늙은 남자이면서 젊은 아내를 얻으면 비록 지나치게 서로 함께 하더라도 마침내 낳고 기르는 공효를 이룰 수 있을 것이다. 이것은 다름이 아니라 양이 음을 따르는 것이 지나친 것이지만, 지나치지 않음이 됨은 생육의 도[生道]이기 때문이다.

○ 涑水司馬氏曰, 大過, 剛已過矣, 止可濟之以柔, 不可濟之以剛也. 故大過之陽, 皆以居陰爲吉, 不以得位爲美.

속수사마씨가 말하였다: 대과는 굳셈이 이미 지나치니 단지 부드러움으로 구제할 수 있고 굳셈으로는 구제할 수 없다. 그러므로 대과괘의 양은 모두 음의 자리에 있는 것을 길하게 여기고, 제 자리를 얻은 것을 아름답게 여기지 않았다.

---

52) 권진표(勸進表): 유곤(劉琨)은 진(晉)나라 민제(愍帝) 때에 사공(司空)이었으나 오호(五胡)의 난에 민제가 오랑캐에게 시해당하자 강동(江東)에 있던 사마의(司馬懿)에게 「권진표(勸進表)」를 올려 제위(帝位)에 오를 것을 권하였다. 그 후 사마위가 강동에서 즉위하니, 이가 곧 동진(東晉)의 원제(元帝)이다.

○ 龜山楊氏曰, 聞之蜀僧云, 四爻之剛, 雖同爲木, 然或爲楊, 或爲棟. 棟負衆榱, 則木之强者也, 楊爲早凋, 則木之弱者也. 此卦本末皆弱, 二近於本, 五近於末, 故均爲木之弱也.
구산양씨가 말하였다: 촉나라 승려에게 다음과 같은 소리를 들었다. "굳센 양의 네 효가 모두 나무이나, 어떤 것은 버드나무이고 어떤 것은 들보이다. 들보는 여러 서까래를 받치고 있으니 나무 중에 강한 것이고, 버드나무는 일찍 시드니 나무 중에 약한 것이다. 이 괘의 밑과 끝은 모두 약한데, 이효는 밑에 가깝고 오효는 끝에 가깝기 때문에 마찬가지로 나무 중에 약한 것이 된다."

## 韓國大全

### 조호익(曺好益)『역상설(易象說)』

九二, 枯楊, 生稊, 老夫, 得其女妻.
구이는 마른 버드나무에 뿌리가 생기며 늙은 남자가 젊은 아내를 얻는다.

愚謂, 荀九家易, 巽爲楊. 下體位離, 離爲槁木, 又全體似坎, 坎伏離. 稊以木言, 幹爲陽, 根爲陰, 以爻言, 初地中, 二地上, 陰而在地中者爲根. 二比初, 有生稊之象. 二宜少於巽女, 而二上於初, 故稱老夫, 艮男象, 二變則艮. 妻巽女象, 初在一卦之始, 故稱女.
내가 살펴보았다: 『순구가역』에서는 "손괘(巽卦☴)가 버드나무가 된다"고 하였다. 하체는 리괘(離卦☲)에 자리하고 리괘(離卦☲)는 마른 나무가 되며, 괘 전체는 감괘(坎卦☵)와 비슷하며 감괘(坎卦☵)는 리괘(離卦☲)에 숨어 있다. '제(稊)'를 나무로 말하면 줄기는 양이 되고 뿌리는 음이 되며, 효로써 말하면 초효는 땅 속이고 이효는 땅 위이니, 음이면서 땅 속에 있는 것이 뿌리이다. 이효는 초효와 비(比)의 관계에 있으므로 '뿌리가 생기는' 상이 있다. 이효는 마땅히 손괘(巽卦☴)의 장녀보다 어리지만, 이효가 초효보다 위에 있으므로 '늙은 남자[老夫]'라고 칭한 것은 간괘(艮卦☶)는 남자의 상인데 이효가 변하면 간괘(艮卦☶)가 되기 때문이다. '아내'는 손괘(巽卦☴)인 장녀의 상이지만, 초효는 한 괘의 시작하는 데에 있기 때문에 '젊은 여자[女]'라고 하였다.

### 송시열(宋時烈)『역설(易說)』

巽爲楊, 楊者, 水邉多生, 陽氣易感之木也. 枯者, 陽氣過故也. 下生曰梯, 上生曰華. 老夫者, 陽之大過者, 且巽錯則爲震之長男也. 卦爲大過, 故以巽過爲震之義言之.
손괘(巽卦☴)는 '버드나무'가 되니, 버드나무란 물가에 많이 자라고 양기(陽氣)가 쉽게 감동시키는 나무이다. '마른[枯]' 것은 양기가 지나치기 때문이다. 아래에서 생기면 '뿌리[梯]'라고 하고, 위에서 생기면 '꽃[華]'이라고 한다. '늙은 남자[老夫]'란 양이 크게 지나친 자이며, 또 손괘(巽卦☴)가 음양이 바뀌면 진괘(震卦☳)의 장남이 된다. 괘가 대과괘(大過卦)이기 때문에 손괘(巽卦☴)가 지나치면 진괘(震卦☳)가 된다는 뜻으로 말하였다.

### 이익(李瀷)『역경질서(易經疾書)』

頤有离之象, 則大過有坎之象. 下巽上兌, 旣有木得雨澤之象. 九二九五, 居坎水近邉之地, 木之近水而生者. 惟楊而大過, 故爲枯楊也. 在下則生稊, 在上則生華, 亦其象也. 稊古與荑通, 則恐是旁蘖也. 二與初, 五與上, 近而比, 四與初, 三與上, 應而從, 亦與頤同例. 初上陰柔, 有妻婦之象, 而初幼上老也. 二五陽剛, 有壯夫之象, 而二比初爲老, 五比上爲士也.
이괘(頤卦䷚)에는 큰 리괘(離卦☲)의 상이 있다면, 대과괘(大過卦)에는 큰 감괘(坎卦☵)의 상이 있다. 하괘는 손괘(巽卦☴)이고 상괘(上卦)는 태괘(兌卦☱)여서 이미 나무가 비와 못[澤]을 얻은 상이 있다. 구이와 구오는 감괘(坎卦☵)인 물이 주변에 가까운 땅에 있어서 나무가 물에 가까이 살아가는 것이다. 오직 버드나무라고 하면서도 크게 지나치기 때문에 '마른 버드나무'가 된다. 아래에 있으면 뿌리가 생기고 위에 있으면 꽃이 피니, 또한 그러한 상이다. '제(稊)'는 옛날에 '제(荑)'와 뜻이 통하였으니, 아마도 옆에서 싹이 트는 것인 듯하다. 이효와 초효, 그리고 오효와 상효는 가깝고 비(比)의 관계에 있으며, 사효와 초효, 그리고 삼효와 상효는 호응하면서 서로 따르니, 또한 이괘(頤卦)와 사례가 같다. 초효와 상효는 부드러운 음으로 처와 지어미의 상이 있지만, 초효는 어리고 상효는 늙었다. 이효와 오효는 굳센 양으로 씩씩한 지아비의 상이 있지만, 이효는 초효와 비(比)의 관계에 있어서 '늙은 남자[老]'가 되고, 오효는 상효와 비(比)의 관계에 있어서 '젊은 남자[士]'가 된다.

### 유정원(柳正源)『역해참고(易解參攷)』

王氏曰, 稊者, 楊之秀也. 以陽處陰, 能過其本而救其弱者也. 老過則枯, 少過則稚. 以老分少, 則稚者壯, 以稚分老, 則枯者榮, 過以相與之謂也.
왕필이 말하였다: '제(稊)'란 버드나무의 빼어난 곳이다. 양으로 음의 자리에 있어 뿌리를

지나쳐서 약한 것을 구제할 수 있는 자이다. 늙음이 지나치면 마르고, 젊음이 지나치면 어리다. 늙음을 기준으로 '소(少)'를 구분한다면 '치(稚)'란 장성하고, 어림[稚]을 기준으로 '노(老)'를 구분한다면 '고(枯)'란 영화로우니, 「소상전」에서의 "지나치게 서로 함께하는 것이다"를 말한다.

○ 漢上朱氏曰, 兌澤巽木, 澤木楊也. 兌正秋, 枯楊也.
한상주씨가 말하였다: 태괘(兌卦☱)의 못[澤]과 손괘(巽卦☴)의 나무이니, 못과 나무가 '버드나무'이다. 태괘(兌卦☱)는 바로 가을이니, '마른 버드나무'이다.

○ 山齋易氏曰, 說者, 多以二爲老夫, 初爲女妻, 五爲士夫, 上爲老婦. 獨虞翻以老夫喩初六, 以女妻喩上六, 謂巽爲長女, 兌爲少女, 所以大過取義. 蓋二與五爲應, 而五非其應也, 過乎五而得上六, 五與二爲應, 而二非其應也, 過乎二而得初六, 二者皆過以相與. 此老夫老婦, 所以有枯楊之喩. 然二謂之生稊, 五謂之生華, 何也. 華者, 發而將散, 无所生, 所以喩九五之過於陽. 二則不然, 九二雖爲老夫, 而以陽居陰, 在卦下體陽過之始, 過而未極, 又得上六之女妻, 故言枯楊生稊. 稊者, 顚而復櫱 反其始也. 其榮在下, 根本甚固, 大異於五之上華而无益於枯者也. 故曰无不利. 彖言剛過而中, 乃亨, 九二之謂乎.
산재역씨가 말하였다: 설명하는 사람들은 대체로 이효를 '늙은 남자[老夫]'로 여기고, 초효를 '젊은 아내[女妻]'로 여기며, 오효를 '젊은 남자[士夫]'로 여기고, 상효를 '늙은 부인[老婦]'으로 여겼다. 유독 우번만은 '늙은 남자[老夫]'를 초육에 비유하였고, '젊은 아내[女妻]'를 상육에 비유하였으니, 손괘(巽卦☴)가 맏딸이 되고 태괘(兌卦☱)가 막내딸이 되는 데에서 대과괘가 뜻을 취하였음을 말한다. 이효의 자리는 오효의 자리와 호응이 되지만 오효는 이효의 호응이 아니라서 오효를 지나쳐 상육을 얻고, 오효의 자리는 이효의 자리와 호응이 되지만 이효는 오효의 호응이 아니라서 이효를 지나쳐 초육을 얻었으니, 둘 모두 지나치게 서로 함께 한다. 여기서의 '늙은 남자[老夫]'와 '늙은 부인[老婦]'에는 '마른 버드나무'라는 비유가 있다. 그러나 이효에서 "뿌리가 생긴다"고 하고 오효에서 "꽃이 핀다"고 한 것은 어째서인가? '꽃'이란 피어나면 장차 흩어져 살아 있는 바가 없으므로 구오가 양에 지나침을 비유하였다. 이효는 그렇지 않으니, 구이가 비록 '늙은 남자[老夫]'이지만 양으로 음의 자리에 있고 괘의 하체에서 양이 지나치기 시작하는 곳에 있어서 지나치더라도 아직 지극하지는 않고, 또 상육의 '젊은 아내[女妻]'를 얻었기 때문에 "마른 버드나무에 뿌리가 생긴다"고 하였다. '뿌리[稊]'란 거꾸로 다시 싹이 움트는 것이니, 시작을 돌이키는 것이다. 영화로움은 아래에 있고 뿌리는 본래 매우 견고하여, 오효가 위에서 꽃을 피우지만 마른 나무에는 아무런 이로움이 없는 것과는 크게 다르다. 그러므로 "이롭지 않음이 없다"고 하였다. 「단전」에서 "굳센 양이

지나치나 가운데 자리에 있어서 형통하다"라고 한 말은 구이를 말하는구나.

○ 平庵項氏曰, 二五皆濱於澤, 故稱楊澤者, 兩兌相反也. 凡不反對卦八, 皆就卦內, 自相反對.
평암항씨가 말하였다: 이효와 오효는 모두 못[澤]에 근접해 있기 때문에 '버드나무'와 못[澤]을 칭한 것이니, 두 개의 태괘(兌卦☱)가 서로 등지고 있는 것이다. 괘를 거꾸로 하여도 달라지지 않는 괘가 여덟이니, 모두 괘 안에서는 저절로 서로 반대가 된다.
○ 案, 木之爲物, 陽過則枯, 水過則枯, 中四陽, 陽過也, 澤滅木, 水過也. 巽陰下入, 其根蟠結, 有生稊之象.
내가 살펴보았다: 나무는 양이 지나치면 마르고 물이 지나쳐도 마르니, 가운데 네 양은 양이 지나친 것이고 못[澤]이 나무를 없앰은 물이 지나친 것이다. 손괘(巽卦☴)의 음이 아래로 들어가 뿌리가 서로 엉키니, 뿌리가 생기는 상이 있다.

傳, 劉琨表.
『정전』에서 말하였다: 유곤(劉琨)의 「권진표(勸進表)」.
〈案, 晉劉石亂, 愍帝被執, 琨奉表琅琊王勸進, 此是當時表辭, 而此一句, 蓋以喩晉室既頹而復興也.
내가 살펴보았다: 진(晉)나라 유연(劉淵)과 석륵(石勒)이 난리를 일으켜서 민제(愍帝)가 붙잡혀서, 유곤(劉琨)이 낭야왕(琅琊王)에게 나아가길 권하는[勸進] 표(表)를 올렸으니, 이것이 당시 표(表)의 말이고, 여기서의 한 구[生繁華於枯荑]가 아마도 진(晉)나라 황실이 이미 무너졌으나 다시 부흥함을 비유하였기 때문이다.

## 김상악(金相岳) 『산천역설(山天易說)』

居大過之時, 以巽遇兌, 比初以相與, 故其象如此. 枯楊而生稊, 則能復榮於上矣. 老夫而得女妻, 則成生育之功, 故无不利也.
대과(大過)의 때에 있으면서 손괘(巽卦☴)가 태괘(兌卦☱)를 만나고 초효와 비(比)의 관계로 서로 함께하기 때문에 그 상이 이와 같다. 마른 버드나무인데도 뿌리가 생긴다면 위에서 다시 꽃을 피울 수 있다. '늙은 남자[老夫]'인데도 '젊은 아내[女妻]'를 얻는다면 낳고 기르는 공을 이루기 때문에 이롭지 않음이 없다.

○ 巽爲楊, 楊近澤之木, 木之弱者, 而二五近本末之爻, 故取象之. 枯者, 木之動於金也. 稊, 根也. 巽入於下, 則曰生稊, 說見於上, 則曰生華. 生者, 木之生於水也. 〈金與水, 皆兌象.〉 先言枯, 陽之過也, 復言生, 陰之相與也.
손괘(巽卦☴)가 '버드나무'가 되고 버드나무는 못[澤]에 가까이 사는 나무이니 나무 중에서 약한 것이며, 이효와 오효는 '밑[本]'과 '끝[末]'인 효와 가깝기 때문에 이를 취하여 상징하였다. '마른'이란 나무가 쇠에서 움직임이다. '제(稊)'는 뿌리이다. 손괘(巽卦☴)가 아래로 들어가니 "뿌리가 생긴다"고 하였고, 기쁨이 위에서 보이니 "꽃이 핀다"고 하였다. "생긴다"란 나무가 물에서 생김이다.〈쇠과 물은 모두 태괘(兌卦☱)의 상이다.〉 먼저 '마름'을 말한 것은 양이 지나침이고, 다시 '생김'을 말한 것은 음이 서로 함께 함이다.

或曰, 二與上全體坎, 而浸本則生稊, 浸末則生華, 所以生稊則本實, 生華則本虛, 故三四之棟, 有隆橈之別也. 老夫再娶之夫, 女妻未嫁之女也. 巽陰生陽衰, 故二之與初, 爲老夫女妻. 五之老婦再嫁之女, 士夫未娶之男也. 兌陽長陰消, 故五之與上, 爲老婦士夫. 二之女妻, 五之老婦, 乃二女同居, 其志不同行者, 故老夫士夫亦不同. 初之一陰進, 則二變爲咸女上男下交感同象, 故无不利, 上之一陰退, 則五變爲恒婦人夫子吉凶異占, 故雖无咎, 亦无譽.
어떤 이가 말하였다: 이효는 상효와 전체가 감괘(坎卦☵)라서 '밑[本]'으로 스며들면 뿌리가 생기고 '끝[末]'으로 스며들면 꽃이 피니, 뿌리가 생기는 것은 본래 꽉 차있으며 꽃이 피는 것은 본래 비어있기 때문에 삼효와 사효인 '들보'에는 솟고 휘어지는 구별이 있다. '늙은 남자[老夫]'는 다시 장가드는 남자이며, '젊은 아내[女妻]'는 아직 시집가지 않은 여자다. 손괘(巽卦☴)의 음은 양이 쇠하는 데서 생겨나기 때문에 이효는 초효와 '늙은 남자[老夫]'와 '젊은 아내[女妻]'가 된다. 오효에서의 '늙은 부인'은 다시 시집간 여자이며 '젊은 남자[士夫]'는 아직 장가가지 않은 남자다. 태괘(兌卦☱)의 양은 음이 사라지는 데에서 자라기 때문에 오효가 상효와 함께함은 '늙은 부인과 젊은 남자의 만남'이 된다. 이효의 '젊은 아내'와 오효의 '늙은 부인'은 규괘(睽卦)의 「단전」에서 말한 "두 여자가 함께 있으나 그 뜻이 한 가지로 행하지 않는다"[53]는 것이기 때문에 '늙은 남자[老夫]'와 '젊은 남자'도 또한 같지 않다. 초효인 한 음이 나아가면 이효가 변하여 함괘(咸卦䷞)의 여자가 위에 있고 남자가 아래에 있어서 교감하여 함께 하는 상이 되기 때문에 이롭지 않음이 없고, 상효인 한 음이 물러나면 오효가 변하여 항괘(恒卦䷟)의 부인과 남편이 흉하고 길함이 다른 점(占)이[54] 되기 때문에 비록 허물은 없지만 또한 명예도 없다.

---

53) 『周易·睽卦』: 彖曰, 睽, 火動而上, 澤動而下, 二女同居, 其志不同行.
54) 『周易·恒卦』: 六五, 恒其德, 貞, 婦人吉, 夫子凶.

### 서유신(徐有臣)『역의의언(易義擬言)』

比九二之過也. 枯楊如老夫, 稊如女妻, 可以生育, 故夫與妻, 俱无不利也. 夫視妻, 則過老, 妻視夫, 則過少也. 枯楊而生稊, 老夫而女妻, 皆過常之事也.
구이의 지나침을 비유하였다. '마른 버드나무'는 '늙은 남자[老夫]'와 같고 '제(稊)'는 '젊은 아내[女妻]'와 같아서 낳고 기를 수 있기 때문에 남편과 아내는 모두 이롭지 않음이 없다. 남편을 아내와 견주어보면 지나치게 늙었고, 아내를 남편과 견주어보면 지나치게 어리다. 마른 버드나무인데도 뿌리가 생기고 '늙은 남자[老夫]'인데도 '젊은 아내[女妻]'를 얻음은 모두 일상적인 데에서 지나친 일이다.

### 박문건(朴文健)『주역연의(周易衍義)』

下有所託, 故有枯楊生稊之象. 稊, 根也. 老夫, 謂九二也, 女妻, 謂初六也. 相與而其勢可久, 故无所不利.
아래에 의탁할 바가 있기 때문에 "마른 버드나무에 뿌리가 생기는" 상이 있다. '제(稊)'는 뿌리이다. '늙은 남자[老夫]'는 구이를 말하고, '젊은 아내[女妻]'는 초육을 말한다. 서로 함께 하여 그 형세가 오래할 수 있기 때문에 이롭지 않음이 없다.
〈問, 枯楊生稊, 枯楊生華. 曰, 四陽无本末, 故於二五取枯楊之象. 枯而得生者, 惟楊木也. 託陰, 故有生稊之象, 載陰, 故有生華之象也.
물었다: 마른 버드나무에 뿌리가 생기고 마른 버드나무에 꽃이 핀다고 하니, 어째서입니까? 답하였다: 네 양에는 밑[本]과 끝[末]이 없기 때문에 이효와 오효에서 마른 버드나무의 상을 취하였습니다. 말랐는데도 생길 수 있는 것은 오직 버드나무뿐입니다. 음에 의탁하기 때문에 '뿌리가 생기는' 상이 있고, 음에 실리기 때문에 '꽃이 피는' 상이 있습니다.〉

### 윤종섭(尹鍾燮)「경(經)-역(易)」

大過, 正反巽兌. 巽爲楊, 而生於近澤之物也. 是以取於楊. 二之梯陰在下, 五之華陰在上, 而陽過, 故曰枯.
대과괘(大過卦)는 손괘(巽卦☴)와 태괘(兌卦☱)가 서로 등지고 있는 형태이다. 손괘(巽卦☴)가 '버드나무'가 되니, 못[澤]과 가까운 곳에서 사는 식물이다. 이 때문에 버드나무에서 취하였다. 이효의 '뿌리[梯]'에서는 음이 아래에 있고, 오효의 '꽃'에서는 음이 위에 있어서 양이 지나치기 때문에 '마른'이라고 하였다.

### 김기례(金箕澧)「역요선의강목(易要選義綱目)」

九二, 枯楊.
구이는 마른 버드나무.

陽過, 故曰枯.
양이 지나치기 때문에 '마른'이라고 하였다.

○ 易感陽氣者楊, 故取楊.
쉽게 양의 기운에 감동하는 것이 '버드나무'이기 때문에 버드나무에서 취하였다.

○ 澤近之木爲楊, 故取兌澤巽木.
못[澤]에 가까운 나무가 버드나무이기 때문에 태괘(兌卦☱)의 못[澤]과 손괘(巽卦☴)의 나무에서 취하였다.

生稊.
뿌리가 생긴다.
二得中而陽未大盛之時, 下比初陰下榮, 故雖枯生根. 扶弱陰, 取弱木.
이효는 알맞음을 얻었고 양이 아직 성대하지 않은 시기이며, 아래로 초효인 음과 비(比)의 관계에 있어서 아래가 영화롭기 때문에 비록 마르더라도 뿌리가 생긴다. 약한 음을 붙잡아 주니, 약한 나무에서 취하였다.

老夫, 得其女妻.
늙은 남자가 젊은 아내를 얻다.
剛中而比弱陰, 故取譬老夫女妻.
굳센 양이 알맞으면서 유약한 음과 비(比)의 관계에 있기 때문에 '늙은 남자[老夫]'와 '젊은 아내[女妻]'를 취하여 비유하였다.

○ 老夫悅少女, 少女巽順老夫, 皆過常之意. 取二體象.
'늙은 남자[老夫]'는 '젊은 아내[女妻]'를 기쁘게 하고 '젊은 아내[女妻]'는 '늙은 남자[老夫]'를 공손하게 따르니, 모두 일상적인 데에서 지나친 뜻이다. 두 몸체의 상에서 취하였다.

无不利.
이롭지 않음이 없다.

楊雖枯生根, 則可以榮華, 夫雖老女妻, 則可以生育.
버드나무가 비록 말랐더라도 뿌리가 생긴다면 영화로울 수 있고, 남자가 비록 늙었더라도 '젊은 아내[女妻]'를 얻는다면 낳고 기를 수 있다.

### 심대윤(沈大允) 『주역상의점법(周易象義占法)』

大過之咸☱☶, 感通也. 以剛居柔而无應, 因衆所欲而不以一意自執, 故衆所感通而相從也. 蓋君子之違衆過行, 非拂民也, 固所以與衆同欲也. 九二下有初陰之相與, 有枯楊生稊老夫得女妻之象. 巽木, 互兌澤爲楊, 對离爲枯, 震爲生. 初在巽, 坤之下爲根, 稊柔根新生者也. 木過時則枯, 人過時則老, 枯楊老夫言非其時也. 乾坎爲老夫, 艮爲得女妻初也. 生稊言得下之力也, 得妻言爲衆所從也. 九二行中而時不中, 故亦爲過也. 大過上行, 故不以二從初而以初從二也. 故曰老夫得其女妻, 雖非其時而得衆之助, 如老夫女妻之, 猶能生育, 故曰无不利.
대과괘가 함괘(咸卦☱☶)로 바뀌었으니, 느껴서 통함이다. 굳센 양이 부드러운 음의 자리에 있으면서 호응이 없는데도, 여러 사람들이 바라는 바로 인하여 한 가지 뜻으로 스스로를 고집하지 않기 때문에 여러 사람들이 느껴서 통하여 서로 따른다. 군자가 여러 사람들을 어기면서 지나친 행동을 하는 것은 백성들을 위반하는 것이 아니라 진실로 여러 사람들과 바람을 함께하는 것이다. 구이는 아래로 초효인 음과 함께함이 있어서 '마른 버드나무에 뿌리가 생기며 늙은 남자가 젊은 아내를 얻는' 상이 있다. 손괘(巽卦☴)는 나무이고, 호괘인 태괘(兌卦☱)는 못[澤]으로 버드나무가 되며, 괘 전체의 음양이 바뀐 괘인 큰 리괘(離卦☲)는 '마른'이 되고, 진괘(震卦☳)는 '생김'이 된다. 초효는 손괘(巽卦☴)에 있고, 곤괘의 아래는 뿌리가 되니 '제(稊)'란 부드러운 뿌리가 새롭게 생긴 것이다. 나무는 시간이 지나면 마르고, 사람은 시간이 지나면 늙으니, '마른 버드나무'와 '늙은 남자'는 딱 적당한 때가 아님을 말한다. 건괘(乾卦☰)와 감괘(坎卦☵)는 '늙은 남자'가 되고, 간괘(艮卦☶)는 젊은 아내를 얻는 것이 되니 초효이다. '뿌리가 생김'은 아래의 힘을 얻었다는 말이고, '젊은 아내를 얻음'은 여러 사람이 따르게 된다는 말이다. 구이는 중도를 행하지만 때가 알맞지 않기 때문에 또한 지나침이 된다. 크게 지나쳐 위로 가기 때문에 이효가 초효를 따르지 않고 초효가 이효를 따른다. 그러므로 "늙은 남자가 젊은 아내를 얻는다"고 하였으니, 비록 그 적당한 때는 아니지만 여러 사람들의 도움을 얻어 마치 늙은 남자가 젊은 여자를 얻은 것과 같아 오히려 낳고 기를 수 있기 때문에 "이롭지 않음이 없다"고 하였다.

### 오치기(吳致箕) 「주역경전증해(周易經傳增解)」

九二, 以剛居柔而得中, 不至於過剛, 卽大過之善者也. 上无正應而下與初六切近, 初乃密比於二, 其相與過於常分, 故取諸物而有枯楊生稊之象, 取諸身而有老夫得妻之象. 可以有生育之功, 故言无攸不利也.
구이는 굳센 양으로 부드러운 음의 자리에 있으며 알맞음을 얻었으므로 지나치게 굳센 데에는 이르지 않았으니, 대과(大過)에서 선(善)한 자이다. 위로는 정응이 없고 아래로는 초육과 매우 가깝고 초효는 이효와 밀접하게 가까워서, 서로 함께 함이 일상적인 분수보다 지나치기 때문에 사물에서 취할 때에는 '마른 버드나무에 뿌리가 생기는' 상이 있고, 몸에서 취할 때에는 '늙은 남자가 젊은 아내를 얻는' 상이 있다. 낳고 기르는 공이 있을 수 있기 때문에 "이롭지 않은 바가 없다"고 하였다.

○ 巽爲楊之象, 而楊乃木之脆弱者, 故二五近本末之弱, 而皆言楊也. 陽過, 故言枯, 而稊與梯通, 謂木稚也. 陰陽相比, 而在上曰老, 在下曰少, 二之剛在上, 初之柔在下, 故爲老夫得其女妻之象. 亦以對體之震長男, 應兌少女, 故有此象也.
손괘(巽卦☴)는 '버드나무'의 상이 되고 버드나무는 나무 중에서 연약한 것이기 때문에 이효와 오효가 '밑[本]'과 '끝[末]'의 약함과 가까우므로 모두 '버드나무'를 말하였다. 양이 지나치기 때문에 '마름'을 말하였고, '제(稊)'는 '제(梯)'와 통하므로 나무의 싹을 말한다. 음양이 서로 가까워 위에 있으면 '늙은이'라고 하고 아래에 있으면 '어린이'라고 하니, 이효의 굳센 양은 위에 있고 초효의 부드러운 음은 아래에 있기 때문에 "늙은 남자가 젊은 아내를 얻는" 상이 된다. 또한 하괘가 음양이 바뀐 괘인 진괘(震卦☳)는 맏아들이고, 호응하는 태괘(兌卦☱)는 막내딸이기 때문에 이러한 상이 있다.

### 이진상(李震相) 『역학관규(易學管窺)』

枯楊, 生稊.
마른 버드나무에 뿌리가 생긴다.

木之爲物, 陽過則枯, 水過則枯. 中四陽, 陽之過也, 澤滅木, 水之過也. 巽爲陰木, 初爲其根, 故有生稊之象.
나무는 양이 지나치면 마르고, 물이 지나쳐도 마른다. 가운데에 있는 네 양은 양의 지나침이고, 못[澤]이 나무를 없앰은 물의 지나침이다. 손괘(巽卦☴)는 음한 나무가 되고 초효는 그 뿌리가 되기 때문에 '뿌리가 생기는' 상이 있다.

### 박문호(朴文鎬) 「경설(經說)·주역(周易)」

九二, 比初而能成生育之功, 故取稊象, 稊在下者也. 九五, 則比上而不能成生育之功,故取華象,華在上者也.
구이는 초효와 비(比)의 관계에 있어서 낳고 기르는 공을 이룰 수 있기 때문에 '뿌리[稊]'의 상을 취하였으니, '뿌리[稊]'는 아래에 있는 것이다. 구오는 상효와 비(比)의 관계에 있어서 낳고 기르는 공을 이룰 수 없기 때문에 '꽃'의 상을 취하였으니, '꽃'은 위에 있는 것이다.

女妻謂處女也, 猶言少妻也. 士夫猶言少夫也. 古人之言士女, 多以未娶未嫁之男女稱之.
'젊은 아내[女妻]'는 처녀를 말하니, 어린 아내를 말함과 같다. '젊은 남자[士夫]'는 어린 남편을 말함과 같다. 옛날 사람들이 '사(士)'와 '여(女)'를 말함은 대체로 아직 장가가지 않고 아직 시집가지 않은 남녀를 칭한다.

以一卦言, 則中四陽爲棟, 以四陽言, 則三與四又爲其棟, 故三四皆以此爲象.
한 괘로 말하면 가운데 네 양이 '들보'가 되고, 네 양으로 말하면 삼효와 사효가 또 '들보'가 되기 때문에 삼효와 사효는 모두 이로써 상을 삼았다.

## 象曰, 老夫女妻, 過以相與也.

「상전」에서 말하였다: "늙은 남자"와 "젊은 아내"는 지나치게 서로 함께하는 것이다.

## 中國大全

**傳**

**老夫之說少女, 少女之順老夫, 其相與過於常分, 謂九二初六陰陽相與之和, 過於常也.**

늙은 남자가 젊은 여자를 좋아함과 젊은 여자가 늙은 남자에게 순종함은 서로 함께함이 보통의 분수보다 지나친 것이니, 구이와 초육은 음양이 서로 함께하는 조화가 보통보다 지나침을 말한 것이다.

## 韓國大全

### 송시열(宋時烈) 『역설(易說)』

小象, 過以相與云者, 言陽之過而相爲應與也. 楊誠齋言聞之蜀僧云, 棟負衆榱, 木之强也. 楊爲早[55]凋, 木之弱也, 此卦本末弱者, 二近於本, 五近於末, 故均爲本末弱也, 云云. 蓋二爻不以正應, 而昵比初陰, 老夫得少女之象也. 无不利占辭, 詳見九五, 然姑依傳說.

「소상전」에서 "지나치게 서로 함께하는 것이다"라고 말한 것은 양이 지나치면서 서로 호응하여 함께함을 말한다. 송(宋)나라 양성재(楊誠齋)가 촉나라 승려에게 들어서 말하기를 "들

55) 早: 경학자료집성 영인본에서는 여기에 해당하는 글자가 무슨 글자인지 알 수가 없고, 경학자료집성DB에는 '卑'로 되어 있으나, 문맥을 살펴 '早'로 바로잡았다.

보는 여러 서까래를 바치고 있으니 나무 중에 강한 것이고, 버드나무는 일찍 시드니 나무 중에 약한 것이다. 이 괘는 밑[本]과 끝[末]이 약한데, 이효는 밑에 가깝고 오효는 끝에 가깝기 때문에 밑과 끝이 똑같이 약하게 된다."라고 하였다. 이효는 바름으로 호응하지 않고 음인 초효와 친하고 가깝게 지내니, 늙은 남자가 젊은 아내를 얻는 상이다. "이롭지 않음이 없다"란 점사(占辭)이니 구오에서 상세하게 보이지만, 잠시 『정전』에 의거하여 설명한다.

### 김상악(金相岳) 『산천역설(山天易說)』

兩相與, 則无過於陽也.
둘이 서로 함께한다면, 양에 지나침이 없다.

### 서유신(徐有臣) 『역의의언(易義擬言)』

曰老曰女, 過常之象也, 曰夫曰妻, 相與之象也. 上六過涉外, 皆不言過, 故象於此特稱過以明之, 六爻之皆過, 又可推也.
늙음이라고 하고 '여(女)'라고 한 것은 일상적인 데에서 지나친 상이고, '남편'이라고 하고 '아내'라고 한 것은 서로 함께하는 상이다. 상육에서 "지나치게 건넌다"[56]고 한 것 외에 모두 "지나치다"고 말하지 않았기 때문에, 「소상전」에서는 이곳에서 특별히 '지나침'을 칭하여 이것을 밝혔으니, 여섯 효가 모두 지나치다는 것을 또한 추론할 수 있다.

### 박문건(朴文健) 『주역연의(周易衍義)』

過, 謂過常也
'지나침'은 일상적인 데에서 지나침을 말한다.

### 오치기(吳致箕) 「주역경전증해(周易經傳增解)」

老少不相敵而與之相得, 卽過於常分者也.
늙은 사람과 어린 사람이 서로 걸맞지 않는데도 함께하여 서로 얻을 수 있다면, 정해진 분수에서 지나친 것이다.

---

56) 『周易 · 大過卦』: 上六, 過涉滅頂, 凶, 无咎.

### 이병헌(李炳憲)『역경금문고통론(易經今文考通論)』

稊, 鄭注作荑, 木更生也.
'제(稊)'는 정현 주에서는 '싹[荑]'으로 되어 있으니, 나무가 다시 살아남이다.

虞曰, 稊, 穉也. 楊葉未舒稱稊. 巽爲楊, 兌爲雨澤, 枯楊得澤生稊.
우번이 말하였다: '제(稊)'는 '어림[穉]'이다. 버드나무의 잎이 아직 펴지지 않은 것을 '제(稊)'라고 칭한다. 손괘(巽卦☴)는 버드나무가 되고 태괘(兌卦☱)는 비와 못[澤]이 되니, 마른 버드나무가 못[澤]을 얻어 어린 싹이 생겨나는 것이다.

程傳曰, 九二, 當大過之初, 得中而與初密比, 能成大過之功. 楊[57]者, 陽氣易感之物. 九二陽過而與初, 老夫得女妻之象也.
『정전』에서 말하였다: 구이는 대과괘의 처음을 맞아 알맞음을 얻고 초효와 매우 가까워서 '대과(大過)'의 공을 이룰 수 있다. '버드나무'란 양의 기운이 쉽게 감동시킬 수 있는 식물이다. 구이는 양이 지나치나 초효와 친함은 늙은 남자가 젊은 아내를 얻는 상이다.

57) 楊: 경학자료집성DB와 영인본에는 모두 '伏'로 되어 있으나, 『정전』에 따라 '楊'으로 바로잡았다.

## 九三, 棟橈, 凶.

구삼은 들보가 휘어지니 흉하다.

## 中國大全

傳

夫居大過之時, 興大過之功, 立大過之事, 非剛柔得中取於人以自輔, 則不能也. 旣過於剛强, 則不能與人同, 常常之功, 尙不能獨立, 況大過之事乎. 以聖人之才, 雖小事, 必取於人, 當天下之大任, 則可知矣. 九三, 以大過之陽, 復以剛自居, 而不得中, 剛過之甚者也. 以過甚之剛, 動則違於中和, 而拂於衆心, 安能當大過之任乎. 故不勝其任, 如棟之橈, 傾敗其室, 是以凶也. 取棟爲象者, 以其无輔, 而不能勝重任也. 或曰, 三巽體而應於上, 豈无用柔之象乎. 曰, 言易者, 貴乎識勢之重輕, 時之變易. 三居過而用剛, 巽旣終而且變, 豈復有用柔之義. 應者, 謂志相從也, 三方過剛, 上能繫其志乎.

대과의 때에 살면서 대과의 공업을 일으키고 대과의 일을 세우는 것은 굳센 양과 부드러운 음이 중(中)을 얻어 다른 사람에게서 취하여 스스로 돕는 것이 아니면 할 수 없다. 이미 굳센 양의 강함이 지나치다면 남과 더불어 함께하지 못하니, 보통의 공업도 오히려 홀로 세울 수 없는데, 하물며 대과의 일에 있어서이겠는가? 성인의 재주로서 비록 작은 일이라도 반드시 남에게서 취하니, 천하의 큰 임무를 담당하였다면 반드시 이와 같이 할 것을 알 수 있다. 구삼은 대과의 양으로서 다시 강함으로 자처하여 중을 얻지 못하였으니, 강이 지나침이 심한 자이다. 지나치게 심한 굳셈으로 움직이면 중화(中和)를 어겨 사람들의 마음을 거스르니, 어떻게 대과의 임무를 감당할 수 있겠는가? 그러므로 그 임무를 이겨내지 못하니, 마치 들보가 휘어져서 집을 무너뜨리는 것과 같다. 이 때문에 흉한 것이다. 들보를 취하여 상을 삼은 것은 도와주는 사람이 없어서 무거운 임무를 감당할 수 없기 때문이다. 혹자가 "삼효는 손괘(巽卦☴)의 몸체로 상효와 응하니, 어찌 부드러움을 쓰는 상이 없겠습니까?"라고 하기에 다음과 같이 대답하였다. "역을 말하는 자는 형세의 경중(輕重)과 때의 변역(變易)을 아는 것을 귀히 여깁니다. 삼효는 중(中)을 지나간 자리에 있으면서 굳셈을 쓰고, 손괘(巽卦☴)이 이미 끝나 장차 변하게 되었으니, 어찌 다시 부드러움을 쓰는 뜻이 있겠습니까? '응'이란 뜻이 서로 따름을 이르는데 삼효가 지나치게 강하니, 상효인들 그의 뜻을 잡아 맬 수 있겠습니까?"

本義

**三四二爻, 居卦之中, 棟之象也. 九三, 以剛居剛, 不勝其重, 故象橈而占凶.**

삼효와 사효, 두 효가 괘의 가운데에 있으니, 들보의 상이다. 구삼은 굳센 양으로 굳센 양의 자리에 있어서 그 무거움을 감당하지 못하기 때문에 상은 휘어짐이고 점은 흉하다.

小註

雲峯胡氏曰, 屋以棟爲中, 三視四, 則在下, 棟橈於下之象, 四在上, 棟隆於上之象. 然三之橈, 有二. 以剛居剛, 過剛則折, 一也, 應上之柔, 柔不能輔, 二也.

운봉호씨가 말하였다: 들보는 집의 중앙에 있는 것이다. 삼효는 사효와 비교해 볼 때 아래에 있으니 들보가 아래로 휘어져 있는 상이고, 사효는 위에 있으니 들보가 위로 솟은 상이다. 그러나 삼효가 휘어진 이유에는 두 가지가 있다. 굳센 양으로 굳센 양 자리에 있으니, 지나치게 굳세면 꺾어지게 되는 것이 한 가지 이유이고, 위의 부드러움에 응하나 부드러워 도울 수가 없는 것이 또 한 가지 이유이다.

○ 雙湖胡氏曰, 九三, 以剛居剛, 本无橈象, 而本義云, 不勝其重, 故橈者, 非謂九三自不勝其重, 指初六柔弱, 故不勝其重耳. 又以全體觀之, 三四爲棟, 三在四下, 亦有傾橈之象. 象稱棟橈, 獨九三當之, 其致橈之由者歟.

쌍호호씨가 말하였다: 구삼은 굳센 양으로 굳센 양 자리에 있으니 본래 휘어지는 상이 없을 것인데, 『본의』에서 "무거움을 감당하지 못하기 때문에 휘어졌다"고 하였다. 이는 구삼이 스스로 무게를 감당하지 못함을 이르는 것이 아니라, 초육이 유약하기 때문에 무게를 감당하지 못하는 것을 가리킨 것일 뿐이다. 또 전체로 살펴보면 삼효 · 사효가 들보인데, 삼효는 사효의 아래에 있어 기울어지고 휘어지는 상이 있다. 「단전」에서 '들보가 휘어짐'을 일컬은 것은 구삼만이 해당하니, 휘어지게 된 이유를 다한 것이다.

○ 西溪李氏曰, 下卦, 上實而下弱. 下弱則上傾, 故三居下卦之上, 而曰棟橈凶, 言下弱而无助也. 上卦, 上弱而下實. 下實則可載, 故四居上卦之下, 而曰棟隆吉, 言下實而不橈也. 此二爻當分上下體看.

서계이씨가 말하였다: 하괘는 위가 채워져 있고 아래가 약하다. 아래가 약하면 위가 기울기 때문에 삼효가 하괘의 위에 있어서 "들보가 휘어지니 흉하다"고 하였으니, 아래가 약하고 도움이 없음을 말한 것이다. 상괘는 위가 약하고 아래가 채워져 있다. 아래가 채워져 있으면 짐을 실을 수 있기 때문에 사효가 상괘의 아래에 있어서 "들보가 솟아 있으니 길하다"고

한 것이니, 아래가 채워져 있어서 휘지 않음을 말한 것이다. 이 두 효는 마땅히 상체와 하체로 나누어 보아야 한다.

## 韓國大全

### 조호익(曺好益) 『역상설(易象說)』

九三, 棟撓.
구삼은 들보가 휘어지다.

下卦巽, 上卦巽之反, 反覆觀之, 皆成巽體, 故四爻皆取木爲象. 棟巽木象.
하괘는 손괘(巽卦☴)이고 상괘는 손괘(巽卦☴)의 반대괘[☱]이니, 반복해서 관찰해보면 모두 손괘의 몸체를 이루기 때문에, 네 효가 모두 나무를 취하여 상으로 삼았다. '들보'는 손괘(巽卦☴)인 나무의 상이다.

○ 過剛, 故不勝重任, 九四剛而柔, 故勝任. 〈本義說如此.〉
지나치게 굳센 양이기 때문에 무거운 임무를 감당하지 못하고, 구사는 굳센 양이면서 부드러운 음의 자리에 있기 때문에 임무를 감당한다. 〈『본의』의 주장이 이와 같다.〉

### 유정원(柳正源) 『역해참고(易解参攷)』

王氏曰, 居大過之時, 處下體之極, 不能救危拯弱, 以隆其棟, 而以陽處陽, 自守所居, 又應於上, 係心在一, 宜其淹弱而凶衰也.
왕필이 말하였다: 대과(大過)의 때에 있으면서 하체의 끝에 있어서 위험과 약함에서 구제하여 들보를 솟아나게 할 수가 없고, 양으로 양의 자리에 있어서 스스로 거처한 바를 지키고 또 상효와 호응하여 마음이 한 곳에 얽매이니, 약한 데에 오래있어 흉하고 쇠약함이 마땅하다.

○ 梁山來氏曰, 變坎爲棟, 又木堅多心, 棟之象. 因坎三四, 皆以棟言, 因巽二五, 皆以楊言. 文王棟橈, 本末皆弱, 周公棟橈, 因初之弱.
양산래씨가 말하였다: 삼효가 변한 감괘(坎卦☵)는 '들보'가 되고, '나무에 있어서는 단단하

고 심[58]이 많음이 되니',[59] '들보'의 상이다. 감괘(坎卦☵)로 인하여 삼효와 사효는 모두 '들보'로 말하였고, 손괘(巽卦☴)로 인하여 이효와 오효는 모두 '버드나무'로 말하였다. 문왕(文王)이 괘사에서 말한 '들보가 휘어짐'은 '밑과 끝'이 모두 약하기 때문이며, 주공(周公)이 효사에서 말한 '들보가 휘어짐'은 초효가 약하기 때문이다.

小註, 雙湖說.
소주, 쌍호호씨의 설명.
案, 九三以剛居剛, 太剛則折, 故不勝其重, 而有棟橈之凶, 恐不必指初六柔弱而言.
내가 살펴보았다: 구삼은 굳센 양으로 굳센 양의 자리에 있어서 너무 크게 굳세어 꺾이기 때문에 무거움을 감당할 수 없어 '들보가 휘어지는 흉함'이 있으니, 아마도 반드시 초육의 유약함을 가리켜 말한 것은 아닌 듯하다.

### 김상악(金相岳) 『산천역설(山天易說)』

全體坎, 而三之過剛, 應兌之六, 上亦陰之過極, 故棟橈而凶也. 大過顚也, 全在此爻.
전체의 모습은 감괘(坎卦☵)이고, 삼효가 지나치게 굳센 양이고 태괘(兌卦☱)의 음과 호응하는데 상효 또한 음이 지나침이 극에 달하였기 때문에 들보가 휘어져 흉하다. 「잡괘전」에서 "대과괘(大過卦)는 엎어지는 것이다"[60]라고 한 말도 전부 이 효에 있다.

○ 棟橈, 見卦下. 以三應上, 是救其末也, 以四應初, 是救其本也. 而上六爻位皆柔, 初六爻柔位剛, 故有隆橈之別. 救其末而上變, 則爲姤, 姤陰生之始, 救其本而初變, 則爲夬, 夬陽長之終, 故吉凶不同. 又蠱之諸爻, 皆言幹蠱, 幹者木之身 而枝葉之所附而立者也, 卽此之棟也. 爲幹者, 太柔則屈, 故三无咎而四吝. 爲棟者, 過剛則折, 故三凶而四吉. 又兌反巽, 巽伏震而爲益, 巽反兌 兌伏艮而爲損, 損益之義, 亦損下而益上, 損上而益下也. 故三四之取象, 如此.
'들보가 휘어짐'은 괘사에서도 보인다.[61] 삼효가 상효와 호응하는 것이 끝을 구제하는 것이고, 사효가 초효와 호응하는 것이 밑을 구제하는 것이다. 하지만 상육은 효와 자리가 모두 부드러운 음이고, 초육은, 효는 부드러운 음이고 자리는 굳센 양이기 때문에 솟고 휘어지는 구별이 있다. 끝을 구제하여 상효가 변하면 구괘(姤卦䷫)가 되니, 구괘(姤卦)는 음이 생기

---

58) 심: 뿌리 속에 섞인 질긴 줄기.
59) 『周易 · 說卦傳』: 其於木也, 爲堅多心.
60) 『周易 · 雜卦傳』: 大過, 顚也.
61) 『周易 · 大過卦』: 大過, 棟橈, 利有攸往, 亨.

는 시작이고, 밑을 구제하여 초효가 변하면 쾌괘(夬卦䷪)가 되니, 쾌괘(夬卦)는 양이 자라는 끝이기 때문에 길함과 흉함이 같지 않다. 또 고괘(蠱卦)의 여러 효에서는 모두 "일을 주관한다[幹蠱]"고 하였는데, '간(幹)'이란 나무의 몸으로 가지와 잎이 붙어서 세워지는 것이니, 곧 여기서의 '동(棟)'이다. '간(幹)'이 되는 것은 크게 부드러우면 구부려지기 때문에 삼효에서는 허물이 없고[62] 사효에서는 부끄럽다.[63] '동(棟)'이 되는 것은 지나치게 굳세면 부러지기 때문에 삼효에서는 흉하고 사효에서는 길하다.[64] 또 태괘(兌卦☱)가 거꾸로 된 괘는 손괘(巽卦☴)이며 손괘(巽卦☴)에 숨겨진 괘는 진괘(震卦☳)여서 이 두 괘가 합하여 익괘(益卦䷩)가 되며, 손괘(巽卦☴)가 거꾸로 된 괘는 태괘(兌卦☱)이며 태괘(兌卦☱)에 숨겨진 괘는 간괘(艮卦☶)여서 손괘(損卦䷨)가 되니, 손익(損益)의 뜻은 또한 아래를 덜어서 위에 보태기도 하고 위를 덜어서 아래에 보태기도 한다. 그러므로 삼효와 사효가 상을 취함이 이와 같다.

### 김규오(金奎五) 「독역기의(讀易記疑)」

九三, 義, 不勝其重.
구삼, 『본의』에서 말하였다: 그 무거움을 감당하지 못한다.

雙湖以爲初六不勝其重, 蓋以卦下義, 有二陰不勝其重之文也. 然此四字文雖同, 而義則不同, 此所謂以剛居剛云云者, 非指二陰而言也. 直指三之本體而言其爲重大甚, 如鳴豫不勝其豫之文耳, 何可以文同之故而剩出多少說話, 移作初六之不勝耶. 象不可有輔, 亦言三之自撓耳. 假使委疾於他爻, 捨正應之上六而下言同體之初, 亦恐未穩.
쌍호호씨가 초육이 무거움을 감당하지 못한다고 여겼으니, 괘사 아래에 있는 『본의』에 "두 음이 무거움을 감당하지 못한다"[65]라는 문장이 있기 때문이다. 그러나 여기서의 네 글자[不勝其重]가 비록 같지만 뜻은 같지 않으니, 여기서 "굳센 양으로 굳센 양의 자리에 있다"[66]라고 말한 것은 두 음을 가리켜 말한 것이 아니다. 삼효의 본체를 직접 가리켜 그 무거움이 크게 심함을 말하니, 예괘(豫卦䷏) 초효의 "즐거움을 소리 내다[鳴豫]"[67]에 대하여 『본의』에서 말한 "즐거움을 감당하지 못하다[不勝其豫]"라는 문장과 같을 뿐이므로, 어찌 문장이

62) 『周易·蠱卦』: 九三, 幹父之蠱, 小有悔, 无大咎.
63) 『周易·蠱卦』: 六四, 裕父之蠱, 往見吝.
64) 『周易·大過卦』: 九四, 棟隆, 吉, 有它, 吝.
65) 『周易傳義大全·大過卦·本義』: 上下二陰, 不勝其重, 故有棟橈之象.
66) 『周易傳義大全·大過卦·本義』: 九三, 以剛居剛, 不勝其重, 故象橈而占凶.
67) 『周易·豫卦』: 初六, 鳴豫, 凶.

같다는 이유로 많은 말들을 쓸데없이 내어 초육이 감당하지 못한다고 바꿔 지을 수 있겠는가? 「상전」에서 "돕는 이가 있을 수 없기 때문이다"라고 한 말도 또한 삼효가 스스로 휘어짐을 말하였을 뿐이다. 가령 다른 효에게 잘못을 돌린다고 하더라도 정응이 되는 상육은 내버려 두고 아래로 같은 몸체인 초효를 말한다면 또한 아마도 타당하지 않은 듯하다.

### 서유신(徐有臣) 『역의의언(易義擬言)』

此九三之過也. 三四爲棟象, 三巽體而過剛, 故益見其本之弱, 是爲棟橈也.
이것은 구삼의 지나침이다. 삼효와 사효는 '들보'의 상이 되지만, 삼효는 손괘(巽卦☴)의 몸체이면서 지나치게 굳세기 때문에 그 밑의 약함이 더욱 드러나니, 이것이 '들보가 휘어지는' 까닭이다.

### 박제가(朴齊家) 『주역(周易)』

棟爲屋之下體之上, 故三當之. 四曰棟隆, 棟上脊梁之謂也. 三之撓, 雖由於初之弱, 而四則乘三之剛, 故象傳曰, 不撓乎下也. 然此特以其一時之象而言之耳, 三不支, 則四無不撓之理, 故曰有他吝. 合沙鄭氏曰, 四應乎初, 救其本於未[68]過之初, 故隆而不撓者, 義或近之.
'들보[棟]'는 지붕의 하체에서 윗부분이 되기 때문에 삼효가 여기에 해당한다. 사효에서 "들보가 솟다"[69]라고 하였으니, 들보 위의 중추를 말한다. 삼효가 휘어짐은 비록 초효의 약함에 말미암는다 하더라도, 사효는 굳센 양인 삼효를 타기 때문에 「상전」에서 "아래로 휘어지지 않기 때문이다"[70]라고 하였다. 그러나 이것은 단지 한 때의 상을 가지고 말하였을 뿐이니, 삼효가 지탱하지 못하면 사효에도 휘어지지 않는 이치가 없기 때문에 "다른 데에 마음을 두면 부족하리라"[71]고 말하였다. 합사정씨가 "사효는 초효에 호응하여 아직 지나치지 않은 처음에 뿌리를 구제하기 때문에 솟아서 휘어지지 않는다"고 말한 것은 뜻이 혹 가까운 듯하다.

### 강엄(康儼) 『주역(周易)』

本義, 九三, 以剛居剛, 不勝其重.

---

68) 未: 경학자료집성DB와 영인본에는 모두 '末'로 되어 있으나, 문맥을 살펴 '未'으로 바로잡았다.
69) 『周易 · 大過卦』: 九四, 棟隆, 吉, 有它, 吝.
70) 『周易 · 大過卦』: 九四, 象曰, 棟隆之吉, 不橈乎下也.
71) 『周易 · 大過卦』: 九四, 棟隆, 吉, 有它, 吝.

『본의』에서 말하였다: 구삼은 굳센 양으로 굳센 양의 자리에 있어서 그 무거움을 감당하지 못한다.

按, 卦辭本義云, 上下二陰, 不勝其重, 故有棟橈之象, 此據全卦而言者也. 至於此爻, 所謂不勝其重, 恐專指九三而言. 蓋以力言之, 則以剛居剛, 雖若可勝, 然殊不知太剛之物易於催折. 故人之負性過於剛强, 則鮮不敗事而甚至於速禍, 尙何論夫力之可勝哉.
내가 살펴보았다: 괘사 아래의 『본의』에서 "위 · 아래의 두 음이 무거움을 감당하지 못하므로 들보가 휘는 상이 있는 것이다"라고 하였으니, 여기서는 괘 전체에 의거하여 말한 것이다. 이 효에 이르러서 이른바 "그 무거움을 감당하지 못한다"고 한 것은 아마도 구삼을 오로지 가리켜 말한 듯하다. 힘으로 말한다면 굳센 양으로 굳센 양의 자리에 있어서 비록 감당할 듯하지만, 크게 굳센 사물은 꺾이기 쉽다는 것을 전혀 알지 못 한 것이다. 그러므로 사람이 가지고 있는 성격이 강하고 굳센 데에 지나치면, 일을 실패하지 않은 경우가 드물고 심지어 재앙을 초래하는 데에 이르니, 오히려 어찌 힘이 감당할 수 있음을 논하겠는가?

### 박문건(朴文健) 『주역연의(周易衍義)』

處下見傷, 故有棟橈之象, 无與, 故凶.
아래에 있어 손상을 입기 때문에 '들보가 휘어지는' 상이 있고, 함께하는 바가 없기 때문에 흉하다.
〈問, 三四二爻, 取棟象何. 曰, 棟居屋中, 故取之於此也. 若彖則取之於全體也.
물었다: 삼효와 사효 두 효가 '들보'의 상을 취한 것은 어째서입니까?
답하였다: '들보'는 지붕 가운데에 있기 때문에 여기서 취하였습니다. 만약 「단전」의 경우라면[72] 괘 몸체의 전체에서 취하였습니다.〉

### 김기례(金箕澧) 「역요선의강목(易要選義綱目)」

重剛居下體上, 應又弱極, 不能來助. 如棟重无支, 則必傾, 全剛何以得大過之功乎.
거듭된 굳센 양이 하체의 맨 위에 있고 호응은 또한 약함이 지극하여 와서 도와줄 수가 없다. 만약 들보가 무거워 지탱함이 없다면 반드시 뒤집힐 것이니, 전체의 굳셈이 무엇으로써 크게 뛰어난 공을 얻을 수 있겠는가?

---

72) 『周易 · 大過卦』: 彖曰, 大過, 大者過也. 棟橈, 本末弱也.

### 심대윤(沈大允) 『주역상의점법(周易象義占法)』

大過之困䷮, 不通也. 以剛居剛而有應, 衆所疑阻而偏執獨行. 三四爲時中, 故特言棟也. 兌爲宇 下有巽木爲棟, 又全卦坎爲棟, 互巽爲大木, 橈中大也. 九三依乎中庸, 不見知而不悔, 强矯而至死不變者也. 九三之時, 進則身名俱喪, 故寧退而全其一也, 故曰, 棟橈凶. 生之利不如義, 故寧殺身以成仁.

대과괘가 곤괘(困卦䷮)로 바뀌었으니, 통하지 않음이다. 굳센 양으로 굳센 양의 자리에 있고 호응이 있지만, 여러 사람에게 의심을 받고 막혀서 홀로 행하기를 편협하게 고집한다. 삼효와 사효는 '때에 알맞음[時中]'이 되기 때문에 다만 '들보'라고 하였다. 태괘(兌卦☱)는 집이 되고, 아래에 있는 손괘(巽卦☴)인 나무는 들보가 되며, 또 괘 전체인 큰 감괘(坎卦☵)도 들보가 되고, 곤괘(困卦)의 호괘인 손괘(巽卦☴)는 큰 나무가 되니, 들보 중에 큰 것이다. 구삼은 중용(中庸)에 의존하여, 자신을 알아주지 않아도 애석하게 여기지 않고 강하고 꿋꿋하여 죽음에 이르더라도 변하지 않는 자이다. 구삼의 때에 나아가면 몸과 이름을 모두 잃기 때문에 차라리 물러나 그 하나를 온전히 하는 것이 낫기 때문에 "들보가 휘어지니 흉하다"고 하였다. 삶의 이로움은 의로움만 못하기 때문에 차라리 자신을 죽여 인(仁)을 이룬다.

### 오치기(吳致箕) 「주역경전증해(周易經傳增解)」

九三, 以剛居剛, 而在上下之交, 有棟之象. 旣爲過剛, 而初柔在下, 不勝其重, 上有應而過柔不能輔, 故有橈折之象, 卽大過之不善者也. 所以占言凶.

구삼은 굳센 양으로 굳센 양의 자리에 있고 상괘와 하괘가 만나는 곳에 있으니 '들보'의 상이 있다. 이미 지나치게 굳센데 유약한 초효가 아래에 있어서 그 무거움을 감당하지 못하고, 위로는 호응이 있지만 지나치게 유약하여 도울 수가 없기 때문에 휘어져 부러지는 상이 있으니, 대과(大過)의 좋지 않은 것이다. 그러므로 점에서 "흉하다"고 하였다.

○ 棟與橈取象, 與彖同, 而彖言棟橈者, 正指此爻也.

'들보'와 '휘어짐'은 상을 취한 것이 「단전」과 같으니, 「단전」에서 '들보가 휘어짐'이라고 말한 것은 바로 삼효를 가리킨다.

### 이진상(李震相) 『역학관규(易學管窺)』

所應在上, 上本撓也, 所係在下, 下亦撓也. 重剛不中, 反爲所撓. 棟, 全卦厚坎之象.

호응하는 바는 위에 있는데 위는 본래 휘어지고, 얽매인 바는 아래에 있는데 아래도 또한 휘어진다. 거듭된 굳센 양이면서 알맞지 않아 도리어 휘어지는 바가 된다. '들보'는 괘 전체인 두터운 감괘(坎卦☵)의 상이다.

### 박문호(朴文鎬) 「경설(經說) · 주역(周易)」

九三本義, 竝論九四之象而冠之, 故至九四註, 不復言棟字, 而止云其象隆.
구삼의 『본의』에서는 구사의 상을 아울러 논하면서 덮어씌웠기 때문에 구사의 주에서는 '동(棟)'자를 다시 말하지 않고 다만 "그 상이 솟음이 된다"[73]고 하였다.

73) 『周易傳義大全 · 大過卦 · 本義』: 以陽居陰, 過而不過, 故其象隆而占吉. 然下應初六, 以柔濟之, 則過於柔矣, 故又戒以有它則吝也.

## 象曰, 棟橈之凶, 不可以有輔也.

「상전」에서 말하였다: "들보가 휘어지는 흉함"은 돕는 이가 있을 수 없기 때문이다.

## 中國大全

### 傳

**剛强之過, 則不能取於人, 人亦不能親輔之, 如棟橈折不可支輔也. 棟當室之中, 不可加助, 是不可以有輔也.**

굳센 양의 강함이 지나치면 남에게서 취하지 못하고 남들도 가까이하여 도울 수가 없으니, 마치 들보가 휘어지고 꺾여서 지탱하고 돕지 못하는 것과 같다. 들보는 집의 가운데에 위치하여 도움을 더할 수 없으니, 이것이 돕는 이가 있을 수 없는 것이다.

### 小註

或問, 大過棟橈, 是初上二陰, 不能勝四陽之重, 故有此象, 九三是其重剛不中, 自不能勝其任, 亦有此象, 兩義, 自不同否. 朱子曰, 是如此. 九三, 又是與上六正應, 亦皆不好. 不可以有輔, 自是過於剛强, 輔他不得, 九四棟隆, 只是隆, 便不橈乎下.

어떤 이가 물었다: 대과괘에서 들보가 휘어짐은 초효·상효 두 음이 네 양의 무게를 이겨낼 수 없기 때문에 이런 상이 있는 것이고, 구삼은 거듭된 굳셈이면서 가운데 자리가 아니므로 스스로 임무를 감당할 수 없어 또한 이런 상이 있으니, 두 가지 의미가 본래 같지 않은 것입니까?

주자가 답하였다: 이와 같은 것이 맞습니다. 구삼은 또 상육과 정응이나, 이것 역시 좋지 않습니다. '도움이 있을 수가 없는 것'은 본래 강한 굳센 양이 지나치게 많아 그를 도울 수가 없는 것이며, 구사의 '들보가 솟아 있음'은 단지 솟기만 한 것이니 곧 아래로 휘지 않는 것입니다.

○ 中溪張氏曰, 雜卦云, 大過顚也. 大厦之顚, 非一木所能支. 三以剛居剛, 剛之過者,過剛則折, 故棟橈之凶, 九三獨當之. 況三與上應, 上復以柔居柔, 不勝其重, 故曰不可以有輔也.
중계장씨가 말하였다: 「잡괘전」에 "대과는 엎어지는 것이다"라고 하였으니 큰 집이 전복되는 것은 나무 하나로 지탱할 수 있는 것이 아니다. 삼효는 굳센 양으로 굳센 양 자리에 있으니 굳셈이 지나친 자이다. 굳셈이 지나치면 꺾이기 때문에 '들보가 휘어짐의 흉함'이니 구삼만이 거기에 해당한다. 하물며 삼효는 상효와 호응이나 상효는 다시 부드러운 음으로서 부드러운 자리에 있어 무거움을 이겨낼 수 없기 때문에 "돕는 이가 있을 수 없기 때문이다"고 말하였다.

## ‖韓國大全‖

### 송시열(宋時烈) 『역설(易說)』

三與四在中爻, 故以棟言. 若以卦變言, 則三四變以皆爲坎, 坎爲棟象故也. 往而得兌, 兌爲毁折, 故凶. 三之棟, 有橈象者, 三以剛居剛, 且在下卦, 而下本柔弱. 故有橈動不勝重之象也. 下本旣弱, 應亦爲毁折, 無應援輔助之力, 故其占凶, 而小象云不可有輔也.
삼효와 사효는 가운데에 있는 효이기 때문에 '들보[棟]'로 말하였다. 만약 괘의 변화로 말한다면, 삼효와 사효가 변하여 상괘와 하괘가 모두 감괘(坎卦☵)가 되며, 감괘(坎卦☵)는 '들보'의 상이 되기 때문이다. 가서 태괘(兌卦☱)를 얻으면 태괘는 부딪쳐서 부러지기 때문에 흉하다. 삼효의 '들보'에 휘어지는 상이 있는 것은 삼효는 굳센 양으로 굳센 양의 자리에 있고 또 하괘에 있는데 하괘의 뿌리가 유약하기 때문이다. 그러므로 휘어지고 움직여 무거움을 이기지 못하는 상이 있다. 아래로 뿌리가 이미 약하고 호응도 또한 부딪쳐서 부러지니, 응원하고 도와주는 힘이 없기 때문에, 그 점이 흉하여 「소상전」에서 "돕는 이가 있을 수 없기 때문이다"라고 하였다.

### 김상악(金相岳) 『산천역설(山天易說)』

陰之過者, 不可以輔也. 乾上九陽之過, 故亦曰, 賢人在下位而无輔.
음이 지나친 것은 도울 수가 없다. 건괘(乾卦䷀) 상구의 양은 지나치기 때문에 또 "어진 사람이 아랫자리에 있으나 도와주는 사람이 없다"[74]고 하였다.

### 서유신(徐有臣) 『역의의언(易義擬言)』

輔, 所以佐車也. 車轅橈弱, 非有輔之可支也.
'보(輔)'란 수레를 보조하는 것이다. 수레의 끌채가 휘어져 약하면 지탱해줄만한 도움이 있는 것이 아니다.

### 박문건(朴文健) 『주역연의(周易衍義)』

言不見助於其上也.
위로부터 도움을 받지 못함을 말한다.

### 심대윤(沈大允) 『주역상의점법(周易象義占法)』

國無道, 君子旣守大義, 不可更取榮祿, 如棟旣橈大, 不可更有輔也. 殺身以成仁, 不可更取生也.
나라에 도가 없을 때에는 군자가 이미 큰 의(義)를 지키고 다시 영화와 봉록을 취해서는 안 되니, 마치 들보가 이미 크게 휘어졌다면 다시 도움이 있을 수 없음과 같다. 자신을 죽여 인(仁)을 이루어 다시 삶을 취해서는 안 된다.

### 오치기(吳致箕) 「주역경전증해(周易經傳增解)」

三旣過剛, 初弱而上柔, 不可以有輔, 故有棟橈之凶也.
삼효가 이미 지나치게 굳센데 초효는 유약하고 상효는 부드러워 도움이 있을 수 없기 때문에 들보가 휘어지는 흉함이 있다.

### 이병헌(李炳憲) 『역경금문고통론(易經今文考通論)』

三爲棟之象, 橈則不可輔也.
삼효는 '들보'의 상이 되니, 휘어진다면 도움을 받을 수가 없다.

---

74) 『周易 · 乾卦 · 文言傳』: 上九曰, 亢龍有悔, 何謂也. 子曰, 貴而无位, 高而无民, 賢人在下位, 而无輔. 是以動而有悔也.

## 九四, 棟隆, 吉, 有它, 吝.

구사는 들보가 솟으니 길하지만, 다른 데에 마음을 두면 부끄러우리라.

## 中國大全

### 傳

四居近君之位, 當大過之任者也. 居柔, 爲能用柔相濟, 旣不過剛, 則能勝其任, 如棟之隆起, 是以吉也, 隆起取不下橈之義. 大過之時, 非陽剛不能濟, 以剛處柔, 爲得宜矣. 若又與初六之陰, 相應則過也. 旣剛柔得宜, 而志復應陰, 是有它也. 有它, 則有累於剛, 雖未至於大害, 亦可吝也. 蓋大過之時, 動則過也, 有它謂更有它志. 吝爲不足之義, 謂可少也. 或曰, 二比初, 則无不利, 四若應初, 則爲吝何也. 曰, 二得中, 而比於初, 爲以柔相濟之義. 四與初, 爲正應, 志相繫者也. 九旣居四, 剛柔得宜矣, 復牽繫於陰, 以害其剛, 則可吝也.

사효는 군주와 가까운 자리에 있으니, 대과의 임무를 담당한 자이다. 부드러운 음의 자리에 있음은 부드러움을 써서 서로 구제함이 된다. 이미 지나치게 강하지 않으니, 그 임무를 감당할 수 있음이 마치 들보가 솟아오른 것과 같다. 이 때문에 길하니, 솟아올랐다는 것은 아래가 휘어지지 않는 뜻을 취한 것이다. 대과의 때에는 굳센 양이 아니면 구제할 수 없고, 굳센 양으로서 부드러운 음의 자리에 처함은 마땅함을 얻음이나, 그런데도 또 초육의 음과 서로 응한다면 지나친 것이 된다. 이미 굳센 양과 부드러운 음이 마땅함을 얻었는데, 다시 음에 응할 뜻이 있다면 이는 다른 마음이 있는 것이다. 다른 마음이 있으면 굳센 뜻에 누가 되니, 비록 크게 해로움에 이르지는 않더라도 부족하다고 여길만한 것이다. 대과의 때에는 움직이면 지나침이 된다. "다른 마음을 두다[有它]"는 다시 다른 뜻이 있음을 이르고, "부족하다[吝]"는 부족한 뜻이니 하찮게 여길 만함을 이른다. 혹자가 "이효가 초효와 가까이 있으면 이롭지 않음이 없는데, 사효가 초효에 응한다면 부족하게 되는 것은 어째서입니까?"라고 하기에 다음과 같이 대답하였다. "이효는 중(中)을 얻었으면서 초효와 가까이 있으니 부드러움으로 서로 구제하는 뜻이 되지만, 사효가 초효와 정응(正應)이 됨은 뜻이 서로 매이는 것입니다. 구(九)가 사효의 자리에 있으니 이미 굳센 양과 부드러운 음이 마땅함을 얻은 것인데도, 다시 음에 끌리고 매여서 굳센 뜻을 해친다면 부족하게 된다는 것입니다."

小註

潘氏夢旂曰, 九四爲大臣之位, 亦棟象也. 以剛居柔, 乃適其平, 是以隆而吉也. 然下與初六之小人爲應, 非惟不足以信用, 而又益以陰, 則反過乎柔矣, 故有它則吝也.
반몽기가 말하였다: 구사는 대신의 자리이니, 또한 들보의 상이다. 굳센 양으로 부드러운 음의 자리에 있으니, 곧 평평함에 적당하기 때문에 솟아있어도 길한 것이다. 그러나 아래로 초육의 소인과 호응이 되어, 믿고 쓰기에 부족할 뿐 만 아니라 또 부드러운 음으로서 더하였으니, 도리어 부드러움에 지나치기 때문에 다른 데에 마음을 두면 부족하게 되는 것이다.

○ 徂徠石氏曰, 四雖與初爲應, 然上附九五之君, 不爲初所橈, 故得棟隆之吉.
조래석씨가 말하였다: 사효는 비록 초효와 호응이 되지만 위로 구오의 임금을 따라서 초효에 의해 휘어지지 않기 때문에 '들보가 솟은 길함'을 얻었다.

本義

**以陽居陰, 過而不過, 故其象隆而占吉. 然下應初六, 以柔濟之, 則過於柔矣, 故又戒以有它則吝也.**

양으로서 음의 자리에 있어서 지나치나 지나치지만은 않기 때문에 그 상이 들보가 솟음이 되고 점이 길하다. 그러나 아래로 초육에 응하여 부드러움으로 구제한다면 부드러움이 지나치므로 또 "다른 데에 마음이 있으면 부끄러울 만하다"고 경계한 것이다.

小註

節齋蔡氏曰, 它謂初也. 四位高, 初柔在下, 不能致橈, 故曰棟隆吉. 然與初應, 或牽於柔, 亦吝道也, 故曰有它吝.
절재채씨가 말하였다: '다른 데[它]'는 초효를 이른다. 사효는 자리가 높으니 초효의 음이 아래에 있어 휘어지게 함을 이룰 수 없기 때문에 "들보가 솟음이니 길하다"고 말한 것이다. 그러나 초효와 호응이 되므로 때로는 부드러운 음에 끌리니 부끄러운 도이기 때문에 "다른 데에 마음을 두면 부끄러울 만하다"고 말한 것이다.

○ 雲峯胡氏曰, 九四棟隆, 亦有二義. 剛而能柔, 一也, 三應上, 是救其末, 四應初, 是救其本. 上六, 以柔居柔, 爲陰之極, 初六, 以柔居剛, 猶可以不橈乎下, 二也. 蓋惟其柔而居剛, 故二比之, 則如稊之復生於下, 四應之, 則如棟之不橈乎下也.

운봉호씨가 말하였다: 구사의 '들보가 솟음'도 두 가지 의미가 있다. 굳세면서 부드러울 수 있는 것이 한 가지 의미이다. 삼효가 상효와 호응하는 것은 '끝'을 구제하는 것이고, 사효가 초효와 호응하는 것은 '밑'을 구제하는 것이다. 상육은 부드러운 음으로서 부드러운 음의 자리에 있으니 음의 지극함이고, 초육은 부드러운 음으로서 굳센 양의 자리에 있으니 오히려 아래로 휘지 않게 할 수 있는 것이 또 한 가지 의미이다. 초육은 부드러운 음으로 굳센 양의 자리에 있기 때문에 이효와 가까운 경우에는 뿌리가 다시 아래에서 생겨난 것 같이 하고, 사효와 호응하는 경우에는 들보가 아래로 휘지 못하게 하는 것과 같이 한다.

## 韓國大全

### 송시열(宋時烈)『역설(易說)』

屯亦在中爲棟象. 以陽居陰, 剛柔相半. 往得巽初, 巽爲高隆之象. 又居上卦, 陽剛隆盛, 不爲下本之弱所橈動. 折中易李氏, 過所謂上卦下實而上弱, 下卦上實而下弱, 二爻當分上下體看者, 可謂善言易. 而吉凶所以不同, 且三之重剛, 陽之過也, 過故凶, 四則以剛居柔, 過而不過, 不過故吉. 大過所以戒占者也. 有他吝, 小象不言, 程傳以應初爲有他, 不敢强解. 然凡有他志者, 捨正應而適他應之謂也. 諸爻無如屯意, 或者指上六而謂之他耶.

솟아난 언덕이 가운데에 있어서 '들보'의 상이 된다. 굳센 양으로 부드러운 음의 자리에 있으니, 굳센 양과 부드러운 음이 서로 반이다. 가서 손괘(巽卦☴)의 초효를 얻었으니, 손괘(巽卦☴)는 높이 솟아나는 상이 된다. 또 상괘에 있고 굳센 양이 융성하여 아래의 뿌리가 유약함에 의하여 휘어져 움직이게 되지 않는다. 『주역절중』에서 이씨가 '지나침[過]'에 대하여 이른바 상괘는 아래가 충실하고 위가 약하며 하괘는 위가 충실하고 아래가 약하니, 삼효와 사효 두 효가 마땅히 상체와 하체를 나눈다고 보아야 한다고 한 것은 『주역』에 대하여 잘 말하였다고 할 수 있다. 하지만 길함과 흉함은 같지 않으니, 또한 삼효의 거듭된 굳센 양은 양의 지나침이고 지나치기 때문에 흉하며, 사효의 굳센 양은 부드러운 음의 자리에 있어서 지나쳐도 지나치지 않고, 지나치지 않기 때문에 길하다. 대과(大過)가 점을 치는 사람에게 경계하는 까닭이다. "다른 데에 마음을 두면 부끄러우리라"에 대하여 「소상전」에서는 말하지 않았고, 『정전』에서는 초효와 호응함을 '다른 데에 마음을 둠'으로 여겼는데, 감히 억지로 풀이하지 않는다. 그러나 다른 데에 뜻을 둔다는 것은 정응을 버리고 다른 곳에 가서 호응함을 말한다. 여러 효에 언덕[屯]과 같은 뜻이 없으니, 아마도 상육을 가리켜 '다른 곳[他]'이라고 말하는 것인가?

### 유정원(柳正源) 『역해참고(易解參攷)』

厚齋馮氏曰, 下有枅〈柱上橫木承棟.〉以籍之, 故不橈. 九二九三, 重枅之象.
후재풍씨가 말하였다: 아래에 '계(枅)'〈기둥 위에 가로로 된 나무로 들보를 받든다.〉가 있어서 이것에 의지하기 때문에 휘어지지 않는다. 구이와 구삼은 계(枅)가 중첩된 상이다.

○ 雙湖胡氏曰, 三四兩爻象棟, 四在三上, 又有棟隆之象.
쌍호호씨가 말하였다: 삼효와 사효 두 효는 '들보'를 상징하고, 사효는 삼효 위에 있으니, 또한 '들보가 솟는' 상이 있다.

○ 案, 四居大臣之位, 上附九五之君, 剛柔相濟, 故有棟隆之吉. 若復應於初, 而有繫戀妻孥之心, 則可吝之甚也.
내가 살펴보았다: 사효는 대신의 자리에 있고, 위로는 구오인 임금에 붙어서 굳센 양과 부드러운 음이 서로를 이루기 때문에 '들보가 솟는' 길함이 있다. 만약 다시 초효에 호응하여 처자를 연모하는 데에 얽매인 마음이 있다면, 부끄러울 수 있게 됨이 심하다.

### 김상악(金相岳) 『산천역설(山天易說)』

九四, 應巽之初, 以剛濟柔, 故棟隆而吉矣. 他謂上六也. 若有他則吝矣, 凡言有他者, 指非其應也.
구사는 손괘(巽卦☴)의 초효와 호응하고 굳센 양으로 부드러운 음을 구제하기 때문에 들보가 솟아서 길하다. '다른 데'란 상육을 말한다. 만약 '다른 데에 마음을 둔다면' 부끄럽게 되니, "다른 데에 마음을 둔다"라고 말한 것은 올바른 호응이 아님을 가리킨다.

○ 巽爲高隆之象. 木曰曲直, 木之曲者, 從巽之繩直, 以糾其曲而致高, 故曰棟隆. 以世道言, 四之棟隆而吉, 卽道隆則從而隆者也, 三之棟橈而凶, 卽道汚則從而汚者也. 故曰, 從惡如崩, 從善如登. 有他, 亦巽之進退也. 大過者, 中孚之交也, 故其初六亦曰有他, 不燕. 三四二爻, 以變而言, 三變爲困, 困之三曰, 困于石, 據于蒺藜而凶, 四變爲井, 井之四曰, 井甃无咎, 所以井通而困塞, 象占相反.
손괘(巽卦☴)는 높이 솟아난 상이 된다. "나무는 굽어짐과 곧음이다"[75]라고 하였으니, 나무의 굽은 것은 손괘(巽卦☴)의 '먹줄이 곧음이 됨'[76]을 따라 그 굽음을 바로잡아 높은 데까지 이르기 때문에 "들보가 솟아나다"라고 하였다. 세상의 도로 말하면, 사효의 들보가 솟아서 길함이란 도가 융성하면 따라서 융성해진다는 것이고, 삼효의 들보가 휘어져 흉함이란 도가 더럽혀지면 따라서 더럽혀진다는 것이다. 그러므로 "악을 따르기는 산이 무너지는 것과 같이 쉽고, 선을 따르기는 산을 오르는 것과 같이 어렵다"[77]고 하였다. "다른 데에 마음을 두다"란 손괘(巽卦☴)의 나아가고 물러남이다. 대과괘(大過卦)란 중부괘(中孚卦䷼)의 상괘와 하괘가 서로 바뀐 것이기 때문에 중부괘의 초효에서 또한 "다른 마음이 있으면 편안하지 못하다"[78]고 하였다. 삼효와 사효 두 효를 효변으로 말한다면, 삼효가 변하면 곤괘(困卦䷮)가 되는데 곤괘(困卦)의 삼효에서 "돌 때문에 어려우며 가시나무에 앉아 있다"[79]고 하여 흉하고, 사효가 변하면 정괘(井卦䷯)가 되는데 정괘 사효에서 "우물에 벽돌을 쌓으면 허물이 없으리라"[80]라고 하였으니, 정괘(井卦)로써 통하고 곤괘(困卦)로써 막혀서 상과 점이 서로 반대가 되는 까닭이다.

### 김규오(金奎五) 「독역기의(讀易記疑)」

九四有他, 比之初六有他, 他指九五也. 中孚初九有他, 他非六四也. 雲峯竝擧此爻而謂凡言他者, 指非應而言, 蓋以相應之地, 自是同位, 不可認以爲他也. 以此推之, 今此有他, 恐亦指上六而言耳. 上是同體, 亦有係戀之慮, 蓋言四當專一於應初, 牢著基脚, 使之不撓於下也. 若或志不專一而貳於他陰, 則基不固而棟不能隆矣. 若剛柔得宜而後係於陰, 九二亦然, 何必獨責於九四也. 胡鄭皆以應初爲救本, 其意亦可見矣. 傳義之以應初爲有他者, 必有精義而不能知, 可歎.

구사의 "다른 데에 마음을 두다"란 초육과 가까운데도 다른 데에 마음을 두는 것이니, '다른 데[他]'란 구오를 가리킨다. 중부괘(中孚卦䷼) 초구의 "다른 데에 마음을 두다"[81]에서 '다른 데'란 육사가 아니다. 운봉호씨는 이 효를 아울러 거론하면서 '다른 데'라고 말한 것은 호응이 아닌 것을 가리켜 말하였으니, 서로 호응하는 곳은 본래 같은 지위이기 때문에 '다른 데'가 된다고 인정할 수가 없다고 하였다. 이를 미루어 보면, 이제 여기서의 "다른 데에 마음을

---

75) 『書經 · 洪範』: 水曰潤下, 火曰炎上, 木曰曲直, 金曰從革, 土爰稼穡.

76) 『周易 · 說卦傳』: 巽, 爲木, 爲風, 爲長女, 爲繩直, 爲工, 爲白, 爲長, 爲高, 爲進退, 爲不果, 爲臭, 其於人也, 爲寡髮, 爲廣顙, 爲多白眼, 爲近利市三倍, 其究, 爲躁卦.

77) 이 내용은 『國語 · 周語』에 나온다.

78) 『周易 · 中孚卦』: 初九, 虞吉, 有他, 不燕.

79) 『周易 · 困卦』: 六三, 困于石, 據于蒺藜. 入于其宮, 不見其妻, 凶.

80) 『周易 · 井卦』: 六四, 井甃, 无咎.

81) 『周易 · 中孚卦』: 初九, 虞吉, 有他, 不燕.

둔다"란 아마도 또한 상육을 가리켜 말할 뿐이다. 상효는 같은 몸체여서 또한 연모하여 얽매이는 걱정이 있으니, 사효는 마땅히 초효와 호응하는 데에 전일하게 함을 굳건하게 하여 아래에 의하여 휘어지지 않도록 해야 함을 말한다. 만약 혹시 뜻이 전일하지 않아 다른 음에 두 마음을 갖는다면, 기초가 견고하지 않아 들보는 솟을 수가 없다. 만약 굳센 양과 부드러운 음이 마땅함을 얻은 후인데도 음에 얽매인다고 한다면, 구이 또한 그러하니, 어찌 반드시 홀로 구사만 꾸짖을 수 있겠는가? 운봉호씨와 합사정씨는 모두 초효와 호응함으로 밑을 구제하는 것으로 여겼으니, 그 뜻을 또한 알 수가 있다. 『정전』과 『본의』에서 초효와 호응함으로 "다른 데에 마음을 둔다"라고 여긴 것은 반드시 정밀한 뜻이 있겠지만 알 수가 없으니, 한탄할 만하다.

○ 荀九家, 坎爲棟, 大過有坎象, 故卦及三四, 皆言棟.
『순구가역』에서 말하였다: 감괘(坎卦☵)는 '들보'가 된다. 대과괘(大過卦)에는 감괘(坎卦☵)의 상이 있기 때문에 괘사 및 삼효와 사효에서는 모두 '들보'를 말하였다.

## 서유신(徐有臣) 『역의의언(易義擬言)』

此九四之過也. 不與初六, 是其過也. 互乾, 故隆高也. 車轅之制, 向前隆起也. 上六爲末而柔弱, 故爲他吝. 爻義旣吉, 而又有他般, 羞吝也.
이것은 구사의 지나침이다. 초육과 함께 하지 않음이 지나침이다. 호괘가 건괘(乾卦☰)이기 때문에 솟아나 높다. 수레 끌채의 제작은 앞을 향하여 솟아나게 한다. 상육은 끝이 되고 유약하기 때문에 구사가 다른 데에 마음을 두면 부끄럽다. 효의 뜻이 이미 길하지만 또한 다른 데에 마음을 두니, 부끄럽다.

## 강엄(康儼) 『주역(周易)』

按, 九三九四取象之義, 註詳之, 然妄意有一說焉, 棟之爲物, 上强而下弱則折, 下强而上弱則隆, 今以四陽爻言之, 九三上有二陽壓之, 而下有一陽扶之, 是上强而下弱, 故有橈象. 九四上有一陽壓之, 而下有二陽扶之, 是下强而上弱, 故有隆象.
내가 살펴보았다: 구삼과 구사가 상을 취한 뜻은 주(註)에 상세하게 풀이하였지만, 망령되게 나의 생각으로 하나의 설을 두면, '들보'란 위가 강하고 아래가 약하면 부러지고, 아래가 강하고 위가 약하면 솟는데, 이제 네 양의 효로 말한다면 구삼 위에서 두 양이 누르고 있고 아래에서 한 양이 떠받치고 있으니, 이는 위가 강하고 아래가 약하기 때문에 휘어지는 상이 있다. 구사는 위에서 한 양이 누르고 있고 아래에서 두 양이 떠받치고 있으니, 이는 아래가 강하고 위가 약하기 때문에 솟아나는 상이 있다.

### 박문건(朴文健) 『주역연의(周易衍義)』

處上无災, 故有棟隆之象. 雖吉, 若疑而從上, 則吝.
위에 있으면서 재앙이 없기 때문에 '들보가 솟는' 상이 있다. 비록 길하지만 만약 의심하여 상효를 따른다면 부끄럽게 된다.
〈問, 何以取有它之義. 曰, 遠初而近上也.
물었다: 어째서 "다른 데에 마음을 두는" 상을 취하였습니까?
답하였다: 초효를 멀리하고 상효를 가까이 하기 때문입니다.〉

### 김기례(金箕澧) 「역요선의강목(易要選義綱目)」

九四, 棟隆, 吉.
구사는 들보가 솟음이니 길하다.
剛居柔位, 承五君, 大過之任, 高明柔克故吉. 三四最剛, 故取剛木也.
굳센 양이 부드러운 음의 자리에 있고 오효인 임금을 받드니 대과(大過)의 임무로 고명한 자가 유순함으로 다스리기[82] 때문에 길하다. 삼효와 사효는 가장 굳세기 때문에 굳센 나무를 취하였다.

有它吝.
다른 데에 마음을 두면 부끄러우리라.
四, 以剛柔兩全之才, 若應初陰, 則過弱故吝, 陰位而若應陰, 則陰性吝, 故曰吝.
사효는 굳센 양과 부드러운 음의 온전한 두 재질을 가지고 있는데, 만약 초효인 음과 호응한다면 지나치게 약하기 때문에 부끄럽게 되고, 음의 자리이면서 만약 음과 호응한다면, 음의 성질은 인색함이기 때문에 "부끄러우리라"라고 하였다.

### 심대윤(沈大允) 『주역상의점법(周易象義占法)』

大過之井䷯, 居其所以進也. 九四居柔而時中, 與衆同欲而爲衆所說服, 所行而如其志, 湯武放伐, 而諸侯會之天下宗之, 是也. 不違衆心而成非常之功, 有居其所而進之義也, 故曰棟隆吉. 對艮爲隆, 有應於初, 有偏執己意之象, 故曰有他吝. 艮爲阻隔, 曰他, 言阻衆心而偏執己意, 則吝也. 大過上行, 故亦不橈乎下也. 蓋聖人與衆同欲, 而亦

82) 『書經 · 洪範』: 六三德, 一曰正直, 二曰剛克, 三曰柔克, 平康, 正直, 彊弗友, 剛克, 燮友, 柔克, 沉潛, 剛克, 高明, 柔克.

必執中, 不苟同而已, 但不可偏執一意也.
대과괘가 정괘(井卦䷯)로 바뀌었으니, 제자리에 머무르면서도 나아가는[83] 것이다. 구사는 부드러운 음의 자리에 있으면서 때에 알맞게 하고, 여러 사람들과 바라는 것을 함께 하여서 여러 사람들이 기뻐서 복종하므로 행함에 그 뜻과 같으니, 탕왕과 무왕이 방벌하자 제후가 그에게 모이고 천하 사람들이 그를 종주로 삼았던 것이 이것이다. 여러 사람들의 마음을 위배하지 않아 비상한 공을 이루니, 제자리에 있으면서도 나아가는 뜻이 있기 때문에 "들보가 솟으니 길하다"고 하였다. 상괘의 음양이 바뀐 괘인 간괘(艮卦☶)는 '솟음'이 되고, 초효에 호응이 있어서 자신의 뜻을 편협하게 고집하는 상이 있기 때문에 "다른 데에 마음을 두면 부족하리라"고 하였다. 간괘(艮卦☶)는 막혀서 서로 통하지 않음이 되므로 '다른 데[他]'라고 하였으니, 여러 사람들의 마음을 막아서 자신의 뜻을 편협하게 고집한다면 부끄럽게 됨을 말한다. 대과(大過)는 위로 올라가기 때문에 또한 아래에 의하여 휘어지지 않는다. 성인은 다른 사람들과 바라기를 같이 하고 또 반드시 알맞음을 잡으니, 구차하게 함께하지 않을 뿐이며 단지 하나의 뜻을 편협하게 고집해서는 안 된다.

### 오치기(吳致箕) 「주역경전증해(周易經傳增解)」

九四亦以陽剛而當上下之交, 有棟之象. 然以其居柔, 匪如三之過剛, 且在上體而下多陽實之承載, 故有隆崇之象. 占固吉矣, 然當大過之時, 下應于初, 恐或牽於陰柔, 故戒言有它則吝也.
구사는 또한 굳센 양으로 상괘와 하괘가 만나는 곳에 해당하니, 들보의 상이 있다. 하지만 그 자리가 부드러운 음이라서 삼효의 지나친 굳센 양과는 같지 않고, 상체에 있어서 아래로 받들어 싣는 충실한 양이 많기 때문에 융숭한 상이 있다. 점은 진실로 길하지만 대과(大過)의 때를 맞아 아래로 초효에 호응하니, 아마도 혹 부드러운 음에 이끌리기 때문에 "다른 데에 마음을 두면 부끄러우리라"라고 경계하여 말한 듯하다.

○ 隆, 高起也. 應巽爲高, 亦取互乾, 乾在上, 爲隆也. 它, 指初而言也.
'륭(隆)'은 높이 일어남이다. 호응하는 손괘(巽卦☴)는 높음이 되고, 또 호괘인 건괘(乾卦☰)에서 취하였는데 건괘(乾卦☰)는 위에 있어서 '높이 일어남'이 된다. '다른 데[它]'란 초효를 가리켜 말하였다.

---

83) 『周易·繫辭傳』: 井, 居其所而遷, 巽, 稱而隱.

### 이진상(李震相) 『역학관규(易學管窺)』

下有重枅, 下弱而不撓, 上有承楹, 上弱而能載, 棟隆之象也. 正應在初, 易趨於下, 故曰有它吝.
아래에는 거듭 가로로 걸친 들보가 있어서 아래가 약하지만 휘어지지 않고, 위로는 떠받치는 기둥이 있어서 위가 약하지만 실을 수 있으니, 들보가 솟아난 상이다. 정응은 초효에 있어서 쉽게 아래로 달려가기 때문에 "다른 데에 마음을 두면 부끄러우리라"고 하였다.

### 박문호(朴文鎬) 「경설(經說) · 주역(周易)」

四旣剛柔得宜, 而志復應柔, 多一柔字, 故云吝. 二亦剛柔得宜, 志復應柔, 而云无不利. 蓋曰爲初之正應, 易於牽係, 故尤戒之.
사효는 이미 굳센 양과 부드러운 음이 마땅함을 얻었는데도 다시 부드러운 음과 호응하는 데에 뜻을 두어 '유(柔)'자가 하나 많기 때문에 "부끄럽다"고 하였다. 이효도 또한 굳센 양과 부드러운 음이 마땅함을 얻었는데도 다시 부드러운 음과 호응하는 데에 뜻을 두었는데 "이롭지 않음이 없다"[84]고 하였다. 아마도 초효의 정응이 되어 쉽게 관련되기 때문에 더욱 경계함을 말한 듯하다.

### 이정규(李正奎) 「독역기(讀易記)」

中四爻或凶或吉, 不一其象. 然統四爻而觀之, 四陽之盛實, 爲可喜, 而九五雖得中正而不至極, 然以四陽言之, 五爲陽之終也, 故辭曰枯楊生花, 象曰何可久也. 此似惜陽終之意也. 如廿四韶光看來滿喜, 而至其末花, 惜之曰, 此花一開更无花之意也. 先儒之論, 未有如此言意, 然妄意亦似有如此象也, 未知何如.
가운데 네 효는 혹 흉하기도 하고 혹 길하기도 하여 그 상이 동일하지 않다. 하지만 네 효를 통틀어 본다면 네 양의 성대하고 충실함은 기뻐할 만하지만, 구오가 비록 중정을 얻고 지극한 데에는 이르지 않았더라도 네 양으로 말하면 오효는 양의 끝이 되기 때문에 괘사에서 "마른 버드나무에 꽃이 핀다"고 하였고 「상전」에서는 "어찌 오래갈 수 있겠는가"라고 하였다. 이것은 양의 끝이 됨을 애석해 하는 뜻인 듯하다. 예를 들어 24절기 중에서 봄의 아름다운 경치를 보니까 기쁨이 가득하다가 꽃이 질 때에 이르러서는 애석해 하니, "이는 꽃이 한 번 피자마자 꽃이 없어진다"라고 말한 뜻과 같다. 이전 유학자들의 논의에서는 아직 이와 같은 말뜻이 없었지만, 망령되게 내가 생각하건대 또한 이와 같은 상이 있는 듯하니, 어떠한지 모르겠다.

---

84) 『周易 · 大過卦』: 九二, 枯楊, 生稊, 老夫, 得其女妻, 无不利.

## 象曰, 棟隆之吉, 不橈乎下也.

「상전」에서 말하였다: "들보가 솟음이 길함"은 아래로 휘어지지 않기 때문이다.

### 中國大全

傳

**棟隆起則吉, 不橈曲以就下也, 謂不下繫於初也.**

들보가 솟으면 길한 것은 휘고 굽어 아래로 나아가지 않기 때문이니, 아래로 초효에 매이지 않음을 이른다.

小註

臨川吳氏曰, 下謂初也. 不橈乎下, 謂不因下之弱, 而至於橈也.
임천오씨가 말하였다: '아래[下]'는 초효를 이르고, '아래로 휘어지지 않음[不橈乎下]'은 아래의 음약(陰弱)함 때문에 휘어지는 데에 이르지 않음을 이른다.

○ 合沙鄭氏曰, 大過棟橈, 由本末弱, 然實以本爲重. 四居大臣之位, 而應乎初, 救其本也. 救其本於未過之初, 故棟隆而不橈乎下. 其下不橈, 其棟烏得而不隆哉. 三所居不得位, 而應乎上, 救其末也. 救其末於已過之後, 故棟橈而不可以有輔, 則知救過於其末, 不若救過於其本也.
함사정씨가 말하였다: 대과괘의 '들보가 휘어짐'은 밑과 끝이 약함으로 말미암은 것이나 실상은 밑이 중요하다. 사효는 대신의 자리에 있으면서 초효에 호응하니 밑을 구제한 것이다. 아직 지나치지 않은 초기에 밑을 구제하였기 때문에 들보가 솟아 아래로 휘어지지 않았다. 아래로 휘어지지 않았는데 들보가 어찌 솟지 않을 수 있겠는가? 삼효는 거처함에 자리를 얻지 못하여[85]상효와 호응하니 끝을 구제한 것이다. 이미 지나친 뒤에 끝을 구제하였기 때

85) 삼효는 거처함에 자리를 얻지 못하여: 상수학적 용어로 쓴 것이 아니고, '굳셈이 거듭되고 가운데 자리가 아님[重剛而不中]'을 빌어 이렇게 말한 듯하다.

문에 들보가 휘어지나 도움이 있을 수 없으니, 끝에서 지나침을 구제하는 것은 밑에서 지나침을 구제하는 것만 못함을 알겠다.

## 韓國大全

### 이익(李瀷) 『역경질서(易經疾書)』

棟隆爲不撓乎下, 則棟撓之爲撓乎下, 可知, 本旣弱矣, 不可以有輔也. 九四棟隆, 不與乎本弱也. 棟隆則已安矣, 三在四下, 故四若有他, 而因依於本弱之三, 則吝, 此戒辭也. 有他, 與比初, 中孚初參考.

'들보가 솟음'이 아래에 의하여 휘어지지 않는다면 '들보가 휘어짐'은 아래에 의하여 휘어짐이 됨을 알 수가 있으니, '밑[本]'이 이미 약하여 돕는 이가 있을 수 없기 때문이다. 구사는 들보가 솟아서 '밑[本]'이 약한 데에는 관여되지 않는다. 들보가 솟으면 이미 안전하지만, 삼효가 사효 아래에 있기 때문에 사효가 만약 다른 데에 마음을 두어서 '밑[本]'이 약한 삼효에 의지한다면 부끄럽게 되니, 이것이 경계하는 말이다. '다른 데에 마음을 둠'은 비괘(比卦䷇)의 초효[86]와 중부괘(中孚卦䷼)의 초효[87]를 참고할 수 있다.

### 유정원(柳正源) 『역해참고(易解參攷)』

厚齋馮氏曰, 彖以衡取象, 故言本末, 不言上下, 爻以豎取象, 故言上下, 不言本末.

후재풍씨가 말하였다: 「단전」에서는 가로[衡]로써 상을 취하였기 때문에 '밑'과 '끝'을 말하고 위와 아래를 말하지 않았으며, 효사에서는 세움[豎]으로써 상을 취하였기 때문에 위와 아래를 말하고 '밑'과 '끝'을 말하지 않았다.

### 김상악(金相岳) 『산천역설(山天易說)』

下有白茅之藉, 故不橈.

아래에 흰색 띠풀의 자리가 있기[88] 때문에 휘어지지 않는다.

---

86) 『周易 · 比卦』: 初六, 有孚比之, 无咎, 有孚盈缶, 終, 來有他吉.

87) 『周易 · 中孚卦』: 初九, 虞吉, 有他, 不燕.

### 서유신(徐有臣) 『역의의언(易義擬言)』

初六無相與之義, 是不弱乎下也, 不與初, 故爲互乾之象也. 中孚變爲大過, 而上下體反背, 有不相應與之象, 故只以本體各取象焉.
초육에는 서로 함께하는 뜻이 없으니, 이것이 아래에 의해서 약해지지 않는 까닭이고, 초효와 함께 하지 않기 때문에 호괘인 건괘(乾卦☰)의 상이 된다. 중부괘(中孚卦䷼)가 변하여 대과괘(大過卦)가 되어 상체와 하체가 서로 등지고 있으니, 서로 호응하여 함께하지 않는 상이 있기 때문에 단지 본체를 가지고 각각 상을 취하였다.

### 박문건(朴文健) 『주역연의(周易衍義)』

言不見折於其下也.
그 아래에 의하여 부러지게 되지 않음을 말한다.

### 김기례(金箕澧) 「역요선의강목(易要選義綱目)」

不撓乎下.
아래에 의하여 휘어지지 않기 때문이다.

自得剛柔之體, 不爲初撓奪.
스스로 굳센 양과 부드러운 음의 몸체를 얻어 초효에 의하여 휘어지거나 빼기지 않는다.

### 심대윤(沈大允) 『주역상의점법(周易象義占法)』

象曰, 棟隆之吉, 不橈乎下也.
「상전」에서 말하였다: "들보가 솟음이 길함"은 아래로 휘어지지 않기 때문이다.
〈大過之求事, 衆同欲爲得, 故二四吉利也. 上六則衆之所服, 而非衆之所欲也.
대과(大過)가 일을 구함은 여러 사람들이 바라기를 함께하는 데에서 얻기 때문에 이효와 사효는 길하고 이롭다. 상육은 여러 사람들이 복종하는 바이지, 여러 사람들이 바라는 바가 아니다.〉

88) 『周易 · 大過卦』: 初六, 藉用白茅, 无咎.

**오치기(吳致箕) 「주역경전증해(周易經傳增解)」**

下多陽實, 有所承載, 而以剛居柔, 不至過剛, 故不橈乎下也.

아래로 충실한 양이 많아 받들어 싣는 바가 있고, 굳센 양으로 부드러운 음의 자리에 있어서 지나치게 굳센 데에는 이르지 않기 때문에 아래에 의하여 휘어지지 않는다.

**이병헌(李炳憲) 『역경금문고통론(易經今文考通論)』**

它卽下, 下卽初也. 大過之道, 不可係於應也.

'다른 데[它]'는 아래이고, 아래는 초효다. 대과(大過)의 도는 호응에 얽매여서는 안 된다.

## 九五, 枯楊, 生華, 老婦, 得其士夫, 无咎无譽.

구오는 마른 버드나무에 꽃이 피며 늙은 부인이 젊은 남자를 얻는 것이니, 허물이 없으나 명예도 없을 것이다.

## 中國大全

**傳**

九五, 當大過之時, 本以中正居尊位. 然下无應助, 固不能成大過之功, 而上比過極之陰, 其所相濟者, 如枯楊之生華. 枯楊下生根稊, 則能復生, 如大過之陽興成事功也. 上生華秀, 雖有所發, 无益於枯也. 上六過極之陰, 老婦也. 五雖非少, 比老婦, 則爲壯矣, 於五无所賴也, 故反稱婦得. 過極之陰, 得陽之相濟, 不爲无益也. 以士夫, 而得老婦, 雖无罪咎, 殊非美也, 故云无咎无譽, 象復言其可醜也.

구오가 대과의 때를 당하여 본래 중정(中正)으로 존귀한 자리에 있으나, 아래에 응하여 도와주는 자가 없어 진실로 대과의 공업을 이룰 수 없고, 위로 지나침이 극에 달한 음을 가까이 하였으니, 서로 구제하는 바가 마치 마른 버드나무에 꽃이 핀 것과 같다. 마른 버드나무가 아래에 뿌리가 나면 다시 살 수 있으니, 마치 대과의 양이 일의 공업을 일으켜 이룰 수 있는 것과 같으나, 위에 꽃이 피면 비록 피어나는 것이 있더라도 마른 데에는 유익할 것이 없다. 상육은 지나침이 극에 달한 음이니, 늙은 부인이다. 오효가 비록 젊은 것은 아니나 늙은 부인에 비하면 건장함이 되니, 오효의 입장에서는 의뢰받을 것이 없기 때문에 도리어 "부인이 얻었다"고 칭한 것이다. 지나침이 극에 달한 음이 서로 구제해 주는 양을 얻음은 유익함이 없지는 않으나, 젊은 남자로서 늙은 부인을 얻음은 비록 허물될 것은 없더라도 자못 아름다운 일이 아니기 때문에 "허물도 없고 명예도 없다"고 하였고, 「상전」에서 다시 "추하게 여길 만하다"고 말한 것이다.

**本義**

九五, 陽過之極, 又比過極之陰, 故其象占, 皆與二反.

구오는 양의 지나침이 극에 달했는데, 또 지나침이 극에 달한 음을 가까이 하였기 때문에, 그 상과 점이 모두 이효와 반대이다.

**小註**

藍田呂氏曰, 九二, 在初六之上, 老於初六, 故曰女妻, 女未嫁者也. 九五, 在上六之下, 少於上六. 故曰士夫, 士未娶者也.
남전여씨가 말하였다: 구이는 초육의 위에 있어서 초육보다 늙었으므로 젊은 아내[女妻]라고 하였으니, 아직 시집가지 않은 여자이다. 구오는 상육의 아래에 있어서 상육보다 젊으므로 젊은 남자[士夫]라고 하였으니, 아직 장가들지 않은 남자이다.

○ 雲峯胡氏曰, 枯楊而稊, 可以復生, 枯楊而華, 速其死也. 老夫得其女妻, 猶可生育, 士夫而有老婦, 无復生道矣. 故反稱老婦得其士夫, 謂上六也, 陰柔過極, 得陽不爲无益. 云无咎者, 陰欲陽, 非陽之咎也. 然亦非美矣.
운봉호씨가 말하였다: 마른 버드나무에 뿌리가 나면 다시 살 수 있으나, 마른 버드나무에 꽃이 피면 빨리 죽는다. 늙은 남자가 젊은 아내를 얻으면 그래도 자식을 낳고 기를 수 있으나, 젊은 남자에게 늙은 부인이 있으면 다시 낳을 수 있는 길이 없다. 그러므로 반대로 일컬어 "늙은 부인이 젊은 남자를 얻는다"고 하였으니, 늙은 부인이란 상육을 이른다. 부드러운 음이 극도로 지나치니 양을 얻음은 무익함이 되지 않는다. "허물이 없다"고 말한 이유는 음이 양을 바라는 것이 양의 허물은 아니기 때문이다. 그러나 이 또한 아름다움은 아니다.

○ 厚齋馮氏曰, 合二五兩爻象觀之, 九二, 枯楊老夫之象也, 初六, 生稊女妻之象也, 則九五當爲楊, 而今以上六爲枯楊老婦, 九五反爲生華士夫, 何也. 易之意, 蓋以枯象老, 在陽爻, 則爲夫, 在陰爻, 則爲婦, 而楊者, 不拘於陰陽之爻也. 又曰, 聖人立象, 以盡意, 天下事物之變, 无不備者. 老夫之得女妻, 再娶女之夫也, 老婦之得士夫, 婦再嫁而夫未娶也. 凡人倫之變, 備見於象矣.
후재풍씨가 말하였다: 이효와 오효, 두 효의 상을 합하여 관찰해 보면, 구이의 마른 버드나무는 늙은 남자의 상이고, 초육의 뿌리가 난 것은 젊은 부인의 상이다. 그렇다면 구오가 당연히 버드나무가 되는데, 지금 상육을 마른 버드나무인 늙은 부인으로 여기고 반대로 구오를 꽃을 피운 젊은 남자로 여기는 것은 어째서인가? 『주역』의 뜻은 마른 것으로 늙음을 상징하며, 양효의 자리에 있으면 남자가 되고 음효의 자리에 있으면 부인이 되나, 버드나무는 효의 음양에 구애받지 않기 때문이다.
또 말하였다: 성인이 상을 세워 뜻을 다하였으니, 천하 사물의 변화가 갖추어지지 않음이 없다. 늙은 남자가 젊은 아내를 얻음은 남자가 여자에게 다시 장가드는 것이고, 늙은 부인이 젊은 남자를 얻음은 부인은 다시 시집가나 남자는 장가든 적이 없는 것이다. 인륜의 모든 변화가 상에 갖추어 나타난다.

○ 兼山郭氏曰, 老夫女妻, 剛爲主而柔輔之, 大過之得也, 故无不利. 老婦士夫, 則柔爲主而剛輔之, 大過之失也, 故无譽.
겸산곽씨가 말하였다: 늙은 남자와 젊은 아내는 굳센 양이 주가 되고 부드러운 음이 도우니, 대과의 '얻음'이므로 이롭지 않음이 없다. 늙은 부인과 젊은 남자는 부드러운 음이 주가 되고 굳센 양이 도우니, 대과의 '잃음'이므로 명예가 없다.

## 韓國大全

### 조호익(曺好益) 『역상설(易象說)』

九五, 枯楊, 生華, 老婦, 得其士夫.
구오는 마른 버드나무에 꽃이 피며 늙은 부인이 젊은 남자를 얻는 것이다.

上體兌, 兌之反巽, 下體巽, 巽之反兌. 楊近澤之木, 故上下體取象, 皆同枯楊大過象. 〈以上雲峯例〉 又荀九家, 巽爲楊, 枯位互離體, 華五變則震, 震爲蔜[89]象. 五比六, 下連而上分, 有花象. 婦兌女象, 以六在一卦之終, 故稱老. 夫震男象, 五變則震, 宜老於兌女, 而五次於六, 故稱士.
상체는 태괘(兌卦☱)이고 태괘(兌卦☱)는 손괘(巽卦☴)가 거꾸로 된 괘이며, 하체는 손괘(巽卦☴)이고 손괘(巽卦☴)는 태괘(兌卦☱)가 거꾸로 된 괘이다. '버드나무'는 못[澤]에 가까이 서식하는 나무이기 때문에 상체와 하체에서 상을 취한 것이 모두 똑같이 '마른 버드나무'이니, 대과(大過)의 상이다.〈이상은 운봉이 설명한 사례이다.〉 『순구가역』에서는 손괘(巽卦☴)는 버드나무가 된다고 하였는데, '마른'은 호괘인 리괘(離卦☲)의 몸체에 자리하고 있기 때문이며, '꽃'은 오효가 변하면 진괘(震卦☳)이며 진괘(震卦☳)는 연꽃의 상이 되기 때문이다. 오효는 육효와 비(比)의 관계에 있으면서 아래는 연결되고[九五] 위는 나누어지니[上六], 꽃의 상이 있다. '부인[婦]'이라고 한 것은 태괘(兌卦☱)가 여자의 상인 데에서 기인하지만, 육효가 한 괘의 맨 끝에 있기 때문에 '늙은'이라고 덧붙여 칭하였다. '남자[夫]'는 진괘(震卦☳)가 남자의 상인 데에서 기인하는데, 오효가 변하면 진괘(震卦☳)가 되고 마땅히 태괘(兌卦☱)의 여자보다 늙지만 오효가 육효 다음이기 때문에 '젊은[士]'을 덧붙여 칭하였다.

89) 蔜: 경학자료집성DB에는 비어 있고 영인본에는 글자를 확인할 수 없으나, 문맥을 살펴 '蔜'으로 바로잡았다.

○ 枯楊下生根稊, 則能復生, 如大過之陽, 興成事功也.
마른 버드나무 아래에 뿌리가 생기면 다시 살 수 있으니, 대과괘(大過卦)의 양이 일의 공업을 일으켜 이룰 수 있는 것과 같다.90)
雙湖曰, 楊巽象, 棟巽象.
쌍호호씨가 말하였다: '버드나무'는 손괘(巽卦☴)의 상이고, '들보'도 손괘(巽卦☴)의 상이다.

### 송시열(宋時烈)『역설(易說)』

綜巽亦枯楊之象, 生華見九二註. 如此爻處, 實難曉解. 傳亦可疑, 以上六過陰爲老婦, 以九五爲少夫者, 何義耶. 此曰少婦得老婦云爾, 則可也. 五之爻辭, 以六之老婦爲主而言者, 果周公本意耶. 二爻以錯震爲老夫, 上卦兌之少女爲女妻, 則其辭不泥. 此爻以綜巽爲老婦, 以錯艮爲少夫, 則何如耶. 以初爻陰爲少女, 則固好. 然以五陽爲少夫, 未知何如. 然則六之老婦, 來得五之少夫耳, 此自上六而言, 非自五而言之也. 蓋此卦自上綜看, 亦爲澤風, 內卦旣已錯看, 則自上視之爲山風, 此非巽之老婦得艮之少男耶. 梯與華, 果以生於根生於末言之. 二爻以巽楊言象, 而五爻亦以楊言, 則五之取巽可見. 此非綜巽耶. 然則二之小象, 過以相與云者, 言陽雖大過, 而二與初應 無捍格牴牾之意故也.
상괘인 태괘(兌卦☱)가 거꾸로 된 괘인 손괘(巽卦☴) 또한 '마른 버드나무'의 상이며, "꽃이 피다"에 대해서는 구이 주(註)에 보인다. 이 효가 처해 있는 경우라면, 실제로 이해하기가 어렵다. 『정전』도 또한 의심스러우니, 상육의 지나친 음을 '늙은 부인'으로 여기고, 구오를 젊은 남자로 여기는 것은 무슨 뜻인가? 이는 젊은 부인이 늙은 부인을 얻었다고 말할 뿐이라면 괜찮다. 오효의 효사가 육효의 늙은 부인을 위주로 하여 말한 것이라면, 과연 주공(周公)의 본래 뜻이겠는가? 이효에서 손괘(巽卦☴)가 음양이 바뀐 진괘(震卦☳)를 '늙은 남자'로 여기고, 상괘인 태괘(兌卦☱)의 막내딸을 '젊은 아내'로 여긴다면, 그 말이 막히지는 않는다. 그러므로 이 효에서 상괘인 태괘(兌卦☱)가 거꾸로 된 손괘(巽卦☴)를 '늙은 부인'으로 여기고 음양이 바뀐 간괘(艮卦☶)를 '젊은 남자'로 여긴다면 어떻겠는가? 초효의 음을 막내딸로 여긴다면 진실로 좋다. 그러나 오효인 양을 '젊은 남자'로 여긴다면 어떤지 모르겠다. 그렇다면 육효의 늙은 부인이 와서 오효의 젊은 남자를 얻었을 뿐이니, 이는 상육으로부터 말한 것이지, 오효로부터 말한 것이 아니다. 이 괘는 상효로부터 거꾸로 본다면, 또한 못[澤]이 되고 바람이 되며[대과괘(大過卦䷛)] 내괘를 이미 음양이 바뀐 괘[☳]로 보았으므로, 상

90)『周易傳義大全 · 大過卦 · 程傳』: 枯楊下生根稊, 則能復生, 如大過之陽興成事功也.

효로부터 본다면 산이 되고 바람이 되니[고괘(蠱卦☶☴)], 이는 손괘(巽卦☴)의 늙은 부인이 간괘(艮卦☶)의 막내아들을 얻은 것이 아니겠는가? 뿌리와 꽃은 과연 뿌리에서 생기고 가지에서 생기는 것으로 말하였다. 이효는 손괘(巽卦☴)인 버드나무로 상을 말하였는데, 오효 또한 버드나무로 말하였으니, 오효도 손괘(巽卦☴)에서 취하였음을 알 수가 있다. 이는 상괘가 거꾸로 된 손괘(巽卦☴)가 아니겠는가? 그렇다면 이효의 「소상전」에서 '지나치게 서로 함께하는 것'[91]이라고 말한 것은 양이 비록 크게 지나쳤지만, 이효가 초효와 호응하여 거슬리거나 어긋나는 뜻이 없기 때문이다.

### 석지형(石之珩) 『오위귀감(五位龜鑑)』

臣謹按, 大過之九五, 取枯楊生華老婦士夫之象, 何也. 巽體爲木, 而木之先春者, 莫如楊, 故取楊象. 大過者, 陽之過也. 陽過則枯, 而以兌澤在上, 又是厚畫底坎, 故潤於水而生華也. 兌雖少女, 在卦之終, 故爲老婦, 五乃中正, 又居互乾, 故爲士夫. 以人君類之, 則不得良弼以自輔翼, 而倚任陳人, 偸安姑息者是已, 明主之所宜深戒者也. 伏願殿下, 知所倚以自資焉.
신이 삼가 살펴보았습니다: 대과괘(大過卦)의 구오가 '마른 버드나무에 꽃이 핌'과 '늙은 부인과 젊은 남자의 만남'이라는 상을 취한 것은 무엇 때문이겠습니까? 손괘(巽卦☴)의 몸체는 나무가 되고, 나무 중에 봄보다 앞서 생겨나는 것은 버드나무만한 것이 없기 때문에 버드나무의 상을 취하였습니다. 대과(大過)란 양이 지나침입니다. 양이 지나치면 마르지만, 태괘(兌卦☱)인 못[澤]이 위에 있고 또 괘 전체가 두터운 감괘(坎卦☵)이기 때문에 물에서 젖어 꽃이 핍니다. 태괘(兌卦☱)가 비록 막내딸이지만 괘의 끝에 있기 때문에 '늙은 부인'이 되고, 오효는 중정하고 또 호괘가 건괘(乾卦☰)이기 때문에 '젊은 남자'가 됩니다. 임금에 견주어 본다면 잘 보필하는 훌륭한 신하를 얻어 자신을 보좌할 수 없어서 진부한 사람에게 위임하여 맡기니, 이러한 사람은 할 일을 하지 않고 눈앞의 안일만 꾀하는 자일뿐이므로, 밝은 군주가 마땅히 깊게 경계하여야 할 바입니다. 신이 엎드려 바라옵건대, 전하께서는 의지하여 스스로를 도와 줄 바를 아시옵소서.

### 이현익(李顯益) 「주역설(周易說)」

老婦得士夫, 固老婦是上六, 士夫是九五, 而若枯楊生花, 則似枯楊是九五, 華是上六. 傳曰, 枯楊下生根稊, 上生華秀, 是以枯楊爲九二九五, 而稊華爲初六上六. 朱子曰, 九

91) 『周易·大過卦』: 九二, 象曰, 老夫女妻, 過以相與也.

五所謂老婦者, 乃是指客爻而言, 是亦只以老婦爲指客爻. 且以枯楊老婦, 皆爲指客爻, 則是九五之辭, 全以上六爲主, 此亦不然. 蓋枯楊五而華六, 老婦六而士夫五, 爲互言也. 厚齋馮氏之以枯楊爲六華爲五非是.
늙은 부인이 젊은 남자를 얻음에, 진실로 늙은 부인은 상효이고 젊은 남자는 구오인데, 만약 '마른 버드나무에 꽃이 피는' 경우라면 '마른 버드나무'는 구오이고 '꽃'은 상육인 듯하다. 『정전』에서 "마른 버드나무가 아래에 뿌리가 나고, 위에 꽃이 핀다"고 하였으니, 이는 '마른 버드나무'를 구이와 구오로 여기고 '뿌리'와 '꽃'을 초육과 상육으로 여긴 것이다. 주자가 "구오에서 이른바 '늙은 부인'은 자신이 아닌 효[상육]를 가리켜 말한 것이다"라고 하였으니, 이는 또한 단지 '늙은 부인'을 자신이 아닌 효를 가리키는 것으로 여긴 것이다. 또 '마른 버드나무'와 '늙은 부인'을 모두 자신이 아닌 효를 가리키는 것으로 여긴다면, 이는 구오의 효사는 전부 상육을 위주로 한 것이니, 이것은 그렇지 않다. '마른 버드나무'는 오효이고 '꽃'은 육효이며, '늙은 부인'은 육효이고 '젊은 남자'는 오효이니, 어느 한 가지만을 말하고 이를 서로 바꾸어 드러내는 말이 된다. 후재풍씨가 '마른 버드나무'를 육효로 여기고 '꽃'을 오효로 여긴 것은 옳지 않다.

### 심조(沈潮) 「역상차론(易象箚論)」

九五, 枯楊, 生花.
구오는 마른 버드나무에 꽃이 핀다.

陽而在上, 花也. 花凡五出, 五亦花象也.
양이면서 위에 있으니 꽃이다. 꽃이란 모두 오효에 나오니, 오효는 또한 꽃의 상이다.

### 유정원(柳正源) 『역해참고(易解參攷)』

九五 [至] 士夫.
구오는 … 젊은 남자[士夫]를 얻는 것이다.

童溪王氏曰, 巽爲長女, 而反曰女妻, 兌爲少女, 而反曰老婦, 易之取象, 固如此其不一也.
동계왕씨가 말하였다: 손괘(巽卦☴)는 맏딸이 되는데도 도리어 '젊은 아내'이라고 하였고, 태괘(兌卦☱)는 막내딸이 되는데도 도리어 '늙은 부인'이라고 하였으니, 『주역』에서 상을 취함은 진실로 이와 같이 한 가지가 아니다.

○ 案, 枯楊可以根生, 而亦有生華之理乎. 此非眞華, 以象言也. 白首脂粉, 外飾春容, 正如枯木之華秀, 无益於枯, 而只增非理相交之凶而已, 故象以何可久亦可醜, 斷之.
내가 살펴보았다: '마른 버드나무'는 뿌리가 생길 수 있지만, 또한 꽃을 피우는 이치가 있겠는가? 이것은 진짜 꽃이 아니라 상으로 말한 것이다. 백발인 사람이 화장을 하여 겉을 꾸며 봄과 같은 얼굴을 하는 것은 바로 마른 나무에 꽃이 핌이 마른 나무에 이익이 없는 것과 같아 단지 이치가 아닌 것으로 서로 사귀는 흉함을 더할 뿐이기 때문에 「상전」에서는 "어찌 오래갈 수 있겠는가? 또한 추하도다"라고 단언하였다.

傳, 反稱婦得.
『정전』에서 말하였다: 도리어 "부인이 얻었다"고 칭한 것이다.
案, 五比過極之陰, 无所賴, 故不言士夫得過極之陰, 得陽之相濟, 不爲无益, 故反主上六而言婦得.
내가 살펴보았다: 오효는 지나침이 극에 달한 음과 비(比)의 관계에 있고 의지할 바가 없기 때문에 젊은 남자가 지나침이 극에 달한 음을 얻었다고 하지 않았고, 양이 서로 구제함을 얻어 무익함이 되지 않기 때문에 도리어 상육을 위주로 하여 "부인이 얻는다"고 하였다.

### 김상악(金相岳) 『산천역설(山天易說)』

九五, 以兌乘巽, 比上而交. 枯楊而生華, 无益於枯矣. 老婦士夫, 无復生道矣, 雖无過極之咎, 亦无生物之功也.
구오는 태괘(兌卦☱)가 손괘(巽卦☴)를 올라타고 상효와 비(比)의 관계에 있어서 사귄다. 마른 버드나무인데 꽃이 피는 것은 마른 나무에 이익이 없다. '늙은 부인'과 '젊은 남자'의 만남에는 다시 낳는 도가 없으니, 비록 지나침이 극에 달한 허물은 없지만 또한 생명을 낳는 공도 없다.

○ 兌金, 巽木. 木生火, 金被火, 伐木, 乃敷榮, 故曰枯楊生華, 所謂生繁華於枯荑也, 荑字與稊同. 无咎屬五, 无譽屬上. 陽之遇陰, 雖善補過, 配合非宜, 未足爲美. 二之无不利, 五之无咎无譽, 專由於生稊生華之不同也.
태괘(兌卦☱)는 쇠이고, 손괘(巽卦☴)는 나무이다. 나무는 불을 낳고 쇠는 불에게 당하지만 나무를 베어 영화를 펴기 때문에 "마른 버드나무에 꽃이 핀다"고 하였으니, 이른바 유곤(劉琨)의 「권진표(勸進表)」[92]에 "화려한 꽃이 마른 뿌리[枯荑]에서 난다"라고 한 것으로, '이

92) 권진표(勸進表): 유곤(劉琨)은 진(晉)나라 민제(愍帝) 때에 사공(司空)이었으나, 오호(五胡)의 난에 민제가

(荑)'자는 '제(稊)'와 같다. '허물이 없음'은 오효에 속하고, '명예가 없음'은 상효에 속한다. 양이 음을 만남은 비록 허물을 보완해주기에는 좋지만, 배합되는 것은 마땅하지 않으므로 아름답게 되는 데에는 충분하지 않다. 이효에서의 "이롭지 않음이 없다"와 오효에서의 "허물이 없으나 명예도 없을 것이다"는 오로지 "뿌리가 생기다"와 "꽃이 핀다"가 서로 다른 데에 기인한다.

### 서유신(徐有臣) 『역의의언(易義擬言)』

此九五之過也. 枯楊如老婦, 華如士夫, 可爲老婦之光華也. 毁譽無足道鄙之也. 婦視夫則過老, 夫視婦則過少, 枯楊而生華, 老婦而士夫, 其爲過常, 過於九二也. 枯楊也, 老夫也, 老婦也, 皆大過之象也. 巽入於下而內者, 爲稊, 爲妻, 兌說於上而外者, 爲華, 爲夫也.
이것은 구오의 지나침이다. '마른 버드나무'는 '늙은 부인'과 같고, '꽃'은 '젊은 남자'와 같으니, 늙은 부인의 광채가 될 만하다. 명예를 훼손하지만 충분히 비루하다고 말할 것도 없다. 부인은 남자에 비하면 너무 늙었고 남자는 부인에 비하면 너무 어려, 마른 버드나무이면서 꽃을 피우고 늙은 부인인데도 젊은 남자를 얻으니, 정상적인 데에서 지나치게 됨이 구이보다도 지나치다. '마른 버드나무'이며, '늙은 남자'이며, '늙은 부인'임은 모두 대과괘(大過卦)의 상이다. 손괘(巽卦☴)가 아래에서 들어가 안에 있는 것은 '뿌리'가 되고 '부인'이 되며, 태괘(兌卦☱)가 위에서 기뻐하여 밖에 있는 것은 '꽃'이 되고 '남자'가 된다.

### 박문건(朴文健) 『주역연의(周易衍義)』

上有所載, 故有枯楊生華之象. 老婦, 謂九五也, 士夫, 謂上六也. 相與而其勢之久, 故无咎无譽.
위로는 싣는 바가 있기 때문에 '마른 버드나무에 꽃이 피는' 상이 있다. '늙은 부인'은 구오를 말하고, '젊은 남자'는 상육을 말한다. 서로 함께하여 그 형세가 오래가기 때문에 허물은 없으나 명예도 없다.

### 김기례(金箕澧) 「역요선의강목(易要選義綱目)」

老婦, 指上六過極之陰, 故曰老婦. 五非少而比於極陰, 則反少.

---

오랑캐에게 시해 당하자, 강동(江東)에 있던 사마의(司馬懿)에게 「권진표(勸進表)」를 올려 제위(帝位)에 오를 것을 권하였다. 그 후 사마위가 강동에서 즉위하니, 이가 곧 동진(東晉)의 원제(元帝)이다.

‘늙은 부인’은 상육의 지나침이 극에 달한 음을 가리키기 때문에 ‘늙은 부인’이라고 하였다. 오효가 어리지는 않지만 지극한 음에 비한다면 도리어 어리다.

○ 極陰, 无益於五, 而兌爲妾, 故不曰妻而謂婦. 巽爲中女, 故初謂之女妻. 下枯上榮, 則不過生華, 何可久也. 又取極枯之弱木扶極弱之陰, 先曰婦, 後曰士. 咎不在陽, 譽不在陰, 故曰, 无咎无譽.
지극한 음은 오효에 이익이 없고, 태괘(兌卦☱)가 첩이 되기 때문에 ‘처(妻)’라고 말하지 않고 ‘부(婦)’라고 하였다. 손괘(巽卦☴)는 둘째딸이 되기 때문에 초효를 ‘젊은 아내[女妻]’라고 하였다. 아래가 마르고 위가 영화롭다면, 꽃을 피우는 데에 불과하니, 어찌 오래갈 수 있겠는가? 또 지극히 마른 약한 나무가 지극히 약한 음을 돕는 데에서 취하여 먼저 ‘부인’이라고 하고 뒤에 ‘젊은’이라고 하였다. 허물은 양에 있지 않고 명예는 음에 있지 않기 때문에 “허물이 없으나 명예도 없다”고 하였다.

### 심대윤(沈大允) 『주역상의점법(周易象義占法)』

大過之恒䷟, 常道也. 九五, 居剛而无應, 衆之所惑而亦不偏執, 比於上六, 有係戀而不知時中者也. 守常而不知變通, 故行雖中而爲過. 陰在木上爲華. 老婦坤离象, 士夫艮坎象. 老婦得其士夫, 言係乎上也. 喩其得中而非其時, 无其實也. 以其得中, 故无咎, 非其時, 故无譽也.
대과괘가 항괘(恒卦䷟)로 바뀌었으니, 항상 된 도이다. 구오는 굳센 양의 자리에 있으나 호응이 없어 여러 사람들이 의혹하는 바가 되지만 또한 편협하게 고집하지 않고, 상육과 비(比)의 관계에 있어서 연모하여 얽매임이 있어서 때에 알맞게 함을 알지 못하는 자이다. 항상 됨을 지켜 변통할 줄을 모르기 때문에 행동이 비록 알맞더라도 지나치게 된다. 음이 나무 위에 있는 것이 꽃이 된다. ‘늙은 부인’은 곤괘(坤卦☷)와 리괘(離卦☲)의 상이고, ‘젊은 남자’는 간괘(艮卦☶)와 감괘(坎卦☵)의 상이다. ‘늙은 부인이 젊은 남자를 얻음’이란 상효에 얽매임을 말한다. 비유하자면 알맞음을 얻었지만 그 마땅한 때가 아니므로 결실이 없다. 알맞음을 얻었기 때문에 허물이 없고, 그 마땅한 때가 아니기 때문에 명예가 없다.

### 오치기(吳致箕) 「주역경전증해(周易經傳增解)」

九五, 以剛居剛, 而下无正應, 乃比于在上之柔, 有枯楊生華之象, 而枯楊之華終至散漫, 无其實矣. 亦有老婦得士夫之象, 而陰陽之相配, 雖爲无咎, 老婦少男, 殊非嘉美, 故亦言无譽也.

구오는 굳센 양으로 굳센 양의 자리에 있으면서 아래로 정응이 없고 위에 있는 부드러운 음과 비(比)의 관계에 있으니 '마른 버드나무에 꽃이 피는' 상이 있지만, 마른 버드나무의 꽃은 끝내 흩어지게 되어 결실이 없다. 또한 늙은 부인이 젊은 남자를 얻는 상이 있지만, 음양이 서로 짝함은 비록 허물이 없더라도 늙은 부인과 막내아들로는 전혀 아름답지 않기 때문에 또 "명예가 없다"고 하였다.

○ 稊生於根, 故言于下體, 華生於枝, 故言于上體也. 在上曰老, 而柔在上, 故謂老婦, 在下曰少, 而剛在下, 故謂士夫. 亦以對體之艮少男, 應巽長女也.
싹은 뿌리에서 생기기 때문에 하체에서 말하였고, 꽃은 가지에서 피기 때문에 상체에서 말하였다. 위에 있는 것을 '늙은'이라고 하는데 부드러운 음이 위에 있기 때문에 '늙은 부인'이라고 하였으며, 아래에 있는 것을 '어린'이라고 하는데 굳센 양이 아래에 있기 때문에 '젊은 남자[士夫]'라고 하였다. 또 상괘인 태괘(兌卦☱)가 음양이 바뀐 간괘(艮卦☶)의 막내아들이 손괘(巽卦☴)의 맏딸과 호응하였다.

### 이진상(李震相) 『역학관규(易學管窺)』

枯楊, 生華.
마른 버드나무에 꽃이 핀다.

陽極已枯, 感於陰而暫華然. 所謂陰者, 乃上六過極之陰, 正是老婦之象, 而反以九五爲士夫, 豈能成生育之功. 馮氏以上六爲枯楊, 恐未然.
양이 지극하여 이미 말랐지만 음에 감동하여 잠시 꽃을 피운 것이다. 이른바 음이란 상육의 지나침이 극에 달한 음이니 바로 '늙은 부인'의 상이고, 반대로 구오를 '젊은 남자'로 여기니, 어찌 낳아 기르는 공을 이룰 수가 있겠는가? 후재풍씨는 상육을 '마른 버드나무'로 여겼으니, 아마도 그렇지는 않은 듯하다.

### 박문호(朴文鎬) 「경설(經說)·주역(周易)」

不曰士夫得老婦, 而云老婦得士夫, 蓋不欲以醜事歸之於五也. 傳所謂無所賴, 故反稱婦得者, 是也.
젊은 남자가 늙은 부인을 얻었다고 하지 않고 늙은 부인이 젊은 남자를 얻었다고 한 것은 추한 일을 오효에게 돌리지 않고자 한 것이다. 『정전』에서 이른바 "의뢰받을 것이 없기 때문에 도리어 '부인이 얻었다'고 칭한 것이다"라고 한 것이 이것이다.

自爲之无所怨咎, 言自取之禍无所怨咎於他人. 此无咎, 與易之凡言无咎不同, 別是一例, 而本義則依常例釋之, 以爲殺身雖凶成仁何咎. 觀於程釋, 似長矣.
스스로 한 행위가 원망하거나 허물할 바가 없음은 스스로 취한 재앙은 다른 사람에게 원망하거나 허물할 바가 없다는 말이다. 이러한 '허물이 없음'은 『주역』에서 대체로 말하는 '허물이 없음'과 같지 않으니, 별도로 한 사례가 되지만, 『본의』에서는 일상적인 사례에 의거해서 풀이하여 자신을 죽임은 비록 흉하지만 인(仁)을 이루므로 무슨 허물이 되겠는가라고 하였다. 살펴보건대, 『정전』의 풀이보다 나은 듯하다.

**象曰, 枯楊生華, 何可久也. 老婦士夫, 亦可醜也.**

「상전」에서 말하였다: "마른 버드나무에 꽃이 피니"어찌 오래갈 수 있겠는가? "늙은 부인"과 "젊은 남자"의 만남은 또한 추하도다!

## 中國大全

### 傳

**枯楊不生根而生華, 旋復枯矣, 安能久乎. 老婦而得士夫, 豈能成生育之功. 亦爲可醜也.**

마른 버드나무에 뿌리는 나지 않고 꽃만 핀다면 곧바로 다시 마를 것이니, 어찌 오래가겠는가? 늙은 부인으로서 젊은 남자를 얻었다면 어떻게 낳고 기르는 공을 이루겠는가? 이 또한 추함이 되는 것이다.

### 小註

古爲徐氏曰, 二以剛居柔, 初以柔居剛, 此不過者也. 又在卦初, 故其過以相與, 可以成生育之功. 五以剛居剛, 上以柔居柔, 皆過者也. 又在卦終, 故其陰陽相比, 秖以爲醜.
고위서씨가 말하였다. 이효는 굳센 양으로 부드러운 음의 자리에 있고 초효는 부드러운 음으로서 굳센 양의 자리에 있으니 이것은 지나치지 않은 자이다. 또 괘의 초기에 있으므로 '지나치게 서로 함께 함'은 낳고 기르는 공을 이룰 수 있다. 오효는 굳센 양으로서 굳센 양의 자리에 있고 상효는 부드러운 음으로서 부드러운 음의 자리에 있으니 모두 지나친 자이다. 또 괘의 끝에 있으므로 음과 양이 가까운 것이 다만 추악하게 여겨질 뿐이다.

## 韓國大全

### 송시열(宋時烈) 『역설(易說)』

象之何可久者, 言不久且枯. 以老女從少之夫, 雖無咎譽, 其志則可謂醜也. 老婦無生育之功, 故如楊之華, 不可久也.

「상전」에서 말하는 "어찌 오래갈 수 있겠는가?"란 오래지 않아 또 마르게 됨을 말한다. 늙은 여자로 젊은 남자를 따름은 비록 허물도 명예도 없지만, 그 뜻은 추하다고 할만하다. 늙은 부인은 낳아 기르는 공이 없기 때문에 버드나무의 꽃이 오래갈 수 없는 것과 같다.

### 김상악(金相岳) 『산천역설(山天易說)』

醜者, 婦乘夫之戒也. 詩云, 士之耽兮, 猶可說也, 女之耽兮, 不可說也, 亦醜之之辭也.

'추함'이란 부인이 남자를 탄 것에 대한 경계이다. 『시경(詩經)』에서 "남자가 좋아함은 오히려 말할 수 있지만, 여자가 좋아함은 말할 수 없느니라"[93)]라고 하였으니, 또한 추하게 여기는 말이다.

### 서유신(徐有臣) 『역의의언(易義擬言)』

無本之華, 不可久榮也, 婦老之過, 亦足醜惡也.

뿌리 없는 꽃은 오랫동안 영화로울 수 없고, 부인의 늙음이 지나침은 추악하기에 충분하다.

### 박문건(朴文健) 『주역연의(周易衍義)』

老夫之遇女妻, 猶有過常之嫌, 況老婦之遇士夫乎. 故云可醜也.

늙은 남자가 젊은 아내를 만남도 오히려 정상에서 지나치는 혐의가 있는데, 하물며 늙은 부인이 젊은 남자를 만나는 데에 있어서랴! 그러므로 "추할만하다"고 하였다.

### 심대윤(沈大允) 『주역상의점법(周易象義占法)』

守常不知時, 久則无成而有敗, 故曰何可久也. 凡言可醜者, 皆有係而不得自由者也.

93) 『詩經 · 氓』: 桑之未落, 其葉沃若. 于嗟鳩兮, 無食桑葚. 于嗟女兮, 無與士耽. 士之耽兮, 猶可說也, 女之耽兮, 不可說也.

前輩之如九五者極多, 而保全者无幾矣, 雖不可咎而終亦无功可稱也.
항상됨을 지키지만 알맞은 때를 알지 못하니, 이룸이 없고 실패가 있기 때문에 "어찌 오래갈 수 있겠는가?"라고 하였다. 대체로 "추할만하다"고 말하는 것에는 모두 얽매여서 자유로울 수 없는 것이 있다. 선배 중에 구오와 같은 자는 지극히 많지만, 온전하게 보존하는 자는 거의 없으니, 비록 허물할 수는 없으나 끝내 칭찬할 만한 공이 없다.

### 오치기(吳致箕) 「주역경전증해(周易經傳增解)」

枯楊而生華, 旋復散漫, 安能久乎. 老婦而士夫, 不能生育, 亦爲可醜而已也.
마른 버드나무이면서 꽃이 피었다가 곧 다시 흩어지니 어찌 오래할 수 있겠는가? 늙은 부인이면서 젊은 남자를 만나면 낳아 기를 수 없으니, 또한 추하기만 할 뿐이다.

### 이병헌(李炳憲) 『역경금문고통론(易經今文考通論)』

大過之時, 棟宇方傾, 天地將閉, 深玩卦象, 則有獨立不懼遯世無悶之意. 蓋五當殷之將終, 似枯楊之花, 士夫之老婦, 紂之爲匹夫匹婦久矣. 剛過而中, 以全體言, 則三四皆中而象棟, 以上下體言, 則二五皆中而象枯楊. 然彖辭之所稱中者, 指九二也.
대과(大過)의 때에 집이 막 기울어지고 천지가 장차 닫히려고 하여도, 괘의 상을 깊이 완미하여 보면 홀로 서도 두려워하지 않고 세상을 피해 은둔을 하여도 걱정이 없는 뜻이 있다. 오효는 은나라가 장차 끝나려고 할 때에 해당하여 마른 버드나무의 꽃과 젊은 남자의 늙은 부인과 비슷하니, 주(紂)왕이 평범한 남녀가 됨은 오래되었다. 「단전」에서 말한 "굳센 양이 지나치나 가운데 자리에 있다"란 괘 전체로 말하면 삼효와 사효는 모두 가운데 자리에 있어 '들보'를 상징하고, 상체와 하체로 말한다면 이효와 오효는 모두 가운데 자리에 있어 '마른 버드나무'를 상징한다. 그러나 「단전」에서 "가운데 자리에 있다"고 말한 바는 구이를 가리킨다.

## 上六, 過涉滅頂, 凶, 无咎.

정전 상육은 지나치게 건너 이마까지 빠져 흉하니, 탓할 데가 없다.
본의 상육은 지나치게 건너 이마까지 빠지니, 흉하나 허물은 없다.

## 中國大全

**傳**

上六, 以陰柔處過極, 是小人過常之極者也. 小人之所謂大過, 非能爲大過人之事也, 直過常越理, 不恤危亡, 履險蹈禍而已. 如過涉於水, 至滅沒其頂, 其凶可知. 小人狂躁, 以自禍, 蓋其宜也, 復將何尤. 故曰无咎言, 自爲之, 无所怨咎也. 因澤之象, 而取涉義.

상육은 부드러운 음으로 지나침이 극에 달한 자리에 처하였으니, 이는 소인(小人)으로서 보통사람보다 극도로 지나친 자이다. 소인에게 있어서 이른바 '대과'라는 것은 크게 보통사람보다 뛰어난 일을 할 수 있는 것이 아니고, 다만 상도(常道)를 지나고 이치를 넘어 위태로움과 망함을 근심하지 않고 험함을 행하고 화란(禍亂)을 밟을 뿐이다. 마치 지나치게 물을 건너서 그 이마까지 빠지는 것과 같으니, 흉함을 알 수 있다. 소인은 미친 짓을 하고 조급하여 스스로 화를 받음이 당연하니, 다시 장차 누구를 원망하겠는가? 그러므로 "탓할 데가 없다"고 말하였으니, 스스로 한 것이어서 원망하고 탓할 데가 없는 것이다. 못[澤]의 상(象)으로 인하여 건너는 뜻을 취하였다.

**小註**

誠齋楊氏曰, 水溢而過於涉者, 不足以濟川, 而徒沒其頂. 任重而過其才者, 不足以濟難, 而徒滅其身, 其凶大矣.
성재양씨가 말하였다: 물이 넘쳐남에 건너기에 지나친 자는 물을 건너기에 족하지 못하여 다만 이마까지 빠진다. 임무는 무거우나 재주가 지나친 자는 어려움을 구제하기에 족하지 못하고 다만 몸을 멸하니 흉함이 크다.

○ 中溪張氏曰, 上以陰柔, 而躡居四陽之上, 乃過之首者. 首卽頂也. 若過涉於水, 本欲有濟, 苟不量深淺, 而至於滅没其頂, 凶則宜矣. 非无咎也, 不可歸咎於人, 當自咎爾.
중계장씨가 말하였다: 상효는 부드러운 음으로서 네 양의 위에서 밟고 있으니, 곧 지나침의 머리에 해당하는 자이다. 머리는 곧 이마이다. 지나치게 물을 건너는 경우, 본래 물을 건너고자 하나 만일 깊이를 헤아리지 않는다면 이마를 빠지게 하는 데에 이를 것이니, 흉한 것이 마땅하다. 허물이 없는 것이 아니니, 다른 사람에게 허물을 돌려서는 안 되고, 스스로 탓하여 경계하여야 한다.

本義

**處過極之地, 才弱不足以濟, 然於義爲无咎矣, 蓋殺身成仁之事, 故其象占如此.**
지나침이 극에 달한 자리에 처하여 재주가 약해서 건널 수 없으나, 의리에는 허물이 없음이 되니, '자신을 희생하여 인을 이루는[殺身成仁]' 일이다. 그러므로 그 상(象)과 점(占)이 이와 같다.

小註

朱子曰, 過涉滅頂凶无咎, 恐是他做得是了, 不可以咎他, 不似伊川說.
주자가 말하였다: "지나치게 건너 이마까지 빠지니, 흉하나 허물은 없다"는 것은 그가 이 일을 했다고 해서 그를 허물해서는 안 되는 것이니, 정이천의 주장과는 다른 듯하다.

○ 雲峯胡氏曰, 初六藉用白茅, 過於畏懼者也, 故无咎. 上六過涉滅頂, 過於決裂者也, 其事雖凶於義, 亦无咎. 然亦惟其時而已. 初者, 事之端, 能愼其端, 往可无失. 上者, 事之極, 極則不可有爲矣, 故本義, 以殺身成仁之事當之.
운봉호씨가 말하였다: 초육이 '자리를 까는데 흰 띠풀을 사용함'은 두려움에 지나친 자이므로 허물이 없다. 상육이 '지나치게 건너 이마까지 빠짐'은 사생결단에 지나친 자이니, 일이 비록 의리에는 흉하나 허물이 없다. 그러나 오직 때에 맞춰 할 뿐이다. 초효는 일의 단초이니 단초를 삼가면 감에 잘못되는 일이 없을 것이고, 상효는 일이 극에 달한 것이니 극에 달하면 함을 두어서는 안 되기 때문에 『본의』에서 '자신을 희생하여 인을 이루는[殺身成仁]' 일로써 해당시켰다.

# 韓國大全

### 조호익(曺好益) 『역상설(易象說)』

上六, 過涉滅頂.
상육은 지나치게 건너 이마까지 빠지다.

傳, 因澤之象, 取涉義.
『정전』에서 말하였다: 못[澤]의 상(象)으로 인하여 건너는 뜻을 취하였다.

愚謂, 頂上象. 以位言, 上爲頂象, 以卦言, 六在兌體, 而頂與澤平, 爲涉爲滅之象.
내가 살펴보았다: '이마[頂]'는 상효의 상이다. 자리로 말하면 상효는 이마인 상이 되고, 괘로 말하면 육효가 태괘(兌卦)의 몸체에 있어서 이마가 못[澤]의 높이와 같으니, 건너는 상이 되고, 빠지는 상이 된다.

### 송시열(宋時烈) 『역설(易說)』

過者, 卦爲過而爻亦最高也. 以涉言者, 大[94]坎爲水, 兌亦澤水也. 滅者, 滅沒之謂, 如大象滅木之滅也, 頂者, 乾爲頂, 言滅沒於乾陽也. 且物之上頭, 皆云頂, 言其泛濫之極也. 其道雖凶, 是不得不過中處, 卦本大過, 爻爲亢極, 而兌爲說, 且君子不懼无悶之道, 故曰无咎. 占亦如之.
'지나침'이란 괘(卦)가 지나침이 되고 효(爻)도 또한 가장 높기 때문이다. '건넘'으로써 말한 것은 본 괘가 큰 감괘(坎卦)로 물이 되고 태괘(兌卦) 또한 못[澤]의 물이기 때문이다. '멸(滅)'이란 없앰을 말하니, 「대상전」에서 말한 "나무를 없앤다[滅木]"고 할 때의 '멸(滅)'과 같고, '머리[頂]'란 건괘(乾卦)가 '머리'가 되니, 건괘(乾卦)의 양을 없앤다는 말이다. 또 사물의 맨 위를 모두 '머리[頂]'라고 하니, 범람함이 지극함을 말한다. 그 도(道)가 비록 흉하지만, 이것은 알맞음을 지나치지 않을 수 없는 곳이며, 괘가 본래 대과(大過)이고 효는 맨 위가 되며, 태괘(兌卦)는 기쁨이 되고 또 군자가 두려워하지 않고 근심하지 않는[95] 도이기 때문에 "허물은 없다"고 하였다. 점도 또한 이와 같다.

---

94) 大: 경학자료집성DB에는 '天'로 되어 있고 경학자료집성 영인본에서는 확인할 수 없으나, 문맥을 살펴 '大'으로 바로잡았다.
95) 『周易 · 大過卦』: 象曰, 澤滅木, 大過, 君子以, 獨立不懼, 遯世无悶.

### 유정원(柳正源) 『역해참고(易解參攷)』

正義, 此猶龍逄比干, 憂時危亂, 不懼誅殺, 直言深諫, 以忤无道之主, 遂至滅亡. 其意則善, 而功不成, 復有何咎責. 此亦過涉滅頂凶无咎之象.

『주역정의』에서 말하였다: 이것은 용방(龍逄)과 비간(比干)이 위태롭고 어지러운 때를 걱정하여 죽임을 당하는 것을 두려워하지 않고 직언하고 깊게 간하다가 무도(無道)한 군주에게 거슬려 마침내 죽게 되었던 것과 같다. 그 뜻은 선하지만 공(功)은 이루어지 않았으니, 다시 무슨 허물과 책망이 있겠는가? 이것도 또한 '지나치게 건너 이마까지 빠지니, 흉하나 허물은 없는' 상이다.

○ 節齋蔡氏曰, 涉以兌言, 頂以上言, 柔過乎上, 故有滅頂之象.

절재채씨가 말하였다: '건넘'은 태괘(兌卦)로 말하였고, '이마'는 맨 위로 말하였으며, 부드러운 음이 맨 위로 지나쳤기 때문에 이마까지 빠지는 상이 있다.

○ 厚齋馮氏曰, 過涉之凶者, 无舟楫而馮河也. 上之畫偶, 澤之象也, 澤, 陰水也, 中四畫奇, 人之身也, 初畫偶, 足也. 全卦有人居澤中滅頂之象, 故於上一爻發之.

후재풍씨가 말하였다: '지나치게 건넘이 흉함'이란 배가 없이 걸어서 강을 건너기 때문이다. 상효의 음획은 못[澤]의 상이고 못[澤]은 음인 물이며, 가운데 네 효의 양획은 사람의 신체이고 초효인 음획은 발이다. 괘 전체에는 사람이 못[澤] 안에서 이마까지 빠지는 상이 있기 때문에 상효 한 효에서만 이것을 드러내었다.

○ 雙湖胡氏曰, 乾爲首, 頂亦乾象, 九五頂也. 上六處五上, 滅其頂也.

쌍호호씨가 말하였다: 건괘(乾卦)는 머리가 되고, '이마[頂]'도 또한 건괘(乾卦)의 상이니, 구오가 '이마'이다. 상육이 오효 위에 있어서 '이미'까지 빠졌다.

### 김상악(金相岳) 『산천역설(山天易說)』

全體坎, 而上六以過極之陰, 居兌之終, 比五應三. 巽互乾體, 有過涉滅頂之象. 然剛柔相濟, 以節其過, 故雖凶无咎.

괘 전체는 감괘(坎卦)이며 상육은 지극함을 지나친 음으로 태괘(兌卦)의 끝에 있으며, 오효와는 비(比)의 관계이며 삼효와 호응한다. 손괘(巽卦)와 호괘인 건괘(乾卦)의 몸체에는 지나치게 건너 이마까지 빠지는 상이 있다. 그러나 굳센 양과 부드러운 음이 서로를 도와서 지나침을 절제하기 때문에 비록 흉하더라도 허물은 없다.

○ 中孚之利涉者 乘木舟虛也, 大過之過涉者, 中實外虛也. 又與頤爲對, 剛柔不同, 故有過涉利涉之別也. 滅頂者, 巽顙乾首, 居兌水之下也, 所謂澤滅木是也. 與旣濟上六曰, 濡首厲, 相似. 以人事言, 過涉滅頂, 卽殺身成仁之事也, 所以獨立不懼, 遯世无悶, 非大過人者, 不能爲也. 兌互坎體與困同象, 過涉滅頂, 所以致命也, 凶无咎, 所以遂志也, 與困九二, 同占. 蓋大過者, 陽之過也. 剛過而中, 巽而說行, 故上下二陰, 皆得无咎, 所謂[96]人之過也, 各於其黨, 觀過, 斯知仁矣, 是也. 小過則陰過之卦, 故三凶而四厲. 初之藉茅, 過於畏懼者也, 上之滅頂, 過於決裂者也. 中四爻則二之生稊五之生華, 三之棟橈四之棟隆, 皆以相反爲對.

중부괘(中孚卦䷼)에서 내를 건너는 것이 이로움은 나무를 타고 배가 비었기 때문이며,[97] 대과괘에서 지나치게 건넘은 안은 꽉 차고 밖은 비어있기 때문이다. 또 이괘(頤卦䷚)와는 음양이 바뀌어 있어 굳센 양과 부드러운 음이 같지 않기 때문에 '지나치게 건넘'과 '건넘이 이로움'의 구별이 있다. '이마까지 빠짐'이란 손괘(巽卦)가 이마이고 호괘인 건괘(乾卦)가 머리인데 태괘(兌卦)인 물 아래에 있기 때문이니, 이른바 "못[澤]이 나무를 없앤다"[98]는 것이 이것이다. 기제괘(旣濟卦䷾) 상육에서 "그 머리를 적신다"[99]고 한 말과 서로 비슷하다. 사람의 일로써 말한다면, "지나치게 건너 이마까지 빠진다"란 살신성인(殺身成仁)의 일이므로, "홀로 서서 두려워하지 않으며, 세상을 피하여 은둔하여도 근심하지 않는"[100] 것은 다른 사람보다 크게 뛰어난 자가 아니라면 할 수가 없다. 태괘(兌卦)와 호괘인 감괘(坎卦)의 몸체는 곤괘(困卦䷮)와 상이 같으므로, "지나치게 건너 이마까지 빠진다"란 '목숨을 바치는'[101] 것이며, "흉하더라도 허물은 없다"란 '뜻을 이루는'[102] 것이니, 곤괘(困卦) 구이[103]와 점사가 같다. 대과(大過)란 양이 지나침이다. '굳센 양이 지나치나 가운데 자리에 있고 공손하면서 기쁨으로 행하기'[104] 때문에 맨 위와 맨 아래에 있는 두 음이 모두 '허물이 없음'을 얻었으니, 이른바 "사람의 과실은 각각 그 비슷한 류(類)로써 하니, 그 사람의 과실을 살펴보면 그가 인(仁)한지를 알 수가 있다"[105]는 것이 이것이다. 소과괘(小過卦䷽)는 음이 지나친 괘이기 때문에 삼효는 흉하고[106] 사효는 위태롭다.[107] 초효의 '자리[藉]'와 '띠풀[茅]'은

---

96) 謂: 경학자료집성DB와 영인본에 모두 '以'로 되어 있으나, 문맥을 살펴 '謂'로 바로잡았다.
97) 『周易 · 中孚卦』: 利涉大川, 乘木, 舟虛也,
98) 『周易 · 大過卦』: 象曰, 澤滅木, 大過, 君子以, 獨立不懼, 遯世无悶.
99) 『周易 · 旣濟卦』: 上六, 濡其首, 厲.
100) 『周易 · 大過卦』: 象曰, 澤滅木, 大過, 君子以, 獨立不懼, 遯世无悶.
101) 『周易 · 困卦』: 象曰, 澤无水困, 君子以, 致命遂志.
102) 『周易 · 困卦』: 象曰, 澤无水困, 君子以, 致命遂志.
103) 『周易 · 困卦』: 九二, 困于酒食, 朱紱方來, 利用亨祀, 征凶无咎.
104) 『周易 · 大過卦』: 彖曰, 大過, 大者過也. 棟橈, 本末弱也. 剛過而中, 巽而說行, 利有攸往, 乃亨.
105) 이 구절은 『논어(論語) · 리인(里仁)』에 보인다.

두려움에 지나친 것이고, 상효의 '이마까지 빠짐'은 갈라지는 데에서 지나친 것이다. 가운데 네 효를 보면, 이효의 '뿌리가 생김'과 오효의 '꽃이 생김' 및 삼효의 '들보가 휘어짐'과 사효의 '들보가 솟음'은 모두 서로 반대가 되면서 댓구를 이룬다.

### 서유신(徐有臣)『역의의언(易義擬言)』

此上六之過也. 上六取諸身爲頂也. 澤滅木而特立, 人滅頂而取凶, 是爲大過之極也. 然爻位得正, 當過而過, 亦爲无咎也. 故本義, 以殺身成仁之事當之.
이것은 상육의 지나침이다. 상육은 신체에서 그 뜻을 취하였으니, '이마'가 된다. 못[澤]이 나무를 빠뜨리지만 우뚝 서있고, 사람이 이마까지 빠져 흉함을 취한 것은 대과(大過)의 끝이기 때문이다. 그러나 효의 자리가 제자리를 얻었으므로, 마땅히 지나칠 만하여 지나치니, 또한 허물이 없게 된다. 그러므로『본의』에서는 살신성인(殺身成仁)의 일로 해당시켰다.

### 박제가(朴齊家)『주역(周易)』

本義得之. 程子以无咎爲无所怨咎, 則經中許多无咎, 獨此一爻爲別義矣. 蓋全卦以聖賢之大過當之, 而至於極處, 忽以小人處之, 他卦雖曰陰爲小人, 而此爻正是大過之時也, 未及乎此, 則非大過矣, 惟聖賢可以當之. 若小人無非罪過, 何論大過小過耶. 自初之弱, 而當曰索性小人開國勿用, 而爻不言之者, 何也. 蓋彖言利有攸往亨, 不曰亨利有攸往者, 言往然後亨, 往者, 過涉之滅也, 不可咎者, 乃亨也. 澤滅木非木之罪也. 大象之獨立不懼, 遯世無悶, 已指此矣. 然遯世惟聖者能之, 滅頂之凶, 賢人之事也, 故曰不可咎.
『본의』가 옳은 뜻을 얻었다. 정자는 '무구(无咎)'를 원망하고 탓할 데가 없다고 여겼으니, 경문(經文)에는 '무구(无咎)'가 허다하게 많은데, 유독 여기 상효에서만 별도의 뜻이 된다. 괘 전체는 성현(聖賢)의 크게 뛰어남으로 해당시키면서도 맨 끝에 이르러서는 갑자기 소인으로 처리하였는데, 다른 괘에서 비록 음은 소인이라고 말하지만, 이 상효는 바로 대과의 때에 있고 여기에 미치지 않는다면 크게 뛰어난[大過] 것이 아니므로 오직 성현만이 여기에 해당될 수가 있다. 만약 소인인 경우라면 죄와 허물이 없는데, 어찌 큰 허물과 작은 허물을 논하겠는가? 초효의 나약함으로부터 본다면 마땅히 "아예 소인은 나라를 열 때에 쓰지 말아야 한다"[108]고 해야 하는데도, 효사에서는 이렇게 말하지 않은 것은 어째서인가? 괘사에서

106)『周易·小過卦』: 九三, 弗過防之, 從或戕之, 凶.
107)『周易·小過卦』: 九四, 无咎, 弗過, 遇之, 往厲, 必戒, 勿用永貞.
108)『周易·師卦』: 上六, 大君有命, 開國承家, 小人勿用.

“가는 것이 이로워 형통하다”라고 하였고, “형통하니 가는 것이 이롭다”라고 하지 않은 것은 간 후에 형통함을 말한 것이니, “간다”란 지나치게 건너서 빠짐이고, “허물할 수가 없다”란 형통함이다. 못이 나무를 없앰은 나무의 잘못이 아니다. 「대상전」에서 “홀로 서서 두려워하지 않으며, 세상을 피하여 은둔하여도 근심하지 않는다”라고 한 말은 이미 이 상효를 가리킨다. 그러나 ‘세상을 피함’은 오직 성인만이 할 수 있고, ‘이마까지 빠지는 흉함’은 현인(賢人)의 일이기 때문에 “탓할 수가 없다”고 하였다.

### 강엄(康儼) 『주역(周易)』

本義, 於義爲无咎.
『본의』에서 말하였다: 의리에는 허물이 없음이 된다.

按, 此无咎 程傳以无所歸咎釋之, 本義以无有過咎釋之. 然本義, 卽象傳之意也. 象傳若曰過涉之凶, 又誰咎也, 如解六三, 所謂自我致戎又誰咎也, 節六三, 所謂不節之嗟又誰咎也. 云爾, 則本義亦必以无所歸咎之意釋之, 而今曰過涉之凶, 不可咎也, 不可咎者, 是不可以此爲咎之謂, 而竊恐夫子亦或慮夫後人, 以无咎者, 作无所怨咎之意, 故斷之以不可咎也. 本義之言, 豈有錙銖之或差哉.
내가 살펴보았다: 여기서의 ‘무구(无咎)’에 대하여 『정전』에서는 “탓할 데가 없다”라고 풀이하였고, 『본의』에서는 “지나친 허물은 없다”고 풀이하였다. 그러나 『본의』의 뜻은 「상전」의 뜻이다. 「상전」에서 만약 “‘지나치게 건넘이 흉함’은 누구를 탓하겠는가?”라고 하였다면, 해괘(解卦䷧) 육삼의 「상전」에서 이른바 “나로부터 도적을 불렀으니, 또 누구를 탓하겠는가?”[109]라고 한 말과 같으며, 절괘(節卦) 육삼의 「상전」에서 이른바 “‘절제하지 못한 한탄함’이니, 또 누구를 허물하겠는가?”[110]라고 한 말과 같으니, 『본의』도 또한 반드시 “탓할 데가 없다”라는 뜻으로 풀이하였을 것이지만, 이제 「상전」에서 “‘지나치게 건넘이 흉함’은 탓할 수가 없는 것이다[不可咎也]”라고 하였으니, 여기서 “탓할 수가 없다[不可咎也]”란 이것을 가지고서 허물로 삼을 수 없다는 말이므로, 아마도 공자가 또한 혹시 후대의 사람들이 ‘무구(无咎)’를 원망하고 탓할 데가 없다는 뜻으로 풀이할까봐 걱정하였기 때문에 “허물로 삼을 수가 없다”로 단언하였던 듯하다. 『본의』의 말에 어찌 자그마한 의혹이나 잘못이 있겠는가?

或曰, 同人初九象曰, 出門同人, 又誰咎也, 語與節解同, 而本義直以无咎釋之, 則今以

109) 『周易·解卦』: 象曰, 負且乘, 亦可醜也. 自我致戎, 又誰咎也.
110) 『周易·節卦』: 象曰, 不節之嗟, 又誰咎也.

解節證之 亦何足爲發明乎. 曰, 出門同人, 自是无咎, 則象所謂又誰咎, 可見其爲孰能咎之之意. 故本義以无咎言之. 至於解六三之致冦, 節六三之嗟, 皆已有咎而象所謂又誰咎, 可見其爲无所歸咎之意. 故本義亦依此釋之. 而至於此爻, 旣曰凶而又曰无咎, 則亦恐其疑於有咎, 故象不曰又誰咎, 而必曰不可咎, 則其與解節, 又誰咎之意, 逈然不同者, 可見矣. 以此爲證, 不啻明白, 而雖有同人初九之象, 亦何嫌於相碍耶. 且本義以過涉滅頂爲殺身成仁之事, 不但以象傳不可咎釋之, 而知其然也, 且與大象獨立不懼二句, 旨義相關, 而竝言於一卦之內, 安知本義亦不以此而知其爲殺身乎.

어떤 이가 물었다: 동인괘(同人卦䷌) 초구의 「상전」에서 "문을 나가 사람들과 함께 함을 또 누가 허물하겠는가?"[111]라고 하여 말이 절괘(節卦)와 해괘(解卦)와 같지만, 『본의』에서는 다만 "허물이 없을 수 있다"[112]라고 풀이하였으니, 이제 해괘(解卦)와 절괘(節卦)를 가지고서 증명한다면 또한 어찌 충분하게 드러내 밝힐 수 있겠습니까?

답하였다: "문을 나가 사람들과 함께 한다"란 본래 허물이 없으니, 「상전」에서 이른바 "또 누가 허물하겠는가?"라고 한 데에서 누가 허물할 수 있겠는가라는 뜻이 됨을 알 수가 있습니다. 그러므로 『본의』에서는 "허물이 없다"라고 말하였습니다. 해괘(解卦) 육삼에서 "도적이 오는 것을 이룬다"고 한 것과 절괘(節卦) 육삼에서 '한탄함'이라고 한 데에서는 모두 이미 허물이 있으므로, 「상전」에서 이른바 "또 누구를 허물하겠는가?"라고 한 데에서 허물을 돌릴 데가 없다는 뜻이 됨을 알 수가 있습니다. 그러므로 『본의』에서는 또한 이러한 뜻에 의거하여 풀이하였습니다. 그런데 여기 상효에 이르러서는 이미 흉하다고 말하고 또 "허물이 없다"고 말하였으니, 또한 이로 인하여 허물이 있다고 의심할까봐 염려하였기 때문에 「상전」에서는 "또 누구를 허물하겠는가?"라고 하지 않고 반드시 "허물할 수가 없다"라고 하였으니, 해괘(解卦)와 절괘(節卦)에서의 "또 누구를 허물하겠는가?"라는 뜻과는 확연하게 다르다는 것을 알 수가 있습니다. 이것을 가지고 증거로 삼는다면 단지 명백할 뿐만이 아니라, 비록 동인괘(同人卦) 초구의 「상전」과 같은 문장이 있다고 하더라도 또한 어찌 서로 장애가 된다고 의심을 할 수 있겠습니까? 또 『본의』에서는 '지나치게 건너 이마까지 빠짐'을 살신성인(殺身成仁)의 일로 여겼으니, 이는 비단 「상전」의 "허물할 수가 없다"를 가지고 풀이하여 그러함을 알았던 것뿐만이 아니라, 또 「대상전」에서의 "홀로 서서 두려워하지 않는다"와 함께 두 구절은 취지가 서로 연관이 되어 한 괘의 안에서 아울러 말하였으니, 『본의』에서도 이러한 이유로 살신성인이 된다는 것을 알지 못하였다고 어떻게 알 수가 있겠습니까?

---

111) 『周易 · 同人卦』: 象曰, 出門同人, 又誰咎也.

112) 『周易傳義大全 · 同人卦 · 本義』: 同人之初, 未有私主, 以剛在下, 上无係應, 可以无咎, 故其象占如此.

### 박문건(朴文健) 『주역연의(周易衍義)』

進跨四剛, 故有過涉滅頂之象. 過涉, 過其涉也. 雖有凶道, 用順, 故无咎.
나아감이 네 굳센 양을 넘어가기 때문에 '지나치게 건너 이마까지 빠지는' 상이 있다. '지나치게 건넘'은 그 건넘을 지나치게 하는 것이다. 비록 흉한 도가 있지만 유순함을 쓰기 때문에 허물이 없다.

### 이지연(李止淵) 『주역차의(周易箚疑)』

本義, 以此卦上六, 爲殺身成仁之事. 蓋卦爲重體之坎, 坎者險也. 九五以人君之位, 陷於險中, 險之大過者也. 九二爲重體之巽, 巽者巽順之象, 上體則兌, 所謂順而說者也. 巽者木也, 木屬仁而自初六至九五, 一陰四陽而成體, 仁之成者也. 爲下之道, 巽順而和說者, 卽爲忠孝也. 然而巽之上有一陰, 爲水之象, 而滅其頂, 乃過涉之象也. 以巽順得中之臣, 遇險陷之君, 而能殺身成仁, 乃殷之三仁中比于也歟.
『본의』에서는 이 괘의 상육을 살신성인(殺身成仁)하는 일로 여겼다. 괘는 두터운 감괘(坎卦)가 되고 감괘(坎卦)란 험난함이다. 구오는 임금의 자리로 험난한 가운데에 빠져 있으니, 험난함이 크게 지나친 자이다. 구이는 중체(重體)인 손괘(巽卦)가 되는데 손괘(巽卦)란 공손한 상이며, 상체는 태괘(兌卦)이니 이른바 "순응해서 기뻐한다"는 것이다. 손괘(巽卦)란 나무이니 나무는 인(仁)에 속하며, 초육으로부터 구오에 이르기까지 하나의 음과 네 개의 양으로 몸체를 이루니 인(仁)을 이루는 것이다. 아랫사람이 되는 도(道)는 공손하면서 온화하고 기뻐하는 것이니, 충효(忠孝)가 된다. 그러나 손괘(巽卦) 위에 하나의 음이 있어서 물의 상이 되고, 이마까지 빠짐이란 '지나치게 건너는' 상이다. 공손하면서 알맞음을 얻은 신하로서 험난함에 빠진 임금을 만나 살신성인(殺身成仁)을 할 수 있으니, 은(殷)나라 세 어진 신하 중에 비간(比干)이겠구나!

### 김기례(金箕澧) 「역요선의강목(易要選義綱目)」

以極弱之陰, 居四陽之上, 過於首, 事如涉險滅頂.
지극히 약한 음으로 네 양의 위에 있어서 머리에서 지나치니, 일이 험난함을 건너 머리가 없어지는 것과 같다.

○ 小人妄躁者, 无大過之才, 而涉僥倖之咎, 自取其禍凶, 且誰咎.
소인이 망령되고 조급함이란 크게 뛰어난[大過] 재주가 없으면서도 요행을 바라는 허물을 건너지만, 스스로 그 화(禍)와 흉함을 취하니 또한 누구를 허물하겠는가?

贊曰, 大過之功, 不宜常人. 非湯武德, 合堯舜仁. 无悶不懼, 確乎絕倫. 自取滄浪, 過涉滅體.
찬미하여 말한다: 대과(大過)의 공(功)은 평범한 사람에게는 마땅하지 않네. 탕왕과 무왕의 덕이 아니라면 요와 순의 인(仁)에 부합하여야 하네. 근심하지 않고 두려워하지 않으니, 확고하게 무리에서 뛰어나네. 스스로 취한 것이 창랑(滄浪)과 같으니,[113] 지나치게 건넘은 몸을 없애리라.

### 이항로(李恒老) 「주역전의동이석의(周易傳義同異釋義)」

傳, 小人之所謂大過, 非能爲大過人之事也, 直過常越理, 不[114]恤危亡, 履險蹈禍而已. 如過不涉於水, 至滅沒其頂, 其凶可知. 小人狂躁, 爲自禍, 蓋其宜也, 復將何尤[115], 故曰无咎.
『정전』에서 말하였다: 소인에게 있어서 이른바 '대과'라는 것은 크게 보통사람보다 뛰어난 일을 할 수 있는 것이 아니고, 다만 상도(常道)를 지나고 이치를 넘어 위태로움과 망함을 근심하지 않고 험함을 행하고 화란(禍亂)을 밟을 뿐이다. 마치 지나치게 물을 건너서 그 이마까지 빠지는 것과 같으니, 흉함을 알 수 있다. 소인은 미친 짓을 하고 조급하여 스스로 화를 받음이 당연하니, 다시 장차 누구를 원망하겠는가? 그러므로 "탓할 데가 없다"고 말하였다.

本義, 處過極之地, 才弱不足以濟, 然於義爲无咎矣, 蓋殺身成仁之事, 故其象如此.
『본의』에서 말하였다: 지나침이 극에 달한 자리에 처하여 재주가 약해서 건널 수 없으나, 의리에는 허물이 없음이 되니, '자신을 희생하여 인을 이루는[殺身成仁]' 일이다. 그러므로 그 상(象)과 점(占)이 이와 같다.

按, 大過陽過之卦也. 上六, 以陰柔當大過之極, 有才弱不濟之象. 若以小人不恤危亡, 履險蹈禍之爲, 擬之, 則恐失本旨. 且象傳不曰又誰咎也, 而曰不可咎也, 則與節三无咎之義不同, 可知也, 故本義不從.

---

113) 『맹자·이루』에 창랑의 물이 맑으면 이 맑음에 맞게 소중한 갓끈을 빨게 되며, 창랑의 물이 탁하면 이 탁함에 맞게 발을 씻게 되니, 이렇게 하게 되는 이유는 창랑이 자신의 맑고 탁함에 의해 스스로 이와 같이 초래한다는 말이 있다.
114) 不: 경학자료집성DB와 영인본에는 모두 글자가 빠져 있으나, 문맥을 살펴 '不'로 바로잡았다.
115) 尤: 경학자료집성DB와 영인본에는 모두 '以'로 되어 있으나, 『정전』에 따라 '尤'로 바로잡았다.

내가 살펴보았다: 대과괘(大過卦)는 양이 지나친 괘이다. 상육은 부드러운 음이 대과(大過)의 끝에 해당하여 재질이 유약해서 구제하지 못하는 상이 있다. 만약 소인이 '위태로움과 망함을 근심하지 않고 험함을 행하고 화란(禍亂)을 밟는' 행위를 가지고 헤아려 보면, 아마도 본래의 뜻을 잃은 듯하다. 또 「상전」에서 "또 누구를 허물하겠는가?"라고 말하지 않고 "허물 할 수가 없다"라고 하였으니, 절괘(節卦) 삼효에서 말한 '무구(无咎)'[116]의 뜻과는 같지 않음을 알 수가 있기 때문에 『본의』에서는 이를 따르지 않았다.

## 심대윤(沈大允) 『주역상의점법(周易象義占法)』

大過之姤䷫, 遇而不進也. 上六居柔, 爲衆所服, 而才柔居大過之窮, 有應偏係, 而不量己之力, 行人之所不能行, 行與時俱不中, 勇士不忘喪其元, 是也. 澤出巽舟, 有沈没象. 巽行坎水爲涉, 兌爲滅頂, 在乾首之上也. 上六不能謀事業, 爲天下有无, 而徒尙氣節, 故不取對卦之象也. 五六之无咎, 皆不可咎也. 大過之事, 非君子之所欲也, 時有所不得已也. 上六過涉, 名高而身殃, 非中庸至善之道也. 九三棟橈, 困於其身, 而顯於萬世, 中庸而至善者也. 九三之時, 不得不過而過, 利在於過也, 上六之時, 可以不過而過, 以過取禍也. 其剛決同而時不同也, 其爲凶同, 而利害之實不同也. 九三居困而得實利, 上六徇名而取實禍, 九三所過之時, 不幸之甚也, 上六之時, 可以免而勇於過行也.

대과괘가 구괘(姤卦䷫)로 바뀌었으니, 만나지만 나아가지 않는 것이다. 상육은 부드러운 음의 자리에 있어서 여러 사람들이 복종하게 되고, 재질은 유약하고 대과(大過)의 끝에 있으면서 호응이 있어 편협하게 얽매이며, 자신의 힘을 헤아리지 않고 다른 사람들이 행할 수 없는 바를 행하므로, 행함과 때가 모두 알맞지 않으니, "용사는 자신의 머리를 잃을 것을 잊지 않는다"[117]라고 한 것이 이것이다. 못[澤]이 나오고 손괘(巽卦)는 배이니, 침몰하는 상이 있다. 손괘(巽卦)는 움직임이고 감괘(坎卦)는 물이니 '건넘'이 되고, 태괘(兌卦)는 '이마까지 빠짐'이 되는데, 건괘(乾卦)의 머리 위에 있다. 상육은 사업을 도모할 수 없어서 천하를 위하여 할 일이 없어서, 단지 기(氣)와 절개를 숭상하기 때문에 상대되는 괘의 상을 취하지 않았다. 오효와 상효에서의 "허물이 없다[无咎]"란 모두 허물할 수 없다는 것이다. 대과(大過)의 일은 군자가 바라는 바가 아니지만, 때에 따라 부득이한 바가 있다. 상육은 지나치게 건너서 이름이 높지만 몸에는 재앙이 이르니, 중용을 하여 선에 이르는 도(道)가 아니다. 구삼에서 '들보가 휘어짐'은 자신에게는 곤란하지만 만세(萬世)에 드러나니, 중용을 하면서

---

116) 『周易 · 節卦』: 六三, 不節若, 則嗟若, 无咎.

117) 『孟子 · 滕文公』: 孟子曰 昔, 齊景公, 田, 招虞人以旌, 不至, 將殺之, 志士, 不忘在溝壑, 勇士, 不忘喪其元, 孔子, 奚取焉. 取非其招不往也, 如不待其招而往, 何哉.

선(善)에 이르는 자이다. 구삼의 때는 지나치지 않을 수 없어서 지나치므로 지나치는 데에서 이롭고, 상육의 때는 지나치면 안 되는 데도 지나치니 지나침으로써 화(禍)를 취한다. 굳세고 결연한 것은 같지만 때가 다르고, 흉함이 됨은 같지만 이해(利害)의 실질은 같지 않다. 구삼은 곤란한 데에 있으면서 실리(實利)를 얻었고, 상육은 명예를 내세웠지만 실제적인 화(禍)를 취하였으니, 구삼은 지나친 때라서 불행이 심하였고 상육의 때는 면할 수 있는데도 지나치게 행하는 데에 용감하다.

夫好生而惡死, 人之性也. 唯其好生而惡死, 故可與趨善而去惡, 唯其好利而惡害, 故可與爲義而窒欲, 此人道之所由生也. 若輕生而不畏死, 樂害而不重利, 則將各縱其欲而任其情, 无以禁制抑止, 人之類將相殘而歸盡矣. 是故君子之道, 必先重生而敬身, 至於髮膚, 不敢毁傷, 惡死之至也 必先重利而爲已, 不以一毫累其身虧其用, 惡害之至也. 好生則能爲仁矣, 惡死則能遠惡矣, 好利則能爲義矣, 惡害則能節欲矣. 天下之生道, 莫善於仁, 而天下之利道, 莫善於義. 是故有時乎殺身成仁, 舍利而取義者, 等死, 死以成仁耳, 等害, 害以取義耳. 未有仁義而終不利者, 其終不利者, 非吾所謂仁義也, 未有不仁不義而終不害者, 其終不害者, 非吾所謂不仁不義也. 仁義之害, 一時之害, 而仁義之利, 萬世之利也. 私欲之利, 一時之利, 而私欲之害, 萬世之害也. 聖人唯恐人之好生之不至也, 好利之不甚也. 好生之至, 然後能有所不苟生, 好利之甚, 然後能有所不耽利. 故忠孝節義之本, 在於好生與利也.

삶을 좋아하고 죽음을 싫어하는 것은 사람의 본성이다. 오직 삶을 좋아하고 죽음을 싫어하기 때문에 더불어 선으로 옮겨가고 악을 제거할 수 있고, 오직 이익을 좋아하고 해로움을 싫어하기 때문에 더불어 의(義)를 행하고 악을 막을 수 있으니, 이것이 사람의 도가 말미암아 생겨난 바이다. 만약 삶을 경시하고 죽음을 두려워하지 않으며 해로움을 즐거워하고 이익을 중하게 여기지 않는다면, 장차 각각 욕심대로 자유롭게 하고 감정에 내맡겨버려 못하게 말리거나 내리 눌러서 제어할 수 없게 되니, 인류는 장차 서로 해치면서 죽음을 맞게 될 것이다. 이 때문에 군자의 도는 반드시 먼저 삶을 중시하여 자신을 조심스럽게 하므로 머리카락이나 피부에 이르기까지 감히 훼손하고 상하게 할 수 없으니, 이는 죽음을 싫어하는 지극함이다. 그리고 반드시 먼저 이익을 중시하여 자신을 위하므로 털 끝 만큼이라도 자신에게 폐가 되거나 쓰임을 어그러뜨리지 않게 하니, 이는 해로움을 싫어하는 지극함이다. 삶을 좋아하면 인(仁)을 행할 수 있고, 죽음을 싫어하면 악을 멀리할 수 있다. 이익을 좋아하면 의(義)를 행할 수 있고, 해로움을 싫어하면 욕구를 절제할 수 있다. 천하의 낳는 도(道)는 인(仁)보다 좋은 것이 없고, 천하의 이롭게 하는 도(道)는 의(義)보다 좋은 것이 없다. 이 때문에 어떤 때에는 살신성인(殺身成仁)하여 이로움을 버리고 의(義)를 취하는 자가 있으니, 죽는 것은 같지만 죽음으로써 인(仁)을 이룰 뿐이고, 해로움은 같지만 해로움으로써 의(義)를 취할 뿐이다. 인의(仁義)를 하면서 끝내 이롭지 못한 자는 아직 있지 않았으니, 끝내 이롭지 못한 자는 내가 말하는 인의(仁義)가 아니며, 인(仁)하지 못하고 의(義)롭지 못하면서 끝내 해롭지 않은 자는 아직 있지 않았으니, 끝내 해롭지 못한 자는 내가 말하는 인(仁)하지 못하고 의(義)롭지 못함이 아니다. 인의(仁義)의 해로움은 일시적인 해로움이며, 인의(仁義)의 이익은 만세(萬世)의 이로움이다. 사사로운 욕심의 이익은 일시의 이로움이며, 사사로운 욕심의 해로움은 만세의 해로움이다. 성인(聖人)이 오직 사람들이 삶을 좋아함이 지극하지 못하고 이익을 좋아함이 심하지 못할까 두려워하였다. 삶을 좋아함이 지극한 후에 구차하게 살지 않을 수가 있고, 이익을 좋아함이 심한 후에 이로움을 탐내지 않을 수가 있다. 그러므로 충효와 절의(節義)의 근본은 삶과 이익을 좋아하는 데에 있다.

上六輕生賤利, 而冒害赴死, 雖有一時之名, 而實喪其性, 不可以爲訓, 有以啓天下後世之不畏死不避害, 不顧義理當否而輕用其身, 以陷誅夷之禍, 而不知悔者之過, 其爲不仁甚矣. 齊王好色好貨好樂好勇, 孟子皆因而進之, 夫天下之善, 莫如好生好利也, 天下之不善, 莫如不畏死不避害也. 不畏死不避害, 而吾末如之何矣. 近有一種恠說號爲天主學, 重信而樂死, 雖斬殺而不可禁, 余懼斯民之无類, 故以明道自任, 不避僭妄之罪焉. 若使孔夫子之道, 賴余以復明, 邪說寢息, 雖或有罪我者, 吾不恨矣. 是故輒用私註經書, 以明天人之所以然, 道之所以立, 必以利爲本焉. 嗚呼. 利之一字, 爲萬物之體, 爲萬善之本, 天地之大德, 聖人之大經也. 自後世, 利字反爲諱言, 甚矣. 利者生也, 无利則无生矣, 生可諱乎. 至於天主學之樂死, 而其不好利也, 可謂極矣. 子曰, 斯民者, 三代之所以直道而行者也, 因其性之好利 而利之者, 直道也, 欲善其生而諱言利者, 僞行也. 生人之一食一衣, 无非利者也. 諱言利而不廢衣食, 猶設爲不嫁, 而身生七子也. 非僞詐誕妄而何哉.

상육은 삶을 경시하고 이익을 천시하여 해로움을 무릅쓰고 죽음으로 나아가므로 비록 일시적인 명예는 있을지라도 실제로는 본성을 잃게 되니 훈계(訓戒)로 삼을 수 없고, 천하의 후세 사람들 중에 죽음을 두려워하지 않고 해로움을 피하지 않으며 의리(義理)의 옳고 그름을 살피지도 않으며 자신을 가볍게 써서 토벌하고 평정하는 화(禍)에 빠졌는데도 뉘우칠 줄을 모르는 자를 생기게 하는 잘못이 있으니, 인(仁)하지 못함이 심하다. 제(齊)나라 선왕(宣王)은 여색(女色)을 좋아하고 재화를 좋아하며 음악을 좋아하고 용기를 좋아하였는데, 맹자는 이 모두에 의거하여 나아가게 하였으니,[118] 천하의 선(善)은 삶을 좋아하고 이익을 좋아하는 것 만한 것이 없고 천하의 불선(不善)은 죽음을 두려워하지 않고 해로움을 피하지 않는 것 만한 것이 없다. 죽음을 두려워하지 않고 해로움을 피하지 않으니, 내가 어떻게

118) 『맹자 · 양혜왕』에 보인다.

할 수가 없다.[119] 가깝게는 천주학이라고 불리는 일종의 괴이한 설(說)이 있으니, 믿음을 중시하고 죽기를 기꺼이 하려고하여 목을 베어 죽이더라도 금할 수가 없어서, 나는 이 백성들에게 일정한 법도가 없음을 두려워하기 때문에, 도를 밝히기를 자임하여 참람하고 망령된 죄를 얻게 되더라도 피하지 않을 것이다. 만약 공자의 도(道)를 나에게 의지하여 다시 밝혀 사특한 설(說)들이 가라앉아 그치게 되면, 비록 혹시 나에게 죄를 는 일이 있게 되더라도 나는 여한이 없을 것이다. 이 때문에 항상 경서(經書)에 사사롭게 주(註)를 달면서 하늘과 사람이 그러한 까닭과 도가 세워짐이 반드시 이익을 근본을 삼았음을 밝혔다. 오호라! '리(利)'라는 한 글자는 만물의 본체가 되고 만 가지 선(善)의 근본이 되니, 천지(天地)의 큰 덕이며 성인(聖人)의 큰 법칙이다. 후세로부터 '리(利)'라는 글자는 도리어 세상에 꺼리는 말이 되었으니, 심하다. '이익[利]'이란 삶이므로, 이로움이 없으면 삶도 없는데, 삶을 꺼릴 수가 있겠는가? 천주학이 죽기를 기꺼이 하려고하는 데에 이르러서는 이익을 좋아하지 않음이 지극하다고 할 만하다. 공자는 "이 사람들은 삼대의 시대에 정직한 도를 행해 왔던 자들이다"[120]라고 하였으니, 본성이 이익을 좋아함에 인하여 이롭게 여기는 것은 정직한 도이며, 삶을 좋게 하고자 하면서도 이익이라는 말을 꺼리는 것은 거짓된 행동이다. 산 사람의 한 번 밥 먹고 한 번 옷 입는 것이 이롭지 않음이 없는 것이다. 이익이라는 말을 꺼리면서도 의식(衣食)을 폐하지 않는 것은 시집가지 않은 것처럼 하면서 몸으로는 일곱 자식을 낳은 것과 같다. 속이고 터무니없이 망령된 것이 아니라면 무엇이겠는가?

### 오치기(吳致箕) 「주역경전증해(周易經傳增解)」

上六, 居大過之極, 勇於必涉, 冒險而進, 以其質弱不能濟, 終致滅頂之凶. 然居得其正, 不避艱險, 卽致命遂志, 殺身成仁者也. 故亦言无咎.
상육은 대과(大過)의 끝에 있어서 반드시 건너는 데에 용감하여 위험을 무릅쓰면서 나아가지만, 그 재질이 약하여 건널 수 없어서 끝내 이마까지 빠지는 흉함에 이른다. 하지만 거처함에 바름을 얻어서 험난함을 피하지 않으니, 즉 목숨을 바쳐 뜻을 이루는 살신성인(殺身成仁)을 하는 자이다. 그러므로 또한 "허물은 없다"고 하였다.

○ 全卦之形爲似坎, 故言涉水之象, 變乾爲首頂之象, 而涉水滅頂, 則殺身矣.
괘 전체의 모습은 감괘(坎卦)와 닮았기 때문에 물을 건너는 상을 말하였고, 상효가 변한 건

---

119) 『論語·衛靈公』: 子曰, 不曰如之何如之何者, 吾末如之何也已矣.
120) 『論語·衛靈公』: 子曰, 吾之於人也, 誰毁誰譽, 如有所譽者, 其有所試矣. 斯民也, 三代之所以直道而行也.

괘(乾卦)는 머리와 이마의 상이 되므로, 물을 건너다 이마까지 빠지게 되니 자신을 죽인다.

### 이진상(李震相)『역학관규(易學管窺)』

過涉滅頂.
지나치게 건너 이마까지 빠진다.

上爻變而之乾, 乾爲首頂象也. 然澤方暴漲, 故有滅頂之象.
상효가 변하면 건괘(乾卦)로 바뀌니, 건괘(乾卦)는 머리와 이마의 상이 된다. 그러나 못[澤]이 막 사납게 불어나기 때문에 이마까지 빠지는 상이 있다.

### 이정규(李正奎)「독역기(讀易記)」

无咎之義, 亦似異也. 他卦他爻之无咎云者, 凶必由於咎, 而无咎則不凶之意也. 此无咎云者, 雖凶, 无可咎之意也.
여기서 '무구(无咎)'의 뜻은 다른 듯하다. 다른 괘와 다른 효에서 말한 "허물이 없다[无咎]"는 흉함이 반드시 허물에서 말미암으므로 허물이 없다면 흉하지 않다는 뜻이다. 여기에서 말한 '무구(无咎)'는 비록 흉하더라도 허물할 수 없다는 뜻이다.

## 象曰, 過涉之凶, 不可咎也.

정전 「상전」에서 말하였다: "지나치게 건넘이 흉함"은 탓할 데가 없는 것이다.
본의 「상전」에서 말하였다: "지나치게 건넘이 흉함"은 허물할 수가 없다.

## 中國大全

### 傳

**過涉至溺 乃自爲之 不可以有咎也 言无所怨咎**

지나치게 건너서 빠짐에 이름은 곧 스스로 한 일이어서 탓할 데가 없으니, 원망하고 탓할 데가 없음을 말한 것이다.

#### 小註

朱子曰, 過涉滅頂凶无咎, 象曰不可咎也, 如東漢諸人, 不量深淺, 至於殺身亡家, 此雖是凶, 然而其心何罪, 故不可咎也. 又曰, 大過陽剛過盛, 不相對值之義, 故六爻中无全吉者. 除了初六是過於畏愼无咎外, 九二雖无不利, 然老夫得女妻, 畢竟是不相當, 所以象言過以相與也. 九四雖吉, 而又有它則吝. 九五所謂老婦者, 乃是指客爻而言. 老婦而得士夫, 但能无咎无譽, 亦不爲全吉. 至於上六過涉滅頂凶无咎, 則是事雖凶, 而義則无咎也.

주자가 말하였다: "지나치게 건너 이마까지 빠지니, 흉하나 허물은 없다"와 「상전」에서 "탓할 데가 없다"고 한 것은 예컨대 동한의 여러 사람들이 깊이를 헤아리지 않고 몸을 죽이고 집안을 망치는 데에 이른 것과 같으니, 이것이 비록 흉하기는 하나 그 마음이 무슨 죄이겠는가? 그러므로 탓할 데가 없는 것이다.

또 말하였다: 대과괘는 굳센 양이 지나치게 번성하여 상대하고 만나는 의리를 서로 함께 하지 않기 때문에 여섯 효 중에 온전히 길한 것이 없다. 두려워하고 삼감에 지나쳐 허물이 없는 초육 이외에, 구이는 이롭지 않음이 없으나 늙은 남자가 젊은 아내를 얻어 결국은 서로 어울리지 못하니, 이 때문에 「상전」에서 "지나치게 서로 함께 하는 것이다"고 말하였다. 구

사는 비록 길하나 또 다른 데에 마음을 두면 부끄러울 것이다. 구오의 이른바 늙은 부인은 자신이 아닌 효[상육]를 가리켜서 말한 것으로, 늙은 부인이면서 젊은 남자를 얻음은 다만 허물도 없고 명예도 없을 수 있으나 또한 온전히 길함은 되지 않는다. '상육은 지나치게 건너 이마까지 빠지니 흉하나 허물은 없음'에 이르러서는 일이 비록 흉하나 의리에는 허물이 없는 것이다.

○ 厚齋馮氏曰, 易大抵上下畫停者, 從中分反對爲象, 非他卦相應之例也. 頤中孚小過, 皆然, 而此卦尤明. 三與四對, 皆爲棟象, 上隆下橈也. 二與五對, 皆爲枯楊之象, 上華下稊也. 初與上對, 初爲藉用白茅之愼, 上爲過涉滅頂之凶也.
후재풍씨가 말하였다: 『주역』에서 위에서 보나 아래에서 보나 음양의 획이 멈추어 있는 괘는 가운데에서 나누어 반대가 되는 것을 상으로 삼으니, 다른 괘에서 서로 호응하는 경우의 사례가 아니다. 이괘(頤卦䷚) · 중부괘(中孚卦䷼) · 소과괘(小過卦䷽)가 모두 그러하나 대과괘가 더욱 분명하다. 삼효와 사효가 반대여서 모두 들보의 상이지만 위의 사효는 솟고 아래의 삼효는 휘었다. 이효와 오효가 반대여서 모두 마른 버드나무의 상이지만 위의 오효는 꽃이 피고 아래 이효는 뿌리가 났다. 초효와 상효가 반대여서 초효는 자리를 까는데 흰 띠풀을 사용하는 삼감이 되고 상효는 지나치게 건너 이마까지 빠지는 흉함이 된다.

○ 建安丘氏曰, 大過, 四陽二陰, 陽過乎陰. 論全卦, 則三四兩爻, 重剛不中, 過者也. 重剛而不中, 則是過在三四, 而不在二五. 論爻位, 則二四以剛居柔, 不過者也, 故一吉而一利. 三五, 以剛居剛, 過者也, 故一凶一可醜, 是過在三五, 而不在二四. 觀爻所指之辭可見矣. 至初上二柔, 亦以不過者爲美. 然初陰, 伏於四陽之下, 承剛也, 故藉用白茅, 无咎. 上陰, 躐乎四陽之上, 乘剛也, 故過涉滅頂凶. 是知處大過之世, 不惟不欲剛之過, 而柔亦不容過於剛也.
건안구씨가 말하였다: 대과괘는 네 개의 양과 두 개의 음이니 양이 음보다 지나치다. 전체의 괘를 논하자면 삼효 · 사효 두효는 거듭된 굳센 양이면서 가운데 자리가 아니니 지나친 자이다. 거듭된 굳센 양이면서 가운데 자리가 아니라면 지나침이 삼효 · 사효에 있지 이효 · 오효에 있지 않다. 효의 자리를 논하면 이효 · 사효는 굳센 양으로 부드러운 음의 자리에 있으니 지나치지 않은 자이기 때문에 하나는 길하고 하나는 이롭다. 삼효 · 오효는 굳센 양으로 굳센 양의 자리에 있으니 지나친 자이기 때문에 하나는 흉하고 하나는 추악할 만하니, 지나침이 삼효 · 오효에 있지 이효 · 사효에 있지 않다. 이것은 효가 가리키는 말을 살펴보면 알 수 있다. 초효 · 상효 두 부드러운 음의 경우에도 지나치지 않은 것으로 아름다움을 삼았다. 그러나 초효의 음은 네 양의 아래에 엎드려 있으면서 굳센 양을 받드는 것이므로, 자리를 까는데 흰 띠풀을 사용하니 허물이 없다. 상효의 음은 네 양의 위를 밟고 있으면서 굳센

양을 탄 것이므로, 지나치게 건너 이마까지 빠지니 흉하다. 이것으로 대과의 세상에 처하는 것은 굳셈이 지나쳐서는 안 될 뿐만 아니라 부드러움도 굳셈보다 지나친 것을 용납 받지 못함을 알 수 있다.

○ 雙湖胡氏曰, 或疑頤與大過對者也, 何不名爲小過, 中孚與小過對者也, 何不名爲大過. 蓋大過, 以四陽在中言, 小過以四陰在外言, 此是聖人內陽外陰之微意. 以陽自內而過者爲主, 陰自外而過者爲客, 大過四陽, 過盛於內, 而主勝於客. 若頤之四陰在內, 不可以陰爲主矣, 故不名之曰小過, 而自取象於頤. 小過四陰, 過盛於外, 而客勝於主, 若中孚之四陽在外, 不可以陽爲客矣, 故不名之曰大過, 而自取象於中孚. 況當大過之時, 陽之在內者四, 而陰之在外惟二, 陽盛而陰衰也. 今至小過, 陽之在內者, 僅存其二, 陰之在外者, 浸消陽而有四, 是陰爻盛而陽反衰矣, 此大過小過之辨也.
쌍호호씨가 말하였다: 어떤 이는 이괘(頤卦䷚)는 대과괘(大過卦䷛)와 음양이 반대인데 어찌하여 소과괘라고 이름 하지 않았으며, 중부괘(中孚卦䷼)는 소과괘(小過卦䷽)와 음양이 반대인데 어찌하여 대과괘라고 이름 하지 않았는지 의심하였다. 대과괘는 네 양이 가운데에 있는 것으로 말했고, 소과괘는 네 음이 밖에 있는 것으로 말했으니, 이는 성인이 양을 안으로 하고 음을 밖으로 하는 은미한 뜻이다. 양이 안에서 지나친 것은 주인이 되고, 음이 밖에서 지나친 것은 객이 된다. 대과괘의 네 양이 안에서 지나치게 번성하여 주인이 객을 이긴 것이다. 이괘(頤卦䷚)처럼 네 음이 안에 있는 것과 같은 경우는 음을 주인으로 삼을 수 없기 때문에 그것을 '소과괘'라고 명명하지 않고 별도로 이괘(頤卦䷚)로부터 상을 취하였다. 소과괘는 네 음이 밖에서 지나치게 번성하여 객이 주인을 이긴 것이다. 중부괘(中孚卦䷼)처럼 네 양이 밖에 있는 것과 같은 경우는 양을 객으로 삼을 수 없기 때문에 그것을 '대과괘'라고 명명하지 않고 별도로 중부괘(中孚卦䷼)로부터 상을 취하였다. 더구나 대과의 때를 당하여 안에 있는 양이 넷이고 밖에 있는 음이 둘 뿐이니, 양이 번성하고 음이 쇠약한 것이다. 그런데 소과괘는 양이 안에 있는 것이 겨우 둘만 보존되고 음이 밖에 있으면서 양을 점점 사라지게 하는 것이 넷이니, 이는 음효가 번성하고 양효가 도리어 쇠퇴하는 것이다. 이것이 대과괘와 소과괘의 차이이다.

# ‖韓國大全‖

## 송시열(宋時烈)『역설(易說)』

小象, 不可咎, 傳, 以乃自爲之, 無所怨咎, 朱子非之, 是矣. 傳以爲小人之履險蹈禍, 義以爲君子之殺身成仁. 折中有說, 當更商之.

「소상전」의 "탓할 데가 없는 것이다"에 대하여『정전』에서는 스스로 한 일이어서 탓할 데가 없음을 말한다고 하였으나, 주자는 이를 그르다고 하였으니 옳다.『정전』에서는 소인이 험함을 행하고 화란(禍亂)을 밟는 것으로 여겼고,『본의』에서는 군자가 '자신을 희생하여 인을 이루는[殺身成仁]' 일로 여겼다.『주역절중』에 설명이 있으니 마땅히 생각해 보아야 한다.

## 강석경(姜碩慶)「역의문답(易疑問答)」

大過, 上六, 過涉滅頂, 凶, 无咎, 何也. 曰, 事雖不濟, 而義則是也, 故象傳分明以不可咎解之, 而程傳以无所歸咎言之, 不可知也.

대과괘(大過卦) 상육에서 "지나치게 건너 이마까지 빠지니, 흉하나 허물은 없다"라고 한 것은 왜인가? 일은 비록 이루어지지 않았어도 의리상 옳기 때문에「상전」에서는 분명하게 "허물할 수가 없다"라고 풀이하였지만,『정전』에서는 탓할 데가 없는 뜻으로 말하였으니 알 수가 없다.

## 이익(李瀷)『역경질서(易經疾書)』

上六, 卽與大象同義. 卦旣大過終, 必有澤過而滅木者. 無咎, 當以聖人之意斷之, 卽不懼無悶是也. 故曰不可咎也.

상육은「대상전」121)과 뜻이 같다. 괘는 이미 대과(大過)의 끝이니, 반드시 못[澤]이 지나쳐 나무를 없애는 것이 있다. "허물은 없다"란 마땅히 성인(聖人)의 뜻으로 판단한다면, 두려워하지 않고 근심하지 않는다는 것이 이것이다. 그러므로「상전」에서 "허물할 수가 없다"고 하였다.

## 유정원(柳正源)『역해참고(易解參攷)』

梁山來氏曰, 不可咎者, 人不得以咎之也. 論其心, 不論其功, 論是非, 不論利害, 人惡

---

121)『周易・大過卦』: 象曰, 澤滅木, 大過, 君子以, 獨立不懼, 遯世无悶.

得以咎之.
양산래씨가 말하였다: "허물할 수가 없다"란 다른 사람들이 그에게 허물할 수가 없다는 것이다. 그 사람의 마음을 논하지만 그 사람의 공(功)은 논하지 않고, 시비(是非)를 논하지만 이해(利害)를 논하지 않으니, 사람들이 어찌 그를 허물할 수가 있겠는가?

### 김상악(金相岳) 『산천역설(山天易說)』

過涉之凶, 人不可以爲咎也.
'지나치게 건넘이 흉함'이란 사람들이 이를 두고 허물로 삼을 수 없다는 것이다.

### 서유신(徐有臣) 『역의의언(易義擬言)』

本義, 詳矣.
『본의』에 자세하게 설명되어 있다.

### 박문건(朴文健) 『주역연의(周易衍義)』

過涉之凶, 能得大過之道, 不可以咎也.
'지나치게 건넘이 흉함'은 대과(大過)의 도(道)를 얻을 수 있으니, 허물할 수가 없다.

### 오치기(吳致箕) 「주역경전증해(周易經傳增解)」

雖有過涉之凶, 而以大過之節, 成死難之仁, 故人不可咎也.
비록 지나치게 건너는 흉함이 있지만, 대과(大過)의 절개로 목숨을 바쳐 어려움을 구제하는 인(仁)을 이루기 때문에 다른 사람들이 허물할 수가 없다.

### 이병헌(李炳憲) 『역경금문고통론(易經今文考通論)』

虞曰, 兌爲水澤, 頂, 首也.
우번이 말하였다: 태괘(兌卦)는 물과 못[澤]이 되고, '정(頂)'은 머리이다.

王曰, 處大過之極. 涉難過甚, 故至于滅頂凶. 志在救時, 故不可咎.
왕필이 말하였다: 대과(大過)의 끝에 있다. 험난함을 건넘이 매우 지나치기 때문에 '이마까지 빠져 흉한' 데에 이르렀다. 뜻은 때를 구제하는 데에 있기 때문에 허물할 수 없다.

# 29

## 감괘

坎卦䷜

# 中國大全

## 傳

**習坎, 序卦, 物不可以終過, 故受之以坎. 坎者, 陷也. 理无過而不已, 過極則必陷, 坎所以次大過也. 習謂重習, 他卦雖重, 不加其名, 獨坎加習者, 見其重險, 險中復有險, 其義大也. 卦中一陽, 上下二陰, 陽實陰虛. 上下無據, 一陽陷於二陰之中 故爲坎陷之義 陽居陰中則爲陷, 陰居陽中, 則爲麗. 凡陽在上者, 止之象. 在中, 陷之象. 在下, 動之象. 陰在上, 說之象. 在中, 麗之象. 在下, 巽之象, 陷則爲險. 習重也, 如學習溫習, 皆重複之義也. 坎陷也, 卦之所言處險難之道, 坎水也, 一始於中, 有生之最先者也, 故爲水. 陷水之體也.**

습감괘(習坎卦)는 「서괘전」에 “물건은 끝내 지나칠 수 없으므로 감괘로 받았으니, 감은 빠짐이다”라고 하였다. 지나치고서 그치지 않는 이치는 없다. 지나침이 극에 달하면 반드시 빠지니, 감괘가 이 때문에 대과괘의 다음이 된 것이다. ‘습’은 거듭함[重習]을 이르니, 다른 괘에서는 거듭하였더라도 그 이름을 더하지 않았는데 유독 감괘에서만 습자를 더한 것은, ‘거듭 험함’이라서 험한 가운데에 다시 험함이 있어 그 뜻이 큼을 나타낸 것이다. 괘의 가운데에 한 양이 있고 위아래에 두 음이 있다. 양은 채워있고 음은 비어있으니, 위아래에 의거할 곳이 없어 한 양이 두 음의 가운데에 빠져 있기 때문에 감괘의 빠진다는 뜻이 된 것이다. 양이 음 가운데에 있으면 ‘빠짐’이고, 음이 양 가운데에 있으면 ‘걸림’이다. 양이 위에 있는 것은 멈추는 상이고, 가운데에 있는 것은 빠지는 상이며, 아래에 있는 것은 움직이는 상이다. 음이 위에 있는 것은 기뻐하는 상이고, 가운데에 있는 것은 걸려 있는 상이며, 아래에 있는 것은 공손한 상이니, 빠지면 험함이 된다. ‘습’은 거듭함이니, 예컨대 학습(學習)과 온습(溫習)은 모두 거듭함의 뜻이다. ‘감’은 빠짐이니, 괘에서 말한 것은 험난함에 대처하는 도이다. ‘감’은 물[水]이니, 하나의 양이 가운데에서 시작하여 가장 먼저 나온 것이므로 물이 되었다. ‘함(陷)’은 물의 몸체이다.

### 小註

或問, 程傳云, 一始於中, 有生之最先者也, 故爲水. 夫陽氣之生, 必始於下, 復卦之象, 是也. 今曰始於中, 其義如何. 朱子曰, 氣自下而上爲始. 程說別是一義, 各有所主, 不相妨, 然亦不可相雜.

어떤 이가 물었다: 『정전』에서 “하나의 양이 가운데에서 시작하여 태어남에 가장 먼저 하는 자이므로 물이 되었다”라고 하였습니다. 무릇 양기가 생겨남은 반드시 아래에서 시작하니 복괘(復卦䷗)의 상이 이것인데, 지금은 가운데에서 시작하니 그 의미가 무엇입니까?

주자가 답하였다: 기가 아래에서 위로 올라가는 것을 "시작한다"라고 합니다. 정자의 설명은 별도로 하나의 뜻이 있어 각각 주장하는 바가 있으니, 서로 방해되지는 않으나 서로 섞어보아서는 안됩니다.

○ 隆山李氏曰, 乾坤三畫, 以初相易, 而成震巽, 以中相易, 而成坎離, 以三相易, 而成艮兌. 故乾坤者, 陰陽之祖, 而坎離, 則天地之中也. 坎居正北, 於時爲子, 爲夜之中. 離居正南, 於時爲午, 爲日之中. 夜之中, 而一陽生焉, 故坎之三畫, 一陽居中. 日之中, 而一陰生焉, 故離之三畫, 一陰居中. 天地陰陽之中, 此乃造化張本之地, 故易上經, 始乾坤, 而終坎離, 貴其得天地陰陽之中, 而爲易之用也. 且天一下降坎中, 在物爲水, 而在人爲精. 以畫觀之, 坎之一陽, 居中而中實, 卽精藏於中, 而水積於淵之象也. 地二上兆離中, 在物爲火, 而在人爲神. 以畫觀之, 離之一陰, 在中而中虛, 卽神寓於心, 而火明於空之象也. 坎之中實是爲誠, 離之中虛是爲明. 中實者, 坎之用, 中虛者, 離之用也. 作易者, 因坎離之中, 而寓誠明之用, 誠明起於中者, 易之妙用, 古聖人之心學也.
융산이씨가 말하였다: 건괘 · 곤괘의 세 획에서 초효가 서로 바뀌면 진괘와 손괘가 되고, 가운데 효가 서로 바뀌면 감괘와 리괘가 되며, 삼효가 서로 바뀌면 간괘와 태괘가 된다. 그러므로 건 · 곤은 음양의 조상이며 감 · 리는 천지의 중앙이다. 감괘는 정북(正北)에 있으니 때에서는 자시이며 밤의 중앙이고, 리괘는 정남(正南)에 있으니 때에서는 오시이고 낮의 중앙이다. 밤의 중앙이면서 하나의 양이 생겨나기 때문에 감괘의 세 획에서 하나의 양이 가운데에 있는 것이고, 낮의 중앙이면서 하나의 음이 생겨나기 때문에 리괘의 세 획에서 하나의 음이 가운데에 있는 것이다. 천지와 음양의 중앙인 것, 이것이 바로 조화의 근원이다. 그러므로 『주역』의 상경이 건 · 곤에서 시작하고 감 · 리에서 마치니, 천지와 음양의 가운데를 귀하게 여기는 것이며 이것이 역의 쓰임이다. 또 하늘의 일(一)이 아래로 감의 가운데에 내려오면 물건에 있어서는 물이 되고 사람에 있어서는 정(精)이 된다. 획을 관찰해 보면 감괘는 하나의 양이 가운데에 있어 가운데가 채워졌으니, 바로 정(精)이 가운데에 보관되고 물이 못에 쌓인 상이다. 땅의 이(二)가 위로 리괘의 가운데에 나오면 물건에서는 불이 되고 사람에서는 신(神)이 된다. 획을 관찰해 보면 리괘는 하나의 음이 가운데에 있어 가운데가 비었으니, 바로 신(神)이 마음에 붙어있고 불이 허공에서 밝은 상이다. 감괘의 가운데가 채워진 것이 '정성'이고 리괘의 가운데가 빈 것이 '밝음'이다. 가운데가 채워진 것이 감괘의 쓰임이고 가운데가 빈 것이 리괘의 쓰임이니, 『주역』을 지은 자가 감괘 · 리괘의 가운데로 인하여 정성과 밝음의 쓰임을 붙였다. 정성과 밝음이 가운데에서 일어나는 것이 『주역』의 신묘한 작용이며 옛 성인의 심학(心學)이다.

## 習坎, 有孚, 維心亨, 行有尚.

거듭 험함[習坎]은 정성이 있어서 마음 때문에 형통하니, 가면 가상함이 있을 것이다.

## 中國大全

### 傳

陽實在中, 爲中有孚信. 維心亨, 維其心誠一, 故能亨通. 至誠, 可以通金石蹈水火, 何險難之不可亨也. 行有尙, 謂以誠一而行, 則能出險, 有可嘉尙, 謂有功也. 不行, 則常在險中矣.

채워진 양이 가운데에 있으니, 가운데에 정성이 있는 것이다. '마음 때문에 형통함[維心亨]'은 마음이 정성스럽고 전일하기 때문에 형통할 수 있는 것이다. 지극한 정성은 금석(金石)을 관통하고 수화(水火)를 헤쳐 나갈 수 있으니, 무슨 험난함인들 형통하지 못하겠는가? '가면 가상함이 있음[行有尙]'은, 정성과 전일함으로 간다면 험함을 벗어나 가상할 만함이 있음을 이르니, 공이 있음을 말한다. 가지 않는다면 항상 험한 가운데에 있을 것이다.

### 本義

習, 重習也. 坎, 險陷也. 其象爲水, 陽陷陰中, 外虛而中實也. 此卦上下, 皆坎, 是爲重險. 中實爲有孚, 心亨之象. 以是而行, 必有功矣, 故其占如此.

'습'은 거듭함이고, '감'은 험하고 빠짐이다. 그 상은 물이니, 양이 음 가운데에 빠져서 밖은 비고 가운데는 채워있다. 감괘(䷜)는 위아래가 다 감(☵)이니, 거듭된 험함이다. 가운데가 채워있음은 정성이 있는 것이니 마음 때문에 형통한 상이다. 이러한 방법으로 가면 반드시 공이 있을 것이므로 그 점이 이와 같다.

小註

平庵項氏曰, 重卦坎字, 在六十四卦之先, 故加習字以起後例, 示離震艮兌巽皆當以重習起義也. 乾坤不加習字者, 六爻只一爻故也.
평암항씨가 말하였다: 중괘(重卦)중에 감(坎)자가 64괘 가운데 맨 앞에 있기 때문에 습(習)자를 더하여 뒤의 사례를 일으켰으니, 리괘(離卦)·진괘(震卦)·간괘(艮卦)·태괘(兌卦)·손괘(巽卦)가 모두 거듭함[重習]으로 의미를 제기하였음을 보였다. 건괘(乾卦)·곤괘(坤卦)에 습(習)자를 더하지 않은 이유는 여섯 효가 단지 한 가지의 효이기 때문이다.

○ 建安丘氏曰, 人之處坎, 身可陷而心不可陷, 故曰維心亨. 心亨則非坎矣. 心不亨則失處險之道. 又曰, 坎一陽處二陰之中, 陰虛則流, 故亨通.
건안구씨가 말하였다: 감괘에 처한 사람은 몸은 빠질 수 있으나 마음은 빠지지 않기 때문에 '마음 때문에 형통함[維心亨]'이라고 하였다. 마음이 형통하면 빠진 것이 아니고, 마음이 형통하지 못하면 험함에 처한 도를 잃은 것이다.
또 말하였다: 감괘는 하나의 양이 두 음의 가운데에 처하였으니, 음이 비면 흐르기 때문에 형통하다.

○ 誠齋楊氏曰, 水內陽而外陰, 故其明內景維心亨也.
성재양씨가 말하였다: 물은 안이 양이고 밖이 음이기 때문에 안의 광경이 '마음 때문에 형통함[維心亨]'을 밝혔다.

○ 中溪張氏曰, 九二九五, 陷於坎中而剛德自若, 此維心亨之象也.
중계장씨가 말하였다: 구이와 구오가 구덩이 안에 빠져있으나 굳센 덕으로 태연자약하니, 이것이 '마음 때문에 형통한[維心亨]' 상이다.

○ 雲峯胡氏曰, 六子卦皆重, 此獨加一習字. 或以爲序卦適居六子之先, 坎言重, 他可知矣, 或以爲象曰龜蛇, 方曰北曰朔, 而太玄配罔與冥, 人之腎兩, 皆有重義. 他卦亨字, 本義例以爲占, 維此則曰中實, 爲有孚心亨之象. 蓋他卦言占, 事之亨也. 此言象, 心之亨也. 陽實有孚之象, 陽明在內 心亨之象. 心有主則實, 此心見得事理實是如此, 心旣透徹, 由是斷然行之无疑. 不然, 此心微有不通, 卽是險阻, 卽不可行矣. 故本義以亨爲象, 有尙爲占也.
운봉호씨가 말하였다: 육자괘(六子卦)[1]가 모두 거듭되었는데 감괘에서만 습(習)자를 붙였다. 이에 대하여 어떤 이는 "감괘의 괘 순서가 마침 육자괘의 맨 앞에 있어서 감괘에서 '거듭

함'을 말한 것이니 다른 것도 알만하다"고 하였고, 어떤 이는 "상은 거북과 뱀이며, 방위는 '북'이라고 하고 '삭(朔)'이라고 하니, 『태현경』에서 '망(罔)'과 '명(冥)'을 짝하였으며[2] 사람의 콩팥이 두 개인 것이 모두 '거듭함'의 뜻이 있다"고 하였다. 『본의』에서 다른 괘의 형(亨)자에 대해 으레 점으로 여겼는데, 감괘에서만 속이 채워진 것이라고 하였으니, 정성이 있어 마음이 형통한 상이 된다. 대체로 다른 괘에서 점으로 말한 것은 일의 형통함이고, 여기에서 상으로 말한 것은 마음의 형통함이다. 양이 채워진 것은 정성이 있는 상이며, 양이 안에서 밝은 것은 마음이 형통한 상이다. 마음에 주로 함이 있으면 참으로 이 마음으로 사리가 실로 이와 같음을 터득하게 되고, 마음이 이미 관통하면 이로 말미암아 단연코 의심 없이 행한다. 그렇지 않다면 이런 마음이 통하지 않게 되어 곧 험난할 것이니, 가서는 안 되는 것이다. 그러므로 『본의』에서는 '형통함[亨]'을 상이라 하였고, '가상함이 있음[有尙」]'을 점이라고 하였다.

## ‖韓國大全‖

### 권근(權近) 『주역천견록(周易淺見錄)』

程傳, 坎水也. 一始於中, 有生之最先, 故爲水. 或問於朱子曰, 陽氣之生, 必始於下, 復卦之象, 是也. 今曰始於中, 何也? 曰, 氣自下而上爲始. 程說別是一義, 各有所主, 不相妨, 亦不可雜, 引而不發. 竊意, 自下而上, 氣之消長也, 一始於中, 物之成象也. 萬物成象, 水最爲先, 兩儀旣闢, 而[3]天一之水, 始生於中, 然後生火·生木·生金·生土, 而造化行矣. 又萬物之生, 皆因水以爲始, 凝聚滋息, 以成其形. 動植之類, 莫不然也. 有孚, 維心亨, 行有尙, 以卦體言之, 中實外虛. 中實, 故有孚, 外虛, 故其中之誠, 得通於外, 是維心之亨也. 誠於中而形於外, 誠能動物, 往必有功, 是行有尙也. 以卦象言之, 上下二偶, 兩岸之土也. 中含一陽, 天一之水也. 水由地中, 其流連亘而不絶, 晝夜不舍, 是有孚也. 心當訓中. 有孚, 故其中之流, 行之无息, 始自涓滴濫觴之微, 達于河海, 漫天之大. 是能亨通, 而往有功也. 至險之中, 而有大通之道, 惟有孚也. 人處險

1) 건괘·곤괘는 부모에 해당하고 감괘·리괘·진괘·간괘·태괘·손괘인 여섯 괘는 자식에 해당하여 육자괘라 한다.
2) 『太玄經·玄文』: 罔直蒙酋冥. 罔北方也冬也未有形也, 直東方也春也質而未有文也, 蒙南方也夏也物之脩長,也 皆可得而載也, 酋西方也秋也物皆成象而就也 ,有形則復於無形故曰冥.
3) 而: 경학자료집성DB와 영인본에는 모두 '陽'으로 되어 있으나, 문맥을 살펴 '而'로 바로잡았다.

難之中, 能致亨而有功者, 亦由有孚而已. 觀象可以知占, 故曰君子觀其彖辭, 則思過半矣.
『정전』에서 “감(坎)은 물이니, 하나의 양이 가운데서 시작하여 생겨남에 가장 먼저인 것이기 때문에 물이 된다”라고 하였다. 어떤 이가 주자에게 “양기의 생겨남은 반드시 밑에서 시작되니 복괘(復卦)의 상(象)이 이것입니다. 이제 ‘가운데서 시작된다’고 한 것은 어째서 입니까?”라고 물었다. 주자가 “기(氣)는 아래로부터 올라감이 시작이 됩니다. 정자의 설은 달리 하나의 의미를 지닌 것입니다. 각각 주장하는 것이 있어 서로 방해되지는 않지만 또 뒤섞어도 안 됩니다”라고 답하였으니, 암시만 하고 직접 답해주지는 않은 것이다. 내가 생각하니 ‘아래로부터 올라감’은 기의 사그라듦과 자라남이고, ‘양(一)이 가운데서 시작함’은 만물이 상(象)을 이루는 것이다. 만물이 상을 이룰 때는 물이 제일 앞서게 된다. 양의(兩儀)가 열리면 하늘 수(數) 1인 물이 가운데서 처음으로 생긴 뒤에 불이 생기고 나무·쇠·흙이 생겨 조화가 행한다. 또 만물이 생겨남은 모두 물로 인하여 시작이 되고, 엉겨 모여 붙어남으로써 그 형체가 이루어진다. 동물과 식물의 종류로 그렇지 않는 것이 없다.
“정성이 있어서 마음 때문에 형통하니, 가면 가상(嘉尙)함이 있을 것이다”는 것은 괘의 몸체로 말하면 가운데는 차있고 밖은 비어 있어서이다. 가운데가 차 있으므로 정성이 있고, 밖이 비어있기 때문에 가운데의 정성이 밖으로 통할 수 있으니, 이것이 “마음 때문에 형통하다”는 것이다. ‘마음속에서 정성스러우면 밖으로 드러나는 것이니’ 정성스러우면 다른 것을 움직일 수 있고 가면 반드시 공을 얻게 되니, 이것이 “가면 가상함이 있을 것이다”는 것이다. 괘상(卦象)으로써 말하면 위아래 두 음이 양쪽 언덕의 흙이다. 가운데 머금은 하나의 양은 하늘 수 1인 수(水)이다.
물이 땅속에서 나와 그 흐름이 이어져 끊이지 않고 밤낮으로 멈추지 않으니, 이것이 “정성이 있다”는 것이다. ‘마음’은 ‘중(中)’으로 풀이해야 한다. 정성이 있으므로 그 가운데의 흐름이 쉼 없이 가는데, 방울방울 잔에서 떨어지는 미미함으로 시작하지만 강과 바다에 이르러 하늘에 가득 찰 정도로 커진다. 이것이 형통하고 가면 공이 있는 것이다. 지극히 험한 가운데 크게 통하는 도리가 있는 것은 오직 정성이 있기 때문이다. 사람이 험난한 가운데 처하여 형통함을 이룰 수 있고 공이 있을 수 있는 것도 정성이 있어서일 뿐이다. 상(象)을 보면 점을 알 수 있으므로 “군자가 단사(彖辭)를 보면 생각이 반을 넘을 것이다”라 한 것이다.

### 조호익(曺好益) 『역상설(易象說)』

坎爲心象, 行亦坎水象. 坎水潤下, 愈下則陷矣, 故以爲尙. 離火炎上, 愈上則焚矣, 故以止爲吉
감괘는 마음[心]의 상이 되고, 행(行) 역시 감괘 물의 상이다. 감괘의 물은 적시며 내려가나 내려갈수록 빠지게 되므로 가상함[尙]이 된다. 리괘[離]의 불은 불꽃이 치솟으나 올라갈수록 타버리므로, '그치는 것'이 길함이 된다.

### 이익(李瀷) 『역경질서(易經疾書)』

莫難於險, 重險爲尤難. 易爲憂患作, 憂患生於險, 故易中惟坎言習, 此文王之志也. 易擧正習上有坎字, 天地自然之心, 見於復, 君子用力之心, 見於坎, 聖人與天地同心, 學者維習乃亨. 觀水有術, 流而不盈, 行險而不失其信, 卽存心之節度也. 坎一陽陷二陰之內, 章本淸以道心維微爲喩亦得.

'험함'보다 어려운 것이 없는데, 험함이 중첩되니 더욱 어려움이 된다. 『주역』은 환란을 근심하여 지은 것으로, 우환은 험함에서 생기므로, 『주역』에서 감괘에만 '거듭[習]'이라고 하였으니, 이는 문왕의 뜻이다. 『주역거정(周易擧正)』[4]에서는 습(習)위에 감(坎)자를 두었다. 천지의 저절로 그러한 마음은 복괘(復卦)에서 드러나고, 군자가 힘쓰는 마음은 감괘에서 드러나니, 성인은 천지와 마음을 하나로 하고, 공부하는 이는 오직 거듭하여야 형통해진다. 물을 살펴보는데 방도가 있으니, 흐르지만 넘치지 않고, 험함에 행하여도 그 미더움을 잃지 않으니, 곧 마음의 절도를 보존한 것이다. 감괘는 한 양이 두 음 속에 빠진 것이니, 장본청(章本淸)[5]이 "도심은 오직 은미하다"는 것으로 비유를 삼은 것도 옳다.

### 송시열(宋時烈) 『역설(易說)』

習字, 傳已詳言. 呂大臨曰. 乾健坤順, 震動艮止, 巽入兌說, 離明坎險之中, 惟坎險非吉德, 君子所不取, 更試重儉, 君子所有事也. 張俊曰, 習坎, 求以出險云云. 蓋重習於出險之道, 所以爲君子謀也. 與他卦自別, 坎有誠信純一之象. 上下互相孚合, 故曰有孚. 相孚如兩相維之. 故曰維心. 坎有亨通之意, 故曰亨, 以是而行, 有功可尙, 故曰行有尙. 皇極經世書云, 伊尹以之.

'습(習)'자는 『정전』에서 이미 상세하게 말하였다. 여대림이 "건괘의 강건함과 손괘의 순함, 진괘의 움직임과 간괘의 멈춤, 손괘의 들어감과 태괘의 기뻐함, 리괘의 밝음과 감괘의 험함 가운데 감괘만이 험해 길한 덕이 아니라서 군자가 취하지 않는 바인데 다시 거듭 험함을 시도하니 군자가 할 일이 있는 것이다"라고 하였고, 장준은 "습감은 험함에서 벗어나길 구하는 것이다"라고 하였다. 험함을 벗어나는 도리에서 거듭 익히기에 군자를 위한 방책인 것이

---

4) 『주역거정(周易擧正)』: 당나라 역학자 곽경(郭京)의 저술이다.
5) 장본청(章本淸): 이름은 장한(章漢)이며, 본청(本淸)은 자(字)로 명대 유학자이다.

다. 다른 괘와 저절로 구별되니, 감괘에는 정성스럽고 미더우며 순일한 상이 있다. 위아래가 서로 믿어 합하므로 "믿음이 있다"고 하였다. 서로 믿음이 둘이 서로 묶는 것[維] 같으므로 "마음을 묶는다[維心]"라고 하였다. 감괘에 형통하는 뜻이 있으므로 "형통한다"고 하였고, 이로써 행하면 공이 있어 가상하므로 "가면 가상함이 있을 것이다"라고 하였다. 『황극경세서』에서는 이윤이 그렇게 했다고 하였다.

### 유정원(柳正源) 『역해참고(易解參攷)』

正義, 習有二義, 一重習也, 謂上下俱坎是重疊, 有險險之重疊, 乃成險之用也. 一人之行險, 先須便習其事, 乃可得通, 故云習也.
『주역정의』에 말하였다: 습(習)에는 두 가지 뜻이 있으니, 하나는 거듭함으로, 위아래가 모두 감괘이니, 중첩되었음을 말한다. 험함과 험함이 중첩됨이 있어 이에 험한 작용을 이룬다. 하나는 사람이 험함에 행할 때 먼저 반드시 그 일을 익혀야 형통할 수 있기 때문에 습(習)이라고 한 것이다.

○ 問, 八卦中, 獨坎加習字, 如何. 朱子曰, 此等不必深究其說.
물었다: 팔괘가운데 유독 감괘에만 습(習)자를 덧붙인 것은 왜 그렇습니까?
주자가 답하였다: 이런 것들은 굳이 그 설을 깊이 궁구할 필요가 없습니다.

○ 隆山李氏曰, 有孚維心亨, 以象觀之, 則陽居坎險, 是爲心病. 以理觀之, 則陽爲誠實, 是爲心亨, 故宜乎行有尙, 而終能濟險也.
융산이씨가 말하였다: "정성이 있어 마음 때문에 형통하다"는 말을 상으로 보면 양이 험한 구덩이에 있으니, 마음의 병이 된다. 이치로 보면 양은 성실함이 되니, 이것이 '마음 때문에 형통함'이 된다. 그러므로 '가면 가상함이 있고', 마침내 험함을 건널 수 있는 것이 마땅하다.

○ 案, 六爻皆言險陷, 而卦辭專言出險, 蓋指二五之剛中言也.
내가 살펴보았다: 여섯 효에서 모두 험함에 빠짐을 말하였는데, 괘사에서는 전적으로 험함에서 벗어남만 말하였으니, 이효와 오효가 굳센 양으로 알맞음을 가리켜 말한 것이다.

小註, 雲峯說罔與冥.
소주에서 운봉호씨가 '망(罔)과 명(冥)'을 말하였다:
〈太玄經, 罔直蒙酋冥, 罔北方也. 故萬物罔乎北, 直乎東, 蒙乎南, 酋乎西. 罔者, 有之舍, 冥者, 明之藏. 罔舍其氣, 冥反其奧. 出冥入冥, 新故更代.

『태현경』에서 말하였다: 망(罔)·직(直)·몽(蒙)·추(酋)·명(冥)이니, 망은 북방이다. 그러므로 만물이 북방에서 숨어 있다가, 동방에서 생겨나고, 남방에서 자라며, 서방에서 결실을 맺는다. 망이란 유(有)를 머물게 하는 것이고, 명(冥)이란 밝음을 감추는 것이다. 망은 그 기운을 머물게 함이고, 명은 그 깊은 데로 돌아감이다. 명에서 나가고, 명으로 들어와 새로워짐으로 세대가 바뀐다.〉[6]

〈○ 魯齋鮑氏曰, 萬物入乎北, 則有化於旡, 故謂之冥. 萬物出乎北, 則旡化于有, 故謂之罔.
노재포씨가 말하였다: 만물이 북방으로 들어가면 유가 무로 바뀌므로 명(冥)이라고 하였다. 만물이 북방에서 나오면 무가 유로 바뀌므로 망(罔)이라고 하였다.〉

### 김상악(金相岳)『산천역설(山天易說)』

習, 重習也. 孚與心, 二五之中實也. 故皆能致亨. 以是而行, 有可嘉尙. 蓋孚心之亨, 二五所同而出險之功, 五爲主. 所以坎性下而以上行爲尙, 爻辭可見.
습(習)은 거듭함이다. '정성'과 '마음'은 이효와 오효가 알맞고 충실한 것이다. 그러므로 모두 형통함을 이룰 수 있다. 이로써 가면 가상할 수 있다. 정성과 마음으로 형통함은 이효와 오효가 같은 바이지만 험함에서 벗어나는 공은 오효가 주관한다. 그래서 감괘의 성질은 내려가는 것이지만 올라가 행하는 것으로써 가상함을 삼았으니, 효사에 보인다.

○ 凡於坎離之卦, 多言孚言心言志者, 以乾坤中交, 一中實一中虛也. 坎之陽, 離之陰, 皆得中于上下, 故亨, 皆從中起也. 行有尙, 謂動而出險也.
감괘와 리괘에 정성, 마음, 뜻을 말함이 많은 것은 건괘·곤괘의 가운데가 사귐에 하나는 가운데가 차 있고, 하나는 비어있기 때문이다. 감괘의 양과 리괘의 음이 모두 상하괘에서 가운데를 얻었으므로 형통하니, 모두 가운데로부터 일어났다. "가면 가상함이 있을 것이다"는 움직여 험함에서 벗어남을 말한다.

### 서유신(徐有臣)『역의의언(易義擬言)』

郭京云, 習坎上, 當有坎字也. 習坎者, 習熟於坎險也. 水之中流剛實, 行之沛然, 維心

---

6)『太玄經·玄文』: 罔直蒙酋冥. 罔北方也冬也未有形也, 直東方也春也質而未有文也, 蒙南方也夏也物之脩長,也 皆可得而載也, 酋西方也秋也物皆成象而就也 ,有形則復於無形故曰冥.

亨也. 卦中畫, 是象也. 水必通行而後, 利澤及物, 行有尙也. 君子處坎, 窮阨險難, 皆外也, 其心未嘗不亨也. 天之將降大任於斯人, 動心忍性, 增益其所不能, 所以爲行有尙也.
곽경이 말했다: '습감(習坎)' 위에는 마땅히 '감(坎)'자가 있어야 한다. '습감'이란 감괘의 험함에 능숙한 것이다. 물의 가운데 흐름은 굳세어서 세차게 행하니, 이것이 '마음 때문에 형통함'이다. 괘의 가운데 획이 이 상이다. 물은 반드시 통해 내려간 뒤에 이로움이 사물에 미치니, '가면 가상함이 있는 것'이다. 군자가 감괘에 처해서 곤궁하고 험난함은 모두 밖으로부터이며, 그 마음은 형통하지 않은 적이 없다. 하늘이 장차 이 사람에게 큰 임무를 내리려 할 때, 마음을 움직이고 성품을 인내시켜 그 못하는 일을 잘 할 수 있도록 하니,[7] 그래서 '가면 가상함이 있게' 된다.

### 윤행임(尹行恁) 『신호수필(新湖隨筆) · 역(易)』

坎之卦體, 得巽之體, 有木在水上之義. 故行有尙, 往有功, 以其有舟楫將濟之象.
감괘의 몸체가 손괘(巽卦)의 몸체를 얻었으니, 나무가 물 위에 있는 뜻이 있다. 그러므로 행하면 가상함이 있고, 가면 공이 있으니, 배에 노가 있어 건너가는 상이 있기 때문이다.

### 강엄(康儼) 『주역(周易)』

按, 六十四卦辭, 坎獨言心, 何也. 妄謂坎之一陽, 有心之象, 且他卦非旡坎而獨言於此者, 以處險之道, 心亨爲貴故也.
내가 살펴보았다: 육십사괘의 괘사에 감괘에서만 '마음'을 말한 것은 어째서인가? 내 생각에, 감괘의 한 양에 마음의 상이 있고, 다른 괘에 감괘(☵)가 없지 않으나 여기에서만 말한 것은 험난함에 대처하는 도리는 '마음의 형통함'을 귀하게 여기기 때문이다.

### 박문건(朴文健) 『주역연의(周易衍義)』

習, 重習也. 處上而兢惕, 故能孚. 其下進居中正, 故有心亨之象. 若釋疑而行, 則必有嘉尙之道也.
습(習)은 거듭함이다. 위에 있으면서 전전긍긍 두려워하므로 정성껏 할 수 있다. 그 아래에서는 나아가 중정함에 있기 때문에 마음이 형통한 상이 있다. 만약 의심을 풀고 간다면 반드

7) 『孟子 · 告子』.

시 가상한 길이 있을 것이다.
〈問, 維心亨. 曰, 維其心亨者, 陽明在內之象. 心亨, 則能知往來吉凶之道也.
물었다: "마음 때문에 형통하다"는 무슨 뜻입니까?
답하였다: "마음 때문에 형통하다"는 밝은 양이 안에 있는 상입니다. 마음이 형통하면 오고 감과 길하고 흉한 도리를 알 수 있습니다.〉

## 이지연(李止淵) 『주역차의(周易箚疑)』

時險, 道不險者也.
때는 험하지만 도리는 험하지 않은 것이다.

## 김기례(金箕澧) 「역요선의강목(易要選義綱目)」

習坎.
습감.
〈習, 重也, 過極則必陷. ○ 陽陷陰中, 居天一生水之方. 一陽在中, 故程傳曰'一始於中'陽卦.
습(習)은 거듭함이니, 극도로 지나치면 빠지기 마련이다. ○ 양이 음 가운데 빠져서 하늘 수 1이 물을 낳는[天一生水] 자리에 있다. 하나의 양이 가운데 있으므로 『정전』에서 "하나가 가운데 양괘에서 비롯된다"고 하였다.〉

有孚.
정성이 있어서.
〈中實爲信之質.
가운데가 충실함이 믿음의 바탕이 된다.〉

維心亨, 行有尙.
마음 때문에 형통하니, 가면 가상함이 있을 것이다.
〈坎爲多心, 二五陷險, 自有剛德, 故曰心亨. ○ 不行則處險, 行則出險, 故行有尙.
감괘는 단단하고 심이 많은 것이 되니,[8] 이효와 오효는 험함에 빠지나 그 자신이 굳센 덕이 있으므로 "마음 때문에 형통하다"고 하였다. ○ 가지 않으면 험난한데 있게 되고, 가면 험난

8) 『周易 · 說卦傳』: 坎 … 其於木也, 爲堅多心.

함에서 벗어나므로 가면 가상함이 있다.〉

### 심대윤(沈大允) 『주역상의점법(周易象義占法)』

坎爲習之義, 習者屢行而重習也. 特言習坎以明重險而不測也. 在人則爲城府深密而不可測也, 在行事則爲險難不測之危地也. 二者皆以誠信爲主, 故曰有孚, 二者皆所以爲事業也. 君子險而不測, 而中有誠信以自守, 故天下服而信之, 畏而親之. 不測者, 知之用也, 誠信者, 正之體也. 若中无誠信, 而徒爲知巧而不測, 則奸慝之行也. 君子行乎危險之地, 而衆從之者, 以有誠信也, 故能濟也. 若无誠信而行險僥倖, 則衆叛而不能濟也. 行其險難而不失其正, 故曰維心亨. 中离爲心. 行有尙, 言果行而得其志尙也.
감괘는 습(習)의 뜻이니, 습(習)이란 여러 번 행하여서 거듭함이다. 특히 '습감'이라 하여 험난함이 중첩되어 헤아릴 수 없음을 밝혔다. 사람에 있어서는 마음이 깊어서 헤아릴 수 없는 것이 되고, 일을 행함에 있어서는 험난함을 헤아릴 수 없는 위험한 처지가 된다. 두 가지 모두 정성과 믿음을 위주로 하므로 "정성이 있다"고 하였으니, 두 가지 모두 사업이 되는 것이다. 군자는 험난하여 헤아릴 수 없음에 속으로 정성과 믿음을 두어 스스로 지키므로, 천하가 복종하여 믿고, 외경하여 따른다. 헤아릴 수 없는 것은 앎의 작용이고, 정성과 믿음은 바름의 본체이다. 만약 속에 정성과 믿음이 없이 한갓 앎이 교묘하여 헤아릴 수 없다면, 이는 간특한 행위이다. 군자가 위험한 처지에서 행할 때 무리들이 따르는 것은 정성과 믿음이 있기 때문이니, 그래서 건널 수 있다. 만약 정성과 믿음이 없이 요행으로 험난함에 행한다면 무리들이 배반하여 건널 수 없을 것이다. 험난함에 행함에 그 바름을 잃지 않으므로 "마음 때문에 형통하다"고 하였으니, 가운데의 리괘가 마음이 된다. "가면 가상함이 있을 것이다"는 과감하게 가서 그 뜻이 가상함을 얻는 것을 말한다.

### 오치기(吳致箕) 「주역경전증해(周易經傳增解)」

習, 重習也. 坎險也, 一陽陷於二陰之間, 爲險之象, 而上下俱險爲習坎之象也. 外虛而中實爲誠信有孚之象. 雖爲重險而二五之剛, 俱得其中, 故言維以其心而亨通. 水性流下, 不失其常, 故言行必有功也.
습(習)은 거듭함이다. 감(坎)은 험함이니, 한 양이 두 음의 사이에 빠져서 험함의 상이 되는데, 위아래로 모두 험하니 거듭 험한 상이 된다. 밖은 비고 가운데는 충실한 것이 정성과 믿음이 있는 상이다. 비록 거듭 험함이 되더라도 이효와 오효의 굳셈이 모두 그 가운데 있으므로 오직 그 마음 때문에 형통하다고 하였다. 물의 성질은 흘러내려가는 것으로 그 항상됨을 잃지 않기 때문에 가면 반드시 공이 있다고 하였다.

○ 習, 取於坎, 已見坤二. 心取對體之離. 亨者通也, 此言亨者, 以卦體言, 而非占辭也. 卦旡應, 故不言往, 而水流行險, 故言行也. 尙者功也. 卦義則重險, 卦位則下坎失正, 故不言貞.
습(習)은 감괘에서 취한 것으로 이미 곤괘(坤卦) 이효에서 보였다. 심(心)은 음양이 바뀐 괘인 리괘(離卦)에서 취한 것이다. 형(亨)이란 통함인데, 여기에서 형통함을 말한 것은 괘의 몸체로 말한 것이지 점사가 아니다. 괘에 호응함이 없으므로 왕(往)이라 하지 않았고, 물이 흘러 험함을 지나서 가므로 행(行)이라고 하였다. 상(尙)이란 공(功)이다. 괘의 뜻이 험함이 거듭하고, 괘의 자리는 하괘인 감괘가 바름을 잃었으므로 곧다[貞]고 하지 않았다.

### 이진상(李震相) 『역학관규(易學管窺)』

卦體, 承頤而爲四陰二陽之卦. 坎離者, 天地之妙用也, 故居於終. 大傳所謂水火不相射者, 是也. 坎互艮震, 離互兌巽, 山澤通氣, 雷風相薄之妙, 亦在其中. 以離之四陽, 得坎二陽則乾矣, 以坎之四陰得離二陰則坤矣, 此又乾坤之妙也. 中男主事, 而長男少男亦在其中.
괘의 몸체가 이괘(頤卦䷚)를 이어 음이 넷, 양이 둘인 괘가 된다. 감괘·리괘는 천지의 오묘한 작용이므로 상경의 끝에 놓였다. 「설괘전」에 "물과 불이 서로 쏘지 않는다"라 한 것이 이것이다. 감괘(䷜)의 호괘는 간괘·진괘이고, 리괘(䷝)의 호괘는 태괘·손괘이니, 산과 못이 기운을 통하고, 우레와 바람이 서로 부딪히는 묘함도 그 가운데 있다. 리괘의 네 양이 감괘의 두 양을 얻으면 건괘가 되고, 감괘의 네 음이 리괘의 두 음을 얻으면 곤괘가 되니, 이 또한 건괘·곤괘의 오묘함이다. 둘째 아들이 일을 주관하니 큰 아들과 막내 아들도 그 가운데 있다.

### 박문호(朴文鎬) 「경설(經說)·주역(周易)」

天下之物, 莫大於水, 而其重複爲最, 故於坎, 獨加習字.
천하의 사물이 물보다 큰 것이 없는데, 그것이 겹쳐서 최고가 되므로 감괘에서 유독 '습(習)' 자를 덧붙였다.

象曰, 習坎, 重險也.

「단전」에서 말하였다: 습감은 거듭 험함이다.

## 中國大全

本義

釋卦名義.

괘의 이름을 해석하였다.

## 韓國大全

### 유정원(柳正源) 『역해참고(易解參攷)』

正義, 習坎者, 習行重險, 險難也. 若險難不重, 不爲至險, 不須便習, 亦可濟也. 今險難旣重, 是險之甚者, 若不便習, 不可濟也.

『주역정의』에서 말하였다: '습감(習坎)'이란 중첩된 험함에 익숙하게 행하는 것이니, 험함은 어려움이다. 만약 험난함이 중첩되지 않았다면 지극히 험한 것은 아니어서 반드시 숙달하지는 않더라도 건널 수 있다. 이제 험난함이 이미 중첩되어 있으니, 이는 험함이 심한 것이어서 숙달하지 않는다면 건널 수 없다.

### 김상악(金相岳) 『산천역설(山天易說)』

釋卦名義.

괘의 이름을 풀이하였다.

### 서유신(徐有臣)『역의의언(易義擬言)』

習坎上, 當有坎字也. 重坎爲重險, 象重險. 故習熟於險也. 坎水也, 水卽險也. 雖緩流淺灘, 亦有濟涉之勞, 覆溺之憂, 故水爲險也, 非爲水外別有險也.

'습감(習坎)' 위에 '감(坎)'자가 있어야 한다. 중첩된 구덩이는 중첩된 험함이니, 험함이 거듭됨을 상징한다. 그러므로 험함에 익숙하다. 감(坎)은 물이니, 물은 곧 험함이다. 비록 완만히 흐르는 낮은 여울이라도 건너는 노력과 엎어지고 빠지는 근심이 있는 것이므로 물은 험함이 되며, 물외에 별도로 험함이 있는 것은 아니다.

### 박문건(朴文健)『주역연의(周易衍義)』

此釋卦名.

이는 괘의 이름을 풀이한 것이다.

## 水流而不盈, 行險而不失其信.

물이 흘러가서 가득차지 않으며 험함을 행하나 신의를 잃지 않는다.

### 中國大全

**傳**

習坎者, 謂重險也. 上下皆坎, 兩險相重也. 初六云坎窞, 是坎中之坎, 重險也. 水流而不盈. 陽動於險中, 而未出於險, 乃水性之流行, 而未盈於坎. 旣盈則出乎坎矣. 行險而不失其信, 陽剛中實, 居險之中, 行險而不失其信者也. 坎中實水就下, 皆爲信義, 有孚也.

습감(習坎)은 거듭된 험함을 이른다. 위아래가 모두 감(☵)이어서 두 험함이 서로 거듭된 것이다. 초육에서는 '구덩이의 구멍[坎窞]'이라 말하였으니, 이는 구덩이 가운데의 구덩이이므로 거듭 험한 것이다. '물이 흘러가서 가득차지 않음[水流而不盈]'은 양이 험한 가운데에서 움직이나 아직 험함에서 벗어나지 못하였으니, 이는 물의 성질이 흘러가나 아직 구덩이에 가득차지 않은 것이다. 이미 가득 찼다면 구덩이에서 나올 것이다. '험함을 행하나 신의를 잃지 않음[行險而不失其信]'은 강한 굳셈으로 가운데가 채워진 것이 험한 가운데에 있으니, 험함을 행하나 신의를 잃지 않는 자이다. 감괘가 가운데가 채워진 것과 물이 아래로 내려감은 모두 신의가 되니, 정성이 있는 것이다.

**本義**

以卦象釋有孚之義, 言內實而行有常也.

괘상으로 '정성이 있음[有孚]'의 뜻을 해석하였으니, 안이 진실하고 행실에 떳떳함이 있음을 말하였다.

**小註**

朱子曰, 水流不盈, 是說一坎滿, 便流出去, 一坎又滿, 又流出去. 行險而不失其信, 則是說決定如此.

주자가 말하였다: '물이 흘러가서 가득차지 않음'은 하나의 구덩이가 가득차면 흘러가고, 또 하나의 구덩이가 가득차면 또 흘러감을 말한다. '험함을 행하나 신의를 잃지 않음'은 결정함이 이와 같음을 말한다.

○ 坎水只是平, 不解滿, 盈是滿出來.
구덩이의 물은 단지 평평하여 꽉 채우는 이상이 될 수 없다. 가득차면 차서 흘러나오는 것이다.

○ 雲峯胡氏曰, 水字當讀流而不盈, 行險而不失其信, 兩句皆指水言. 以水之內實行有常者, 釋卦辭有孚之義也.
운봉호씨가 말하였다: '수(水)'자는 "흘러가서 가득차지 않으면, 험함을 행하나 신의를 잃지 않는다[流而不盈 行險而不失其信]"까지 연결하여 읽어야 하니, 두 구절 모두 물을 가리켜서 말한 것이다. 물의 안이 채워있고 감[行]에 일정함이 있는 것으로써 괘사의 '정성이 있음'의 뜻을 해석하였다.

○ 臨川吳氏曰, 流者, 一陽之動於中, 不盈者, 陷於二陰而未能出, 險, 謂中能陷人隔絶內外, 不失其信, 謂逝者如斯不舍晝夜.
임천오씨가 말하였다: '흘러감[流]'은 하나의 양이 가운데에서 움직이는 것이고, '가득차지 않음[不盈]'은 두 음에 빠져서 벗어날 수 없는 것이며, '험함[險]'은 가운데에 사람을 빠뜨려 안팎이 격리되게 할 수 있음을 말하고, '신의를 잃지 않음[不失其信]'은 "가는 것이 이와 같구나. 밤낮으로 쉬지 않네"[9]를 말한다.

○ 建安丘氏曰, 坎爲水, 流水也, 兌爲澤, 止水也. 兌陰卦, 陰靜故止, 坎陽卦, 陽動故流. 惟流故不盈, 惟不盈故可出險, 若待盈而後流, 則澤水也.
건안구씨가 말하였다: 감(☵)은 물[水]이니 흐르는 물이고, 태(☱)는 못[澤]이니, 고여 있는 물이다. 태괘는 음괘이니 음은 고요하기 때문에 고여 있고, 감괘는 양괘이니, 양은 움직이기 때문에 흐른다. 오직 흐르기 때문에 가득차지 않으며, 가득차지 않기 때문에 험함에서 벗어날 수 있다. 가득차고서야 흐른다면, 이는 곧 못의 물이다.

---

9) 『論語 · 子罕』.

# ▌韓國大全▐

## 유정원(柳正源)『역해참고(易解參攷)』

正義, 此釋重險, 習坎之義. 險陷旣極, 坑穽特深, 水雖流注, 不能盈滿, 言險之甚也. 行此至險, 能守其剛中, 不失其信, 此釋習坎及有孚之義也. 以能便習於險, 故守剛, 不失其信也

『주역정의』에서 말하였다: 이것은 거듭 험함을 해석한 것이니, '습감'의 뜻이다. 험함에 빠짐이 이미 지극하고, 구덩이가 특히 깊어서 물이 비록 흐르면서 채워도 가득 채우지 못하는 것이니, 몹시 험함을 말한다. 이렇게 지극히 험한데 행함에 그 굳셈과 알맞음을 지킬 수 있어서 미더움을 잃지 않으니, 이는 '습감(習坎)' 및 '정성이 있음[有孚]'의 뜻을 해석한 것이다. 험함에 숙달할 수 있으므로 굳셈을 지켜서 "신의를 잃지 않는다".

○ 鄭氏湘卿曰, 潮水有信.
정상경이 말하였다: 조수(潮水)에도 미더움이 있다.

○ 案, 水性就下, 盈科而進, 亦信也.
내가 살펴보았다: 물의 성질은 아래로 내려가니 웅덩이를 채우고서야 나아가는 것[10] 역시 미더움이다.

## 서유신(徐有臣)『역의의언(易義擬言)』

水流而不盈, 行險而不失其信.
물이 흘러가서 가득차지 않으며 험함을 행하나 신의를 잃지 않는다.

流故不盈, 不流則溢, 流乃水之德也. 水自險, 故爲行險也. 行險者, 鮮能有守, 而水之行, 常而不改, 故曰不失其信, 是爲有孚也.
흐르므로 가득차지 않고 흐르지 않으면 넘치니, 흐르는 것이 물의 덕이다. 물은 본래 험하기 때문에 험함을 행하는 것이 된다. 험함을 행하는 자는 지킬 수 있는 이가 드문데, 물의 행함은 항상되어 바뀌지 않으므로 그 신의를 잃지 않는다고 했으니, 이것이 '정성이 있음'이 된다.

---

10)『孟子·離婁』: 孟子曰, 原泉混混, 不舍晝夜, 盈科而後進, 放乎四海. 有本者如是, 是之取爾.

### 박문건(朴文健) 『주역연의(周易衍義)』

爲下所決, 故雖不盈, 然行險而能守其信也. 此以九五釋卦辭.
아래에서 터졌기 때문에 비록 가득차지는 않지만, 험함에 행하는데 그 신의를 지킬 수 있다. 이는 구오로써 괘사를 풀이한 것이다.

### 김기례(金箕澧) 「역요선의강목(易要選義綱目)」

水流而不盈,
물이 흘러가서 가득차지 않으며,
坎陽卦, 陽動故流, 流故不盈, 不盈而流, 則自出險.
감괘는 양괘이니 양은 움직이므로 흐르고, 흐르기 때문에 가득차지 않으며, 가득차지 않았는데 흐르면 스스로 험함에서 벗어난다.
○ 兌澤爲止水, 坎爲流水.
못인 태괘는 그친 물이 되고, 감괘는 흐르는 물이 된다.

行險而不失其信,
험함을 행하나 신의를 잃지 않는다.
行險, 釋行有尙, 不失信, 釋有孚.
'험함에 행함'은 "가면 가상함이 있다[行有尙]"를 풀이한 것이고, '신의를 잃지 않음'은 "정성이 있다[有孚]"를 풀이한 것이다.

### 심대윤(沈大允) 『주역상의점법(周易象義占法)』

水之流行而不盈則不移, 如人之知而能有信, 故曰水流而不盈. 險而不變其中心之所守, 故曰行險而不失其信.
물이 흘러가서 가득차지 않으면 옮겨가지 않으니, 사람이 알고서 믿음을 가질 수 있는 것과 같으므로 "물이 흘러가서 가득차지 않는다"고 하였다. 험하지만 그 속마음에 지키는 것을 변하지 않으므로 "험함을 행하나 신의를 잃지 않는다"라고 하였다.

## 維心亨, 乃以剛中也.

"마음 때문에 형통함"은 굳센 양이 가운데 있기 때문이다.

## 中國大全

傳

**維其心可以亨通者, 乃以其剛中也. 中實爲有孚之象, 至誠之道, 何所不通. 以剛中之道而行, 則可以濟險難而亨通也.**

그 마음이 형통할 수 있는 것은 굳센 양이 가운데 자리에 있기 때문이다. 가운데가 채워진 것은 정성이 있는 상이 되니, 지극히 정성된 도가 어느 곳인들 통하지 못하겠는가? 굳센 양이 가운데 있는 도로써 행하면 험난함을 구제하여 형통할 수 있을 것이다.

## 韓國大全

심조(沈潮) 「역상차론(易象箚論)」

象, 心亨.

「단전」에서 말하였다: 마음 때문에 형통하다.

水內明故, 曰心亨.

물은 속이 밝으므로 "마음 때문에 형통하다"고 하였다.

**최세학(崔世鶴)「주역단전괘변설(周易彖傳卦變說)」**

坎彖曰, 維心亨, 乃以剛中也.
감괘「단전」에서 말하였다: '마음 때문에 형통함'은 굳센 양이 가운데 자리에 있기 때문이다.

坎, 坤之二體變也, 二與五, 二爻爲主. 故彖以剛中言之. 乾二來居於下體之中, 乾五往居於上體之中, 乃其剛中也.
감괘는 곤괘의 위 아래 두 몸체가 변했으니, 이효와 오효 두 효가 중심이 된다.「단전」에서 '굳센 양이 가운데 있음'으로 말하였다. 건괘의 이효가 와서 하체의 가운데에 있고, 건괘의 오효가 가서 상체의 가운데에 있으니, 그것이 '굳센 양이 가운데 있음'이다.

## 行有尙, 往有功也.

"가면 가상함이 있음"은 가면 공이 있는 것이다.

## 中國大全

### 傳

**以其剛中之才而往, 則有功, 故可嘉尙. 若止而不行, 則常在險中矣. 坎以能行爲功.**

굳세고 알맞은 재질로 가면 공이 있을 것이므로 가상할 만한 것이니, 만약 멈추고 가지 않는다면 항상 험한 가운데에 있을 것이다. 감괘는 가는 것을 공으로 삼는다.

### 本義

**以剛在中, 心亨之象, 如是而往, 必有功也.**

굳셈으로 가운데 있음은 마음 때문에 형통한 상이니, 이와 같이 하여 가면 반드시 공이 있을 것이다.

#### 小註

節齋蔡氏曰, 剛中二五也. 往有功, 動則出坎也.
절재채씨가 말하였다: '굳센 양이 가운데 있음'은 이효와 오효이다. '가면 공이 있음'은 움직이면 험함에서 벗어나는 것이다.

○ 息齋余氏曰, 行有尙, 卽節九五之往有尙, 所謂通也.
식재여씨가 말하였다: '가면 가상함이 있음'은 곧 절괘 구오의 "가면 가상함이 있다"이니, 이른바 형통함이다.

## ‖韓國大全‖

### 유정원(柳正源) 『역해참고(易解參攷)』

張子曰, 坎唯心亨, 故行有尙. 外雖積險, 苟處之心亨不疑, 則雖難必濟而往有功也. 今水臨萬仞之上, 要下卽下, 无復凝滯之在前, 唯知有義理而已, 則復何回避, 所以心通.
장자(張子)가 말하였다: 감괘는 마음 때문에 형통하므로 가면 가상함이 있다. 밖에 비록 험난함이 쌓여 있더라도, 대처함에 마음이 형통하여 의심하지 않는다면 비록 어렵더라도 반드시 구제하여 "가면 공이 있는 것이다." 이제 물이 만 길 위에 있어서 내려가고자 하면 바로 내려가 다시 장애가 앞에 놓임이 없고, 의리가 있음만을 알 뿐이니 어찌 다시 회피하겠는가! 그러므로 마음이 형통한다.

### 서유신(徐有臣) 『역의의언(易義擬言)』

維心亨乃以剛中也行有尙往有功也
雖處險中而心則亨, 故卦稱維, 彖稱乃也. 剛中, 二五也, 以卦體明其象也. 有孚心亨, 故往[11]而有功也. 水之象爲然, 卦之才爲然, 君子亦然也.
비록 험한 가운데 있어도 마음은 형통하기 때문에, 괘사에서는 '오직[維]'이라고 하였고, 「단전」에서는 '곧[乃]'이라고 하였다. '굳센 양이 가운데 있음'은 이효와 오효이니, 괘의 몸체로 그 상을 밝혔다. 정성이 있으면 마음이 형통하므로 가서 공이 있다. 물의 상이 그러하고, 괘의 재질이 그러하니, 군자도 그러하다.

### 박문건(朴文健) 『주역연의(周易衍義)』

往有功, 言必遇也. 此亦以九五釋卦辭.
"가면 공이 있다"는 반드시 만난다는 말이다. 이 역시 구오로써 괘사를 풀이하였다.

### 이진상(李震相) 『역학관규(易學管窺)』

彖, 習, 上下皆坎之象, 陽實在中, 心象, 兩陰包陽, 孚象. 互震故言行, 行則出坎, 故有尙.

---

11) 往: 경학자료집성DB와 영인본에는 모두 '泩'로 되어 있으나, 『주역』 경문에 따라 '往'으로 바로잡았다.

「단전」의 습(習)은 위아래가 모두 감괘인 상이고, 양이 가운데 차 있는 것이 마음[心]의 상이며, 두 음이 양을 감싸고 있는 것이 정성[孚]의 상이다. 호괘가 진괘이므로 감[行]을 말하였으니, 가면 험함에서 벗어나므로 가상함[尙]이 있다.

**天險, 不可升也, 地險, 山川丘陵也, 王公設險, 以守其國, 險之時用, 大矣哉.**

하늘의 험함은 오를 수 없고 땅의 험함은 산천과 구릉이니, 왕공이 험함을 설치하여 나라를 지킨다. 험함의 때와 쓰임이 크도다.

## 中國大全

**傳**

高不可升者, 天之險也, 山川丘陵, 地之險也. 王公君人者, 觀坎之象, 知險之不可陵也. 故設爲城郭溝池之險, 以守其國, 保其民人, 是有用險之時, 其用甚大. 故贊其大矣哉. 山河城池, 設險之大端也. 若夫尊卑之辨, 貴賤之分, 明等威異物采, 凡所以杜絶陵僭, 限隔上下者, 皆體險之用也.

높아서 올라갈 수 없는 것은 하늘의 험함이고, 산천과 구릉은 땅의 험함이다. 왕공과 임금이 된 자가 감(坎)의 상을 보고서 험한 것을 능멸할 수 없음을 알았다. 그러므로 성곽과 해자의 험한 것을 설치하여 나라를 지키고 백성을 보호하니, 이는 험함을 쓸 때에 그 쓰임이 매우 큼이 있는 것이다. 그러므로 "크도다[大矣哉]"라고 찬미하였다. 산 · 강 · 해자는 험함을 설치하는 큰 단서이다. 존비의 구분과 귀천의 신분으로 등급과 위의를 밝히고 물품의 채색을 달리함은 모두 윗사람을 능멸하고 분수를 넘는 일을 막아 위 · 아래를 구별하는 것이니, 이는 모두 험함의 쓰임을 체득한 것이다.

**本義**

極言之, 而贊其大也.

지극히 말하여 그 큼을 찬미하였다.

小註

臨川吳氏曰, 不可升者, 无形之險. 山川丘陵者, 有形之險. 王公因有形之險, 爲无形之險, 設此以固守其國, 是謂人險.

임천오씨가 말하였다: "하늘의 험함은 오를 수 없다"는 형체 없는 험함이고, "땅의 험함은 산천과 구릉이다"는 형체 있는 험함이다. 왕공이 형체 있는 험함으로 인하여 형체 없는 험함을 만들어서 이것을 설치하여 나라를 굳게 지키니 이것을 '사람의 험함'이라고 한다.

○ 厚齋馮氏曰, 險有時有用, 因時而設險, 則國可守, 而與天地相爲長久, 其用豈不大矣哉.

후재풍씨가 말하였다: 험함에는 때와 쓰임이 있다. 때로 인하여 험함을 설치하면 나라를 지킬 수 있어 천지와 더불어 서로 장구하게 할 수 있으니 그 쓰임이 어찌 크지 않겠는가?

○ 建安丘氏曰, 坎六爻, 四陰陷二陽, 四陰坎也, 二陽坎中之水也. 君子觀二陽中實之象, 故體水之德爲有孚維心亨, 所以處險也. 觀四陰險陷之象, 故因坎之形, 設險守國, 所以用險也. 象易 聖人 於往有功以上, 專以水言, 而明處險之道. 自天險不可升以下, 專以險言, 而明用險之方也.

건안구씨가 말하였다: 감괘의 여섯 효는 네 음에 두 양이 빠진 것이니, 네 음은 구덩이[坎]이고, 두 양은 구덩이 안의 물이다. 군자가 두 양의 가운데를 채운 상을 보았기 때문에 물의 덕이 '정성이 있어서 마음 때문에 형통함'이 됨을 본받았으니, 험함에 처하는 방법이다. 네 음이 험하고 빠진 상을 보았기 때문에 감괘의 형체로 인하여 험함을 설치하여 나라를 지키니 이것이 험함을 쓰는 방법이다. 『주역』을 결단한 성인이 '가면 공이 있음[往有功]'까지는 오로지 물을 말하여 험함에 처하는 방도를 밝혔고, '하늘의 험함은 오를 수 없고[天險不可升]'로 부터는 오로지 험함을 말하여 험함을 쓰는 방법을 밝혔다.

# 韓國大全

### 조호익(曺好益)『역상설(易象說)』

王公設險, 以守其國.
왕공이 험함을 설치하여 나라를 지킨다.

王指五, 公指二.
왕은 오효를 가리키고, 공은 이효를 가리킨다.

### 김장생(金長生)「주역(周易)」

天險不可升.
하늘의 험함은 오를 수 없고.

傳, 異物采.
『정전』에서 말하였다: 물(物)과 채(采)를 달리한다.
采, 事也.
채(采)는 일이다.

### 송시열(宋時烈)『역설(易說)』

水之性流下, 而坎上又有坎, 則重窞之科益高, 重坎之水就下, 故雖流而不盈. 人之道, 習於坎, 則雖行險中, 而維心亨, 故不失[12]其信. 剛中者, 二五爻, 皆以中爻, 得陽剛也. 上下重險, 故以天地之險言之. 王公之設險, 以人之所以行險用陰之義言之, 皆習坎之意. 孔穎達曰, 習者, 便習也. 蘇軾曰, 惟水爲能習行於險, 故曰習坎. 胡瑗曰, 人當積習, 然後可以濟險云云.
물의 성질은 아래로 흐르고 구덩이 위에 또 구덩이가 있으니, 구덩이가 중첩된 웅덩이는 더욱 높은데 중첩된 구덩이의 물은 아래로 흐르므로 흘러도 가득차지 못한다. 사람의 도리로 감괘를 익히면 비록 험한 가운데 행하더라도 마음 때문에 형통하므로 그 신의를 잃지 않는다. '굳세고 가운데 있는 것'은 이효와 오효이니, 모두 가운데 효로써 굳센 양을 얻는다.

12) 失: 경학자료집성DB에는 '失'자가 빠져있으나, 『주역』 경문에 따라 '失'을 보완하였다.

위아래로 거듭 험하므로 천지의 험함으로 말하였다. '왕공이 험함을 설치함'은 사람이 험함을 행하고 음을 쓰는 뜻으로 말하였으니, 모두 '습감(習坎)'의 뜻이다. 공영달이 "습(習)이란 익숙해서 편안한 것이다"라 하였다. 소식은 "물만이 험함에 익숙하게 행할 수 있으므로 '습감(習坎)'이라 하였다"라 하였고, 호원은 "사람이 누차 익숙하게 한 뒤라야 험함을 구제할 수 있다"고 하였다.

## 이익(李瀷) 『역경질서(易經疾書)』

水流而不盈一節, 與九五辭勘合. 流與盈反, 不盈便是流也. 在坎雖不盈, 旁決而流下, 亦所以壯其險也. 上云習坎, 下云不盈, 則是坎不盈也. 繼之云行險, 則不盈而流下也. 行險以下, 又與秖既平相照.

'물이 흘러가서 가득차지 않으며'라고 한 절은 구오 효사와 합한다. 흐름은 가득 참과 반대이니, 가득차지 않으면 곧 흐른다. 구덩이에 있어서 비록 가득차지 않았으나 옆이 터져서 흘러내려가니 역시 험함이 심하다. 위에서는 '습감(習坎)'이라 하고, 아래에서는 "가득차지 않는다[不盈]"라고 하였으니, 이는 구덩이가 가득차지 않은 것이다. 이어서 "험함을 행한다"고 하였으니 가득 채우지 않고 흘러내려가는 것이다. "험함을 행한다" 아래는 또한 오효의 "장차 평평함에 이를 것이다"와 서로 조응한다.

孟子所謂盈科而行, 是也. 坎與盈科之科, 不同. 坎者, 以地之勢言, 科者, 以水之限言, 水性就下, 盈科便行, 而不待坎窞之必盈. 故繼之云, 行險不失其信. 若科之不盈, 雖欲行, 得乎爻辭秖既平. 卽科之既盈, 自平以前, 水留不行, 既平以後, 行而已矣. 不然, 一既字爲剩.

『맹자』에서 말한 "웅덩이를 채우고서야 간다"가 이것이다. 구덩이[坎]와 "웅덩이를 채운다"의 웅덩이[科]는 같지 않다. 구덩이[坎]는 땅의 형세로써 말한 것이고, 웅덩이[科]는 물의 한계로써 말한 것이니, 물의 성질은 내려가는 것이어서 웅덩이를 채우면 바로 나아가지 구덩이의 옆 구멍이 반드시 차기를 기다리지 않는다. 그러므로 이어서 "험함을 행하나 그 신의를 잃지 않는다"고 하였다. 웅덩이가 차지 않으면 가고자 하여도 효사에서 말하는 '장차 평평함에 이르름'을 얻어야 한다. 웅덩이가 채워지게 되면, 평평하기 전에는 물이 머물러 있어 가지 못하고, 평평해진 뒤에 갈 뿐이다. 그렇지 않으면, 기(既)자가 군더더기가 된다.

行則雖險阻在前, 必達乃已, 所謂不失其信也. 然在坎則不盈, 故又以中未大爲解. 聖人思以易, 天下雖險危乖亂之極, 聖人用之, 則必有挽回增益之道, 如坎睽蹇三卦, 言時用而贊其大, 此聖人之時用, 非卦本有此象也. 其餘或主時而言, 或主時義而言, 各有其旨. 君子在險, 身或陷溺, 其心無時而不亨. 三軍可奪帥, 匹夫不可奪志. 如此, 安往而不有功. 天險, 望絶也, 地險, 力窮也. 王公以之, 則尊卑定位, 等威截然, 象天險也. 築城池, 固人心, 象地險也.
가면 비록 험난함이 앞에 있더라도 반드시 이르고 마니, 이른바 그 신의를 잃지 않는 것이다. 그러나 구덩이에 있으면서 가득차지 않으므로 "중도가 아직 크지 못하다"라고 설명하였다. 성인은 생각해서 바꾸니, 천하에 극도로 위험하고 어지러운 것이라도 성인이 쓰면 반드시 돌이켜 유익하게 하는 도리가 있다. 감괘 · 규괘 · 건괘 세 괘는 때와 쓰임에서 그 위대함을 찬탄하였는데, 이는 성인의 때와 쓰임이지 괘에 본래 이 상이 있는 것은 아니다. 그 나머지는 때를 위주로 말하기도 하고, 때와 뜻을 위주로 말하기도 하여 각기 그 뜻이 있다. 군자가 험한데 처했을 때 몸은 빠지더라도 그 마음은 형통하지 않을 때가 없다. 삼군의 장수는 빼앗을 수 있지만, 평범한 사람의 뜻은 빼앗을 수 없는 것이다.[13] 이와 같다면 어디를 간들 공이 있지 않겠는가? 하늘의 험함은 너무 높아 바라볼 수 없는 것이고, 땅의 험함은 힘이 다한 것이다. 왕공이 그것을 본받으면 존비(尊卑)가 자리를 잡고, 등급과 위의가 분명해지니 하늘의 험함을 본뜨는 것이다. 성과 못을 짓고 사람들의 마음을 단결하는 것은 땅의 험함을 본뜨는 것이다.

### 유정원(柳正源)『역해참고(易解參攷)』

王氏曰, 非用之常, 用有時也.
왕씨가 말하였다: 험함을 씀은 항상 쓰는 것이 아니니, 험함을 씀에는 때가 있다.

○ 正義, 天之爲險, 懸邈高遠, 不可升上, 此天之險也. 若其可升, 不得保其威尊, 故以不可升爲險也. 地以山川丘陵爲險也. 故使地之所載之物, 保守其全, 若旡山川丘陵, 則地之所載之物, 失其性也. 故地以山川丘陵而爲險也.
『주역정의』에서 말하였다: 하늘이 험한 것은 아득히 높아서 올라갈 수 없어서이니, 이것이 하늘의 험함이다. 만약 올라갈 수 있다면 그 위엄과 존엄을 보전할 수 없으므로, 올라갈 수 없음으로 험함을 삼는다. 땅은 산천과 구릉으로 험함을 삼는다. 그러므로 땅이 싣고 있는 만물로 그 온전함을 보전하게 한다. 만약 산천과 구릉이 없다면 땅이 싣고 있는 사물은 그 성질을 잃을 것이다. 그러므로 땅은 산천과 구릉으로써 험함을 삼는다.

○ 厚齋馮氏曰, 上一坎天也, 坎性趣下, 故不可升. 下一坎地也, 山川丘陵, 皆爲險阻.

---

13)『論語』: 子曰, 三軍可奪師也, 匹夫不可奪志也.

王天子九五也, 公諸侯六三也.
후재풍씨가 말하였다: 위의 감괘는 하늘인데, 감괘의 성질은 내려가고자 하므로 올라갈 수 없다. 아래의 감괘는 땅인데, 산천과 구릉이 모두 험난함이 된다. 왕·천자는 구오이고, 공·제후는 육삼이다.

○ 節初齊氏曰, 五天位, 故曰天險, 二地位, 故曰地險.
절초제씨가 말하였다: 오효는 하늘의 자리이므로 '하늘의 험함'이라 하였고, 이효는 땅의 자리이므로 '땅의 험함'이라 하였다.

○ 雙湖胡氏曰, 山丘陵, 皆互艮象.
쌍호호씨가 말하였다: 산과 구릉은 모두 호괘인 간괘의 상이다.

## 김상악(金相岳) 『산천역설(山天易說)』

以卦象釋卦辭, 極言其大而贊之. 水流而不盈, 故常在險中, 內實爲有孚. 故行險而不失其信也. 以剛中所以能亨, 往有功所以出險也. 天險无形之險, 地險有形之險. 時用者, 有時而用險也.
괘상으로 괘사를 풀이한 것으로, 그 위대함을 극진히 말하여 찬탄하였다. 물이 흐르지만 가득차지 않으므로 항상 위험 속에 있으나, 속이 차 있어서 정성이 있는 것이 된다. 그러므로 험함을 행하여도 그 신의를 잃지 않는다. 굳센 양이 가운데 있기 때문에 형통할 수 있는 것이고, 가서 공이 있어서 험함에서 벗어나는 것이다. 하늘의 험함은 형체가 없는 험함이고, 땅의 험함은 형체가 있는 험함이다. 때와 쓰임은 때에 따라서 험함을 쓰는 것이다.

○ 水流者, 陽之動也. 不盈者, 動而在險也. 然水之行, 不以險而止, 故不失其信也. 天險在上卦, 地險在下卦. 五君二臣, 王公之象. 國坤象. 坎一陽, 處坤之中, 故曰設險以守其國. 離則五之王用上九之公, 故出征而正邦也. 言時用者, 皆在坎離之卦, 坎睽蹇是也. 蓋水火者, 天地之用也, 故十二辟卦外, 五十二卦, 皆具坎離之象.
'물이 흘러감'은 양의 움직임이다. '가득차지 않음'은 움직이나 험함에 있는 것이다. 그러나 물의 행함은 험하다고 멈추지 않으므로 그 신의를 잃지 않는다. 하늘의 험함은 상괘에 있고, 땅의 험함은 하괘에 있다. 오효는 임금이고 이효는 신하이니 왕·공의 상이다. '나라'는 곤괘(坤卦)의 상이다. 감괘의 한 양이 곤괘의 가운데에 있으므로 "험함을 설치하여 그 나라를 지킨다"고 하였다. 리괘의 경우는 오효의 왕이 상구의 공(公)을 쓰기 때문에 출정하여 나라를 바로잡는 것이다. '때와 쓰임'을 말한 것은 모두 감괘(☵)·리괘(☲)에 있으니, 감괘

(䷜) · 규괘(䷥) · 건괘(䷦)가 이것이다. 물과 불은 천지의 쓰임이기에 12벽괘 외에 52괘는 모두 감괘와 리괘의 상을 가지고 있다.

### 서유신(徐有臣) 『역의의언(易義擬言)』

此專以險字上取義. 卦則水之險, 此所論則天地王公之險. 典章刑禁, 杜絶僭陵, 法天之不可升, 城池關防, 法地之山川也. 險有不可不用之時, 其亦大矣哉.
여기서는 전적으로 '험(險)'자에서 뜻을 취하였다. 괘는 물의 험함이지만, 여기서 논한 것은 천지와 왕공의 험함이다. 제도와 형벌로써 참람함을 두절하는 것은 하늘을 오를 수 없음을 본받은 것이고, 성과 못을 만들어 방어하는 것은 땅의 산천을 본받은 것이다. 험함을 쓰지 않을 수 없는 때가 있으니, 이 또한 크도다!

### 박문건(朴文健) 『주역연의(周易衍義)』

王公之設險, 體天地自然之險也. 此備言險道而贊其用之大也.
왕공이 험한 것을 설치함은 천지자연의 험함을 체득한 것이다. 이는 험함의 도리를 갖추어 말하여 그 쓰임의 큼을 찬탄한 것이다.

### 김기례(金箕澧) 「역요선의강목(易要選義綱目)」

王公設險以守其國.
왕공이 험함을 설치하여 나라를 지킨다.

四陰爲險, 人君體外險之山川, 設城池. 二陽爲實, 亦體有孚之天心, 守以永久.
네 음이 험함이 되니, 임금이 밖으로 험한 산천을 본받아 성과 못을 설치한다. 두 양이 꽉 차있으니 역시 정성이 있는 하늘의 마음을 본받아 영구하게 지킨다.

### 박종영(朴宗永) 「경지몽해(經旨蒙解) · 주역(周易)」

險之時用大矣哉.
험함의 때와 쓰임이 크도다.

程傳曰, 君人者觀坎之象, 設爲城郭溝池之險, 以守其國保其民人. 若夫尊卑之辨, 貴賤之分, 明等威, 異物采, 凡所以杜絶陵僭, 限隔上下者, 皆體險之用也.
『정전』에서 말하였다: 임금이 된 자가 감(坎)의 상을 보고서 성곽과 해자의 험한 것을 설치하여 나라를 지키고 백성을 보호한다. 존비의 구분과 귀천의 신분으로 등급과 위의를 밝히고 물품의 채색을 달리함은 모두 윗사람을 능멸하고 분수를 넘는 일을 막아 위 · 아래를 구별하는 것이니, 이는 모두 험함의 쓰임을 체득한 것이다.

### 심대윤(沈大允) 『주역상의점법(周易象義占法)』

夫誠信者, 知之體也, 知者, 誠信之用也. 君子之所以險而不可測者, 以自固也. 故沈深而有城府谿谷, 不全平易以淺露也. 險之道不可通行也, 故贊其時, 所以固其事業也, 故贊其用也. 設險固國以備暴客, 而不以備良民也. 城府之深密, 以御奸慝, 而不以御忠賢也. 行其危險以濟患難, 而圖存也, 不以行險而儌利也.
정성 · 믿음은 앎의 본체이고, 앎은 정성 · 믿음의 작용이다. 군자가 험하게 하여 예측할 수 없도록 하는 것은 스스로 굳건하게 하려 하기 때문이다. 그러므로 깊게 하여 성부와 계곡을 두고, 전적으로 평이하여 낮고 노출되지 않게 한다. 험함의 도리는 늘 쓸 수 없는 것이므로 그 때를 찬탄하였고, 그 사업을 굳건하게 하는 것이므로 그 쓰임을 찬탄하였다. 험함을 설치하여 나라를 굳건히 함은 사나운 객을 대비하려 함이지 양민을 대비하려 함이 아니다. 성부의 깊고 은밀함은 간특한 자를 막으려는 것이지 충성스런 현인을 막으려는 것이 아니다. 그 위험을 감행함은 환난을 구제하여 보존할 것을 도모함이지 험한 일을 감행하여 이익을 구함이 아니다.

### 오치기(吳致箕) 「주역경전증해(周易經傳增解)」

彖曰, 習坎, 重險也.〈卦體卦德.〉 水流而不盈,〈卦象.〉 行險而不失其信. 維心亨, 乃以剛中也.〈二五.〉 行有尙, 往有功也. 天險, 不可升也, 地險, 山川丘陵也, 王公設險, 以守其國, 險之時用, 大矣哉.
「단전」에서 말하였다: 습감은 거듭 험함이다.〈괘체와 괘덕이다.〉 물이 흘러가서 가득차지 않으며,〈괘상이다.〉 험함을 행하나 신의를 잃지 않는다. '마음 때문에 형통함'은 굳센 양이 가운데 자리에 있기 때문이다.〈이효와 오효이다.〉 '가면 가상함이 있음'은 가면 공이 있는 것이다. 하늘의 험함은 오를 수 없고 땅의 험함은 산천과 구릉이니, 왕공이 험함을 설치하여 나라를 지키니, 험함의 때와 쓰임이 크도다.

此, 以卦體卦德, 釋卦名義, 以卦象卦德卦體, 釋卦辭, 終又極言險之時用, 以贊其大,而時用尤大於義, 故特言之也. 餘見彖解.
이는 괘의 몸체와 괘의 덕으로 괘의 이름을 풀이하고, 괘의 상 · 괘의 덕 · 괘의 몸체로 괘사를 풀이하여 마침내 또 험함의 때와 쓰임을 극진히 말하여 그 위대함을 찬탄한 것인데, 때와 쓰임이 의미보다 더욱 크기 때문에 특별히 말한 것이다. 나머지는 「단전」의 풀이에서 보인다.

### 이진상(李震相) 『역학관규(易學管窺)』

傳, 天險, 上五兩爻象, 地險, 初二兩爻象. 不可升, 以水性趨下而言, 山丘陵, 互艮象. 五位之險, 王所設也, 二位之險, 公所設也.
「단전」의 '하늘의 험함'은 상효 · 오효 두 효의 상이고, 땅의 험함은 초효 · 이효 두 효의 상이다. '오를 수 없음'은 물의 성질이 급히 내려감으로써 말한 것이고, 산과 구릉은 호괘인 간괘의 상이다. 오효 자리의 험함은 왕이 설치한 것이고, 이효 자리의 험함은 공이 설치한 것이다.

### 박문호(朴文鎬) 「경설(經說) · 주역(周易)」

五行生序, 天一生水, 故云有生之最先者也. 水之就下, 是一定不易之理, 故云爲信義. 時用以程傳之意觀之, 是爲時之用, 而諺解乃作時與用, 或因小註馮說而致然耶.
오행이 생하는 순서는 하늘 수 1이 물을 낳는다. 그러므로 생겨남에 가장 먼저 나온 것이라고 하였다. 물은 아래로 내려감이 바꿀 수 없이 정해진 이치이므로 '신의'가 된다고 하였다. '시용(時用)'은 『정전』의 의미로 보면 '때의 쓰임'이 되는데, 『언해』에서는 '때와 쓰임'이라고 하였으니, 혹 소주 후재풍씨의 설로 인하여 그렇게 된 것인가?

### 이병헌(李炳憲) 『역경금문고통론(易經今文考通論)』

劉曰, 水流不休, 故曰習, 坎險也.
유표(劉表)가 말하였다: 물은 흘러가서 쉬지 않으므로 '습(習)'이라고 하였고, 감(坎)은 험함이다.

虞曰, 坎爲心.
우번(虞翻)이 말하였다: 감(坎)은 마음이다.

陸曰, 水性趨下不盈溢崖岸也. 蓋水爲天地生物之原素, 坎中一畫可以象太一也. 今觀有孚維心亨, 則坎水爲腦, 而神發知矣, 坎爲心, 心能有孚. 經中有坎象者, 多言孚. 水之爲物, 含貞體元可以爲陰, 可以爲陽, 可以爲信, 可以爲知, 天下不測者, 其水乎. 易之言心, 見於復之彖經, 則曰其見天地之心乎, 蓋指坎宮天一之部, 北極大帝之衷也. 在人, 則水之知氣藏于腦髓而爲心也. 其爲卦也, 乾之二五, 二陽入于坤. 推源, 屯蒙以後, 六坎上下成象, 自小畜訖于大過, 凡二十卦一未見坎象者, 以其能生者, 亦能害生, 故保其險而重其險也.

육적(陸績)이 말하였다: 물의 성질은 아래로 달려 내려가니 언덕으로 차올라 넘치지 않는다. 물은 천지가 만물을 낳는 원바탕이니, 감괘의 가운데 한 획이 태일(太一)을 본떴다 할 수 있다. 이제 "정성이 있어 마음 때문에 형통하다"를 살펴보면 감괘의 물이 두뇌가 되어 신이 지각을 발하고, 감괘는 마음이 되니, 마음에 정성을 가질 수 있다. 경문 가운데 감괘의 상이 있는 것은 '정성[孚]'을 말한 것이 많다. 물[水]이란 사물은 정(貞)을 머금고 원(元)을 체화하여 음이 될 수도 있고 양이 될 수도 있으며, 믿음도 될 수 있고, 앎도 될 수 있어서 천하에 예측할 수 없는 것은 물일 것이다. 『주역』에서 마음이라고 한 것은 복괘 「단전」의 경문에 보이니, "그 천지의 마음을 볼 것이다"고 한 것은 감괘궁의 하늘 수 1 부분을 가리킨 것으로 북극대제의 중심이다. 사람에 있어서 물의 지적(知的)[14] 기운이 뇌수에 저장되어 있어서 마음이 된다. 그 괘는 건괘의 이효와 오효의 두 양이 곤괘로 들어간 것이다. 근원을 미루어 보면 준괘 · 몽괘 이후 여섯괘에서 감괘가 상괘 또는 하괘에서 상을 이루나, 소축괘에서 대과괘까지 스무 개의 괘는 감괘의 상이 하나도 보이지 않는 것은 생할 수 있는 자가 또한 생명을 해칠 수도 있기 때문이니, 그러므로 그 험함을 보존하고 그 험함을 겹으로 한다.

14) 오행의 방위에 따라 북방 수(水)가 오상(五常)의 지(智)에 해당한다.

象曰, 水洊至, 習坎, 君子以, 常德行, 習敎事.

「상전」에서 말하였다: 물이 연거푸 이르는 것이 거듭 험함[習坎]이니, 군자가 그것을 본받아 덕행을 항상되게 하며 가르치는 일을 익힌다.

## 中國大全

**傳**

坎爲水, 水流仍洊而至, 兩坎相習, 水流仍洊之象也. 水自涓滴, 至於尋丈, 至於江海, 洊習而不驟者也. 其因勢就下, 信而有常, 故君子觀坎水之象, 取其有常, 則常久其德行, 人之德行不常, 則僞也. 故當如水之有常, 取其洊習相受, 則以習熟其敎令之事. 夫發政行敎, 必使民熟於聞聽, 然後能從, 故三令五申之. 若驟告未喩, 遽責其從, 雖嚴刑以驅之不能也, 故當如水之洊習.

감괘(☵)는 물이 되고, 물이 흘러 연거푸 이름이 두 감괘가 서로 거듭함이니, 물이 흘러 거듭되는 상이다. 물은 한 방울로부터 한 길 되는 데에 이르고, 강과 바다에 이르니 거듭하고 갑작스럽게 하지 않는다. 땅의 형세를 따라 아래로 내려감이 미덥고 항상 함이 있기 때문에 군자가 물인 감(坎)의 상을 보고서 항상 함이 있음을 취하면 덕행을 항상되게 하고 오래할 것이다. 사람이 덕행을 항상되게 하지 않으면 거짓이다. 그러므로 마땅히 물처럼 항상 함이 있어야 하는 것이다. 거듭하여 서로 받음을 취하면 교화와 명령의 일을 익혀서 익숙하게 하니, 정사를 발하고 가르침을 행함은 반드시 백성으로 하여금 듣기를 익숙히 한 뒤에야 따르게 할 수 있는 것이다. 그러므로 세 번 명령하고 다섯 번 거듭하는 것이다. 만일 갑자기 말하여 깨닫지 못했을 때에 갑자기 따르기를 책한다면 비록 형벌을 엄히 시행하여 다그치더라도 해 내지 못할 것이다. 그러므로 물처럼 거듭해야 하는 것이다.

**本義**

治己治人, 皆必重習, 然後熟而安之.

자신을 다스리고 남을 다스림을 모두 반드시 거듭한 뒤에야 익숙하여 편안한 것이다.

小註

建安丘氏曰, 洊再也. 水再至則爲重習之坎. 初六乃內水之方至者, 六四乃外水之洊至者, 君子體之, 重習不已. 常德行者, 以此進德也, 習教事者, 以此教民也.
건안구씨가 말하였다: 천(洊)은 거듭함이다. 물이 거듭 이르면 '거듭함의 감(坎)'이 된다. 초육은 안의 물이 막 이른 것이고, 육사는 곧 밖의 물이 거듭 이른 것이다. 군자는 이것을 본받아 거듭하여 그치지 아니한다. '덕행을 항상되게 함[常德行]'은 이것으로 덕에 나아감이고, '가르치는 일을 익힘[習教事]'은 이것으로 백성을 가르치는 것이다.

○ 涑水司馬氏曰, 水之流也, 習而不已, 以成大川. 人之學也, 習而不止, 以成大賢. 故君子以常德行習教事.
속수사마씨가 말하였다: 물이 흘러가기를 거듭하고 그치지 않아 큰 내를 이루고, 사람이 배우기를 거듭하고 그치지 않아 큰 어짐을 이루게 되므로 군자가 그것을 본받아 덕행을 항상되게 하며 가르치는 일을 익힌다.

○ 潘氏夢旂曰, 六子皆重卦也. 坎曰水洊至, 離曰明兩作, 震曰洊雷, 艮曰兼山, 巽曰隨風, 兌曰麗澤, 皆取重複之義. 乾坤純體也, 故直曰天行地勢云.
반몽기가 말하였다: 육자괘는 모두 거듭한 괘이다. 감괘에서는 "물이 거듭 이르렀다"고 하였고, 리괘에서는 "밝음이 두 번 일어났다"고 하였으며, 진괘에서는 "우레가 거듭하다"고 하였고, 간괘에서는 "산이 거듭하다"고 하였으며, 손괘에서는 '따르는 바람'이라고 하였고, 태괘에서는 '붙어있는 못'이라고 하였으니 모두 중복의 의미를 취하였다. 건·곤은 순수한 몸체이기 때문에 다만 건괘는 '하늘의 운행'이라고 하고, 곤괘는 '땅의 기세'라고 하였다.

## 韓國大全

### 송시열(宋時烈) 『역설(易說)』

洊至者, 至而又至也. 君子誠一, 故常德行. 重坎而積習, 故曰習教事.
'거듭 이르는 것'은 이르고 또 이르는 것이다. 군자는 한결같이 정성스러우므로 덕행을 항상되게 한다. 거듭 험하지만 거듭 익히므로 "가르치는 일을 익힌다"라 하였다.

### 김도(金濤)「주역천설(周易淺說)」

愚按, 本義下所釋丘氏, 司馬氏, 潘氏, 凡三條, 而皆得於大象之旨矣. 蓋水者, 有信之物也. 自天一以後, 晝夜不息, 放乎四海, 則可謂有孚而不失其信矣. 若或滯止而不流, 則安有所亨者乎. 坎之爲卦兩坎相重, 則乃水之洊至者也. 洊至而有常, 故君子法之. 常久其德行, 習熟其敎事, 而治己治人, 兩盡其道矣. 然而世之不學者, 不知德行之有常, 以視敎事爲外物, 本末倒施, 內外不分, 可悶也哉. 大概水之爲物, 有源而有常, 觀之者, 必先觀其瀾, 然後可知其有本矣. 孔子曰, 水哉, 水哉. 朱子有詩云, 惟有源頭活水來. 斯理也, 知道者, 默而觀之, 可也.

내가 살펴보았다: 『본의』 아래 풀이한 구씨, 사마씨, 반씨의 세 조목이 모두 「대상전」의 뜻에 맞는다. 물이란 신의가 있는 물건이다. 하늘 1에서 생겨난 이후 밤낮으로 쉬지 않고 사해로 방류되니, 정성이 있어서 그 신의를 잃지 않는다고 할 수 있을 것이다. 만약 정체되어 멈춰서 흐르지 않는다면, 어찌 형통한 것이 있겠는가? 감괘(䷜)라는 괘는 두 감괘(☵)가 서로 겹치니, 물이 거듭 이르는 것이다. 거듭 이르러 항상됨이 있으므로 군자가 본받는다. 그 덕행을 오래도록 항상되게 하며 가르치는 일을 익숙하게 하니, 자신을 다스리고 남을 다스리는 두 가지가 모두 그 도리를 다 하였다. 그러나 세상의 공부하지 않는 자는 덕행에 항상됨이 있음을 알지 못하고, 가르치는 일을 바깥 일로 보아 본말을 전도하고 내외를 구분하지 못하니 가련하지 않은가! 물이란 근원이 있고 항상됨이 있으니, 관찰하는 이는 반드시 먼저 그 물결을 관찰한 뒤에 그것이 근본이 있음을 알 수 있을 것이다. 공자는 "물이여, 물이여!"라고 하였고, 주자는 어떤 시에 "근원에서 생수가 솟아나 흘러내린다"[15]고 하였으니, 이 이치를 도를 아는 이가 잠잠히 살핌이 옳을 것이다.

### 이만부(李萬敷)「역통(易統)·역대상편람(易大象便覽)·잡서변(雜書辨)」

臣謹按. 常德行者, 卽亦立不易方之義, 而洊習, 則又與積小以高大相發. 德之常久, 只在乎習之而不忘. 苟一有所得而不習, 亦不爲我有矣. 至於敎事, 所以推是德於人者, 乃新民之事也. 大學章句曰, 新者, 革其舊之謂也, 言旣自明其明德, 又當推以及人, 使之亦有以去其舊染之汚也. 由是觀之, 德無所推而敎無所施, 則是有體而無用, 故聖人於習坎之象, 旣言常德行, 復戒以習敎事, 其丁寧反復爲如何哉. 孟子曰, 幼而學之, 壯而欲行之. 雖蓬蓽賤士, 其爲學也, 不當惟務於獨善, 況人君兼君師之責, 一言之發, 一令之施, 風化之得失, 世道之汚隆係焉, 可不懼乎.

신이 삼가 살펴 보았습니다: '덕행을 항상되게 함'은 바로 "서서 방소를 바꾸지 않는다"는

15)「관서유감(觀書有感)」.

뜻이고, '거듭함'과 '익힘'은 또한 '작은 것을 쌓아서 높고 크게 함'과 서로 밝히는 것입니다. 덕의 항상됨과 장구함은 단지 거듭 익혀 잊지 않는데 달렸습니다. 한 가지 얻은 것이 있더라도 익히지 않는다면, 또한 내 것이 되지 않을 것입니다. 가르치는 일에 이르러서는 이 덕을 남에게 미루어 가는 것이니, 백성을 새롭게 하는 일입니다. 『대학장구』에 "새롭게 함은 그 옛 것을 혁신함을 말한다"고 하였으니, 이미 스스로 자기의 명덕을 밝혔으면 또 마땅히 미루어 남에게 미쳐서 그로 하여금 또한 그 옛 습관의 찌꺼기를 버리도록 해야 함을 말합니다. 이로써 보면 덕이 미루어지는 바가 없고 가르침이 베풀어지는 바가 없으면, 이는 체는 있는데 쓰임이 없는 것입니다. 그러므로 성인이 '습감(習坎)'의 상에 대해서 이미 덕행을 항상되게 함을 말하고 다시 가르치는 일을 익히는 것으로써 경계하였으니, 그 간곡히 반복한 것이 어떠합니까! 맹자가 "어려서 배우는 것은 장차 행하고자 해서이다"[16]라 하였습니다. 비록 하찮은 선비라도 그 학문함에 혼자서만 선하기를 힘써서는 안 되는 것인데, 하물며 임금께서는 임금과 스승의 책임을 겸하셨으므로, 한 번 말씀하시고 한 번 명령하심에 교화의 득실과 세도의 성쇠가 달렸으니, 두렵지 않겠습니까?

### 이익(李瀷) 『역경질서(易經疾書)』

水之大者曰海, 海必有潮, 一日兩至. 潮水纔退, 汐水復至, 是水洊至也. 大象恐別取此義, 與明兩作相照, 德行敎事. 大學明德新民是也. 常則顧諟之義, 習則作新之義, 水至不失其時, 常也, 一至二至習也.

물의 큰 것을 바다라고 하니, 바다에는 반드시 조수가 있어서 하루에 두 번 이른다. 썰물이 다 밀려나면 밀물이 다시 이르니, 이것이 물이 거듭 이르는 것이다. 「대상전」은 아마 별도로 이 뜻을 취하여 리괘 「대상전」의 "밝음이 두 번 일어난다"와 서로 비춘 것이다. '덕행'과 '가르치는 일'은 『대학』의 '밝은 덕을 밝힘[明德]'과 '백성을 새롭게 함[新民]'이 이것이다. '항상됨[常]'은 돌아보고 반성한다는 뜻이고, '익힘[習]'은 새롭게 하는 뜻이니, 물이 그 때를 놓치지 않고 이르는 것이 '항상됨'이고, 한 번 이르고 두 번 이르는 것이 '익힘'이다.

### 유정원(柳正源) 『역해참고(易解參攷)』

開封耿氏曰, 行險者, 武事, 所謂敎事, 武事也.

개봉경씨가 말하였다: 험함을 행하는 것은 군대의 일이니, 이른바 '가르치는 일'은 군대의 일이다.

16) 『孟子 · 梁惠王』.

○ 沙隨程氏曰, 水盈科而後進, 先至者陷, 後至者不陷. 水洊至, 習坎也. 常德者, 水无不下, 習敎者, 如水之出險.
사수정씨가 말하였다: 물은 웅덩이를 채운 뒤 나아가니, 먼저 이른 것은 빠지지만 뒤에 이른 것은 빠지지 않는다. 물이 연거푸 이르는 것이 '거듭 험함[習坎]'이다. '덕행을 항상되게 함'은 물이 내려가지 않음이 없는 것이고, '가르치는 일을 익힘'은 물이 험함에서 벗어나는 것과 같다.

○ 節齋蔡氏曰, 常德行, 坎剛中象, 習敎事, 重坎象.
절재채씨가 말하였다: '덕행을 항상되게 함'은 감괘의 굳센 양이 가운데 있는 상이고, '가르치는 일을 익힘'은 감괘가 중첩된 상이다.

## 김상악(金相岳) 『산천역설(山天易說)』

洊, 再也. 下坎, 水之方至者, 上坎, 水之洊至者. 常德行者, 象其有常, 習敎事者, 象其洊習.
'천(洊)'은 '거듭'이다. 아래의 감괘는 물이 막 이른 것이고, 위의 감괘는 물이 거듭 이른 것이다. '덕행을 항상되게 함'은 그 항상됨이 있음을 본뜬 것이고, '가르치는 일을 익힘'은 그 거듭하는 것을 본뜬 것이다.

○ 坎曰, 至者, 趨而下也, 離曰作者, 起而上也. 程沙隨曰, 習坎重險也, 於物爲龜爲蛇, 於方爲朔爲北, 於太玄配罔與冥, 所以八純卦中, 獨冠以習. 然離之象曰, 明兩作, 亦有重習之義. 故六氣中四行皆一, 而惟火爲二. 子午少陰君火, 寅申少陽相火, 丑未太陰濕土, 卯酉陽明燥金, 辰戌太陽寒水, 巳亥厥陰風木, 所以水火爲天地之用.
감괘(坎卦)에서 "이른다[至]"고 한 것은 좇아 내려가는 것이고, 리괘(離卦)에서 "일어난다[作]"고 한 것은 일어나 올라가는 것이다. 사수정씨가 "습감(習坎)이란 거듭 험한 것이니, 사물에서는 거북과 뱀이 되고 방위로는 북녘[朔]이 되고, 북방이 되며, 『태현경』에서는 '망(罔)'과 '명(冥)'에 배치하였으니, 여덟 순괘[17] 가운데 유독 '습(習)'을 앞에 둔 까닭이다"라고 하였다. 그러나 리괘 「대상전」의 "밝은 것 둘이 리괘를 짓는다"고 한 것은 역시 거듭 하는 뜻이 있다. 그러므로 육기(六氣) 가운데 사행(四行)은 모두 하나씩이지만 화(火)만이 둘이다. 자오(子午)는 소음인 군화(君火)이고, 인신(寅申)은 소양인 상화(相火)이며, 축미(丑未)는 태음인 습토(濕土)이고, 묘유(卯酉)는 양명(陽明)인 조금(燥金)이며, 진술(辰戌)은

---

17) 상괘 하괘가 같은 괘로 중복된 여덟 괘를 말한다.

태양(太陽)인 한수(寒水)이고, 사해(巳亥)는 궐음(厥陰)인 풍목(風木)이다. 그래서 수화가 천지의 쓰임이 되는 것이다.

### 서유신(徐有臣) 『역의의언(易義擬言)』

前後二坎, 水洊至也. 習疑衍, 德行, 水之流通象. 教事, 水之浸灌象, 曰常, 曰習, 重坎象.
앞뒤의 두 감괘는 물이 거듭 이르는 것이다. 습(習)은 잘못 들어간 것인 듯하다. 덕행은 물이 흘러 통하는 상이다. '가르치는 일'은 물이 젖어 들어가는 상이고, '상(常)''습(習)'이라 함은 감괘가 중첩된 상이다.

### 박문건(朴文健) 『주역연의(周易衍義)』

常, 習, 象水之不息也
항상됨[常], 거듭함[習]은 물이 쉬지 않고 흘러감을 본떴다.

### 이지연(李止淵) 『주역차의(周易箚疑)』

人心之設險者, 信也. 人以信設險, 則雖天下至惡至詐之人, 不敢欺侮之.
사람의 마음에 험함을 설치하는 것이 신의이니, 사람이 신의로 험함을 설치하면 천하의 지극히 악하고 지극히 거짓된 사람이라도 감히 속이고 깔보지 못할 것이다.

### 김기례(金箕澧) 「역요선의강목(易要選義綱目)」

君子以常[18]德行習教事.
군자가 그것을 본받아 덕행을 항상되게 하며 가르치는 일을 익힌다.

初六, 內水始, 至六四, 外水再至.
초육은 안에서 물이 시작되는 것이고, 육사에 이르면 밖에서 물이 다시 이르는 것이다.

○ 水習至而成川達海.
물이 거듭 이르러 내를 이루고 바다에 이른다.

18) 常: 경학자료시스템 BD와 영인본에는 '尙'으로 되어 있으나, 『주역』 경문에 따라 '常'으로 바로잡았다.

○ 學習, 因盈科放海之理, 以至德成而敎行.
배우고 익힘은 웅덩이를 가득 채워서 바다로 흘러가는 이치로 인하여, 덕이 이루어지고 가르침이 행해지는데 이른다.

### 박종영(朴宗永)「경지몽해(經旨蒙解)·주역(周易)」

傳曰, 君子觀坎水之象, 取其有常, 則常久其德行, 人之德行不常, 則僞也. 夫發政行敎, 必使民熟於聞聽, 然後能從. 驟告未喩, 遽責其從, 雖嚴刑以驅之不能也, 故當如水之洊習.
『정전』에서 말하였다: 군자가 물인 감(坎)의 상을 보고서 항상 함이 있음을 취하면 덕행을 항상되게 하고 오래할 것이다. 사람이 덕행을 항상되게 하지 않으면 거짓이다. 정사를 발하고 가르침을 행함은 반드시 백성으로 하여금 듣기를 익숙히 한 뒤에야 따르게 할 수 있는 것이다. 갑자기 말하여 깨닫지 못했을 때에 갑자기 따르기를 책한다면 비록 형벌을 엄히 시행하여 다그치더라도 해 내지 못할 것이다. 그러므로 물처럼 거듭해야 하는 것이다.

涑水司馬氏曰, 水之流也, 習而不已, 以成大川. 人之學也, 習而不止, 以成大賢. 故君子以常德行習敎事.
속수사마씨가 말하였다: 물이 흘러감에 거듭하고 그치지 않아 큰 내를 이루고, 사람이 배움에 거듭하고 그치지 않아 큰 어짊을 이루게 되므로 군자가 그것을 본받아 덕행을 항상되게 하며 가르치는 일을 익힌다.

### 심대윤(沈大允)『주역상의점법(周易象義占法)』

水洊至, 有勞苦艱勤之象. 故君子不自優間逸豫也. 常德行, 勉彊不怠也. 習敎事, 誨人不倦也. 洊, 至之義也. 對有巽爲常, 艮爲德, 坎爲行實, 兌巽爲敎事.
'물이 거듭 이름'에는 수고하고 애쓰는 상이 있다. 그러므로 군자는 스스로 유유자적 안일하게 즐기지 않는다. '덕행을 항상되게 함'은 힘써서 게으르지 않음이다. '가르치는 일을 거듭 익힘'은 '남을 가르치는데 권태롭지 않은 것'[19]이다. '천(洊)'은 이른다는 뜻이다. 음양이 바뀐 괘에는 손괘가 있으니 '항상됨'이 되고, 간괘는 덕이 되며, 감괘는 행실이 되고, 태괘·손괘는 가르치는 일이 된다.

---

19) 『論語·述而』: 子曰, 默而識之, 學而不厭, 誨人不倦, 何有於我哉.

### 오치기(吳致箕) 「주역경전증해(周易經傳增解)」

水流而不失其常, 洊至而兩坎相習. 故君子以之, 治己治人, 皆取其象常久. 其德行旡所間斷, 如水之有常, 習熟其敎令, 使民能從, 如水之洊習. 常於德行則可久, 習於敎事, 則可從也. 坎剛實中爲德之象, 互震爲行, 對體互巽爲敎之象
물이 흐르는데 그 항상됨을 잃지 않고 거듭 이르러 두 감괘가 서로 거듭한다. 그러므로 군자가 그것을 본받아 자기를 다스리고 남을 다스리니, 모두 그 상이 항상되고 장구함을 취하였다. 그 덕행이 끊어짐이 없는 것이 물이 항상됨이 있는 것과 같고, 그 가르치는 일을 거듭 익혀서 백성들이 따르도록 함이 물이 거듭 이르는 것과 같다. 덕행을 항상되게 하면 오래갈 수 있고, 가르치는 일을 익숙하게 하면 따를 수 있다. 감괘(☵)는 굳세고 가운데가 차 있어서 덕의 상이 되고, 호괘인 진괘(☳)는 행함이 되며, 음양이 바뀐 몸체의 호괘인 손괘(☴)는 가르침의 상이 된다.

### 이진상(李震相) 『역학관규(易學管窺)』

常德, 內坎象, 習敎, 外坎象, 主二五言之.
덕을 항상되게 함은 내괘인 감괘의 상이고, 가르치는 일을 익힘은 외괘인 감괘의 상이니, 이효와 오효를 위주로 말한 것이다.

### 박문호(朴文鎬) 「경설(經說)·주역(周易)」

洊謂水之前後也. 蓋前者纔過, 而後者已至, 故爲洊也.
천(洊)이란 물이 앞뒤로 있는 것을 말한다. 앞의 물이 겨우 지나갔는데 뒤의 물이 이미 이르렀으므로 천(洊)이 된다.

### 이병헌(李炳憲) 『역경금문고통론(易經今文考通論)』

劉曰, 洊, 仍也.
유표가 말하였다: 천(洊)은 거듭함이다.

## 初六, 習坎, 入于坎窞, 凶.

초육은 거듭 험해서 구덩이의 구멍으로 들어가니, 흉하다.

## 中國大全

**傳**

**初以陰柔居坎險之下, 柔弱无援, 而處不得當, 非能出乎險也, 唯益陷於深險耳. 窞, 坎中之陷處, 已在習坎中, 更入坎窞, 其凶可知.**

초효가 음유로 험한 감괘의 아래에 있어서 유약하고 원조가 없으며 처함에 마땅한 자리를 얻지 못하였으니, 험함에서 나올 수 있는 것이 아니고 오직 깊은 험함으로 더욱 빠져 들어갈 뿐이다. '담(窞)'은 구덩이 가운데 깊이 들어간 곳이니, 이미 거듭된 구덩이의 가운데에 있는데, 다시 깊은 구덩이로 들어갔다면 그 흉함을 알 만하다.

**本義**

**以陰柔居重險之下, 其陷益深, 故其象占如此.**

음유로 거듭된 험함의 아래에 있어서 그 빠짐이 더욱 깊으므로 상과 점이 이와 같다.

**小註**

臨川吳氏曰, 坑坎中小穴旁入者曰窞. 坎之柔畫, 象水旁兩岸, 其缺象岸側小穴, 故曰入于坎窞.

임천오씨가 말하였다: 구덩이 안의 작은 구멍 옆으로 들어 간 것을 '담(窞)'이라고 한다. 감괘의 부드러운 음획은 물 곁의 두 언덕을 형상한다. 터진 것은 언덕 곁의 작은 구멍을 형상하므로 '구덩이의 구멍으로 들어감'이라고 하였다.

○ 王氏曰, 最處坎底, 无應援, 是以凶也.
왕씨가 말하였다: 감괘의 가장 밑바닥에 처하고 응원이 없기 때문에 흉하다.

○ 雲峯胡氏曰, 初六六三, 皆以陰居坎下, 水性本下, 而又居下, 坎體本陷, 而又居陷中之陷, 故皆入於坎窞. 初又下卦之下也, 其占之凶固宜.
운봉호씨가 말하였다: 초육과 육삼은 모두 음효로서 감괘의 아래에 있다. 물의 성질은 본래 아래로 내려가는데 또 아래에 있고, 감괘의 몸체가 본래 빠져있는데 또 빠져있는 중에 빠진 데 있는 것이기 때문에 모두 깊은 구덩이로 들어가는 것이다. 초효는 또 하괘의 아래이니 그 점의 흉함이 진실로 마땅하다.

## 韓國大全

### 조호익(曺好益) 『역상설(易象說)』

習坎, 泛指卦名. 窞指下坎, 坎中復有坎也.
거듭 험함[習坎]은 일반적으로 괘의 이름을 가리킨 것이다. 구멍[窞]은 하괘인 감괘를 가리키니, 구덩이 속에 다시 구덩이가 있는 것이다.

### 송시열(宋時烈) 『역설(易說)』

初六, 處重坎之下, 而不能出, 如小人迷不知復, 以習於惡, 其凶可知. 小象謂失其處坎之道, 故凶也. 遇此占者, 亦如之.
초육이 거듭된 험함의 아래에 있어서 나올 수 없는 것이 마치 소인이 미혹되어 돌이킬 줄 모르고 악에 길들어 있는 것과 같으니, 그 흉함을 알만하다. 「소상」에서는 그 험함에 처하는 도를 잃었으므로 흉하다고 하였다. 이 점을 만나는 자 또한 그와 같다.

### 이익(李瀷) 『역경질서(易經疾書)』

初六居下, 爲水之下流也. 卦德爲險則爲失道也. 異乎平野順流, 然則坎窞者, 流入於險阻深窟之中也.

초육은 아래에 있어서 물이 아래로 흐르는 것이 된다. 괘의 덕이 험함이 되니 도를 잃은 것이 된다. 평야에서 순조롭게 흐르는 것과는 다르니, 그렇다면 '구덩이의 구멍'이란 험하고 깊은 굴속으로 흘러 들어가는 것이다.

### 심조(沈潮) 「역상차론(易象箚論)」

入者, 此爻雜巽之下也.
'들어감'은 이 효가 음양이 바뀌어 나온 손괘의 아래로 섞이는 것이다.

### 유정원(柳正源) 『역해참고(易解參攷)』

王氏曰, 習坎者, 習爲險難之事也. 最處坎底, 入坎窞者也. 處重險而復入坎底, 其道凶也.
왕필이 말하였다: '거듭 험함[習坎]'이란 험난한 일을 거듭하기 때문이다. 구덩이의 가장 바닥에 있으니, 깊은 구덩이로 들어간 것이다. 거듭 험함에 처하고 다시 깊은 구덩이로 들어가니, 그 도가 흉하다.

○ 楊氏曰, 坎之初六, 陰柔之小人, 設險以陷君子, 猶以爲未, 又設險中之險.
양씨가 말하였다: 감괘의 초육은 유약한 음인 소인이어서, 험함을 설치하여 군자를 빠뜨리되 오히려 아직 부족한 듯 여겨 또 험함 가운데 험함을 설치한 것이다.

### 김상악(金相岳) 『산천역설(山天易說)』

初六, 以陰居重險之下, 與四无應, 比二不交, 其陷益深. 故入于坎窞而凶也.
초육은 음으로서 거듭된 험함의 아래에 있는데 사효와 호응하지 못하고, 비(比)의 관계인 이효와 사귀지 못하니, 그 빠짐이 더욱 깊다. 그러므로 깊은 구덩이로 들어가 흉하다.

○ 入者, 陷也. 窞, 坎之穴也. 故初三同象. 凶字, 說文凶象地穿交陷其中也. 坎之爲卦, 以陰陷陽, 而陽之見陷者, 二曰求小得, 五曰祇旣平, 而皆不言悔咎. 陰之陷之者, 初之入于坎窞, 上之寘于叢棘, 皆凶也. 凡言出言入者, 多在坎體之卦, 故初三曰, 入于坎窞, 二之象傳與未濟象傳曰, 未出中也. 需之四上曰, 出自穴, 入于穴, 訟之象傳曰, 入于淵也. 困之初曰, 入于幽谷, 三曰, 入于其宮. 節之初二曰, 不出戶庭, 不出門庭. 明夷四互坎體曰, 入于左腹于出門庭. 渙之上曰, 去逖出, 小畜則巽木生於坎水, 反其所由生而爲需, 故四曰, 惕出. 復則一陽初復動而順行, 故曰出入无疾, 順險之異德也.

입(入)이란 빠짐이다. 담(窞)이란 구덩이의 구멍이다. 그러므로 초효와 삼효가 같은 상이다. 흉(凶)자는 『설문』에서 땅에 구멍이 뚫려 서로 그 속에 빠지는 것을 본떴다고 하였다. 감괘의 됨됨이는 음이 양을 빠뜨리고, 양이 빠짐을 당하는 것인데, 이효에서는 "구함을 조금 얻을 것이다"라 하고, 오효에서는 "장차 평평함에 이를 것이다"하여 모두 '후회'나 '허물'을 말하지 않았다. 음이 빠지는 경우는 초효가 구덩이의 구멍으로 들어가는 것과 상효가 가시덤불 위에 갇히는 것으로 모두 흉하다. "벗어난다", "들어간다"고 하는 말은 감괘의 몸체를 지닌 괘에 많다. 그러므로 초효와 삼효에서 "구덩이의 구멍으로 들어간다"고 하였고, 이효의 「상전」과 미제괘 「단전」에서 "험한 가운데에서 벗어나오지 못한 것이다"라 하였다. 수괘(需卦) 사효와 상효에서는 "구덩이에서 나온다" "구덩이로 들어간다"고 하였고, 송괘 「단전」에서는 "못 속으로 들어간다"고 하였다. 곤괘(困卦) 초효에서는 "어두운 골짜기로 들어간다"고 하였고, 삼효에서는 "집에 들어간다"고 하였다. 절괘 초효와 이효에서는 "외짝문의 뜰을 벗어나지 않는다" "양짝문의 뜰을 벗어나지 않는다"라고 하였다. 명이괘(䷣)사효는 호괘가 감괘이므로 "좌측 배로 들어가서 대문의 뜰로 나온다"고 하였다. 환괘(渙卦) 상효에서는 "제거하며 두려움에서 벗어난다"고 하였고, 소축괘(小畜卦)는 손괘의 나무가 감괘의 물에서 생기니 그 생겨난 곳으로 돌아가 수괘(需卦)가 되므로 사효에서 "두려움에서 벗어난다"고 하였다. 복괘는 한 양이 처음으로 다시 움직여 순조롭게 행하므로 "나가고 들어옴에 병이 없다"고 하였으니 순함과 험함이 덕을 달리하기 때문이다.

### 서유신(徐有臣) 『역의의언(易義擬言)』

一坎二坎, 習於坎之象也, 在重坎之下, 入于坎窞之象也, 等是習於坎, 而習之得其道, 則爲有孚, 心亨, 習之失其道, 則爲入于坎窞. 初六柔暗無應與, 其才其象, 有如此也.
한 번 험하고 두 번 험하니 험함을 거듭하는 상이고, 중첩된 감괘의 아래에 있으니 구덩이의 구멍으로 들어가는 상이다. 험함을 거듭함과 같아서, 거듭함에 그 도를 얻으면 정성이 있어 마음 때문에 형통하고 거듭함에 그 도를 잃으면 구덩이의 구멍으로 들어가게 된다. 초육은 유약하고 어두운데다 호응하여 함께 하는 이가 없으니, 그 재질과 그 상이 이와 같음이 있다.

### 박문건(朴文健) 『주역연의(周易衍義)』

欲害頻陷, 故有習坎之象. 窞, 坎中之陷處也. 始犯終避, 故所以凶.
해치려 하여 자주 험함을 당하므로 거듭 험한 상이 있다. 담(窞)은 구덩이 속에서도 빠지는 곳이다. 처음에 해치려 하다가 끝내 도피하므로 흉한 것이다.

〈問, 入于坎窞, 曰, 初六恐六四之害己, 故入處坎窞而不出也, 與需上入于穴, 文義同也.
물었다: "구덩이의 구멍으로 들어간다"는 무슨 뜻입니까?
답하였다: 초육은 육사가 자신을 해칠까 두려워하므로 구덩이의 구멍으로 들어가 있어서 나오려 하지 않으니, 수괘(需卦) 상효에서 "구멍으로 들어간다"는 것과 글의 뜻이 같습니다.〉

### 이지연(李止淵) 『주역차의(周易箚疑)』

子在川上曰, 逝者如斯夫. 又曰, 學而時習之, 不亦說乎.
공자가 시냇가에서 "가는 것이 이와 같구나!"[20]라고 하였고, 또 "배우고 때에 따라 익히면 또한 즐겁지 않은가!"[21]라고 하였다.

### 김기례(金箕澧) 「역요선의강목(易要選義綱目)」

水性本下, 而初陰居下體之下, 上无應援, 如坑坎之水, 又入深穴, 无流出之道. 故凶.
물의 성질은 본래 아래로 내려가는 것인데, 초효는 음으로 하체의 아래에 있고 위로 호응하여 당겨주는 이가 없으니 구덩이 속의 물과 같고, 더욱 깊은 곳으로 들어가 흘러 나갈 수 있는 방도가 없다. 그러므로 흉하다.

### 심대윤(沈大允) 『주역상의점법(周易象義占法)』

坎之六爻, 以陷于險難而求濟爲義也. 坎之爻位, 居剛用力艱苦以求進也, 居柔不進而待盈也.
감괘의 여섯 효는 험난함에 빠졌으니, 구제함으로 뜻을 삼는다. 감괘 효의 자리는 굳센 양의 자리에서는 힘을 써서 애써 나아가기를 구하고, 부드러운 음의 자리에서는 나아가지 못하여 가득하기를 기다린다.

坎之節䷻, 限止也. 居重險之初, 才柔而居剛, 陷于艱苦, 用力甚勤而不得進坎之最也, 故曰習坎. 才與時與位, 俱未可進而求進, 其陷益深, 故曰入于坎窞. 坤自坎而爲巽, 巽爲入窞, 坎中之穴也. 坎离爲穴.
감괘가 절괘(節卦䷻)로 바뀌었으니, 막혀서 멈추는 것이다. 중첩된 험난함의 초기에 있으면서 재질은 유약한데 굳센 양의 자리에 있으니, 험난함에 빠져서 힘써 매우 노력하여도 구덩

20) 『論語・子罕』: 逝者如斯夫, 不舍晝夜.
21) 『論語・學而』.

이의 가장 깊은 곳에서 나아갈 수 없으므로 습감(習坎)이라고 하였다. 재질과 때와 자리가 모두 나아갈 수 없는데 나아가길 구하니 그 빠져듦임 더욱 깊으므로 "구덩이의 구멍으로 들어간다"고 하였다. 곤괘가 감괘를 거쳐 손괘로 되었는데, 손괘는 구멍으로 들어가는 것이니, 구덩이[坎] 속의 구멍이다. 감괘 · 리괘가 구멍이 된다.

### 오치기(吳致箕) 「주역경전증해(周易經傳增解)」

初六陰柔, 在重險之下, 居不得正, 而又无應援, 有入于坎窞之象. 陷險者, 失其正路, 而上无應與, 則益入于深, 无由出險. 故占言其凶.

초육의 부드러운 음이 중첩된 험함 아래에 있으면서 거처도 바른 곳을 얻지 못하고 또 호응하여 당겨주는 이도 없으니, 구덩이의 구멍으로 들어가는 상이 있다. 험함에 빠지는 자가 그 바른 길을 잃고 위로 호응하여 함께하는 이도 없으니, 더욱 깊은 데로 들어가 험함에서 벗어날 수가 없다. 그러므로 점에서 그 흉함을 말하였다.

○ 窞者, 坎中旁穴, 而取象於不正之陰也.

담(窞)은 구덩이 속 옆의 구멍인데 바르지 못한 음에서 상을 취한 것이다.

### 이진상(李震相) 『역학관규(易學管窺)』

初在坎底, 故取窞象. 失位无應而陽志妄動, 故㐫.

초효는 감괘의 바닥에 있으므로 구멍의 상을 취하였다. 제 자리가 아니고 호응도 없는데 굳센 뜻으로 함부로 움직이므로 흉하다.

**象曰, 習坎入坎, 失道凶也.**

「상전」에서 말하였다: "거듭 험해서 구덩이의 구멍으로 들어감"은 도를 잃은 것이니 흉하다.

## 中國大全

傳

**由習坎而更入坎窞, 失道也. 是以凶, 能出於險, 乃不失道也.**

거듭 험함으로 말미암아 다시 깊은 구덩이로 들어갔으니, 도를 잃은 것이다. 이 때문에 흉하니, 험함에서 벗어날 수 있어야 도를 잃지 않을 것이다.

小註

中溪張氏曰 初深入於險 失其出險之道 其凶可知 是以君子惡居下流者 以此

중계장씨가 말하였다: 초효가 험함에 깊이 들어감은 험함에서 벗어나는 도를 잃은 것이니, 흉함을 알만하다. 이러므로 군자가 하류에 있는 것을 싫어하는 것은[22] 이 때문이다.

## 韓國大全

유정원(柳正源) 『역해참고(易解參攷)』

失出險之道也.

험함에서 벗어나는 도리를 잃은 것이다.

---

22) 『論語 · 子張』: 子貢曰, 紂之不善, 不如是之甚也. 是以君子惡居下流, 天下之惡皆歸焉.

서유신(徐有臣)『역의의언(易義擬言)』

習於坎而入于坎, 以其失道而致凶也.

험함을 거듭하여 험한 데로 들어가니, 그 도를 잃어서 흉함에 이른다.

박문건(朴文健)『주역연의(周易衍義)』

見陷自藏, 失與上之道也

험함을 당하여 스스로 숨으니, 위와 함께하는 도를 잃었다.

심대윤(沈大允)『주역상의점법(周易象義占法)』

不可進而求進, 爲失道.

나아갈 수 없는데 나아가길 구하니, 도를 잃는 것이 된다.

오치기(吳致箕)「주역경전증해(周易經傳增解)」

由習坎而更入坎窞, 故失出險之道而凶也.

'거듭 험함[習坎]'으로 말미암아 다시 구덩이 속의 옆구멍으로 들어가므로 험함에서 벗어나는 도리를 잃어서 흉하다.

이병헌(李炳憲)『역경금문고통론(易經今文考通論)』

虞曰, 習, 積也. 位下故習坎, 爲入坎中小穴, 稱窞. 上无其應初, 二失正, 故曰, 失道凶也.

우번이 말하였다: '습(習)'은 누적되는 것이다. 자리가 밑이기 때문에 '거듭 험함[習坎]'이고, 구덩이 속 작은 구멍으로 들어가기 때문에 '구멍[窞]'이라고 하였다. 위에서 초효와 호응함이 없고 이효는 바름을 잃었으므로 "도를 잃은 것이니 흉하다"라고 하였다.

## 九二, 坎有險, 求小得.

구이는 감(坎)에 험함이 있으나, 구하는 것을 조금 얻으리라.

### 中國大全

**傳**

**二當坎險之時, 陷上下二陰之中, 乃至險之地, 是有險也. 然其剛中之才, 雖未能出乎險中, 亦可小自濟, 不至如初益陷入于深險, 是所求小得也. 君子處險難, 而能自保者, 剛中而已, 剛則才足自衛, 中則動不失宜.**

이효는 험한 감의 때를 당하여 위아래의 두 음 가운데에 빠졌으니, 지극히 험한 자리이다. 이것이 '험함이 있음'의 뜻이다. 그러나 굳세고 알맞은 재질이니 험한 가운데에서 나올 수는 없으나 조금이나마 스스로 구제할 수가 있어서 초육처럼 더욱 깊은 험함으로 빠져들어 가지는 않는다. 이것이 구하는 바를 조금 얻는 것이다. 군자가 험난함에 처하여 스스로 보존할 수 있는 것은 굳세고 알맞아서일 뿐이니, 굳세면 재질이 스스로 보위할 수 있고, 알맞으면 행동에 마땅함을 잃지 않는다.

**本義**

**處重險之中, 未能自出, 故爲有險之象. 然剛而得中, 故其占可以求小得也.**

거듭 험한 가운데에 처하여 스스로 나오지 못하기 때문에 험함이 있는 상이 된다. 그러나 굳센 양이면서 가운데 자리를 얻었기 때문에 그 점이 구하는 것을 조금 얻을 수 있는 것이다.

**小註**

丹陽都氏曰, 陰爲險者也, 陰趨下者, 出乎一陰之上, 而掩乎一陰之下, 故爲有險.

단양도씨가 말하였다: 음은 험한 것이며, 아래를 쫓는 것인데, 한 음의 위에서 나오고 한 음의 아래에 가려 있기 때문에 험함이 있는 것이다.

○ 潘氏夢旂曰, 陽剛之才, 而在險中, 可以小得, 而未能出險也.
반몽기가 말하였다: 양으로서 굳센 재질로 험함의 가운데에 있으니, 조금 얻을 수는 있으나 험함에서 벗어날 수는 없다.

○ 雲峯胡氏曰, 初在重險之下, 其占曰凶, 三在重險之間, 其占曰勿用, 二之占乃曰求小得, 何也. 剛得中故也. 豫九四, 互坎而曰大有得, 坎九二, 剛中而僅小得, 何也. 豫之剛, 動乎坤順之上, 故不求而所得者大. 坎之剛, 陷於坎險之中, 故雖求之而所得者小.
운봉호씨가 말하였다: 초효는 거듭된 험함의 아래에 있으므로 그 점에서 "흉하다"고 하였고, 삼효는 거듭된 험함의 사이에 있으므로 그 점에서 "쓰지 말라"고 하였는데, 이효의 점에서는 "구하면 조금 얻는다"고 한 것은 어째서인가? 굳셈으로 가운데 자리를 얻었기 때문이다. 예괘(豫卦☳☷) 구사는 호괘가 감(☵)인데 "크게 얻음이 있을 것이다"라고 하였고, 감괘 구이는 굳셈으로 가운데 자리에 있는데 겨우 "조금 얻을 것이다"라고 한 것은 어째서인가? 예괘의 굳셈은 순한 곤괘의 위에서 움직이기 때문에 구하지 않아도 얻는 바가 크고, 감괘의 굳셈은 험한 감의 가운데에 빠졌기 때문에 구하더라도 얻는 바가 적은 것이다.

## 韓國大全

### 송시열(宋時烈) 『역설(易說)』

九二, 既得剛陽, 則所求之事, 可以大得, 而猶未出於坎陷[23]之中, 故但小得而已. 遇此占者, 得中正之道, 則所求亦可小得, 不然則未必得矣.
구이효는 이미 굳센 양을 얻었으니, 구하는 바의 일을 크게 얻었다고 할 수 있으나, 여전히 구덩이 속에 빠져 있음을 벗어날 수 없으므로 다만 작게 얻었을 뿐이라고 하였다. 이 점을 만난 이가 중정한 도를 얻었으면 구하는 것 또한 조금 얻을 수 있으나, 그렇지 않다면 반드시 얻지는 못할 것이다.

### 이익(李瀷) 『역경질서(易經疾書)』[24]

小與少通, 如需九二少有, 傳作小有, 是也. 九二雖與九五爲應, 中而不正, 在險之中,

23) 陷: 경학자료집성DB와 영인본에는 '蹈'로 되어 있으나, 문맥을 살펴 '陷'으로 바로잡았다.
24) 경학자료집성DB에서는 감괘 '초효'에 해당하는 것으로 분류했으나, 내용에 따라 이 자리로 옮겼다.

何可有求必得. 然應於中正之君, 猶庶幾或得, 謂之小得, 則絶罕可知. 易貴中道, 惟坎爲在險中之象, 則有害. 傳所謂未出中者, 承上文有險說, 卽未出於險中也.
소(小)와 소(少)는 통하니, 수괘(需卦) 구이효의 '소유(少有)'를 『정전』에서 '소유(小有)' 라고 한 것이 이것이다. 구이는 비록 구오와 호응하나 가운데 있어도 제자리가 아니고 험함의 가운데에 있으니, 어찌 구한다고 반드시 얻을 수 있겠는가? 그러나 중정한 임금과 호응하기에, 오히려 거의 혹 얻을 수 있어서 "조금 얻는다"고 한 것이니, 매우 드믄 것임을 알 수 있다. 『주역』은 중도를 귀하게 여기는데, 감괘에서만은 험함의 가운데 있는 상이 되니, 해로움이 있다. 「소상전」에서 "가운데서 벗어나지 못한다"고 한 것은 효사의 "험함이 있다"를 이어서 말한 것이니, 험함의 가운데에서 벗어나지 못한다는 말이다.

## 유정원(柳正源) 『역해참고(易解參攷)』

王氏曰, 處中而與初三相得, 故可以求小得也. 初三, 未足以爲援, 故曰, 小得也.
왕필이 말하였다: 가운데 있고 초효 삼효와 서로 얻기 때문에 구하는 것을 조금 얻을 수 있다. 초효와 삼효는 끌어당겨주기에는 충분하지 못하므로 "조금 얻는다"고 하였다.

○ 隆山李氏曰, 坎有孚心亨, 唯賴剛中九二, 爲二陰所陷. 然上下附比, 爲所伏役, 故求陰, 小爲有得象.
융산이씨가 말하였다: 감괘에 "정성이 있어 마음 때문에 형통하다"고 한 것은 굳세고 알맞은 구이에 힘입어서 인데, 두 음에 의해 빠진 것이 된다. 그러나 위아래에서 친하게 따라서 복종하는 바 되므로 음을 구함에 조금 얻음이 있는 상이 된다.

傳, 險難.
『정전』에서 말하였다: 험난함.
案, 難一作艱.
내가 살펴보았다: '난(難)'을 어떤 판본에서는 '간(艱)'이라고 하였다.

## 김상악(金相岳) 『산천역설(山天易說)』

以九之陽, 居坎之中, 初三之比, 皆陰之陷, 爲有險. 然以剛得中, 故求有小得也.
구(九)인 양으로 감괘의 가운데 자리에 있고 초효와 삼효의 비(比)가 되니, 모두 음에 빠져 험함이 있는 것이 된다. 그러나 굳센 양으로 가운데 자리를 얻었으므로 구함에 조금 얻음이 있다.

○ 求得者, 坤求於乾, 得乾中爻而爲坎也. 豫互坎體而四曰, 大有得, 動而居上也. 此曰求小得, 險而得中也. 隨之三, 則震互坎體而不正, 故隨有求得而有居貞之戒.
구하여 얻는다는 것은 곤괘가 건괘에게 구하여 건괘 가운데 효를 얻어 감괘가 됨이다. 예괘(豫卦)의 호괘는 감괘의 몸체이기에 사효에서 "크게 얻음이 있다"고 하였으니, 움직여서 위에 있어서이다. 여기에서 "구하는 것을 조금 얻으리라"고 한 것은 험하지만 가운데 자리를 얻었기 때문이다. 수괘(隨卦) 삼효의 경우는 진괘이면서 호괘인 감괘의 몸체인데 제 자리가 아니므로, "따름에 구하던 것을 얻으나 곧음에 거하는 것이 이롭다"는 경계가 있다.

### 김규오(金奎五) 「독역기의(讀易記疑)」

九二象, 未出中, 傳, 未出坎中之險.
구이효 「상전」의 '미출중(未出中)'을 「정전」에서는 '구덩이 속의 험함에서 벗어나지 못함'으로 풀이하였다.

竊疑, 夫子不擧有險, 而只擧小得. 似有言其善之意. 或以此中作爲剛中之中, 如何.
내가 살펴보았다: 「소상전」에서 공자는 '험함이 있음'은 거론하지 않고, '조금 얻음'만을 거론하였으니, 구이의 선함을 말하려는 뜻이 있는 것 같다. 여기에서의 중(中)을 굳세고 알맞다고 할 때의 알맞음[中]으로 풀이하면 어떨지 모르겠다.[25]

### 서유신(徐有臣) 『역의의언(易義擬言)』

坎有險者, 重坎也. 求小得者, 所求所得皆小也. 二與五, 重險敵剛, 不相與矣, 同體之陰求之, 皆得也. 君子在險, 不可外求, 唯求於險中, 而有自得之道也. 九二剛中, 故有此象也.
구덩이에 험함이 있다는 것은 구덩이가 중첩된 것이다. '구하는 것을 조금 얻음'은 구하는 것과 얻는 것이 모두 작은 것이다. 이효와 오효는 험함이 거듭되고 굳셈이 필적하여 서로 더불어 할 수 없고, 같은 몸체인 음을 구하면 모두 얻는다. 군자가 험함에 있을 때 밖의 도움을 구할 수는 없으며 오직 험한 가운데 구하니 스스로 얻는 도리가 있다. 구이는 굳세고 알맞으므로 이 상이 있다.

---

25) 김규오의 뜻에 따르면 구이효 상전 "求小得, 未出中也."의 풀이는 "구하는 것은 조금 얻을 수 있는 것은 구이가 알맞음[中]에서 벗어나지 않았기 때문이다"가 될 것이다.

### 박문건(朴文健) 『주역연의(周易衍義)』

爲上所拒, 故有有險之象. 求出而小得者, 上疑未止也.
위에서 거절하는 바가 되기 때문에 '험함이 있는' 상이 있다. 나가기를 구하나 조금 얻음은 윗사람이 의심하여 멈추지 않았기 때문이다.

### 이지연(李止淵) 『주역차의(周易箚疑)』

九二所求者, 卽出於險中也.
구이가 구하는 것은 바로 험한 가운데에서 벗어남이다.

### 김기례(金箕澧) 「역요선의강목(易要選義綱目)」

雖陷二陰之中, 自以剛中小有自濟, 故曰小得. 猶不出險, 故不言吉凶. 豫九四互坎而動乎坤順之上, 故大得.
비록 두 음의 가운데 빠졌으나 그 자신이 굳세고 알맞아 조금 스스로 구제함이 있으므로 "조금 얻는다"고 하였다. 여전히 험함에서 벗어나지 못하였으므로 길함과 흉함을 말하지 않다. 예괘(䷏) 구사효는 호괘가 감괘이고 유순한 곤괘(☷)의 위에서 움직이기 때문에 "크게 얻는다."

○ 坎二, 尙不出險, 故小得.
감괘의 이효는 오히려 험함에서 벗어나지 못하였으므로 조금 얻는다.

### 심대윤(沈大允) 『주역상의점법(周易象義占法)』

坎之比䷇, 親附也. 九二剛中而居柔, 時不可進而不進也. 上下之陰附焉, 而九五在上, 群陰向之, 不專從二也. 故曰坎有險, 求小得. 水之稍盛, 下坎將平而上坎尙在也. 坤之變, 自坎而退則艮也. 艮爲求爲得, 本离爲小, 言坎之小退也
감괘가 비괘(比卦䷇)로 바뀌었으니, 친밀하게 따르는 것이다. 구이는 굳세고 알맞으나 유약한 음의 자리에 있으니, 나아갈 수 없어서 나가지 못하는 때이다. 위아래의 음이 따르는데 구오는 위에 있어서 음의 무리가 구오를 향하니, 온전히 이효를 따르지 못한다. 그러므로 "감(坎)에 험함이 있으나 구하는 것을 조금 얻는다"고 하였다. 물이 조금씩 차서 아래 구덩이가 평평해지려 하나 위의 구덩이가 여전히 있다. 곤괘의 변화는 감괘로부터 물러나면 간괘이다. 간괘는 구함이 되고, 얻음이 되며, 본괘의 리괘가 작음이 되니, 감괘가 조금 물러남을 말한 것이다.

### 오치기(吳致箕) 「주역경전증해(周易經傳增解)」

九二, 陽剛得中, 故雖當陷險之時, 而匪如初與三之入窞. 然陷於二陰之間, 而上旡應援, 故出險大事, 則不可得, 而以其剛中, 而比柔, 故有求而能小得也. 卽象而占, 可知矣.
구이가 굳센 양으로 알맞음을 얻으므로 비록 험함에 빠지는 때에도, 초효와 삼효처럼 구멍에 들어가지는 않는다. 그러나 두 음의 사이에 빠졌고 위로 호응하여 당겨주는 이가 없으므로 험함에서 벗어나는 큰 일은 얻을 수 없지만, 그가 굳세고 알맞아 곁의 음들과 비(比)의 관계를 이루므로 구하는 것을 조금 얻을 수 있다. 상이 곧 점이 됨을 알 수 있다.

○ 剛柔之相應相比, 曰求曰得, 而二之剛比初三之柔, 故言求得也. 小取於陰而言, 所得不大, 纔能免益陷于深險也.
굳센 양과 부드러운 음이 서로 호응하고 서로 친하니, "구한다"라 하고, "얻는다"라 하였고, 이효의 굳센 양이 초효와 삼효의 음과 비(比)의 관계이기 때문에 "구하는 것을 얻는다"고 하였다. '작게'는 음을 취해서 말한 것이니, 얻은 바가 크지 않으므로 깊은 험함에 더 빠짐을 겨우 면할 수 있다.

### 이진상(李震相) 『역학관규(易學管窺)』

陽在陰中故險. 雖在險中而中實, 故求小得. 小得者, 上下二陰也.
양이 음 사이에 있으므로 험하다. 비록 험한 가운데 있으나 가운데가 충실하므로 구하는 것을 조금 얻는다. '조금 얻는 것'이란 위아래 두 음이다.

### 박문호(朴文鎬) 「경설(經說)·주역(周易)」

坎有險, 求小得, 未出中, 三句相因爲義, 言坎有險, 然求小得也, 求小得, 然未出中也, 觀乎註可知也.
"감(坎)에 험함이 있다", "구하는 것을 조금 얻는다", "험한 가운데에서 벗어나지 못했다"는 세 구가 서로 맞물려 뜻이 되니, 감(坎)에 험함이 있지만 구하는 것을 조금 얻고, 구하는 것을 조금 얻지만 험한 가운데에서 벗어나지는 못함을 말한다. 주석을 살펴보면 알 수 있다.

### 이병헌(李炳憲) 『역경금문고통론(易經今文考通論)』

虞曰, 據陰有實, 故曰求小得.
우번이 말하였다: 음의 자리에 의지하지만 양의 충실함이 있으므로 "구하는 것을 조금 얻는다"고 하였다.

## 象曰, 求小得, 未出中也.

「상전」에서 말하였다: "구하는 것을 조금 얻음"은 험한 가운데에서 벗어나지 못했기 때문이다.

## 中國大全

傳

**方爲二陰所陷, 在險之地, 以剛中之才, 不至陷於深險, 是所求小得. 然未能出坎中之險也.**

한창 두 음에 빠져서 험한 자리에 있으나 굳세고 알맞은 재질 때문에 깊은 험함에 빠지는 데는 이르지 않았으니, 이것이 구하는 바를 조금 얻은 것이다. 그러나 구덩이 안의 험함에서 벗어나지는 못하였다.

## 韓國大全

### 김상악(金相岳) 『산천역설(山天易說)』

未出中, 所以求其小得也. 出則入於坎窞, 與未濟象傳曰, 未出中, 不同.

험한 가운데에서 벗어나지 못했기에 구하는 것을 조금 얻는 것이니, 나간다면 구덩이의 구멍으로 들어갈 것이다. 미제괘 「단전」에서 "험한 가운데에서 벗어나오지 못한 것이다"고 한 것과는 같지 않다.

### 서유신(徐有臣) 『역의의언(易義擬言)』

所求, 所得, 不出於險中也.

구하는 것과 얻는 것이 험함 가운데서 벗어나지 못해서이다.

### 박문건(朴文健)『주역연의(周易衍義)』

未出中, 言猶未離於其中也.
'미출중(未出中)'은 여전히 그 가운데에서 떠나지 못했음을 말한다.

### 심대윤(沈大允)『주역상의점법(周易象義占法)』

言未出於險而不失中也
험함에서 벗어나지 못하였으나 중도를 잃지 않았음을 말한다
〈未濟之小狐汔濟[26], 未出中, 亦如此義.
미제괘의 "'어린 여우가 용감하게 건넘'은 험한 가운데에서 벗어나오지 못한 것이다" 역시 이러한 뜻이다.〉

### 오치기(吳致箕)「주역경전증해(周易經傳增解)」

雖有求而小得, 猶未出於險中也.
비록 구하는 것이 있어 조금 얻지만 여전히 험한 가운데에서 벗어나지 못한다.

### 이병헌(李炳憲)『역경금문고통론(易經今文考通論)』

荀曰, 處中而比初三, 未足爲援, 雖求小得, 未出於險中.
순상이 말하였다: 가운데 자리에 있고 초효 및 삼효와 비(比)의 관계이지만 끌어 당겨주기엔 부족하기에 비록 구하는 것을 조금 얻더라도 험한 가운데에서는 벗어나지 못한다.

26) 小狐汔濟: 경학자료집성DB에는 '小於泡濟'로 되어 있으나, 경학자료집 영인본을 참조하여 '小狐汔濟'로 바로잡았다.

**六三, 來之, 坎坎, 險, 且枕, 入於坎窞, 勿用.**

육삼은 오고 감에 험하고 험한데, 험함에 또 의지하여 구덩이의 구멍으로 들어가니, 쓰지 말아야 한다.

## 中國大全

### 傳

六三, 在坎陷之時, 以陰柔而居不中正, 其處不善, 進退與居, 皆不可者也. 來下則入于險之中, 之上則重險也, 退來與進之, 皆險, 故云來之坎坎, 旣進退皆險而居亦險. 枕謂支倚, 居險而支倚以處, 不安之甚也. 所處如此, 唯益入於深險耳. 故云入於坎窞. 如三所處之道 不可用也, 故戒勿用.

육삼은 빠지는 감(坎)의 때에 있으면서 부드러운 음으로서 중정하지 못한 자리에 있으니, 처함이 선하지 못하여 진퇴와 거처가 모두 옳지 못한 자이다. 아래로 가면 험한 가운데로 들어가는 것이고, 위로 가면 거듭 험하니, 물러가거나 나아감이 모두 험하기 때문에 '오고 감에 험하고 험함[來之坎坎]'이라고 하였다. 그러므로 이미 진퇴가 모두 험하고 거처함도 험한 것이다. 침(枕)은 의지하여 기댐을 이르니, 험함에 있으면서 의지하여 기대어 처함은 불안함이 심한 것이다. 처한 바가 이와 같으니 오직 더욱 깊은 험함으로 빠져 들어갈 뿐이기 때문에 "구덩이의 구멍으로 들어간다"고 하였고, 육삼이 처한 바와 같은 도는 쓸 수 없기 때문에 "쓰지 말라"고 경계한 것이다.

### 本義

以陰柔不中正, 而履重險之間, 來往皆險. 前險而後枕, 其陷益深, 不可用也. 故其象占如此. 枕倚著未安之意.

부드러운 음으로 중정하지 못하면서 거듭 험한 사이를 밟고 있어 오고 감이 모두 험하다. 앞에 험함이 있고 뒤에 베고 있어 그 빠짐이 더욱 깊으니 써서는 안 된다. 그러므로 상과 점이 이와 같다. 침(枕)은 의지하여 붙음이 편안하지 못한 뜻이다.

小註

朱子曰, 險且枕, 只是前後皆是險. 枕便如枕頭之枕. 問, 來之坎坎. 曰. 經文中疊字如兢兢業業之類, 是重字. 來之自是兩字, 各有所指, 謂下來亦坎, 上往亦坎. 之往也, 進退皆險也.
주자가 말하였다: '험함에 또 의지하여'는 단지 앞뒤가 모두 험한 것이다. 침(枕)은 베개머리의 베개와 같다.
물었다: '오고 감에 험하고 험함'은 무슨 뜻입니까?
답하였다: 경문 안의 긍긍업업(兢兢業業)과 같은 첩어(疊語)는 글자가 중첩된 것이지만, 래지(來之)는 본래 두 글자이니 각각 가리키는 바가 있다. 이것은 아래로 가도 험하고 위로 가도 험함을 이른다. '지(之)'는 감이니, 나아감과 물러감이 모두 험하다.

○ 童溪王氏曰, 乾之三, 處二乾之間, 故曰終日乾乾. 坎之三, 處二坎之間, 故曰來之坎坎.
동계왕씨가 말하였다: 건괘(乾卦䷀)의 삼효는 두 건(☰) 사이에 처하였기 때문에 '종일토록 힘쓰고 힘씀'이라고 하였고, 감괘(坎卦䷜)의 삼효는 두 감(☵) 사이에 처하였기 때문에 '오고 감에 험하고 험함'이라고 하였다.

○ 雙湖胡氏曰, 險下險也, 且枕又將枕上險矣, 入於坎窞, 指六四象.
쌍호호씨가 말하였다: '험함'은 아래의 험함이고, '또 의지함'은 위의 험함을 의지하고자 함이니, 깊은 구덩이로 들어감은 육사의 상을 가리킨다.

○ 雲峯胡氏曰, 前險而後枕, 枕有兩意. 謂下卦爲前險, 而六三枕之牖也, 謂六三處前險, 而四又枕之亦可也. 初與三皆曰入于坎窞, 彼凶此但勿用, 彼之入未能出, 此之入將可出也.
운봉호씨가 말하였다: 앞이 험하고 뒤를 의지하고 있으니, 침(枕)에 두 가지 뜻이 있다. 하괘가 '앞의 험함'이 되니 육삼이 들창에 의지하고 있음을 이른다고 해도 통하고, 육삼이 '앞의 험함'의 자리에 있으니 사효가 또 육삼을 의지함을 이른다고 해도 괜찮다. 초효와 삼효에서 모두 "구덩이의 구멍으로 들어간다"고 했는데 저기서는 흉하다 하고 여기서는 단지 쓰지 말하고 했으니, 초효는 들어가 벗어나지 못하고, 사효는 들어갔어도 장차 벗어날 수 있기 때문이다.

## 韓國大全

### 조호익(曺好益) 『역상설(易象說)』[27]

六三, 來之坎坎.
육삼은 오고 감에 험하고 험한데.

來之, 三在兩卦之間, 故取象.
'오고 감'은 삼효가 두 괘의 사이에 있기 때문에 상을 취하였다.

### 송시열(宋時烈) 『역설(易說)』

來之者, 下坎將盡, 而復自外而來者坎, 故曰坎坎, 若乾乾之云也. 旣處險而且枕, 藉乎坎險, 入于兩坎之間, 終必無功, 此占, 勿用可也.
'오고 감에'는 하괘의 험함이 다 하려는데 다시 밖에서 오는 것도 험함이므로 "험하고 험하다"고 하였으니 애쓰고 애쓴다고 함과 같다. 이미 험함에 처하였는데 또 그에 의지함은 구덩이의 험함을 바탕 삼은 데다 두 구덩이의 사이로 들어가 끝내 공이 없는 것이니, 이 점은 쓰지 않는 것이 옳다.

### 이익(李瀷) 『역경질서(易經疾書)』

六三, 下坎之上, 而上坎來枕, 是爲險且枕. 在險之內, 故亦有入于坎窞之象.
육삼은 아래 험함의 위쪽인데 위의 험함이 와서 의지하니 이것이 "험함에 또 의지함"이 된다. 험함의 안에 있으므로 또한 구덩이의 구멍으로 들어가는 상이 있다.

### 유정원(柳正源) 『역해참고(易解參攷)』

王氏曰, 枕者, 枕枝而不安之謂也. 出則旡之, 處則旡安, 故曰險且枕.
왕필이 말하였다: 침(枕)이란 위태로이 지탱하여 편안하지 못한 모습을 말한다.[28] 나가면

---

27) 경학자료집성DB에서는 감괘 '육이'에 해당하는 것으로 분류했으나, 내용에 따라 이 자리로 옮겼다.
28) 樓宇烈, 『王弼集校釋』에서는 九家易, 焦循의 역, 羅振玉 교감본 등에 의거하여 枕(침)을 阽(점)의 가차(假借)로 보았고, 枝(지)를 지탱한다는 의미로 보았다. 또한 '出則旡之'에서 '旡'자 뒤에 '所'자가 있는 것으로 교감하였다. 교감에 따른 왕필의 구이효사 險且枕의 해석은 "험하고 또 위태롭다"가 될 것이다.

갈 곳이 없고 그대로 있으면 편안치 못하므로 "험하고 또 위태롭다"고 하였다.

○ 雙湖胡氏曰, 坎堅多心, 木有枕象.
쌍호호씨가 말하였다: 감괘는 단단하고 심이 많으며, 나무에는 베게의 상이 있다.[29]

○ 案, 枕, 諸家皆作不安之意. 然枕者, 首所倚著之具也. 下卦爲險, 而三已枕之, 六四爲險, 而三又枕之, 言倚著於險中也.
내가 살펴보았다: 침(枕)은 여러 학자들이 모두 편안하지 못한 뜻으로 보았다. 그러나 침(枕)이란 머리가 의지하여 베는 기물이다. 하괘가 험함이 되는데 삼효가 이미 그 험함을 의지하였고, 육사가 험함이 되는데 삼효가 또 그것을 의지하였으니 험한 가운데 의지하는 것을 말한다.

## 김상악(金相岳) 『산천역설(山天易說)』

六三, 居下坎之終, 比上坎之初. 前旣有險, 後又枕險, 入于坎窞而不可用. 然比二而交陰陽相濟, 故不至于凶也.
육삼은 아래 감괘의 끝에 있고 위의 감괘의 처음과 비(比)의 관계이다. 앞에 이미 험함이 있고 뒤에 다시 험함을 의지하니, 구덩이의 구멍으로 들어가서 쓸 수 없는 것이다. 그러나 이효와 비(比)의 관계로 사귀어 음양이 서로 구제하므로 흉함에 이르지는 않는다.

○ 水潤下, 泉上出, 而三居上下之交, 故曰來之坎坎, 猶乾三之乾乾也. 險且枕者, 面臨于險, 頭枕于險, 所以其陷益深也. 渙九二曰, 渙奔其机, 机與枕, 皆人所憑依者, 而枕言不安之意, 机取得安之象, 何也. 渙則只有一坎在下, 而二得其中也, 坎則又有一坎在上, 而三不得正也.
물은 적시며 흘러내려가고 샘은 위로 솟는데, 삼효는 상괘와 하괘의 교차하는 지점에 있으므로 "오고 감에 험하고 험하다"고 하였으니, 건괘 삼효가 애쓰고 애쓰는 것과 같다. '험함에 또 의지함'은 위험에 닥쳐서 머리를 험함에 의지하니, 더욱 깊은 데로 빠지는 까닭이다. 환괘(渙卦) 구이효에 "흩어짐에 안석(安席)으로 달려간다"고 하였는데, 베게와 안석은 모두 사람들이 기대고 의지하는 것인데 베게는 편안하지 못한 뜻을 말하고, 안석은 편안함을 얻은 상을 취한 것은 무엇 때문인가? 환괘(䷺)는 단지 하나의 감괘가 아래에 있고 이효가 그 가운데 자리를 얻었으나, 감괘는 또 하나의 감괘가 위에 있고 삼효가 제자리를 얻지 못했기 때문이다.

---

29) 『周易 · 說卦傳』: 坎 … 其於木也, 爲堅多心.

## 김규오(金奎五)「독역기의(讀易記疑)」

六三, 來之坎坎, 險且枕.

육삼은 오고 감에 험하고 험한데, 험함에 또 의지하여.

來謂下體, 之謂上體, 險指六四, 而枕指九二. 來之, 大體說也, 險枕, 細分說也. 卦自下而上, 故謂上爲前, 本義前險後枕, 蓋謂是也. 雙湖將枕上險, 雲峯下卦前險之說, 皆以前爲過去之意, 恐非義意也. 傳以險且枕直作六三. 蓋謂來之, 已說上下體, 故以此三字爲三之所處, 其意似好而義不取者. 竊恐, 若如傳說, 則遇此爻, 動靜皆凶, 无可以爲教者, 如盱豫之傳矣. 此爻雖不吉, 比初六則有間, 又爻辭勿用象无功, 皆言來往皆凶, 若有所用, 則終必无功, 徒入坎窞云耳. 實戒以守靜勿用, 所謂用靜吉也. 若如傳說, 則守靜亦凶矣. 大抵文王孔子之易, 主於垂教, 雖遇凶爻者, 知戒而勿以爲用, 則凶不必爲凶矣.

'래(來)'는 하체의 몸괘를 말하고, '지(之)'는 상괘의 몸체를 말하며, '험(險)'은 육사를 가리키고 '침(枕)'은 구이를 가리킨다. '오고 감[來之]'은 대체적으로 말한 것이고, '험함에 의지함'은 세밀하게 나누어 말한 것이다. 괘는 아래에서 위로 가므로 위가 앞이 되니, 『본의』에서 "앞에 험함이 있고 뒤에는 베고 있다"고 한 것은 이를 말함이다. 쌍호호씨의 '위의 험함을 의지하고자 함'과 운봉호씨의 "하괘가 앞의 험함이 된다"는 모두 앞을 과거의 뜻으로 본 것이니 바른 뜻이 아닌 듯하다. 『정전』에서는 '험함에 또 의지함'이 바로 육삼에 해당한다고 보았다. '오고 감'은 이미 상체·하체라 하였으므로, 이 삼(三)자를 삼효가 거처하는 곳으로 삼은 것은 그 뜻이 좋은 듯하나 의미는 취하지 않은 것이다. 아마도 『정전』의 설명과 같다면, 이 효를 만났을 경우 움직이든 고요하든 모두 흉하여 교훈될만함이 없을 것이니, 예괘 삼효 '올려다 보며 즐거워함'[30]에 대한 『정전』의 주석과 같은 사례이다. 이 효는 비록 길하지는 못하나 초육에 비해 차이가 있다. 또 효사의 '쓰지 말아야 함'과 상전의 '공이 없음'은 모두 오고 감이 모두 흉함을 말한 것으로, 만약 쓰는 바가 있다면 끝내 공이 없이 헛되이 구덩이의 구멍으로 들어갈 뿐이라고 하였다. 고요함을 지켜 쓰지 말라는 말로 경계를 한 것은 이른바 고요함을 써서 길한 것이다. 만약 『정전』과 같다면 고요함을 지키는 것 역시 흉할 것이다. 대체로 문왕과 공자의 역은 가르침을 주는 것을 위주로 하니, 비록 흉한 효를 만난 경우라도 경계할 것을 알아 쓰지 않는다면, 흉함도 반드시 흉하게 되지는 않을 것이다.

---

30) 『周易·豫卦』: 六三, 盱豫, 悔. 遲, 有悔. [정전] 육삼은 올려다 보며 즐거워하니 후회하게 될 것이다. 머뭇거려도 후회가 있을 것이다. 六三, 盱豫, 悔遲, 有悔. [본의] 육삼은 올려다 보며 아래로는 즐기니, 뉘우치기를 더디게 하면 후회가 있을 것이다.

### 서유신(徐有臣) 『역의의언(易義擬言)』

下卦來, 上卦往, 上下皆坎, 故曰來之坎坎. 來之者, 水象也. 當重險而且枕卧, 莫能出於險外, 只自入于坎窞也. 六三之地, 若將出險而終未可出也. 坎有時用而三之時不可用, 故曰勿用也.
하괘는 오는 것이고 상괘는 가는 것인데, 위아래가 모두 험하므로 "오고 감에 험하고 험하다"라고 하였다. '오고 감'은 물의 상이다. 거듭 험함을 당하였는데 또 배게 베고 누웠으니, 험함의 밖으로 나올 수 없고 단지 스스로 구덩이의 구멍으로 들어간다. 육삼의 처지가 막 험함을 벗어나려 하지만 끝내 벗어날 수 없는 것과 같다. 감괘는 때의 쓰임이 있는데, 삼효의 때는 쓸 수가 없으므로 "쓰지 말아야 한다"고 하였다.

### 박제가(朴齊家) 『주역(周易)』

六三, 來之, 坎坎.
육삼은 오고 감에 험하고 험하다.

傳, 曰來下, 曰之上, 曰退來與進之.
『정전』에서 말하였다: "아래로 가면", "위로 가면", "물러가거나 나아감이".

朱子曰, 來之自是兩字, 之往也.
주자가 말하였다: 래지(來之)는 본래 두 글자이니, 지(之)는 가는 것이다.

案, 坎坎, 非一坎, 已爲進退皆險之義. 此之字, 當爲語助, 狀水之洊至之時也. 來坎坎亦足, 必曰之者, 所以見其不已之意也.
내가 살펴보았다: 감감(坎坎)은 하나의 구덩이가 아니니, 이미 나아가고 물러감에 모두 험한 뜻이 된다. 여기에서 지(之)자는 어조사로 보아야 하니, 물이 거듭 이르는 때를 형용하였다. "옴에 험하고 험하다[來坎坎]"라고만 하여도 충분한데, 굳이 '지(之)'라고 한 것은 그치지 않는 뜻을 보이려는 까닭이다.

### 박문건(朴文健) 『주역연의(周易衍義)』

進退俱陷, 故有坎坎之象. 乘剛而險枕, 有懼而入坎, 當勿用來往也.
나아가든 물러가든 모두 빠지므로 험하고 험한 상이 있다. 굳센 양을 올라타 험함에 또 의지하니 두려워 구덩이로 들어가므로 오고 감을 써서는 안된다.

〈問, 來之坎坎. 曰, 退來則見陷於二, 進之則見陷於上, 故有此象也. 問, 勿用. 曰, 勿用往來也. 曰, 勿用來往, 則何以處之. 曰, 從四而歸五也.
물었다: "오고 감에 험하고 험하다"는 무슨 뜻입니까?
답하였다: 물러나면 이효에 의해 빠짐을 당하고, 나아가면 위에 의해 빠짐을 당하므로 이 상이 있습니다.
물었다: "쓰지 말아야 한다"는 무슨 뜻입니까?
답하였다: 오고 감을 쓰지 말아야 한다는 뜻입니다.
물었다: 오고 감을 쓰지 않는다면 어떻게 처신해야 합니까?
답하였다: 사효를 따라 오효에 귀의해야 합니다.〉

### 이지연(李止淵) 『주역차의(周易箚疑)』

枕, 支首而在上者, 謂上坎, 入于坎窞, 謂下坎.
베게[枕]는 머리를 받쳐서 위에 있는 것이니 위의 감괘를 말하고, '구덩이의 옆구멍으로 들어감'은 아래의 감괘를 말한다.

### 김기례(金箕澧) 「역요선의강목(易要選義綱目)」

陰不中正, 陷於二坎之間, 來亦坎, 往亦坎, 故曰坎坎.
음으로서 중정하지 못하고 두 감괘 사이에 빠져 있으므로 와도 험하고 가도 험하기 때문에, "험하고 험하다"라고 하였다.

○ 纔經一險, 又著一險, 故曰且枕. 且枕坎窞, 指四初入窞, 不可出故凶. 三則將出, 故不至凶.
겨우 하나의 험함을 지났는데 또 하나의 험함이 붙어 있으므로 "또 의지한다[且枕]"라 하였다. '또 의지함[且枕]'과 '구덩이의 구멍'은 사효와 초효가 구멍으로 들어감을 가리키니, 벗어날 수 없으므로 흉하다. 삼효는 막 나오려 하므로 흉함에 이르지는 않는다.

### 심대윤(沈大允) 『주역상의점법(周易象義占法)』

坎之井䷯, 居其所而進也. 居剛用力尤苦, 而才柔進于內而不進于外, 水之內坎纔平, 而外又有大坎, 如侯牧之治, 其統內而不出統外. 險難之近小者纔靖, 而遠大者尙在也, 故曰來之坎坎, 險且枕. 震近离見曰, 來, 居上下坎之際, 故曰坎坎, 言勞苦不息也. 險且枕, 言爲五所節而不自用也. 枕在上而支倚也. 兌爲卧爲澤, 艮爲依, 坎爲髮, 离爲麗. 卧依而爲髮, 澤所麗曰枕. 若進而自用, 則險難益甚, 故曰入于坎窞勿用. 六三之力, 足以平下伏, 而上伏則尤如之何矣.
감괘가 정괘(井卦䷯)로 바뀌었으니, 그 자리에 있으면서 나아간다. 굳센 양의 자리에 있으면서 힘쓰기를 더욱 애써서 하지만 재질이 유약하여 안으로는 나아가도 밖으로는 나아가지 못하니, 물이 안쪽 구덩이는 겨우 평평하게 채우지만 밖에 또 큰 구덩이가 있으니, 후목(侯牧)의 다스림과 같아서 그 안은 통솔하여도 밖을 다스리는 데까지 나가지는 못한다. 험난함의 작고 가까이 있는 것을 겨우 평정하였는데, 큰고 멀리 떨어져 있는 것이 여전히 남았으므로 "오고 감에 험하고 험한데, 험함에 또 의지한다"라고 하였다.[31] 진괘(☳)가 다가옴을 리괘(☲)가 보므로 '옴'이라고 하였고, 위아래 감괘의 사이에 있으므로 "험하고 험하다"라 하였으니, 수고하고 애써서 쉬지 않음을 말한다.
"험함에 또 의지한다"는 오효에 묶여서 스스로 쓸 수 없음을 말한다. 베게는 위에 있고 의지하는 것이다. 태괘는 누움이 되고 못이 되며, 간괘는 의지함이 되고, 감괘는 머리털이 되며, 리괘는 걸림이 된다. 누어서 의지하니 머리털이 되고, 못은 걸리는 것이기에 베게[枕]이라 하였다. 만약 나아가 스스로 쓴다면 험난함이 더욱 심할 것이므로 "구덩이의 구멍으로 들어가니 쓰지 말아야 한다"고 하였다. 육삼의 힘으로 아래는 평정하여 복종시킬 수 있지만 위를 복종시키려 한다면 달리 어찌할 수 있겠는가?

### 오치기(吳致箕) 「주역경전증해(周易經傳增解)」

六三, 陰柔不正, 上无應援, 而居重險之間, 故來入于內, 往之于外, 皆是坎險. 旣有其險而枕倚, 又入于窞而益陷, 終不可用濟險之功, 故其辭如此.
육삼은 부드러운 음으로 바르지 못하고, 위에서 호응하여 끌어 당겨주는 이도 없으며, 중첩된 험함의 사이에 있으므로 와서 안으로 들어가고, 밖으로 가도 모두 험한 구덩이이다. 이미 험함이 있는데 의지하고, 또 구멍으로 들어가 더욱 빠져서 끝내 험함을 구제하는 공을 쓸 수 없으므로 효사가 이와 같다.

○ 來之者, 猶言來往也. 上下皆坎, 故重言坎. 坎也變巽爲木, 互艮爲止. 枕者支倚之木, 止而不動者, 而亦謂倚于上險也. 六三亦爲不正之陰, 故言窞也.
'래지(來之)'는 오고 간다고 말하는 것과 같다. 위아래가 모두 감괘이므로 중복하여 험하다고 하였다. 감괘가 손괘로 변하면 나무가 되고, 호괘인 간괘는 그침이 된다. 침(枕)이란 기대어 의지하는 나무이니 멈추어 움직이지 않고, 또 위의 험함에 기대어 있음을 말한다. 육삼

31) 감괘 육삼이 효변하면 정괘(井卦䷯)가 되고, 정괘의 3효~5효까지가 리괘이다.

역시 바르지 못한 음이 되므로, 구멍[窞]이라고 하였다.

### 이진상(李震相) 『역학관규(易學管窺)』

險且枕[32]
험함에 또 의지하여

枕[33]恐當作沈. 陰爲險, 陽爲沈, 險則易沈, 沈則難出, 所以愈入於窞也. 枕乃倚而爲安者, 恐非有支倚不安之意.
침(枕)은 침(沈)이라 해야 할 듯하다. 음은 험하고 양은 깊으니, 험하면 깊어지기 쉽고, 깊으면 벗어나기가 어려우므로 더욱 깊은 구덩이로 들어간다. 침(枕)은 기대어 편안하게 되는 것이니, 아마도 '의지하여 기댐[支倚]'에 편안하지 못한 뜻이 있는 것은 아닌 듯하다.

### 박문호(朴文鎬) 「경설(經說) · 주역(周易)」

險且枕, 程傳分居處說, 本義分前後說, 未知所從.
"험함에 또 의지한다"를 『정전』에서는 거함과 처함으로 나누어 말하였고, 『본의』에서는 앞과 뒤로 나누어 말하였는데, 어느 것을 따라야 할지 모르겠다.

### 이병헌(李炳憲) 『역경금문고통론(易經今文考通論)』

六三, 來之坎坎, 險且沈, 入于坎窞, 勿用.
육삼은 오고 감에 험하고 험한데, 험하고 또 깊어서, 구덩이의 구멍으로 들어가니, 쓰지 말아야 한다.

沈, 舊本作枕, 九家作玷.
심(沈)은 옛 판본에는 침(枕)이라 하였고, 『순구가역』에서는 점(玷)이라 하였다.

---

32) 枕: 경학자료집성DB와 영인본에는 모두 '枕'으로 되어 있으나, 『주역』 경문에 따라 '枕'으로 바로잡았다.
33) 枕: 위와 같음.

## 象曰, 來之坎坎, 終无功也.

「상전」에서 말하였다: "오고 감에 험하고 험함"은 끝내 공이 없는 것이다.

## 中國大全

**傳**

進退皆險, 處又不安, 若用此道, 當益入於險, 終豈能有功乎. 以陰柔處不中正, 雖平易之地, 尙致悔咎, 況處險乎. 險者, 人之所欲出也, 必得其道, 乃能去之求去, 而失其道, 益困窮耳. 故聖人戒如三所處不可用也.

나아가고 물러남이 모두 험하고 처함이 또 불안하니, 만약 이러한 도를 쓴다면 더욱 험함에 들어갈 것이니, 끝내 어찌 공이 있을 수 있겠는가? 부드러운 음으로서 중정하지 못한 데에 처하였니, 비록 평이한 곳이라도 오히려 뉘우침과 허물을 초래할 것인데 하물며 험함에 있어서이겠는가. 험함은 사람들이 벗어나고자 하는 바이나 반드시 알맞은 도를 얻어야 벗어날 수 있으니, 벗어나기를 구하면서 도를 잃으면 더욱 곤궁할 뿐이다. 그러므로 성인이 삼효가 처한 바와 같은 것은 쓸 수 없다고 경계한 것이다.

## 韓國大全

김상악(金相岳) 『산천역설(山天易說)』

功謂出險之功也.
공은 위험을 벗어나는 공을 말한다.

**서유신(徐有臣)『역의의언(易義擬言)』**

謂不能行有尙也.

가면 가상함이 있을 수 없음을 말한다.

**박문건(朴文健)『주역연의(周易衍義)』**

終无功, 言進退无益也.

"끝내 공이 없다"는 나아가든 물러가든 보탬이 없음을 말한다.

**오치기(吳致箕)「주역경전증해(周易經傳增解)」**

進退皆坎, 終无濟險之功也.

나아가든 물러나든 모두 구덩이이니, 끝내 험함을 구제하는 공이 없다.

**이병헌(李炳憲)『역경금문고통론(易經今文考通論)』**

王曰, 履非其位, 又處兩坎之間, 出則之坎, 居則亦坎, 故曰來之坎坎也.

왕필이 말하였다: 그 자리가 아닌 곳을 밟고 또 두 구덩이 사이에 있으니, 나가도 험한 데로 가고 머물러 있어도 험하기 때문에 "오고 감에 험하고 험하다"라고 하였다.

枕, 釋文云, 古文作沈, 音訓引云. 薛亦同, 此當爲眞. 古文卽今文, 故從之.

침(枕)은『석문』에 "고문에 침(沈)이라 하였다"하였으니,『음훈』에서도 이처럼 인용했다. 설씨도 이와 같으니, 이것이 마땅히 옳을 것이다. 고문은 곧 금문이므로 그에 따른다.

## 六四, 樽酒簋貳, 用缶, 納約自牖, 終无咎.

정전 육사는 동이[樽]의 술과 궤 두 개를 질그릇으로 사용하고, 맺음을 들이되 통한 곳으로부터 하면 마침내 허물이 없을 것이다.

## 六四, 樽酒簋, 貳用缶, 納約自牖, 終无咎.

본의 육사는 동이[樽]의 술과 궤(簋)이며, 더하되 질그릇을 사용하고, 맺음을 들이되 들창으로부터 함이니, 마침내 허물이 없을 것이다.

## 中國大全

### 傳

六四陰柔, 而下无助, 非能濟天下之險者, 以其在高位, 故言爲臣處險之道. 大臣當險難之時, 唯至誠, 見信於君, 其交固而不可間. 又能開明君心, 則可保无咎矣. 夫欲上之篤信, 唯當盡其質實而已. 多儀而尚飾, 莫如燕享之禮, 故以燕享喩之, 言當不尚浮飾, 唯以質實. 所用一樽之酒, 二簋之食, 復以瓦缶爲器, 質之至也. 其質實如此, 又須納約自牖. 納約謂進結於君之道. 牖, 開通之義, 室之暗也. 故設牖, 所以通明. 自牖, 言自通明之處, 以況君心所明處. 詩云, 天之牖民, 如壎如篪, 毛公訓牖爲道, 亦開通之謂. 人臣以忠信善道, 結於君心, 必自其所明處, 乃能入也. 人心有所蔽有所通, 所蔽者暗處也, 所通者明處也. 當就其明處而 告之求信, 則易也, 故云納約自牖. 能如是, 則雖艱險之時, 終得无咎也. 且如君心蔽於荒樂, 惟其蔽也故爾, 雖力詆其荒樂之非, 如其不省何. 必於所不蔽之事, 推而及之, 則能悟其心矣. 自古能諫其君者, 未有不因其所明者也. 故訐直強勁者, 率多取忤, 而溫厚明辯者, 其說多行. 且如漢祖愛戚姬, 將易太子, 是其所蔽也, 群臣爭之者衆矣, 嫡庶之義, 長幼之序, 非不明也, 如其蔽而不察何. 四老者, 高祖素知其賢而重之, 此其不蔽之明心也. 故因其所明而及其事, 則悟之如反手. 且四老人之力, 孰與張良群公卿及天下之士, 其言之切, 孰與周昌叔孫通. 然而不從彼而從此者, 由攻其蔽與就其明之異耳. 又如趙王太后, 愛其少子長安君, 不肯使質於齊, 此其蔽於私愛也. 大臣諫之, 雖强, 旣曰蔽矣, 其能聽乎. 愛其子, 而欲使之長久富貴者, 其心之所明也. 故左師觸讋, 因其明而導之以長久之計. 故其聽也如響. 非惟告於君者如此, 爲敎者亦然. 夫敎必就人之所長, 所長者, 心之所明也. 從其心之所明而入, 然後推及其餘, 孟子所謂成德達才是也.

육사는 부드러운 음으로서 아래에 돕는 이가 없으니, 천하의 험함을 구제할 수 있는 자가 아니다. 그러나 높은 지위에 있기 때문에 신하가 되어 험함에 대처하는 도리를 말하였다. 대신이 험난한 때를 당하면 지극한 정성만이 군주에게 신임을 받아서 교분이 견고하여 다른 사람이 이간질할 수 없고, 또 군주의 마음을 열어 밝게 하면 '허물이 없음'을 보전할 수 있다. 윗사람이 자신을 돈독히 믿어주기를 바란다면 오직 질박하게 하고 성실함을 다할 뿐이다. 의식이 많고 꾸밈을 숭상함은 연향의 예보다 더한 것이 없기 때문에 연향으로 비유하였으니, 화려한 겉치레를 숭상하지 말고 오직 질박하고 성실함으로 해야 함을 말한 것이다. 한 동이의 술과 두 궤의 밥을 사용하되 다시 질그릇을 그릇으로 삼았다면 질박함이 지극한 것이다. 그 질박하고 성실함이 이와 같고, 또 모름지기 통한 곳으로부터 맺음을 들여야 한다. '맺음을 들임[納約]'은 군주에게 나아가 맺는 도를 말하고, '유(牖)'는 개통(開通)의 뜻이다. 방이 어둡기 때문에 창문[牖]을 설치하니, 밝음이 통하게 하기 위함이다. '통한 곳으로부터 함[自牖]'은 통명(通明)한 곳으로부터 함을 말한 것이니, 군주마음의 밝은 곳을 비유한 것이다. 『시경』에 "하늘이 백성을 인도함이 훈(壎)을 불면 지(篪)로 화답하는 것과 같네"[34]라고 하였는데, 모공[毛萇]은 '유(牖)'를 인도함[導]으로 풀이하였으니, 이 또한 개통(開通)을 이른다. 신하가 충신(忠信)과 선도(善道)로 군주(君主)의 마음과 맺으려 한다면, 반드시 임금이 밝게 아는 곳으로부터 해야 들어갈 수 있다. 사람의 마음에는 가린 것이 있고 통하는 것이 있으니, 가린 것은 사물의 이치에 어두운 부분이고, 통하는 것은 사물의 이치에 밝은 부분이다. 마땅히 밝게 아는 곳에 나아가 아뢰어서 믿어주기를 구한다면 쉽기 때문에 '맺음을 들이되 통한 곳으로부터 함[納約自牖]'이라고 한 것이니, 이와 같이 할 수 있다면 비록 어렵고 험한 때라도 끝내 허물이 없을 수 있을 것이다. 군주의 마음이 안일한 즐거움에 가려진 것 같은 것은 오직 마음이 가려졌기 때문이니, 비록 안일한 즐거움이 나쁜 것임을 힘써 비판하더라도 군주가 살피지 않는다면 어쩌겠는가? 반드시 가려지지 않은 일을 미루어 언급한다면 그 마음을 깨우칠 수 있을 것이다. 예로부터 군주에게 간할 수 있는 이 중에 군주가 잘 알고 있는 것으로 말미암지 않은 이가 없었다. 그러므로 곧바로 지적하여 강경하게 하는 자는 대부분 거스름을 취하고, 온후하여 밝게 변론하는 자는 그 말이 대부분 실행되었다. 예컨대 한 고조(漢高祖)가 척희(戚姬)를 사랑하여 장차 태자(太子)를 바꾸려 한 것은 사랑에 가려진 것이다. 여러 신하들이 대부분 간쟁하였으니, 적서(嫡庶)의 의리와 장유(長幼)의 차례를 밝히지 않은 것이 아니었으나, 군주가 사랑에 가려서 살펴보지 않음에 어쩌겠는가? 네 노인은 고조(高祖)가 평소에 그들의 어짊을 알고 소중히 여겼으니, 이는 가려지지 않은 밝은 마음이다. 그러므로 밝게 아는 것으로 인하여 그 일을 언급하자 깨우침이 손을 뒤집는 것처럼 쉬웠다. 또 네 노인의 힘이 어찌 장량(張良) 등의 여러 공경과 천하의 선비만 하겠으며, 말의 간절함이 어찌 주창(周昌)과 숙손통(叔孫通)만 하였겠

34) 『시경·판』.

는가? 그런데도 장량 등을 따르지 않고 네 노인을 따른 까닭은, 가려진 것을 공격함은 어렵고 밝게 아는 것에 나아감은 쉽다는 차이 때문이다. 또 조왕(趙王)의 태후(太后)가 작은 아들인 장안군(長安君)을 사랑하여 제(齊)나라에 인질로 보내려고 하지 않았으니,35) 이는 사사로운 사랑에 가려진 것이다. 대신들이 간하기를 강력히 하였으나, 이미 마음이 가려졌으니 그 말을 듣겠는가? 아들을 사랑하여 장구히 부귀하게 하고자 하는 것은 그 마음에 밝게 아는 것이다. 그러므로 좌사(左師)인 촉섭(觸讋)이 태후가 밝게 아는 것으로 인하여 장구한 계책으로 인도하였기 때문에 그 말을 따름이 메아리처럼 빨랐던 것이다. 군주에게 아뢰는 자가 이와 같을 뿐만이 아니라, 사람을 가르치는 자 또한 그러하다. 가르침은 반드시 그 사람이 잘하는 것에 나아가야 하니, 잘하는 것은 마음에 밝게 아는 것이다. 그 마음에 밝게 아는 것을 따라 들어간 뒤에야 미루어 나머지까지 미칠 수 있으니, 『맹자(孟子)』에 이른바 "덕을 이루게 하고 재주를 통달하게 한다"36)는 것이 이것이다.

**本義**

**晁氏云, 先儒讀樽酒簋爲一句, 貳用缶爲一句, 今從之. 貳益之也, 周禮大祭三貳, 弟子職左執虛豆, 右執挾匕, 周旋而貳是也. 九五尊位, 六四近之, 在險之時, 剛柔相際, 故有但用薄禮, 益以誠心, 進結自牖之象. 牖, 非所由之正, 而室之所以受明也. 始雖艱阻, 終得无咎, 故其占如此.**

조씨(晁氏)가 "선유는 '준주궤(樽酒簋)'를 한 구(句)로 읽고 '이용부(貳用缶)'를 한 구(句)로 읽었다"고 하였으니, 지금 그 말을 따른다. 이(貳)는 더함이다. 『주례(周禮)』에 "큰 제사에는 세 번 더한다"37) 하고, 「제자직(弟子職)」에 "왼손으로는 빈 그릇을 잡고 오른손으로는 숟가락을 잡아 주선하여 더한다"고 한 것이 이것이다. 구오는 존귀한 자리인데 육사가 가까이 있으니, 험한 때에 있어서 강유(剛柔)가 서로 교제하므로 다만 박한 예를 쓰고, 정성스런 마음을 더하여 나아가 맺기를 들창으로부터 하는 상이 있는 것이다. 들창[牖]은 나다니는 바른 문이 아니고 방에서 밝음을 받는 곳이니, 처음은 비록 어렵고 막히나 끝내 허물이 없음을 얻을 것이다. 그러므로 그 점이 이와 같다.

---

35) 전국 시대 진(秦)나라가 조(趙)나라를 공격하자 당시 국정을 담당한 조 태후가 제(齊)나라에 구원병을 요구하니, 제나라에서 장안군(長安君)을 볼모로 보낼 것을 제안하였다. 처음에는 조 태후가 완강히 반대하였으나, 좌사(左師) 촉섭(觸讋)이 '나라를 위해 공을 세우게 하는 것이 자식을 위한 큰 계책'이라고 설득하자 장안군을 볼모로 보냈다. 『전국책(戰國策)·조책(趙策)』 권4.

36) 『孟子·盡心』: 孟子曰, 君子之所以教者五, 有如時雨化之者, 有成德者, 有達財者, 有答問者, 有私淑艾者. 此五者, 君子之所以教也.

37) 『周禮·天官·酒正』: 大祭三貳, 中祭再貳, 小祭壹貳, 皆有酌數.

小註

或問, 六四舊讀樽酒簋句貳用缶句, 本義從之, 其說如何. 朱子曰, 旣曰樽酒簋貳, 又曰用缶, 亦不成文理. 貳益之也. 又曰, 人硬說作二簋, 其實无二簋之實. 陸德明自注, 斷人自不曾去看, 如所謂貳, 乃大祭三貳之貳, 是副貳之義. 六四居近尊位, 而在險之時, 剛柔相際, 故有但用薄禮, 益以誠心, 進結自牖之象. 問, 牖非所由之正, 乃室中受明之處, 豈險難之時, 不容由正以進耶. 曰, 非是不可由正, 蓋事變不一, 勢有不容不自牖者, 不由戶而自牖, 以言艱險之時, 不可直致也.
어떤 이가 물었다. 예전에 육사는 '준주궤(樽酒簋)'를 한 구(句)로 읽고 '이용부(貳用缶)'를 한 구(句)로 읽었는데, 『본의』에서 그 말을 따랐다고 하였습니다. 이 말의 의미가 무엇입니까?
주자가 말하였다: 이미 '동이의 술과 궤 두 개[樽酒簋貳]'로 읽고 또 '질그릇으로 사용함[用缶]'이라고 말하는 것은 문리를 이루지 못합니다. 이(貳)는 더하는 것입니다.
또 말하였다: 사람들이 억지로 두 개의 궤라고 말하나 사실은 두 개의 궤라는 실상이 없습니다. 육덕명이 스스로 주석하여 사람들이 본래 가서 본적이 없다고 판단하였으니, 이른바 이(貳)는 곧 "큰 제사에 세 번 더한다"의 더한다[貳]와 같으니 "덧붙인다"는 뜻입니다. 육사는 존귀한 자리에 가까이 있으면서 험한 때에 강유가 서로 교제하기 때문에 다만 박한 예를 사용하고 정성스런 마음을 더하여 나아가 통한 곳으로부터 맺기를 들창으로부터 하는 상이 있는 것입니다.
물었다: "들창[牖]은 나다니는 바른 문이 아니고 방에서 밝음을 받는 곳이다"라고 하였는데, 어찌 험난한 때에 바른 데로 말미암아 나아가기를 허용하지 않는 것입니까?
답하였다: 바른 데로 말미암아서는 안 된다는 것이 아니라, 대체로 일의 변화는 한결같지 않아서 형편상 들창으로 하지 않아서는 안 되는 것이 있으니, 문으로 말미암지 않고 들창으로 말미암았다면, 이로써 험난한 때에 곧바로 이를 수 없음을 말한 것입니다.

○ 納約自牖, 雖有向明之意, 然非是路之正. 終无咎者, 始雖不甚好, 然於義理无害, 故終无咎. 无咎者, 善補過之謂也.
'검소한 물건을 들이되 들창으로부터 함'은 비록 밝음을 향한 뜻은 있으나 바른 길이 아닌 것이고, '마침내 허물이 없을 것'이라는 것은 처음에는 비록 그다지 좋지 않으나 의리에는 해로울 것이 없기 때문에 마침내 허물이 없는 것이다. 허물이 없다는 것은 허물을 잘 보완함을 이른다.

○ 臨川吳氏曰, 以樽盛酒, 以簋盛食. 又以缶盛酒, 貳其尊. 虞翻云, 貳副也, 禮有副尊, 故貳用缶. 按周官, 大祭三貳, 其下云皆有酌數, 皆有器量, 鄭氏注, 謂酌器所用注尊中者, 缶卽酌器也. 爲尊之副, 尊中之酒不滿, 則酌此器之酒, 以益之也.
임천오씨가 말하였다: 준(樽)에 술을 담고, 궤(簋)에 밥을 담는다. 또 부(缶)에 술을 담아 준(尊)을 보조(輔助)한다. 우번은 "이(貳)는 보조(輔助)의 뜻이니, 예에 '준을 보조한다'가 있기 때문에 '더하되 질그릇으로 사용한다[貳用缶]'라고 하였다"고 말했다. 『주례 · 천관』을 살펴보니 "큰 제사에는 세 번 더한다[大祭三貳]"의 아래에 "모두 술 따르는 도수가 있다[皆有酌數]"와 "모두 그릇의 수량이 있다[皆有器量]"가 있는데,[38] 정현(鄭玄)의 주석에 "작기(酌器)는 준(尊)속에 술을 따르는 데 쓰이는 것이다"라고 하였으니, 부(缶)는 곧 술을 따르는 그릇이다. 준의 보조물로서 준 속의 술이 채워있지 않으면 이 그릇의 술을 따라 더하는 것이다.

○ 雲峯胡氏曰, 缶之器, 實有誠實象. 酒簋之禮, 至薄, 當坎之時, 不得已而用之, 非益之以誠, 不可也. 納約不自戶而自牖, 亦坎之時不得已也.
운봉호씨가 말하였다: 질그릇에는 참으로 성실한 상이 있다. 술과 밥의 예가 지극히 박하나, 감의 때를 당하여 어쩔 수 없어 쓰는 것이니, 정성으로 더하지 않으면 안 된다. 맺음을 들이기를 문으로부터 하지 못하고 들창으로부터 하는 것도 감괘의 때이므로 어쩔 수 없어서이다.

○ 潘氏夢旂曰, 樽酒簋貳用缶, 與損之二簋可用享同意, 皆言其窮約之時, 不事多儀, 而尙誠實也. 納約自牖, 與睽之遇主于巷同意, 皆言其艱難之時, 自間道而通於君也. 六四居大臣之位, 當坎險之時, 盡其誠實, 雖自牖而納約, 非其正道, 終无咎也. 居治平之世, 由間道而結於君, 則不可矣, 惟睽坎之時爲然.
반몽기가 말하였다: '육사는 동이의 술과 궤(簋)이며, 더하되 질그릇을 사용하고'는 손괘(損卦)의 "두 그릇만 가지고도 제사 지낼 수 있다"[39]와 같은 뜻이니, 모두 궁핍한 때라서 화려한 의식을 일삼지 못하고 성실함을 숭상해야함을 말하였다. '맺음을 들이되 들창으로부터 함'은 규괘(睽卦)의 "군주를 골목에서 만나다"[40]와 같은 뜻이니, 모두 어려운 때에 사잇길에서 임금과 통하는 것을 말한다. 육사는 대신의 자리에 있으니, 험한 감괘의 때를 당하여 성실함을 다하면 비록 들창으로부터 하여 맺음을 들이는 것이 바른 도가 아니더라도 마침내 허물이 없을 것이다. 공평히 다스려지는 세상에 살면서 사잇길에서 임금과 맺는다면 불가하다. 규괘 · 감괘의 때만이 그렇게 하는 것이다.

---

38) 『周禮 · 天官 · 酒正』: 大祭三貳, 中祭再貳, 小祭壹貳, 皆有酌數. 唯齊酒不貳, 皆有器量.
39) 『周易 · 損卦』.
40) 『周易 · 睽卦』.

# ▌韓國大全▐

### 조호익(曺好益) 『역상설(易象說)』[41]

雙湖曰, 樽互震木象, 坎亦木. 簋, 互震竹象. 缶瓦器坤土, 坎水伏離火象.
쌍호호씨가 말하였다: '준(樽)'은 호괘인 진괘가 나무의 상이고, 감괘 역시 나무가 된다. '궤(簋)'는 호괘인 진괘가 대나무의 상이다. 부(缶)는 질그릇으로 곤괘(坤卦)인 흙이고, 감괘 물의 '숨은 몸체[伏]'는 리괘(☲)로 불의 상이다.

雲峯曰, 坎中有離, 自牖離虛明之象.
운봉호씨가 말하였다: 감괘(☵)가운데에는 리괘(☲)가 있으니, '들창으로부터 함[自牖]'은 리괘의 비고 밝은 상이다.

愚謂, 下震木上坎水, 三四二爻, 虛中而盛水, 有樽酒之象. 下震竹, 上艮手, 有爲簋之象. 自初至四, 三陰坤土, 自三至上, 三陰坤土, 中二陽坎水, 和爲泥. 伏離火, 燒之有缶象. 〈以上廣胡氏說.〉 坎爲穴, 有牖象. 又自二至五, 似離虛中象. 坎爲耳. 四在坎內, 有納約之象. 〈約結義〉
내가 살펴보았다: 아래로는 진괘의 나무이고 위로는 감괘의 물이며, 삼효·사효 두 효는 가운데가 비어 물을 담고 있으니, 동이 속에 술이 담겨져 있는[樽酒] 상이 있다. 아래의 진괘는 대나무이고 위의 간괘는 손이니, 대나무 그릇인 궤(簋)가 되는 상이 있다. 초효부터 사효까지 세 음이 곤괘인 흙이 되고, 삼효부터 상효까지 세 음이 곤괘인 흙이 되며, 가운데 두 양은 감괘인 물이 되는데, 이를 섞으면 진흙이 된다. 숨은 몸체인 리괘의 불로 구어서 질그릇[缶]의 상이 있다.〈이상은 쌍봉 호씨의 설을 설명한 것이다.〉 감괘는 구멍이 되니 들창[牖]의 상이 있다. 또 이효부터 오효까지는 리괘의 가운데가 비어있는 상과 비슷하다. 감괘는 귀가 된다. 사효가 구덩이 안에 있으니, 맺음을 들이는[納約] 상이 있다.〈약(約)은 맺는다는 뜻이다.〉

○ 本義, 云云.
『본의』에서 말하였다, 운운.

---

41) 경학자료집성DB에서는 감괘 '육삼'에 해당하는 것으로 분류했으나, 내용에 따라 이 자리로 옮겼다.

按, 弟子職註, 貳再益也. 視有盡者, 益之. 挾, 箸也. 匕所以載鼎實者, 此弟子進食尊長之禮.〈三貳見酒正.〉
내가 살펴보았다: 『관자 · 제자직』의 주(註)에 "이(貳)는 다시 더해 주는 것이다. 살펴보고서 다 떨어진 것이 있으면 더해주는 것이다. 협(挾)은 젓가락이다. 비(匕)는 솥에 담긴 것을 뜨는 것이다"라고 하였다. 이는 젊은 사람[弟子]이 어른에게 음식을 올리는 예(禮)이다. 〈세 번 더한다[三貳]는 『주례 · 주정(酒正)』에 나온다.〉

○ 註, 吳氏云云, 大祭用一尊, 則貳以三尊, 中祭用一尊, 則貳以二尊.
소주에 임천오씨가 운운하였다: 큰 제사에 한 동이를 쓰면 세 동이로써 더해 주고, 중간 제사에 한 동이를 쓰면 두 동이로써 더해 준다.

### 송시열(宋時烈) 『역설(易說)』

中有離象, 離爲中虛, 坎爲酒食, 故曰樽酒. 互卦爲震, 震爲竹而兼中虛之象, 是竹器也. 竹器爲簋, 若樽酒之謂也. 貳者, 副也, 謂副簋也. 比卦云盈缶, 離云鼓缶. 此卦言缶, 亦以坎離之象耶. 或曰坎爲缶, 晁氏簋下作句之說, 以損辭二簋之義推之, 尤爲可疑. 蓋樽之酒, 用以缶, 是瓦樽杯飮之義也. 簋貳者, 二簋之至薄也, 言當以純一誠信爲尙, 而不以器物之多儀爲貴也. 四爻以陰柔處近君之位, 將交接于剛陽之君而不用華美之器, 但以質薄之物, 此旣可尙牖者. 互艮爲門戶也, 約而必納於戶牖開明之處, 此所以終必无咎也. 小象剛柔際[42]者, 以四之陰柔接五爻重剛之君也.
가운데에 리괘의 상이 있고, 리괘는 가운데가 비었으며, 감괘는 술과 음식이 되므로 '동이의 술'이라고 한다. 호괘가 진괘가 되니 진괘는 대나무가 되고, 가운데가 빈 것을 겸한 상이니 대나무 그릇이다. 대나무 그릇이 '궤'가 되니, '동이 술[樽酒]' 같은 것을 말한다. 이(貳)는 '다시[副]'이니, 궤를 다시 더하는 것을 말한다. 비괘(比卦)에 "질그릇에 가득하다"고 하고 리괘(離卦)에 "질장구를 두드린다"고 하였다. 이 괘에서 질그릇을 말한 것 역시 감괘와 리괘의 상 때문이다. 어떤 이는 감괘가 질그릇이 된다고 한다. 조씨가 궤(簋)에서 구를 끊어야 한다고 한 설은 손괘(損卦)에서 '두 궤'라고 한 뜻으로 미루어 보면 더욱 의심할만하다. 동이의 술은 질그릇을 쓰니, 질그릇 술동이와 술잔으로 마시는 뜻이다. '궤이(簋貳)'는 두 개의 궤로 지극히 박한 것이니, 마땅히 순일한 정성과 신의를 숭상하고 기물을 많이 차리는 의식을 귀하게 여기지 말아야 함을 말한 것이다. 사효는 유약한 음으로 임금에게 가까운 자리에 있고 장차 굳센 양인 임금과 만나려 함에 화려하고 아름다운 기물을 쓰지 않고 다만 질박한

---

42) 際: 경학자료집성DB와 영인본에는 모두 '陰'으로 되어 있으나, 『주역』 경문에 따라 '際'로 바로잡았다.

물건으로 하니, 이는 이미 '통하는 것'을 숭상하는 자이다. 호괘인 간괘는 문이 되고, 묶어서 반드시 문과 들창의 밝은 곳으로 들이니, 이것이 마침내 허물이 없는 까닭이다. 「소상전」에 "굳셈과 부드러움이 교제하기 때문이다"라 한 것은 사효의 부드러운 음이 거듭 굳센[43] 오효의 임금과 만나기 때문이다.

### 이익(李瀷) 『역경질서(易經疾書)』

樽簋, 皆禮器, 而坎爲水, 故於樽加酒字. 言簋則黍稷在其中. 樽從木, 簋從竹, 然制器之始, 必用土而不用竹木, 故史云, 飯土簋, 歠土鉶也. 貳者, 樽簋之有副也. 缶者, 土器也. 副必用缶, 禮不忘本也. 婚之巹杯, 祭之玄酒之類, 皆是也.

준(樽)과 궤(簋)는 모두 제사그릇인데, 감괘가 물이므로 준(樽)에 주(酒)자를 더하였다. 궤(簋)로 말하자면 기장이 그 속에 있다. 준(樽)은 목(木)이 부수이고, 궤(簋)는 죽(竹)이 부수이나 처음 그릇을 만들었을 때는 반드시 흙을 썼지 대나무나 나무를 쓰지 않았다. 그러므로 『한서』[44]에 "흙 밥그릇에 밥을 먹고, 흙 국그릇에 국을 마신다"고 하였다. 이(貳)는 준(樽)과 궤(簋)를 다시 더하는 것이다. 부(缶)는 토기이다. 다시 더할 때에는 반드시 부(缶)를 쓰니, 예는 근본을 잊지 않는 것이다. 혼례의 증배(巹杯)와 제례의 현주(玄酒)같은 종류가 모두 이것이다.

按, 聘禮八壺八簋, 陳于戶西, 戶西近牖也. 主人居常主奧, 奧者室西南隅則當牖也. 此不特生者之禮, 廟主亦如此. 論語有自牖執手之文, 則牖不獨通明, 或有出納之用可知. 坎離正相反, 離爲文明, 則坎爲約損可知. 六四近君爲卿大夫之禮也. 一樽一簋而其貳用缶, 則約損之至也. 損之象二簋可用享, 此約損之證也. 此云者, 謂自牖納其樽簋等, 寡約之物也. 記云, 嫡子庶子, 雖衆車徒, 以寡約入宗子之門, 語意相似. 蓋戶大而牖小, 盛禮必自戶, 如寡約, 則納之自牖便也. 或古有此禮, 是謂納約自牖也. 傳曰, 剛柔際也, 剛指九五君位, 四近君, 故謙約至此, 所以无咎. 從子秉休引詩宗室牖下及大戴牖銘, 謂祭享之禮, 亦有理.

내가 살펴보았다: 「빙례」에 호(壺) 여덟 개, 궤(簋) 여덟 개를 방문 서쪽에 놓으니, 방문 서쪽은 들창에 가깝다. 주인이 항상 오(奧)의 자리에 앉는데, 오(奧)는 방 서남쪽 모퉁이이니 들창에 닿아있다. 이는 단지 살아있는 사람의 예에서만 그런 것이 아니라 사당에서도 이와 같다. 『논어』에 "남쪽 창문을 통하여 손을 잡았다"[45]고 한 글이 있으니, 들창은 빛을

43) 거듭 굳센[重剛]: 굳센 양으로 양의 자리에 있기 때문에 '거듭 굳세다'고 하였다.
44) 『漢書 · 司馬遷傳』.

통할 뿐 아니라 물건을 들고 내는 쓰임도 있음을 알 수 있다. 감괘와 리괘는 완전히 서로 반대이니, 리괘는 문채나고 밝은 것이 되고, 감괘는 간소하고 덜어내는 것이 됨을 알 수 있다. 육사는 임금에게 가까우니 경대부의 예(禮)가 된다. 한 동이[樽] 한 궤를 쓰고 질그릇을 사용하여 다시 한 번 하는 것은 간소하고 덜어냄이 지극한 것이다. 손괘(損卦) 「단전」에 "두 궤로도 제사지낼 수 있다"고 한 것이 이 간소하고 덜어냄의 증거이다. 여기에서 말하는 것은 들창으로 그 동이와 궤 등을 들임을 말하니, 검소한 물건이다. 『예기』에 "소종의 적자와 서자는 비록 수레와 무리가 많더라도, 검소한 채로 대종의 문에 들어가야 한다"[46]고 한 말과 뜻이 비슷하다. 방문은 크고 들창은 작으니, 성대한 예에서 반드시 문으로 들이고, 검소한 경우는 들창으로 들이는 것이 편리하다. 혹 고대에 이 예법이 있어서 이를 "검소한 물건을 들이되 들창으로부터 한다[納約自牖]"라 한 것이다. 「상전」에 "굳셈과 부드러움이 교제한다"고 하였는데, 굳셈은 구오의 임금 자리를 가리키고, 사효는 임금에 가까우므로 겸손하고 검약함이 여기에 이르니, 그래서 허물이 없다. 조카 병휴가 『시경』 "종실의 들창아래에 하네"[47]와 『대대례기』의 들창에 새긴 명(銘)을 인용하여 '제사지내는 의례'라 하였는데 일리가 있다.

### 심조(沈潮) 「역상차론(易象箚論)」

六四, 樽酒. 缶. 牖.
육사의 '준주(樽酒)' '부(缶)' '유(牖)'에 대하여.

樽從木者, 震也. 酒, 坎也. 缶, 艮土也. 牖, 艮爲門也, 亦陰爻之開也.
'준(樽)'은 부수가 나무이니, 진괘이다. '술[酒]'은 감괘이다. '부(缶)'는 간괘인 흙이다. '들창[牖]'은 간괘가 문이 되어서이니 역시 음효가 열린 것이다.

### 유정원(柳正源) 『역해참고(易解參攷)』

正義, 旣有樽酒簋, 貳又用瓦缶之器. 納此儉約之物, 從牖而薦之, 可羞於王公, 可薦於宗廟. 故云終旡咎.
『주역정의』에 말하였다: 이미 동이의 술과 궤가 있고, 다시 할 때 또 질그릇을 쓴다. 이렇게 검약한 물건을 들임에 들창으로 올리는데 천자와 제후에게 드리기도 하고, 종묘에 바치기도

45) 『論語·雍也』.
46) 『小學·明倫』.
47) 『詩經·召南』.

한다. 그러므로 끝내 허물이 없다.

○ 張氏〈汝弼〉曰, 震有著〈記明堂位, 著殷[48]罇, 直略反〉尊象, 連上體, 坎有酒象, 全體有簋象. 坎爲缶, 比之盈缶, 亦坎象. 著尊盛玄酒, 醴齊奠之牖下, 樂則用缶以爵, 納牖下而酌獻之, 五則俯而受之. 剛柔相濟各以其正, 故无咎也.
장여필이 말하였다: 진괘에는 착준(著尊)[49]〈『예기 · 명당』편에서는 "착은 은나라 때의 술동이 이다"라 했고, 착(著)은 직(直)과 략(略)의 반절이라고 했다.〉의 상이 있는데, 상체에 붙어 있고, 감괘에 술의 상이 있으며, 전체로는 궤의 상이 있다. 감괘는 질그릇이 되므로 비괘(比卦)에 "질그릇에 채운다"고 한 것도 감괘의 상이다. 착준(著尊)에 현주를 담고, 단술[醴齊]을 들창의 아래에 두고 음악을 연주하면 질그릇으로 잔을 올리고, 들창 아래로 들여서 따라서 바치면, 오효가 구부려 받는다. 굳셈과 부드러움이 서로 구제하기를 각기 그 바름으로써 하므로 허물이 없다.

○ 厚齋馮氏曰, 樽盛酒器, 簋盛食物器, 內圓外方曰簋, 貳, 副之也. 缶, 瓦器, 虛而有聲, 可擊之以作樂. 約, 質言也, 牖, 牖下謂本爻近君之象也.
후재풍씨가 말하였다: 준(樽)은 술을 담는 그릇이고, 궤(簋)는 음식물을 담는 그릇으로 안은 둥글고 밖은 네모진 것을 궤(簋)라고 하며, 이(貳)는 다시 하는 것이다. 부(缶)는 질그릇으로 속이 비어서 소리가 나니, 두드려서 음악을 연주할 수 있다. 약(約)은 소박하다는 말이다. 유(牖)는 들창 아래로 본효가 임금에 가까운 상이라는 것을 말한다.

本義, 先儒, 大祭三貳
『본의』에서 말하였다: 이전의 학자들, … 큰 제사에는 세 번 더해준다.
〈周禮酒正, 凡祭祀, 以灋共五齊三酒, 以實八尊. 大祭, 三貳, 中祭再貳, 小祭一貳, 皆有酌數, 註貳副貳也, 偹乏小也.
『주례 · 주정』에[50] 제사는 모두 오제삼주[51]를 법으로 하되, 실제로는 팔준을 쓴다. 큰 제사

---

48) 殷: 경학자료집성DB와 영인본에는 '殿'으로 되어 있으나, 『예기』에 따라 '殷'으로 바로잡았다.
49) 착준(著尊): 술을 담는 여섯 종류의 제기 중 하나. 술동이에 다리가 붙어있지 않고 땅에 붙어있기 때문에 '착준'이라고 한다. 육준(六尊)은 헌준(獻尊), 상준(象尊), 호준(壺尊), 착준(著尊), 대준(大尊), 산준(山尊)이다.
50) 『周禮 · 酒正』: 凡祭祀, 以法共五齊三酒, 以實八尊. 大祭三貳, 中祭再貳, 小祭壹貳, 皆有酌數. 鄭玄注: 大祭, 天地, 中祭, 宗廟, 小祭, 五祀.
51) 오제삼주(五齊三酒): 오제는 대체로 술을 거르지 않아 찌꺼기가 있는 것으로 泛齊(범제), 醴齊(예제), 盎齊(앙제), 緹齊(제제), 沈齊(침제)이고, 삼주는 찌꺼기를 거른 술로 事酒(사주),昔酒(석주), 淸酒(청주)를 말한다. 이익의 『성호사설 · 만물문』에 오제삼주(五齊三酒)에 대해 논한 내용이 있다.

에는 세 번을 더하고, 중간 제사에는 두 번을 더하고, 작은 제사에는 한 번을 더하니, 모두 올리는 숫자가 있다. 주석에 이(貳)는 다시 더하는 것인데, 작은 제사에는 갖추지 않는다고 하였다.〉

### 김상악(金相岳) 『산천역설(山天易說)』

舊讀樽酒簋句, 貳用缶句, 本義從之. 六四居外, 坎之初, 互離震而比五, 剛柔相際, 故有但用樽簋薄禮, 益以誠心, 進結自牖之象. 始雖艱阻, 終得无咎也.
예전에 '준주궤(樽酒簋)'를 한 구(句)로 읽고 '이용부(貳用缶)'를 한 구(句)로 읽었는데, 『본의』에서 이를 따랐다. 육사는 밖에 있고 감괘의 시작이며 호괘가 리괘와 진괘로 오효와 친하니, 굳셈과 부드러움이 서로 교제한다. 그러므로 다만 동이의 술과 궤처럼 박한 예를 쓰고 진실한 마음을 더하여 나아가 맺기를 들창으로부터 하는 상이다. 처음에는 비록 험난하지만 마침내 허물이 없을 수 있다.

○ 坎有酒食象. 樽簋缶皆所盛之器, 簋震象, 樽離之中虛也, 缶坎之小罍也. 又缶者, 瓦器也, 土成於火者也, 故離九三亦言缶. 老子所謂埏埴以爲器, 是也. 貳, 副也. 禮有副樽, 卽三貳之貳. 四變則爲困, 困之五曰利用祭祀, 故此曰貳用缶. 約薄也. 牖, 室中受明之處, 離之象. 納約不自戶而自牖, 非所由之正也. 當艱難之時, 君臣相際, 不必尙儀文拘形跡, 與睽九二曰, 遇主于巷相似.
감괘에는 술과 음식의 상이 있다. 준(樽) · 궤(簋) · 부(缶)는 모두 담는 그릇인데, 궤는 진괘의 상이고, 준(樽)은 리괘의 가운데가 빈 것이며, 부(缶)는 감괘의 작은 술동이[小罍]이다. 또 부(缶)는 질그릇이니, 흙이 불에서 이루어지는 것이므로 리괘 구삼효에서도 부(缶)를 말하였다. 『노자』에서 말하는 "흙을 빚어서 그릇이 된다"는 것이 이것이다.[52] 이(貳)는 다시 함이다. 예(禮)에 준(樽)을 더하는 것이 있으니, 곧 "세 번 더해준다[三貳]"고 할 때의 이(貳)이다. 사효가 변하면 곤괘(困卦䷮)가 되니, 곤괘의 오효에 "제사를 씀이 이롭다"고 하였다. 여기에서는 "더하되 질그릇을 쓴다"고 하였다. '약(約)'은 검소한 것이다. '유(牖)'는 방 가운데 빛을 받는 곳이니, 리괘의 상이다. 검소한 물건을 들이되 문을 통해서 하지 않고 들창으로 함은 그 말미암은 바가 바른 것이 아니다. 험난한 때를 맞이하여 임금과 신하가 서로 교제하여 의식을 숭상하지 않고 꾸밈새에 구애되지 않으니, 규괘(睽卦) 구이효에 "임금을 골목에서 만난다"고 한 것과 비슷하다.

---

52) 『老子』: 埏埴以爲器 當其無 有器之用.

### 김규오(金奎五)「독역기의(讀易記疑)」

六四酒簋, 坎有酒食之象. 需五困二皆坎, 漸二亦互坎也. 此言酒食之小者, 以時之方險也. 牖雖以卦內四爻有离象而言, 然坎亦自爲宮耳. 其不曰戶, 而取非所由之正者, 四與五相比而相助, 非正應故也.
육사의 술과 궤는 감괘에 술과 밥의 상이 있어서이다. 수괘(需卦) 오효와 곤괘 이효는 모두 감괘이고, 점괘(漸卦) 이효도 호괘가 감괘이다. 여기에서 술과 밥이라는 작은 것을 말한 것은 막 위험해지는 때이기 때문이다. 들창[牖]은 비록 괘 안의 네 효가 리괘의 상이 있어서 말한 것이지만, 감괘도 자체로 궁(宮)이 된다. 문[戶]이라고 하지 않아 말미암음이 바르지 않은 것을 취한 것은 사효와 오효가 서로 비(比)의 관계로 친하여 도우니, 바른 호응이 아니기 때문이다.

### 조유선(趙有善)「경의(經義)-주역본의(周易本義)」

坎六四簋貳之貳字, 程傳屬上句, 本義從陸晁之論, 屬下句. 竊意樽酒簋爲一句, 則此三字中無用薄之意. 若曰罇酒簋二而用缶云, 則庶合薄禮之說. 朱子謂人硬說作二簋, 其實無二簋之實. 然損卦二簋可用享, 足可爲證. 但二之作貳, 有未詳者矣.
감괘 육사효 '궤이(簋貳)'의 '이(貳)'자를 『정전』에서는 윗구절에 붙였고, 『본의』에서는 육씨와 조씨의 논의를 따라 아래 구절에 붙였다. 생각해 보니 '동이의 술과 궤[樽酒簋]'를 하나의 구절로 삼는다면, 이 세 글자 가운데에는 검박한 것을 쓰는 뜻이 없다. 만약 "동이의 술과 두개의 궤인데 질그릇을 쓴다"고 한다면 거의 검박한 예를 쓰는 설에 부합한다. 주자는 "사람들이 억지로 두 개의 궤라고 말하나 사실은 두 개의 궤라는 실상이 없다"고 하였다. 그러나 손괘(損卦)에 "두 개의 궤로도 제사지낼 수 있다"고 한 것으로 충분히 증명할 수 있다. 다만 이(二)를 이(貳)라고 쓴 것은 잘 알 수 없는 점이 있다.

### 서유신(徐有臣)『역의의언(易義擬言)』

坎有酒食之象, 而六四重坎爲朋樽之酒二簋之食. 貳者, 樽與簋皆兩之也. 用缶擊缶爲樂也. 缶取其質實而亦岐豊之俗也. 牖互艮爲門, 詩曰宗室牖下是也. 九五自牖受納其約信, 神享之也. 故終无咎也.
감괘에는 술과 밥의 상이 있고 육사는 감괘가 중첩하니, 두 동이[樽]의 술과 두 궤의 밥이된다. 이(貳)는 동이[樽]와 궤를 모두 두 번씩 드리는 것이다. '질그릇[缶]을 사용함'은 질그릇을 침이 음악이 된다. 질그릇은 그 실질을 취한 것이니, 또한 기(崎)[53]와 풍(豊)[54]의 풍속이다. 들창[牖]은 호괘인 간괘가 문이 되어서이니, 『시경』에 "종실의 들창아래에 하네"[55]라

함이 이것이다. 구오는 들창으로 그 신의를 표하는 검약한 예물을 들이니, 신이 흠향한다. 그러므로 끝내 허물이 없다.

### 윤행임(尹行恁) 『신호수필(薪湖隨筆)·역(易)』

坎有中實之美, 故比言有孚盈缶, 坎言用缶, 此爲玄酒大羹之意也. 離之九三, 以內外卦觀之, 有坎體, 故亦曰鼓缶.
감괘는 속이 꽉 찬 아름다움이 있으므로 비괘에서는 "믿음을 가짐이 질그릇에 가득하다"고 하였고, 감괘에서는 "질그릇을 쓴다"고 하였으니, 이는 현주(玄酒)[56]와 대갱(大羹)을 쓰는 뜻이 된다. 리괘의 구삼효는 내외괘로 보면 감괘의 몸체가 있으므로 또한 "질그릇을 두드린다"고 하였다.

### 박문건(朴文健) 『주역연의(周易衍義)』

捨初從五, 故有納約之象. 牖, 室之深處也. 始險終安, 故无咎.
초효를 버리고 오효를 따르므로 '맺음을 들이는' 상이 있다. 들창[牖]은 방의 깊숙한 곳이다. 처음에는 험하나 끝에는 편안하므로 허물이 없다.
〈問, 樽酒以下. 曰, 二陰爲五含藏, 故於四取酒食之義也. 四見害於初, 故乃用薄物, 盡誠於五也. 樽則藏酒, 簋貳則用缶, 納其物而結其上. 始自牖內而出焉, 所以終得无咎也. 蓋六四畏初而深處牖內, 今亨上, 故始自牖內而出外也. 簋貳卽二陰之象也.
물었다: '동이의 술' 이하는 무슨 뜻입니까?
답하였다: 두 음은 오효가 담아 저장하는 것이 되므로 사효에서 술과 밥의 뜻을 취하였습니다. 사효는 초효에게 해를 입음으로 이에 박한 예물을 써서 오효에게 정성을 다합니다. 동이[樽]에는 술을 담고, 두 개의 궤는 질그릇을 써서 그 물건을 드려서 그 윗사람과 신의를 맺습니다. 처음으로 들창으로 들이고 내니, 마침내 허물이 없음을 얻는 것입니다. 육사는 초효를 두려워하여 깊숙이 들창 안에 거처하였다가, 이제 윗사람에게 드리므로 처음으로 들창 안에

---

53) 기(岐): 문왕이 도읍지.
54) 풍(豊): 주 무왕의 도읍지.
55) 『詩經·召南』.
56) 현주(玄酒): 고대의 제례(祭禮)에서 술 대신 사용한 물[水]을 뜻한다. '현주'의 '현(玄)'자는 물은 흑색을 상징하므로, 붙여진 글자이다. '현주'의 '주(酒)'자의 경우, 태고시대 때에는 아직 술이 없었기 때문에, 물을 술 대신 사용했다. 따라서 후대에는 이 물을 가리키며 '주'자를 붙이게 된 것이다. '현주'를 사용하는 것은 가장 오래된 예법 중 하나이므로, 후대에도 이러한 예법을 존숭하여, 제사 때 '현주' 또한 사용했던 것이며, '현주'를 술 중에서도 가장 귀한 것으로 여겼다.

서부터 밖으로 내는 것입니다. 두 개의 궤는 곧 두 음의 상입니다.〉

### 이지연(李止淵)『주역차의(周易箚疑)』

坎, 有酒食之象. 二五之間, 爲重體之互離, 離以通明, 故曰牖也.
감괘에는 술과 밥의 상이 있다. 이효와 오효의 사이는 네 효가 합하여 호괘인 리괘가 되니, 리괘로써 밝음을 통하므로 '들창[牖]'이라고 하였다.

### 김기례(金箕澧)「역요선의강목(易要選義綱目)」

物薄而誠厚, 語約而義明.
예물은 박하나 정성은 두텁고, 말은 간략하지만 뜻은 분명하다.

○ 缶是質器, 牖非正門. 然坎險之時, 四以陰柔, 无正應, 承有孚之君, 居大臣之位, 剛柔相際. 以質薄之誠, 開君心, 如暗室之開牖納明, 進結君心, 故无咎.
'질그릇[缶]'은 소박한 그릇이고, '들창[牖]'은 정식 문이 아니다. 그러나 감괘이 험한 때에 사효는 유약한 음으로 정응이 없이 신의가 있는 임금을 받들면서 대신의 지위에 있으니, 굳셈과 부드러움이 서로 사귀는 때이다. 질박한 정성으로 임금의 마음을 여는 것이 마치 어두운 방에 창을 열어 밝음을 들임과 같다. 나아가 임금의 마음과 결합하므로 허물이 없다.

○ 儀節莫大於飮食宴享, 故取樽簋.
의절은 술과 밥을 차리는 잔치와 제사보다 큰 것이 없으므로 준(樽)과 궤(簋)를 취하였다.

○ 坎爲小罍, 故曰缶.
감괘는 작은 구덩이이므로 '부(缶)'라고 하였다.

○ 坎爲通, 故曰約. 牖, 剛柔際. 八純卦本无正應. 坎陷之義, 以上出爲貴, 四居上體, 以陰附陽, 有君臣之際.
감괘는 통함이 되므로, '맺음[約]'이라 하였다. 들창[牖]은 굳센 양과 부드러운 음이 교차함이다. 여덟 개 순괘(純卦: 내외괘가 같은 괘)는 본래 정응이 없다. 감괘는 빠진다는 뜻으로 올라가 벗어남을 귀하게 여기는데, 사효는 상체에 있으면서 음으로써 양에 붙어 따르니, 임금과 신하의 사귐이 있다.

### 윤종섭(尹鍾燮) 「경(經)-역(易)」

坎四之樽酒簋缶, 中虛有是象, 而牖取諸互艮, 而戶之通明曰牖, 中肖离有向明之象. 六之係用徽纆, 爻變爲巽, 而縛以徽纆, 治其刑人. 頤大過大象, 肖乎坎离, 故置於坎离之先, 而互乾坤, 故卦雖震艮巽兌四偏而入於上經.

감괘 사효의 동이 술·궤·질그릇은 가운데가 비어서 이 상이 있고, 들창[牖]은 호괘인 간괘에서 취하였는데, 문[戶]으로서 빛을 통하는 것을 '들창[牖]'이라 하니, 가운데가 리괘를 닮아서 빛을 향하는 상이 있다. 육효의 '동아줄로 매어서'는 효변하면 손괘가 되어 줄로 묶어 그 죄인을 다스리기 때문이다. 이괘(頤卦)·대과괘(大過卦)의 전체 상은 감괘·리괘를 닮았으므로 감괘·리괘의 앞에 두었고, 호괘가 건괘·곤괘이므로 비록 진괘·간괘·손괘·태괘의 네 치우친 괘로 이루어졌으나 상경에 편입하였다.

上經以四正卦序之, 而首乾坤終坎离, 坎离以乾坤之中德而索也. 故列於上經, 是日月成象乎天, 而水火成形於地. 屯之雲雷, 動以天也, 蒙之山水, 動以地也. 需訟坎之行於天中, 而師比坎之行於地中也. 泰否天地之交也, 小畜與履, 离之行於天中, 而同人大有亦在天之火也. 謙豫一陽之行於地中而肖坎, 隨蠱二陰之行於天中而肖离焉. 賁噬嗑互坎离之體, 臨復坤體而其實乾長也. 剝觀坤極而乾伏在焉. 无妄大畜乾體而包离, 頤大過坎离之體而乾坤包焉.

상경은 사정괘(四正卦)로 순서 지워 건괘·곤괘로 시작하고 감괘·리괘로 끝맺은 것은 감괘와 리괘는 건괘·곤괘의 중덕(中德)으로 사귀었기[索] 때문이다.[57] 그러므로 상경에 배치하였으니, 이는 해와 달이 하늘에서 상을 이루고 물과 불이 땅에서 형체를 이룬 것이다. 준괘의 구름과 우레는 하늘에서 움직이고, 몽괘의 산과 물은 땅에서 움직인다. 수괘(需卦)·송괘는 감괘가 하늘 가운데에서 행함이고, 사괘·비괘(比卦)는 감괘가 땅 속에서 행함이다. 태괘(泰卦)·비괘(否卦)는 하늘과 땅이 사귐이고, 소축괘·리괘(履卦)는 리괘(離卦)가 하늘 속에서 행함이고,[58] 동인괘·대유괘 역시 하늘에 있는 불이다. 겸괘·예괘는 한 양이 땅 속에서 행하여 감괘를 닮았고, 수괘(隨卦)·고괘(蠱卦)는 두 음이 하늘 속에서 행하여 리괘를 닮았다. 비괘(賁卦)·서합괘는 호괘인 감괘·리괘의 몸체이고, 림괘(臨卦)·복괘(復卦)는 곤괘(坤卦)의 몸체이나 그 실상은 건괘(乾卦)가 자라나는 것이다. 박괘·관괘는 곤괘(坤卦)가 극에 달하였으나 건괘(乾卦)가 숨어서 있는 것이다. 무망괘·대축괘는 건괘의 몸체인데 리괘를 품고 있고, 이괘(䷚)·대과괘(䷛)는 감괘·리괘의 몸체인데 건괘·

57) 감괘(☵), 리괘(☲)는 건괘(☰)·곤괘(☷)의 가운데 효가 서로 사귀어 음양이 바뀌었음을 말한다.

58) 소축괘(䷈)·리괘(䷉)의 가운데 있는 호괘 리괘((☲))가 큰 상으로 보아 양으로 둘러싸여 마치 건괘(☰)의 하늘 속에 들어있는 것 같은 모습이다.

곤괘가 포함되어 있다.

然則上經非無震艮巽兌, 而主乾坤坎离者, 動以中正也. 下經非無乾坤离坎, 而主震艮巽兌者, 動以過與不及也. 下經以四偏卦, 首咸恒而終以既未濟, 既未坎离之交也. 震艮巽兌, 以乾坤之上下而得也, 列於下經, 是山澤形於地, 風雷動於天, 而非水火, 無以成變化而行鬼神. 乾坤坎离之大象, 先體而後用, 體立而用行也. 震艮巽兌之大象, 先用而後體, 斂用而還體也.
그렇다면 상경에 진괘 · 간괘 · 손괘 · 태괘가 없지 않으나 건괘 · 곤괘 · 감괘 · 리괘를 중심으로 한 것은 중정함으로써 움직이기 때문이다. 하경에 건괘 · 곤괘 · 리괘 · 감괘가 없지 않으나 진괘 · 간괘 · 손괘 · 태괘를 위주로 하는 것은 중도보다 지나치거나 미치지 못함으로 움직이기 때문이다. 하경은 사편괘(四偏卦)로 순서 지워 함괘 · 항괘로 시작해서 기제 · 미제괘로 마치니, 기제 · 미제괘는 감괘 · 리괘가 사귀는 괘이다. 진괘 · 간괘 · 손괘 · 태괘는 건괘 · 곤괘가 오르내려서 얻는 것이어서 하경에 배치하였으니, 이는 산과 못이 땅에서 형체를 이루고, 바람과 우레는 하늘에서 움직이지만 물과 불이 아니라면 변화를 이루어 귀신의 작용을 행할 수 없어서이다. 건괘 · 곤괘 · 감괘 · 리괘의 큰 상은 본체를 먼저하고 작용을 뒤에 한 것이니, 몸체가 세워져 작용이 생기는 것이다. 진괘 · 간괘 · 손괘 · 태괘의 큰 상은 작용을 먼저하고 본체를 뒤에 한 것이니, 작용을 수렴하여 몸체로 돌이킨 것이다.

### 이항로(李恒老) 「주역전의동이석의(周易傳義同異釋義)」

傳, 一樽之酒, 二簋之食, 云云.
『정전』에서 말하였다: 한 동이의 술과 두 궤의 밥을, 운운.

本義, 樽酒簋爲一句, 貳用缶爲一句, 今從之.
『본의』에서 말하였다: '준주궤(樽酒簋)'를 한 구(句)로 읽고 '이용부(貳用缶)'를 한 구(句)로 읽었다고 하였으니, 지금 그 말을 따른다.

按, 朱子曰, 既曰樽酒簋貳, 又曰用缶, 亦不成文理. 又曰硬說作二簋, 其實旡二簋之實. 觀此則得失可見.
내가 살펴보았다: 주자는 "이미 '동이의 술과 궤 두 개[樽酒簋貳]'로 읽고 또 '질그릇으로 사용함[用缶]'이라고 말하는 것은 문리를 이루지 못한다"라 하고, 또 "억지로 두 개의 궤라고 말하나 사실은 두 개의 궤라는 실상이 없다"고 하였다. 이를 살펴본다면 어느 것이 옳고 그른지 알 수 있다.

### 박종영(朴宗永) 「경지몽해(經旨蒙解) · 주역(周易)」

傳曰, 大臣當險難之時, 唯至誠見信於君, 又能開明君心, 則可保无咎矣. 夫欲上之篤信, 唯當盡其質實而已. 如燕享之禮, 所用一樽之酒, 二簋之食, 復以瓦缶爲器, 質之至也. 其質實如此, 又須納約自牖. 納約謂進結於君之道. 牖, 開通之義. 人臣以忠信善道, 結於君心, 必自其所明處, 告之求信則易也. 自古能諫其君者, 未有不因其所明者, 故許直强勁者, 率[59]多取忤, 溫厚明辯者, 其說多行. 如漢祖 愛戚姬, 將易太子, 是其所蔽也, 群臣爭之者衆矣, 其蔽而不察何. 四老者, 高祖素知其賢而重之, 此其不蔽之明心也. 故因其所明而及其事, 則悟之如反手. 又如趙王太后, 愛其少子長安君, 不肯使質於齊, 此其蔽於私愛也. 大臣諫之, 雖强, 其能聽乎. 愛其子, 而欲使之長久富貴者, 其心之所明也. 故左師觸龍, 因其明而導之以長久之計. 其聽如響. 非唯告於君者如此, 爲教者亦然. 從其心之所明而入, 孟子所謂成德達才是也.

『정전』에서 말하였다: 대신이 험난한 때를 당하면 지극한 정성만이 군주에게 신임을 받을 수 있고, 또 임금의 마음을 열어 밝게 할 수 있다면 '허물이 없음'을 보전할 수 있다. 윗사람이 자신을 돈독히 믿어주기를 바란다면 오직 질박하게하고 성실함을 다할 뿐이다. 예컨대 연향의 례에서, 동이의 술과 두 궤의 밥을 사용하되 다시 질그릇을 그릇으로 삼았다면 질박함이 지극한 것이다. 그 질박하고 성실함이 이와 같고, 또 모름지기 통한 곳으로부터 맺음을 들여야 한다. '맺음을 들임[納約]'은 군주에게 나아가 맺는 도를 말하고, '유(牖)'는 개통(開通)의 뜻이다. 신하가 충신(忠信)과 선도(善道)로 군주(君主)의 마음과 맺으려 함에 반드시 임금이 밝게 아는 곳으로부터 아뢰어서 믿어주기를 구한다면 쉬울 것이다. 예로부터 군주에게 간할 수 있는 이 중에 군주가 잘 알고 있는 것으로 말미암지 않은 이가 없었다. 그러므로 곧바로 지적하여 강경하게 하는 자는 대부분 거스름을 취하고, 온후하여 밝게 변론하는 자는 그 말이 대부분 실행되었다. 예컨대 한 고조(漢高祖)가 척희(戚姬)를 사랑하여 장차 태자(太子)를 바꾸려 한 것은 사랑에 가려진 것이다. 여러 신하들이 대부분 간쟁하였으나, 군주가 사랑에 가려서 살펴보지 않음에 어쩌겠는가? 네 노인은 고조(高祖)가 평소에 그들의 어짊을 알고 소중히 여겼으니, 이는 가려지지 않은 밝은 마음이다. 그러므로 밝게 아는 것으로 인하여 그 일을 언급하자 깨우침이 손을 뒤집는 것처럼 쉬웠다. 또 조왕(趙王)의 태후(太后)가 작은 아들인 장안군(長安君)을 사랑하여 제(齊)나라에 인질로 보내려고 하지 않았으니[60] 이는 사사로운 사랑에 가려진 것이다. 대신들이 간하기를 강력히 하였으나, 그

---

59) 경학자료집성DB와 영인본에는 '卒'로 되어 있으나 『주역전의대전』에 따라 '率'로 바로잡았다.

60) 전국 시대 진(秦)나라가 조(趙)나라를 공격하자 당시 국정을 담당한 조 태후가 제(齊)나라에 구원병을 요구하니, 제나라에서 장안군(長安君)을 볼모로 보낼 것을 제안하였다. 처음에는 조 태후가 완강히 반대하였으나, 좌사(左師) 촉섭(觸讋)이 '나라를 위해 공을 세우게 하는 것이 자식을 위한 큰 계책'이라고 설득하자 장안군을

말을 듣겠는가? 그러므로 좌사(左師)인 촉섭(觸讋)이 태후가 밝게 아는 것으로 인하여 장구한 계책으로 인도하였기 때문에 그 말을 따름이 메아리처럼 빨랐던 것이다. 군주에게 아뢰는 자가 이와 같을 뿐만이 아니라, 사람을 가르치는 자 또한 그러하다. 그 마음에 밝게 아는 것을 따라 들어감은 『맹자(孟子)』에 "덕을 이루게 하고 재주를 통달하게 한다"[61]라 함이 이것이다.

本義曰 鼂氏云, 先儒讀樽酒簋爲一句, 貳用缶爲一句, 今從之. 貳益之也, 周禮大祭三貳, 弟子職左執虛豆, 右執挾匕, 周旋貳是也.
『본의』에서 말하였다: 조씨(鼂氏)가 "선유는 '준주궤(樽酒簋)'를 한 구(句)로 읽고 '이용부(貳用缶)'를 한 구(句)로 읽었다"고 하였으니, 지금 그 말을 따른다. 이(貳)는 더함이다. 『주례(周禮)』에 "큰 제사에는 세 번 더한다"[62]고 하고, 「제자직(弟子職)」에 "왼손으로는 빈 그릇을 잡고 오른손으로는 숟가락을 잡아 주선하여 더한다"고 한 것이 이것이다.

程朱所釋不同, 未知孰是也.
정자와 주자가 풀이한 것이 같지 않으니, 어느 것이 옳은지 알지 못하겠다.

### 심대윤(沈大允) 『주역상의점법(周易象義占法)』

坎之困䷮, 不通也. 六四才柔, 不足以自進, 旣出內坎而居柔而近於五. 如近河之井, 隔以堤堰, 而得從地底浸尋以相通, 而亦不得顯相合而流進也. 大臣不得于君, 當從君之所明而漸通之, 不可遽進而顯合也. 居患難者, 當因其可爲之幾而漸解之, 不可驟免而躁動也. 尊酒而以簋副之, 又用缶者, 言情勤物備而質實也.
감괘가 곤괘(困卦䷮)로 바뀌었으니, 통하지 않는다. 육사는 재질이 유약하여 스스로 나아가기에 부족하니, 이미 안의 구덩이에서 벗어났지만 유약한 음의 자리에 있어서 오효에 가까이 한다. 마치 강에 가까운 우물이 제방으로 가로막혀 땅 속에 스며든 것을 따라 서로 통할 수 있으나 드러나게 서로 합하여 흘러갈 수는 없는 것과 같다. 대신은 임금에게 신임을 얻지 못하면 마땅히 임금이 밝은 곳으로부터 점점 통해가야지 갑자기 나아가 드러나게 합하려 해서는 안 된다. 환난에 놓인 사람은 그 할만한 기미에 따라서 점차 풀어가야지 빨리 모면하려 조급하게 움직여서는 안 된다. 동이의 술로 하고 궤(簋)로써 더하며 또 질그릇을 사용하

---

볼모로 보냈다. 『전국책(戰國策)·조책(趙策)』 권4.

61) 『孟子·盡心』: 孟子曰, 君子之所以教者五, 有如時雨化之者, 有成德者, 有達財者, 有答問者, 有私淑艾者. 此五者, 君子之所以教也.

62) 『周禮·酒正』: 大祭三貳, 中祭再貳, 小祭壹貳, 皆有酌數.

는 것은 뜻이 근실하고 물건이 갖춰졌으며 질박함을 말한다.

震爲尊爲缶, 坎爲酒, 艮爲簋. 离爲貳, 艮震爲用. 居險難者, 能自盡其道而有其備, 然後可觀勢而解之耳. 巽爲納, 坎离互艮爲成言曰約. 牖, 穴窓, 取明者也. 艮爲門爲取, 坎离爲明爲穴, 有牖象. 納約自牖, 言因五之所通明處而納言約也. 蓋從其微明之, 所以漸通之, 不得遽進而顯合也. 處坎險之世, 而五非四之正應, 故有其義也. 四之時險難, 微有可解之幾, 而亦不快也.
진괘는 동이[尊]가 되고, 질그릇[缶]이 되며, 감괘는 술이 되고, 간괘는 궤가 된다. 리괘는 두 번 함이 되고, 간괘 · 진괘는 쓰임이 된다. 험난함에 놓인 사람은 스스로 그 방법을 다하여 대비할 수 있어야 뒤에 형세를 살펴서 풀게 된다. 손괘는 들임이 되고, 감괘 · 리괘와 호괘인 간괘는 말씀을 이룸이 되니, '맺음[約]'이라 한다. 유(牖)는 창구멍이니 밝음을 취한 것이다. 간괘가 문이 되고, 취함이 되며, 감괘 · 리괘는 밝음이 되고 구멍이 되어 유(牖)의 상이 있다. "맺음을 들이되 통한 곳으로부터 한다"는 것은 오효의 밝음을 통하는 곳을 따라 언약을 들임을 말한다. 그 미미한 곳을 따라 밝혀서 점점 통하는 것이니, 갑자기 나아가 드러나게 합할 수는 없다. 감괘의 험난한 세상에 놓였고 오효가 사효의 정응이 아니므로 그 뜻이 있다. 사효의 때는 험난하고 미미하게 풀 수 있는 기미가 있으므로 또한 시원하게 풀 수는 없다.

約, 言之要約而信者也. 救人之陷溺於非道, 若自其通明而納約, 因以推廣則可喩也. 好戰者, 以戰譬, 好貨者, 以貨譬. 國風因人之好色, 故多託男女而明之是也. 天下之不同事, 而其理則一也. 戰貨色之理, 移而推也, 无往而不然矣.
'약(約)'은 말이 긴요하고 미더운 것이다. 남이 그릇된 길에 빠져 있는 것을 구하려 함에 그 밝음을 통함으로부터 말을 들여서 그에 따라 미루어 넓힌다면 깨우칠 수 있을 것이다. 전쟁을 좋아하는 자에게는 전쟁으로 비유하고, 재물을 좋아하는 자에게는 재물을 가지고 비유한다. 『시경』의 「국풍」은 사람들이 이성(異性)을 좋아함으로 인하여 대체로 남녀관계를 빌려 밝혔으니, 이러한 경우이다. 천하의 일이 같지 않더라도 그 이치는 하나이다. 전쟁과 재물과 이성(異性)의 이치를 옮겨서 미루어 간다면 어디든 그렇지 않음이 없을 것이다.

### 오치기(吳致箕) 「주역경전증해(周易經傳增解)」

六四柔得其正, 上比九五剛中之君, 而居大臣之位. 當重險之時, 剛柔相資, 可以有濟, 而艱難之際, 不事繁文, 惟尙質實, 乃以樽酒薄物, 簋食爲副, 土缶爲用, 納入此儉約之禮, 而從于明牖之下. 雖其禮簡, 宜若有咎, 然盡其誠實, 可以進結於君, 共圖濟險之功, 故言終得旡咎也.
육사는 부드러운 음이 그 바름을 얻었고 위로 구오의 굳세고 알맞은 임금과 비(比)의 관계로 대신의 지위에 있다. 험함이 중첩된 때를 당하여 굳셈과 부드러움이 서로 도와 구제할 수 있으니, 험난한 시절에는 번쇄한 꾸밈을 일삼지 않고 오직 질박함을 숭상하여 이에 동이의 술 같은 박한 예물로 해야 하니, 궤의 밥을 더하고 질그릇을 사용하여 이 검소한 예를 드리는데, 밝은 들창의 아래를 통해서 한다. 비록 그 예가 간략하여 의당 허물이 있을 것 같지만 그 정성을 다하여 임금에게 신의를 맺어 나아가 함께 험함을 구제할 방도를 도모하므로, 마침내 허물이 없음을 얻는다고 말하였다.

○ 爻變, 互離中虛爲樽之象, 而酒取於坎. 互震爲竹簋之象, 貳謂副也. 缶亦取於變之互離. 納者入也, 爻變, 互巽爲入也. 約謂簡約也, 自謂從也. 屋中受明之處曰牖, 而亦取爻變互離也.
효가 변하면 호괘인 리괘의 가운데가 비어 동이[樽]의 상이 되고 술은 감괘에서 취하였다. 호괘인 진괘는 대나무 궤의 상이 되며, 이(貳)는 다시 더함을 말한다. 질그릇[缶]은 역시 효변한 호괘인 리괘에서 취하였다. 납(納)은 들임이니, 효가 변하면 호괘인 손괘가 들임이 된다. 약(約)은 간약함을 말하고, 자(自)는 '그 곳으로부터 함[從]'을 말한다. 집안에 빛이 들어오는 곳을 '유(牖)'라 하는데, 역시 효가 변한 상태의 호괘인 리괘에서 취한다.

## 이진상(李震相)『역학관규(易學管窺)』

樽酒, 簋貳, 用缶.
'동이 술'로 드리고, 궤의 밥을 두 번 올리고, 질장구를 두드린다.
簋貳說作二簋似硬, 而以樽酒簋爲句, 則簋字單弱. 恐謂樽酒以饗之, 簋食以貳之, 人侑以鼓缶之樂也. 弟子職, 執豆挾匕而貳者, 亦非謂貳其酒, 則何必曰以缶而貳樽也.
'궤이(簋貳)'를 '두 개의 궤[二簋]'라고 설명하는 것은 억지인 듯하고 '준주궤(樽酒簋)'를 한 구절로 삼는다면, '궤'자가 홀로 있게 되어 취약하다. 아마도 '동이 술[樽酒]'로 드리고, 궤의 밥을 두 번 올리고, 사람이 질장구[缶]를 두드리는 음악으로 권하는 것인 듯하다. 「제자직」에서 "제기를 잡고, 숟가락을 잡아 더한다"는 것도 그 술을 더한다고 한 것은 아니니, 어찌 반드시 질그릇으로 술동이를 더한다고 하겠는가?

○ 納約自牖.
간략한 음식물을 들이되 들창으로부터 함이니.
古禮, 奠于牖下, 而一樽之酒, 一簋之食, 鼓缶以侑之, 禮之至約者也. 納此至約之物,以爲牖下之奠, 貴其誠也. 坎體互震艮, 震一奇在下, 有尊敦象, 艮一奇在上, 有簋象. 坎爲缶, 比之盈缶, 亦坎象也. 六四近五, 有牖下之象.
고례에서 들창아래에 제사상을 차리되 한 동이의 술과 한 궤의 밥을 놓고 질장구를 두드려 권하는 것은 예의 지극히 간략한 것이다. 이렇게 지극히 간략한 음식물을 들여 들창아래의 상차림으로 삼는 것은 그 정성을 귀하게 여기는 것이다. 감괘 몸체의 호괘는 진괘와 간괘인데, 진괘는 하나의 양이 아래에 있어 술동이[奠]와 제기[敦]의 상이 있고, 간괘는 하나의 양이 위에 있어 궤의 상이 있다. 감괘는 질그릇이 되니, 비괘(比卦)에서 "질그릇을 가득 채운다"는 것 역시 감괘의 상이다. 육사는 오효에 가까우니 '들창 아래'인 상이 있다.

### 채종식(蔡鍾植) 「주역전의동귀해(周易傳義同歸解)」

坎六四, 樽酒簋貳用缶, 傳解一樽之酒二簋之食, 復以瓦缶爲器, 言當盡其質實而已. 本義, 以樽酒簋爲一句, 貳用缶爲一句, 言但用薄禮, 益以誠心也. 然其至誠見信之義, 則一也.
감괘 육사 '준주궤이용부(樽酒簋貳用缶)'에 대해 『정전』에서는 '한 동이의 술과 두 궤의 밥'이라 풀이하고, 다시 질그릇을 제기로 삼는다고 하였으니, 그 질박한 정성을 다해야할 뿐임을 말하였다. 『본의』에서는 '준주궤(樽酒簋)'를 한 구로 삼고, '이용부(貳用缶)'를 한 구로 삼았으니, 단지 박한 례를 사용하되 정성스런 마음으로 더함을 말하였다. 그렇다면 그 지극한 정성으로 신의를 보인 뜻은 마찬가지이다.

### 박문호(朴文鎬) 「경설(經說)·주역(周易)」

納約, 傳義皆以進結釋之, 而諺釋不同. 然此亦足備一義, 納約猶言納要也, 因明而導, 非要道乎.
所由之正, 言人所出入之正門也. 如此比之, 比猶例也.
'납약(納約)'을 『정전』과 『본의』 모두 '맺음을 들임[進結]'으로 풀이하였는데, 언해의 풀이는 같지 않다. 그러나 이 역시 충분히 하나의 뜻을 갖추었다. 납약(納約)은 납요(納要)라고 하는 것과 같으니, 상대방의 밝음을 인하여 인도함이 긴요한 방도가 아니겠는가? 말미암는 바의 바름은 사람이 드나드는 바른 문을 말한다. 이와 같은 것은 비유한 것이니, 비유한 것은 사례를 드는 것과 같다.

### 이병헌(李炳憲) 『역경금문고통론(易經今文考通論)』

六四, 樽酒簋貳用缶, 內約自牖, 終無咎. 〈內舊本作納.〉

육사는 동이의 술과 궤(簋)이며, 더하되 질그릇을 사용하고, 맺음을 안으로 들이되[內約] 들창으로부터 함이니, 마침내 허물이 없을 것이다. 〈'내(內)'자는 옛 판본에 '납(納)'으로 썼다.〉

虞曰, 祭器有樽簋, 坎爲酒, 簋, 黍稷器. 貳, 副也. 禮有副樽, 故貳用缶耳.
우번이 말하였다: 제기에는 준(樽)과 궤(簋)가 있는데, 감괘는 술이 되고, 궤는 기장을 담는 그릇이다. 이(貳)는 다시 더하는 것이다. 예에 준(樽)을 더함이 있으므로 다시 더하되 질그릇[缶]을 쓴다.

鄭曰, 天子大臣, 以王命出會諸侯三國, 奠於簋, 副設玄酒, 而用缶也.
정현이 말하였다: 천자와 대신은 왕명을 내어 제후 삼국을 회합하도록 하는데, 궤를 차리고 다시 더하여 현주를 진설하되 질그릇을 쓴다.

京曰, 內自約束.
경방이 말하였다: 속으로 스스로 약속함이다.

虞曰, 坎爲內也, 四陰小, 故約.
우번이 말하였다: 감괘는 '안[內]'이 되고, 사효는 작은 음이므로 '간략함[約]'이다.

程傳曰, 牖有開通之義.
『정전』에서 말하였다: 유(牖)는 열어서 통하는 뜻이 있다.

## 象曰, 樽酒簋貳, 剛柔際也.

「상전」에서 말하였다: "동이의 술과 궤 두 개"는 굳셈과 부드러움이 교제하기 때문이다.

## 中國大全

### 傳

**象只擧首句, 如此比多矣. 樽酒簋貳, 質實之至, 剛柔相際接之道, 能如此, 則可終保无咎. 君臣之交, 能固而常者, 在誠實而已. 剛柔指四與五, 謂君臣之交際也.**

「상전」에 다만 첫 구(句)만을 들었으니, 이와 같은 비슷한 사례가 많다. '동이의 술과 궤 두 개[樽酒簋貳]'는 질박하고 성실함이 지극하니, 굳셈과 부드러움이 서로 교제하고 접하는 도(道)가 이와 같을 수 있다면 끝내 허물이 없음을 보존할 수 있다. 군주와 신하의 사귐이 견고하고 항상 할 수 있는 것은 성실에 달려 있을 뿐이다. 굳셈과 부드러움은 사효와 오효를 가리키니, 군주와 신하 사이의 교제를 이른다.

### 本義

**晁氏曰, 陸氏釋文本, 无貳字, 今從之.**

조씨가 "육덕명(陸德明)의 『경전석문(經典釋文)』에는 '이(貳)'자가 없다"고 하였으니, 지금 이를 따른다.

### 小註

隆山李氏曰, 八純卦六爻, 俱无應, 惟以比而相交際爲義. 居坎險之時, 以漸出上爲貴, 六四離下體, 進而附五, 有欲出險之意. 眞情相向, 期於濟難, 不待繁文縟禮, 以達誠意也.
융산이씨가 말하였다: 팔순괘의 여섯 효는 모두 응함이 없고, 오직 가까이 있는 것을 서로 교제하는 것으로 의리를 삼는다. 험한 감괘의 때에 있어서 점차 위로 벗어나는 것을 귀하게 여기는데, 육사는 하체를 벗어나 나아가 오효를 따르니, 험함을 벗어나고자 하는 뜻이 있다.

진실한 마음으로 서로 향하여 어려움에서 구제되기를 기약하니, 번다한 형식과 예를 하지 않아도 성의(誠意)가 통할 수 있을 것이다.

## 韓國大全

### 유정원(柳正源) 『역해참고(易解參攷)』

王氏曰, 剛柔相比而相親焉, 際之謂也.
왕씨가 말하였다: 굳셈과 부드러움이 서로 비(比)의 관계로 서로 친하니, 교제함을 말한다.

○ 正義, 一樽之酒, 二簋之食, 得進獻者, 以六四之柔與六五之剛, 兩相交際, 而相親, 故得以此儉約而爲禮也.
『주역정의』에 말하였다: 한 동이[樽]의 술과 두 궤의 음식으로 나아가 바칠 수 있는 것은 육사의 부드러움과 육오의 굳셈이 서로 교제하여 친하기 때문에 이처럼 검소한 물건을 예로써 삼을 수 있다.

### 김상악(金相岳) 『산천역설(山天易說)』

際, 交際也. 本義, 无貳字.
제(際)는 교제함이다. 『본의』에는 이(貳)가 없다.

○ 坎爲剛柔交際之卦. 故蒙九二曰, 剛柔接, 解初六曰, 剛柔之際, 皆在坎體也.
감괘는 굳셈과 부드러움이 교제하는 괘이다. 그러므로 몽괘 구이효에 "굳셈과 부드러움이 접한다"고 하고, 해괘 초육에 "굳셈과 부드러움이 사귄다"고 함에 모두 감괘의 몸체가 있다.

### 서유신(徐有臣) 『역의의언(易義擬言)』

樽酒簋貳, 而四五相交也, 明其所交者非初三也.
'동이의 술과 두 개의 궤'로 함은 사효와 오효가 서로 사귀는 것이니, 그 사귀는 것이 초효와 삼효가 아님을 밝힌 것이다.

## 강엄(康儼) 『주역(周易)』

按, 解之初六曰无咎, 而象曰剛柔之際義无咎也. 坎之六四曰, 終无咎, 而象曰樽酒簋貳剛柔際也. 蓋患難方解之初, 及陰陷之時, 尤貴剛柔之相際, 有以成其解難出險之功, 故必以剛柔際明之.
내가 살펴보았다: 해괘의 초육에 "허물이 없다"고 하고, 「상전」에 "굳셈과 부드러움의 사귐이니 의리에 허물이 없다"고 하였다. 감괘의 육사에서는 "마침내 허물이 없다"고 하고, 「상전」에서는 "동이의 술과 궤 두 개는 굳셈과 부드러움이 사귀기 때문이다"라 하였다. 환난이 막 풀리기 시작할 때와 음에 빠지는 때에는 굳셈과 부드러움이 서로 사귐이 더욱 귀하니, 그래서 어려움을 풀고 험난함에서 벗어나는 일을 이룰 수 있는 것이다. 그러므로 반드시 굳셈과 부드러움의 사귐으로써 밝혔다.

## 박문건(朴文健) 『주역연의(周易衍義)』

二柔承五位之剛, 是剛與柔之相接也.
부드러운 음 둘이 오효 자리의 굳센 양을 받으니, 이는 굳셈과 부드러움이 서로 만나는 것이다.

## 오치기(吳致箕) 「주역경전증해(周易經傳增解)」

五剛而四柔, 君臣相交之際. 有此簡禮, 而達誠意, 可以終保, 无咎而有濟也.
오효는 굳센 양이고 사효는 부드러운 음이니, 임금과 신하가 서로 교제하는 때이다. 이렇게 간략한 예를 쓰더라도 성의를 다 한다면 마침내 허물없음을 보전할 수 있어서 구제함이 있다.

## 이병헌(李炳憲) 『역경금문고통론(易經今文考通論)』

象曰, 樽酒簋, 剛柔際也. 〈舊本作樽酒簋貳. 釋文本無貳字, 本義, 從之.〉
「상전」에서 말하였다: '준주궤(樽酒簋)'는 굳셈과 부드러움이 교제하기 때문이다. 〈옛 판본에는 '준주궤이(樽酒簋貳)'라고 하였다. 『석문』에는 본래 '이(貳)'자가 없는데, 『본의』에서 이를 따랐다.〉

姚曰, 四承五, 薦鬼神, 羞王公, 故剛柔際.
요신이 말하였다: 사효는 오효를 받들어 귀신에게 바치고 왕공에게 드리므로 굳셈과 부드러움이 사귄다.

## 九五, 坎不盈, 祗旣平, 无咎.

정전 구오는 구덩이가 차지 못하였으니, 장차 평평함에 이르면 허물이 없을 것이다.
본의 구오는 구덩이가 차지 못하였으나, 장차 평평함에 이를 것이니, 허물이 없을 것이다.

### 中國大全

#### 傳

九五在坎之中, 是不盈也. 盈則平而出矣. 祗宜音柢, 抵也. 復卦云, 无祗悔. 必抵於已平 則无咎, 旣曰不盈, 則是未平, 而尙在險中, 未得无咎也. 以九五剛中之才, 居尊位, 宜可以濟於險. 然下无助也. 二陷於險中, 未能出, 餘皆陰柔, 无濟險之才. 人君雖才, 安能獨濟天下之險, 居君位而不能致天下出於險, 則爲有咎. 必祗旣平, 乃得无咎.

구오는 구덩이[坎]의 가운데에 있으니, 가득차지 못한 것이다. 가득차면 평평하여 구덩이에서 나올 것이다. '지(祗)'는 마땅히 음(音)이 '저(柢)'이어야 하니 '이름[抵]'을 이른다. 복괘(復卦)에 "뉘우침에 이르지 않는다"[63]라고 하였다. 반드시 장차 평평함에 이르면 허물이 없을 수 있지만, 이미 가득 차지 않았다고 말했으니, 이는 평평하지 못하여 아직도 험한 가운데에 있는 것이므로 허물이 없을 수 없다. 구오는 강중의 재질로 존귀한 자리에 있으니, 마땅히 험함을 구제할 수 있을 것이나 아래에 돕는 이가 없다. 이효는 험한 가운데에 빠져 벗어나지 못하였고, 나머지는 모두 부드러운 음으로 험함을 구제할 재주가 없으니, 임금이 비록 재주가 있으나 어찌 홀로 천하의 험함을 구제할 수 있겠는가? 군주의 지위에 있으면서 천하가 험함에서 벗어나게 할 수 없다면 허물이 있는 것이 된다. 반드시 장차 평평함에 이르러서야 허물이 없게 됨을 얻을 것이다.

#### 本義

九五, 雖在坎中, 然以陽剛中正, 居尊位, 而時亦將出矣. 故其象占如此.

---

63) 『復卦』: 初九, 不遠復, 无祗悔, 元吉.

구오가 비록 감(坎)의 가운데에 있으나, 굳센 양이면서 중정으로 존귀한 자리에 있으며, 때가 또한 장차 나오게 되었으므로 상과 점이 이와 같다.

**小註**

朱子曰, 坎不盈祗既平, 祗字, 他无說處. 看來只得作扺字解, 復卦亦然. 不盈是未平, 但將來必會平. 二與五雖是陷於陰中, 畢竟是陽會動, 陷他不得. 如有孚維心亨, 如行有尙, 皆是也.
주자가 말하였다: "구덩이가 차지 못하였으나, 장차 평평함에 이를 것이니[坎不盈祗既平]"에서 "이르다[祗]"는 다른 곳에서는 설명한 곳이 없다. 살펴보니 단지 "이르다[扺]"로 해석할 수 있으니 복괘도 그러하다. 차지 않은 것은 아직 평평한 것이 아니다. 다만 앞으로 반드시 평평할 수 있다. 이효와 오효가 비록 음의 가운데에 빠졌으나 결국에는 양이 움직일 수 있어 그를 빠뜨릴 수 없을 것이다. "정성이 있어서 마음 때문에 형통함" 같은 것과 "가면 가상함이 있을 것이다" 같은 것이 모두 여기에 해당한다.

○ 雲峯胡氏曰, 坎不盈, 猶有險也, 扺既平, 則无險矣. 二居重險之中, 五將出重險之外, 所以二之有險, 不如五之既平.
운봉호씨가 말하였다: 구덩이가 차지 않았으니 여전히 험한 것이고, 평평함에 이르렀다면 험함이 없는 것이다. 이효는 거듭된 험함의 가운데에 있고, 오효는 장차 거듭된 험함의 밖으로 나갈 것이니, 이 때문에 험함이 있는 이효가 장차 평평해질 오효만 못한 것이다.

○ 瀘川毛氏曰, 水之性行則亨, 止則盈. 水以亨爲用, 不以盈也. 盈則有泛溢之虞, 不盈所以扺於既平.
노천모씨가 말하였다: 물의 성질은 가면 형통하고 머무르면 채워진다. 물은 형통함을 쓰임으로 삼고 채워짐을 쓰임으로 삼지 않는다. 차면 범람의 근심이 있게 되니, 차지 않는 것이 '장차 평평함'에 이르는 것이다.

○ 厚齋馮氏曰, 五在上卦之中, 有剛明之才, 居大君之位, 宜有以出險矣, 而上猶有一陰焉, 此所以不盈而祗既平也. 蓋下有坎, 故水流而不盈, 上无陰則爲盈之象矣, 尙未出險, 故祗既平而已. 上一陰猶岸也, 龍門之險, 水流湍激, 至孟津而平, 乃利涉焉, 以水既平也. 既平則險可濟, 故无咎. 卦中惟二五才, 足以出險, 而皆陷焉. 二在下, 上又一坎, 故曰有險. 五在上, 流下坎焉, 故曰不盈.
후재풍씨가 말하였다: 오효는 상괘의 가운데에 있어서 굳세고 밝은 재질이 있고, 위대한 임

금의 자리에 있어서 마땅히 험함에서 벗어날 수 있다. 그러나 위에 여전히 한 개의 음이 있으니, 이 때문에 차지 못하여 '장차 평평함에 이를' 것이다. 아래에 구덩이가 있기 때문에 물이 흘러 차지 않고, 위에 음이 없는 것이 곧 차는[盈] 상이 되나, 여전히 험함을 탈출할 수 없기 때문에 장차 평평함에 이를 뿐이다. 위의 한 음은 언덕과 같으니, 용문(龍門)의 험함은 물이 흐르고 여울이 격렬한데 맹진(孟津)에 이르러 평평하여 곧 건넘이 이로운 것은 물이 평평하기 때문이다. 이미 평평하면 험함을 건널 수 있기 때문에 허물이 없다. 감괘 안에 이효와 오효의 재질만이 험함을 벗어나기에 충분하나, 모두 빠져 있다. 이효는 아래에 있고 위에 또 하나의 감괘가 있기 때문에 "험함이 있다"고 말하였고, 오효는 위에 있고 아래의 구덩이로 흐르기 때문에 '차지 못함'이라고 말하였다.

## 韓國大全

### 조호익(曺好益)『역상설(易象說)』

傳, 平則盈也.

『정전』에서 말하였다: 평평해지는 것은 가득 차는 것이다.

○ 本義, 五在坎, 只能平, 未得盈.

『본의』에서 말하였다: 오효는 감괘의 구덩이에 있으니 평평해 갈 수 있을 뿐 가득 찰 수는 없다.

愚謂, 坎下畫缺, 流象, 上畫缺, 岸象, 无偶則盈, 盈則平而出矣.

내가 살펴보았다: 감괘의 아래 획에 틈이 있음은 흐르는 상이고, 위 획의 틈은 언덕의 상이다. 짝이 없으면 채워지고, 채워지면 평평해져서 나올 것이다.

### 김장생(金長生)「주역(周易)」

九五祗既平.

구오는 장차 평평함에 이르다.

祇平聲, 適所以之辭, 又若也. 若音柢. 當作底, 恐非是, 必秖字之誤. 又見復卦當考.
지(祇)는 평성이다. "다만 그렇다"는 말이고, 또 "같다[若]"는 말이다. 만약 음이 '저(柢)'라면 마땅히 '저(底)'라고 써야 한다는 설은 아마도 옳지 않은 듯하니, 분명 '지(秖)'자를 잘못 쓴 것일 것이다. 또 복괘를 보아 고찰하여야 한다.

### 송시열(宋時烈) 『역설(易說)』

不盈, 見彖註, 祇字傳義皆以至字釋之, 引復之無祇, 而來氏謂祇者坻也, 卽小渚也. 引詩之中坻而釋之, 未知如何. 蓋至於旣平則旡咎, 占亦如之. 折中易謂如程傳說, 則不盈爲未能盈科出險[64]之義, 與彖傳異指, 亦未知如何. 小象, 中未大者, 言雖得中正, 旣居坎中, 故未有大也, 與九二小得略同意.
'가득차지 못함'은 「단전」의 주해에 보인다. '지(祇)'자는 『정전』『본의』 모두 "이른다[至]"로 풀이면서 복괘의 "후회에 이름이 없다"를 인용하였고. 래지덕은 지(祇)를 지(坻)라 하였으니, 곧 '작은 모래톱'이다. 『시경』에 나오는 '모래톱'을 이끌어 풀이하였는데, 어떤지 모르겠다. 이미 평평함에 이르면 허물이 없기에 점도 그와 같다. 『주역절중』에서 "만약 『정전』의 설과 같다면 '차지 못함'은 '웅덩이를 채워서 험함을 벗어남을 이룰 수 없다'는 뜻이 되니, 「단전」과는 뜻이 다르다"고 하였는데, 어떤지 모르겠다. 소상에서 "중도가 아직 크지 못하다"고 한 것은 비록 중정을 얻었으나, 이미 구덩이 속에 있으므로 아직 크지 못하다는 것이니, 구이의 "조금 얻는다"와 대략 같은 뜻이다.

### 석지형(石之珩) 『오위귀감(五位龜鑑)』

臣謹按, 坎之九五, 以互有艮止, 故爲不盈而止之象. 然水性必盈, 不盈不止. 五又剛中猛晉, 豈終止於險中者乎. 雖然, 盈者人去之, 不盈者人輸之, 不盈適足以致平也. 人君能以不盈爲致盈之術, 則何險之不可濟哉. 噫, 龍門之險, 水流湍激, 至孟津而平, 然後乃可涉也. 今之時, 正當龍門之險, 伏願殿下, 求所以至孟津者焉.
신이 삼가 살펴 보았습니다: 감괘의 구오는 호괘로 간괘의 멈춤이 있기 때문에 가득차지 못하고 멈추는 상이 됩니다. 그러나 물의 성질은 반드시 가득차려 하니, 가득 차지 않으면 멈추지 않습니다. 오효 또한 굳세고 알맞아 맹렬하게 나아가니, 어찌 끝내 험한 가운데 멈추겠습니까? 그러나 가득찬 자는 사람들이 떠나가고, 가득차지 못한 자는 사람들이 그리고 옮겨가니, 가득차지 않은 것은 다만 충분히 평평함을 이룰 수 있습니다. 임금이 가득차지 못한 것으로 가득 참을 이루려는 방도를 삼는다면 어떤 어려움인들 구제할 수 없겠습니까?

---

64) 險: 경학자료집성DB와 영인본에는 '陰'으로 되어 있으나, 『주역절중』에 따라 '險'으로 바로잡았다.

아! 용문은 험하여 물의 흐름이 여울지고 맹진에 이르러 평평해진 뒤에 건널 수 있습니다. 오늘의 형세는 바로 용문의 험함에 해당하니, 엎드려 바라옵건대 전하께서는 맹진에 이를 수 있는 방도를 구하십시오.

### 심조(沈潮) 「역상차론(易象箚論)」

平, 陽畫象也.
'평평함'은 양획(陽畫)의 상이다.

### 유정원(柳正源) 『역해참고(易解參攷)』

魯齋許氏曰, 九五以陽剛之才, 處極尊之位, 中而且正, 可以有爲也. 然適在險中, 未能遽出, 故諸卦皆有須待之義. 夫能爲者才也, 得爲者位也, 可爲者時也. 有才位而无其時, 不緩待之則有咎矣.
노재허씨가 말하였다: 구오는 굳센 양의 재질로 지극히 존귀한 지위에 있으며 알맞고 또 바르니 일을 도모해 볼 수 있다. 그러나 마침 험한 가운데 있어, 갑자기 벗어날 수 없기 때문에 여러 괘에서 모두 기다려야한다는 뜻이 있다. 할 수 있는 능력은 재질이고, 얻을 수 있는 것은 지위이고, 할 만한 조건은 때이다. 재질과 지위는 있으나 그 때가 없으니, 느긋이 기다리지 않는다면 허물이 있게 될 것이다.

○ 梁山來氏曰, 坻, 水中小渚也. 詩, 宛在中沚, 是也. 平者, 水盈而平也. 坻旣平, 則將盈而出險矣.
양산래씨가 말하였다: 지(坻)는 물속의 작은 모래톱이다. 『시경 · 겸가(蒹葭)』에 "멀리 물속 모래톱에 계시네"라고 한 것이 이것이다. '평(平)'은 물이 가득차서 평평해짐이다. 작은 모래톱이 이미 평평해졌다면, 가득차서 험난함을 벗어나게 된다.

### 김상악(金相岳) 『산천역설(山天易說)』

五居外坎之中, 四上之比, 皆陰之陷也. 故有不盈之象. 然剛中居外, 終能出險而祇平, 故无咎也.
오효는 바깥 감괘의 가운데에 있고, 사효 · 상효의 비(比)가 모두 음의 함정이므로 가득차지 못하는 상이 있다. 그러나 굳세고 알맞으며 바깥에 있어 끝내 험함에서 벗어나 평평함에 이를 수 있으므로 허물이 없다.

○ 坎爲溝瀆不盈之象, 溝瀆所以行水, 故水流而不盈也. 祇, 至也. 洊至之水至五, 始言平, 平則可以出險, 故得无咎也.
감괘는 도랑이 가득차지 못하는 상이 되니, 도랑은 물을 지나보내는 곳이므로 물이 흘러가 가득차지 못한다. 지(祇)는 이르름이다. 거듭 이르는 물이 오효에 이르러 비로소 평평해진다고 하였으니, 평평해지면 험함에서 벗어날 수 있으므로 허물이 없음을 얻는다.

或曰, 二之與四, 互爲震體, 坎月始生於震之庚, 故曰不盈, 而水生於金, 反其所由生而爲兌. 不盈者, 將見於兌之丁爲上弦, 故曰祇平. 所謂水者金子, 子隱母胞者, 是也. 五爲孚心之主, 而不得其亨者, 猶在險中也, 所以行有尙也.
어떤 이가 말하였다: 이효는 사효와 호괘가 진괘의 몸체가 되는데, 감괘의 달은 진괘의 경(庚)에서 비로소 생기므로 "가득차지 못한다"고 하였고, 수(水)는 금(金)에서 생기니 그 말미암아 생겨난 곳으로 돌이키면 태괘가 되는데, '가득차지 못한 것'이 장차 태괘의 정(丁)에서 드러나 상현이 되므로 "평평함에 이른다[祇平]"고 하였다. 이른바 수(水)는 금(金)의 자식으로, 자식은 어미의 태에 숨어있다는 것이 이것이다. 오효는 마음을 미덥게 하는 주인이 되는데 그 형통함을 얻지 못한 것은 여전히 험한 가운데 있기 때문이니, 그래서 가는 것에 가상함이 있는 것이다.

### 김규오(金奎五) 「독역기의(讀易記疑)」

傳盈則平而出矣, 以盈與平爲一事. 蓋以坎不盈中未大之文, 似謂盈則中大云也. 朱子不取其義, 以爲水只能平不能盈者, 卦爲流行之水, 滔滔逝去故也. 盈者, 水高於兩岸也, 平者, 水與兩岸平也. 不盈者, 水不及岸也. 兩岸陰而中爲陽, 陽弱則中未大, 而水不盈也. 陽盛則中漸大而水齊岸, 齊岸而終不能溢者, 卦之大體, 坎陷也. 是以, 四五雖善, 而菫止於无咎而已.
『정전』에서는 "가득차면 평평해져 벗어난다"고 하여, '가득참'과 '평평해짐'을 하나의 일로 보았다. "'구덩이가 차지 못하였음'은 중도(中道)가 아직 크지 못해서이다"라는 「소상전」의 글을 가지고, 가득차면 중도가 커진다고 말한 듯하다. 주자는 그 뜻을 취하지 않고, 물은 단지 평평할 수만 있고 가득 찰 수는 없다고 보았는데, 괘는 흘러가는 물이 되어 도도하게 가버리기 때문이다. '가득 참'은 물이 양쪽 언덕까지 높아짐이고, '평평함'은 물이 양쪽 언덕과 평평해짐이다. '가득 차지 못함'은 물이 언덕에 미치지 못하는 것이다. 양쪽 언덕은 음이고 가운데가 양이 되니, 양이 약하여 가운데가 아직 크지 못하고 물이 가득차지 못한다. 양이 왕성하면 가운데가 점점 커져서 물이 언덕과 나란해지는데, 언덕과 나란해지지만 끝내 넘칠 수 없는 것은 괘의 큰 몸체가 감괘로 빠지기 때문이다. 그러므로 사효와 오효가 비록 선하지만 겨우 허물없는데 그칠 뿐이다.

### 서유신(徐有臣) 『역의의언(易義擬言)』

上六在上有岸象, 是爲坎不盈也. 坎不盈與流不盈意不同. 諸爻爲坎險象, 無流行象也. 祇, 至也, 旣, 終也. 雖方在險不盈, 而以其德, 則陽剛中正, 以其時, 則險極將通, 故至終則當平矣. 平則流行矣. 適與岸平齊而已, 亦非盈溢汎溢, 故无咎也.
상육은 위에 있어서 언덕의 상이 있으니, 구덩이가 가득차지 못함이 된다. '구덩이가 차지 못함'은 '흘러서 가득차지 않음'과 뜻이 같지 않다. 여러 효가 구덩이의 험한 상이 되니 흘러가는 상이 없다. 지(祇)는 '이르름'이고, 기(旣)는 '마침내'이다. 비록 장소가 험한데 있어 가득차지 못하지만, 그 덕은 굳센 양으로 중정하고, 그 때는 험함이 극에 이르러 장차 통하려 하므로 끝에 이르면 당연히 평평해 질 것이다. 평평해지면 흘러간다. 다만 언덕과 평평하게 될 뿐이니 역시 가득 차 넘치거나 흘러넘치지 않으므로 허물이 없다.

### 박제가(朴齊家) 『주역(周易)』

傳, 作秪解, 如復之无秪悔, 然此當作只解, 朱子曰, 在坎, 只能平者, 是也. 經曰, 旣平者, 但已平而已, 非待又平而無咎也. 雖不盈, 但旣平者, 水不更至而止也, 故无咎.
『정전』에서는 "이르다[秪]"로 풀이하여 복괘(如)의 "후회함에 이르지 않는다"와 같게 보았으나, 여기에서는 '다만'으로 풀어야 하니, 주자가 "감괘에 있어서는 단지 평평하게만 할 수 있다"고 한 것이 이것이다. 경문에 '기평(旣平)'이라 함은 '다만 이미 평평할 뿐'이라는 것으로 다시 평평해지기를 기다려 허물이 없는 것이 아니다. 비록 가득차지 못하더라도, 단지 이미 평평하면 물이 다시 이르지 않고 멈추므로 허물이 없다.

### 박문건(朴文健) 『주역연의(周易衍義)』

爲下所決, 故有不盈之象. 雖然爲害不深, 故至於旣平, 所以旡咎.
아래에서 터졌으므로 가득차지 못하는 상이 있다. 그러나 해를 깊게 입지 않았기 때문에 평평함에 이르므로 허물이 없다.

### 이지연(李止淵) 『주역차의(周易箚疑)』

孚信在中, 則質素者, 猶勝於芬華. 如賁于邱園束帛戔戔者也.
신의가 속에 있다면, 검소하고 질박함이 오히려 화려하게 꾸미는 것보다 낫다. 비괘에서

"언덕과 동산에서 꾸미나, 묶어놓은 비단이 작다"라 한 것과 같다.

### 김기례(金箕澧) 「역요선의강목(易要選義綱目)」

在坎之水, 盈則當流出, 而五以中實, 雖有才德, 下无應, 而尙有一陰在前, 如旣平之水, 將出. 故曰无咎, 而不言吉. 坎險之義, 雖有小善, 六爻不言吉.
구덩이에 있는 물은 가득차면 당연히 흘러나가는데, 오효는 가운데가 충실하여 비록 재주와 덕이 있으나 아래로 호응이 없고 오히려 앞에 한 음이 있으니, 평평해진 물이 막 나가려는 것과 같다. 그러므로 허물이 없다고 하고 길하다고는 하지 않았다. 감괘는 험한 뜻이어서 비록 작은 선은 있으나 여섯 효에서 길함을 말하지는 않았다.

### 심대윤(沈大允) 『주역상의점법(周易象義占法)』

坎之師䷆, 衆也. 九五剛中而居剛處坎, 將平之時, 用力勤苦. 時可進而進, 衆陰從之, 而尙有九二之不服, 故爲坎不盈也. 坎實震缶爲盈, 不盈言二之不來也. 祇, 至也, 坤爲至爲平, 言終至于旣平也.
감괘가 사괘(師卦䷆)로 바뀌었으니, 많은 무리이다. 구오는 굳센 양으로 알맞고 굳센 양의 자리에서 구덩이에 있으니, 평평해지려할 때에 애써 힘을 쓴다. 때가 나아갈만할 때에 나아가니 음의 무리가 따르는데, 여전히 구이가 복종하지 않으므로 구덩이가 가득차지 못하게 된다. 감괘의 속이 차고, 진괘의 질그릇이 가득함이 되는데, "가득차지 못한다"고 한 것은 이효가 오지 않음을 말한다. '지(祇)'는 이르름이고, 곤괘는 이르름이 되고 평평함이 되니, 마침내 이미 평평함에 이르름을 말한다.

### 오치기(吳致箕) 「주역경전증해(周易經傳增解)」

九五陽剛中正而居尊, 將有濟險之功. 故其險不大, 能无泛濫之患, 而終至于盡平. 然下无正應之輔助濟功, 尙遲, 宜若有咎而以其得六四之相比, 將至平險, 故言无咎.
구오는 굳센 양으로 중정하고 존귀한 자리에 있어서 장차 험함을 구제하는 공이 있다. 그러므로 그 험함이 크지 않아 범람하는 근심이 없으므로 마침내 완전히 평평함에 이르게 된다. 그러나 아래로 구제하는 공을 돕는 정응이 없고 오히려 늦추니 허물이 있는 듯하지만, 육사와 비(比)의 관계가 되어 장차 험함을 평정함에 이르므로 허물이 없다고 하였다.

○ 祇與底, 通言至也. 禹貢東原底平者, 亦同也. 旣者, 盡也. 水流不盈, 卽其本性, 故象傳亦言不盈, 而不盈則无汎濫危險之患, 將至于平也.
지(祗)와 저(底)는 모두 이르름을 말한다. 『서경 · 우공』에 "동원이 평정되기에 이르렀다"는 것도 같다. 기(旣)는 다함이다. 물이 흘러가 가득차지 않는 것은 바로 그 본성이다. 그러므로 「단전」에서도 "가득차지 않는다"고 하였으니, 가득차지 않으면 범람하여 위험할 걱정이 없이 장차 평평함에 이른다.

### 이진상(李震相) 『역학관규(易學管窺)』

陽不上出, 故曰不盈. 險極將通, 故曰旣平. 上爲柔乘咎也, 下能乘柔休也. 故占曰, 无咎, 象言未大.
양이 위로 나갈 수 없으므로 "가득차지 못한다"고 하였다. 험함이 극에 달하면 곧 통하므로 "평평해진다"고 하였다. 위로는 음이 타고 있기 때문에 허물이 되지만, 아래로는 음을 탈 수 있어서 아름답다. 그러므로 점에 "허물이 없다"고 하였고, 상에서는 "아직 크지 못하다"고 하였다.

### 박문호(朴文鎬) 「경설(經說) · 주역(周易)」

中未大, 程傳作其中未大, 本義作中而未大, 未知所從.
'중미대(中未大)'를 『정전』에서는 "그 중도가 아직 크지 못하다"고 보았고, 『본의』에서는 "중도이나 아직 크지 못하다"고 하였으니 무엇을 따라야 할지 모르겠다.

### 이병헌(李炳憲) 『역경금문고통론(易經今文考通論)』

虞曰, 盈, 溢也. 水流而不盈, 坎爲平. 得位正中, 故无咎.
우번이 말하였다: '영(盈)'은 넘침이다. 물이 흘러가서 가득차지는 못하고 구덩이가 평평해지는 것이다. 자리가 정중을 얻었으므로 허물이 없다.

孟曰, 禔, 安也.
맹희가 말하였다: '지(禔)'는 편안함이다.

## 象曰, 坎不盈, 中未大也.

「상전」에서 말하였다: "구덩이가 차지 못하였음"은 중도(中道)가 아직 크지 못해서이다.

## 中國大全

### 傳

**九五, 剛中之才, 而得尊位, 當濟天下之險難, 而坎尚不盈, 乃未能平乎險難, 是其剛中之道, 未光大也. 險難之時, 非君臣協力, 其能濟乎, 五之道未大, 以无臣也. 人君之道, 不能濟天下之險難, 則爲未大, 不稱其位也.**

구오는 강중의 재질로 존귀한 자리를 얻었으니 마땅히 천하의 험난함을 구제하여야 하나, 구덩이가 아직 차지 않았으니 바로 험난함을 평평하게 하지 못하는 것이다. 이는 강중의 도가 이직 광대하지 못해서이다. 험난한 때에 임금과 신하가 협력하지 않으면 구제할 수 있겠는가? 오효의 도가 광대하지 못함은 신하가 없기 때문이다. 임금의 도는 천하의 험난함을 구제하지 못하면 광대하지 못하니, 그 지위에 걸맞지 않은 것이다.

### 本義

**有中德而未大.**

중도의 덕이 있으나 크지 못하다.

### 小註

朱子曰, 水之爲物, 其在坎只能平, 自不能盈, 故曰不盈, 盈高之義. 中未大者, 平則是得中, 不盈是未大也.

주자가 말하였다: 물이라는 것은 구덩이에 있어야 평평할 수 있는데 스스로 채울 수는 없기 때문에 '차지 못함'이라고 하였으니, 영(盈)은 "높다"는 뜻이다. '중도가 크지 못함[中未大]'

은 평평하면 중도를 얻은 것이니, 차지 못하면 크지 않은 것이다.

○ 雲峯胡氏曰, 大有六五, 以柔居五, 則曰大中, 坎九五, 以剛居中, 乃曰中未大者, 大有之時, 柔能統剛, 重坎之時, 剛猶陷於柔也.
운봉호씨가 말하였다: 대유괘(大有卦䷍)의 육오는 부드러움이 오효의 자리에 있으므로 "크게 중도(中道)를 얻다"[65]라고 하고, 감괘의 구오는 굳셈으로 가운데 자리에 있으므로 "중도가 크지 못하다"라고 하였다. 그렇게 한 이유는, 대유의 때는 부드러움이 굳셈을 통솔할 수 있고 중감의 때에는 굳셈이 오히려 부드러움에 빠졌기 때문이다.

## 韓國大全

### 김상악(金相岳) 『산천역설(山天易說)』

不盈, 故未大也.
가득차지 못하므로 아직 크지 못하다.

### 서유신(徐有臣) 『역의의언(易義擬言)』

未大猶未足也. 未足故不盈也. 彖辭流而不盈, 旣足而流, 故不盈也.
'아직 크지 못함'은 '아직 충분하지 못함'과 같다. 아직 충분하지 못하므로 가득차지 못한다. 「단전」의 '흘러가서 가득차지 않음'은 이미 충분히 흘러갔기 때문에 가득차지 않는 것이다.

### 박문건(朴文健) 『주역연의(周易衍義)』

中道未大, 故致不盈之災也.
중도가 아직 크지 않으므로 가득차지 못한 재앙에 이른다.

---

65) 『周易 · 大有』: 彖曰, 大有, 柔得尊位, 大中而上下應之, 曰大有, 其德, 剛健而文明, 應乎天而時行, 是以元亨.

### 오치기(吳致箕) 「주역경전증해(周易經傳增解)」

剛而得中, 故其險未大, 終旡氾濫之患, 而可至于平也.
굳세고 알맞음을 얻었으므로 그 험함이 아직 크지 않아 마침내 범람할 근심이 없어서 평평함에 이르를 수 있다.

### 이병헌(李炳憲) 『역경금문고통론(易經今文考通論)』

虞曰, 體屯五中, 故未光大也.
우번이 말하였다: 몸체가 준괘 오효가 가운데 있음과 같으므로 빛나지도 않고 크지도 않다.

按, 禔又稱福也.
내가 살펴보았다: 지(禔)는 또한 복(福)이라 하기도 한다.

## 上六, 係用徽纆, 寘于叢棘, 三歲, 不得, 凶.

상육은 동아줄로 매어서 가시나무 덤불에 가둬두어 삼년이 되어도 면하지 못하니, 흉하다.

## 中國大全

### 傳

**上六, 以陰柔而居險之極, 其陷之深者也, 以其陷之深, 取牢獄爲喩. 如係縛之以徽纆, 囚寘於叢棘之中, 陰柔而陷之深, 其不能出矣. 故云至於三歲之久不得免也, 其凶可知.**

상육은 부드러운 음으로서 험함의 극단에 있어서 빠짐이 깊은 자이니, 빠짐이 깊기 때문에 감옥을 취하여 비유하였다. 이는 마치 동아줄로 붙잡아 매서 가시나무 무더기에 가둬둔 것과 같으니, 부드러운 음으로서 빠짐이 깊어 나올 수 없다. 그러므로 "삼년이나 오래되어도 그 흉함을 면할 수 없다"고 말하였으니, 그 흉함을 알 수 있다.

### 本義

**以陰柔居險極, 故其象占如此.**

부드러운 음으로서 험함의 극단에 처하였기 때문에 상과 점이 이와 같은 것이다.

#### 小註

陸氏德明曰 三股曰徽 兩股曰纆 皆索名

육덕명이 말하였다: 세 가닥을 휘(徽)라고 하고, 두 가닥을 묵(纆)이라고 하니, 모두 끈의 명칭이다.

○ 蒲陽張氏曰, 坎爲刑獄. 荀九家易, 坎爲叢棘, 傳曰叢棘, 如今之棘寺.
포양장씨가 말하였다: 감(坎)은 형옥(刑獄)이다. 순상의 『구가역(九家易)』에서는 감을 총극(叢棘)이라 했으니, 『정전』에서 총극(叢棘)이라 한 것은 지금의 극시(棘寺)[66]와 같다.

○ 雲峯胡氏曰, 係之徽纆, 而又寘於叢棘, 重險之象. 三歲亦復不得出, 以陰柔處坎險之極故也.
운봉호씨가 말하였다: 동아줄로 매고 또 가시나무 덤불에 가둬 둠은 거듭된 험함의 상이고, 삼년이 되어도 더 이상 벗어날 수 없음은 부드러운 음이 험한 감의 궁극에 처하였기 때문이다.

○ 隆山李氏曰, 上六當出險矣, 而陰柔下比, 无出險之才, 下乘五剛, 將有係寘之患, 猶人陷犴獄,擧手掛徽纆, 投足蹈叢棘者也. 三歲不得凶, 猶困坎在下, 初六亦曰三歲不覿凶. 遇坎而三歲羈縻一律也.
융산이씨가 말하였다: 상육은 마땅히 험함에서 벗어나야 하지만 음유가 아래와 친하고 험함을 벗어날 수 있는 재질이 없다. 아래로 굳센 오효를 타니, 장차 매어두게 되는 환란이 있다. 이는 사람이 감옥에 갇혀서 손을 들어 동아줄에 매이고 발을 들어 가시나무 덤불을 밟고 있는 것과 같다. “삼년이 되어도 얻지 못하니 흉하다”는 것은 곤괘(困卦䷮)에서 감(☵)이 아래에 있어 초효에 “삼년이 지나도 만나보지 못하니 흉하다”[67]고 한 것과 같으니 감(☵)을 만나 삼년동안 매이는 것은 동일하다.

○ 臨川吳氏曰, 周官司圜, 收敎罷民, 能改者, 上罪三年而舍. 其不能改而出圜土者, 殺. 三歲不得, 其罪大而不能改者歟.
임천오씨가 말하였다: 『주례 · 사환』에 “사환(司圜)은 해이한 백성[罷民][68]을 구금하고 교육하여 개과천선하게 하는 것이다. 중죄[上罪]는 삼년을 구금하고 풀어준다. 고치지 못하여 감옥을 나갈 수 없는 자는 죽인다”[69]고 하였으니, 삼년이 되어도 면하지 못하는 것은 그 죄가 커서 고칠 수 없는 자일 것이다.

---

66) 극시(棘寺): 『한어대사전』에 구경(九卿)의 관서(官署)를 범칭한다는 설과, 고대에 재판을 가시나무 아래에서 했던 이유로 형옥의 일을 관장하는 대리사(大理寺)의 별칭이라는 설이 있다.
67) 『주역 · 곤괘』 초륙 효사에는 ‘凶’자가 없다.
68) 해이한 백성[罷民]: ‘피민(罷民)’은 명령을 따르지 않고 제 할 일을 하지 않는 백성을 이른다.
69) 『周禮 · 秋官 · 司圜』: 司圜掌收敎罷民, 凡害人者弗使冠飾, 任之以事而收敎之.能改者, 上罪三年而舍, 中罪二年而舍, 下罪一年而舍.其不能該而出圜土者, 殺.

# ‖韓國大全‖

## 조호익(曺好益) 『역상설(易象說)』

雙湖曰, 徽纆獄中索名. 因坎刑獄取象. 三歲上卦三爻象.
쌍호호씨가 말하였다: '휘묵(徽纆)'은 감옥 안에서 묶는 끈 이름이다. 감괘의 형옥(刑獄)을 가지고 상을 취하였다. '삼세(三歲)'는 상괘 세 효의 상이다.

愚謂, 上變則巽, 巽爲繩. 因坎而爲巽, 故爲徽纆之象. 係互艮手象. 叢棘, 按周官, 朝士掌建邦外朝之法. 左九棘, 孤卿大夫位焉, 群士在其後. 右九棘, 公侯伯子男位焉, 群吏在其後. 面三槐, 三公位焉, 州長衆庶在其後. 左嘉石, 平罷民焉. 右肺石, 達窮民焉.
내가 살펴보았다: 상효가 변하면 손괘(巽卦)가 되는데, 손은 끈[繩]이 된다. 감괘를 인하여서 손괘가 되므로 휘묵(徽纆)의 상이 된다. '계(係)'는 호괘인 간괘가 지닌 손[手]의 상이다. '총극(叢棘)'은 『주례』를 살펴보면 "조사(朝士)는 외조(外朝)의 법을 세우는 것을 관장한다. 왼쪽에 있는 아홉 개의 가시나무는 고(孤)·경(卿)·대부(大夫)의 자리이고, 여러 사(士)들이 그 뒤에 선다. 오른쪽에 있는 아홉 개의 가시나무에는 공(公)·후(侯)·백(伯)·자(子)·남(男)이 자리하고, 여러 관리들이 그 뒤에 선다. 세 개의 괴목(槐木)을 바라보는 자리는 삼공(三公)의 자리이고, 주장(州長)이나 서인(庶人)들이 그 뒤에 선다. 왼쪽의 가석(嘉石)은 게으른 백성들[罷民]들을 감화시키는 것이고, 오른쪽의 폐석(肺石)은 곤궁한 백성들[窮民]의 사연을 진달하는 것이다"라고 하였다.
〈註, 棘取赤心而外刺. 槐之言懷也. 懷來人於此, 欲與之謀也. 孤卿數九, 諸侯服九. 故皆植九棘. 三公上公, 三人, 故植三槐. 罷民, 罷倦, 不能自强之人.
주(註)에서 말하였다: '극(棘)'은 속이 붉으면서 겉에 가시가 달린 것을 취한다. 괴(槐)라는 말은 '품어준다[懷]'는 뜻이다. 오는 사람을 이곳에서 품어주어 그와 더불어 도모하고자 하는 것이다. '고경(孤卿)'은 수가 아홉이고, 제후는 복(服)이 아홉이다. 그러므로 모두 아홉 개의 가시나무를 세우는 것이다. '삼공(三公)'은 상공(上公)으로, 세 사람이다. 그러므로 세 개의 괴목을 세우는 것이다. '파민(罷民)'은 게을러서 스스로 자강(自强)하지 못하는 사람이다.〉

○ 司寇, 聽獄於棘木之下.
사구(司寇)가 가시나무 아래에서 옥사(獄事)를 처리한다.

○ 註, 圜土, 獄城, 圓也.

『주례』의 주(註)에서 말하였다: '환토(圜土)'는 옥성(獄城)으로, 둥근 모양이다.

### 김장생(金長生) 「주역(周易)」

徽三糾繩, 纏兩股索.
휘(徽)는 세 번 꼰 끈이고, 전(纏)은 두 가닥 끈이다.

### 송시열(宋時烈) 『역설(易說)』

係者, 牽係於五也. 徽纆, 來氏以爲係盜之赤繩, 此爻變則爲巽, 巽爲繩云云. 蓋坎爲盜, 故言係盜之物而上六係於九五也. 坎爲叢棘, 故云寘于叢棘. 故錯離爲三, 三歲言其久也. 不得言坎爲幽暗, 故不得見也. 蓋上六之昵比, 偏係於五者, 非正應, 故小象云, 失道也. 坎爲盜, 爲赤, 係盜者, 赤繩也. 寘之叢棘幽暗之中, 地雖不遠而求之不得, 至於三歲之凶, 占者如之. 吳澄曰, 秋[70]官司圜, 收敎罷民, 能改者, 上罪三年而舍, 不能改而[71]出圜土者殺, 三年不得, 其罪大而不能改者耶云云, 理亦然也.
"맨다[係]"는 오효에게 묶이는 것이다. '동아줄[徽纆]'에 대해서 래지덕은 도적을 묶는 붉은 줄로 보았는데, 이 효가 변하면 손괘가 되니, 손괘는 줄이라고 운운하였다. 감괘는 도적이 되므로 도적을 묶는 물건을 말하였으니, 상육이 구오에게 묶이는 것이다. 감괘는 가시덤불이 되므로 "가시덤불에 가둔다"고 하였다. 착괘인 리괘가 삼(三)이 되니, '삼년'은 그 오래됨을 말한다. "면하지 못한다[不得]"는 감괘가 어두움이 되므로 볼 수 없는 것이다. 상육이 친밀하게 굴어 오효에 치우치게 매어있으나, 정응이 아니므로 「소상전」에서 '도를 잃으면'이라고 하였다. 감괘는 도적이 되고, 붉음이 되니, 도적을 묶는 것은 붉은 끈이다. 가시덤불의 어두운 가운데 가두어, 그곳이 비록 멀지는 않더라도 구해낼 수가 없어서 삼년동안 흉함에 이르니, 점이 이와 같다. 오징이 "『주례 · 추관(秋官) · 사환(司圜)』에 '게으른 백성을 거두어 가르치되, 고칠 수 있는 자 가운데 큰 죄를 지은 자는 삼년만에 석방하고, 고칠 수 없어서 감옥[圜土]에서 벗어날 수 없는 자는 죽인다'라 하였는데, 삼년동안 면하지 못하는 것은 그 죄가 커서 고칠 수 없는 자일 것이다"운운하였으니, 이치가 또한 그러하다.

### 이익(李瀷) 『역경질서(易經疾書)』

寘于叢棘, 據傳文爲失道, 則失道而在叢棘者也. 上六險極也, 乃至於山頂之叢棘而爲

70) 秋: 경학자료집성DB와 영인본에는 '周'로 되어 있으나 『주례』의 편제에 따라 '秋'로 바로잡았다.
71) 而: 경학자료집성DB와 영인본에는 '曰'로 되어 있으나 『주례』 원문에 따라 '而'로 바로잡았다.

他物繫留者也, 其凶, 甚矣.
“가시덤불에 가둔다”는 것은 「상전」의 문장에 의거하면 ‘도를 잃었기’ 때문이니, 도를 잃어서 가시덤불에 있는 자이다. 상육은 험함의 극으로 이에 산꼭대기의 가시덤불에 이르러 다른 것에게 묶인 것이니, 그 흉함이 심하다.

### 심조(沈潮) 「역상차론(易象箚論)」

上六, 三歲.
상육: 삼년.

三者, 坎數六而陰, 故用其半也. 又天數三也.
‘삼(三)’이란 감괘의 수가 6인데, 음이므로 그 반을 쓴 것이니, 또한 하늘 수 3이다.

### 유정원(柳正源) 『역해참고(易解參攷)』

正義, 上六居此險消之處, 犯其峻整之位, 所以被繫用其徽纆之纆. 寘於叢棘謂囚執之處, 以叢棘
而禁之也. 險道未終, 三歲已來, 不得其吉而有凶也. 險終乃反, 若能自脩, 三歲後, 可以求復自新.
『주역정의』에 말하였다: 상육은 험함이 소멸하는 때에 있으면서 그 엄정한 지위를 범하니, 그래서 동아줄로 묶인다. ‘가시덤불에 가둠’은 죄인들이 모여 있는 곳을 말하니, 가시덤불로 써 금한 것이다. 험한 도리가 아직 끝나지 않았으니, 삼년이 이미 오더라도 그 길함을 얻지 못하여 흉함이 있다. 험함이 끝나면 돌이키게 되니, 스스로 닦을 수 있다면 삼년 후에는 회복하여 스스로 새로워지기를 구할 수 있다.

○ 厚齋馮氏曰, 叢棘, 刺之叢生者也. 得如罪人斯得之得, 得其情者也.
후재풍씨가 말하였다: ‘가시덤불’은 가시가 덤불로 난 것이다. ‘득(得)’은 ‘죄인을 이에 잡았다’는 ‘득’이니, 그 실정을 얻는 것이다.

○ 雙湖胡氏曰, 滿上坎三爻, 有三歲之象 .
쌍호호씨가 말하였다: 상괘인 감괘 세 효가 가득 찼으니, 삼년의 상이 있다.

○ 案, 上六居險之上, 可出於險矣, 而復有徽纆叢棘之凶, 何也. 以陽居上, 則可有出險之才, 而以陰居陰, 險而益險, 陷而益陷, 其凶可知.

내가 살펴보았다: 상육은 험함의 위에 있어서 험함에서 벗어날 수 있는데, 다시 묶여서 가시덤불에 갇히는 흉함이 있는 것은 무엇 때문인가? 양으로 위에 있다면 험함에서 벗어나는 재질이 있을 수 있으나, 음으로서 음의 자리에 있어서 험한데 더욱 험하고, 빠지는데 더욱 빠지니 그 흉함을 알만하다.

### 김상악(金相岳) 『산천역설(山天易說)』

徽纆, 皆索名. 寘, 置也, 囚禁之意也. 叢棘卽棘寺也. 上六處險之極, 其陷益深, 故取牢獄爲諭, 三歲不得而凶也.
휘(徽)와 묵(纆)은 모두 끈의 이름이다. '치(寘)'는 둔다는 뜻이니, 죄인을 감금하는 의미이다. '총극(叢棘)'은 형벌을 집행하는 관아이다. 상육은 험함의 극에 처하여 그 빠짐이 더욱 심하므로 감옥을 취하여 비유하였으니, 삼년동안 면하지 못하여 흉하다.

○ 徽纆, 巽之象. 坎水生巽木也. 叢棘, 坎之本象也. 坎互震體, 自坎之戊至震之庚, 爲三歲也. 坎之陰陷陽, 而陰反見陷, 困之柔掩剛而柔反見掩. 故初三與上取象相似. 初之入于坎窞, 卽困之入于幽谷也. 三之來之坎坎險且枕, 卽困之困于石據于蒺藜也. 上之寘于叢棘, 卽困之困于葛藟也. 故三歲不得與困初同. 坎水生震木, 又水火互藏[72] 其宅, 變而爲噬嗑. 豊雷電相遇, 必及刑獄, 故取象相似. 三歲不得, 亦與豊上六同. 或曰, 古之治獄法, 三年不變爲死罪, 故有三歲不得之語.
'동아줄'은 손괘의 상이다. 감괘의 수(水)가 손괘의 목(木)을 낳는다. '총극(叢棘)'은 감괘의 본래 상이다. 감괘의 호괘는 진괘의 몸체인데, 감괘의 무(戊)로부터 진괘의 경(庚)에 이르면 삼년이 된다. 감괘의 음이 양을 빠뜨리나 음이 도리어 빠짐을 당하니, 곤괘(困卦)에서 음이 양을 가리나 음이 도리어 가려지게 됨과 같다. 그러므로 두 괘의 초효·삼효·상효가 상을 취한 것이 비슷하다. 초효에서 '구덩이의 구멍으로 들어감'은 바로 곤괘(困卦)에서 '깊은 골짜기로 들어감'이다. 삼효에서 "오고 감에 험하고 험한데, 험함에 또 의지한다"는 바로 곤괘에서 "돌 때문에 어려우며 가시나무에 앉아 있다"라 함이다. 상효에서 "가시덤불에 가둔다"는 바로 곤괘에서 "칡넝쿨 때문에 어렵다"는 것이다. 그러므로 "삼년동안 면하지 못한다"는 곤괘 초효와 같다. 감괘의 수(水)는 진괘의 목(木)을 생하고, 또 물과 불은 서로 그 집을 감추니, 바뀌어 서합괘가 된다. 풍괘(豊卦)는 우레와 번개가 서로 만나니, 반드시 형옥에 미치므로 상을 취함이 비슷하다. '삼년동안 면하지 못함' 역시 풍괘 상육과 같다. 어떤 이는 "고대에 옥을 다스리는 법에 삼년동안 바뀌지 않으면 죽는 죄가 되기 때문에 '삼년동안 면하지 못한다'는 말이 있다"고 하였다.

---

72) 藏: 경학자료집성DB와 영인본에는 '莊'자로 되어 있으나, 문맥을 살펴 '藏'으로 바로잡았다.

○ 初上, 皆言失道, 與坤初曰馴致其道, 上曰其道窮, 相類. 三歲卽出險之期也. 居卦之終, 有變之義, 變則爲渙, 渙曰去逖出, 所以遠害也.
초효와 상효에서 모두 "도를 잃었다"라고 한 말은 곤괘 초효에서 "그 도를 점차 이룬다"라고 하고, 상효에서 "그 도가 끝에 이르렀다"라고 한 말과 서로 같은 류이다. '삼년'은 험함을 벗어나는 기한이다. 괘의 끝에 있어서 변하는 뜻이 있으니, 바뀌면 환괘(渙卦)가 되는데, 환괘에서 "제거하며 두려움에서 벗어난다"[73]라고 하였으므로 해를 멀리한다.

### 김규오(金奎五) 「독역기의(讀易記疑)」

獄也, 离爲獄, 而坎亦云者, 兩陰外阻, 而人陷其中也.
'옥'은 리괘가 감옥이 되는데 감괘에서도 말한 것은 두 음이 밖에서 저지하고 사람이 그 속에 빠진 것이다.

### 서유신(徐有臣) 『역의의언(易義擬言)』

險旣極矣, 陰柔處焉, 爲險重途窮之象而已. 徽纆, 上險也. 叢棘, 下險也. 不得者, 不得可出之道也. 在五曰, 祇旣平, 而至上六, 非徒不平其險, 又有甚焉, 易不可爲典要, 如此.
험함이 이미 극에 이르렀는데, 유약한 음이 대처하니 험함이 중첩되고 길이 막힌 상이 될 뿐이다. '동아줄'은 위가 험함이고, '가시덤불'은 아래가 험함이다. '면할 수 없음'은 벗어날 수 있는 도리를 얻지 못함이다. 오효에서 "장차 평평함에 이른다"고 하였는데, 상육에서 단지 그 험함을 평정하지 못할 뿐 아니라 더욱 심해진다고 하였으니, 역을 일정한 법칙으로 삼을 수 없음이 이와 같다.

### 박제가(朴齊家) 『주역(周易)』

初爲入水之險, 上爲非水之險, 見坎之因水而喩險也.
초효는 물로 들어가는 험함이고, 상효는 물의 험함이 아니니, 감괘는 물로 인하여 험함을 비유하였음을 볼 수 있다.

### 강엄(康儼) 『주역(周易)』

上六象曰上六失道凶三歲也

---

73) 『周易·渙卦』: 上九, 渙, 其血, 去, 逖(惕), 出, 无咎.

按, 初六曰失道, 上六亦曰失道, 所謂道者何. 卦辭所謂有孚心亨, 是也. 初六以陰柔處重陰之下, 上六以陰柔居重陰之極, 皆失有孚心亨之道者也, 故皆凶. 九五九二, 皆以陽剛居中, 得有孚心亨之道, 故九二曰求小得, 九五曰祗既平. 六四雖以陰柔居上坎之下, 然上與九五相際, 而益以誠心, 進結自牖, 則是亦得有孚心亨之道矣, 故終无咎. 至於六三陰柔不中不正, 而居重剛之間, 乃失此道者也, 故入于坎窞, 與初六同.
내가 살펴보았다: 초육에서 "도를 잃었다"고 하였고, 상육에서도 "도를 잃었다"고 하였는데, 이른바 '도'란 무엇인가? 괘사에서 말한 "정성이 있어 마음 때문에 형통하다"라 함이 이것이다. 초육은 유약한 음으로서 중첩된 음의 아래에 있고, 상육은 유약한 음으로 중첩된 음의 끝에 있으니, 모두 '정성이 있어 마음 때문에 형통한' 도리를 잃은 자이므로 모두 흉하다. 구오 · 구이는 모두 굳센 양으로 가운데 자리에 있어서 '정성이 있어 마음 때문에 형통한' 도리를 얻었으므로 구이에서는 "구하여 조금 얻는다"고 하였고, 구오에서는 "장차 평평함에 이른다"고 하였다. 육사는 비록 유약한 음으로 위쪽 구덩이의 아래에 있으나, 위로 구오와 서로 교제하고 진실한 마음으로 더하여 맺음을 들이되 통한 곳으로부터 하니, 이 역시 '정성이 있어 마음 때문에 형통한' 도리를 얻은 것이므로 끝내 허물이 없다. 삼효에 이르러서는 유약한 음으로 알맞지도 바르지도 못하고 굳센 양이 거듭된 사이에 있으니 이 도를 잃은 자이므로 '구덩이의 구멍으로 들어가는 것'이 초효와 같다.

### 박문건(朴文健) 『주역연의(周易衍義)』

肆暴見屈, 故有寘棘之象. 至于三歲, 而不得脫囚係, 所以凶.
방자하고 사나와 굴욕을 당하므로 가시덤불에 갇히는 상이 있다. 삼년에 이르도록 갇힌 데서 벗어나지 못하므로, 흉하다.
〈問, 係用徽纆以下. 曰, 三股曰徽, 兩股曰纆. 上六深害六三, 故六三係之用徽纆之索, 寘之于叢之中, 至于三歲而不得其脫, 所以凶也. 蓋古者, 寘囚於叢棘, 故司冠必聽訟於棘木之下也.〉
물었다: '동아줄로 매어서' 이하는 무슨 뜻입니까?
답하였다: 세 가닥 줄을 '휘(徽)'라 하고, 두 가닥 줄을 '묵(纆)'이라고 합니다. 상육이 육삼을 심하게 해치므로 육삼이 '휘묵'의 줄로 매어 가시덤불에 가두니, 삼년에 이르도록 거기서 벗어나지 못하므로 흉합니다. 고대에 가시덤불에 죄인을 가두었기 때문에 사구(司冠)는 반드시 가시나무 아래서 송사를 처리하였습니다.

### 이지연(李止淵) 『주역차의(周易箚疑)』

坎一卦, 以險言之, 則初六發源之地, 地之極險而汚濁者也. 九二成科而欲進之地也.

六三屈折湍激之地也. 六四水從其傾斜穿出之地也. 九五水平安流之地也. 上六乃尾閭水入之地也. 以人論之, 則初是陰險在內, 謀害君子之小人也. 九二外剛內柔, 中而不正之人也. 六三不中不正之小人也. 六四柔順得正, 取友以道之人也. 九五中正之大人, 前後左右, 未得正人, 故猶有慊德者也. 上六則險之極, 陷之深, 乃罪大惡極, 陷於刑戮之小人也.
감괘는 험함을 가지고 말하였으니, 초육은 발원하는 곳으로 지세가 지극히 험하며 지저분하고 탁한 것이다. 구이는 웅덩이를 이루어 나아가고자 하는 곳이다. 육삼은 꺾여서 여울지는 곳이다. 육사는 물이 그 경사진 곳을 따라 돌출하는 곳이다. 구오는 물이 평탄하게 흐르는 곳이다. 상육은 깊은 곳으로 물이 들어가는 곳이다. 사람을 가지고 논하자면, 초효는 음험함이 속에 있어 군자를 해치려 모의하는 소인이다. 구이는 밖은 굳세나 안은 유약하여, 가운데 있지만 바르지는 않은 사람이다. 육삼은 가운데 있지도 않고 바르지도 않은 소인이다. 육사는 유순하게 바름을 얻으니, 도로써 친구를 취하는 사람이다. 구오는 중정한 대인이지만 전후좌우에 바른 사람을 얻지 못하므로 오히려 부족한 덕이 있는 자이다. 상육은 험함이 극에 이르고 빠짐이 심하여 죄가 크고 악이 극에 이르렀으니, 형벌에 빠진 소인이다.

### 김기례(金箕澧)「역요선의강목(易要選義綱目)」

陰居險極, 乘五剛, 則无出險之期, 如係縛而置棘中.
음이 험함의 극에 있으면서 굳센 오효를 탔으니, 험함에서 벗어날 기약이 없는 것이 밧줄에 묶여 가시덤불에 갇힘과 같다.

○ 荀易云, 坎爲叢棘.
『순구가역』에 말하였다: 감괘는 가시덤불이 된다.

○ 坎盡變, 則爲離, 離數三, 言坎未變之前, 不得吉, 故曰三歲.
감괘가 변화를 다하면 리괘가 되는데 리괘의 수는 '삼'이니, 감괘가 아직 변하기 전에는 길함을 얻을 수 없음을 말하였다. 그러므로 '삼년'이라고 하였다.

○ 三股曰徽, 兩股曰纆, 皆索.
세 가닥을 '휘'라 하고, 두 가닥을 '묵'이라 하니, 모두 끈이다.

○ 叢棘, 棘寺.
'가시덤불[叢棘]'은 형옥을 다스리는 관아이다.

贊曰, 聖人序卦, 豈曰尋常. 過極必陷, 其義深長. 天一生水, 位居北方. 學習亦然, 勉君自彊.
찬미하여 말한다: 성인이 괘를 순서지음에 어찌 예사롭다 하겠는가? 지나침이 극에 달하면 반드시 빠지니, 그 뜻이 깊고 크네. 하늘 수 1이 수(水)를 낳음에 자리는 북방에 거한다네. 배우고 익힘 또한 그러하니 그대는 힘써 노력하라.

## 심대윤(沈大允) 『주역상의점법(周易象義占法)』

坎之渙☴, 發散也. 處坎極, 旣平之時, 而居柔, 可進而不進. 又才柔不足以自進, 故但渙散四泄而未見流進也, 所以尙爲坎也. 係徽纆, 皆巽象, 艮置, 坎巽叢棘, 巽三, 坎离歲艮得. 六四, 得五之相通, 上六旣盈科矣. 故不言坎.
감괘가 환괘(渙卦☴)로 바뀌었으니, 발하여 흩어짐이다. 감괘의 끝에 있어서 이미 평평한 때인데, 유약한 음의 자리에 거하니 나아가야 하는데 나아가지 못한다. 또 재질이 유약하여 스스로 나아가기에 부족하므로 단지 흩어져 사방으로 새나가고, 흘러서 나아감을 볼 수 없으니 그래서 여전히 구덩이가 된다. 동아줄로 묶는 것은 모두 손괘의 상이고, 간괘는 가두어 두는 것이며, 감괘 · 손괘가 가시덤불이 되니, 손괘는 '삼'이고, 감괘 · 리괘가 '해[歲]'가 되고 간괘가 얻음이 된다. 육사가 오효와 상통함을 얻었고 상육은 이미 웅덩이를 가득채운 것이므로 '구덩이[坎]'를 말하지 않았다.

## 오치기(吳致箕) 「주역경전증해(周易經傳增解)」

上六, 以陰柔而乘剛, 居坎之極, 而下旡應援, 所陷益深, 出險旡期. 故其象乃係之以徽纆, 寘之于叢棘, 雖至三歲之久, 而不得出, 所以爲凶也.
상육은 유약한 음으로서 굳센 양을 타고 감괘의 끝에 있는데, 아래로 호응하여 끌어주는 이가 없으니, 빠짐이 더욱 심하여 험함에서 벗어날 기약이 없다. 그러므로 그 상이 동아줄에 매여 가시덤불에 갇히니, 비록 삼년의 긴 시간에 이르러도 벗어날 수 없기 때문에 흉함이 된다.

○ 係, 縛也. 徽纆, 皆縛人之繩, 而俱取爻變之巽. 叢棘, 木之險者, 而取變巽及坎也. 三取坎, 已見諸卦.
'계(係)'는 결박하는 것이다. 휘(徽)와 묵(纆)은 모두 사람을 결박하는 끈인데, 모두 효변한 손괘에서 취하였다. '가시덤불'은 나무 가운데 험한 것으로 효변한 손괘와 감괘에서 취하였다. '삼(三)'을 감괘에서 취한 것은 이미 여러 괘에 보였다.

## 이진상(李震相) 『역학관규(易學管窺)』

荀九家, 坎爲桎梏, 爲叢棘. 變互巽, 纆徽纆象. 坎位從坤逆數, 則在三, 且六三不能應, 故三歲不得, 乘剛險極, 故凶.
『순구가역』에서 감괘는 형틀이 되고, 감옥이 된다. 바뀐 호괘인 손괘는 동아줄의 상이다. 「복희팔괘방위도」에서 감괘의 자리는 곤괘로부터 거꾸로 세면 세 번째에 있고, 또 육삼은 호응할 수 없으므로 삼년이 되어도 면하지 못하니, 굳센 양을 타서 험함이 극에 달하였으므로 흉하다.

## 이병헌(李炳憲) 『역경금문고통론(易經今文考通論)』

劉曰, 三股爲徽, 兩股爲纆, 皆索名. 以縛其罪人.
유표가 말하였다: 세 가닥은 '휘'가 되고, 두 가닥은 '묵'이 되니 모두 끈 이름이다. 그것으로 죄인을 결박한다.

虞曰, 坎多心, 故叢棘.
우번이 말하였다: 감괘는 단단하고 심이 많은 나무[74]이므로 '총극(叢棘)'이 된다.

程傳曰, 陰柔而居險之極, 其陷之深者也.
『정전』에서 말하였다: 유약한 음으로 험함의 극한에 있으니, 그 빠짐이 심한 자이다.

鄭曰, 上六乘陽, 有邪惡之罪, 故縛而徽纆, 寘於叢棘, 而使公卿以下議之. 其害人者, 寘之圜土. 能復者, 上罪三年而赦. 中罪二年而赦, 下罪一年而赦. 不得者, 不自思以得正道, 終不能自改, 出諸圜土者殺, 故曰凶.
정현이 말하였다: 상육은 양을 타서 사악한 죄가 있으므로 동아줄로 결박하여 가시덤불에 가두고 공경(公卿) 이하의 관리로 하여금 의논하게 한다. 사람을 해친 자는 감옥에 가둔다. 회복할 수 있는 자의 경우 큰 죄는 삼년만에 사면하고, 보통 죄는 이년만에 사면하고, 경미한 죄는 일년만에 사면하다. 사면을 얻지 못하는 자는 스스로 바른 도를 얻을 생각을 하지 않는 것으로, 끝내 스스로 고치지 못하여 감옥에서 나오지 못하는 자는 죽인다. 그러므로 흉하다.

按, 三歲不得, 蓋指周公以商奄之故, 居東三年也.
내가 살펴보았다: "삼년동안 면하지 못한다"는 것은 주공이 상엄(商奄)의 변란으로 동쪽에서 삼년 머무른 일을 가리킨다.

---

74) 『周易·說卦傳』: 坎 … 其於木也, 爲堅多心.

## 象曰, 上六失道, 凶三歲也.

「상전」에서 말하였다: 상육이 도(道)를 잃으면 삼년동안 흉할 것이다.

## 中國大全

### 傳

**以陰柔而自處極險之地, 是其失道也. 故其凶至於三歲也. 三歲之久, 而不得免焉, 終凶之辭也. 言久有曰十有曰三, 隨其事也. 陷於獄, 至於三歲, 久之極也. 他卦以年數言者, 亦各以其事也, 如三歲不興, 十年乃字是也.**

부드러운 음으로서 스스로 지극히 험한 자리에 처하였으니, 이것이 도를 잃은 것이다. 그러므로 그 흉함이 삼년에 이른다. 삼년이나 오래도록 면하지 못하였으니, 끝내 흉하다는 말이다. 오램을 말할 때에 '십' 이라고 말한 데가 있고 '삼' 이라고 말한 데가 있으니, 일에 맞게 말한 것이다. 감옥에 빠져 삼년이 됨은 매우 오래되었다는 말이다. 다른 괘에서 연수(年數)로 말한 것도 각각 그 일에 맞게 말한 것이다. 예를 들면 동인괘(同人卦)의 "삼년이 되어도 일어나지 못함이다[三歲不興]"와 준괘(屯卦)의 "십년이 되어서야 시집간다[十年乃字]"가 이 경우이다.

### 小註

雲峯胡氏曰, 初六以柔居險之初, 失道, 上六以柔居險之極, 无復出險, 亦失道. 坤初上, 皆曰其道, 坎初上, 皆曰失道, 首尾相應.

운봉호씨가 말하였다: 초육은 음유가 험함의 초기에 있어서 도를 잃었고 상육은 음유가 험함의 궁극에 있어서 더 이상 험함을 벗어날 수 없으니, 또한 도를 잃은 것이다. 곤괘의 초효와 상효에서 '그 도[其道]'라고 하였고 감괘의 초효와 상효에서는 모두 '도를 잃음[失道]'을 말했으니, 문장의 처음과 끝이 호응한다.

○ 建安丘氏曰, 坎陷也, 以一陽而陷於二陰也. 上下皆坎, 則二五皆陷, 然坎之性下, 下坎則爲陷之太甚. 故上坎爲安. 以五得位, 而二不得位, 故五之祗旣平, 異乎二之求小得也. 其四陰爻, 則處陽外, 而陷陰者, 最凶, 是以初言入於坎窞, 上言寘於叢棘, 以在二五兩陽之外也. 若中二陰, 三則失位, 乘陽而无功, 四則得位, 承陽而无咎也.
건안구씨가 말하였다: 감은 빠짐이니, 하나의 양이 두 음에 빠진 것이다. 위·아래가 모두 감이니 이효와 오효가 모두 빠진 것이다. 그러나 감의 성질은 아래로 내려가는 것이니 하괘의 감(坎)이 매우 심한 빠짐이 되기 때문에 상괘의 감(坎)은 편안하다. 오효는 제자리를 얻고 이효는 제자리를 얻지 못하였기 때문에 오효의 '장차 평평함에 이름'은 이효의 '구함에 조금 얻음'과 다른 것이다. 음효인 사효는 양의 밖에 처하여 음을 빠뜨린 것이 가장 흉하다. 이 때문에 초효에서는 구덩이의 구멍에 들어간다고 말했고, 상효에서는 가시나무 덤불에 가둬둔다고 말했으니, 이는 이효· 오효 두양의 밖에 있기 때문이다. 가운데인 두 음의 경우, 삼효는 제자리를 잃고 양을 타고 있으므로 공이 없고 사효는 제자리를 얻고 양을 받들고 있으므로 허물이 없다.

## ‖韓國大全‖

### 양응수(楊應秀) 「역본의차의(易本義箚疑)」

象曰, 上六失道ㄴ, ㄴ恐非也. 當作上六은 失道라.
「상전」에서 말하였다: '상육실도(上六失道)ㄴ'의 'ㄴ'은 잘못된 듯하다. 마땅히 '상육(上六)은 실도(失道)라'고 하여야 한다.

○ 上六은 道을 失ᄒᆞᆫ디라.
상육은 도를 잃은지라.

### 유정원(柳正源) 『역해참고(易解參攷)』

上六, 失道.
상육, 도를 잃으면.

建安丘氏曰, 坎以四陰陷二陽, 四陰爲險者也. 然就四陰而論, 則初上之險, 尤甚. 初陷于下, 使二之坎有險者, 初爲之也. 上陷于上, 使五之坎不盈者, 上爲之也. 故二爻象,皆以失道罪之. 然初之失道也, 自入于坎窞而已, 上之失道也, 則爲人係以徽纆寘于叢棘. 是知初陷二之罪輕, 上陷五之罪重也.
건안구씨가 말하였다: 감괘는 네 음으로 두 양을 빠뜨리니, 네 음이 험함이 되는 자이다. 그러나 네 음에 대해 논하자면 초효와 상효의 험함이 더욱 심하다. 초효는 아래에서 빠지니, 이효의 구덩이에 험함이 있는 것은 초효가 그렇게 만든 것이다. 상효는 위에서 빠지니 오효의 구덩이가 가득차지 못하게 하는 것은 상효가 그렇게 만든 것이다. 그러므로 두 효의 상에 모두 "도를 잃었다"고 단죄하였다. 그러나 초효의 '도를 잃음'은 구덩이의 구멍으로 들어갈 뿐이나, 상효의 '도를 잃음'은 남에게 동아줄로 묶여 가시덤불에 갇힌다. 이로써 초효가 이효를 빠뜨리는 죄는 가볍고 상효가 오효를 빠뜨리는 죄는 무거움을 알 수 있다.

### 김상악(金相岳) 『산천역설(山天易說)』

道, 出險之道也.
'도'는 험함을 벗어나는 도이다.

### 서유신(徐有臣) 『역의의언(易義擬言)』

必稱上六, 言其終而失道也. 必稱三歲, 言其終不得也.
굳이 '상육'이라고 한 것은 도를 잃었음을 말한 것이고, 굳이 '삼년'이라고 한 것은 끝내 면하지 못함을 말한 것이다.

### 박문건(朴文健) 『주역연의(周易衍義)』

失道, 失與下之道也.
'도를 잃음'은 아래와 함께 하는 도를 잃은 것이다.

### 심대윤(沈大允) 『주역상의점법(周易象義占法)』

可進而不進爲失道. 〈水之附地而行, 類日之麗天而運也〉
나아가야 하는데 나아가지 못하니 '도를 잃음'이 된다. 〈물이 땅에 붙어 흐르는 것은 해가 하늘에 걸려 운행하는 것과 유사하다.〉

**오치기(吳致箕)「주역경전증해(周易經傳增解)」**

失出險之道而已極, 故其凶亦久也.
험함에서 벗어나는 도를 잃어 이미 극에 이르렀으므로 그 흉함도 오래간다.

**이진상(李震相)『역학관규(易學管窺)』**

象, 失道.
「상전」에서 말하였다: 도를 잃었다.

初六居下而志陽, 妄動欲出, 反入于窞. 是以動而失道也. 上六居終而志陰, 當出反處. 是以靜而失道也. 此失道, 在入窞, 入棘之前. 初六傳之曰, 能出乎險, 乃不失道者, 賺看於上六爻象也.
초육은 아래에 있는데 양에 뜻을 두고서 함부로 움직여 벗어나고자 하지만 도리어 구멍으로 들어간다. 이 때문에 움직임여서 도를 잃는다. 상육은 끝에 있으나 음에 뜻을 두어, 나가야 하는데 도리어 머물러 있다. 이 때문에 고요하여 도를 잃는 것이다. 여기에서 "도를 잃었다"는 말은 구멍으로 들어가고, 가시덤불 앞으로 들어감에 있는 것이다. 초육의『정전』에 "험함에서 벗어날 수 있어야 도를 잃지 않을 것이다"라 하였는데, 상육의 효사와 상사에서도 볼 수 있다.

**박문호(朴文鎬)「경설(經說)·주역(周易)」**

失道凶三歲, 以他例觀之, 當曰三歲凶失道也, 而文倒者, 爲叶韻也. 諺解不作失道故之義, 而作失道者之義, 恐未察耳.
'실도흉삼세(失道凶三歲)'를 다른 곳의 사례로 살펴보면 마땅히 '삼세흉실도야(三歲凶失道也)'라 해야 하니, 문장이 도치된 것은 운을 맞추기 위해서이다.『언해』에서 '도를 잃었기 때문에'라는 뜻으로 쓰지 않고, '도를 잃은 자'라는 뜻으로 쓴 것은 잘 살피지 못한 듯하다.

## 한국주역대전 편찬실


연구책임자 최영진_성균관대 교수, 율곡학회 회장

연구실장 임옥균_성균관대

연구팀장 김학목_고려대

이선경_성신여대

허종은_성균관대

전임연구원 강필선_서일대

김병애_서울시립대

윤종빈_충남대

이경한_성균관대

이상훈_형양사범대

정병섭_전북대

조희영_숭실대

진성수_전북대

최정준_동방문화대

함윤식_성균관대

연구원 김송자_성균관대

단윤진_성균관대

마용철_성균관대

오상현_숭실대

정진욱_성균관대

이윤정_성균관대

김혜일_경희대

이은호_성균관대

# 한국주역대전 6 복괘·무망괘·대축괘·이괘·대과괘·감괘

초판 인쇄 2017년 8월 10일
초판 발행 2017년 8월 30일

엮 은 이 | 한국주역대전 편찬실
펴 낸 이 | 하운근
펴 낸 곳 | 學古房

주 소 | 경기도 고양시 덕양구 통일로 140 삼송테크노밸리 A동 B224
전 화 | (02)353-9908 편집부(02)356-9903
팩 스 | (02)6959-8234
홈페이지 | http://hakgobang.co.kr
전자우편 | hakgobang@naver.com, hakgobang@chol.com
등록번호 | 제311-1994-000001호

ISBN 978-89-6071-686-5 94140
978-89-6071-680-3 (세트)

**값 : 1,250,000원 (전14책)**

이 도서의 국립중앙도서관 출판예정도서목록(CIP)은 서지정보유통지원시스템 홈페이지(http://seoji.nl.go.kr)와 국가자료공동목록시스템(http://www.nl.go.kr/kolisnet)에서 이용하실 수 있습니다. (CIP제어번호 : CIP2017021785)